Skulduggery Pleasant, detective esqueleto

Skulduggery Pleasant, detective esqueleto

EL REINO DE LOS MALVADOS

DEREK LANDY

LITERATURA**SM**•COM

Primera edición: mayo de 2014
Cuarta edición: julio de 2016

Gerencia editorial: Gabriel Brandariz
Coordinación editorial: Xohana Bastida
Coordinación gráfica: Lara Peces

Ilustración de cubierta y letras capitulares: Tom Percival
Diseño de cubierta: HarperCollins Publishers, 2012

Título original: *Skulduggery Pleasant, Kingdom of the Wicked*
Traducción: Ana H. Deza

Publicado originariamente en Gran Bretaña por HarperCollins Children's Books 2012
HarperCollins Children's Books es una división de HarperCollinsPublishers Ltd
77-85 Fulham Palace Road, Hammersmith, Londres W6 8JB

© Derek Landy, 2012

© Ediciones SM, 2014
   Impresores, 2
   Parque Empresarial Prado del Espino
   28660 Boadilla del Monte (Madrid)
   www.grupo-sm.com

© Letras capitulares: Tom Percival, 2012
   Skulduggery Pleasant™ Derek Landy
   Logo SP™ HarperCollins Publishers Ltd

ATENCIÓN AL CLIENTE
Tel.: 902 121 323 / 912 080 403
e-mail: clientes@grupo-sm.com

ISBN: 978-84-675-7165-3
Depósito legal: M-9766-2014
Impreso en la UE / *Printed in EU*

Este libro está dedicado al departamento de prensa de la editorial HarperCollins.

Los publicistas son raros. Mitad representantes, mitad guardaespaldas, mitad mayordomos: solamente sois felices cuando os hacéis cargo de la vida entera del autor. Me encantaría echaros la bronca, pero nunca me he encontrado con un solo publicista que parara de hablar el tiempo suficiente para permitirme decir algo.

En primer lugar, esto va por la división irlandesa de la editorial, por esa leyenda que es Moira O'Reilly y por el gran Tony Purdue.

También va por la división de Reino Unido, en el pasado y el presente (lamentablemente, no en el futuro, pero espero que los publicistas que haya no duden en aceptar esta dedicatoria como si les fuera destinada):

A Emma Bradshaw: por las veces en que me burlaba de la música que llevabas en el iPod. Ay, cómo nos reíamos (yo).

A Catherine Ward: por el momento que compartimos con *La princesa prometida*. ¿Cómo es posible que no lo recuerdes?

A Tiffany McCall: llevas de tono en el móvil la Marcha Imperial. ¿Cómo no íbamos a llevarnos bien?

A Sam White: me gusta pensar que jugué un papel importante en tu decisión de casarte con un irlandés. De nada.

A Mary Byrne: *Las chicas Gilmore*. Simplemente... *Las chicas Gilmore*.

A Geraldine Stroud: gracias por el diccionario inglés-polaco que me trajiste. No conseguí nada con la chica del supermercado, pero al menos lo intentaste.

Os lo dedico a todos: sin vosotros, mi vida sería mucho más sencilla. He aprendido mucho de vosotros, y me atrevería a decir que vosotros también de mí. En concreto, habéis aprendido a no dejarme nunca solo en el andén de una estación. Siempre me subiré al tren equivocado.

PRÓLOGO

ESTABAN subidos en el tejado, disfrutando de aquel hermoso día primaveral.

–Hazlo –exigió Kitana en voz baja y apremiante.

Se mordió el labio inferior con sus dientes blancos y rectos. Tenía las mejillas sonrojadas y los ojos brillantes. Estaba deseando aprender una nueva forma de hacer daño a la gente.

Doran se volvió hacia la chimenea y extendió el brazo. Gruñó, con la cara congestionada y los músculos del cuello tensos. Hubiera resultado gracioso si su mano no hubiera empezado a brillar, con un resplandor que se hizo más intenso a medida que Doran se concentraba.

–Fenomenal –bufó Sean–. Así que ahora tenemos el mismo poder que una linterna. ¡Que el mundo tiemble!

–Cállate –ordenó Kitana con aspereza–. Déjale que se concentre.

A Sean no le gustaba que Kitana le hablara así. Elsie se lo notó en la cara: estaba enfadado, avergonzado, herido. Si ella hubiera empleado ese tono con él, seguramente ni se hubiera dado cuenta. Aunque Elsie nunca le trataba así: ella no era como Kitana, que podía pasarse el día entero burlándose de él y a la mañana siguiente, con solo una sonrisa, lo tenía de nuevo comiendo de su mano.

Elsie no era antipática como Kitana, pero tampoco era tan guapa como ella, tan rubia como ella, tan delgada. Era rechoncha y feúcha, y ni el pelo teñido ni la ropa negra ni el piercing del labio podían disimularlo.

Un destello salió disparado de la mano de Doran, voló crepitando e hizo un agujero en la chimenea.

Kitana gritó de alegría y Sean se quedó boquiabierto. Doran bajó la mano, sonriente.

–Esta vez me ha costado menos –dijo–. Se hace más fácil cuanto más practicas.

–¡Enséñame! –exclamó Kitana corriendo hacia él–. ¡Tienes que enseñarme a hacer eso!

Doran soltó una carcajada, se puso a su espalda y le guio el brazo con una mano mientras le apoyaba la otra en la cadera. Le susurró algo al oído y ella asintió, atenta a sus palabras. Elsie le echó una mirada a Sean: ya no parecía dolido, sino celoso. Elsie no pudo evitar sentirse decepcionada: Doran no era más que un matón y un idiota que babeaba por Kitana como casi todos los chicos de su instituto, pero Elsie creía que Sean era distinto. Suspiró y se acercó a ellos; cuando estaba a medio camino, la mano de Kitana refulgió y la chimenea voló en pedazos. Ella gritó encantada y abrazó a Doran.

–Ha sido genial –le comentó Elsie a Sean, y él respondió algo entre dientes–. Deberíamos intentarlo.

–Haz lo que te dé la gana –gruñó Sean alejándose de ella.

A Elsie se le cayó el alma a los pies. Cada vez que hacía un esfuerzo por animarse, se hundía más aún. Siguió a Sean y escuchó a medias las instrucciones que Doran les daba.

Doran tardó poco en perder la paciencia y empezar a insultarla. Kitana se rio, animándole. Sean estaba demasiado concentrado en la forma de hacer el nuevo truco; Elsie dudaba que fuera consciente de que se estaban metiendo con ella otra vez.

Tal vez fuera lo mejor. Si se daba cuenta y no hacía nada por evitarlo, sería mucho peor, ¿no?

Finalmente, tras muchas burlas e insultos, Elsie comenzó a sentir el poder en su mano como un ardor creciente. A Sean le temblaba el brazo.

–¿Sientes el calor? –preguntó Doran–. Haz que arda mucho más, que te queme. Hasta que casi te duela.

Estaban los cuatro de pie, formando un círculo, con los brazos alzados hacia el cielo. Kitana ya lo había logrado dos veces.

–¿Lo sientes? –preguntó Doran.

–Sí, sí –asintió Sean con impaciencia–. ¿Y ahora, qué?

Ahora lo empujas y lo sacas –dijo Doran–. Reúnes toda la energía y la sueltas sin más. Así.

Un rayo chisporroteante salió disparado de su mano, y un instante después, el haz de energía de Kitana se unió al suyo. Era de un color más intenso, que se mezclaba con el de él.

–Esto es genial –musitó Kitana.

Sean apretó los dientes, con la frente perlada de sudor. De pronto, la luz de su mano se hizo más brillante y un rayo salió despedido hacia las nubes. Soltó una carcajada temblorosa.

Elsie se dio cuenta de que Kitana la miraba fijamente.

La última. Elsie, vamos, tú puedes.

Elsie se lamió los labios.

–Lo estoy intentando.

–Pues inténtalo mejor –la voz de Kitana ya no tenía el tono juguetón que empleaba cuando hablaba con los chicos; siempre que se dirigía a Elsie, era cortante y seca–. No puedes ser la única incapaz de hacer esto. Una cadena es tan fuerte como su eslabón más débil, ¿no lo has oído nunca?

Por supuesto que lo había oído. ¿Quién no conocía esa expresión? Pero Kitana era siempre así con ella: la trataba como a una idiota. En vez de contestarle, se tragó la frustración que sentía y la añadió al calor de su piel, que parecía arder de verdad. Era como si fuera a estallarle la mano.

–Date prisa –la apremió Doran–. No podemos mantener esto así eternamente.

Elsie se concentró en el calor y lo empujó con todas sus fuerzas a través de la piel, tensando todos los músculos del cuerpo. Un rayo de color naranja atravesó el cielo y se unió a los de los demás. Sin poder evitarlo, Elsie se rio. Era tan bonito... Era precioso.

Doran fue el primero en cortar el flujo de energía. Bajó la mano, jadeando. Kitana le siguió poco después; luego lo hizo Sean y por último Elsie. Estaba exhausta, como si hubiera agotado todas sus fuerzas en provocar aquel rayo, pero notaba un hormigueo por todo el cuerpo. Sean y Doran sonreían también; solo Kitana tenía los ojos entrecerrados, como si hubiera preferido que Elsie no fuera capaz de hacerlo.

Un coche se detuvo en mitad de la carretera y de él salió un hombre con aspecto encolerizado.

–¡Bajaos de ahí! –gritó.

–¿Por qué? –respondió Kitana–. ¡Tenemos permiso del propietario! A no ser que tú seas el propietario; en ese caso, lárgate o te mataremos.

–Podríamos usarlo para hacer prácticas de puntería –musitó Doran.

Antes de que Elsie protestara, el hombre bajó los brazos. De pronto pareció desatarse un vendaval, y el hombre se elevó como si volara. Los cuatro chicos dieron un salto hacia atrás cuando el hombre aterrizó delante de ellos.

–¿Tenéis la menor idea de lo arriesgado que es esto? –gruñó, furioso–. Estáis al aire libre, por el amor de Dios. ¿Es que sois idiotas, chicos?

–Tú... ¿Tú eres como nosotros? –preguntó Kitana, perpleja.

—He visto vuestro puñetero rayo a kilómetros. ¿Qué pretendéis? ¿Es que queréis llamar la atención?

—No sabíamos que hubiera nadie más —protestó Kitana.

—¿Nadie más? —el hombre la miró fijamente—. ¿Qué? ¿A qué te refieres?

—A gente como nosotros. Con superpoderes.

—¿Qué? ¿De qué estás hablando? Escuchadme bien: no sois superhéroes, sino hechiceros, y los hechiceros no utilizan sus poderes donde la gente normal pueda verlos. Tenéis que andar con mucho cuidado: de ahora en adelante, el secreto es la regla número uno.

—Lo sentimos mucho, señor —dijo Kitana.

El hombre suspiró.

—Me llamo Patrick Xebec.

—Vaya nombre más idiota —murmuró Doran.

—Doran —advirtió Kitana con frialdad.

—No hay tiempo ahora para esto —continuó Xebec—, pero tenéis que adoptar un nuevo nombre; si no, otros hechiceros podrían controlaros.

—¿En serio?

—Yo siempre hablo en serio. Nunca he tenido demasiado sentido del humor, y no se me dan especialmente bien los niños.

—No somos niños —protestó Doran subiéndose la capucha—. Tenemos diecisiete años.

—Cualquiera que tenga menos de noventa años es un crío para mí —replicó Xebec—. Los hechiceros vivimos mucho más tiempo que los mortales.

—Mola —dijo Sean.

—Así que en realidad no te llamas Xebec, ¿no? —preguntó Kitana.

—Es el nombre que adopté. Me gustó y ha sido mi nombre desde entonces.

–Así que si me cambio el nombre de Kitana Kellaway a... No sé, Kitana Qué Guay, ¿ya no podrán controlarme?

–Eso es. Si es que realmente quieres que ese sea tu nombre.

Doran sonrió.

–Yo me llamaré Doran el Crack.

–Es el nombre más idiota que he oído en mi vida –comentó Kitana con una risita–. Sean, ¿tú cómo te vas a llamar?

–No sé... ¿Qué te parece Escalofrío Sean? ¿Sean Destino, o algo así? Sean el Rey –soltó una risita–. Decidido: seré Sean el Rey.

Los tres se echaron a reír. Kitana no le preguntó a Elsie cómo quería llamarse.

–¿Sabéis qué? –intervino Xebec–. Escoged los nombres que queráis, a mí me da igual. Yo no estoy cualificado para ayudaros con esto; no me meto en los asuntos del Santuario. Voy a mi aire, vivo mi vida, voy por libre.

–¿Qué es el Santuario?

–Es nuestro gobierno... Tiene policías y soldados, que siempre están salvando el mundo o consiguiendo que los maten. Tenéis que ir a verlos y ellos os contarán todo lo que necesitáis saber. Pero os daré un consejo: en cuanto lo hagan, alejaos de ellos. No forméis parte del Santuario o terminaréis muertos.

–Policías mágicos... –murmuró Kitana–. No me gusta cómo suena eso. ¿Pueden hacer lo mismo que nosotros?

–Existen diferentes disciplinas dentro de la magia –explicó Xebec–. Yo soy un elemental. ¿Vosotros qué podéis hacer?

–Todavía no lo sabemos –repuso Kitana–. Vamos descubriéndolo. Al principio simplemente teníamos mucha fuerza, pero después descubrimos que podíamos mover cosas sin tocarlas. Y ahora somos capaces de lanzar rayos de energía.

–Yo averigüé cómo hacerlo –comentó Doran, orgulloso.

–¿Sois capaces de hacer todo eso? –preguntó Xebec con el ceño fruncido.

–Y seguramente más –añadió Doran–. Cada día descubrimos algo nuevo.

–No sé lo que sois –meditó Xebec–. Deberíais contar con una habilidad, dos como mucho. Y además, tendríais que haber entrenado durante años para dominarlas.

–Puede que tengamos un don natural –observó Kitana sonriendo–. Así que los polis esos no pueden hacer lo mismo que nosotros, ¿no?

–No –dijo Xebec–. Nadie puede hacer todo eso, al menos hasta donde yo sé.

Kitana se mordió el labio.

Ah, pues me alegro de oírlo.

–Llamaré al Santuario –decidió Xebec–. Ellos averiguarán lo que os está pasando. Vamos.

Les dio la espalda y caminó hasta el borde del tejado. Sean se dispuso a seguirle, pero Kitana le agarró del brazo y lo detuvo.

–No creo que debas telefonearles –dijo.

Xebec se giró en redondo.

–Mira, niña, no sé qué hacer. Yo no os puedo ayudar en nada.

–Pues la verdad es que nos has ayudado bastante; muchas gracias por todo. Pero no podemos permitir que llames a la poli mágica y les hables de nosotros.

Doran alzó el brazo. Su mano resplandeció y Xebec dio un paso atrás, con los ojos desorbitados. No le dio tiempo a decir nada antes de que el rayo de energía le atravesara la pierna. Se tambaleó, gritando.

Kitana respiró hondo y entrecerró los ojos. Xebec se derrumbó. Estaba muerto.

Sean se volvió hacia Kitana.

–¿Qué has hecho?

–Le he aplastado el cerebro con la mente –respondió ella, y soltó una carcajada.

¡Tigre! ¡Tigre! Ardiente resplandor
en las selvas de la noche.
¿Qué inmortal mano, qué ojo
pudo enmarcar tu temida simetría?

WILLIAM BLAKE, *El tigre*

1

LA MARIPOSA Y EL LOBO

SOY una mariposa! –gritó el hombre gordo mientras corría agitando los brazos como si fueran alas (unas alas bastante flácidas y muy poco efectivas).

–La verdad es que no –le repitió Valquiria Caín por octava vez.

El hombre correteó alrededor de ella a la luz de la luna, trazando un círculo amplio, y Valquiria agachó la cabeza para no verlo. Aquel tipo no llevaba camisa, y un instante antes la chica había tenido que apartar la vista de sus tetillas bamboleantes para que no le entraran náuseas. Ahora que los pantalones del hombre estaban empezando a recorrer inexorablemente el camino que conducía a sus tobillos, Valquiria no podía ni mirarle.

–Por favor, súbete los pantalones –suplicó.

–¡Las mariposas no llevan pantalones! –chilló él. Un instante después, los pantalones cayeron al suelo.

Valquiria marcó un número en el móvil.

–Está en calzoncillos –informó enfadada.

La voz aterciopelada de Skulduggery Pleasant sonó extrañamente indecisa.

–¿Perdón? ¿Quién está en calzoncillos?

–Jerry Houlihan. Cree que es una mariposa. Y al parecer, las mariposas no llevan pantalones.

–¿Y es una mariposa?

–No.

–¿Estás segura?

–Totalmente.

–Podría ser una mariposa que sueña que es un hombre.

–Pues no. Es un hombre gordo que sueña que es una mariposa grande y gorda. ¿Qué demonios se supone que debo hacer?

Skulduggery volvió a titubear.

–No estoy seguro. ¿No tendrás por ahí un cazamariposas gigante?

–Quiero pegarle. Quiero pegarte a ti, pero también a él.

–No puedes hacerle eso: es un mortal común y corriente bajo algún tipo de influencia mágica. No es culpa suya que actúe así. Doy por sentado que lo has llevado a un lugar solitario, al menos, ¿no? ¿Valquiria? Valquiria, ¿me oyes?

–Te oigo –murmuró ella débilmente–. Ha empezado a dar un saltito cada tres pasos. Es hipnótico.

–Ya me imagino. Los Hendedores estarán allí en media hora, más o menos. ¿Puedes contenerlo hasta entonces?

Ella aferró el móvil con más fuerza.

–No hablas en serio. No puedes estar hablando en serio. Hemos salvado el mundo. Yo he salvado el mundo. Lo que estoy haciendo ahora mismo no es mi trabajo. Este trabajo es para los demás: ellos lo hacen y tú y yo nos reímos después.

–Hemos de cumplir con nuestro deber, Valquiria. En cuanto se lo entregues a los Hendedores, reúnete conmigo en Phibsborough.

Valquiria suspiró.

–¿Otra noche de trabajo?

–Eso parece. Tengo que dejarte, en serio. Sally Yorke acaba de prender fuego a sus propias rodillas.

18

La comunicación se cortó. Valquiria apretó los dientes y se guardó el móvil en el bolsillo de sus pantalones negros. Lo que tenía por delante no recordaba nada a la forma en que debería pasar la noche una chica de diecisiete años.

La culpa era del Consejo de los Mayores, por haber dado prioridad absoluta a tonterías como aquella. Sí, Valquiria se daba cuenta de las complicaciones que podía acarrear que unos cuantos mortales corrientes desarrollaran de pronto habilidades mágicas: además de ser una amenaza para sí mismos y para los demás, se arriesgaban a que la existencia de la magia quedara al descubierto, y el Consejo no podía permitir que aquello ocurriera. Pero ¿por qué, de todos los casos que estaban apareciendo en Irlanda, le había tocado a ella encargarse de un tipo raro que creía que era una mariposa? Había docenas de mortales sedados en el Santuario, y ninguno de ellos era tan... chocante como Jerry Houlihan en calzoncillos.

Frunció el ceño y se preguntó por qué ya no oía los pasos de Jerry. Levantó la vista y lo vio revolotear en el cielo nocturno, gritando de felicidad.

—¡Jerry! —chilló—. ¡Jerry Houlihan, baja ahora mismo!

Jerry se echó a reír a carcajadas; aunque su avance era inestable, no cabía duda de que volaba. Cambió de rumbo y se dirigió hacia ella. Valquiria lo siguió con la mirada cuando pasó por encima de su cabeza y se arrepintió al instante de haberlo hecho. Aquella imagen inolvidable había hecho que algo muriera en su interior.

Jerry se desvió y revoloteó hacia las brillantes farolas de Dublín. Valquiria extendió las manos, sintió el viento, se concentró para sentir cómo se conectaba el espacio y después empujó hacia él una ráfaga de aire que lo trajo de vuelta. Necesitaba una cuerda, un cable, algo para mantenerlo allí como una cometa. Una cometa gorda con forma humana.

–¡Jerry! –gritó–. ¿Me oyes?

–¡Soy una mariposa!

–Ya lo veo. Y una mariposa muy bonita, además. Pero ¿no te cansas? Las mariposas también se cansan, Jerry. Tienen que tomar tierra de vez en cuando, ¿no? Las mariposas aterrizan porque se les cansan las alas de tanto volar.

–Se me están cansando las alas –resopló él.

–Lo sé, lo sé. Deberías descansar un rato. ¿Por qué no bajas?

Descendió un poco y Valquiria saltó para tratar de agarrarle el pie. Jerry agitó los brazos más rápido y volvió a elevarse.

–¡No! –aulló–. ¡Las mariposas vuelan! ¡Vuelan muy alto en el cielo! –jadeó.

Estaba perdiendo el ritmo y, a pesar de sus esfuerzos, no pudo evitar descender de nuevo. Valquiria dio un brinco, le aferró de los tobillos y cerró los ojos, intentando pensar en cosas agradables y placenteras. Jerry sudaba a mares, y su piel peluda estaba caliente y pegajosa.

Valquiria repasó todos los buenos momentos de su vida mientras lo bajaba. Cuando casi lo había conseguido, Jerry tomó impulso con todas las fuerzas que le quedaban y ella tuvo que agarrarlo de las lorzas de las caderas para que no se le escapara. La mariposa humana se rindió y dejó de aletear, y Valquiria soltó un grito y se derrumbó, aplastada por su peso.

–No soy una mariposa –sollozó Jerry mientras la chica se retorcía y luchaba por quitárselo de encima.

Los Hendedores llegaron puntuales, como siempre. Se llevaron a Jerry Houlihan en una furgoneta anodina, tratándolo de forma sorprendentemente amable para ser una especie de autómatas con guadañas a la espalda. Valquiria paró un taxi y le pidió al conductor que la llevara a Phibsborough. Al llegar, se bajó junto al reluciente Bentley negro de Skulduggery.

El detective esqueleto la esperaba entre las sombras, vestido con un traje gris oscuro y con el sombrero bien calado. Esa noche se había puesto la cara de un hombre con nariz larga y perilla. Hizo un gesto con la cabeza hacia una ventana oscura en el último piso de un edificio.

—Ed Styncs —dijo . Tiene cuarenta años. Vive solo. No está casado ni tiene hijos. Ha cortado hace poco con su novia. Es ingeniero de sonido y puede que hombre lobo.

Valquiria le fulminó con la mirada.

—Me dijiste que no existían los hombres lobo.

—Te dije que ya no existían los hombres lobo —corrigió él—. Se extinguieron en el siglo diecinueve. Los licántropos solían ser buena gente cuando estaban en forma humana, no como otras criaturas de la noche que podría mencionar, aunque prefiero no hacerlo. A los hombres lobo les horrorizaban las carnicerías que cometían bajo la influencia de la luna, y luchaban con todas sus fuerzas contra su lado oscuro. Buscaban una cura, se aislaban... Hacían todo lo que estaba en su mano para asegurarse de que la maldición no se extendía a otros.

—No como los vampiros —bufó Valquiria.

—Tú los has nombrado, yo no.

Si ya no quedan hombres lobo, ¿por qué crees que Ed Styncs es uno?

—Ayer por la noche, varios vecinos del barrio afirmaron haber visto a un perro grande o a un hombre disfrazado de oso —explicó Skulduggery—. No hizo daño a nadie. Los licántropos no suelen atacar la primera vez, a no ser que se vean acorralados. Pero la segunda vez las cosas se ponen mucho más violentas.

—Pero si están extinguidos...

21

–La infección se fue diluyendo generación tras generación, pero todavía pervive en un pequeño porcentaje de la población mundial. Es demasiado débil para manifestarse en una auténtica transformación... A no ser que los portadores de la infección obtengan habilidades mágicas de forma repentina e inexplicable.

–Así que Ed es como mi hombre mariposa de antes.

–Sí: el último caso de una larga y preocupante lista de mortales que desarrollan habilidades mágicas. Por desgracia, en el caso de Ed esto ha desencadenado un rasgo latente en su organismo. Necesitarás esto –le entregó un rifle.

Se le abrieron los ojos como platos.

–¿Esto es para mí? ¿Me lo das? Cómo mola.

–Lleva dardos tranquilizantes.

–Ah –se le ensombreció el rostro.

–Sigue molando exactamente igual –insistió Skulduggery–. Pero me lo tienes que devolver. Forma parte de un conjunto; yo tengo el otro, y no me gusta que estén separados. Está cargado con un solo dardo tranquilizante. Lo único que tienes que hacer es apuntar y apretar el gatillo. El dardo lleva suficiente tranquilizante como para derribar a un...

–¿Elefante pequeño?

–¿Qué? –Skulduggery inclinó la cabeza y la miró.

–Ya sabes: en las películas, cuando van a capturar algo peligroso, siempre dicen que los dardos llevan suficiente cantidad como para derribar a un elefante pequeño.

–¿Y qué tienen contra los elefantes pequeños?

–Pues nada, pero...

–Lleva suficiente tranquilizante como para derribar a un hombre lobo, que es exactamente lo que queremos hacer. ¿Para qué queremos abatir a un elefante pequeño si no estamos cazando elefantes?

–Es lo que dicen en las películas.

–¿En las películas de cazadores de elefantes?

–No, no especialmente.

–Si estuviéramos dando caza a un hombre elefante, entendería la referencia.

–No existen los hombres elefante.

–Claro que existen. Hay de todo: hombres perro, hombres gato, hombres pez...

¿Hay hombres pez?

–Por lo general, no sobreviven mucho tiempo lejos del agua.

–No me creo ni una palabra. Ya he picado demasiadas veces.

–No sé de lo que estás hablando –Skulduggery cruzó la carretera y Valquiria le siguió.

–¿Ah, no? Dices que existe algo, y cuando empiezo a dudar y pregunto si de verdad existen los hombres pez, me miras fijamente y dices: «¡Pues claro que no, Valquiria! ¿Cómo puedes creerte semejante tontería?». Y yo me siento imbécil. Igual que con lo de la colonia de hombres pulpo.

–¿La qué?

–Me dijiste una vez que existían los hombres pulpo.

–¿Y me creíste?

–¡Tenía doce años!

Llegaron a la puerta del edificio.

–Aun así, la mayor parte de los niños de doce años no creen en los hombres pulpo.

–Yo era muy impresionable y me tragaba todo lo que me contabas.

–Ah, recuerdo aquellos tiempos –suspiró Skulduggery antes de sacar el revólver y ponerse a cargarlo–. Sin embargo, los hombres pez no existen.

–Eso no parecen dardos tranquilizantes.

–Porque no lo son. Son balas de plata: lo único que puede matar a un hombre lobo. Sin contar la decapitación, pero eso es porque...

–... la decapitación lo mata prácticamente todo –terminó Valquiria.

–Exactamente.

–Salvo a los zombis.

El detective esqueleto volvió a guardarse el revólver en la funda del hombro.

–Esto solo lo usaré como último recurso. Ed Stynes es un buen tipo, y no quiero matarlo solo porque se convierta en hombre lobo unas cuantas noches al mes –se sacó un par de ganzúas de la chaqueta y comenzó a forzar la puerta de la calle.

–¿Y por qué no esperamos a que amanezca para hacer esto? –preguntó Valquiria–. ¿No sería más inteligente?

–¿Y dejarlo a su libre albedrío para que asesine a alguien esta noche?

–Es de noche y hay luna llena, pero no oigo ningún aullido. Puede que la cosa no sea tan grave como piensas.

–Es que todavía no se ha transformado. Durante todo el día habrá estado de peor humor de lo normal, y al atardecer habrán empezado las jaquecas. En cuanto se hiciera de noche, los calambres. A juzgar por la altura de la luna, tenemos diez minutos antes de que se transforme. Durante unas tres horas estará cubierto de pelo, y cuando la luna se oculte cambiará de nuevo.

–¿Y por qué no le disparamos el sedante mientras aún es humano?

–No es buena idea –repuso Skulduggery abriendo el portal–. A veces puede funcionar, pero lo normal es que se transforme de todas maneras y la descarga de adrenalina elimine el tranquilizante de la corriente sanguínea. El lobo se despierta muy enfadado, y haría falta el doble de dosis para volver a tumbarlo.

–Así que tenemos que esperar a que se transforme antes de hacer nada.

–Evidentemente.

–Parece mucho más peligroso.

–Así es –sacó un rifle con dardos tranquilizantes idéntico al de Valquiria–. ¿Preparada?

–Bueno...

–Así me gusta.

Subieron las escaleras hasta la tercera planta. Reinaba un silencio absoluto, como si el edificio entero estuviera conteniendo la respiración. Se acercaron al piso de Ed Stynes y Skulduggery sacó de nuevo la ganzúa. Empujó la puerta con cautela: no había luz en el interior. Se llevó la mano a la clavícula, presionó los símbolos que tenía grabados y su falso rostro se retiró dejando al descubierto la calavera.

Entró en el apartamento y Valquiria le siguió, cerrando la puerta con un débil chasquido. El rifle pesaba, así que lo sostuvo con las dos manos como Skulduggery le había enseñado.

Por ahora no se oía ningún gruñido.

Pasaron al salón y Skulduggery se acercó al sofá para asegurarse de que Ed Stynes no estaba allí dormido. Era difícil distinguir nada en la oscuridad, pero dado que Skulduggery no hizo ademán de disparar, Valquiria se imaginó que el sofá estaría vacío. Aunque ella era la única de los dos que tenía ojos en la cara, la visión nocturna del esqueleto era muy superior a la suya.

Recorrieron el pasillo y comprobaron que no había nadie en la pequeña cocina. Un rayo de luna iluminaba las pastillas para el dolor de cabeza que había en la encimera.

Se oyó un gruñido repentino en la zona del dormitorio. Valquiria estuvo a punto de apretar el gatillo de forma automática, pero Skulduggery inclinó la cabeza en su dirección y se desplazó por el corredor en completo silencio; un gato habría hecho más ruido. Valquiria lo siguió, pegándose a la pared para evitar que crujiera la madera del suelo. El esqueleto pasó por delante de la puerta del dormitorio y se situó a un lado.

Valquiria se adelantó y echó un vistazo al espejo de enfrente para atisbar el interior del dormitorio. Se oyó una maldición mascullada y algo se movió en la oscuridad. La lámpara de la mesilla se encendió. Valquiria se quedó inmóvil, notando cómo la adrenalina corría por su cuerpo, pero lo único que hizo Stynes fue retirar las mantas y sentarse en la cama. Estaba sin afeitar, pálido y sudoroso, como si le doliera algo. Gimió al incorporarse. Valquiria cruzó una mirada con Skulduggery y movió los labios: «¿Nos escondemos?». Él negó con la cabeza, así que la chica se quedó donde estaba, mirando al espejo.

Stynes dio un paso y se encorvó.

–Ay, Dios...

Se enderezó, con un grito tan repentino que Valquiria dio un brinco. Luego extendió las manos, crispó los dedos como si aferrara algo invisible y bramó de dolor.

Valquiria nunca había oído nada parecido.

La lámpara proyectaba una luz amarillenta contra su piel, en la que crecían gruesos pelos negros. El vello se extendió como una alfombra enmarañada por el pecho, la espalda, los brazos y los muslos. Stynes cayó de rodillas; sus piernas cambiaban de forma, los huesos se alargaban y se recolocaban. Contempló horrorizado sus manos mientras las uñas caían al suelo y unas garras largas y afiladas crecían en su lugar.

–Ayuda –jadeó–. ¡Que alguien me ayude...!

Se puso a cuatro patas y se retorció con un alarido que desgarró su garganta, mientras se le dislocaba la mandíbula. Su quijada chasqueó, se hinchó como un globo y pareció reventar, y la piel se estiró sobre el hocico recién formado. Los colmillos desgarraron sus encías y su grito se convirtió en un aullido animal de rabia y dolor.

Skulduggery alzó tres dedos y Valquiria clavó la mirada en su cuenta atrás: tres, dos, uno... El detective esqueleto irrumpió en la habitación, con el rifle tranquilizante en ristre. Valquiria tardó un instante en seguirle; estaba aturdida por lo que acababa de presenciar, y el lobo la pilló totalmente desprevenida cuando se abalanzó contra ella para escapar de la habitación.

Se derrumbó hacia atrás en la oscuridad, sin comprender muy bien lo que estaba pasando. Algo se rompió con estrépito y el lobo gruñó mientras Skulduggery soltaba una maldición. Valquiria entrecerró los ojos: solo veía una figura peluda que se sostenía sobre dos piernas.

Miró su mano vacía, preguntándose dónde demonios estaría el rifle. Palpó la alfombra y rozó algo metálico con los dedos. Se lanzó a recoger el arma, se levantó, se giró con el dedo ya apoyado en el gatillo... y salió despedida hacia el salón. Mientras Skulduggery saltaba hacia ella, Valquiria empujó con todas sus fuerzas a su atacante, pero no pudo evitar que la derribara contra el sofá. El mueble se volcó y Valquiria cayó detrás.

Se incorporó a toda prisa y buscó de nuevo el maldito rifle. Levantó la mirada al oír un grito de Skulduggery y vio que este salía despedido por la habitación hasta estrellarse contra la tele. El licántropo se abalanzó sobre él, lo aplastó contra el suelo sembrado de cristales rotos y le lanzó un zarpazo brutal. A la luz de la luna, Valquiria vio la ferocidad con la que la bestia le rasgaba la ropa y le arañaba las costillas.

Giró la muñeca y un lazo de sombras envolvió el cuello del lobo, tirando de él hacia atrás. Pero la fuerza de la bestia era tremenda, y Valquiria no pudo evitar que se soltara. El monstruo se giró y la taladró con sus ojos amarillos.

Valquiria se dio la vuelta y echó a correr hacia el dormitorio, con el licántropo pisándole los talones. Manipuló el viento para darse impulso y saltó por la ventana, notando cómo los fragmentos de cristal se le clavaban en la ropa. Al menos estaba fuera, precipitándose en el aire, y el lobo...

... el lobo se estrelló contra ella. Valquiria perdió el control del viento y los dos cayeron en un amasijo de miembros. El lobo lanzaba tarascadas y trataba de rasgar la chaqueta de Valquiria con las garras, hasta que golpeó el suelo con un aullido. Valquiria rebotó y rodó por el patio. El licántropo se incorporó y se sacudió para despejarse. Cuando volvió a mirar a la chica, ella ya huía a la carrera.

2

UN HOMBRE LOBO EN DUBLÍN

VALQUIRIA extendió los brazos y el viento la alzó en vilo, permitiéndole superar el muro que le cerraba el paso. Descendió tropezando y dando tumbos hasta recuperar el equilibrio; luego tomó carrerilla y empleó el aire para subir de nuevo, hasta encaramarse a un tejado bajo desde el que trepó a pulso a otro más elevado. Gruñendo por el esfuerzo, tomó impulso, rodó sobre sí misma y terminó en cuclillas. Contuvo el aliento mientras oía los latidos atronadores de su corazón e intentó concentrarse en los ruidos del licántropo que la perseguía.

No se oía nada salvo un retumbar de música de baile.

Manteniéndose agachada, corrió hasta el otro extremo del tejado. Algo más adelante había una hilera de gente que esperaba para entrar en una discoteca muy iluminada; sus risas se mezclaban con el ritmo de la música. Para un hombre lobo que acababa de ver cómo se le escapaba la cena, aquello tenía que ser una invitación irresistible.

Y allí estaba, oculto en la oscuridad, en el callejón de enfrente. Valquiria atisbó su silueta que se deslizaba lentamente entre la luz y las sombras. Corrió hasta el borde del tejado y el viento la alzó por encima de los coches. Con un leve impulso más, aterrizó justo donde quería: el lobo estaba debajo de ella. El rifle tranquilizante le hubiera venido de maravilla en ese momento.

Flexionó los dedos. Para manipular las sombras desde allí, tendría que lanzarle un golpe mortal: cualquier otra cosa le volvería loco y tal vez le espoleara para asesinar a la gente. Pero Valquiria no quería matarlo. No así. No si existía otra posibilidad.

Y entonces, el lobo se lanzó hacia delante y cruzó la calle.

Valquiria soltó una maldición y se precipitó tras él en picado. Unas cuantas personas gritaron mientras ella se ovillaba en el aire, preparándose para el impacto contra el monstruo.

El golpe le cortó la respiración y la dejó tirada en medio de la carretera. Sonaron más chillidos. Valquiria levantó la cabeza y vislumbró rostros y luces confusas. De pronto, detrás de la gente apareció un autobús que atropelló al licántropo antes de derrapar con un chirrido ensordecedor de los frenos. La parte trasera del vehículo golpeó a Valquiria, que salió despedida de nuevo. Todo pareció quedarse en silencio hasta que el ruido del choque contra el suelo retumbó en sus oídos. Rebotó y rodó a toda velocidad, consciente de que se había acurrucado y se protegía la cabeza con los brazos.

Eso era bueno: significaba que todavía no estaba muerta.

Al fin, dejó de rodar y consiguió incorporarse. El autobús no había volcado, gracias a Dios: estaba atravesado en la carretera, rodeado de personas que corrían y gritaban. Valquiria se encontraba lejos de la vista de la gente, en medio de la calle oscura. Hizo un esfuerzo por centrarse y recordó vagamente una bola de pelo y colmillos. Entonces, algo gruñó delante de ella.

Ah, sí. El licántropo.

No podía verlo. Salvo por las luces de la discoteca y el autobús, el entorno estaba sumido en una oscuridad impenetrable. Se cubrió los ojos, pero no le sirvió de nada: el resplandor era demasiado fuerte y la negrura demasiado densa.

El rugido se hizo más intenso. La bestia se acercaba.

Aún mareada, Valquiria echó a correr hacia la izquierda y se coló entre dos coches, sin dejar de oír al licántropo a su espalda. Echó a correr en dirección contraria a la discoteca y la gente, esquivando las farolas a duras penas. Sin previo aviso, el hombre lobo se estrelló contra ella. Los dos rodaron mientras las mandíbulas de la bestia se cerraban en torno a su brazo derecho. Aunque los colmillos no pudieron penetrar la coraza mágica de su chaqueta, Valquiria gritó de dolor. El lobo sacudió la cabeza y ella le dio una patada, pero lo tenía encima y pesaba demasiado para librarse de él.

Déjame salir, dijo la voz en su cabeza.

El lobo estaba a punto de romperle el brazo o arrancárselo de cuajo. El anillo de nigromante era inútil si no tenía libertad para manipular las sombras. Intentó empujar el aire, pero el dolor le nublaba la mente. Apenas podía respirar con el peso del lobo sobre ella.

Déjame salir.

El lobo le soltó el brazo y buscó su garganta. Valquiria se echó a un lado, agarró un puñado de sombras, las afiló como cuchillos y las arrojó contra el pecho del licántropo, que se echó hacia atrás con un aullido. Luego empujó el aire y el lobo se desplomó, pero se enderezó inmediatamente y volvió a lanzarse sobre ella.

Valquiria se subió de un salto a un coche aparcado, y la carrocería se bamboleó cuando el monstruo se estrelló contra ella. La chica desplazó el viento para lanzarlo sobre la cabeza del lobo, y aprovechó el impulso para saltar un muro y echar a correr. De pronto, algo apareció en su campo de visión: Skulduggery volaba hacia ella a la luz de la luna.

Se agachó para dejar pasar al esqueleto, que bajó en picado, chocó contra la bestia y rodó por el suelo. Skulduggery se incorporó, con el rifle tranquilizante ya empuñado, pero resbaló an-

31

tes de recobrar del todo el equilibrio y el licántropo aprovechó para abalanzarse sobre él. Algo cayó al suelo con un estruendo metálico.

El rifle tranquilizante... destrozado.

Una bola de fuego restalló haciendo aullar de dolor al lobo. Skulduggery avanzó tambaleándose en la penumbra, con el revólver en la mano. Se le había caído el sombrero, y su rostro había desaparecido. Tenía el traje hecho jirones y, a pesar de la oscuridad, Valquiria distinguió los surcos profundos que cruzaban sus costillas. El licántropo gruñó y echó a correr en su dirección, y él levantó el arma mientras se sujetaba la muñeca con la otra mano para afinar la puntería.

–¡Dispara! –chilló Valquiria–. ¡Dispara!

Pero en el último momento, Skulduggery soltó el revólver, bajó los dos brazos y dobló las rodillas. Un muro de viento cayó sobre el lobo y lo empotró contra el suelo. La bestia gimió mientras el esqueleto se enderezaba y levantaba los brazos hacia el cielo, provocando una ráfaga de aire que lanzó a su adversario por los aires. El lobo se retorció, suspendido en el vacío, y volvió a caer; antes de que aterrizara, Skulduggery dio un paso al frente y, con un puñetazo, desplazó una columna de aire que impactó contra el costado del licántropo y lo lanzó despedido hacia atrás.

–¡El dardo! –gritó mientras se agachaba y apoyaba una mano en el suelo.

El terreno comenzó a agrietarse y desgarrarse a su alrededor. Skulduggery salió despedido sobre el pedazo de pavimento en el que se encontraba, como si estuviera montado en una tabla de surf en un mar de asfalto móvil y ondulante, y se precipitó contra el lobo sin darle tiempo a recuperarse.

Valquiria recogió el rifle roto, sacó el dardo de la recámara y utilizó el aire para enviárselo a Skulduggery directamente a la mano que tenía extendida. En un abrir y cerrar de ojos, el esqueleto chocó contra el licántropo y le clavó el dardo en el hombro. El hombre lobo rugió y arremetió contra él, pero el sedante ya empezaba a hacer efecto. Se tambaleó, sacudió la cabeza y tropezó contra el muro. Volvió la cabeza hacia Valquiria y se dispuso a atacarla, pero solo pudo dar tres pasos antes de desplomarse. Se quedó tendido, jadeando; sus extremidades se agitaban, pero ya no podía moverse. Cerró los ojos, su respiración se hizo más profunda y se quedó dormido.

Skulduggery se puso en pie.

—Victoria —murmuró con voz débil.

Cuando Ed Stynes despertó, estaba amarrado a una camilla en una habitación extraña, llena de extraños que lo miraban. Valquiria casi sintió lástima por él.

—Hola —le saludó una chica con el pelo azul—. Me llamo Clarabelle. ¿Quieres ser mi amigo?

El rostro de Ed se crispó en un gesto de confusión.

—Hola, Ed —intervino Valquiria antes de que la situación pasara a ser más extraña todavía—. Me llamo Valquiria y esta es Clarabelle. Es más o menos una enfermera y va a cuidar de ti.

—Se me da bien la medicina —asintió Clarabelle—. Tuvimos un paciente la semana pasada: cuando le examiné vi que tenía todos los síntomas de la peste bubónica y le curé.

Valquiria torció la cabeza y la miró.

—¿De verdad tenía la peste bubónica?

—Claro que sí. Bueno, el doctor Nye le examinó y dijo que solo tenía una astilla clavada, pero yo fui quien se la quitó, así que... Eso es lo que cuenta, ¿no? Espera a conocer al doctor Nye. Te encantará, si te gustan los monstruos enormes y terroríficos.

Ed gimió y volvió la cabeza hacia Valquiria.

—¿Qué...? ¿Qué me está pasando?

–¿Qué recuerdas?

–Te recuerdo a ti. Recuerdo... Oh, Dios, quería devorarte.

–Sí –dijo Valquiria–. Bueno, cuanto menos hablemos de eso, mejor.

–Me he vuelto loco, ¿verdad?

Clarabelle se rio; tenía una risa preciosa.

–¡Aquí estamos todos locos, Ed! –gorjeó mientras salía de la habitación.

Skulduggery entró. Había tapado su traje destrozado con un abrigo gris y se había puesto un nuevo rostro sobre la calavera: no quería que Ed se asustara mucho más de lo estrictamente necesario.

–Hola, Ed –le saludó–. ¿Te encuentras mejor? Desde luego, tienes mejor aspecto.

–¿Quiénes sois vosotros?

–Somos expertos en estos asuntos. Queremos ayudarte.

–¿Ayudarme? Soy un licántropo.

–Ya me había dado cuenta. Sin embargo, confiamos en que será algo provisional. Imagínate que es un síntoma, si quieres. Una enfermedad. Tus genes latentes de hombre lobo han despertado de repente, pero no es más que un síntoma del problema auténtico. Aunque tu caso es un poco particular, no eres la única persona afectada. Hay otros, personas normales igual que tú, que de pronto muestran poderes de un tipo nada común. Sin embargo, tú eres uno de los pocos que conservan la razón; la mayoría no están en sus cabales. Así que estoy convencido de que puedes ayudarnos. Solo necesito que respondas a unas cuantas preguntas. ¿Te ves capaz?

–Yo... sí.

–Muy bien –asintió Skulduggery–. ¿Te ha sucedido últimamente algo fuera de lo normal?

–Sí.

–¿El qué?

–Me he convertido en hombre lobo.

–¿Aparte de eso? ¿Has conocido a alguien? ¿Has ido al extranjero o a algún lugar en el que nunca habías estado?

Ed negó con la cabeza.

–Qué va... Cuando me pasó yo llevaba mi vida normal, igual que siempre. Bueno, es verdad que lo dejé con mi novia hace unos meses. ¿Crees que...? ¿Crees que me lanzó una maldición?

–¿Cortó ella contigo?

–No –replicó Ed de inmediato–. Fue de mutuo acuerdo. Ambos pensamos... Pensamos que... Bueno, estuvimos de acuerdo en que ella podía encontrar a alguien mejor, así que...

–En tal caso, dudo que te haya echado una maldición –zanjó Skulduggery–. ¿Te ha pasado alguna otra cosa fuera de lo común? No importa que te parezca trivial.

No. Todo normal. Salvo los sueños.

Skulduggery inclinó la cabeza.

–Continúa.

–Yo... comencé a soñar con un hombre vestido de blanco. Se llamaba Argeddion. Es raro, porque no suelo acordarme de mis sueños. Pero a Argeddion lo recuerdo tan claramente como si lo viera ahora mismo.

–¿Qué quería?

–Tenía un regalo para mí, eso me dijo. Era muy amable, decía que me iba a entregar un don maravilloso. Soñé con él durante semanas. Me dijo que tenía que prepararme para el Verano de la Luz; la última vez que soñé con él levantó la mano, que relucía llena de una energía extraña, y me la puso en el pecho. Luego sonrió y me dijo que volvería más adelante. No he vuelto a soñar con él desde entonces. ¿Crees que tiene que ver con lo que ha pasado?

–¿Un tipo raro te entrega un regalo de energía, y acto seguido te transformas en una criatura sobrenatural extinta? Diría que cabe la remota posibilidad de que ambas cosas estén relaciona-das, Ed.

Lo dejaron en las dudosamente capacitadas manos de Clara-belle y salieron de la enfermería. En cuanto estuvieron en el pasillo, Skulduggery retiró su tatuaje fachada. Tenía la calavera un poco sucia aún de dar tumbos entre los escombros de la ciu-dad de Dublín.

–¿Cómo se encuentran los mortales que están en observa-ción? –preguntó Valquiria.

–Sin cambios. Les han practicado todas las pruebas concebi-bles y están pendientes de repetirlas. Pero hasta ahora no han encontrado nada, ni una sola pista de lo que está pasando.

–¿Ed se unirá a ellos?

–Lo sedarán como a los demás. Ya tiene una cama preparada.

–Al menos ahora contamos con una pista, aunque no sea más que un sueño –Valquiria guardó silencio unos instantes–. Vaya. Al decirlo en voz alta suena poco convincente, ¿no?

–¿Que nuestra única pista sea el sueño de un licántropo? Bueno, sí: en comparación con otras pistas, esta no es la más sólida que hemos seguido. Pero hay que trabajar con lo que te-nemos; no podemos permitirnos el lujo de andar con exigen-cias. Con todo lo que está pasando, hemos conseguido a duras penas que no haya filtraciones en los medios de comunicación. Pero si esto sigue así, solo es cuestión de tiempo que los morta-les se den cuenta de que ocurre algo inexplicable. Y ese hombre misterioso con el que soñó Ed, Argeddion, podría ser justo lo que buscamos.

–¿Tienes alguna idea de lo que es el Verano de la Luz? ¿Crees que se refiere a este verano?

–No lo sé... Pero según el calendario tradicional irlandés, el verano empieza a principios de mayo, así que tenemos una semana para averiguarlo.

—La verdad es que eso de «Verano de la Luz» suena bien –comentó Valquiria–. Tal vez signifique que vamos a tener buen tiempo. En ese caso, deberíamos tumbarnos a la bartola y dedicarnos a tomar el sol.

–¡Qué idea tan maravillosa! Voto por adoptarla.

Valquiria se dio cuenta de que Skulduggery se sujetaba el costado.

–Estás herido.

Él la miró fijamente.

–Es que nos atacó un hombre lobo.

–Pero estás herido de verdad.

–Y tú también.

–Yo no tengo nada grave: solo moratones, torceduras y cortes. Aquí hay médicos que pueden curarlo todo. Tú tienes los huesos dañados, Skulduggery. ¿Por qué no vas a que te miren? No creo que lleve mucho tiempo.

Él se enderezó.

–El doctor Nye torturó a mis amigos hasta la muerte durante la guerra contra Mevolent. No pienso pedirle ayuda.

–No es el único médico que hay aquí.

–Pero es el único con habilidades suficientes para curarme correctamente. Además, no estoy tan mal. Sobreviviré, igual que tú.

–¿Sabes una cosa? Existe la posibilidad de que estés siendo demasiado testarudo para tu propio bien. Pero bueno, no seré yo quien te presione. Tú sabes lo que haces.

Valquiria notó que Skulduggery sonreía por su tono de voz.

–Bueno, muchas gracias por ser tan comprensiva. A cambio te voy a llevar a casa. Han sido días muy duros, y ya es hora de que duermas en tu cama.

–Uf, menos mal... Llevo siglos sin ver a mis padres, y seguro que Alice ha aprendido a caminar o algo así desde la última vez que la vi. Tiene quince meses. ¿A qué edad empiezan a andar los niños?

–Depende del niño.

–¿Y una muy avanzada, como mi hermana?

–Ah, entonces empezará a caminar en cualquier momento.

Valquiria sonrió. Salieron del Santuario y, cuando se acercaron al Bentley, Skulduggery la miró de reojo.

–¿La has vuelto a oír? –susurró–. Me refiero a Oscuretriz.

La sonrisa de Valquiria se desvaneció. Asintió con la cabeza.

–Quería que la dejara salir. Ha pasado un año desde que obtuvo el control, y su voz cada vez es más fuerte. Necesitamos un plan: tenemos que detenerla si logra imponerse.

Skulduggery apoyó los brazos en el techo del coche y tamborileó con los dedos enguantados.

–Quieres decir que tenemos que detenerte a ti.

–Prefiero que lo hagas, en vez de dejarme hacer lo que los dos sabemos que haría. No quiero matar a nadie, y mucho menos a mis padres, a mi hermana o a ti. Si llega el momento en que pierdo el control y Oscuretriz prevalece...

Él levantó las manos.

–Ya se me ocurrirá algo. Confía en mí.

Valquiria echó un vistazo a una limusina que estaba aparcada cerca. Dos hombres con traje negro montaban guardia delante; ese era un tema tan bueno como cualquier otro para cambiar de conversación.

–¿Tenemos visita de alguien importante?

–Al parecer, sí –gruñó Skulduggery–. Ha venido para reunirse con el Consejo. Todo muy misterioso, mucha intriga y alto secreto. Solo los Mayores están al tanto de qué se va a tratar en esa reunión.

–Pero Abominable nos lo contará todo, ¿no?

–Más le vale.

3

LA REUNIÓN DEL CONSEJO

ABOMINABLE no había estado nunca en aquella sala. Era idéntica a muchas de las impersonales estancias de hormigón gris que había en el Santuario, pero aquella tenía en el centro una mesa enorme que recordaba a un sapo. Suspiró: seguramente, el creador de aquella obra de arte no había pretendido representar un sapo, sino algo grandioso e inspirador. Pero a ojos de Abominable, aquella mesa parecía un grandioso e inspirador sapo, nada más.

Estaba sentado en una silla de lo más incómoda, a la derecha de Erskine Ravel, el Gran Mago. A su izquierda se erguía la esbelta figura de Madame Mist, vestida con la misma túnica de Mayor que llevaban sus dos colegas y con el rostro oculto tras un velo negro.

Debían de tener una pinta los tres... El Gran Mago Ravel, que estaría mucho más feliz vestido con un esmoquin, flanqueado por un hombre lleno de cicatrices y una mujer con velo. Abominable se preguntó si todos los Consejos del mundo serían tan estrafalarios como aquel. Lo dudaba.

En ese momento, ante él se sentaban los representantes de dos de aquellos Consejos, y parecían enteramente normales y absolutamente solemnes. Abominable ni siquiera los escuchaba. No se le daban bien aquellas conversaciones. Su madre era boxeadora y su padre sastre: ¿qué sabía él de temas políticos y burocráticos? Aguardó con impaciencia a que expusieran el motivo de su visita. Cuando por fin llegaron al meollo del asunto, no le sorprendió en absoluto.

–Hemos sabido que habéis tenido algunos problemas con vuestros hechiceros –dijo el Gran Mago Quintin Strom, del Santuario de Inglaterra.

Como la mayoría de los Grandes Magos (con la evidente excepción de Ravel), Strom tenía el pelo gris y era un anciano lleno de arrugas. A pesar de su aspecto, era inmensamente poderoso y carecía de sentido del humor.

–Me temo que le han informado mal –repuso Ravel–. Todo va estupendamente con nuestros hechiceros.

Las cejas de Strom se enarcaron ligeramente. Era un buen actor.

–¡Oh! En ese caso, debo pedirle disculpas. El hecho es que hemos recibido informes de altercados producidos en casi todas partes del país. ¿Afirma usted que esos informes son incorrectos?

–No digo eso –replicó Ravel con diplomacia–. Digo que el problema no son nuestros hechiceros.

Strom asintió.

–Ah, sí, también hemos oído eso. Hay algo que está afectando a la población mortal, ¿verdad? Un asunto terrible, terrible de verdad. Si necesitan ayuda...

–Gracias, pero no –interrumpió Ravel–. Tenemos controlada la situación.

–¿Está seguro? No quisiera ser condescendiente, Gran Mago Ravel, pero tengo mucha más experiencia que usted en el manejo de Santuarios, y no es nada vergonzoso aceptar ayuda cuando se la ofrecen a uno.

–Gracias por la aclaración.

El hombre que se sentaba al lado de Strom carraspeó educadamente. Era joven y estadounidense; Abominable no sabía nada más de él.

–Desgraciadamente –dijo–, las cosas no son tan simples. El propósito de los Santuarios es supervisar a la comunidad mágica y mantener a los mortales al margen de la verdad. Si un Santuario fracasa en su tarea, aunque solo sea uno, el trabajo de todos los demás puede irse al traste. Empleando un dicho del que se suele abusar, una cadena es tan fuerte como su eslabón más débil.

Madame Mist se envaró.

–¿Está diciendo que somos el eslabón débil?

–Oh, ciclos, no –protestó el hombre–. Lo único que digo es que este Santuario ya ha tenido más que suficientes crisis a las que hacer frente, y dada la presión a la que ha sido sometido, hasta el eslabón más fuerte podría romperse.

–En mi opinión, eso quiere decir que somos el eslabón débil –señaló Ravel–. Disculpe, pero ¿quién es usted?

–Bernard Sult –respondió el hombre–. Soy el administrador ayudante del Gran Mago Renato Bisahalani.

–¿Y qué hace aquí?

–Sult ha venido a ayudar –explicó Strom–. Ya conocen a los Mayores estadounidenses: están siempre tan ocupados que no suelen encargarse personalmente de las cosas. En cualquier caso, tiene razón. No es algo que nos guste comentar, pero Irlanda ha provocado mucha ansiedad en todo el mundo. Lo mejor para nuestros intereses, por supuesto, es que el Santuario de Irlanda sea lo bastante fuerte como para superar cualquier problema que se le presente.

–No necesitamos apoyo –sentenció Ravel.

Sult negó con la cabeza.

–Le aseguro que no es eso lo que decimos. Pero si todo lo que ha pasado aquí en los últimos diez años hubiera sucedido en

41

otro sitio, pongamos en Alemania, ¿hubiera confiado en que lo hubieran resuelto ellos solos, o habría sentido la necesidad de prestarles apoyo?

Ravel no respondió.

–Hay preocupación en los demás Santuarios –intervino Strom–. Quieren garantías de que está usted capacitado para desempeñar el puesto de Gran Mago. Y yo he sido uno de los tres representantes elegidos para...

–Disculpe –interrumpió Abominable–. ¿Qué?

Ravel frunció el ceño.

–¿Elegidos? –insistió Abominable–. ¿Cuándo? ¿Quiénes?

–Fue una reunión privada –contestó Strom–. Nos encontramos para debatir acerca de una situación que nos parecía inquietante.

–Sin invitarnos.

–No queríamos que nuestra actitud se interpretara como un ataque. Deseábamos intercambiar pareceres, no incomodar a este Santuario. Los asistentes a esa reunión decidieron acudir a ustedes para expresarles nuestras preocupaciones. Los elegidos fuimos el Gran Mago Renato Bisahalani, del Santuario estadounidense, el Gran Mago Dedrich Wahrheit, del Santuario alemán, y yo mismo. Se decidió que viniéramos aquí en representación del Consejo Supremo...

Ravel soltó una carcajada.

–¿Así han decidido llamarse? ¿El Consejo Supremo? Apenas suena intimidante. ¿A ti qué te parece, Abominable?

–A mí me suena entrañable –respondió este–. Así que han acudido aquí como portavoces del Consejo Supremo para decirnos... ¿qué, exactamente?

–No hemos venido a decirles nada –replicó Sult–. Hemos venido a ofrecer nuestra ayuda, ya que parece que la necesitan. Como comentaba el Gran Mago Strom, los demás Santuarios precisan de garantías.

–Sin problema –dijo Ravel–. Volved y garantizadles que todo va bien.

Strom sonrió con tristeza.

–Si fuera tan fácil... Erskine, se nos ha encargado que verifiquemos de forma concluyente que usted y su Santuario están preparados para cualquier incidencia que pueda surgir en el futuro. Y he de decir que este asunto de los mortales no aumenta la confianza que nos inspira su gestión. He sabido que un licántropo anduvo suelto ayer por la noche: un licántropo, nada menos. Tenemos miedo, y sin ánimo de faltarle al respeto, debo repetir que nos preocupa su falta de experiencia en un momento como este.

Ravel asintió.

–A pesar de todo lo que me dice, no acabo de comprender cuál es el auténtico propósito del Consejo Supremo. Quieren garantías, pero no parecen satisfechos cuando se las damos. ¿Qué más tenemos que hacer?

–Necesitamos verificar que es usted competente.

Ravel cruzó una mirada con Abominable.

–¿A qué te suena esto?

–A que quieren vigilarnos y decirnos lo que tenemos que hacer. Y eso no tiene sentido, ya que, como todo el mundo sabe, cada Santuario es independiente y solo responde ante sí mismo.

–Los tiempos han cambiado –objetó Strom–. Ya no podemos contar con los mismos privilegios que teníamos antes. En los últimos seis años, el Santuario irlandés ha lidiado con Serpine, con Vengeus, con la Diablería, con el intento de traer de vuelta a los Sin Rostro... Por no mencionar a Scarab, que casi asesina a ochenta mil personas en directo; al ataque de los Vestigios, que amenazaron con extenderse por todo el mundo; o a la mesías de los nigromantes, que hace apenas un año parecía dispuesta a matar a tres mil millones de personas. Si la lunática de Oscuretriz hubiera comenzado su Armagedón aquí, en Irlanda, estaríamos hablando de siete fines del mundo, uno tras otro. ¿Qué esperan que hagamos? Hay preocupación en los demás Santuarios: tenemos miedo de que en una de estas ocasiones no puedan reaccionar a tiempo.

–Antes de que proteste –intervino Sult–, permítame hacerle una pregunta. Si no hubieran contado con Skulduggery Pleasant y Valquiria Caín entre sus filas, ¿estaríamos vivos ahora mismo para mantener esta conversación?

–Los detectives Pleasant y Caín trabajan con total apoyo del Santuario y de nuestros hechiceros –murmuró Ravel–. Los resultados son del equipo al completo.

–Los apoyan, pero ellos hacen el trabajo –zanjó Sult–. Y no siempre estarán ahí; no siempre serán lo bastante rápidos. Cometerán algún error. Se equivocarán. Y cuando lo hagan...

–El administrador ayudante Sult se refiere a que no podemos dejar la seguridad mundial sobre los hombros de dos personas –intervino Strom–. Tarde o temprano, ese peso los aplastará. Solo les estamos ofreciendo nuestro apoyo, Erskine. Si consideramos que su Santuario es lo bastante fuerte, tranquilizaremos a los demás miembros del Consejo Supremo y todo este asunto quedará olvidado.

–¿Y si no lo consideran? –preguntó Mist.

–Entonces, haremos todo lo que podamos para ayudarlos. Pondremos a disposición de este Santuario hechiceros y Hendedores, si los necesitan. Y discutiremos sobre la opción de compartir las responsabilidades.

Abominable le taladró con la mirada.

–Eso significa que tomarían el control.

–No, por supuesto que no. Estamos aquí para ayudar, por el amor de Dios. Eso es lo único que nos motiva.

–¿Y si no quisiéramos tenerlos aquí?

Strom pareció dolido.

–Me temo que tendríamos que insistir –dijo Sult–. Y no quiero parecer irrespetuoso, pero el Consejo Supremo está investido de ciertos poderes de veto y de autoridad que estoy seguro de que podremos discutir en profundidad más adelante.

–Ciertos poderes –susurró Mist– que no han sido acordados con nosotros.

–Eso es cierto –admitió Sult–. Si quieren denegarnos el acceso, están en su derecho. Sin embargo, esa medida supondría cortar los lazos con el resto del mundo. Estarían aislados. Solos. Sin nadie a quien acudir si necesitan ayuda.

–Eso suena a amenaza velada, señor Sult.

–Le pido disculpas: solo quería hacer hincapié en la gravedad de la situación.

–Creo que nos estamos haciendo a la idea –masculló Ravel–. Tenemos que discutir su... propuesta antes de responder.

–Por supuesto –asintió Strom poniéndose en pie–. Eso sí: la oferta de ayudarlos con hechiceros y Hendedores de refuerzo seguirá en pie durante siete días. Después de ese plazo, tendremos que retirar nuestra asistencia.

–¿Y entonces? –preguntó Abominable.

–Entonces, consideraremos medidas más enérgicas.

Strom y Sult hicieron una leve inclinación y salieron de la estancia.

–Así que no solo nos amenazan –gruñó Abominable en cuanto desaparecieron–, sino que también nos dan una fecha límite para rendirnos.

Ravel se apoyó en el respaldo de la silla.

–Esto va a ser un problema.

4

ELIZA

LA flecha atravesó la pierna del hombre que huía y este cayó al barro, chillando de dolor.

–Buen disparo –comentó Eliza Scorn.

Christophe Nocturnal puso otra flecha en el arco, sin dejar de andar por el bosque sumido en la oscuridad.

–Dicen que el hombre es la presa más peligrosa del mundo, pero lo cierto es que resulta mucho más difícil acertar a un conejo. Aun así, no hay nada igual al chillido de pánico que sueltan cuando saben que están a punto de morir. Resulta muy relajante oírlo.

–Había oído decir que eras todo un cazador, y por lo que veo, las historias son ciertas.

–Llevo haciendo esto desde que era un niño. Mi padre nos llevaba de caza a mí y a mis cuatro hermanos.

–No sabía que tuvieras hermanos.

–Y no los tengo. Cuando llegamos a la adolescencia, mi padre nos arrojó a un pozo y declaró que solo uno de nosotros saldría con vida. Yo era el más pequeño, pero también el más despiadado.

–Qué historia tan encantadora.

–Eran otros tiempos. Más simples –Nocturnal se puso en posición de tiro, tensó la cuerda y lanzó la flecha. El mortal cayó de bruces, con el proyectil hundido en la espalda–. ¿Qué quieres, Eliza?

- Lo importante no es solo lo que yo quiero –repuso Scorn–. Es también lo que quieres tú. Deberíamos aliarnos. Si combinamos la Iglesia de los Sin Rostro con la que tú diriges en América, tú y yo podríamos poner en marcha algo grande.

Nocturnal se rio entre dientes.

–Y ahí está el problema.

–¿Ah, sí?

–Mi Iglesia no te necesita, Eliza: somos lo bastante fuertes nosotros solos. Contamos con los fondos y recursos del setenta por ciento de los hechiceros que adoran a los Sin Rostro. La unión con tu Iglesia no nos reportaría los mismos beneficios que a ti.

–Ah, pero creo que pasas por alto algunos detalles importantes. Tenemos algo que tú no tienes: contamos con la cuna de la magia. La Diablería trajo de vuelta a los Sin Rostro hace un par de años. Poseemos... ¿Cómo decirlo? Poseemos cierto currículum. Contamos con credibilidad.

–Pero sois débiles.

–En comparación con tu organización, quizás. Pero nos estamos haciendo cada vez más fuertes. Y, sin ánimo de ofender, yo no soy una criminal en busca y captura.

Nocturnal soltó una carcajada.

–No me lo tomo a mal. Para ser sincero, sin embargo, te diré que mi condición de renegado ha ayudado a mi Iglesia. Aquellos a los que represento son desconfiados por naturaleza, y están poco dispuestos a admitir sus creencias en voz alta. Ven en mí a una persona capaz de liderarlos, alguien que no teme oponerse a los Santuarios.

–Y además, supongo que te tienen un poquito de miedo, ¿no?

–El miedo suaviza los engranajes.

–Ya me lo imagino –asintió Scorn–. Pero no has venido hasta aquí para declinar la invitación, ¿verdad?

–No, claro. Estoy interesado en tu oferta... Con algunas precisiones.

–¿Como cuáles?

–Tu Iglesia será absorbida dentro de la mía, no al contrario. Tú te mantendrás, por supuesto, como mi segunda al mando.

Scorn se crispó.

–Pensaba que una relación de igual a igual sería más apropiada.

–Mi gente está nerviosa –replicó Nocturnal–. Se sentirán mucho más seguros si saben que yo continúo al frente de la organización. Desafortunadamente, esto es un requisito, no una sugerencia.

–Por supuesto. No... No hay problema.

–Y otro detalle –continuó Nocturnal–: antes de seguir adelante, los hechiceros a los que represento desean pediros un pequeño favor, una muestra de buena voluntad.

–¿Cuál?

–Todos han oído lo que sucedió cuando la Diablería trajo de vuelta a los Sin Rostro. Saben lo que hizo la chica, Valquiria Caín, cómo utilizó el Cetro de los Antiguos para matar a dos de nuestros dioses. Los míos consideran que ese atentado no puede quedar impune.

–¿Qué quieres que haga, Christophe?

–Que la mates.

–Está bajo la protección de Skulduggery Pleasant. Sabes muy bien lo arriesgado que es tratar de...

–Ha cometido la blasfemia máxima, Eliza. Debe ser castigada.

Scorn meditó unos segundos y después sonrió.

–Muy bien: Caín morirá. Y da la casualidad de que conozco a alguien perfecto para el trabajo.

5

ACOSTARSE TEMPRANO

ALQUIRIA trepó hasta la ventana de su dormitorio, con cuidado de no hacer ruido. Su reflejo, que estaba sentada en la cama, la contempló con sus mismos ojos oscuros.

–Estás herida –susurró.

–Ya, sí –contestó Valquiria en voz baja–. Tranquila: físicamente, lo único que tengo son cortes y moratones. Mentalmente... Ya verás, espera a recordar todo lo que me ha pasado esta noche. Presta especial atención a Jerry Houlihan: no lo olvidarás nunca, créeme. ¿Qué tal van las cosas por aquí?

El reflejo se levantó de la cama mientras Valquiria se desnudaba.

–Estos días han sido tranquilos –respondió–. Lo más emocionante que ha pasado fue la charla de una hora que nos echó el director para que nos tomáramos en serio los estudios. Dijo que los exámenes del año que viene estarán aquí antes de lo que esperamos.

–No, qué va –replicó Valquiria con el ceño fruncido–. Serán el año que viene, justo cuando esperamos que sean.

El reflejo asintió.

–Eso fue lo que le dije. Creo que no es aficionado a la lógica, porque no pareció muy contento. Me mandó al despacho de la consejera de orientación profesional, y ella me preguntó qué quería hacer después de la universidad.

Valquiria guardó sus ropas negras.

–¿Y qué le dijiste?

–Le dije que quería ser consejera de orientación profesional. Se echó a llorar y después me soltó que me estaba burlando de ella. Le dije que, si no le gusta su trabajo, debería buscar otro distinto, y luego le indiqué que yo estaba realizando su trabajo mucho mejor que ella. Entonces me dejó castigada después de clase.

Valquiria sonrió.

–En qué líos me metes.

El reflejo se encogió de hombros.

–No hacen más que pedirnos que rellenemos las solicitudes de ingreso a la universidad. La única forma que se me ocurre de evitarlo es que me echen de clase. ¿Ya se te ha ocurrido cómo resolver ese problema?

–Sorprendentemente, no. Mis padres esperan que vaya a la universidad y yo no quiero decepcionarlos, pero...

–... pero no puedes seguir mintiéndoles eternamente –completó el reflejo, adelantándose a lo que pensaba Valquiria.

–Tienes razón. Estaría genial que disfrutaran de la Stephanie que quieren mientras yo me dedico a los asuntos de Valquiria. Pero seamos sinceros: no puedo mantenerte siempre ahí, ¿no?

–Llevo activa mucho más tiempo que ningún reflejo en la historia. No fui diseñada para esto.

–Lo sé –asintió Valquiria–. Nunca tuve la intención de pasar tanto tiempo lejos de esta vida. Tengo que recuperar el control y aunar mis dos vidas en una sola. Cuando termine el instituto, eso será justo lo que haga. ¿Crees que puedes continuar así un año más?

–No veo por qué no –repuso el reflejo–. No he actuado de forma extraña últimamente y tampoco he bloqueado recuerdos ni pensamientos, que era lo que te preocupaba. Creo que ahora estoy bien; puede que me haya arreglado sola. Además, tú y yo cada vez nos llevamos mejor.

–Bueno –meditó Valquiria–, ¿cómo no iba a llevarme bien conmigo misma? ¿Acaso no soy una compañía fantástica?

–La misma que yo –dijo el reflejo sonriendo.

–Especialmente, desde que no tengo a Tanith ni a Fletcher.

–Ni a China.

Valquiria no pudo evitar soltar una carcajada.

–Oh, Dios, ¿me queda algún amigo?

–Skulduggery –contestó el reflejo–. Y Abominable, por supuesto, aunque nunca hayas hablado con él de nada más que de ropa y de pegar a la gente. Y yo.

–¿Qué más se puede pedir? –exclamó Valquiria enarcando las cejas.

El reflejo le respondió con una sonrisa y dio un paso dentro del espejo. Valquiria tocó el cristal y absorbió los recuerdos de dos días: el reflejo en el instituto, el reflejo en la cena, el reflejo cuidando de la hermana pequeña de Valquiria... Memorias agradables y comunes, muy distintas a los dos días que había vivido ella.

Miró la hora antes de meterse en la cama. Eran las cinco de la madrugada.

Se iba a acostar temprano, para variar.

Valquiria se despertó, pero no abrió los ojos; prefirió remolonear un rato a oscuras. Adoraba su cama. Había dormido en otras con diferentes grados de comodidad, pero su propia cama, en su habitación, era su favorita con mucho. Era más estrecha

51

de lo que debería, y el colchón no resultaba tan firme como le hubiera gustado. En realidad, tenía un muelle suelto a la altura de la cadera que amenazaba con clavársele cada vez que cambiaba de postura. Pero para dormir profundamente, su cama era sin duda la mejor.

Se puso boca arriba, y finalmente abrió los ojos y enfocó la pared de la buhardilla. Cuando era pequeña, tenía un montón de fotos de caballos allí pegadas, y eso era lo primero que veía cada mañana al despertarse. Sin destaparse, alzó la pierna hasta tocar con el pie el sitio donde antes estaban las fotos. Ya no había nada: ni un solo caballo. China Sorrows se había ofrecido en una ocasión a llevarla a montar, y a Valquiria le habría encantado hacerlo. Pero aquello fue antes de que Eliza Scorn les revelara que China había estado implicada en la muerte de la esposa y el hijo de Skulduggery, un detalle del pasado de China que esta siempre había conseguido ocultar.

Perezosamente, Valquiria buscó el móvil y lo encendió para mirar la hora. Dio un respingo y se levantó de la cama de un salto, soltando maldiciones. Se puso la bata, abrió la puerta y bajó corriendo las escaleras hasta la cocina, sin detenerse hasta llegar a la alacena donde estaban guardados los cereales.

–Buenos días –saludó su madre mientras daba de comer a Alice.

–¡Es tarde! –gritó Valquiria sacando la leche del frigorífico–. ¡No me ha sonado la alarma! ¿Por qué no me llamaste?

–Ah, debería haberlo hecho –contestó su madre dándole otra cuchara a Alice, que esperaba con la boca abierta–. Pero me distrajo lo mona que es tu hermanita, y después lo mono que es tu padre, y más tarde vi mi reflejo en la tostadora y me distraje con mi propia monería, así que me olvidé completamente de ti. Soy una mala madre. Soy una madre muy muy mala.

–¡Ya he perdido el autobús! ¿Me puedes acercar en coche al instituto?

—Pero si estoy en zapatillas...

Valquiria hizo una pausa, con la primera cucharada de cereales a mitad de camino.

—O... Bueno, ya sabes... Podría quedarme hoy en casa. Estudiar un poco aquí. Tengo que mirar unos exámenes...

—No sé —dijo su madre, dubitativa—. ¿Quedarte en casa? ¿No ir a clase? ¿Faltar a clase un sábado?

Valquiria dejó caer la cuchara en el cuenco.

—¿Qué?

Su madre sonrió.

—Es fin de semana, Steph. Puedes dormir hasta tarde.

Valquiria cerró los ojos y se pellizcó el puente de la nariz. Dos conjuntos de recuerdos y ninguno de ellos se había molestado en informarle de que era sábado.

—Trabajo demasiado —murmuró con decisión—. Me esfuerzo demasiado en el instituto. Tengo que estudiar menos. Debería dejar de hacer los deberes. Definitivamente, tendría que empezar a hacer una semana de tres días.

—No sé por qué, no lo veo muy factible —comentó su madre—. Creo que lo que deberías hacer es prestar atención al día en que vives.

Valquiria puso mala cara.

—No veo cómo eso va a aligerar mi carga de trabajo —replicó, y se puso a comer cereales.

La puerta de la calle se abrió y el padre de Valquiria entró en la cocina.

—El poderoso cazador recolector ha regresado victorioso —declaró mientras depositaba una bolsa de supermercado en la mesa—. Traigo a las mujeres de la tribu periódicos, leche fresca y pan. La cacería de periódicos al principio fue infructuosa, pero el pan y la leche no eran adversarios de mi talla.

—Buen trabajo, cariño —dijo la madre de Valquiria.

Su padre se sentó.

–También le he encontrado a Stephanie un nuevo novio.

Ella se atragantó con los cereales y su madre fulminó a su padre con la mirada.

–¿Que has hecho qué?

–Lo sé, lo sé. Estás impresionada: me mandas a comprar el pan y vuelvo con un chico. Bueno, no de forma literal; no me lo he traído. Eso sería raro. Incluso para mí.

–Papá –Valquiria tosió–. ¿Qué has hecho?

–Me he encontrado con Tommy Boyle en la tienda. ¿Conoces a Tommy Boyle? Sí, ¿verdad? ¿Más o menos de mi edad, un poquito más bajo que yo, con el pelo rubio? Siempre viste con polos. Sí que le conoces, sé que le has visto alguna vez. Es de Navan; tiene un acento de Navan muy fuerte. Está casado con una mujer de pelo castaño que siempre lleva unos zapatos así, ya sabes. Le conoces.

–No tengo ni idea de quién es.

–Que sí, que le conoces –insistió su padre–. Tiene el pelo rubio.

–Papá, no sé quién es.

–Lo sabes, en serio. Lo que pasa es que no sé cómo describirlo mejor. Melissa, ¿cómo lo describirías?

La madre de Valquiria le dio otra cucharada a Alice.

–Le falta un brazo.

–Ah, sí, el brazo.

Valquiria le miró fijamente.

–¿Y por qué no has empezado por ahí? ¿No sería la forma más rápida de reconocerle?

Su padre pareció confuso.

–Pero es que es rubio, y además siempre lleva polos en vez de jerséis o camisetas. Siempre, haga el tiempo que haga.

Valquiria se reclinó en la silla.

–Vale, así que ese es Tommy Boyle. Le he visto alguna vez por el pueblo. ¿Y qué? ¿Qué tiene que ver con un novio?

–Su hijo. Se llama Aaron. Un muchacho encantador. Tiene tu edad, y Tommy me comentó que nunca había tenido novia. Yo le dije que debería salir contigo, y Tommy va a traerlo para presentártelo.

–Ay, Desmond –suspiró la madre de Valquiria–. Desmond, no.

–¿Qué? ¿Qué pasa? Solo se lo voy a presentar, no he concertado su boda ni nada de eso. Puede que se gusten.

–Llámale por teléfono y dile que no venga –exigió Valquiria.

–No puedo hacer eso, Steph. Sería una grosería. Solo te pido que lo conozcas. Hablas con él sin presión de ningún tipo...

–¿Cómo que sin presión, papá? ¡Claro que hay presión! ¡Montones de presión! ¡No puedo creer que hayas hecho eso!

Él se cruzó de brazos.

–No entiendo por qué os enfadáis tanto las dos. Pensé que os haría felices. No tienes novio desde que cortaste con Fletcher, así que cualquier día aparecerás con un chico extraño del brazo y dirás: «Oye, papá, eh, mamá, este es mi nuevo novio». Y tendremos que conocerlo, acostumbrarnos a él y averiguar si es buena gente o no. ¿Quién sabe qué clase de chico nos traerás? Fletcher era mayor que tú, así que seguramente el siguiente será todavía mayor, tendrá tatuajes o piercings o irá en moto o algo parecido. No quiero que salgas con nadie de más de veinte años. Eres demasiado joven. Conozco a Aaron Boyle y es un buen chico, Stephanie. Es tranquilo y educado, esa clase de persona de la que no hay que preocuparse, porque con todo lo que sabes de defensa personal seguramente lo puedas partir en dos.

–Llama a Tommy –insistió Valquiria– y dile que no.

–Ay, Steph...

–Des –intervino su madre–, sé que lo has hecho porque quieres a Stephanie y te gustaría que todos los novios que tenga la traten con respeto, pero eso no depende de nosotros. Tenemos que confiar en que nuestra hija escoja bien y juzgue correctamente.

En la mente de Valquiria apareció la imagen de Caelan. La empujó de vuelta a las profundidades con un enorme palo imaginario.

–Pero Aaron es un chico encantador –gimoteó su padre–. Y no puedo llamar a Tommy. En serio, no puedo. Es que no me sé su número.

–No pienso dirigirte la palabra hasta que lo anules –sentenció Valquiria, y continuó comiendo cereales.

Su padre hundió los hombros.

–¿Y qué pasa si voy a verle y me abre la puerta Aaron? Entonces tendré que decirle que mi preciosa hija no quiere saber nada de él. Una cosa como esa podría destrozar a un chico tan sensible y frágil.

–Deberías haberlo pensado antes de hablar –dijo la madre de Valquiria–. Hasta que no lo arregles, yo tampoco pienso hablarte.

Desmond miró a su esposa con ojos de cordero degollado, pero ella le hizo caso omiso y se centró en Alice. Hasta aquel momento la niña había lanzado gorgoritos, pero en ese instante se calló también. Fue el golpe final. El padre de Valquiria se levantó.

Y entonces sonó el timbre.

–No –murmuró Valquiria.

–¡Ah! –su padre miró el reloj–. Llegan un poco temprano.

Valquiria se levantó de un salto.

–¿Les dijiste que vinieran esta mañana?

–Es que Tommy tenía cosas que hacer por la tarde y pensé que sería lo mejor. ¿Qué quieres que haga? ¿Les digo que se vayan?

–¡Sí! Diles que me he ido a montar a caballo o lo que se te ocurra.

–No montas a caballo desde hace años.

–¡Pero ellos no lo saben!

–Aaron se sentirá muy decepcionado.

–¡Papá!

Se dirigió a la puerta y Valquiria oyó una conversación en murmullos. Al cabo de un minuto, su padre regresó a la mesa.

–Bueno, espero que seas feliz: acabo de echar a un padre y a su hijo y los dos parecían muy decepcionados.

–Bueno, qué se le va a hacer. ¿Les dijiste que estaba montando a caballo?

–No, no me pareció creíble. Les conté que tenías diarrea.

Valquiria cerró los ojos.

–¿Mamá?

–¿Sí, Steph?

–Mátalo por mí, ¿quieres?

–Con mucho gusto, cariño.

Valquiria subió a la planta de arriba, miró si tenía mensajes en el móvil y después se dio una ducha. Cerró los ojos bajo el chorro de agua y suspiró. Hacía doce meses que había cortado con Fletcher. No es que le hubiera roto el corazón; al fin y al cabo, le había dejado ella. Pero durante las semanas siguientes se había sorprendido de lo mucho que lo añoraba. Echaba de menos las ventajas evidentes de tener novio, claro, pero más que eso, lo echaba de menos como amigo.

Fue por aquella época cuando su reflejo había dejado de funcionar mal, y Valquiria empezó a ver las ventajas de tenerlo siempre en funcionamiento. Una de ellas era, simplemente, que así disponía de alguien con quien hablar, alguien a quien no necesitaba –no podía– ocultarle nada. De alguna forma, resultaba liberador.

También era perturbador. Había cosas en las que Valquiria no quería pensar, de las que no le apetecía hablar y que no deseaba admitir ni siquiera para sus adentros. Cosas como Oscuretriz y lo bien que se había sentido cuando la nigromante tomó el control.

Pero el reflejo carecía de vergüenza, así que habló sin miedo alguno del tema hasta que Valquiria le dijo que se callara. Y lo hizo de inmediato, sin sentirse herida, ya que tampoco albergaba sentimientos.

Valquiria se secó, volvió a su habitación en bata y tocó el espejo. Su madre continuaba regañando a su padre en la planta de abajo. El reflejo dio un paso fuera del espejo y sonrió. Valquiria sabía que su sonrisa no era auténtica: el reflejo no se divertía realmente, solo actuaba como si lo hiciera. Pero al fin y al cabo, ¿qué más daba?

–Pobre de ti –dijo el reflejo–. Tu padre tiene unas cosas...

–Es de otro planeta –concluyó Valquiria empezando a vestirse–. Definitivamente, no vive en el mismo mundo que los demás –se puso las botas y se subió la cremallera de la cazadora–. Lista. ¿Qué tal estoy?

–Increíble.

–Me temo que no eres imparcial.

–Seguramente, pero aun así estás increíble.

Valquiria se echó a reír y saltó por la ventana.

6

DE REGRESO EN EL SANTUARIO

ROARHAVEN lindaba con un lago de aguas oscuras y estancadas, y estaba rodeado por un erial de malas hierbas y árboles muertos. Nada crecía en Roarhaven. Los pájaros jamás cantaban.

El Santuario se encontraba en el límite del pueblo: un edificio bajo y circular, como un tapacubos oxidado que se hubiera soltado de un coche gigante y se hubiera quedado allí tirado. El edificio constaba de cinco plantas subterráneas, llenas de túneles y pasadizos secretos. Todo estaba oscuro y húmedo y olía ligeramente a moho. En el tercer piso había una gran sala repleta de archivadores, y hacia allí se dirigieron Valquiria y Skulduggery para buscar información sobre el tal Argeddion con el que había soñado el hombre lobo.

—Estoy emocionadísima —refunfuñó Valquiria mientras se acercaban.

—Deja de quejarte.

—Por fin, un motivo para ir a la fabulosa Sala Mágica de los Místicos Archivadores.

Skulduggery la miró de reojo.

—No se llama así.

–Una oportunidad para sumergirme en millones de documentos y trabajar como un auténtico detective chapado a la antigua. Esto sí que es un trabajo fascinante. Hace que me sienta tan viva...

–Ya has satisfecho tu cuota de sarcasmo diaria, gracias –Skulduggery abrió la puerta para dejarla pasar y los dos examinaron las hileras de armarios.

Valquiria suspiró.

–¿Y no sería más sencillo guardar todo esto en un ordenador? Ocuparía mucho menos espacio, para empezar.

–Los ordenadores se rompen –repuso Skulduggery–. Los datos electrónicos se pueden hackear. A veces, la copia impresa es la solución.

–¡Pero aquí hay miles de documentos! Por favor, dime que existe algún método de búsqueda y que el nombre que queremos encontrar aparecerá mágicamente ante nuestros ojos.

–Sí que existe –asintió Skulduggery–. Se llama orden alfabético.

Abrió un casillero, fue revisando carpetas y después pasó a otra cajonera. Valquiria dudó si ayudarle y finalmente decidió no hacerlo. Lo más probable era que le estorbara.

–¿Te parece que lo de ese tal Argeddion va en serio? –preguntó.

–¿No te parece serio todo lo que ha pasado?

Valquiria se encogió de hombros.

–Está siendo una lata, y es verdad que ha habido víctimas. Pero si Argeddion de verdad pudiera afectar a la supervivencia del mundo, y si ese Verano de la Luz fuera algo realmente malo, los sensitivos ya lo habrían visto, ¿no crees?

–No lo ven todo –murmuró Skulduggery subiendo la vista–. En realidad, ven muy poquito. En el pasado no tuvieron en cuenta grandes acontecimientos que cambiaron el mundo. En 1884, una psíquica llamada Ethel la Etérea (sí, ella misma se puso el nombre) tuvo una visión. Vio algo que ocurriría el domingo 28 de junio de 1914. ¿Recuerdas qué tiene esa fecha de significativo?

–¿Irlanda ganó algún partido de fútbol?

–Tienes que haberlo estudiado en el colegio. Y también te lo expliqué como parte de tu formación de detective.

–Ah, ¿hablas de Fran?

–Por favor, no le llames así.

–El archiduque Francisco Fernando de Austria, entonces.

Skulduggery volvió a centrarse en los archivadores.

–Continúa.

Fue asesinado en Sarajevo. Un tipo atentó contra él lanzándole una bomba que no le mató, pero que hirió a varias personas que estaban a su alrededor. Entonces, al archiduque se le ocurrió la brillante idea de ir al hospital para visitar a los heridos, así que se desvió de la ruta prevista y consiguió que lo mataran como a un idiota. Básicamente, ese fue el desencadenante de la Primera Guerra Mundial. ¿Es que Ethel la Etérea previó el asesinato?

–No. Tuvo una visión de una mujer griega que inventaba un nuevo tipo de zapato.

–Ah.

–Ningún psíquico predijo el asesinato. Aquel acontecimiento cambió el mundo, y ninguno lo vio.

–¿Y qué pasó con el zapato?

–La mujer griega inventó el zapato y luego fue atropellada por un tren. Ethel tampoco previó ese detalle.

–No era muy buena psíquica.

–No, la verdad es que no –Skulduggery abrió un nuevo archivador–. Pero eso es lo que sucede cuando confías en las profecías para descubrir las amenazas futuras: te pillarán desprevenido nueve de cada diez veces. Es una trampa en la que no hay que caer.

—Pero los psíquicos predijeron la llegada de Oscuretriz, y mírame: aquí estoy.

—Hablas como si fuera la visión la que ha provocado que sucediera eso, como si la única razón de que tú seas Oscuretriz es que tuvieron una visión sobre ti. Eso no es lo que ocurrió. Las profecías no existen. La amenaza que supones como Oscuretriz no es fruto de lo que predijeron. No descubriste tu verdadero nombre por la visión: descubriste tu verdadero nombre en el Libro de los Nombres y, una vez que te convertiste en una amenaza, los psíquicos empezaron a tener visiones. Cuando un psíquico tiene una visión, rara vez se equivoca: el problema es que no ven todo lo que va a suceder.

—Vale.

—Pareces confundida.

—Es como me siento. La Invocadora de la Muerte...

—Fue algo inevitable desde el punto de vista científico, no una profecía. No eres la elegida, Valquiria. No hay ningún elegido, nunca lo ha habido y nunca lo habrá. La sola idea es ridícula. Tú eres tú misma, independiente y con libertad para elegir.

—Pero hemos visto a Oscuretriz. Sabemos lo que hará.

—Vimos un posible futuro, y si tenemos muy mala suerte, es el futuro que tendrá lugar. Pero tú no vas a destruir el mundo porque alguien te haya visto destruyendo el mundo. Lo destruirás por motivos personales.

—Eso no me tranquiliza demasiado, la verdad.

—Me di cuenta antes de terminar la frase. Lo siento –cerró la cajonera y se quedó de pie, tamborileando con los dedos–. Aquí no hay nada. No encuentro documentos sobre Argeddion, ni nada sobre el Verano de la Luz. Qué desperdicio de caminata... Podríamos haber caminado hasta otra parte y ahora mismo nos lo estaríamos pasando fenomenal.

–Sí, es toda una tragedia –gruñó Valquiria mientras volvían sobre sus pasos–. Tal vez deberíamos hacer correr la voz de que le estamos buscando.

–Ya me he encargado del asunto, pero puede que pasen días o meses antes de que recibamos alguna información... Si es que alguien le conoce, claro.

Subieron las escaleras de piedra hasta el corredor principal.

–¿Crees que los sensitivos sabrán algo, en cualquier caso? –preguntó ella–. Tal vez deberíamos llamar a Finbar.

–Finbar ya no se dedica a esto, Valquiria. Lo sabes muy bien.

–Pero por nosotros lo haría. Le caemos bien.

–Estoy convencido de que nos adora, pero la cuestión no es que no quiera usar sus poderes: es que no puede. Cuando el Vestigio le poseyó, le sobrecargó el cerebro, y la mente es una cosa muy delicada. Si intentara abrir caminos psíquicos y adentrarse en ellos, tal vez nunca fuera capaz de regresar. Además, ya he pedido a otro sensitivo que se encargue de buscar.

–Pues sí que has estado ocupado.

Se encogió de hombros.

–¿A qué crees que me dedico por las noches mientras tú duermes? Le pedí a Cassandra Pharos que nos avisara si detecta cualquier cosa.

La sonrisa de Valquiria se desvaneció.

–Ya.

–¿Detecto cierta reticencia en tu tono? ¿Qué tiene de malo Cassandra? Solamente la has visto una vez.

–Nada. No tiene nada de malo. Solo que... ¿Recuerdas el atrapasueños que me regaló? Lo quemé.

–¿Que hiciste qué?

–¡Quemarlo! ¡Era espeluznante, parecía sacado de *La Bruja de Blair* y lo sabes perfectamente! ¿Un muñequito de ramas que te susurra cosas en sueños? ¿Cómo no iba a prenderle fuego?

–Valquiria guardó silencio un instante–. Pero el problema es que, como Cassandra es una psíquica y todo eso... la próxima vez que me vea sabrá inmediatamente lo que hice.

–No puede leer la mente, Valquiria.

–Podría leer la mía. Estoy segura.

–Lo entenderá, no te preocupes.

–¿Que no me preocupe? Claro, a ti no te importaría un pepino. No tienes ni idea de hacer regalos ni del significado que tienen. Lo último que me regalaste fue un palo.

–Querías un arma.

–Era un palo.

–Le puse un lazo.

–Era un palo.

–Creía que te había gustado el palo. Te reíste.

–Me reí porque pensaba que el palo era una broma y que después me darías mi regalo de verdad, pero acto seguido te marchaste a casa y yo me quedé ahí plantada, agarrando un estúpido palo con un lazo aún más estúpido.

–De nada, por cierto –Skulduggery se detuvo en seco y giró la cabeza–. ¿Has oído eso?

–¿El qué?

Sin decir nada, Skulduggery cambió de dirección y Valquiria le siguió. El ruido era un golpeteo sordo y rítmico. Varios metros más allá, los dos entraron en una sala sin muebles de cuyo techo pendía un saco de boxeo. Abominable Bespoke se movía en torno a él, vestido solamente con un pantalón de chándal. El sudor corría por sus cicatrices mientras hacía que el saco de boxeo lamentara el día en que había sido creado. Valquiria y Skulduggery lo observaron hasta que él se dio cuenta de su presencia, terminó con una ráfaga de puñetazos y dio un paso atrás, jadeando.

–Hola, subordinados –dijo.

–Mayor Bespoke –respondió Skulduggery, apoyado en el marco de la puerta–. ¿Te había hecho algo ese saco?

Abominable se secó la cara con una toalla.

–Se estaba burlando de los amigos que escojo.

–Ajá. Así que estabas defendiendo nuestro honor.

–En realidad, intentaba hacerlo callar antes de que entrara alguien. Soy un ilustre miembro del Consejo de los Mayores, y nadie debería enterarse de que los sacos de arena me dan consejos.

Skulduggery se encogió de hombros.

–Entiendo que eso podría hacer que algunas personas albergaran ideas erróneas sobre ti.

–Me he enterado de que andáis buscando a un tal Argeddion –dijo Abominable–. ¿Ha habido suerte?

–De momento, ninguna.

–¿Alguna idea de qué pinta en todo esto? La comunidad internacional nos está presionando muchísimo para que resolvamos este asunto cuanto antes.

–¿Los tipos importantes que vinieron anoche? –preguntó Valquiria.

Abominable la miró fijamente.

Es un asunto oficial del Santuario. Lo siento, pero no puedo hablar de esto con vosotros. No puedo deciros, por ejemplo, que Quintin Strom se plantó en nuestra puerta como portavoz del Consejo Supremo, elegido por la supuesta unión de otros Consejos del resto del mundo, para expresar su preocupación sobre la seguridad en Irlanda.

Skulduggery torció la cabeza.

–¿Solo para expresar su preocupación?

–Oh, sí –respondió Abominable–. Nada más que eso, nos aseguró. Por supuesto, no se debe prestar atención al detalle de que haya traído consigo un séquito de hechiceros como guardaespaldas, dispuestos a actuar en cualquier momento, o que nos haya dado una semana para resolver esta situación con los mortales so pena de que suceda algo que no nos ha especificado.

–Ah –dijo Skulduggery–. Una amenaza sin especificar. Son las peores.

–Evidentemente –repuso Abominable–. Gracias a Dios que todos somos amigos; no puedo decir otra cosa. Alguien más susceptible que yo podría ponerse paranoico con tantos agentes extranjeros dando vueltas por aquí, especialmente ahora que la mayor parte de nuestros agentes andan dispersos por el país para contener este brote mágico. Porque si al Consejo Supremo se le metiera en la cabeza lanzarnos un ataque, estaríamos indefensos.

–Pues sí, suerte que somos amigos –murmuró Skulduggery.

–Por supuesto. Así que ya ves lo urgente que es encontrar a ese Argeddion: es lo primero que hay que hacer, y rápido.

–Entonces, nos pondremos a ello –concluyó Skulduggery–. Por cierto, ¿pudiste arreglar la chaqueta que te dejé?

Abominable entrecerró los ojos.

–Te advertí que tuvieras cuidado con ese traje, ¿verdad? Te dije que estaba especialmente orgulloso de cómo me había quedado, ¿recuerdas? ¿Y qué haces tú? ¡Te vas a cazar licántropos con él puesto!

–Lo hice solamente por ayudarte, Abominable. Me temo que tu trabajo te impide disfrutar de los sencillos placeres de la sastrería, algo que necesitas para mantenerte fiel a tus raíces.

–Eres tan considerado...

Skulduggery se quitó el sombrero.

–Así soy yo: siempre pensando en los demás.

Los dos salieron al pasillo y se dirigieron a la puerta principal. A medio camino, Valquiria se mordió el labio.

–¿Estamos en peligro, Skulduggery?

–Constantemente.

–Me refiero al Consejo Supremo.

Él la observó con atención.

–¿Y por qué debería suponer un peligro para nosotros?

–Es algo que comentó Ravel el año pasado. Dijo que si los demás Santuarios intentaran asumir el control, las primeras personas a las que matarían seríamos tú y yo.

–Ah, sí. Por nuestra maravillosa tendencia a provocar líos.

–¿Y bien? ¿Estamos en peligro?

Pasaron junto a un Hendedor que montaba guardia.

–Sinceramente, no lo sé –contestó Skulduggery–. Si quieren tomar el control, y estoy seguro de que eso es lo que desean, pueden adoptar diversas estrategias. En caso de que decidan atacar de frente, una de sus primeras medidas sería matarnos. Pero parece que han optado por un sistema mucho más artero: están empleando la lógica y la razón. Qué desalmados.

–Entonces, ¿quieren hacerse con el control de este Santuario?

–Desde hace tiempo.

Valquiria bajó la voz para que no la oyeran los hechiceros que pasaban cerca.

–¿Piensas que están detrás de todo este asunto de Argeddion? Si querían una excusa para meter las narices en nuestros asuntos, esto de que los mortales puedan de pronto hacer magia parece excelente...

–No creo. Esto es incontrolable: un solo error y el mundo entero descubrirá la existencia de la magia. Demasiado arriesgado. No, creo que están haciendo lo que haría cualquier potencia invasora con cabeza: aprovecharse de una debilidad evidente.

–¿Crees que acabaremos entrando en guerra con ellos?

–Espero que no. La guerra no saca precisamente lo mejor de mí.

–Detectives.

Los dos se giraron y vieron que el administrador del Santuario se acercaba a ellos.

–Una mujer desea verlos –informó Tipstaff–. Una tal Greta Dapple. Dice que conoce a la persona que buscan.

Valquiria subió las cejas.

–¿Conoce a Argeddion?

–¿Conocerle? –dijo Tipstaff–. Por lo que dice, salía con él.

7

LA HISTORIA DE WALDEN D'ESSAI

GRETA Dapple era una anciana. Valquiria estaba acostumbrada a tratar con gente vieja –al fin y al cabo, Skulduggery tenía algo más de cuatrocientos años–, pero muy rara vez conocía a alguien que lo pareciera. Greta tenía el pelo blanco recogido en un moño y era menuda y frágil, como si se hubiera secado por haber pasado demasiado tiempo al sol. Estaba sentada en la sala, con las manos cruzadas sobre el bolso, y les sonrió al verlos entrar.

–Señora Dapple –saludó Skulduggery–, muchas gracias por venir. Nos han comentado que conoce a un hombre llamado Argeddion. ¿Es cierto eso?

–Sí –asintió Greta–, aunque se llamaba Walden D'Essai cuando lo conocí. Fue el amor de mi vida, uno de esos que no se deben dejar escapar. Pero yo era joven e ignorante; nunca me he arrepentido tanto de algo.

–Walden D'Essai... –murmuró Skulduggery–. No me suena.

–No me sorprende, detective; supongo que usted oye hablar sobre todo de criminales, terroristas y alborotadores, ¿no? Walden no era nada de eso. Era un pacifista. Era tan considerado... Jamás habría hecho daño a un ser vivo. Eso era lo que más me gustaba de él. Creía en la bondad de la gente. Seguramente por eso terminó muerto.

–¿Está muerto? –preguntó Valquiria con el ceño fruncido.

–Por supuesto que sí. ¿No es ese el motivo por el que querían hablar con los que lo conocieron? ¿Para descubrir quién lo asesinó?

–En efecto –se adelantó Skulduggery–. Solo queremos hacer justicia. Cuéntenos todo lo que sepa.

–Yo nunca he sentido la magia con mucha fuerza –comenzó Greta–. Esta semana cumpliré doscientos años y ya aparento cien; mi magia nunca fue lo bastante poderosa para ralentizar el envejecimiento. No es que me queje: he vivido el doble de lo que debería, y estoy muy agradecida. Pero Walden era fuerte y amaba la magia. En el buen sentido, desde luego, no como esas personas que adoran el poder. Él amaba la magia en sí; decía que era la cosa más hermosa del mundo. Bueno, en realidad decía que yo era la cosa más hermosa del mundo, pero la magia estaba en segundo lugar, casi empatada conmigo –soltó una risita y Valquiria sonrió–. Cuando no estábamos juntos, se dedicaba a estudiar, a leer y a investigar. Buscaba respuestas, quería encontrar la fuente de la magia. De dónde viene, cómo funciona... Quería averiguar por qué Irlanda, Australia y África son cunas de la magia, y descubrir si hay otras que todavía no conocemos. Ah, cuántas cosas encontró, cuántos secretos...

Skulduggery inclinó la cabeza.

–¿Le contó por casualidad alguno de esos secretos?

–Unos cuantos –Greta soltó una carcajada–. Pero no soy quién para repetirlos. Los descubrió después de muchos años de búsqueda, así que perdóneme si no menoscabo sus logros soltándolos sin más.

–Es una contrariedad –dijo Skulduggery–, pero totalmente comprensible. Continúe.

–Gracias. Una de las principales creencias de Walden era que, en realidad, nuestro nombre verdadero no es la fuente de nuestra magia, sino que los nombres están directamente conectados a esa fuente y a través de ellos fluye la magia.

–¿Fluye desde dónde?

–Nunca fue tan específico, me temo. Hablaba de la fuente como si fuera un lugar, pero no llegó a explicarme cómo encajaba en su teoría. Supongo que me lo habría contado si se lo hubiera preguntado, si hubiera fingido que comprendía esas cosas que tanto le entusiasmaban. Pero, como ya he dicho, yo era joven y tenía la cabeza en otra parte... El caso es que él acabó por obsesionarse con conocer su nombre verdadero y se dedicó a ello con todas sus energías. Emprendió una misión de búsqueda tras otra; se apartó del mundo, se apartó de mí. Ahora sé que debería haber luchado más, que no debería haberlo dejado marchar, pero... no lo hice. Cada día se mostraba más distante, y acabé por dejarle. Las primeras semanas no creo que se diera cuenta siquiera de que yo me había ido.

–Entonces, Argeddion era el nombre verdadero de Walden –murmuró Skulduggery lentamente.

A Valquiria se le secó la boca. Argeddion era igual que ella: un hechicero que conocía su nombre. El ser más peligroso que cabía imaginar.

Greta asintió.

–Un año después de que le dejara, me llamó. Me dijo que finalmente lo había descubierto, que ahora era Argeddion y que tenía todas las respuestas a su alcance. Pero algo más había cambiado en él, aparte de su nombre. No era el hombre obsesionado del que yo me había apartado. Tenía un nuevo nombre, pero volvía a ser la persona que yo había conocido, llena de alegría por la vida. Me encantó comprobar que había recuperado su dulzura, pero también me puse nerviosa al oírle. Hay tan pocas

71

personas que hayan descubierto su verdadero nombre... No sabía qué sucedería con Walden, en qué se convertiría. No estaba... Tienen que entenderlo: no es que tuviera miedo de él, es que me daba miedo lo que podía significar aquello –Greta guardó silencio por un instante. Cuando continuó hablando, su voz estaba teñida de tristeza–. Yo no era la única que pensaba así. No sé cómo se enteraron de lo que había pasado, pero vinieron a hacerme preguntas.

–¿Quiénes? –preguntó Valquiria.

–Hechiceros. Cuatro, tres hombres y una mujer. Solo recuerdo el nombre del líder: Tyren Lament. La chica era una sensitiva. Lament dijo que había tenido una visión del futuro o alguna tontería así. Si le digo la verdad, nunca confié en ellos.

–Pero esa sensitiva... ¿vio un futuro en el que Walden hacía algo malo? –preguntó Skulduggery.

–Vio tonterías, eso es lo que vio –replicó Greta, cada vez más alterada–. Walden D'Essai era un pacifista. Perdió a su madre de forma violenta cuando era niño, y eso le afectó muchísimo. No soportaba provocar dolor a nadie. Pero esa sensitiva, esa psíquica, tuvo una pesadilla violenta y llena de muerte y sufrimiento, y al parecer Walden era la causa de todo. Después de que se marcharan, llamé a Walden y le conté que le estaban buscando. Él me dijo que no me preocupara, que se lo explicaría todo y así entenderían que no suponía ninguna amenaza. Esa fue la última vez que hablé con él.

–¿Piensa que le mataron?

–Sí. ¿Los pueden arrestar?

–Tyren Lament desapareció hace treinta años –dijo Skulduggery–. Si Walden está muerto, parece que no fue el único que murió aquel día.

–Si murieron, tuvo que ser exclusivamente por culpa suya –afirmó Greta–. Walden jamás hubiera hecho daño a nadie.

–Tal vez directamente no –repuso Skulduggery–. Pero últimamente estamos lidiando con gran cantidad de fenómenos inexplicables que ya han causado heridos e incluso muertos. Y alguien llamado Argeddion parece estar detrás de ello.

–Un momento. ¿Cree que mi Walden está vivo? No, lo siento, pero no. Si Walden siguiera vivo, se habría puesto en contacto conmigo hace mucho. Está muerto, lo sé.

–Y teóricamente, eso lo pondría fuera de la circulación –dijo Skulduggery–. Pero a juzgar por nuestra experiencia, la muerte rara vez es un obstáculo.

El Consejo de los Mayores nunca se había convocado más rápido. Sus integrantes dejaron en el acto todo lo que estaban haciendo y se reunieron con Skulduggery y Valquiria en la sala del trono. Ravel y Mist llevaban las túnicas tradicionales, pero Abominable acababa de darse una ducha y apareció con una camisa remangada. Skulduggery los puso al corriente de lo que les había contado Greta Dapple.

–Así que piensas que Argeddion sigue vivo y está escondido en alguna parte –concluyó Ravel–. Y, según tú, desde que descubrió su verdadero nombre, cuenta con un poder inimaginable que le permite entrar en los sueños de la gente y dotarlos de habilidades mágicas, ¿no?

–Buen resumen.

–El caso es que ahora mismo albergo sentimientos encontrados. Por una parte parece que el asunto progresa rápidamente, lo cual es una excelente noticia. Por otra, esto significa que hay suelto un hechicero que podría matarnos a todos con un aspaviento, lo cual disminuye un poco mi alegría. ¿Puedo dar por sentado que Abominable ha roto ya el protocolo y te ha contado el asunto del Consejo Supremo y el ultimátum?

–Lo ha hecho.

–Pues vamos a centrarnos en lo positivo. Necesitamos una solución rápida para quitárnoslos de encima. Pídenos cualquier cosa que necesites.

–Por eso estamos aquí, la verdad –contestó Skulduggery–. Necesitamos información sobre Tyren Lament.

Ravel asintió.

–De acuerdo.

Skulduggery aguardó un instante.

–¿Y bien?

–Y bien, ¿qué?

–¿Qué nos puedes decir de él?

Ravel se echó a reír.

–¿Yo? Lo conocía tanto como tú, es decir, muy poco. ¿Por qué no buscáis en el archivo?

–Ya lo hemos hecho. No hay ficha de él.

–¿No hay ficha? Entonces, ¿por qué crees que voy a saber algo yo?

–Porque eres el Gran Mago y tienes acceso a los diarios de los Mayores.

–Ah –dijo Ravel–. Claro.

Skulduggery inclinó la cabeza.

–Los has leído, ¿no? Es uno de los requisitos para formar parte del Consejo: leer los diarios de los miembros anteriores.

–Estaba en ello –se justificó Ravel, un poco a la defensiva–. Iba a empezar, pero... Escucha, ser Mayor no es fácil. Apenas duermo, ¿lo sabías? Me acuesto muy tarde, me levanto temprano, todos los días tengo reuniones, informes, líos varios... Créeme, me encantaría poder tomarme un par de tardes para leer esos diarios. La oportunidad de acceder a la sabiduría de los Mayores que me precedieron... Sería un honor, y estoy deseándolo.

Skulduggery asintió.

–Hay trescientos cuarenta y cuatro diarios.

Ravel palideció.

–¿En serio?

–Libros enormes encuadernados en piel, de mil páginas. Y con letra pequeña.

–Dios mío...

–Te va a llevar algo más que un par de tardes.

–Eso parece –Ravel frunció el ceño–. Vale, vale, me has pillado: no he abierto esos diarios viejos y llenos de polvo. Ya lo haré. Abominable, tú que los has leído, ¿qué nos puedes contar de Lament?

–Esto...

Skulduggery negó con la cabeza.

–Abominable, por favor...

–Tengo uno en la mesilla de noche –barbotó Abominable–. Lo he empezado, en serio. Pero es que era aburridísimo: todo lleno de «empero», de «otrosí» y de «dizque». ¿En serio hablábamos antes así?

–Así que nadie se ha leído los diarios –concluyó Skulduggery–. ¿Es eso lo que intentáis decirme?

Ravel y Abominable parecían avergonzados. Finalmente, Madame Mist tomó la palabra.

–Yo los he leído.

–¿En serio? –Ravel la miró con asombro–. ¿No te parecieron... aburridos?

–Hay muchas cosas que me parecen aburridas –observó Mist con la tranquilidad que le era propia–. Eso no significa que vaya a faltar a mi deber.

–Bien, me alegro –suspiró Skulduggery–. Al menos hay alguien que hace lo que se supone que tiene que hacer. ¿Y qué nos puedes contar?

Madame Mist le observó a través del velo.

–Nada.

–¿No mencionaban a Lament?

–Aparecía, pero no puedo deciros en qué contexto. Únicamente los Mayores pueden saber lo que contienen esos diarios.

–Bueno, a Skulduggery y a Valquiria se lo podemos contar –terció Ravel.

–No, no podemos.

Abominable se echó hacia delante y miró a Mist de hito en hito.

–Sí que podemos. Se han ganado ese derecho.

–No es una decisión que podamos tomar nosotros –replicó Mist–. Es una norma.

–Una norma que vamos a anular ahora mismo –masculló Ravel–. Hoy se acaba esa norma. Soy el Gran Mago y lo decreto. Queda derogada. Así que cuéntanos qué dicen los diarios.

–Si queremos cambiar las normas, debemos votar. No es necesario que el veredicto sea unánime: basta con una mayoría simple.

–Así que quieres que votemos –resopló Abominable–, cuando sabes perfectamente que saldrá una mayoría de dos contra uno porque te consta lo que votaremos Ravel y yo. ¿Para qué?

–Son las reglas, Mayor Bespoke.

–Vale. Todos los que estén a favor de contar a Skulduggery y Valquiria lo que dicen los diarios, que levanten la mano –Abominable y Ravel la subieron–. Ya está. Dos contra uno. Nosotros ganamos. Ahora, ¿serías tan amable de contarnos qué pone en los diarios sobre Lament?

–Tyren Lament era detective bajo el mando de Meritorius. Estaba especializado en magia científica.

–Eso ya lo sé –replicó Skulduggery.

–Había otros que trabajaban con él, pero no se mencionan sus nombres ni tampoco su número. Lament y sus colegas formaban un grupo especializado cuya tarea era hacer frente a las amenazas mundiales de la forma más discreta posible. Meritorius y los Mayores hablan muy bien de ellos, pero ofrecen pocos detalles sobre su trabajo. Hay algunos apuntes sobre arrestos poco importantes al principio de la carrera de Lament, pero luego desaparecen los datos.

–¿Y Argeddion? –preguntó Valquiria–. ¿Aparece en los textos?

–No. Tampoco se habla de la desaparición del grupo de Lament.

–Así que se desvanecieron de la faz de la Tierra –sentenció Skulduggery–, y ni uno solo de los Mayores se molestó en dejar apuntado cómo. Me parece a mí que Lament y sus amigos eran agentes encubiertos igual que lo éramos nosotros, los hombres cadáver o los Magos de Exigencia de Guild, pero en tiempos de paz. Debían de encargarse de hacer el trabajo sucio. Se encargaron de Argeddion y lo que sucedió se borró de los registros oficiales. Meritorius lo encubrió.

–No sería la primera vez –gruñó Abominable.

–Entonces, ¿eso significa que Argeddion está muerto? –intervino Valquiria–. Si hubieran fracasado, Meritorius habría enviado a otros; a ti, por ejemplo. Pero no lo hizo.

Skulduggery asintió.

–Lo cual indica que seguramente la misión tuvo éxito.

Ravel se removió incómodo en la silla.

–Así que todos los que sabían algo del asunto están muertos. ¿Qué hacemos?

–Quizá quede alguno –replicó Skulduggery–. Puede que asesinaran a Lament y a la mayor parte de su grupo, pero tuvo que haber algún superviviente que informara a Meritorius de que el caso estaba cerrado.

Valquiria se giró hacia él.

–Así que tenemos que averiguar quiénes formaban parte del grupo de Lament. ¿Cómo lo hacemos?

Skulduggery se puso el sombrero.

–Si queremos averiguar quiénes eran los amigos de un hombre, ¿a quién habrá que preguntar?

Valquiria sonrió.

–A sus enemigos.

8

CONDENA

N apariencia, la prisión de Hammer Lane era una casa pequeña con la puerta abierta, en la frontera entre los condados de Laois y Offaly. En la parte delantera había un barrizal con algunos árboles resecos, y en la trasera un garaje. Y en su interior se encontraba uno de los últimos hombres detenidos por Tyren Lament.

Skulduggery guio el Bentley entre los charcos y los socavones de la carretera, lo aparcó frente a la casa y salió del coche, seguido por Valquiria. El esqueleto no se molestó en ponerse el tatuaje fachada al ver que se acercaba un anciano.

–Hola –dijo el viejo–. Perdidos, ¿no?

–¿De verdad piensa que nos hemos perdido? –preguntó Skulduggery . ¿En serio cree que somos gente corriente que va de paso, y que casualmente uno de nosotros es un esqueleto?

–Ah, sí –dijo el anciano–. Sí, eso sería extraño, claro. Supongo que quieren visitar la prisión, entonces.

–Supongo que sí.

–Esperen aquí. Los anunciaré. ¿Sus nombres eran...?

–Skulduggery Pleasant y Valquiria Caín.

–Pleasant y Caín –asintió el viejo–. ¿Tienen cita?

–Sí.

–Enseguida vuelvo.

Renqueó hasta el garaje mientras Valquiria contemplaba la puerta entreabierta de la casita. Brillaba ligeramente, como un espejismo producido por el aire caliente.

–¿Por qué hace eso la casa? –preguntó.

–No estoy seguro –contestó Skulduggery–. Puede que sea algún tipo de proyección o un escudo de energía de alguna clase.

–Para ser una cárcel, es más bien pequeña y... no sé, accesible, ¿no te parece? A no ser que se trate de una prisión para delincuentes diminutos, más bien torpes y sin ganas de escapar, claro.

–Me temo que son criminales de tamaño normal. La casa no es más que la entrada: la prisión es subterránea.

–Todo es subterráneo –suspiró Valquiria–. Estoy harta de cosas subterráneas. Santuarios subterráneos, cárceles subterráneas...

–Caramba, dos cosas subterráneas. Una lista exhaustiva.

–Cierra el pico. Lo único que digo es que sería agradable tener una base, un cuartel general o algo así, con ventanales amplios, buenas vistas y un poquito de sol de vez en cuando.

El anciano regresó.

–El alcaide los espera –dijo–. ¿Ya habían estado antes en Hammer Lane? Lo único complicado es pasar por la puerta; es muy importante no tocar los bordes. Para la gente delgada como ustedes no supone ningún problema, pero para otros... –meneó la cabeza como si estuviera recordando una tragedia que le tocara de cerca.

–¿Qué pasa si tocamos los bordes? –preguntó Valquiria, pero el viejo ya se estaba alejando.

La chica se giró hacia Skulduggery e hizo un gesto hacia la puerta.

—Los ancianos primero.

—Cuánta amabilidad —respondió él cruzando el umbral—. ¿Y bien? —se giró hacia ella—. ¿Vienes?

Valquiria titubeó. La puerta vibraba. Se lamió los labios, se puso de lado y avanzó despacio.

—¿Qué haces? —preguntó el esqueleto con curiosidad.

—Tener cuidado —susurró ella.

—Pasas todos los días por umbrales de puertas y nunca chocas contra los marcos.

—Deja de distraerme.

—Podrías entrar con los brazos en jarras y seguirías sin tocar los lados.

Ella respiró hondo, avanzó el último tramo de un saltito y soltó el aliento.

—A veces me desconciertas —dijo Skulduggery.

Solo había una habitación en la casa, con un sillón roto y una manta hecha jirones. El papel de las paredes estaba despegado. Se oyó un pitido y el suelo empezó a descender.

—Mola —susurró Valquiria.

Dejaron atrás el papel pintado y bajaron por un hueco de acero brillante e iluminado, cada vez a mayor velocidad. Cuando Valquiria estaba empezando a disfrutar del viaje, el suelo se detuvo limpiamente. Al fondo se abrió una puerta por la que apareció un hombre sonriente, vestido con traje y corbata.

—Hola —dijo—. Soy Delafonte Mien, el alcaide. ¿Les apetece una limonada?

Recorrieron los pasillos relucientes y las puertas de acero de la cárcel de Hammer Lane hasta llegar a una enorme sala cilíndrica que albergaba el comedor y la zona común. Había cinco niveles de celdas excavadas en las paredes, cada uno con una pasarela circular realizada en un material transparente que a Valquiria le sonó a cristal cuando lo golpeó con los nudillos. Se encontraban de pie en el sexto piso, el más alto, en una plataforma de observación desde la que podían contemplar la estructura entera.

–Suena a cristal porque es cristal –comentó Mien–. Reforzado, evidentemente. Se necesitaría un cohete para hacer una grieta a una capa de este material... y hay cuatro capas. Es impenetrable –pasó la mano por la barrera metálica y una sección del cristal se retiró.

Los tres se inclinaron y miraron hacia abajo. Valquiria sintió un poco de vértigo.

–Veo que sus reclusos se portan muy bien –comentó Skulduggery.

Por debajo de ellos se veían varias decenas de presos ataviados con monos naranjas, sentados a las mesas en grupos perfectamente ordenados.

Mien se rio entre dientes.

–Ah, me encantaría decir que siempre son así... Pero en cualquier momento se unirá a ellos un preso que lleva un mes confinado en solitario. Es un poco problemático, así que hemos reforzado la seguridad para hacer frente a cualquier problema. Antes de que yo tomara el mando, esta era la peor cárcel de Europa. Mal comportamiento, motines, fugas... Cuando me asignaron este puesto hace diecisiete años, analicé con qué contábamos e hice cambios. En dos años, este sitio se convirtió en una fortaleza. Ningún prisionero ha huido en quince años; incluso los intentos de fuga se han reducido casi a cero.

–¿Cómo lo consiguió? –preguntó Skulduggery, apartándose de la barrera y contemplando las tuberías que se entrecruzaban en lo alto del techo.

Mien hizo un gesto y el cristal se volvió a cerrar.

82

–Puede que hayan notado un ligero temblor cuando entraban... Se debe a que el edificio oscila entre dimensiones.

–¿Perdón? –preguntó Valquiria, girándose para mirarle.

–Mientras hablamos, estamos viajando a través de ocho dimensiones por segundo –explicó Mien–. Hasta las cuarenta dimensiones, y de nuevo a empezar. Es un bucle continuo. Si alguien intentara romper la pared, acabaría despedazado y esparcido en media docena de realidades. Realmente no hay escapatoria, excepto si se sale por la puerta de entrada. Los presos lo saben; saben que no hay esperanza. Por ese motivo he podido reducir el número de hechiceros y Hendedores en el recinto. Operamos con un personal reducido. Esta cárcel es un hueso duro de roer, si me disculpa la expresión, detective.

–Se la disculpo –murmuró Skulduggery–. ¿Y cómo lo hacen?

Ah –Mien soltó una carcajada–. Me temo que eso no puedo decirlo.

Les hizo una seña y los tres emprendieron el regreso.

–Todos los alcaides que conozco han intentado descubrirlo –continuó Mien–, pero he decidido no divulgarlo de momento. No pasará mucho tiempo antes de que me asignen una de las cárceles más grandes del mundo, y tal vez entonces desvele el secreto de mi éxito.

Skulduggery le echó una mirada.

–Es usted un hombre ambicioso, ¿verdad, Mien?

–Podría decirse que sí. La ambición no tiene nada de malo, ¿no?

–Absolutamente nada –asintió Skulduggery–, mientras se canalice de forma correcta.

–Le aseguro que toda mi ambición se centra en desempeñar mis funciones del mejor modo posible.

Pasaron por otra puerta de acero. Al otro lado, un hombre con uniforme le tendió a Mien un dispositivo de pantalla táctil del tamaño de un ladrillo.

–Discúlpeme un instante –dijo Skulduggery, apartándose con el móvil en la mano.

Mien aprovechó el momento para enseñarle a Valquiria el dispositivo que le acababan de entregar.

–Con esto controlo todo el edificio –explicó, tocando la pantalla y arrastrando el dedo–. Lo diseñé yo mismo. Confío en poder hacerlo más pequeño, pero con toda la energía que tiene que generar esto, es lo más que he podido conseguir de momento.

–¿Y no es peligroso? –preguntó ella–. Me refiero a tenerlo todo centralizado en un aparato que alguien puede robar.

Mien sonrió.

–Yo soy el único que puede manejarlo, y se guarda aquí, en la instalación central. Nunca lo saco. La seguridad es mi trabajo, detective Caín. Sé un par de cosas sobre el tema.

Skulduggery regresó.

–Todo muy impresionante, he de admitirlo. Unas instalaciones únicas. ¿Le comentaron qué prisionero venimos a ver?

–No, pero no importa. Con el protocolo que tengo instalado, puedo acceder a la información de cualquier interno en un instante. Deme un segundo para abrir la aplicación... Bien. ¿Nombre del prisionero?

–Silas Nadir.

Los dedos de Mien temblaron sobre la pantalla.

–Ene... –farfulló–. Ene, ene... ¿Dónde está la ene? No... No la encuentro. Ah, aquí está. Nadir. ¿Y el nombre era...?

–Silas –dijo Skulduggery.

Mien asintió, tecleó el nombre y esperó.

–Vaya –dijo.

Skulduggery inclinó la cabeza.

–¿Vaya?

–Lo lamento muchísimo. Me temo que han venido para nada. Silas Nadir murió hace dos años.

Skulduggery se detuvo en seco.

–¿Qué?

–No saben cuánto lo siento –dijo Mien–. Fue terrible... Falleció de un ataque al corazón. El personal de la prisión no estaba al tanto de que sufriera ningún problema. Murió mientras dormía.

–¿Y por qué no se informó de su fallecimiento?

Mien pestañeó.

–Yo... Estoy seguro de que lo hicimos. Tuvimos que hacerlo, cómo no. Nuestro médico en jefe debió de procesar todo el papeleo.

–¿Podemos hablar con él? –preguntó Valquiria.

Mien pareció avergonzado.

–Me temo que el doctor Taper ya no trabaja en la prisión. ¿Para qué necesitaban hablar con Nadir? Tal vez pueda ayudarlos algún otro...

–Necesitamos a Nadir –replicó Skulduggery con sequedad–. ¿Mueren muchos prisioneros bajo su custodia, señor Mien?

La expresión abochornada de Mien se desvaneció rápidamente y su boca formó una línea recta.

–No, detective Pleasant. En absoluto –reemprendió la marcha, y Skulduggery y Valquiria le siguieron.

–¿Cuántos han muerto este año? –insistió Skulduggery.

–Ninguno. Puede que los presos sean criminales convictos, pero tienen derecho a recibir la mejor atención que podamos darles.

–¿Cuántos han muerto en los últimos diez años?

Mien se crispó.

–Tres. Nadir y dos más, Evoric Cudgel y Lorenzo Mulct. ¿Debería haberles informado en persona de sus muertes?

–Cudgel y Mulct... –repitió Skulduggery–. No me suenan. ¿Por qué estaban aquí?

Mien tecleó con aire irritado en su dispositivo.

–Mulct era culpable de múltiples casos de robo. Cudgel era uno de los hombres de Mevolent, pero no era más que un hechicero de bajo nivel.

–Y recuerda sin problemas los nombres de esos prisioneros nada excepcionales –observó Skulduggery–. Pero cuando oyó el nombre de Silas Nadir, un conocido asesino en serie que ha matado a decenas de personas, no lo reconoció y tuvo que buscarlo.

–Después de vacilar –remachó Valquiria.

–Exacto –asintió Skulduggery–. Después de un instante muy revelador en el que pareció quedarse helado ante la sola mención de su nombre.

–Lo siento, pero no sé adónde quieren ustedes ir a parar.

–¿Qué le pasó a Silas Nadir, señor Mien?

–Ya le he dicho que...

–Sí, y creo que me ha mentido.

–Esto es absurdo. ¿Por qué iba a mentirle? Yo no soy ningún criminal; los criminales son los que están encerrados en las celdas.

–Los presos son los que están encerrados en las celdas –le corrigió Skulduggery–. Los criminales pueden estar en cualquier parte.

–Lo siento mucho, pero no puedo ayudarlos –les espetó Mien–. Si me disculpan, tengo una cárcel que atender. La salida está justo delante de ustedes, pero les pediré a los Hendedores que los acompañen para mayor seguridad.

El alcaide se giró y empezó a alejarse.

–¿Qué le pasó a Nadir? –preguntó Skulduggery siguiéndole.

–Les deseo que tengan un buen día, detectives.

–¿Dónde está, señor Mien?

–Hasta la vista.

–¿Y el Verano de la Luz?

Mien se quedó petrificado un instante. Luego se volvió lentamente.

–¿Cómo saben eso?

–¿Sabe lo que es?

–No, no tengo ni la menor idea. Pero los presos... Los internos psicológicamente perturbados han empezado a gritar el nombre de un tal Argeddion. Dicen que viene a visitarlos en sus pesadillas. Algunos han escrito el nombre con su propia sangre en las paredes de las celdas, junto a esas mismas palabras: «Verano de la Luz».

–¿Y qué dicen sobre Argeddion?

–Nada, absolutamente nada. Solo su nombre y que se les aparece en sueños.

Skulduggery contempló al alcaide con atención.

–Me gustaría hablar con alguno de esos presos, si no le molesta. Preferiblemente con el que esté más lúcido. ¿Tiene aquí la lista?

–¿Y qué tiene que ver todo esto con Nadir? –preguntó Mien.

Cuando Skulduggery se disponía a responder sonó una alarma, tan repentina y potente que Valquiria retrocedió de un salto. Miró a su alrededor, y cuando volvió a darse la vuelta, un muro de cristal bajaba delante de ella separándola de Skulduggery y Mien. En la pared se encendieron unos símbolos y Valquiria notó que sus poderes mágicos desaparecían.

Al otro lado del cristal, Skulduggery intercambió unas palabras con Mien, que parecía muy nervioso. Valquiria no oía nada de lo que decían. El alcaide se alejó a toda prisa; Valquiria lo siguió con la mirada y luego enarcó una ceja en dirección a Skulduggery, quien movió la mandíbula arriba y abajo.

Ella resopló y se señaló la boca. El esqueleto se llevó la mano a la clavícula y presionó los signos. Un falso rostro apareció sobre el cráneo y Valquiria pudo leerle al fin los labios.

–No te asustes.

–No estoy asustada.

Skulduggery tocó el cristal con los nudillos.

–No se puede romper. Te sacaremos enseguida.

–Genial.

La alarma seguía aullando. Mien apareció tras Skulduggery, aún más nervioso que antes, e intercambió unas palabras con él. Un montón de palabras. Al fin, Skulduggery se giró hacia Valquiria.

–Buenas noticias –vocalizó–. Ya puedes empezar a asustarte.

Ella lo fulminó con la mirada hasta que él sacó el móvil y la llamó.

–Parece que ha estallado un motín –le informó por teléfono–. El prisionero que han sacado del aislamiento les está dando problemas. Ahora bien, antes de que te preocupes, debo informarte de que la sección de la cárcel en la que me encuentro es completamente segura: aquí no hay ningún problema. No estoy en peligro.

–¿Y la parte donde estoy yo?

–Bueno... –comenzó él–. Lo importante es no perder de vista que yo estoy a salvo.

Valquiria suspiró.

–Estoy encerrada con los malos, ¿no?

–Podrías verlo desde un punto de vista positivo: el vaso está medio lleno, no medio vacío, así que ellos son los que están encerrados contigo. ¿A que eso hace que te sientas mejor?

–En realidad, no.

–Mien está buscando la forma de aislar este corredor del resto de la cárcel para poder abrir la puerta, pero podría llevar... Oh. ¿Te importa esperar un segundo? Tengo otra llamada.

–¿Qué?

La línea se quedó en silencio. Valquiria miró cómo Skulduggery hablaba por teléfono. Golpeó el cristal con los nudillos
y él alzó un dedo pidiendo paciencia.

Finalmente, el esqueleto hizo un gesto con la cabeza y Valquiria se acercó el móvil a la oreja.

–Pareces enfadada.

–¡Me has puesto en espera!

–Por una muy buena razón.

–Me... has... puesto... en... espera –repitió Valquiria muy, pero
que muy despacio.

–Y a juzgar por la expresión de tu cara, que, por cierto, es
una cara de lo más bonita, lo lamentaré muchísimo más adelante. Sin embargo, centrándonos en el ahora, era Abominable.
Le llamé hace un momento y le pedí que un sensitivo analizara
a distancia el recinto, solo por curiosidad. Quería saber de dónde
viene el poder que mantiene este sitio oscilando entre dimensiones. Parece que procede de lo más profundo, de los niveles más
bajos.

–Qué bien –gruñó Valquiria, todavía fulminándole con la
mirada.

–Antes de su supuesta desaparición, Silas Nadir era un oscilador dimensional, alguien capaz de moverse entre diferentes realidades y desplazar a otras personas u objetos. Como los cuerpos
de sus víctimas, por ejemplo.

–Ya lo pillo. Piensas que está vivo y se encuentra encerrado
en el sótano, desde donde se dedica a hacer oscilar el edificio
entero.

–Sí, eso es lo que pienso.

–Y no puedes llegar hasta el sótano, ¿verdad? Pero yo sí. Y allí
es justo adonde quieres que vaya. Quieres que yo, una chica de
diecisiete años, sin magia activa ni protección, recorra una prisión en la que decenas de asesinos convictos y Dios sabe qué

otros chalados campan a sus anchas y se amotinan. ¿Es eso lo que quieres que haga, Skulduggery?

–Así es.

–¿Y crees que es seguro que haga eso, Skulduggery?

–No, sin duda. Pero hay dos buenas razones para hacerlo, a pesar de todo. La razón número uno es que es nuestra oportunidad de echar un vistazo sin que Mien interfiera. La razón número dos es que el corredor donde te encuentras estará lleno de presos dentro de nada.

–¿Y cómo lo sabes?

–Ya has oído a Mien: la puerta es la única salida, y este es el único corredor que lleva hasta ella. Es de esperar que algunos convictos intenten aprovechar la distracción de la revuelta.

–Así que debería irme antes de que lleguen.

–Es lo más oportuno. No cortes la llamada, te iré guiando.

–¿Y cómo sabes el camino?

–Les eché un vistazo a los planos.

–¿Y los memorizaste?

–Echar un vistazo, memorizar... Es lo mismo. Deberías irte ya, en serio.

Ella respiró hondo.

–Consigue que abran esta sección y sígueme.

–Cuenta con ello.

Valquiria le echó una última mirada. Después se giró, echó a correr por el pasillo y dobló la esquina.

–En el cruce, gira a la derecha –dijo Skulduggery–. ¿Ves a alguien?

–No –respondió ella sin parar de correr–. Todavía no.

–Con suerte, podrás mantenerte lejos de su vista. No vas a estar en la zona de los prisioneros, aunque... Bueno, los prisioneros tampoco estarán allí, claro...

–Debo admitir que me estoy preocupando.

–Es perfectamente comprensible. Voy de camino a la sala de seguridad; podré verte enseguida en los monitores. Ahora deberías encontrar tres puertas delante de ti.

–Sí, acabo de llegar.

–Pasa por la del medio.

Valquiria intentó abrirla.

–Está cerrada.

–Dale una patada.

–Es una puerta robusta, Skulduggery.

–Pero no está reforzada. No está diseñada para mantener a los prisioneros en una zona, sino para evitar que entre personal no autorizado. Es una simple puerta con una simple cerradura. Y tú tienes unas piernas muy fuertes.

Ella contempló la puerta.

–Mira, aquí me vendría muy bien contar con un arma –le dio una patada–. ¡Ay! ¡Narices!

–¿Estás bien?

–¡Dar patadas a las puertas duele! ¡Incluso llevando las botas que me hizo Abominable!

–Golpéala con todas tus fuerzas. Imagínate que es alguien que te ha hecho la vida imposible últimamente.

–¿Puedo imaginarme que eres tú?

–No veo cómo va eso a...

Valquiria dio una patada y la puerta se abrió de golpe.

–Ya he entrado –informó mientras la cerraba–. Y me duele el pie de verdad. Estoy en una habitación con máquinas en las paredes. Hay un montón de lucecitas que parpadean.

–¿Ves un conducto de ventilación en el suelo?

Se quedó helada.

–Por favor, dime que no voy a tener que arrastrarme por ahí.

–Me temo que sí.

–No. No puedo hacerlo. Es demasiado pequeño.

–Las medidas son...

–¡Tengo claustrofobia y lo sabes! ¡Especialmente después de lo que pasó en las cuevas el año pasado, con todas esas cosas encima! ¡No podía mover los brazos, y estaban en mi pelo y...!

–Tranquilízate.

–No me voy a meter ahí. No pienso hacerlo.

–Es un conducto de lo más espacioso –dijo Skulduggery con voz suave–. Tendrás espacio para moverte. No vas a quedarte atrapada.

–No puedo.

–Valquiria, escúchame. Sé que no quieres hacerlo, sé que crees que no eres capaz, pero no tienes otra opción. Estoy ya en la sala de seguridad y tengo los monitores delante. Los prisioneros andan sueltos por todo el edificio. No puedes dejar que te atrapen.

Se puso de rodillas delante del conducto.

–¿Y cómo entro? Está atornillado.

–Tendrás que forzarlo. ¿No hay nada que puedas usar como palanca?

Echó un vistazo a su alrededor.

–Hay un banco con trastos, piezas de maquinaria y algunas herramientas. ¡Y un destornillador! ¡Puedo usarlo como palanca!

–Sí –dijo Skulduggery–. También podrías usarlo como destornillador.

–Ah, claro.

Agarró el destornillador, regresó rápido hasta el conducto y se puso a trabajar.

–Los Hendedores están conteniendo el motín bastante bien –indicó Skulduggery–. Pero hay prisioneros por todas partes. ¿Cómo vas?

–Uno casi... Vale, uno fuera. Quedan tres.

92

–Los presos ya han llegado a la puerta de seguridad.

El destornillador saltó de la ranura.

–¿La puerta de cristal?

–Sí.

–Así que están muy cerca.

–Sí.

Tenía la boca seca.

–En cuanto se den cuenta de que no pueden cruzar por ahí, darán la vuelta y llegarán hasta aquí.

Quedaban dos tornillos.

–Se dirigen hacia ti.

El destornillador se le escurrió de la mano.

–Valquiria...

–Voy todo lo rápido que puedo –el corazón le latía desbocado. El tercer tornillo se soltó–. Me queda uno.

–Valquiria –dijo Skulduggery–, tienes que hacerlo muy, pero que muy silenciosamente.

En el pasillo de fuera sonaron voces y pasos precipitados. Valquiria se dio la vuelta, blandiendo el destornillador como si fuera un cuchillo, y esperó a que se abriera la puerta.

Las voces pasaron de largo.

· Van a llegar al final del pasillo –informó Skulduggery . No hay salida por allí. Volverán sobre sus pasos; no te queda mucho tiempo.

Ella se volvió y continuó girando y girando el destornillador hasta que...

–Hecho –dijo, y el último tornillo cayó al suelo junto a los otros.

Coló el destornillador por una esquina e hizo palanca hasta que la trampilla se aflojó. Metió los dedos en la ranura y tiró, mordiéndose los labios por el esfuerzo e ignorando el dolor del metal que se le clavaba en la carne. La trampilla se soltó de golpe y Valquiria la levantó. Contempló el agujero cuadrado. Estaba oscuro y parecía demasiado pequeño.

—¿Estás seguro de que no me quedaré atascada?

—No tienes otra opción —respondió Skulduggery—. Están a punto de llegar. Tienes que arrastrarte hacia la izquierda. ¡Muévete!

Valquiria tomó aire y se metió dentro.

9

PERSEGUIDA

PENAS cabía.

La abertura era pequeña, angosta y oscura. Ni siquiera podía ponerse a cuatro patas: tenía que avanzar arrastrándose con los codos.

–¿Lo ves? –dijo Skulduggery–. Te dije que tendrías sitio.

Continuó reptando y de pronto se quedó congelada. Cerró los ojos y giró la cabeza para susurrar por el móvil.

–Sácame de aquí; es demasiado estrecho. ¿Cómo voy a salir? No puedo ni darme la vuelta.

–Dejarte llevar por la histeria no te ayudará en nada.

–Me voy a quedar aquí atrapada, lo sé.

–Ssssh. Están en la habitación, detrás de ti.

Se quedó callada. Las voces parecían discutir, y una se hizo de pronto más fuerte. Valquiria volvió la mirada y vio una cabeza que se asomaba por el hueco. Su dueño no la descubrió: estaba todo demasiado oscuro.

–Valquiria –susurró Skulduggery–. No hay cámaras en esa sala. No puedo ver lo que están haciendo.

Ella no contestó.

La cabeza volvió a aparecer y el volumen de las voces aumentó.

Valquiria reemprendió la marcha, arrastrándose lo más rápido y silenciosamente que pudo. A su espalda empezaron a sonar ruidos.

—Están aquí —musitó—. Me siguen.

—Sigue avanzando, no te pares. Vas a pasar por cuatro trampillas más como la que acabas de abrir. La quinta da a una escalera que debería estar desierta. Por ahí tienes que salir.

El primer respiradero estaba justo delante de ella. Le ardían los músculos y el pelo se le metía en los ojos, pero no tenía ni tiempo ni espacio para apartárselo. Se arrastró, con el móvil en una mano y el destornillador en la otra.

Cuanto más se acercaba a la rejilla, más fuerte se oía la alarma. No quería volver la vista; prefería no descubrir a su perseguidor. Mantuvo la vista al frente y se impulsó con los codos hasta llegar al hueco de ventilación. Echó un vistazo a la habitación en penumbra y continuó avanzando. Aún oía voces, pero hacía todo lo posible por no pensar en ellas.

Por la siguiente rejilla entraba luz a raudales. En el exterior se oía un rumor de pisadas rápidas y voces. Valquiria reptó hasta sobrepasar la abertura, pero justo cuando acababa de hacerlo, oyó una voz a su espalda.

—¿Has visto eso? Hay alguien ahí.

Se quedó congelada en el sitio.

—No, no hay nadie —repuso otra voz—. Sigue avanzando, venga.

—Pero mira, se ha movido algo hace un segundo. Hutchinson, ven aquí. ¿Lo ves?

—Sí —dijo el tal Hutchinson—. ¡Eh! ¡Espera!

Valquiria respiró hondo y siguió arrastrándose lo más rápido que pudo, sin preocuparse ya de no hacer ruido. Los hombres que tenía detrás gritaron, pero no entendió lo que decían. No quería entenderlo. Estaban lejos de ella y no iban a alcanzarla de ninguna forma.

Le ardían todos los músculos. Se detuvo una fracción de segundo y oyó un golpe seco tras ella. Al volver la vista, vio un rostro sonriente que asomaba por la última abertura.

–¡Eh!

Era el tal Hutchinson. Menudo y delgado, empezó a deslizarse como una rata por el conducto de ventilación. Valquiria continuó avanzando, pero era inútil: una mano le aferró la bota. Intentó darle una patada en la cara a su perseguidor, y este la esquivó con una risita y le aprisionó las pantorrillas. A pesar de todo, Valquiria se impulsó hacia delante centímetro a centímetro. Cuando ya pensaba que podría escapar, otra mano la agarró de la cinturilla de los pantalones.

Valquiria se debatió, pero Hutchinson le aprisionó el brazo y la inmovilizó. Aunque no pesaba mucho, ocupaba todo el espacio disponible; Valquiria ya ni siquiera podía retorcerse.

–No pasa nada –susurró el presidiario mientras la arrastraba hacia atrás, y Valquiria se imaginó su mueca de regocijo–. No voy a hacerte daño –mintió mientras trataba de rodearle la garganta con el brazo derecho. Valquiria pegó la barbilla al pecho para impedirlo–. Tranquila. Sssh...

Tiró del pelo de Valquiria con la otra mano, pero no tenía suficiente espacio para hacer fuerza. Abandonó esa táctica y volvió a hacer palanca con los dedos bajo la barbilla de la chica. Lo estaba consiguiendo; iba a lograrlo de un momento a otro. Valquiria empuñó el destornillador.

La mano continuó deslizándose y de pronto el brazo le rodeó la garganta. Valquiria le clavó el destornillador en el hombro, a ciegas, y él chilló y se retorció mientras ella se escurría hacia delante. Había perdido el destornillador, pero había valido la pena: ahora Hutchinson era un obstáculo para los demás hombres que la seguían.

Sin embargo, sus gritos habían alertado a más gente. Por la abertura siguiente se colaron voces y alguien comenzó a dar patadas a la rejilla. Si conseguían abrirla, estaría atrapada.

Se guardó el móvil en el bolsillo de la chaqueta y se arrastró más rápido. Los hombres que tenía detrás gritaban, intentando hacerse oír por encima de los alaridos de Hutchinson. Después se oyó un crujido espantoso y los berridos se detuvieron. Valquiria no necesitó volver la vista para saber lo que habían hecho.

–¡Dadle más fuerte! –gritó uno–. ¡Está intentando pasar!

Las patadas se reanudaron y la rejilla comenzó a abombarse.

Valquiria ni siquiera se detuvo a echar una ojeada a través de las ranuras.

–¡Ahí está! –gritó un hombre–. ¡Abrid!

Un montón de botas pateaban el metal. Cuando Valquiria acababa de pasar de largo, la rejilla se abrió de golpe tras ella y otra mano la agarró del tobillo.

–¡Te atrapé!

Valquiria pateó con todas sus fuerzas mientras el nuevo perseguidor tiraba de ella hacia atrás. Miró por encima del hombro y vio más manos dispuestas a aferrarla. Con un último tirón, los presos le sacaron los pies del conducto y la arrastraron al exterior.

Cayó al suelo, rodeada de hombres con uniforme de presidiario que la miraban asombrados. Aprovechando el momento, se zafó del agarre, se levantó y corrió hasta la esquina más lejana de la habitación. Allí se volvió para encararlos, con las manos crispadas y una mueca de furia. Estaba agotada, sudorosa, aterrorizada.

Los hombres formaron un semicírculo para cortarle el camino hasta la puerta, que estaba abierta. Había cuatro, y dos más salieron arrastrándose del conducto. Ya no se oían gritos ni maldiciones. Ahora la miraban fijamente sin decir una palabra.

Uno de ellos, el más corpulento, sonrió, al principio ligeramente y después de oreja a oreja.

–Llevo años sin matar a una chica tan guapa –dio un paso al frente, y entonces otro hombre con la cabeza rapada y tatuajes en la cara le agarró del brazo.

–No –le dijo–. Vamos a utilizarla de rehén: es nuestro salvoconducto para salir de aquí.

El primero intentó apartarle la mano, pero el rapado no le soltó. Los dos forcejearon; a los pocos segundos, había estallado una pelea y los seis tipos se pegaban entre ellos. Uno con los dientes amarillos se acercó a Valquiria, le agarró la muñeca y tiró de ella.

–¡Corre! –gritó, y soltó un alarido cuando el hombre corpulento le partió el cuello.

Valquiria corrió con todas sus fuerzas hasta llegar a la plataforma de observación de la planta superior. Había dos presos apoyados en la pared, charlando, como si hubieran optado por mantenerse al margen de la violencia que se había desatado debajo de ellos. Valquiria pasó corriendo por delante de ellos, y aunque la miraron no intentaron detenerla. Oyó un grito y volvió la vista: el hombre corpulento se acercaba.

Al ver una puerta con un cartel de PERSONAL AUTORIZADO, se metió por allí y recorrió un estrecho pasillo que daba a otra puerta. Frente a ella, un prisionero arrodillado intentaba forzar la cerradura. De pronto soltó un grito de alegría, se puso de pie, abrió la puerta y se giró, con una sonrisa que Valquiria le borró en el acto de un codazo. Ni siquiera se paró para verle caer al suelo. Ya se encontraba en el hueco de la escalera, bajando los peldaños de tres en tres. El hombretón le pisaba los talones.

No había cámaras en la escalera, pero Skulduggery tenía que haber visto hacia dónde se dirigía. Dio un salto, se empujó contra la pared y prácticamente se dejó caer hasta la siguiente planta.

La velocidad le venía bien, pero si se torcía el tobillo intentando huir, no saldría de allí con vida.

Oyó un tropiezo: el tipo corpulento se había caído, y sus maldiciones resonaron en el hueco de la escalera. Aquella ventaja inesperada le dio alas a Valquiria. Iba a conseguirlo. Ya faltaba poco para llegar al sótano. Su perseguidor estaría... ¿Dónde? ¿Tres plantas por encima de ella? Iba a conseguirlo: abriría la puerta de una patada y Skulduggery estaría esperándola allí, con el revólver en la mano.

Más le valía.

Llegó al sótano: paredes húmedas, tuberías que goteaban, luces intermitentes y desolación que se extendía entre las sombras. Pasó por una puerta y se encontró en un pequeño laberinto de corredores. Skulduggery no estaba allí.

El hombretón entró como un toro y Valquiria echó a correr, oyendo cómo su perseguidor acortaba la distancia. Sin previo aviso, torció a la izquierda y el tipo la sobrepasó, incapaz de frenar a tiempo. Asomó la cabeza y vio que él tropezaba y volvía sobre sus pasos.

Valquiria miró al frente: ante ella había una puerta con un cartel que ponía MANTENIMIENTO. Pasó y entornó la puerta tras de sí. Era un cuarto pequeño, poco más que un armario. Se giró, adelantó el pie izquierdo y afianzó el derecho. Los pasos y maldiciones se oyeron más cerca; cuando el tipo entró disparado por la puerta, Valquiria ya había lanzado la patada.

Su bota chocó contra la madera y la puerta se estampó contra el rostro del presidiario.

Valquiria cayó hacia atrás por el impacto y vio cómo su perseguidor se ponía de rodillas, con las manos en la cara. Sin dejar de mirarle, se incorporó, agarró una fregona y empezó a golpearle con el palo. Él reculó con un aullido, se revolvió y le arrebató la fregona de las manos. Sin dejarse amilanar, ella dio un salto y le propinó varias patadas en los costados, pero él le sujetó la pierna y luchó por derribarla, jadeando pesadamente. Le sangraba la nariz. Empotró a Valquiria contra la pared, sin soltarle la pierna, y le aprisionó el cuello con la otra mano.

Ella trató de hundirle los pulgares en los ojos, pero él giró la cabeza y la tiró al suelo con violencia. De rodillas, le aferró el cuello con ambas manos. Valquiria perdió el aliento. La cabeza le retumbaba. Se retorció hasta apoyarse en la cadera y levantó una pierna con furia para quitárselo de encima. Él rodó y se incorporó, y ella aprovechó para hacerle un barrido de tijera. Consiguió ponerse encima de él y le lanzó una andanada feroz de puñetazos y codazos; no creyó que hicieran falta más de cuatro golpes, pero continuó para asegurarse. Cuando comprobó que el tipo había perdido el conocimiento, se echó a un lado, sin resuello.

Hizo un esfuerzo por ponerse en pie; se le doblaban las piernas y le dolían los brazos, y no conseguía controlar la respiración. Tambaleándose, avanzó por el pasillo y dobló varias esquinas antes de permitirse un descanso. Se inclinó y apoyó las manos en las rodillas, aún luchando por recobrar el aliento. De pronto se dio cuenta de que, entre el amasijo de tuberías oxidadas, había unas que estaban limpias y relucientes. Las siguió hasta llegar a una puerta.

Se limpió el sudor de la frente y entró en la estancia.

–Ajá –dijo–. Te encontré.

10

NADIR

ALQUIRIA recobró la magia en el instante en que traspasó el umbral, pero apenas se dio cuenta de ello. En mitad de la sala había un hombre suspendido en el aire, sujeto por decenas de cables chisporroteantes que iban desde sus muñecas y tobillos hasta las cuatro esquinas de la habitación. Aunque tenía los ojos abiertos, era obvio que no veía nada. Una especie de casco le cubría la cabeza, y de su nuca salía un manojo de cables gruesos que caían en cascada y desaparecían en un pequeño agujero del suelo. Valquiria contempló a Silas Nadir y se preguntó si sería consciente de lo que estaba pasando.

La puerta se abrió de sopetón a su espalda y Skulduggery entró corriendo, con el revólver en la mano. La vio y se detuvo en seco.

—¿Estás bien?

Ella asintió.

—¿Te han hecho daño?

Negó con la cabeza.

—Los Hendedores casi dominan la situación; la revuelta está controlada. Han empezado a acorralar a los que quedan sueltos. ¿Seguro que estás bien?

–Fenomenal. Deberías guardar el revólver.

Él lo observó con atención.

–Creo que no; tal vez quiera disparar a alguien. Ya veo que has encontrado al difunto señor Nadir.

–Mien lo ha utilizado para hacer oscilar la prisión a través de las distintas realidades. Mira todos esos cables: la cárcel entera está conectada a él. Tiene que ser horrible.

Skulduggery se acercó.

–No olvides que este hombre es un asesino en serie.

–Aun así, no deberían utilizarlo de ese modo.

–La alternativa sería encerrarlo en una celda, y ahí no sería de utilidad para nadie.

–¿En serio estás a favor de esto?

–En absoluto –repuso Skulduggery–. Pero entiendo cómo puede justificarlo Mien. Por supuesto, creo que ninguno de nosotros tendría un punto de vista tan ético si Nadir hubiera asesinado a alguien cercano.

–Eso no viene al caso. ¿Y ahora qué hacemos?

–Lo desconectamos –sentenció Skulduggery examinando los cables–. Con suerte, se despertará y podremos interrogarle y descubrir qué sabe sobre Lament. En cuanto consigamos la información, le encerraremos de nuevo en su antigua celda.

–¿Sabes cómo desconectarlo?

–Doy por sentado que habrá que quitarle el casco.

–¿Así de simple? ¿No le hará daño?

–Con suerte, le picará un poquito. Sin suerte, tal vez sufra daños cerebrales irreversibles. Pero creo que habrá suerte, ¿no te parece? Es sábado. Los sábados siempre nos han traído suerte.

–No me había dado cuenta. Mira, lo que deberíamos hacer es buscar a alguien que entienda de esto y sepa lo que hace.

–Seguramente –murmuró Skulduggery–. Sin embargo...

Los dedos enguantados del esqueleto se deslizaron sobre el casco, agarraron un cable y lo sacaron de un tirón.

Valquiria abrió los ojos como platos.

–¿Estás seguro de que esto es buena idea?

–Creo que funcionará. Solo tengo que desconectar los reguladores de la válvula de emergencia de uno en uno. Hecho esto, si le quito el casco no se producirá un trauma significativo.

–«Reguladores de la válvula de emergencia»... –repitió ella–. Entonces, ¿sabes lo que estás haciendo?

–En realidad, no –respondió Skulduggery desenganchando otro cable–. Me lo he inventado para hacerte feliz; me estoy limitando a soltar los cables rojos porque son más bonitos –antes de que ella protestara, desconectó tres más y asintió–. Debería bastar con esto.

–Ay, madre...

El esqueleto comenzó a desabrochar las correas del casco.

–Si funciona, te habré dejado muy impresionada.

–Y si no funciona, puede que lo mates.

–Solo por la oportunidad de ver una mirada de puro asombro en tu rostro, Valquiria, estoy dispuesto a correr el riesgo –retiró el casco y lo tiró al suelo.

La cabeza de Nadir cayó hacia atrás. Tenía los ojos cerrados.

Valquiria frunció el ceño.

–¿Cuándo sabremos si está bien?

–Cuando despierte, supongo. Ayúdame a desatarlo.

Entre los dos liberaron a Nadir de todos los cables que lo sostenían y lo bajaron al suelo.

–¿Podemos despertarle ya? –preguntó Valquiria.

–La paciencia nunca ha sido tu fuerte, ¿eh? –el detective le dio un cachete a Nadir–. Disculpe, señor oscilador. ¿Podría hacernos el favor de volver en sí?

Nadir gimió e hizo una mueca, y Skulduggery le propinó otro cachete. El oscilador abrió los ojos de golpe, los miró y se puso de pie de un salto.

—Señor Nadir, me llamo Skulduggery Pleasant y esta es mi compañera Valquiria Caín. Estamos aquí para...

Fueran lo que fueran aquellos cables, debían de haberle ejercitado los músculos mientras dormía, porque no hubo signo alguno de atrofia cuando Nadir se lanzó contra ellos. Le agarró el brazo a Valquiria y trató de sujetar con la otra mano a Skulduggery, pero este lo lanzó contra la pared de un puñetazo. Sin darle tiempo a reaccionar, le esposó las manos a la espalda y se giró hacia Valquiria, que se frotaba el hombro.

—¿Estás bien?

—Sí —gruñó—. Me ha dado un calambrazo de electricidad estática.

—¿Qué demonios está pasando? —rugió Nadir—. ¿Qué es esto? ¿Qué me estáis haciendo?

—Ayudarle —contestó Skulduggery—. Lleva durmiendo la siesta desde hace quince años, señor Nadir. Debe de estar muy descansado.

—¿Quince años? ¿Qué dices de quince años? ¡Esta mañana estaba en mi celda!

—No me gusta dedicar mucho tiempo a despejar las dudas de los asesinos en serie, así que se lo explicaré una sola vez y cambiaremos de tema inmediatamente. Fue usted condenado a setecientos años de prisión por múltiples cargos de asesinato. Lo enviaron aquí, a una cárcel bastante cutre. Cuando un tal Mien asumió el cargo de alcaide, le conectó al edificio y comenzó a usarlo para hacer oscilar toda la instalación entre dimensiones. Era el sistema de seguridad definitivo: nadie podía entrar ni salir porque la prisión viajaba a ocho realidades distintas por segundo, y todo gracias a usted. ¿Me sigue?

Nadir le miró con la boca abierta.

–¿Quince años?

–En efecto. Ahora bien, hemos venido a verle por una razón totalmente distinta. Si nos ayuda, nos aseguraremos de que pase los seiscientos setenta y ocho años que le quedan de condena en una celda debidamente acondicionada. ¿Me ha entendido?

–¿Quince años?

Skulduggery se giró hacia Valquiria.

–Oh, cielos. Creo que ha sufrido daños cerebrales.

La puerta se abrió de golpe y Mien entró corriendo.

–¡Vosotros! –berreó–. ¿Qué hacéis aquí? ¡No podéis entrar en esta sala! ¡Es una zona restringida!

–Valquiria –dijo Skulduggery.

La chica se acercó al alcaide, que se encaró con ella.

–¡Esta es mi cárcel! Mientras estéis aquí debéis seguir mis normas, y esto no es...

Valquiria le golpeó la mandíbula con la palma, y Mien se desmadejó y se derrumbó en el suelo. Cuando Valquiria lo maniató, los símbolos mágicos brillaron intensamente en el metal de las esposas.

–Señor Mien –le dijo, arrodillada sobre su espalda–, está usted detenido por... Esto... –miró a Skulduggery en busca de ayuda.

–El uso inapropiado de los reclusos –sugirió él.

–Ahí está –asintió ella–. Tiene derecho a permanecer inconsciente.

Mien no contestó.

–Bien hecho –aprobó Skulduggery–. ¿Qué te parece, Silas? ¿No crees que ha estado muy bien? ¿Qué tal si lo comparas con cómo te detuvieron a ti hace tantos años? Fue Tyren Lament, ¿no? Él fue quien te atrapó.

–Lament –gruñó Nadir, y escupió al suelo–. Por su culpa estoy aquí. Por su culpa he...

–En realidad, fue por culpa tuya –le interrumpió Skulduggery–. Ya sabes, por matar a la gente y esas cosas. Hablando de Lament: ya que estamos, necesito saber los nombres de sus colaboradores.

Nadir le fulminó con la mirada.

–Vete al infierno.

–Silas, ahora en serio: ¿te parece una forma apropiada de hablarle a una persona que acaba de liberarte del limbo? Los colegas de Lament. ¿Quiénes eran?

El oscilador se lamió los labios.

–¿Y si te lo digo? ¿Qué gano yo?

–Seguir desconectado, Silas.

–¿Dices que llevo aquí quince años? Lo último que recuerdo es que estaba en mi celda... Vale, vale, os ayudaré. Pero a cambio, me vuelves a conectar.

Skulduggery inclinó la cabeza.

–¿Perdón?

–Me vuelves a conectar a esa cosa y cumplo la sentencia aquí. Si lo haces, te ayudaré.

–¿Lo veis? –murmuró Mien con voz temblorosa desde debajo de Valquiria–. Le gusta estar aquí.

–Cierra el pico –le espetó ella–. Quiere estar aquí porque han pasado quince años sin que se diera cuenta. Pero no le han condenado a prisión para que lo pase en un abrir y cerrar de ojos. Tiene que aburrirse, al menos.

–Esas son mis condiciones –dijo Nadir–. Conozco a unos cuantos amigos de Lament; cuando estaba persiguiéndome, llamó a tres o cuatro para que le ayudaran. Puedo ayudarte.

–Está bien –dijo Skulduggery–. Trato hecho. Dame sus nombres.

Nadir soltó una carcajada.

–Llámame cínico si quieres, esqueleto, pero no confío en ti. Quiero un contrato firmado por el Gran Mago antes de que termine el día. Y lo quiero en un papel especial del Santuario del que he oído hablar, ese en el que solamente pueden escribir los Mayores. No me vas a tomar el pelo.

Skulduggery guardó silencio un instante.

–Veré lo que podemos hacer.

Tres horas después, entraron en la sala escoltados por un Hendedor y encontraron a Nadir sentado detrás de una mesa. Skulduggery le plantó el papel delante y Nadir pasó los dedos por el membrete en relieve, sonriente.

–Papel oficial del Santuario –susurró, y se echó a reír mientras comenzaba a leerlo.

Valquiria no le quitó el ojo de encima mientras movía los labios. Cuando terminó, subió la vista.

–No vale. Ya está firmado –señaló–. Quiero que el Gran Mago lo firme en persona delante de mí.

–Eso es imposible –repuso Skulduggery–. Es un hombre demasiado ocupado para venir a visitar a un prisionero. Sabes que es auténtico: solo el Gran Mago puede escribir en ese papel.

Nadir se llevó un dedo a los labios.

–¿Y qué pasa con mi querido amigo Delafonte Mien? ¿Qué castigo recibirá por su flagrante abuso de poder?

–Mien está en una celda del Santuario. Su castigo aún no se ha decidido.

–Os aseguraréis de que caiga sobre él todo el peso de la ley, ¿verdad? Me siento como si me hubieran violado, detective: violado.

–Lo que caerá es todo el peso de esta mesa sobre ti si no me das los nombres que busco.

Todavía sonriendo, Nadir se reclinó en la silla.

–Lament era un científico, así que nunca iba a ninguna parte sin un montón de músculos que le cubriera las espaldas: se llamaba Vernon Plight. También le acompañaba una chica, una bajita, la psíquica: Lenka Bazaar. Y alguien más.

–¿Quién?

–No lo recuerdo.

Skulduggery recogió el contrato, pero Nadir se lo arrebató de las manos.

–¡Kalvin Accord! ¡Eso es todo! No sé nada más.

Skulduggery cruzó una mirada con Valquiria.

–A Vernon Plight se le da por muerto. Lo mismo ocurre con Kalvin Accord, y nunca he oído hablar de esa tal Lenka Bazaar.

Nadir se encogió de hombros.

–Eso no es culpa mía; yo he cumplido mi parte del trato.

–Así es –admitió Skulduggery–. ¿No recuerdas a ningún otro? ¿No mencionaron a nadie más delante de ti?

–La verdad es que no presté mucha atención a lo que decían mientras me daban aquella paliza. Recuerdo los nombres y eso es todo.

–De acuerdo. Podemos investigar por ahí, al menos. Hendedor, ¿podría acompañar al señor Nadir a su celda, por favor?

Nadir le miró fijamente.

–¿Qué? ¡Dijiste que me volverías a conectar! ¡Dijiste que me volverías a poner en ese chisme! –el Hendedor lo levantó y le puso las esposas–. ¡Tenemos un contrato! ¡Llegamos a un acuerdo!

–Sí, sí –dijo Skulduggery recogiendo el papel de la mesa–. Por desgracia para ti, no es vinculante.

–¡Pero lo ha firmado el Gran Mago! ¡El propio Eachan Meritorius lo ha firmado!

–Lo ha firmado el Gran Mago, sí –asintió Skulduggery–, pero Eachan Meritorius está muerto, cosa que no sabías porque llevas conectado a esa cosa quince años. Y a menos que Erskine Ravel, el Gran Mago actual, firme el contrato con su propio nombre, bueno... Difícilmente puede considerarse como un documento legal, ¿verdad?

–¡Me has engañado! –chilló Nadir mientras el Hendedor lo arrastraba hasta la puerta.

–Es usted un asesino en serie, señor Nadir –dijo Skulduggery rompiendo el papel–. Merece que le engañen.

11

COSAS QUE PASAN EN UNA CAFETERÍA

AFÉ: no quería nada más en ese instante. Solo café. Un maravilloso café dominguero. Era justo lo que necesitaba para dejar de pensar en el dolor sordo del brazo, donde Nadir la había aferrado el día anterior. Café para distraerse del misterio de Argeddion y Lament. Tomar un café, de hecho, la ayudaría a no recordar que en el siguiente lugar que visitaría se había cometido un crimen.

A Valquiria no le gustaban las escenas de crímenes. Cuantas más le tocaba ver, menos le gustaban. Si se parecieran a las que veía su abuela en la televisión, con ancianos detectives que chasqueaban la lengua mientras recorrían parajes verdes y mansiones señoriales, podría cambiar de opinión. Pero las escenas de crímenes que Valquiria visitaba normalmente parecían haber salido de una película de terror o de una macabra serie policiaca. Una de esas con chorros de sangre, heridas abiertas y alguna que otra cabeza cortada.

Skulduggery le había advertido que la escena del crimen que examinarían esa mañana contenía sangre, mucha sangre. Pero faltaban siglos para tener que verla: Skulduggery no vendría a recogerla hasta dentro de media hora. Si Valquiria hubiera sido un mosquito, ese tiempo sería casi la mitad de su vida. Así que ahí estaba, en una bonita cafetería iluminada, haciendo cola como una persona normal.

Pidió, pagó y se apartó para esperar a que le sirvieran. La mujer de mediana edad que la seguía hurgó en su bolso y luego repasó la carta hasta decidir lo que quería pedir, para gran irritación de los que iban detrás. En cierto momento, sonrió a Valquiria y ella le devolvió la sonrisa. Parecía una persona agradable. Seguramente tuviera un nombre igual de agradable, como Helen o Margaret. Las siete personas que aguardaban detrás de Margaret parecían cada vez más impacientes. Una octava persona se puso al final de la cola: un hombre enorme, con gabardina y la cabeza rapada, que miró fijamente a Valquiria.

Ella le sostuvo la mirada hasta que él la apartó. Tenía los hombros anchos y parecía muy fuerte.

Margaret pagó por fin y se hizo a un lado para dejar paso al siguiente.

–Siempre tardo tanto... –dijo.

Valquiria apartó la vista del hombretón.

–¿Perdón?

–En elegir –explicó Margaret–. Tardo mucho en elegir.

–Ah. Bueno, no pasa nada.

–Y noto cómo los de detrás me apuñalan la espalda con los ojos –se rio Margaret–. Supongo que no soy lo bastante cosmopolita para un sitio como este.

Valquiria le dedicó otra sonrisa educada, recogió el café que acababa de colocar la camarera en el mostrador y se dirigió a una mesa vacía junto a la pared. Qué mujer tan extraña, poniéndose a entablar conversación con una desconocida... Sopló para enfriar el líquido y paseó la mirada por el local, en el que sonaba una musiquilla agradable. El hombretón ya no la miraba. Margaret hablaba con la chica de la caja registradora. Un tipo joven que estaba sentado junto al escaparate le llamó la atención: era moreno y llevaba traje. La corbata no le pegaba nada. De pronto, levantó la mirada y observó a Valquiria con expresión sonriente. ¿Qué pasaba, es que era el día de «Sea usted amable con los desconocidos»? Le dedicó una somera inclinación de cabeza y él la confundió con una invitación. Valquiria gimió cuando le vio recoger su café y su bollo y acercarse a ella.

–¿Te importa si me siento? –preguntó con los ojos brillantes.

–¿Le pasa algo a la otra mesa?

–Es una mesa solitaria. Todas las chicas guapas están en las mesas de aquí –su sonrisa se ensanchó mientras se sentaba–. Hola. Soy Alan.

–Hola, Alan.

–¿Cómo te llamas?

Valquiria.

–Stephanie.

–Un nombre precioso para una chica preciosa. ¿Y en qué trabajas, Stephanie?

Capturo villanos. Salvo el mundo.

–Todavía estoy en el instituto, Alan.

Él se rio.

–No, no puede ser. ¿En serio? Guau. ¿Qué edad tienes?

Diecisiete años.

–Diecisiete. Vaya. Aparentas muchos más. No digo que parezcas mayor, es que... Vaya por Dios. Me temo que te he ofendido, ¿no?

Sí que le gustaba reírse al tal Alan.

–Es que te he visto aquí sentada –continuó–, vestida de negro, entre la multitud, y me has parecido una chica a la que merece la pena conocer. ¿Eres una chica a la que merece la pena conocer, Stephanie?

–No –respondió ella–. Para nada.

–Creo que eres demasiado modesta.

Valquiria bebió otro sorbo de café.

–Bueno, por si te lo estabas preguntando, yo tengo veinte años y trabajo en Soluciones Boyle, allí a la vuelta de la esquina. Es un buen trabajo: pagan bien.

–Me alegro por ti.

–Empecé hace unos meses, pero mi jefe ya habla de ascenderme. Y fíjate, aquí estoy, un domingo, dispuesto a ir a trabajar mientras todo el mundo está en su casa. Aprecian esa dedicación, ¿sabes? De hecho, la semana que viene hay un evento en la oficina para que los empleados nos conozcamos mejor. Y yo... Me estaba preguntando si te apetecería acompañarme, en caso de que no tengas nada mejor que hacer... Solo sería una hora o dos, pero podríamos ir a comer algo después.

–No creo que pueda.

–Pero todavía no te he dicho qué día es.

–No importa.

Alan se echó a reír.

–Ah, me gustas. Me gusta tu estilo.

–Perdona –dijo Valquiria al oír su móvil.

Miró la pantalla. Bajo un número desconocido había un mensaje:

UNA DE ESTAS PERSONAS
HA VENIDO A MATARTE.

Guardó el teléfono y dio otro sorbo al café. Alan seguía sonriendo con aire plácido. En la cola esperaban seis personas contando al hombre corpulento, que ya había llegado a la caja. Margaret estaba sentada en una esquina. Había otros cinco clientes en la cafetería y cuatro empleados tras el mostrador. Diecisiete personas en total.

–¿Buenas o malas noticias?

Se giró hacia Alan.

–¿Perdón?

–El mensaje. ¿Buenas o malas noticias?

Valquiria se encogió de hombros.

–Noticias a secas.

–¿En serio? –se inclinó hacia ella–. ¿No me vas a decir que es un mensaje de tu novio o algo así, como excusa para que te deje en paz?

–No tengo novio, Alan.

–Eso es un crimen.

El hombre corpulento pasó por detrás de Alan y Valquiria se tensó. Sin embargo, el desconocido no se detuvo; siguió caminando y tomó asiento en una mesa sin hacer ningún movimiento sospechoso. Sus botas estaban un poco raídas, y sus vaqueros parecían muy desgastados. El abrigo había visto días mejores; de hecho, eso le daba personalidad. Llevaba un reloj grande y nada de joyería.

La conversación había muerto, y Alan disimuló su incomodidad dando un sorbo a su café y mirando la pared como si hubiera algo sumamente interesante en ella. Valquiria le observó con atención: no estaba en forma, pero tampoco era obeso. Tenía las manos suaves. Un reloj que parecía caro, pero no lo era. Traje a medida, camisa mal planchada, corbata con el nudo mal hecho. Valquiria se inclinó hacia atrás y echó un vistazo a sus zapatos. Sin cordones ni hebillas.

–¿No te encantan los silencios incómodos? –preguntó Alan, y ella sonrió mientras él se reía entre dientes.

La mesa de Margaret estaba justo detrás de Alan. Valquiria estiró el cuello y la examinó. El café estaba intacto en la mesa. El bolso, abierto, reposaba cerca de la mano de su dueña: ahí podía haber cualquier cosa. Margaret contemplaba a la gente que hacía cola como si no quisiera mirar a Valquiria.

Y aquellas eran las tres personas que le habían prestado atención. Había más de una docena en la cafetería, pero el resto ni siquiera le había dedicado una mirada. Hombres trajeados, una mujer con expresión de hastío, un tipo en vaqueros, un idiota con...

Margaret la miró y apartó la vista al instante. Valquiria la observó con atención. Al cabo de unos segundos, sus ojos volvieron a encontrarse. Margaret le dedicó una alegre sonrisa, y cuando vio que Valquiria no se la devolvía, estiró los labios en una línea recta.

Se miraron fijamente desde los extremos de la cafetería.

Alan estaba comentando algo. Los de la mesa de la izquierda se reían. Una nueva canción empezó a sonar por los altavoces. Valquiria continuaba mirando a Margaret, y Margaret a ella. Vio cómo deslizaba la mano derecha hasta su bolso.

Valquiria se llevó la taza de café a los labios con la mano izquierda y flexionó la mano derecha.

Alan continuaba hablando. Sobre qué, Valquiria no tenía la menor idea.

—Alan —murmuró sin apartar los ojos de Margaret—, ¿sería una grosería imperdonable si te pidiera que volvieras a tu mesa?

Él tardó en responder.

—No —dijo—. No, en absoluto. Sería una muestra de sinceridad. Eso es algo que aprecio.

—Gracias por tu comprensión.

Él recogió el bollo y el café.

—Encantado de conocerte, Stephanie.

—Lo mismo digo.

No le miró mientras se alejaba. Margaret meneó la cabeza en señal de reconocimiento y Valquiria respondió del mismo modo.

Se puso en pie lentamente y Margaret la imitó, sacando la mano del bolso. Parecía vacía. Tres adolescentes que iban charlando pasaron entre las dos.

116

Valquiria se acercó a la puerta y Margaret se interpuso en su camino.

–¿Te marchas?

Asintió con la cabeza.

–Pero no te has terminado el café.

–Me está esperando un amigo.

Margaret sonrió.

–No me lo creo.

Dio un paso hacia ella y Valquiria advirtió que llevaba puesto un anillo que antes no tenía. Antes de que Valquiria pudiera evitarlo, Margaret la agarró del brazo. De pronto, frunció el ceño, bajó la vista y se fijó en la chaqueta de Valquiria.

En cierta ocasión, Valquiria había visto una película en la que un espía mataba a un enemigo clavándole una aguja envenenada que llevaba oculta en un anillo. Valquiria aferró la muñeca de la mujer, le levantó la mano y descubrió la aguja que no había conseguido penetrar en su manga.

Margaret se desasió y trató de agarrarle la mano, mientras los clientes seguían riendo y charlando a su alrededor. Solo cuando Valquiria se debatió intentando apartarse del anillo, con los dientes apretados por el esfuerzo, los clientes empezaron a extrañarse y las conversaciones languidecieron.

La aguja se acercaba a su piel desnuda.

Valquiria adelantó la cabeza y mordió a Margaret en la cara, y esta se retorció y le propinó un golpe de cadera que lanzó a la chica despedida contra una mesa. Sus ocupantes gritaron, aterrados, pero lo único que le importaba a Valquiria era mantener aquella aguja lejos de su rostro. Margaret se lanzó sobre ella y forcejeó; tenía más fuerza de lo que parecía.

El hombre corpulento se acercó y trató de separarlas, pero Margaret extendió la otra mano y le clavó dos dedos en los ojos. Él se tambaleó hacia atrás, maldiciendo, mientras Valquiria subía la rodilla para interponerla entre las dos. Incapaz de pegarse más a ella, Margaret la aferró de los hombros, la levantó en vilo y la tiró sobre una mesa, con tanta fuerza que el tablero estuvo a punto de romperse.

Valquiria trató de despejarse y lo logró justo a tiempo de ver cómo la aguja se dirigía a su barbilla. Apartó la cara en el último segundo y aprovechó que Margaret estaba distraída para alzar una pierna y rodearle el cuello con ella. Luego le desvió el brazo de un manotazo, lanzó la otra pierna y aprisionó la garganta de Margaret en una llave estranguladora.

La gente observaba atónita. Solamente se oían los crujidos de la mesa y los gruñidos ahogados de Margaret, con el hilo musical de fondo.

Margaret se lanzó a un lado y las dos cayeron al suelo, pero Valquiria no aflojó la presa. La mujer tenía el rostro de color rojo brillante, sudaba a mares y babeaba; parecía a punto de desmayarse. Valquiria movió las piernas y aseguró su presa. En cualquier momento, su adversaria perdería el conocimiento.

En cualquier momento... Pero de pronto, aquella mujer de mediana edad, vestida de cualquier forma y aparentemente inofensiva, enderezó la espalda, levantó a Valquiria en volandas, se dio la vuelta y se dejó caer de bruces. Estremecida por el impacto, Valquiria aflojó las piernas y la soltó. Margaret rodó sobre sí misma aspirando bocanadas de aire.

Valquiria captó una mirada de perplejidad por el rabillo del ojo: el pobre Alan la miraba, congelado en el sitio. Seguramente no volvería a intentar ligar en una cafetería nunca más.

Aún jadeante, Margaret agarró la pierna de Valquiria y buscó el tobillo, intentando encontrar la piel desnuda. De pronto, junto a la entrada se oyeron voces, y dos hombres con chalecos reflectantes amarillos se acercaron y levantaron a Valquiria y Margaret. Eran policías.

Mientras el guardia que sujetaba a Valquiria intentaba calmar los ánimos de todo el mundo, Margaret le propinó un codazo en la garganta al que la había agarrado a ella y echó a correr entre la gente.

—Lo siento muchísimo —dijo Valquiria antes de girarse y darle un rodillazo entre las piernas a su policía, que se dobló y cayó al suelo.

La multitud se abrió para dejar paso a Valquiria mientras ella avanzaba hacia la barra y se dirigía a la camarera.

—¿Dónde están las grabaciones de la cámara de seguridad? No tengo tiempo para discutir, así que haz el favor de decírmelo sin más.

—En la trastienda —respondió la joven, con los ojos como platos—. A la izquierda.

Valquiria entró como una exhalación y encontró el monitor conectado al circuito cerrado de televisión. Chasqueó los dedos y quemó el disco duro. Después salió corriendo a la calle, fijándose en la gente que le salía al paso hasta divisar la bufanda de Margaret junto a una puerta abierta. Obviamente, era una trampa.

Cruzó la calle y entró por la puerta de lo que en tiempos había sido una tienda. En el local, abandonado y decrépito, solo había una escalera y unas cuantas latas de pintura. Valquiria oyó un chasquido a su espalda y se giró. Margaret le apuntaba a la cabeza con una pistola.

—No levantes las manos —dijo—. Mantenlas a los lados, lejos de la cara. Intuyo que esa ropa tuya es a prueba de balas, ¿verdad? Muy interesante. Pero supongo que debería haberlo supuesto: solo lo mejor de lo mejor para la mascota de Skulduggery Pleasant.

—¿Quién eres? —preguntó Valquiria, retrocediendo despacio.

—Mi nombre te da igual: vas a morir. Solo quería decirte que yo había planeado hacer esto discretamente. No hubieras sentido más que un levísimo pinchazo, y el veneno no te hubiera dolido nada. Te habrías ido a dormir esta noche y no te habrías despertado por la mañana. Indoloro. Sutil. Y en cambio, ¿qué es lo que ha pasado? ¡Una pelea en una cafetería ante docenas de testigos! ¡Y policías! ¡Incluso había policías!

Dondequiera que se moviera Valquiria, el arma la seguía.

–¿Y me culpas de ello?

–Pues sí, te culpo. Soy una profesional. Trabajo con discreción. Una pelea en una cafetería no es nada discreta. ¡Tengo una reputación que mantener, por el amor de Dios! Si no soy capaz de encargarme de una adolescente, ¿de qué valgo?

–Es curioso –musitó una voz detrás de ella–: eso es justo lo que yo estaba pensando.

Margaret se giró en el preciso instante en que algo acerado refulgía tras su cuello. Dejó caer la pistola, dio un paso y se derrumbó de bruces.

La chica que estaba de pie tras ella llevaba botas, pantalones de cuero y un chaleco también de cuero. Era rubia, atractiva, con brazos fuertes y hombros anchos.

Tanith Low limpió la sangre de la espada y sonrió.

–Eh, Val. Te he echado de menos.

La pistola que había caído al suelo voló hacia la mano de Valquiria a toda velocidad, pero un hombre trajeado y con gafas de sol salió de la pared y la atrapó antes de que ella la agarrara. Las sombras rodearon el puño de Valquiria, pero Billy-Ray Sanguine dio un paso atrás.

–No estamos aquí para pelear –dijo Tanith alzando las manos–. Bueno, en realidad sí, pero no contra ti. En cambio ella, la que iba a asesinarte... Eso es harina de otro costal. Aunque te las estabas arreglando muy bien sin nosotros. Salvo al final.

–Tú me mandaste el mensaje, ¿verdad? –susurró Valquiria.

–¿Para qué están los amigos?

–Tú no eres mi amiga. Eres un Vestigio.

–Eso no significa que sea mala persona –repuso Tanith–. Bueno, a ver: en realidad sí que lo significa, pero esa no es razón para que dejemos de ser amigas. Echo de menos hablar contigo, Val. Me pierdo todos los cotilleos. ¿Qué tal está Fletcher?

–¿Qué quieres, Tanith?

–Salvarte la vida, Val. Algunos estadounidenses te quieren muerta. Christophe Nocturnal y su apestosa secta de mendrugos exigieron que esta encantadora dama se encargara de ti. Parece que no les sentó muy bien que mataras a sus dioses.

–¿Qué? Eso fue hace años. ¿A estas alturas quieren venganza?

Tanith se encogió de hombros.

–Puede que sean un poco dejados.

–¿Y cómo te has enterado?

–Nos han contratado para protegerte –explicó Sanguine–. Alguien cercano a Nocturnal, cuyo nombre no voy a revelar, se imaginó que el esqueleto perseguiría a quienquiera que te matara, al que le hubiera pagado y a todos los que estuvieran al corriente de ello, y seguramente también a sus perros y a sus gatos. El caso es que esa persona consideró que sería mejor evitarse la molestia y el previsible derramamiento de sangre, y nos llamó para que nos encargáramos del asunto y salváramos tu preciosa vida. De nada, por cierto.

–Pero nada de eso tiene importancia –intervino Tanith–. Lo que importa es que otra vez estamos juntas, Val: tú y yo. Nos hemos enterado de lo que pasa con los mortales: están desarrollando poderes mágicos, ¿verdad? ¿Necesitas que te ayude con eso? Soy más fuerte y rápida que antes, y ya era bastante fuerte y rápida...

–No puedes ayudarme, Tanith.

–Claro que puedo. Tú limítate a señalarme a los malos.

–Es que tú eres de los malos.

–Un día de estos tendrás que superar ese pequeño detalle.

–Si quieres volver, vuelve: acude al Santuario y que los médicos busquen la forma de curarte. Te echo de menos.

–Me tienes delante.

–No. Te pareces a mi amiga, hablas como ella, pero no eres ella. Eres otra persona. ¿Sabes lo duro que es ver la cara de alguien a quien quieres y no reconocer a la persona? Decías que éramos como hermanas, Tanith. Demuéstralo. Hazlo por mí. Consigue una cura.

–No hay cura, Val. No hay forma de librarse del Vestigio. Está unido a mí.

–Te echo de menos. Abominable te echa de menos.

Sanguine pasó un brazo por los hombros de Tanith.

–Y puede seguir haciéndolo. Por si no te habías dado cuenta, formamos lo que podría llamarse «pareja».

–Billy-Ray –dijo Tanith suavemente–. No hagas el ridículo.

Sanguine apartó el brazo y Tanith sonrió a Valquiria.

–Sigo pensando que Abominable es encantador, no creas. Y si no hubiera pasado nada de esto, seguramente estaríamos juntos. Pero no tiene sentido vivir arrepintiéndose.

–No sabes las ganas que tiene de verte.

–Dile hola de mi parte.

–Deberíamos irnos –indicó Sanguine.

–Cierto. Sí. Val, deberíais enviar unos cuantos Hendedores para que apresen a Christophe Nocturnal antes de que te mande otro asesino; es solo una idea. Lo último que sé de él es que estaba en alguna parte de Killiney. Ha sido genial verte de nuevo. Estás guapísima, por cierto.

Agarró la mano de Sanguine y los dos se hundieron en el suelo.

Valquiria se tomó unos instantes antes de acercarse a la puerta. Había coches patrulla por todas partes, y policías que recorrían la calle y daban órdenes por los walkie-talkies. El pobre tipo al que le había dado el rodillazo estaba encorvado junto a una ambulancia, y el policía al que Margaret había golpeado permanecía a su lado, con mala cara.

Un Bentley se detuvo en la esquina, y Valquiria esperó a que los policías dejaran de admirarlo para salir corriendo y saltar al interior.

Skulduggery le echó un vistazo y luego volvió la vista hacia los policías.

–¿Es cosa tuya? –preguntó.

Ella asintió y él suspiró mientras se alejaban.

–Vale, lo pillo. ¿Quién te ha intentado matar esta vez?

12

EL PILAR DE LA INVESTIGACIÓN

E la escena de un delito a la escena de un crimen... Valquiria no sabía cómo se las arreglaba para tener tanta suerte. La casa estaba acordonada con cinta oficial de la policía, pero las personas uniformadas que entraban y salían no eran guardias.

Skulduggery encabezó la marcha por el sendero del jardín mientras hablaba por teléfono. Estaba solicitando que un escuadrón de Hendedores guiados por un sensitivo peinara Killiney; si Christophe Nocturnal se encontraba allí de verdad, tal vez pudieran atraparlo. Valquiria escuchaba a medias lo que decía. Saludó con una inclinación de cabeza a un hechicero que conocía y que montaba guardia en la puerta y entró. Era una casa agradable, pequeña pero bien cuidada. Skulduggery se guardó el teléfono y pasó a la sala de estar.

–Dios mío –dijo.

Había partes reconocibles de un cuerpo entre el desastre, pero no muchas. Valquiria salió precipitadamente para vomitar en un macizo de flores; luego se apoyó en el marco de la puerta y cerró los ojos. Instantes más tarde, Skulduggery se unió a ella sin decir nada.

Tras un rato de silencio, el esqueleto habló con varios hechiceros y le indicó a Valquiria que le siguiera hasta el Bentley. Ya montada, ella se secó los ojos.

–La casa pertenece a Gary y Rosemary Delaney –dijo–. Hemos comprobado que ambos estaban en el trabajo cuando ocurrió todo. Tienen un hijo, Michael, de dieciocho años. Estamos esperando los resultados de las pruebas, pero parece que el del cuarto de estar es Michael.

–Esto es muy raro –murmuró Valquiria–. Estoy llorando. Mira, estoy llorando. Y no es que tenga ganas de hacerlo, pero mírame a los ojos: me caen lágrimas. ¿Por qué estoy llorando?

–Lloras porque sabes que alguien ha hecho eso –contestó Skulduggery–. Alguien: una persona, no un animal, ha despedazado a ese chico a propósito. Estás llorando porque no entiendes cómo alguien ha podido hacer algo así.

Ella respiró hondo y luego dejó escapar un suspiro entrecortado.

–Hemos salido enseguida.

–Ya tengo lo que necesitaba.

Valquiria le miró con atención.

–¿Sabes quién lo hizo?

–No, pero tengo suficiente información para reducir las posibilidades. Y tú también.

–Solo he echado un vistazo.

–¿Y qué viste?

–Skulduggery, por favor, no estoy de humor.

–Precisamente por eso.

Valquiria suspiró.

–La sala estaba bañada en sangre. Había pedazos de cuerpo esparcidos por todas partes.

–¿Cómo le mataron?

–Lo despedazaron, como has dicho.

–¿Pero cómo, Valquiria? ¿A zarpazos? ¿Con las manos desnudas?

Ella repasó mentalmente lo que había visto y negó con la cabeza.

–No. No había huellas en la sangre. Si alguien hubiera entrado en la casa y lo hubiera atacado en persona, habría huellas. Y seguramente también gotas de sangre de cuando saliera de la casa. No vi ninguna.

–¿Y qué nos dice eso?

–Que quienquiera que lo matara, lo hizo a distancia. A más de dos o tres metros, diría yo.

–Muy bien.

–Además, aparte de la sangre, la habitación estaba ordenada. No había señales de lucha ni nada calcinado.

–¿Y eso qué significa?

–Si lo hubieran matado con una ráfaga de energía, lo lógico sería que le hubiera atravesado y hubiera dejado un boquete en la pared.

–Así que no lo asesinaron de ese modo.

–Puede que el asesino tuviera el mismo poder que el barón Vengeus. Un día me contaste que Vengeus miró a un amigo tuyo y lo hizo explotar.

–Comparte similitudes, sí. Pero hay una docena de formas de matar a alguien así.

Valquiria rebuscó en sus bolsillos y sacó un chicle para librarse del mal sabor de boca.

–¿No puede encargarse otra persona de esto? Ya tenemos bastante trabajo, y hay otros detectives. ¿Por qué no les dejamos este caso?

Skulduggery se lo pensó un instante.

–Es verdad que tenemos mucho trabajo.

–Ya lo creo que sí. Deberíamos centrarnos en Argeddion, concentrarnos en eso. Olvídate de este asesinato, de la gente que intenta matarme, de que Tanith está liada con ese monstruo sanguinario de Billy-Ray Sanguine... Vamos a centrarnos en los problemas de uno en uno, ¿quieres? El sábado que viene empezará eso del Verano de la Luz, y para entonces tenemos que haber averiguado qué está pasando. Resolvemos eso, cerramos el caso, nos olvidamos de él y luego pasamos al siguiente.

–Parece una idea maravillosa.

–Porque lo es. Deja que los Hendedores arresten a Nocturnal y se las vean con él. Sé que los suyos me quieren ver muerta, pero hoy no me apetece nada lidiar con una panda de fanáticos.

–Es comprensible. Entonces... ¿qué tal si volvemos al Santuario, nos metemos en el archivo y buscamos documentación sobre los nombres que nos dio Nadir?

Valquiria hizo una mueca.

–¿Buscar documentación?

–Es el pilar de todas las investigaciones.

–¿No es dar puñetazos?

–Es el pilar de la mayor parte de las investigaciones.

–¿La mayor parte?

–Algunas. Mira, vamos a buscar documentación y ya está.

–Escenas del crimen llenas de sangre y archivadores mohosos –masculló ella–. Mi vida está llena de glamur.

Una vez en Roarhaven, Valquiria siguió a Skulduggery hasta la Sala Mágica de los Místicos Archivadores, como insistía en llamar a la sala de archivos, especialmente porque a Skulduggery le molestaba. Bajaron las escaleras, doblaron la esquina y se toparon con un hombre de traje negro.

–Sus nombres, por favor –dijo alzando una mano. Era alto y fuerte, con acento de Newcastle: uno de los gorilas de Quintin Strom.

Skulduggery inclinó la cabeza.

–¿Perdón?

–Sus nombres, por favor –repitió–. Hay una lista limitada de personas que tienen autorización para circular a partir este punto. ¿Cómo se llaman ustedes?

Valquiria frunció el ceño.

–Siempre hemos circulado más allá de este punto. Tenemos autorización para circular más allá de este punto.

El hombre asintió.

–Y siempre que sus nombres estén en mi lista, podrán continuar haciéndolo tranquilamente.

Skulduggery le contempló unos instantes antes de hablar.

–He de decir, sin asomo de falsa modestia, que soy una persona completamente única y muy reconocible. Míreme. Soy un esqueleto vestido con un exquisito traje de chaqueta. Incluso me atrevería a sugerir que soy bastante famoso en los círculos en los que usted, Valquiria y yo nos movemos. Así que la pregunta de quién soy yo, que yo en cambio sí podría hacerle a usted, está absolutamente fuera de lugar. Evidentemente, usted sabe quién soy. Yo soy yo. Y por supuesto que usted sabe quién es Valquiria. Ella es ella. Y ninguno de nosotros sabe quién es usted, pero no nos molesta en exceso el detalle.

–Me llamo Grim. Soy el guardaespaldas de...

–Adonde quiero llegar, señor Grim, es a que usted ya sabe quiénes somos, y dado que conoce nuestro papel en este Santuario, solo se me ocurren dos motivos para explicar su actitud: o bien le han ordenado que nos impida pasar, o bien ha decidido usted tomarse la libertad de impedírnoslo. ¿Cuál de ellas es la correcta?

–Usted no...

–No importa, la verdad es que me da lo mismo. Apártese.

Grim hinchó el pecho.

–Por orden del Consejo Supremo, nadie puede pasar sin...

–El Consejo Supremo carece de jurisdicción en este país.

–Tendrá que discutirlo con ellos. Yo solamente hago lo que me ordenan.

–Ah, bien –dijo Skulduggery–. Eso hace que las cosas sean mucho más sencillas. Apártate.

Avanzó tranquilamente y Grim se interpuso en su camino.

–No vas a pasar.

–Yo creo que sí.

–Te lo advertiré una vez más.

–Qué detalle por tu parte –dijo Skulduggery–. Por cierto, el gorrión vuela al sur en invierno.

Grim frunció el ceño, abrió la boca para preguntar y Skulduggery le propinó un golpe en la mandíbula con la palma de la mano. Grim se desplomó como un saco de patatas.

–¿Crees que nos meteremos en un lío por esto? –preguntó Valquiria.

–Es posible –contestó él, avanzando–. Seguramente tú no, a no ser que exista una nueva ley que desconozco contra los cómplices de los que abofetean a alguien.

–¿Y qué pinta aquí un guardia de seguridad?

–No lo sé, pero pongo en duda que Ravel haya aprobado esto.

Algo más allá divisaron a Tipstaff, que hablaba con un hombre. Cuando el desconocido los vio, estrechó la mano de su interlocutor y se acercó a ellos. Tipstaff no parecía nada contento.

–Señor Pleasant –dijo el hombre, con la mano tendida. Tenía un fuerte acento estadounidense–. Si me permite decírselo, soy un gran, qué digo, un grandísimo admirador suyo. He seguido todos sus casos, he leído todos los documentos... No puede imaginarse lo muchísimo que lo admiro, de verdad. Oh, cielos, discúlpeme: no me he presentado. Soy Bernard Sult, administrador ayudante del Santuario estadounidense. Señorita Caín, encantado de conocerla. Todos estamos en deuda con usted; nunca le agradeceremos lo suficiente los excelentes servicios que nos ha prestado a pesar de su juventud. Gracias, señorita Caín. Muchísimas gracias.

Valquiria le estrechó la mano.

–Tranquilo, no fue nada –dijo.

–¡Que no fue nada! –repitió Sult, casi escupiendo las palabras mientras soltaba una carcajada–. ¡Que no fue nada, dice! Derrotar a Serpine, a Vengeus, a la Diablería, vencer a dioses, volver a capturar a los Vestigios... ¡No ha sido nada para Valquiria Caín, pero para el resto habría sido un problema gigantesco!

Se rio de nuevo y se secó las lágrimas que se le habían saltado. Valquiria cruzó una mirada con Skulduggery, que se encogió de hombros.

–Está aquí con el Consejo Supremo, supongo –dijo Skulduggery reemprendiendo el camino. Sult echó a andar siguiendo su ritmo–. Nos hemos encontrado con uno de sus amigos allí; no quería dejarnos pasar.

Sult pareció horrorizado.

–¿Intentó detenerlos?

–Definitivamente, sí: lo intentó. Cuando tenga un minuto, creo que debería acercarse a comprobar su estado.

–Bueno –comenzó Sult–, mis más sinceras disculpas si les ha ofendido de alguna forma. Algunos de los nuestros están tan ansiosos por causar una buena impresión que... En fin, a veces son demasiado estrictos con las normas.

–¿Y qué normas son esas, Bernard? Porque hasta donde yo sé, usted y sus socios no tienen ninguna atribución en este Santuario.

–Tiene toda la razón –asintió Sult–, pero hablamos con el comandante de los Hendedores y le comentamos que podíamos echar una mano si era necesario. De forma extraoficial, ya me entiende. ¿Le puedo preguntar si el caballero que le interrumpió era del Santuario inglés?

–Sin lugar a dudas. El señor Grim.

–Ah, el guardaespaldas. Eso lo explica todo. Teníamos diferentes instrucciones; le puedo asegurar que no volverá a producirse este malentendido. Le doy mi palabra. Es una situación tan embarazosa...

Ahora que Sult estaba centrado en Skulduggery, Valquiria aprovechó para fijarse en él. Aparentaba unos treinta años y tenía el pelo negro, corto y bien peinado. Un buen traje, corbata elegante, zapatos relucientes. Una alianza de oro. Aparte de eso, ninguna seña distintiva.

–¿Trabaja en estrecha colaboración con Bisahalani? –preguntó Skulduggery.

–Con el Gran Mago Bisahalani, sí, por supuesto –respondió Sult asintiendo con la cabeza–. Bueno, yo no diría que «estrechamente»; solo soy uno más de sus muchos ayudantes. Aun así, me siento honrado de que me haya escogido para representarle aquí.

–Sin duda alguna. El Consejo Supremo y todo eso... Suena tan importante...

Sult volvió a reírse.

–Sí, ¿verdad? Si he de ser sincero, preferiría que hubieran escogido un nombre un poco menos pomposo, pero... ¿a qué hechicero no le gusta un nombre pomposo?

–Muy cierto –Skulduggery se rio entre dientes–. Supongo que todos somos culpables de ese crimen. Al menos, el Consejo Supremo es sincero y no miente sobre sus intenciones. Sería mucho peor que te apuñalara por la espalda alguien que se hiciera llamar el Consejo Agradable y Simpático, ¿no?

—¿Apuñalar por la espalda? —Sult soltó una carcajada—. Me temo que no le sigo.

Skulduggery y Valquiria se detuvieron en seco.

—Oh, venga ya, Bernard. El Consejo Supremo no busca nada más que una excusa para tomar el control, ¿me equivoco? ¿Qué es lo que quieren? ¿Qué necesitan para quedarse contentos?

La sonrisa de Sult se hizo vacilante.

—No sé a qué...

—Así que eres un gran admirador mío, ¿no? —le interrumpió Skulduggery—. ¿Por eso tienes esa expresión de desprecio? ¿Por eso prácticamente escupiste el nombre de Valquiria?

Sult dio un paso atrás.

—Le aseguro que se equivoca. Yo...

—El hecho de que yo carezca de facciones no significa que no sepa leer las de los demás —señaló Skulduggery—. No te gustamos, Bernard. De hecho, nos odias. Nos desprecias. Has venido aquí para acabar con este Santuario. Y eso de que eres administrador ayudante, un colaborador de poca importancia del Gran Mago Bisahalani... Bueno, supongo que los dos estamos de acuerdo en que eso no es del todo cierto, ¿verdad? ¿Tú quién eres? No eres uno de sus detectives, porque te conocería. No sueles salir a la luz: prefieres trabajar en la sombra. ¿Eso es lo que eres, Bernard? ¿El sicario invisible de Bisahalani?

Sult sonrió, y Valquiria se dio cuenta de que por primera vez su sonrisa era auténtica. Fría y desagradable, pero auténtica.

—No hemos venido a hacernos con el control —dijo—. Estamos aquí para ayudar. Y no me desagradas, detective. Has salvado al mundo: ambos lo habéis hecho. El problema es que lo habéis salvado de vuestros propios errores. Una y otra vez, este Santuario y su Consejo de los Mayores han puesto en peligro las vidas de la gente que se suponía que debían proteger. Y al hacerlo han puesto en peligro las vidas de todos los demás habitantes del mundo. Hablando en nombre de todos los demás habitantes del mundo, he de decir que eso no es justo.

—Y aun así —replicó Skulduggery—, al interferir estáis rompiendo el código internacional de los Santuarios. ¿Qué será lo siguiente? Si no resolvemos esta crisis en los próximos seis días, ¿os atribuiréis el poder de decidir sobre nuestros asuntos? Por nuestro propio bien, claro.

—Si es necesario, sí —contestó Sult—. Y son cinco días, no seis.

—Justo lo que pensaba —sentenció Skulduggery dándose la vuelta.

Sult le puso la mano en el hombro para detenerle.

—No actúes como si nosotros fuéramos los malos, detective. Si nos vemos obligados a intervenir es porque este Santuario se muestra incapaz de manejar sus asuntos. No es culpa nuestra, sino vuestra. Y lo sabes perfectamente.

Skulduggery esperó tranquilamente a que Sult apartara la mano y después echó a andar.

Ya en el archivo, le entregó a Valquiria un montón de carpetas y le pidió que fuera echándoles un vistazo mientras él iba a buscar a Abominable. A ella le hubiera gustado estar presente mientras discutían lo que acababa de suceder, pero aceptó de mala gana: en realidad, no se veía capaz de aportar muchas ideas sobre el siguiente movimiento del Santuario irlandés. Así que buscó una sala vacía, se sentó y se puso a leer.

Veinte minutos después, arrojó la primera carpeta sobre la mesa con una mueca de disgusto. No le entraba nada. Leía las letras, las veía, pero solo podía pensar en una habitación llena de sangre y en una mujer de mediana edad con un anillo envenenado. Imposible concentrarse. Por si fuera poco, también le venían a la mente el tipo que había tratado de impedirles el paso y Sult, el increíblemente petulante Sult con su cara de idiota. Y todavía le dolía el brazo. No sabía lo que le había hecho Nadir, pero era muy molesto.

Puso los pies en la mesa, empujó la silla hacia atrás y contempló el techo. Pensó en el pobre Ed Stynes, el hombre lobo, y en el pobre Jerry Houlihan, el hombre mariposa, y en que los dos se encontraban sedados en la planta baja mientras los médicos del Santuario los examinaban, los pinchaban y los trataban como a conejillos de Indias. ¿Cuántos había ya allí? ¿Cuarenta y tres? Cuarenta y tres mortales encamados, rebosantes de magia que no comprendían y no podían controlar. Tarde o temprano, alguno de aquellos casos saldría a la luz y no se podría negar lo que había sucedido. Y entonces, ¿qué? Entonces todo cambiaría.

Decidió estirar las piernas por los corredores. Se cruzó con hechiceros y Hendedores a los que no dijo ni una palabra. Había un grupo de magos americanos que se quedaron callados cuando pasó a su lado. Valquiria resopló: ya había suficiente tensión en el ambiente como para que el Consejo Supremo y su pequeño ejército anduvieran por ahí murmurando.

Salió del Santuario y contempló las turbias aguas del lago. Al fondo, sobre la tierra seca, los árboles muertos arañaban el cielo como si la propia tierra gritara. Valquiria se preguntó si el mundo entero acabaría teniendo aquel aspecto cuando ella acabara con él. ¿Habría al menos árboles muertos? ¿Dejaría algún rastro de vida, aunque fuera solo como recuerdo? No lo creía. Si alguna vez cedía y le permitía a Oscuretriz tomar el mando, esta reduciría el planeta entero a cenizas: haría su trabajo y lo haría bien, finiquitaría el asunto y pasaría al siguiente. Fuera cual fuera. Tal vez dar caza a los Sin Rostro.

Sonrió. Le gustaba esa idea. Después de haber matado a todo el mundo, pasar a los Sin Rostro sería la progresión lógica.

Su sonrisa se desvaneció.

Acababa de sonar un grito. Se giró y vio a un hechicero de espaldas junto a una furgoneta de los Hendedores, y más allá, un hombre esposado que corría por Roarhaven. Valquiria lo reconoció:

era Christophe Nocturnal, el hombre que había intentado matarla. Un Hendedor lo seguía tranquilamente, sin prisa ninguna.

Nocturnal agarró a una mujer, se dio la vuelta y empezó a proferir amenazas y demandas. La mujer no parecía muy impresionada. Sin que Nocturnal lo advirtiera, la calle había comenzado a llenarse de gente a su espalda.

La mujer agitó la mano sin darle importancia, y el aire se onduló y arrojó a Nocturnal hacia atrás. Cuando se levantó, un hombre de la multitud dio un paso al frente y le puso una mano en el hombro. Nocturnal soltó un chillido de dolor.

Una anciana se acercó arrastrando los pies y lo lanzó al suelo con una fuerza sorprendente. Valquiria no oyó lo que decía Nocturnal mientras se arrastraba hasta el Hendedor que le esperaba, pero se imaginó que estaba pidiendo mil perdones.

Roarhaven no era el mejor pueblo para buscar problemas.

Procuró no ponerse en el campo de visión de Nocturnal mientras se lo llevaban al Santuario; no estaba de humor para otro enfrentamiento, con el día que llevaba. Aun así, se alegró de verlo esposado.

Justo cuando el Hendedor y Nocturnal llegaban a la puerta, Skulduggery salió. Nocturnal se volvió para mirarle, pero el esqueleto le ignoró y avanzó hacia Valquiria.

–¿Has hablado con Abominable? –preguntó ella.

Él descartó el asunto con un aspaviento.

–Olvídate de Abominable. Olvida a Sult. Olvídate de todo eso. Ya sé lo que pasa.

–¿Cómo que sabes lo que pasa?

–Que no están muertos.

Valquiria enarcó una ceja.

–¿Quiénes no están muertos?

–Lament y sus compañeros perdidos. No están muertos, Valquiria. Ni Argeddion tampoco. Puede que no encontraran forma

135

de matarlo o que por algún motivo no quisieran hacerlo, pero sí sabían cómo encerrarlo. Y eso es lo que hicieron.

Valquiria no dijo nada.

—Tyren Lament era, por encima de todo, un científico —continuó Skulduggery—. En los archivos se conserva parte de su investigación, suficientes datos para averiguar que estaba trabajando en un sistema de contención. Por lo que he visto, tenía la teoría de que su sistema podía contener algo, o a alguien, de increíble poder. Creo que estaba diseñando una prisión para Argeddion: una celda capaz de encerrar a un hechicero que conocía su nombre verdadero.

—Pero tú me dijiste que eso es imposible.

—Lament ha encontrado la forma, estoy seguro.

—Pues entonces, ya lo tenemos —exclamó ella, emocionada—. ¡Es lo que necesitamos para contener a Oscuretriz! Podemos construir una para mí.

Skulduggery la miró con atención.

—¿Para ti, Valquiria? No olvides que estamos hablando de una cárcel.

Ella tragó saliva.

—Pero ¿qué otras opciones tengo? ¿Estar en una celda hasta que aprenda a controlarme, o matar a mis padres y seguramente a mi hermana pequeña? ¡Por no mencionar al resto del mundo! Creo que escojo la celda, gracias. ¿Seguro que existe?

—Es la única respuesta a todas las preguntas que se me ocurren. ¿Por qué se destruyeron tantos documentos relativos a Lament? ¿Por qué no se menciona su desaparición en los Diarios? Meritorius hizo todo lo posible por ocultar la existencia de Argeddion a cualquiera que buscara información.

—¿Y dónde está, entonces?

—Todavía no lo sé, pero tiene que ser algún sitio aislado donde no vivan magos.

—¿Tenemos alguna pista?

–Solo una: en unas notas se menciona una empresa de transportes de la que Lament era cliente. Hay empresas en todo el mundo dirigidas por hechiceros, o propiedad suya, que operan tanto para los mortales como para los magos. Las transacciones que llevan a cabo con estos últimos son, como podrás imaginar, secretas. Transportes Dagan es una de esas compañías.

–Así que solo tenemos que hablar con ellos, preguntarles por los encargos que les hiciera Lament e investigar cuál era el destino de sus envíos, para averiguar dónde se encuentra Argeddion. ¿No es así?

–Así es.

–Vale. Entonces, ¿por qué no pareces nada contento?

Skulduggery torció la cabeza.

–¿En qué te basas para decir eso?

–Simplemente lo sé. ¿Dónde está el problema?

El esqueleto suspiró.

–Transportes Dagan no es la empresa de mejor reputación ni la más dispuesta a cooperar. Me imagino que por ese motivo los eligió Lament: están acostumbrados a guardar secretos. La empresa pertenece a uno de los más antiguos partidarios de Mevolent, Arthur Dagan.

–Ah. Él. No le caigo bien.

–Tampoco es fan mío, me temo. No luchó en la guerra, era demasiado apocado para esa clase de cosas, pero adoraba a los Sin Rostro tan fervientemente como los demás fanáticos, y ayudó a Mevolent en todo lo que pudo.

–No me lo imagino colaborando con nosotros.

–Yo tampoco. En cambio, su hijo...

–¿Hansard? ¿En qué podría ayudarnos?

–Trabaja en el negocio familiar, de modo que tendrá acceso a los archivos de su padre. Y me dio la impresión de que hicisteis muy buenas migas en el Baile del Réquiem.

Valquiria asintió.

–Está buenísimo, desde luego. Pero ¿por qué iba a ayudarnos?

–Hansard Kray tiene veintidós años. No ha vivido la guerra, y se ha criado en un entorno enteramente favorable a los Sin Rostro. ¿Sabes lo que suele suceder en estos casos? La gente se rebela contra las creencias de sus padres. Además, el chico parece tener la cabeza bien amueblada. Y si se lo pides muy, pero que muy amablemente, ¿cómo va a rechazar ayudarte?

–Yo también estoy buenísima –murmuró Valquiria.

–Lo único que necesitamos es acercarnos a él sin que su padre se entere. He hecho un par de llamadas; al parecer, Hansard vendrá a supervisar en persona el transporte de un cargamento en el ferrocarril invisible mañana por la mañana.

–¿El ferrocarril invisible?

–¿Nunca te he hablado de él? –Skulduggery echó a caminar hacia el Bentley–. Pues entonces estás de enhorabuena. Siempre que te gusten los trenes. Y las cosas invisibles.

–Me encantan las cosas invisibles.

–¿Y los trenes?

–Pche.

–Con eso me vale.

13

MANIPULACIONES

A pesar de todos los contratiempos, las dificultades y los obstáculos que había encontrado en su camino, la Iglesia de los Sin Rostro estaba medrando.

Crecía poco a poco pero de forma constante, y cada mes que pasaba era más fuerte. Para Eliza Scorn era un motivo de orgullo ocupar una posición de cierta influencia. Desde el instante en que le había arrebatado el control al débil e ineficaz Jajo Prave, la fortuna de su Iglesia había comenzado a despegar; tanto era así, que los representantes de la iglesia de Nocturnal se habían acercado a ella para suplicar que los ayudara. Y, por supuesto, se sintió obligada a hacerlo. ¿Acaso no eran todos seguidores de los Sin Rostro? ¿No eran todos hermanos y hermanas? Cierto: los seguidores de Nocturnal eran un montón de estirados, unos puritanos deseosos de acabar con las diversiones de la vida. Pero su lealtad estaba en el lugar adecuado, al fin y al cabo.

Oyó la voz de Prave al otro lado de la puerta, insistiendo en que no se podía molestar a la señorita Scorn. Como era de esperar, sus interlocutores no le hicieron ni caso, y Tanith Low y Billy-Ray Sanguine irrumpieron en su despacho como si les perteneciera. Prave entró tras ellos.

139

—Estas dos personas desean verla –gimió.

—Tanith –saludó Scorn levantándose de la silla–. Billy-Ray. Cuánto me alegro de veros. ¿Os apetece una taza de té?

—No, gracias –declinó Tanith–. No tenemos tiempo que perder, señora Scorn. Somos una pareja bastante ocupada: tenemos cosas que hacer, gente que matar… Esas cosas.

—Claro, claro. Prave, déjanos solos.

Quería quedarse; por supuesto que quería quedarse. Pero salió de la habitación y cerró la puerta tras de sí, porque Prave siempre hacía lo que le ordenaban.

—Misión cumplida –informó Tanith–. Valquiria está a salvo, y la persona contratada para asesinarla ha sido eliminada. En conjunto, ha sido un buen día. Ahora llega el momento en que nos entregas nuestra recompensa.

Scorn se sentó.

—Me temo que no dispongo de ella.

Tanith cruzó una mirada con Sanguine y este sacó su navaja de afeitar.

Scorn sonrió y alzó las manos.

—Un momento: antes de que digamos nada ni matemos a nadie y luego nos tengamos que arrepentir, os diré que no tengo la información que buscáis, pero conozco a alguien que sí la tiene.

—Y eso –masculló Sanguine– a mí me parece una miserable pérdida de tiempo.

Tanith asintió.

—Ya lo creo que sí, amor. Señora Scorn, le voy a dar un poco de margen. Es un detalle que tengo con usted por la forma en que machacó a China Sorrows y voló su biblioteca. Pero eso es lo único que impide que Billy-Ray rebane su pálida garganta con la navaja de afeitar.

—Agradezco tu comprensión –repuso Scorn–, pero nuestro acuerdo no era que yo te entregara la información que buscabas: solo que la encontrara. Y la he encontrado. Simplemente, no la tengo.

–Semántica –dijo Tanith, nada impresionada–. Me encanta la semántica. Muy bien, señora Scorn: díganos quién sabe dónde está la daga y permitiremos que siga conservando la sangre dentro del cuerpo.

Scorn sonrió.

–Christophe Nocturnal.

Sanguine se quitó las gafas de sol y las frotó para limpiarlas. Los agujeros que tenía donde antes estaban sus ojos parecieron absorber la oscuridad de la estancia.

–¿El mismo Christophe Nocturnal que se encuentra ahora encerrado en el Santuario?

–El mismo.

–Nos está complicando mucho las cosas –gruñó Tanith–. Y no nos gustan las complicaciones.

–Me temo que era necesario –explicó Scorn–. Nocturnal lidera una Iglesia muy grande de Estados Unidos, una Iglesia que deseo absorber dentro de la mía. Y ahora que está entre rejas, a su congregación le preocupa que empiece a dar nombres y les arrebaten todo su dinero, su poder y su influencia, además de su libertad.

Tanith se cruzó de brazos.

–Así que han acudido corriendo a usted para suplicarle que lo silencie antes de que los delate. A cambio, supongo que aceptarán unirse a la Iglesia de los Sin Rostro, ¿no?

–Eso es.

–Y quiere que nos colemos en el Santuario, le sonsaquemos a Nocturnal dónde está la daga y luego lo asesinemos.

–Exacto –asintió Scorn–. Por supuesto, haréis el trabajo gratuitamente.

Sanguine soltó una carcajada.

–¿Y por qué demonios íbamos a aceptar eso?

–Porque en cuanto sepáis dónde está la daga, lo mataréis de todas formas, ¿no es verdad? Para impedir que Skulduggery Pleasant o cualquier otro averigüe lo que estáis buscando.

La carcajada de Sanguine se cortó en seco.

–Maldita sea... –murmuró.

–Es usted una mujer muy retorcida –dijo Tanith–. Yo diría que incluso más retorcida que China Sorrows.

–Ah, me halagas.

–Y solo por eso creo que no vamos a matarla.

–Muchísimas gracias –dijo Scorn– Y ahora no quiero ser grosera, pero tengo mucho trabajo. Cuando acabe esta semana, mi Iglesia será una de las organizaciones más ricas y poderosas del mundo, y tengo muchos asuntos que atender.

14

KRAY

ERAN poco más de las nueve de la mañana del lunes. Skulduggery y Valquiria habían aparcado el Bentley en medio del campo y esperaban de pie entre los matojos.

–Bienvenida al ferrocarril invisible –dijo Skulduggery.

Valquiria bajó la vista hasta una vía de tren vieja y oxidada.

–Dos cosas: en primer lugar, esto no es invisible. En segundo lugar, sigue sin ser invisible. Esas dos cosas hacen que no se le pueda llamar ferrocarril invisible. Y podría seguir enumerando.

Skulduggery se bajó el sombrero como si quisiera protegerse los ojos del sol. Valquiria no sabía por qué hacía eso, dado que no tenía ojos. Cuestión de costumbre, seguramente.

–El ferrocarril invisible se usó mucho durante la guerra –explicó–. Transportaba viajeros y suministros por todo el país, y enlazaba con los ferrocarriles de otros países. Algunas vías van por debajo del agua... y no estoy hablando de un túnel. Los trenes recorren la tierra, llegan a la costa, se sumergen y continúan el recorrido por el fondo del mar.

–Me prometiste cosas invisibles.

–¿Has oído lo que acabo de decir?

–Trenes submarinos. Fantástico. Me prometiste cosas invisibles.

El esqueleto consultó la hora en su reloj de bolsillo.

–Y yo siempre cumplo mis promesas. Tiene que llegar de un momento a otro. Deberíamos apartarnos.

Se alejaron un poco y Valquiria contempló las vías.

–¿Estamos esperando un tren invisible?

–Sí.

–¿Y cómo sabremos que está aquí?

–Lo sabremos: el tren no es invisible en sí, solo está envuelto en una serie de burbujas.

–¿Esferas de camuflaje?

–Exacto.

–¿Y dónde para?

–¿Disculpa?

–La estación. ¿Dónde está?

Skulduggery soltó una carcajada.

–El tren no para, Valquiria. Es un servicio exprés.

–¿Y qué plan tenemos, entonces? ¿Subirnos a un tren invisible en marcha?

–Por supuesto. ¿Qué creías que íbamos a hacer?

Valquiria notó una brisa que le acariciaba las mejillas, aunque las vías aún parecían vacías.

–Ya viene –dijo.

–Así es –respondió Skulduggery pasándole el brazo por la cintura.

Los dos se elevaron del suelo, sobrevolaron las vías y comenzaron a ganar velocidad. Bajo ellos, los matorrales se tumbaron repentinamente bajo el viento levantado por algo enorme que se acercaba muy deprisa.

Descendieron un poco, atravesaron la burbuja y de pronto vieron el tren bajo sus pies. El ruido era ensordecedor. Aterrizaron sobre el último vagón y Skulduggery desvió el aire que los golpeaba.

–¡Debería ir yo sola! –dijo Valquiria a gritos para hacerse oír–. ¡Si vamos los dos, parecerá demasiado oficial!

–¿Pretendes que me quede aquí? ¿Y qué hago? No tengo a nadie con quien hablar. Me voy a aburrir.

–Estás encima de un tren que va a toda pastilla –señaló Valquiria–. Si esto te parece aburrido, deberías hacértelo mirar. Espérame aquí: haré lo que tengo que hacer y volveré enseguida.

–Pues vale –gruñó Skulduggery–. No tardes mucho.

Ella sonrió y empezó a avanzar, alzando la mano para desviar el aire a su paso; pero se lo había tomado con demasiada tranquilidad, y el viento la golpeó con la fuerza de un camión desbocado. Gritó mientras salía despedida y Skulduggery se lanzó a sujetarla, pero ella ya había caído hacia atrás y el tren traqueteaba bajo su cuerpo.

Extendió una mano y se aferró a la escalerilla para detener la caída, con un tirón que casi le dislocó el hombro. Agarró un peldaño con la otra mano, afianzó los pies y se pegó a la parte trasera del vagón, temblorosa. Al alzar la vista se encontró con Skulduggery, que la miraba impertérrito; ni siquiera su corbata se sacudía con el viento. El esqueleto meneó la cabeza y Valquiria esbozó una sonrisa trémula. *Aquí yace Valquiria Caín, fallecida heroicamente al caerse de un tren*, pensó. Al menos sonaba bien.

Bajó la escalerilla y se sujetó con fuerza para abrir la puerta trasera del vagón. Entró y cerró de inmediato, aislándose del ruido y del viento. Se tomó un instante para arreglarse el pelo y tranquilizarse. Ah, qué estupidez. Skulduggery se lo recordaría eternamente.

Una vez recobró la compostura, avanzó hacia delante. No sabía qué transportaría el tren, pero no era una carga normal: aunque los vagones tenían ventanas, no se veían asientos por ninguna parte. Pegados a las paredes había grandes contenedores sujetos con sogas y redes. Valquiria recorrió el vagón, y al abrir la puerta del otro extremo estuvo a punto de salir despedida por el viento. Pasó al siguiente y se encontró con lo mismo: docenas de contenedores sin letreros que se zarandeaban con el movimiento del tren.

Justo cuando iba a pasar al vagón contiguo, el tren entró en un túnel y todo quedó sumido en la oscuridad. Se estiró para agarrar a tientas el picaporte, saltó el hueco, abrió la puerta y pasó. Le costó un poco cerrar, pero al final lo consiguió y se giró. Por un momento pensó en chasquear los dedos para convocar un poco de luz; pero si esos bidones contenían gas, encender una llama no sería buena idea. Se quedó quieta y aguardó, meciéndose con el traqueteo, hasta que el tren salió del túnel y la luz del sol iluminó el interior del vagón. Entonces descubrió que estaba rodeada de Hombres Huecos.

Se quedó helada. Piel quebradiza como el papel, hombros caídos, brazos colgantes y rematados en puños macizos... Estaban todos de espaldas a ella: sus rostros inexpresivos miraban en dirección opuesta. Valquiria tragó saliva y buscó el picaporte a su espalda. Uno de los Hombres Huecos, el que tenía más cerca, comenzó a girarse lentamente, y Valquiria se lanzó hacia delante y se agachó detrás de él. Otro se volvió, y luego otro más, moviendo con torpeza sus corpachones en dirección al sitio donde ella se encontraba hacía un momento.

Aunque los Hombres Huecos no la descubrieron, no regresaron a su anterior posición. Ahora, al menos media docena de ellos contemplaban la vía de escape más cercana, y no había manera de pasar por allí sin que la vieran. Valquiria examinó el otro extremo del vagón y, con el ceño fruncido, comenzó a gatear entre el bosque de piernas que crujían suavemente. El tren se balanceó y los Hombres Huecos se movieron con él, pero sus pies eran tan pesados que no se movieron del sitio; era como si estuvieran clavados al suelo. Valquiria rozó accidentalmente a un par de ellos y se quedó inmóvil, esperando que las manos se movieran y la sujetaran, pero no parecieron darse cuenta.

Ninguno miraba hacia abajo. Todavía no, al menos. Casi había llegado al otro lado cuando el bosque de piernas se hizo de pronto impenetrable. No había sitio; no podía pasar. Se puso en cuclillas, tomó aliento, intentó tranquilizarse e hizo una cuenta atrás desde el cinco.

Al llegar al tres, flexionó los dedos y recogió el aire a su alrededor.

Cuando alcanzó el uno, se enderezó bruscamente y extendió los brazos, haciendo que los Hombres Huecos más cercanos salieran despedidos. Saltó hacia delante, unió las palmas en el aire y lanzó a otro Hombre Hueco contra los demás. Uno de ellos la enganchó del brazo al pasar. Valquiria movió la mano derecha para convocar una sombra que arañó el pecho de su atacante, pero no logró liberarse.

Las manos de los Hombres Huecos se acercaban por todas partes. Asustada, Valquiria volvió a mover la muñeca, haciendo que la sombra se afilara. La desplazó con un gesto brusco y cuatro monigotes quedaron degollados, con las cabezas colgando hacia atrás. De sus cuellos empezó a manar un gas verde mientras sus cuerpos se desinflaban.

Valquiria se tambaleó, con los ojos llorosos y la garganta ardiendo. Dos manos la aferraron; se debatió, pero su atacante la apresó con fuerza redoblada y la arrastró fuera, al vendaval rugiente. De pronto, el viento amainó y las manos tiraron de ella con más suavidad. Decidió no resistirse más por el momento. Las manos hicieron presión para inclinarla hacia delante y luego le echaron agua en la cara.

–No te frotes los ojos –dijo una voz–. Es mucho peor. Lo mejor es el agua.

Valquiria gimió, incapaz de hablar. Notaba un ácido ardiente en las tripas y tenía ganas de vomitar. Notó más salpicaduras de agua; no muchas, solo gotas frescas que mitigaban el picor. Intentó bajar la cara y meter la cabeza entera en el agua, pero las manos se lo impidieron.

–Te pondrás bien –dijo la voz–. Respira. Se te pasará.

Despacio, poco a poco, comenzó a relajarse. Siguiendo las indicaciones de la voz, dejó de apretar los ojos y permitió que el agua le refrescara los párpados. Cuando por fin fue capaz de abrirlos, Hansard Kray le entregó una toalla.

–Estás moqueando –le dijo.

Valquiria se tapó la cara con la toalla, avergonzada. Se secó y luego usó la toalla para sonarse. Cuando alzó la vista, descubrió que Hansard tenía un pañuelo de papel en la mano.

–Ay. Lo siento.

–No importa –dijo él–. Quédate la toalla si quieres. Tenemos un montón.

Salió del baño y Valquiria le siguió. El vagón donde se encontraban era amplio y lujoso, con una mesa, una barra de bar e incluso una cama al otro lado. No había nadie más. Echó un vistazo por el cristal de la puerta hacia el compartimento lleno de Hombres Huecos y se giró hacia Hansard.

–¿Qué haces con esos bichos?

–¿Disculpa?

–Los Hombres Huecos. ¿Qué haces en un tren repleto de Hombres Huecos? Creía que tú no eras como tu padre.

Hansard se apoyó contra la barra.

–¿A qué te refieres exactamente?

–Lo sabes muy bien –le espetó ella–. ¿Para qué los quieres? ¿Qué pretendes? ¿En qué andas metido?

—Estoy metido en el negocio familiar —replicó él—. Y respecto a lo que pretendo hacer con ocho compartimentos llenos de Hombres Huecos, te diré que mi intención es entregarlos a los que realizaron el pedido.

Valquiria frunció el ceño. Todavía le picaban los ojos.

—¿Qué?

—No son para mí, Valquiria. Esta es una empresa de transportes: transportamos cosas.

—Entonces, ¿quién los pidió?

—Me temo que eso no puedo decírtelo. Si la gente nos elige a nosotros, es en gran medida por nuestra discreción. Sin embargo, viendo tu reacción, diría que estás poniéndote en lo peor. Sé que Nefarian Serpine era aficionado a los Hombres Huecos, pero no todas las personas que los usan tienen propósitos maléficos. La mayoría los emplean como mano de obra barata o como vigilantes, si los Destripadores están fuera de su alcance.

Valquiria lo miró con menos hostilidad.

—Ah.

Hansard sonrió.

—No es que no me guste que me acusen de trazar complots terribles contra la humanidad, pero ¿se puede saber qué haces aquí? Aparte de insultarme, claro, y de provocar daños en bienes materiales que no me pertenecen.

—Lo siento —dijo Valquiria—. No sabía que se podían utilizar para... para otras cosas. Pero me atacaron.

Hansard negó con la cabeza.

—Los Hombres Huecos no hacen nada por iniciativa propia. Si te atacaron, será porque tú los atacaste primero.

—Puede ser —vaciló ella—. Vaya, lo siento muchísimo. Pero son distintos a los otros...

Hansard asintió.

–Estos Hombres Huecos son más duros, y su piel es más cara. Deberías ver el nuevo modelo... Necesitarías una motosierra para poder cortarlos.

–No me gusta cómo suena eso, la verdad.

–No has respondido a mi pregunta, Valquiria.

Ella carraspeó.

–En realidad, he venido a pedirte un favor.

–¿Un favor? –soltó una carcajada–. ¿Después de todo esto?

–Ya, lo sé. Lo siento.

–¿Y por qué no me has llamado por teléfono, o has ido a mi oficina o a mi casa? Estoy convencido de que podrías averiguar dónde vivo sin demasiado esfuerzo. ¿Acaso no eres una detective del Santuario con todas las de la ley? ¿Y dónde está tu compañero? No me digas que te ha dejado colarte sola en un tren.

–No me he colado –protestó ella–. Solo me he subido. Y respecto a Skulduggery... Bueno, si miras por la ventana...

Hansard se giró y vio al esqueleto. Volaba junto al tren a la misma velocidad que este, de pie y con los brazos cruzados.

–Interesante –murmuró Hansard–. Eso parece divertido –se volvió hacia ella–. No querías volverte a encontrar con mi padre, ¿es eso?

–La verdad es que no.

–Te recuerdo que, cuando le conociste, estaba borracho como una cuba. Normalmente no es así.

–¿Normalmente no es devoto de los Sin Rostro?

–Bueno, eso sí... Pero normalmente no es tan desagradable.

–Amenazó con darme una azotaina.

–Me abstendré de hacer comentarios –dijo Hansard, sonriendo de nuevo–. ¿Y qué favor es ese que necesitas pedirme con tanta urgencia?

–¿Te has enterado de lo que está pasando? Me refiero a la gente normal que de pronto tiene poderes.

–Sí. Mi padre no hace más que hablar de ello; a ratos le divierte y a ratos le horroriza. ¿Qué pasa con eso?

–Creemos que la respuesta tiene que ver con un hombre llamado Tyren Lament, que contrató a vuestra empresa hace treinta años para que transportara un cargamento a un destino desconocido. Necesitamos saber adónde.

Hansard dejó escapar el aliento.

–¿Hace treinta años? ¿Antes de que fuera normal usar ordenadores? ¿Cuando se registraba toda la información en papeles y en archivos polvorientos? ¿Quieres buscar una dirección en medio de todo ese lío?

–Sí.

–Obviamente, no me has escuchado cuando comenté que la discreción es el principal motivo por el que la gente decide contratar los servicios de nuestra empresa.

Pero esto fue hace treinta años.

–Eso no hace que sea menos confidencial.

–Pero Lament ya no vive. Puedes comprobarlo. Está en la lista de desaparecidos, y ahí pone que se le da por muerto.

–Eso es una lástima.

–Sin duda. Pero si ya no está vivo, ¿por qué guardar el secreto?

–Guardar secretos forma parte de la política de la empresa.

–En serio, Hansard: necesitamos esa dirección. Está muriendo gente. Y cuanto más tiempo sigan las cosas así, más probabilidades habrá de que el mundo de los mortales descubra el mayor secreto de todos.

Él sonrió.

–Buen argumento.

–Gracias. ¿Y bien? Si nos ayudas, te estaría agradecida de verdad...

–¿De verdad?

–De verdad.

El tren traqueteó y Valquiria se tambaleó a propósito. Hansard le rodeó los hombros para sujetarla, y ella pegó las manos al pecho de él.

–Muy, pero que muy de verdad –musitó.

Él la miró y se mordió el labio, pensativo.

–Vale –dijo finalmente, soltándola para acercarse a la mesa.

Se sentó, abrió un ordenador portátil y empezó a teclear.

–Se apellida Lament, ¿no? –dijo al cabo de unos segundos–. ¿Cuál es su nombre de pila?

–Tyren –dijo ella aproximándose–. Pero creía que esa información estaba en un fichero viejo y lleno de polvo, a saber dónde.

–Así es –asintió él . Y me tiré un verano entero pasándola al ordenador mientras todos mis amigos salían y se divertían por ahí. Es la desventaja de tener un negocio familiar: no puedes elegir –dejó de teclear y se apoyó en el respaldo–. Tyren Lament –dijo–. Hay que retroceder cincuenta años para encontrar su rastro. Ha utilizado esta empresa en tres ocasiones: dos de ellas para enviar material desde Nueva York a Dublín, y otra desde África a Suiza. El envío a Suiza fue el último.

–Entonces, ese es el que nos interesa –decidió Valquiria–. ¿Aparece la dirección?

Hansard garabateó unos números en un papel y se lo entregó.

–¿Tu número de teléfono? –sonrió ella–. ¿Tengo que llamarte primero para que me lo digas?

–Son coordenadas, Valquiria. La entrega fue en medio de las montañas.

–Ah. Gracias.

Él se encogió de hombros.

–No creo que haya ningún problema. El tipo está muerto, ¿no?

–Exacto. Pero muchas gracias, en serio. Y siento mucho haberte... Bueno, acusado de algo. Y también los destrozos. Perdona, pero es que no tengo muy buenos recuerdos de esos bichos.

–Es comprensible –repuso Hansard–. No te preocupes: diré que han sufrido desperfectos durante el transporte, se los reembolsaremos al propietario y mi padre ni siquiera se enterará de que me hiciste una visita.

–Genial. Gracias. Bueno, creo que debería irme.

Él asintió, y ella sonrió dubitativa y se acercó a la puerta. Justo antes de abrirla, se giró.

–¿Quieres mi teléfono? –preguntó atropelladamente–. Mi número, digo. ¿Lo quieres?

Él la miró como si le hubiera preguntado una lista de ecuaciones matemáticas.

–¿Para qué?

Valquiria pestañeó y notó que se le encendían las mejillas.

–No. No, para nada. Había pensado... Vale, no pasa nada, muchas gracias por...

–Oh –exclamó él abriendo ligeramente los ojos–. Ah, claro. Perdona. Soy un poco espeso a veces. Tardo en pillar algunas cosas, ¿sabes?

Ella se rio.

–Me suena eso.

Hansard sonrió.

–Pero no, no quiero tu número.

La carcajada de Valquiria se cortó en seco.

–Esto... Vale.

Aguardó a ver si Hansard añadía algo, si explicaba el motivo o nombraba a su novia, pero no obtuvo más información.

–Sin problema –dijo al fin, abriendo la puerta y asomándose al rugido del viento.

Se giró para dedicarle una sonrisa forzada y salió, ahora preparada para resistir el empellón del aire. Ajustó la velocidad y se impulsó hacia arriba hasta salir de la esfera de camuflaje. Justo cuando el tren desaparecía, Skulduggery se lanzó hacia ella y la sujetó de la cintura con un brazo.

–¿Lo tienes? –preguntó mientras se mecían en una suave brisa.

–Vaya corte –murmuró ella.

–¿Perdona?

–Qué vergüenza. Ay, Dios, me quiero morir.

–¿Qué ha pasado?

Hundió el rostro en su hombro huesudo.

–Prefiero no hablar de ello.

–Tú has sacado el tema.

–Pero no quiero hablar de ello.

–Bueno, no estábamos hablando de eso hasta que tú...

–Tengo las coordenadas –le interrumpió–. Es en los Alpes.

–Maravilloso: me encantan los Alpes. ¿Por qué estás tan avergonzada?

–No-quiero-hablar-de-eso.

–Tienes los ojos rojos.

–Estaba todo lleno de Hombres Huecos. Una entrega para alguien, al parecer. ¿Eso no es ilegal?

–Tener Hombres Huecos no es ilegal, no. Es un poco inquietante, pero no ilegal. Hansard no te dijo quién los había pedido, ¿no?

–Sus labios estaban sellados.

–Ah –dijo Skulduggery–. Ya voy entendiendo por qué te has llevado un corte.

–Cierra el pico.

–¿Cómo es posible que alguien se resista a los encantos de la fabulosa Valquiria Caín?

–Cierra el pico.

–El amor no correspondido no debería ser motivo de vergüenza. Muchas personas sufren flechazos. Es totalmente natural.

–¿Como tú con Grace Kelly?

Skulduggery giró la cabeza.

—No nombres a Grace Kelly.

—Ajá. Así que tú puedes burlarte de mí si alguien me gusta, pero yo no puedo devolvértela, ¿no?

—No, me refería a que no me hables de Grace Kelly mientras estoy volando. Me tengo que concentrar, y pensar en una de las mujeres más hermosas del mundo hace que sienta tentaciones de dejarte caer.

—He visto su foto, ¿sabes? Y no estaba tan buena.

Skulduggery la fulminó con la mirada. Se quedaron flotando en el aire.

—Vale, vale —suspiró Valquiria—. Estaba buena. Pero tenía unos brazos de lo más flacuchos. Yo hubiera podido con ella sin problemas.

—Puede que tú seas más fuerte que ella, pero me atrevería a decir que ella te podría haber hecho pedazos con su elocución.

—¿Tenía poderes eléctricos?

—Valquiria, te juro que...

—Es una broma, ya sé lo que significa «elocución».

—A veces me preocupas, ¿sabes?

—Sí. A veces yo también me preocupo a mí.

15

MATAR A CHRIS

EL Santuario hervía de actividad, cosa que no le hacía mucha gracia a Tanith. No tenía ni idea de por qué había tantos hechiceros estadounidenses, ingleses y alemanes, y no sabía por qué se percibía tanta tensión. Tampoco le importaba mucho, aunque le molestara. En cualquier caso, consiguió ignorar la tensión, como siempre.

Podría haber sido peor, claro. Podría haber habido gente en todas las dependencias del Santuario, lo que habría dificultado mucho colarse en él. Pero en el centro médico había salas que no se utilizaban desde hacía meses, y por allí entraron, cerrando los muros a sus espaldas. Sanguine esperó hasta que creyó que Tanith no lo miraba para secarse el sudor de la frente. Por supuesto, ella se dio cuenta. El último viaje le había dolido, y ni siquiera había sido especialmente largo.

Eso confirmó lo que ya sabía: tenían que hacer algo.

Esperaron a que el doctor Nye se quedara solo. Tanith caminó por el techo para no hacer ruido, y después se dejó caer detrás de él y carraspeó cortésmente.

Cuando Nye se giró, ella apretó la punta de su espada contra la larga garganta de la criatura, que levantó los brazos despacio.

156

–No me mates –dijo.

A Tanith le molestó su voz: era demasiado aguda y temblorosa, y emanaba debilidad.

–Puedo ayudarte –continuó Nye–. Necesites lo que necesites, puedo ayudarte.

–Por supuesto que puede –asintió Tanith–. Y va a hacerlo.

–Necesitamos ver a un prisionero –comentó Sanguine uniéndose a ellos–. Un hombre llamado Nocturnal. Nos lo va a traer aquí; diga que tiene que hacerle unas pruebas.

–En realidad –intervino Tanith–, hay un pequeño cambio de planes respecto a Nocturnal –Sanguine frunció el ceño tras las gafas de sol y ella continuó hablando–. He decidido matarlo en su celda. Conozco el camino; no será difícil.

–¿Lo vas a hacer tú sola? ¿Y yo qué hago? ¿Juego una partida de cartas con el doctor mientras tanto?

Ella titubeó. ¿Cómo decírselo sin ofenderle?

–Últimamente no me sirves para nada, Billy-Ray. A veces tus poderes van estupendamente y todo sale bien, pero de pronto tienes un mal día y cada vez que intentas usarlo te duele, y te quejas, y gruñes, y te pones de mal humor y, de verdad, ya he aguantado bastante y estoy harta de que te portes como un crío.

Él la miró fijamente y Tanith se preguntó si sus intenciones de no ofenderle habrían dado fruto. Aun así, siguió hablando.

–No puedo confiar en ti, y necesitaría hacerlo. Eres muy importante para mis planes; no puedo seguir sin ti. Pero esa herida que llevas tiempo arrastrando... Ya no puedes seguir así. Así que el doctor Nye te va a curar.

–Ya te lo he dicho –gruñó Sanguine–: nadie puede curarme. La primera operación salió mal, y por mucho que intenten arreglarla, no se puede.

–Ah, estoy al tanto de ese detalle. De modo que Nye no va a intentar arreglarla: va a abrirte en canal para empezar de cero.

–¿Que va a hacer qué?

Tanith subió la vista.

–Doctor Nye, no es usted especialmente valiente, ¿me equivoco?

–Soy famoso por esquivar los conflictos.

–Ni tampoco la criatura más noble, ¿verdad?

–La nobleza no es más que una muleta en la que se apoyan quienes tienen la moralidad atrofiada.

–Pensaba que diría eso o algo por el estilo. Y teniendo en cuenta su historial, no creo que sea demasiado osado decir que no guarda una especial lealtad al Santuario.

Nye soltó una risilla inquietante.

–¿A esta gente? Oh, cielos, no.

–Entonces, ¿qué haría falta para que arreglara el problema de mi amigo Billy-Ray sin alertar a sus colegas?

La lengua de Nye asomó entre las puntadas de sus delgados labios.

–Un favor –decidió–. Puede que necesite matar a alguien cuando acabe esto.

–Trato hecho. ¿Puede operarle ahora?

–Sí, pero por lo que sé de su herida, me llevará algún tiempo.

–Muy bien. Mejor que empiece cuanto antes. Yo volveré enseguida.

Ignorando la expresión de Sanguine, Tanith salió del centro médico. Le resultó decepcionantemente sencillo escabullirse entre las sombras junto a hechiceros de gran reputación, tan cerca de ellos que podría haberles susurrado algo al oído. Estaban demasiado preocupados para fijarse. Hablaban rápido, caminaban rápido... Sí, definitivamente, allí se respiraba una tensión extraña. A Tanith le habría resultado de lo más intrigante si aquellas cosas aún le interesaran.

Llegó a las celdas, se deslizó al lado del hechicero que montaba guardia y pasó junto a las puertas, leyendo los nombres de los prisioneros. Cuando encontró el que buscaba, apretó la mano contra la cerradura y esta se abrió con un chasquido.

Al entrar en la pequeña celda, Tanith notó que sus poderes desaparecían. Odiaba aquella sensación, pero la ignoró. Christophe Nocturnal estaba sentado en su catre.

–Un poco pronto para traer la comida, ¿no? –resopló–. Y encima, ni siquiera la traes. Buen trabajo, idiota.

Ella cerró la puerta a su espalda y sonrió.

–Es usted un hombre encantador.

–Me reservo mis encantos para quien los merece.

–¿Y yo no los merezco?

–Solo aquellos que acepten a los Sin Rostro como los verdaderos dueños de su alma merecen mi amabilidad.

Tanith avanzó lentamente hasta situarse delante de él.

–¿Y cómo sabe que yo no venero a los Dioses Oscuros?

–Por cómo vistes, para empezar.

Ella enarcó una ceja.

–¿Qué tiene de malo mi ropa?

–Tiene de malo que es poca. Los verdaderos creyentes nos enorgullecemos de cultivar la modestia y la humildad por encima de todas las demás virtudes, salvo la obediencia. No intentamos llamar la atención ni eclipsar a nuestros amos y señores llevando ropa ajustada y provocativa.

Tanith bajó la vista.

–¿Estás sugiriendo que mi vestimenta pone incómodos a los Sin Rostro?

Él le echó un vistazo.

–Estás manchada.

–¡Pero si me he duchado antes de venir!

–Estás manchada de vanidad.

–Y de muchas cosas más.

–Cúbrete, arrepiéntete de todo el mal que has hecho, haz penitencia y acepta a los Sin Rostro como amos y señores. Tal vez entonces tu alma no arda cuando regresen.

–Cubrirme, arrepentirme, hacer penitencia... Lo siento, pero tu secta no va conmigo. No estoy aquí para traerte la comida, Chris. Ha llegado a mis oídos que conoces el paradero de cierta daga. Necesito que me digas dónde está, querido.

–¿Quién eres? –preguntó él frunciendo el ceño.

–Según tú, una pecadora.

–¿Trabajas para el Santuario?

–¿Para ellos? Yo no lo formularía así. Si trabajara para ellos, sabrían que me encuentro aquí. Sería más correcto decir que trabajo en paralelo a ellos... O tal vez contra ellos. Sí, en realidad trabajo contra ellos. Más o menos como tú, salvo que, evidentemente, yo tengo más éxito.

–¿Qué deseas?

–Ya te lo he dicho: la daga.

–No sé de qué daga estás...

–Venga ya, Christophe. Por supuesto que sabes de qué daga estoy hablando: de la única que vale la pena mencionar. Sabes quién la tiene. Necesito esa información.

–Sácame de aquí y te lo diré.

–Me lo dices primero y luego te saco de aquí.

–Cuando tengas la información, ¿qué te impide dejarme en esta celda?

Tanith abrió los ojos con expresión de inocencia.

–Palabra de honor.

–Te lo diré en cuanto sea libre.

–¿Y si te matan mientras huimos? ¿Qué pasaría después? Semanas de llorar y lamentar tu muerte, de pensar en lo que podría haber habido entre nosotros... Porque aquí hay una conexión, no puedes negarlo. Y yo me quedaría sin ningún recuerdo de ti, ni siquiera el paradero de la daga. ¿Ves dónde está mi dilema, amorcito? Por favor, evítame la angustia y dímelo ahora.

–Te burlas de mí.

–Solo porque te quiero. Christophe, aprovechemos el momento; estamos solos tú y yo, cariño. Porque cuando salga de aquí me estará esperando mi novio, y por supuesto también Eliza, y ella es tan guapa que no puedo soportar la idea de que me abandones por...

–¿Trabajas con Eliza Scorn?

–Evidentemente.

–¿Y por qué no lo has dicho antes? Llévame hasta ella, maldita sea. ¿Por qué perdemos el tiempo con estas estupideces?

–Porque tú eres quien me va a pagar el rescate, Christophe. Tú me pagas diciéndome dónde está la daga que quiero y yo te saco de aquí. Yo siempre cobro por adelantado. No fío, ¿sabes?

Nocturnal se puso el abrigo.

–Podrías haberlo dicho cuando entraste –gruñó–. La tiene Johann Starke.

–Starke... ¿Uno de los Mayores del Santuario alemán?

–Sí, ese mismo. ¿Podemos irnos ya?

–Muchas gracias, Christophe. Me has sido de gran ayuda.

–Sácame de aquí.

–No. Voy a matarte ahora mismo.

Se quedó helado.

–¿Qué?

–Me temo que Eliza no quiere que te rescate. ¿Recuerdas a todos tus amigos, la gente de tu Iglesia? ¿Esa gente que me miraría mal por mi forma de vestir? ¿Te acuerdas de todas esas personas tan buenas y tan decentes? Sí: te quieren muerto.

–Mientes.

Tanith desenvainó la espada.

–Les preocupa que empieces a hablar y tal vez menciones algunos nombres.

Nocturnal dio un paso atrás. Estaba muy pálido.

–No he dicho una palabra. ¡No he dicho nada!

–Pero tus modestos y humildes amigos no quieren correr riesgos. Así que han decidido que lo mejor para todos, salvo para ti, es que mueras.

–No, no. ¡Puedo conseguirte la daga!

–Yo me encargo de eso.

Nocturnal cayó de rodillas.

–Por favor...

–No supliques. Estropea el momento.

–¡Ten piedad!

Tanith sonrió, y al hacerlo, sus labios se volvieron negros y las venas surcaron su piel.

–No me queda.

16

OTRA PARTE

E camino a Dublín, Skulduggery llamó al Santuario para pedir que les reservaran un vuelo a Suiza. Al colgar, le dijo a Valquiria que Abominable parecía muy agobiado. El Consejo Supremo pedía resultados inmediatos, y no paraban de llegar avisos de disturbios mágicos. Cuando llegó a la siguiente salida de la autopista, dio un volantazo a la derecha para desviarse.

Valquiria suspiró.

–Ay, por favor... No soporto más crímenes por hoy.

–Tranquila, no es eso –aseguró Skulduggery–. Bueno, es posible que sí. Ha desaparecido un tal Patrick Xebec. Es un elemental. Lo vieron por última vez el viernes por la tarde.

–¿Y...? La gente desaparece continuamente.

–Creo que deberíamos hablar con su esposa, a ver qué nos cuenta. Puede que esto tenga relación con lo que está ocurriendo.

–¿Por qué? ¿Qué te ha dicho Abominable?

–Me ha hablado de unos destellos extraños que aparecieron en el cielo la tarde en que desapareció. Y no creo que nadie exhiba sus poderes de ese modo, salvo un mortal que haya adquirido de pronto habilidades mágicas. ¿No te pica la curiosidad?

Valquiria reflexionó unos segundos.

–No. Pero es que no soy demasiado curiosa; me reservo mi opinión hasta que sepa lo que pasó.

–No te pido más.

Aparcaron cerca del centro de la ciudad y caminaron durante unos minutos hasta llegar al edificio donde vivía Patrick Xebec. Les abrió su mujer, una mujer francesa con los rasgos desdibujados por el agotamiento.

–Estaba hablando por teléfono con él –explicó–. No sé ni qué me decía... Algo sobre el gato del vecino, creo. La cosa es que, de pronto, me dijo que había visto luces en el cielo y que parecían ráfagas de energía. Le dije que llamara al Santuario, pero respondió que no llegarían a tiempo. Me dijo que alguien se iba a dar cuenta de que allí pasaba algo raro, y que me llamaría en cuanto supiera qué ocurría. Y no he vuelto a saber nada de él desde entonces.

–¿Sabe dónde se encontraba su marido cuando vio todo aquello? –preguntó Skulduggery.

–Estaba conduciendo por Monkstown, pero me dijo que los rayos se veían a varios kilómetros, no sé en qué dirección. Patrick siempre me avisa si se va a retrasar, y hace tres días que no sé nada de él. Le ha pasado algo, estoy segura –se llevó la mano a la boca–. Por favor, detective, encuentre a mi marido.

–Haremos todo lo que esté en nuestra mano –dijo Skulduggery.

Regresaron al coche, mientras Skulduggery parloteaba acerca de Greta Dapple. Valquiria no le hizo mucho caso; estaba cansada y le había empezado a doler el brazo de nuevo.

–Según dijo, su cumpleaños era este sábado... –afirmó Skulduggery–. El día uno de mayo, el principio del verano según el calendario tradicional irlandés. ¿Coincidencia? No creo. ¿Pero qué tendrá que ver la antigua novia de Argeddion con los mortales que de pronto tienen poderes mágicos? ¿Qué relación guarda esto con el Verano de la Luz?

El dolor se extendía por el brazo de Valquiria: era un latido sordo y persistente que le llegaba hasta el pecho. De pronto, el mundo pareció temblar y ella se detuvo, repentinamente mareada.

–Uf...

Skulduggery la agarró del hombro y la llevó hasta la esquina.

–Valquiria, mírame.

La imagen de Skulduggery vibró y el mundo entero pareció parpadear. Valquiria se tambaleó contra la pared.

–¿Qué demonios está pasando? ¿Skulduggery? Lo veo todo borroso. ¿Qué está...?

Skulduggery se había desvanecido, igual que el edificio en el que Valquiria estaba apoyada. Se tambaleó hacia atrás y terminó de espaldas en un charco. Tardó unos instantes en reaccionar. Miró a su alrededor: estaba sentada en el suelo de un callejón sucio que, desde luego, no era el mismo donde se encontraba hacía un instante.

–¡Fletcher! –gritó, pero nadie contestó.

No sabía dónde se encontraba.

Skulduggery había desaparecido.

Estaba sola.

Se incorporó. Aquello tenía que ser cosa de Fletcher: era el único teletransportador vivo en el mundo. Nadie más podía hacer eso. Sacó su móvil.

Imposible: no tenía cobertura, y su teléfono siempre tenía cobertura.

Echó a andar y salió del callejón. Los edificios eran sucios y pequeños, hechos con ladrillos, piedra y madera. Pasó un hombre vestido con ropa marrón oscura, del color del barro. Una mujer avanzó en dirección opuesta, vestida del mismo color. Valquiria la siguió hasta llegar a una calle ancha, pero se detuvo en la esquina y retrocedió. Todo el mundo vestía del mismo color parduzco: pantalones marrones, camisas marrones, abrigos marrones. No parecía un uniforme: era como si no existiera ropa de diferente color.

Valquiria salió a la calle principal y se dio cuenta de que la gente daba media vuelta, cambiaba de dirección, subía la vista al cielo o la clavaba en el suelo al pasar a su lado. Se miró: toda su ropa era negra. Decidió acercarse a dos mujeres.

–Disculpen...

Ellas apretaron el paso con la cabeza gacha, como si no la hubieran visto.

–¡Eh! –las llamó–. Hola. Perdonen...

–Deberías irte.

Se giró y se encontró con un hombre calvo de unos cuarenta años, vestido de marrón como todos los demás. Estaba ojeroso y mal afeitado.

–¿Dónde estoy? –le preguntó.

–Donde no debes. Hazte un favor, háznoslo a todos, y márchate. Te lo ruego –echó a caminar y ella le siguió.

–No sé dónde estoy. Dime dónde estoy.

–En la calle Pageant –respondió él secamente.

–Me refiero a la ciudad.

–Dublín.

–Esto no es Dublín –le contradijo Valquiria con el ceño fruncido–. Conozco Dublín y no es así...

De pronto, le vino una idea a la cabeza. Una idea horrible.

–¿En qué año estamos? –preguntó.

–¿Año?

Tenía sentido: los edificios antiguos, la falta de coches y de tecnología... Había viajado hacia atrás en el tiempo.

–Dime en qué año estamos.

El hombre se detuvo de pronto y la miró con pavor.

–Eres una hechicera –dijo.

Valquiria pestañeó.

–Esto...

Él dio un paso atrás.

–Oh, Dios mío... Dios, eres una de ellos. Por favor, no me mates. Solo quería ayudarte. No tenía ninguna otra intención.

Ella le siguió, alzando las manos para mostrarle que no tenía malas intenciones.

–¿Qué sabes de los hechiceros?

–No sé nada, lo juro. Yo no soy nadie.

Valquiria dio una palmada delante de la cara del hombre, y él echó la cabeza bruscamente hacia atrás.

–¡Eh! Escúchame. No voy a hacerte daño. Solo necesito información. No soy de aquí, no sé cómo va todo esto. ¿Me has dicho que esto es Dublín? ¿En qué siglo?

Él la miró como si estuviera loca.

–¿Siglo? El siglo veintiuno.

Ah. Así que no había viajado hacia atrás en el tiempo. Bien.

–¿Y qué ha pasado? –preguntó.

–¿A qué te refieres?

–A qué ha pasado aquí. ¿Dónde están los coches y las farolas? ¿Cómo es que está todo tan viejo y tan sucio? ¿Por qué todo el mundo viste así?

–No quiero meterme en ningún lío.

–Responde a mis preguntas.

–Pero es que no sé a qué te refieres. Esto siempre ha sido así.

–No –dijo ella–. Mentira. Dublín es mucho más grande, lleno de luces y... y vale, no es que esté mucho más limpio, pero la gente lleva mejor ropa, eso desde luego. Y no sé de qué me estás hablando, pero este no es el Dublín que yo conozco, ¿vale? Este...

De pronto cayó en la cuenta. Nadir, el oscilador dimensional... La punzada en el brazo... No sabía qué le había hecho aquel tipo, pero este era el resultado.

–Estoy en otra realidad –murmuró.

El hombre calvo la miró fijamente.

–¿Perdón?

–Yo no soy de este mundo, ¿me entiendes? Soy de uno parecido, pero... diferente. Tenemos coches, electricidad y... ¿Por qué esto es así? ¿Por qué no tenéis coches?

–No sé de qué me hablas –farfulló el hombre, angustiado–. ¿Coches? Tenemos coches de caballos. Te puedo enseñar dónde están.

Valquiria echó un vistazo a su alrededor.

–Da igual. Aquí hay hechiceros, ¿verdad? Puede que ellos me ayuden.

El hombre palideció.

–Mejor que no los veas.

–¿Por qué?

–Si no los conoces ya, mejor que no lo hagas. Deberías irte. Ahora. Deberías correr.

Una mujer se acercó rápidamente agitando un pañuelo y el hombre se volvió.

–Ya vienen.

–¿Quiénes? ¿Qué pasa?

El hombre la agarró de la mano y tiró de ella para sacarla de la calle. Corrieron entre dos edificios; cuando el hombre saltó una valla, Valquiria le imitó.

–¿Me puedes decir qué narices pasa?

Sin decir nada, él la condujo hasta una casa ruinosa, con la puerta abierta y el suelo de madera medio podrido. Subieron por una escalera y se asomaron a una ventana.

–Los controlamentes han salido de patrulla –le explicó–. Pueden leer lo que estás pensando. Cuando te cruces con ellos, tienes que dejar la mente en blanco; si no, verán algo raro en tus pensamientos e irán a por ti. Se llevaron a mi esposa hace siete años.

No se dio cuenta de que estaban allí, así que la atraparon en plena calle y se la llevaron. No la he vuelto a ver.

–Eso es espantoso.

–Mira, esos son los controlamentes –señaló–. Los que van de blanco.

Valquiria se asomó a la ventana llena de mugre. Por la calle pasaban nueve personas, tres de ellas con túnicas blancas y capuchas que ocultaban su rostro. Caminaban lentamente, con las manos enlazadas. Seis personas con túnicas de un intenso color escarlata formaban un círculo a su alrededor. Bajo sus túnicas rojas asomaban unas botas negras. A la espalda llevaban guadañas.

–Los Capuchas Rojas son quienes nos apresan –explicó el hombre con amargura–. No tiene sentido correr: son demasiado rápidos. Y no se puede luchar contra ellos, porque también son muy fuertes. Y las guadañas que llevan... Les he visto cortar a un hombre en dos como si fuera de mantequilla.

–Son Hendedores –murmuró Valquiria–. Se llaman Hendedores. Al menos, así los llamamos en mi mundo. Allí visten de gris, no de rojo.

–Bueno, aquí los llamamos Capuchas Rojas –dijo el hombre–. Y si viene uno a por ti, ríndete. Ahórrate sufrimientos.

Se apartó de la ventana, pero Valquiria no se movió del sitio. En el pecho de las túnicas se veía un símbolo: dos círculos juntos, uno grande y otro más pequeño que se superponía levemente al primero. Observó la marcha de los controlamentes y sus guardias: la gente reducía el paso y se detenía según pasaban. Si daban la vuelta y caminaban en dirección contraria, daría la impresión de que tenían algo que ocultar, así que todos se quedaban parados, bajaban la cabeza y cerraban los ojos. Valquiria supuso que se concentraban para no pensar en nada.

Uno de los controlamentes giró la cabeza y su capucha se movió ligeramente. Se apartó del círculo y se acercó con paso lento a una chica joven de pelo corto. La muchacha tenía los ojos cerrados, pero debió de oír los pasos, porque se puso rígida y su rostro se crispó en una mueca de pánico.

El controlamentes la rodeó lentamente y los hombros de la muchacha comenzaron a temblar. Estaba llorando, aunque seguía con los ojos cerrados. Otro controlamentes se alejó del círculo y se unió al primero. Por la amplia manga de la túnica asomó una mano pálida que rozó la cabeza de la chica, y esta se estremeció en un sollozo. De pronto, las piernas se le doblaron y cayó de rodillas. Alzó la vista cuando los controlamentes ya se alejaban; en ese momento, un Capucha Roja se adelantó, la agarró del brazo y la levantó.

–Han detenido a alguien –susurró Valquiria–. Una chica. No es mucho mayor que yo.

El hombre calvo respondió con voz inexpresiva.

–La llevarán al palacio. Allí le sacarán los secretos que esté guardando y, si no les gusta lo que averiguan, la matarán. En caso contrario, la encerrarán.

–Tiene que haber alguien que luche contra esto.

–Sí –respondió el hombre–. Al menos, eso dicen. Pero yo creo que solo es una leyenda, un cuento para niños. No me sorprendería: todos los hechiceros que he conocido odiaban a los mortales, así que supongo que es infantil creer que alguien va a luchar por nosotros.

–Yo soy una hechicera –replicó Valquiria–, y estoy dispuesta a luchar por vosotros. Al menos, mientras esté aquí.

El hombre se encogió de hombros.

–Pues baja allí y salva a esa chica.

Ella vaciló.

–Son nueve.

–Y ella no es más que una muchacha mortal –asintió el hombre–. No merece la pena correr el riesgo.

Valquiria le fulminó con la mirada.

–No quería decir eso. Me refería a que hay que saber cuándo luchar. Si me lanzo sin pensar, solo conseguiré que me maten. ¿De qué serviría entonces?

–¿De qué sirves ahora?

–No pienso morir por alguien a quien no conozco en una realidad que no entiendo. Esta ni siquiera es mi dimensión, por el amor de Dios.

–Es lógico. No esperaba que te molestaras en ayudarla.

–Pero es que, además, no tendría ninguna oportunidad. Si vuestros Capuchas Rojas son como los Hendedores que conozco, su ropa es resistente a la magia. No duraría ni dos segundos contra esos nueve...

Se asomó a la ventana: el Capucha Roja arrastraba a la joven esposada por la calle, mientras los demás, controlamentes incluidos, se alejaban en dirección opuesta. Miró de nuevo al que se llevaba a la chica.

–Sin embargo... –murmuró.

–Sin embargo, ¿qué?

–Sin embargo, contra uno solo puede que sí tenga alguna oportunidad.

Se acercó a la puerta, pero el hombre se cruzó en su camino.

–No.

Valquiria enarcó una ceja.

–¿No?

–No puedes hacer eso.

–Pero si acabas de decir que...

–Porque no creía que fueras a intentarlo. ¿Sabes lo que podría suceder si atacaras a un Capucha Roja? Peinarían todo esto en busca de quien lo haya hecho, torturarían, matarían y lo pagarían con la gente inocente. No puedes interferir.

–Pero esa chica...

—Es una víctima más de las muchas que se llevan todas las semanas. No puedes salvarlas a todas, y salvar a una persona haría que todo fuera mucho peor para los demás.

—Entonces, ¿nadie hace nada? ¿Cómo esperas cambiar algo si no estás dispuesto a actuar?

El hombre soltó una carcajada amarga.

—Yo no espero que cambien las cosas. El mundo es así: los que tienen magia gobiernan y viven para siempre, y los que no la tienen, trabajan y mueren. ¿Crees que es distinto en Francia, en Inglaterra o en lo que queda de América? En todas partes pasa lo mismo —su tono se suavizó—. Mira, te agradezco que lo hayas intentado. Aunque estoy empezando a pensar que no eres ninguna hechicera, sino una lunática... Pero se aprecia el gesto.

Valquiria chasqueó los dedos y el hombre retrocedió al ver la bola de fuego.

—Vale, vale —dijo apresuradamente—, eres una hechicera.

Ella extinguió las llamas.

—Si no eres de aquí —continuó él—, deberías tratar de volver a tu mundo ya mismo, antes de que hagas algo que tenga repercusiones en los que vivimos aquí.

—Ya —suspiró—. Supongo que tienes razón. Pero voy a necesitar ayuda. Me trajo aquí un oscilador dimensional, así que necesitaré otro para mandarme de vuelta.

—No sé lo que es eso, pero tal vez deberías localizar a la Resistencia, a ver si tienen uno.

—¿Esos son los hechiceros que luchan por vosotros?

—Sí. Pero no sé dónde están.

—Estupendo. Eres de gran ayuda.

—En realidad, no —repuso él con el ceño fruncido.

—Ya, era una ironía. ¿No sabéis lo que es la ironía en esta realidad?

Él se quedó callado y Valquiria palideció.

–Ay, madre. No lo sabéis, ¿verdad? Pobres...

–No sé lo que significa esa palabra.

–¿Ironía? Es una especie de broma: dices una cosa que significa lo contrario.

–No... No lo entiendo muy bien.

–Tranquilo, no pasa nada –le dio una palmadita en el brazo–. Significa que ahora mismo yo soy la persona con más sentido del humor del mundo.

Regresaron a la escalera por un pasillo cuyo suelo parecía gemir a su paso. Valquiria acababa de agarrar la barandilla, dispuesta a bajar el primer peldaño, cuando oyó una exclamación ahogada a su espalda.

Había un Capucha Roja al pie de la escalera.

17

CONTENER AL DEMONIO

VALQUIRIA soltó un juramento y apartó de un empellón al hombre para regresar a la habitación de antes, mientras un segundo Capucha Roja entraba por la ventana rompiendo los cristales. Ella empujó el aire, pero el Capucha Roja se hizo a un lado y lanzó un mandoble con su guadaña, que relampagueó y segó el cuello del hombre calvo.

Sin perder un segundo, Valquiria volvió a manipular el aire para alzar el cuerpo que ya caía y lanzarlo contra el Capucha Roja, quien perdió pie. La chica oyó un silbido a su espalda y se agachó, esquivando por los pelos la guadaña de otro atacante. Se lanzó hacia delante y se tiró por la ventana rota, con las manos extendidas para frenar el choque contra la calle. De pronto, sintió un dolor cegador en la cabeza y se estrelló contra el duro suelo.

Tres controlamentes la rodeaban. Algo debían de estarle haciendo, porque Valquiria sentía como si le clavaran agujas en el cerebro. Su vista se nubló. Unas siluetas vestidas de rojo se acercaron por la izquierda. Intentó incorporarse, pero no era capaz.

Fuera de mi mente, dijo una voz en su cabeza.

El dolor se duplicó y Valquiria soltó un grito. Ya no lo sentía solo en el cerebro: la agonía se había extendido por todo su interior, por su propio ser. Las agujas psíquicas la pinchaban, se hundían y se clavaban en su esencia. Así que fue su esencia quien respondió.

¡FUERA DE MI MENTE!

Los controlamentes dieron un paso atrás y el dolor desapareció, mientras Valquiria luchaba por controlar a Oscuretriz y mantenerla atrapada en su interior. Bajó las palmas, y el viento la alzó de la calle justo cuando los Capuchas Rojas iban a aferrarla. Se elevó hacia el cielo, saltó a un tejado y echó a correr.

Mientras empujaba el aire para saltar de tejado en tejado, intentó encontrarle un sentido a aquella situación. Aquello era Dublín, pero un Dublín distinto al que conocía. En algún momento de la línea temporal de aquella realidad, había sucedido algo importante que no tuvo lugar en su propia dimensión. Pero tenía que haber algún punto de referencia, algo que pudiera reconocer, alguna pista que la ayudara a situarse.

Voló hasta un tejado más alto y casi se cayó de espaldas por la sorpresa. El río Liffey serpenteaba ante ella, pero en la orilla más lejana había un muro gigantesco. Valquiria nunca había visto nada igual. Tan alto como un edificio de cuarenta plantas o más, seguía todo el recorrido del río. El puente de O'Connell daba acceso a unas puertas gigantescas que parecían la única entrada. Tras ellas se divisaban las torres y capiteles de una catedral o un palacio.

–¿Quién eres tú?

Valquiria se giró en redondo. En el tejado había un hombre que la miraba con expresión risueña. Era atractivo, con un bigote muy fino de puntas rizadas hacia arriba. Sus ropas eran de buena calidad y sus zapatos relucientes. Parecía no haber trabajado en su vida.

–Valquiria –respondió finalmente–. ¿Y tú?

–Alexander Remit, para servirte –incluso hizo una reverencia–. ¿Puedo preguntar el motivo de tu visita a esta zona en particular?

–Me equivoqué de camino.

–Ah, entiendo. Luego todo esto es fruto de un error, ¿no?

–Algo por el estilo.

–Entonces, ¿debería dejarte en paz para que te ocupes de tus asuntos?

–Si no es mucha molestia...

Valquiria empezó a caminar por el tejado y él la siguió tranquilamente.

–¿Y no tienes absolutamente nada que ver con la Resistencia ni con su líder?

–Absolutamente nada.

–Valquiria... Qué nombre tan bonito. Me temo, sin embargo, que tu historia me resulta difícil de creer; lo siento. Me parece que podrías estar mintiendo y que tal vez seas una agente de la Resistencia que haya venido a espiarnos o a tratar de cometer un asesinato.

–Qué va.

–En ese caso, ¿tendrías algún inconveniente en acompañarme al palacio como invitada?

–Sí, tendría algún inconveniente.

–Qué lástima. Aquí estoy, haciéndote una oferta amistosa, y te niegas a aceptarla. No tengo por qué ser tan cortés, ¿sabes? Has atacado a controlamentes y a Capuchas Rojas. Esos crímenes se castigan con la muerte.

–Lo único que quiero es volver a mi casa, Alexander.

–¿Y dónde está tu casa, Valquiria?

Se encogió de hombros.

–Aquí no.

Remit se sacó unas esposas del bolsillo de la chaqueta.

–Pareces una chica inteligente, así que haz lo más inteligente: póntelas.

–Me temo que no.

–Eso me entristece.

–Y mucho más que te va a entristecer.

Remit desapareció. Estaba claro: era un teletransportador. En el mismo instante en que Valquiria cayó en la cuenta, se giró con el puño en alto; había pasado suficiente tiempo con Fletcher para saber que lo primero que hacía un teletransportador era aparecer detrás de su enemigo. Golpeó a ciegas y casi se sorprendió cuando su puño chocó contra la mandíbula de Remit, quien cayó hacia atrás con los ojos en blanco y se derrumbó sobre el tejado.

Valquiria le maniató con las esposas y aguardó a que recuperara el conocimiento. El brazo le dolía justo en el punto donde Nadir la había agarrado. Había comenzado a latirle de nuevo.

–Estás arrestada –murmuró Remit débilmente.

–Cierra el pico o le diré a todo el mundo que te inmovilicé con tus propias esposas.

El brazo le palpitaba cada vez más fuerte, igual que antes de que apareciera en aquel lugar.

–Muy pronto, el hacha del verdugo caerá sobre tu cuello - dijo Remit, intentando ponerse de rodillas–. Nadie se atreve a atacar a un...

Su voz se atenuó por un instante. Él se atenuó. De hecho, todo se atenuó. Valquiria dio un paso atrás, mareada. El mundo entero tembló mientras el teletransportador luchaba por incorporarse.

–Primero te torturaremos –dijo Remit–. Te sacaremos todos los secretos que guardas en tu preciosa cabecita.

Consiguió levantarse con torpeza, y ella no se lo impidió.

–Suplicarás misericordia. Todos los hechiceros que capturamos traicionan a la Resistencia, y todos suplican. Tú no serás distinta. De hecho, no creo que dures más de unas horas –se tambaleó, todavía aturdido–. Me apuesto lo que quieras a que el día que te capturemos jurarás lealtad a Mevolent antes de la puesta de sol.

Valquiria alzó la vista, con los ojos como platos. Súbitamente, el mundo entero vibró y desapareció.

Apareció en medio de una habitación y se estrelló contra el suelo de cabeza. Una fregona y un cubo. Productos de limpieza. Un trastero.

Se levantó frotándose la cabeza. Con movimientos lentos, abrió la puerta y descubrió que se encontraba en el pasillo de un hotel. Iluminado, limpio y normal. Corrió a toda prisa a la ventana más cercana y contempló la ciudad de Dublín. Era su Dublín. Sacó el móvil: tenía cuatro llamadas perdidas, todas de Skulduggery. Tocó la pantalla para devolver la última y esperó a que su amigo contestara.

–Hola –le dijo–. He vuelto.

Como si los Mayores no tuvieran suficientes problemas, ahora se sumaban las aventuras de Valquiria en Rarolandia. Mientras se dirigía a la sala donde la esperaban, se sintió curiosamente culpable, como si los estuviera apartando de otros asuntos más importantes. Al verla, Abominable se abalanzó a su encuentro y le preguntó qué tal se encontraba y si estaba herida. Ravel parecía estar deseando imitarle, pero se obligó a permanecer sentado en el trono de Gran Mago y actuar como un profesional. Solo Madame Mist se mostraba indiferente.

Valquiria les contó lo sucedido exactamente de mismo modo en que se lo había relatado a Skulduggery, omitiendo tacos y detalles sin importancia. Casi había llegado al punto en que Remit mencionaba el nombre de Mevolent cuando Tipstaff entró, pidió disculpas atropelladamente y corrió a musitar algo al oído de Ravel. Este le escuchó, suspiró y le dio las gracias.

–Tengo que irme –dijo–. Asuntos urgentes, ya sabéis. Valquiria, me alegro muchísimo de que te encuentres bien. Me encantaría oír el final de tu historia, pero ahora mismo el deber me llama. Abominable me ha dicho que tenéis un avión preparado para volar a los Alpes, ¿verdad?

Skulduggery inclinó la cabeza.

–No vamos a ir.

Ravel frunció las cejas.

–¿No?

Valquiria lo imitó.

–¿En serio?

–No podemos –dijo Skulduggery–. Tenemos que conseguir que Nadir revierta lo que le ha hecho a Valquiria.

–La búsqueda de Argeddion es prioritaria –replicó Ravel–. Hay que impedir que siga haciendo lo que quiera que esté haciendo antes de que aparezcan más mortales con poderes mágicos. Tú mismo dijiste que a Xebec debió de matarlo uno de ellos. Eso es lo primero.

–Tal vez para ti. Pero puede que Valquiria sea arrastrada a esa otra realidad en cualquier momento, y necesitamos a Nadir para impedirlo.

Ravel negó con la cabeza.

–No me hagas obligarte, Skulduggery. A pesar de las bromas y las gracias, sigo siendo el Gran Mago. Tú me convenciste de que aceptara el puesto, ¿recuerdas? Estoy aquí por ti, y precisamente por tu culpa me veo obligado a pedirte que antepongas el asunto de Argeddion a cualquier otra cosa. Si Valquiria vuelve a ser arrastrada hasta allí, podrá cuidar de sí misma. Ya ha vuelto una vez, ¿no? Puede volver a hacerlo. Valquiria, lo único que tienes que hacer es no meterte en líos.

–Hay algo que todavía no sabes sobre el sitio donde ha estado.

–Sí –intervino Valquiria–. Allí Mevolent sigue vivo.

Los ojos de Ravel se desorbitaron.

–Puede que su línea temporal fuera idéntica a la nuestra justo hasta la muerte de Mevolent –elucubró Skulduggery–. Obviamente, allí sobrevivió. Y está al mando.

–Deberías haberlo visto –continuó Valquiria–. Los hechiceros dominan el mundo y los mortales están aterrorizados. La gente desaparece y no se les vuelve a ver nunca. Hay torturas, ejecuciones y patrullas de sensitivos que recorren las calles para descubrir cualquier pensamiento culpable.

–¿Y si Valquiria vuelve allí y la capturan? –preguntó Skulduggery–. ¿Y si Mevolent la interroga? ¿Y si cuando regrese, en caso de que lo haga, él está en contacto con ella y lo trae consigo? ¿Queremos tener a Mevolent paseándose por nuestra realidad? Nos libramos de él en una ocasión, pero ahora contaría con un siglo más de vida y sería aún más poderoso.

Abominable se dejó caer en la silla.

–Podría invadirnos –murmuró–. Podría establecer un Ancla Istmo entre las dimensiones y abrir y cerrar el portal cuando quisiera.

–Tiene un teletransportador –dijo Valquiria.

–Ni siquiera lo necesitaría –apuntó Mist–. La Diablería necesitaba a Fletcher Renn para abrir el portal, porque su Ancla Istmo se extendía entre este mundo y otro mundo de una dimensión distinta. Pero el Ancla de Mevolent solo sería un enlace entre versiones alternativas del mismo mundo.

–Lo cual significa que sería mucho más sencillo –suspiró Abominable–. Podría transportar un ejército entero de una sola tacada.

Ravel titubeó, pero acto seguido negó con la cabeza.

–Hablamos de posibilidades –dijo–, mientras que Argeddion es una certeza. Solo tenemos unos días antes de que empiece el Verano de la Luz, sea eso lo que sea, y todavía menos tiempo para demostrar al Consejo Supremo que podemos arreglárnoslas sin su «ayuda». Haré que traigan aquí a Nadir para que habléis con él cuando volváis; pero Argeddion es la amenaza más inmediata, y hay que atacarlo con todo lo que tenemos a nuestra disposición. Skulduggery, Valquiria: lo siento, pero os necesitamos.

Skulduggery iba a protestar, pero Valquiria le puso la mano en el brazo. Si encontraban a Argeddion, también encontrarían su prisión. Y si aquella prisión funcionaba, la familia de Valquiria tendría alguna oportunidad de sobrevivir.

–Entendido –asintió Valquiria–. Nos encargaremos primero de Argeddion.

Skulduggery la miró fijamente y no dijo nada.

18

UN TARRO CON UNA VISIÓN

L A vida es simple para una cabeza que flota dentro de un tarro.

Scapegrace no necesitaba pantalones, por ejemplo. Ni zapatos. Ni camisetas. De hecho, la ropa en general era algo irrelevante para él. A excepción, tal vez, de los sombreros. Podría llevar sombrero. Podría ponerse diferentes sombreros de distintas formas y estilos. Sombreros de paja, de vaquero, bombines... Las posibilidades eran infinitas. Sombreros de copa, sombreros de gánster, sombreros de explorador... Más altos y más bajos, de ala ancha, de ala estrecha o sin alas... Podría llevar un fez turco. Molaba. Le sonaba que alguien había dicho que llevar fez molaba. Estaba casi seguro. Y era cierto: el fez molaba. Y podía llevar uno. Podía llevar todos los que quisiera.

No mientras estuviera dentro de un frasco, claro, porque era demasiado estrecho. Además, estaba lleno de formaldehído para evitar que la carne que le quedaba se pudriera. Podría llevar un gorro de lana, en teoría, o una boina, si no le importaba que se mojara. Decidió que nunca llevaría una gorra de béisbol. El Rey de los Zombis no podía usar gorras de béisbol ni de camionero. Ese tipo de tocados estaba por debajo de su categoría, por así decirlo.

Ya que era una cabeza, también tenía la opción de llevar gafas de sol, si no fuera porque solamente le quedaba una oreja y se le había caído la nariz. Le había sucedido hacía poco, en ausencia de Thrasher, así que Scapegrace tuvo que pasar tres horas contemplando cómo su nariz flotaba dando vueltas alrededor de su cabeza. Fue inquietante, como poco. Ningún hombre debería ser obligado a contemplar su propia nariz en esas circunstancias.

Cuando Thrasher regresó, se deshizo en disculpas, claro. Lloraba avergonzado mientras intentaba sacar la nariz del tarro con una redecilla de pescar que había comprado en una tienda de mascotas. Cada vez que golpeaba a Scapegrace sin querer, este soltaba un aullido de angustia. No era la primera vez que deseaba haber convertido en zombi a cualquier otra persona.

Por si fuera poco, el frasco estaba sobre una mesa, lo cual significaba que Scapegrace se había visto obligado a contemplar la barriga de Thrasher mientras este intentaba pescar su nariz. Hacía varios meses, aquel idiota se las había apañado para destriparse a sí mismo con un abrelatas, no sabía cómo. El accidente, aunque al principio le resultara muy divertido, pronto se convirtió en una tortura para Scapegrace, que veía cómo se le salían las tripas. En un intento por no perder más pedazos de sí mismo, Thrasher se había atado una sábana a la cintura, sin darse cuenta de la pinta tan ridícula que tenía. Y ni siquiera era una solución eficaz, ya que un pedazo de intestino seco y arrugado se le había salido por el borde y se balanceaba alegremente a cada movimiento.

Como ahora: mientras Thrasher avanzaba hacia el Santuario, su intestino oscilaba a un ritmo casi hipnótico. Scapegrace había tenido tiempo de sobra para comprobarlo, ya que aquel idiota no hacía más que equivocarse de camino y volver sobre sus pasos.

Se detuvo de pronto.

–¿Quién demonios eres? –le preguntó alguien.

–Soy un zombi –respondió Thrasher–. Y este es mi maestro.

–¿Tu maestro es un tarro?

–No, mi maestro está en el tarro.

Scapegrace intentó subir la vista, pero no veía nada más que la tripa de Thrasher.

–Oh, Dios, es repugnante –exclamó el hombre–. ¿Qué hacéis aquí? ¿A qué habéis venido? ¿Queréis que pongamos fin a vuestros sufrimientos?

–¡No! –exclamó Thrasher con un sobresalto–. No, muchas gracias, señor, pero estamos muy contentos con nuestros sufrimientos. Queríamos hablar con Clarabelle. ¿No trabaja con el doctor Nye? Es su asistente, ¿verdad?

–Sí, la conozco. Es la loca del pelo. ¿Os está esperando?

–En realidad, no –admitió Thrasher–, pero somos viejos amigos. Le alegrará vernos.

–Lo dudo: oléis a rayos. Pero vale, da igual, podéis entrar. No montéis ningún lío e intentad no comeros a nadie.

–Gracias –dijo Thrasher.

De nuevo avanzaban y el trozo de intestino volvía a balancearse hacia delante y hacia atrás, hacia delante y hacia atrás...

Pasaron por delante de varias puertas. De pronto, Scapegrace oyó la voz de Clarabelle.

–¡Gerald!

Se oyó un ruido de pasos a la carrera y después se hizo la oscuridad, mientras la chica envolvía a Thrasher en un abrazo. Hubo unos tensos momentos de chapoteo, pero finalmente la cabeza de Scapegrace quedó apoyada en diagonal contra el cristal. Desde allí se divisaba el vientre de Clarabelle en lugar del de Thrasher, lo cual sin duda era una mejoría. Se le había subido un poco la camiseta, revelando que tenía un piercing con forma de corazoncito en el ombligo.

Clarabelle dio un paso atrás.

–¡Creía que estabas muerto! Bueno, estás muerto, pero pensaba que estabas muerto de verdad, el tipo de muerto que no echa a caminar después. Valquiria me dijo que seguramente te habrían comido los monstruos de las cuevas. ¡Me alegro mucho de que no haya sido así!

–Gracias –dijo Thrasher en tono complacido.

Idiota...

Finalmente, recordó su trabajo y puso el frasco en una mesa. Scapegrace tuvo que esperar a que el líquido se asentara para poder hablar.

–Hola –saludó.

La falta de espacio hacía aún más difícil todo aquello. Apenas se oía su voz, y cada palabra que decía quedaba ahogada por las burbujas.

Clarabelle miró a su alrededor.

–¿Quién ha dicho eso?

–Yo –dijo Scapegrace–. Mira hacia abajo. No, no tanto. Hacia arriba. En la mesa. ¿Ves el frasco?

Clarabelle echó un vistazo al cristal y una enorme sonrisa apareció en su rostro.

–¡Increíble! ¡Scapey! ¡Tú también estás vivo! ¡Ay, qué alegría! –palmoteó de felicidad, y Scapegrace la hubiera imitado si hubiera tenido manos.

La chica se agachó para mirarle a los ojos y frunció el ceño.

–Te veo distinto.

–Estoy en un frasco.

–Podría ser. ¿Te has cortado el pelo?

–No. Pero sí que estoy en un frasco.

Clarabelle murmuró algo para sus adentros, no muy convencida.

–Te veo más bajo que antes –comentó.

–Sí –dijo Scapegrace–. Porque estoy en un frasco. Solo soy una cabeza.

Clarabelle se encogió de hombros.

–Nadie es más que una cabeza, si te paras a pensarlo. La única diferencia entre la gente normal y tú es que nosotros tenemos brazos, piernas y cuerpos, y no vivimos dentro de un frasco. Bonito frasco, por cierto. ¿De dónde lo has sacado?

–Lo encontré yo –intervino Thrasher–. Estaba lleno de caramelos, pero lo vacié.

–Eres muy inteligente.

–Gracias –dijo Thrasher con una risita tonta.

–Clarabelle –cortó Scapegrace antes de que la risita se hiciera más tonta aún–, necesitamos tu ayuda.

–¿Te hace falta otro frasco? –preguntó ella–. Creo que no tengo ninguno de ese tamaño. Pero tengo una maceta. ¿Te gustaría vivir dentro de una maceta? Tiene un agujero en la parte de abajo, pero si no fuera por ese detalle, sería perfecta.

–Clarabelle, mi situación es grave. No tengo cuerpo. Si me atacaran mis enemigos, estaría indefenso.

–¿Tienes enemigos?

–Todos los hombres importantes tienen enemigos.

–¿Pero tú tienes enemigos?

–Yo... Sí. Soy un hombre importante.

–Ah.

–Soy el Rey de los Zombis, y a mucha gente le encantaría matar al Rey de los Zombis porque me temen y temen a mi ejército de muertos.

–¿Tienes un ejército de muertos?

–Es... una metáfora.

–¿Una metáfora de qué?

–Una metáfora de... –Scapegrace vaciló–. De... de Thrasher. Pero aun así, me temen, y sin cuerpo soy... soy...

—Una cabeza —completó Thrasher para ayudarle.

—Cierra el pico, idiota.

—Perdón.

Clarabelle se puso en cuclillas.

—¿Y qué necesitas de mí?

—Tengo que hablar con el doctor Nye.

—Ya le pediste ayuda hace siglos y te dijo que no. El doctor Nye no suele cambiar de opinión.

—Le dije que no deberíamos haber vuelto —murmuró Thrasher.

Scapegrace se habría girado para fulminarle con la mirada si hubiera tenido cuello.

—¡Thrasher!

—Lo siento, maestro. Lo que pasa es que no es una criatura muy agradable y no confío en él. Dicen que torturó a gente durante la guerra, y también que llevó a cabo experimentos macabros con seres humanos.

—Yo también lo he oído decir —musitó Clarabelle—. Se supone que una vez convirtió a un hombre en cabra. O a una cabra en hombre. O a una cabra en otra cabra. No me acuerdo bien.

Thrasher se puso en cuclillas al lado de Clarabelle para mirar el tarro. No era un espectáculo muy agradable.

—¿Lo ve, maestro? Puede que haya sido un error venir aquí. Le pedimos ayuda una vez y nos dijo que nos largáramos.

—Eso fue antes de que yo fuera una cabeza dentro de un frasco.

—¿Crees que el doctor te pegará la cabeza al cuerpo? —preguntó Clarabelle.

Scapegrace contó hasta diez para contener la furia.

—No veo cómo —dijo al fin—, teniendo en cuenta que una horda de ratas simiescas salió corriendo con mi cuerpo a rastras y nunca jamás he vuelto a saber de él. Y todos sabemos de quién fue la culpa, ¿verdad?

—Mía —confirmó Thrasher mansamente.

187

–Tuya –recalcó Scapegrace.

–Pero maestro... No podía llevar el cuerpo y a usted a la vez.

–¿Lo intentaste? ¿Al menos lo intentaste? ¡No! No lo hiciste.

–Porque el Hendedor Blanco estaba en las cuevas, y Skulduggery Pleasant y Valquiria Caín también, y esa chica tiene por costumbre zurrarle a usted la badana.

–¡Basta de excusas! –rugió Scapegrace entre las burbujas.

–Lo siento, maestro –murmuró Thrasher con la cabeza gacha.

–Scapey, no seas malo con Gerald –le regañó Clarabelle–. Él lo hace lo mejor que puede. ¿A que sí, Gerald?

–Sí –gimió Thrasher.

–Ni siquiera sé si el doctor Nye querrá recibiros. Está muy ocupado trabajando en asuntos de alto secreto que no me cuenta porque piensa que hablo demasiado. No me permite ni siquiera asomarme. Pero antes lo hice y oí una voz de hombre con acento americano, que soltó una palabrota. ¿Sabéis cuál? La que empieza con ce. No es la que estáis pensando, es la otra. La que termina en «ño». ¿Queréis saber cuál? Era «caraño» –frunció el ceño–. Un momento, eso no es una palabrota.

–Clarabelle –dijo Scapegrace–, tienes toda la razón: le pedí que nos ayudara y se negó. Pero eso fue antes. Por aquel entonces yo no era más que un zombi. Y aunque se negara, me di cuenta de que el hombre estaba intrigado.

–El doctor Nye no es ni hombre ni mujer: no tiene sexo.

–Pues la criatura. Se sentía curioso... curiosa... Bueno, que le dio curiosidad. La posibilidad de devolverle la vida a un zombi era más de lo que podía soñar.

–Y aun así, me las ingenié para negarme –chilló una voz aguda y desagradable detrás de ellos.

Scapegrace frunció el ceño. Podía ver la reacción de Thrasher ante la aparición de Nye, pero al muy imbécil no se le había ocurrido darle la vuelta al frasco.

–Por supuesto que se negó –continuó Scapegrace en voz alta–, y no puedo culparle. ¿Devolver la vida a un zombi? Qué aburrido. Qué pedestre. Ese no es un trabajo digno de su talento.

Al fin Thrasher giró el tarro y Scapegrace pudo ver las rodillas del doctor Nye. Tenía las piernas increíblemente largas y delgadas, y llevaba una bata manchada de sangre.

Nye flexionó las rodillas, dobló el cuerpo y se inclinó sobre él. Scapegrace vio la costra en el lugar de la nariz, los ojitos amarillos y la boca de labios finos, cosidos con un hilo roto, que se retorcía en una sonrisa.

–¿Y ahora tienes un trabajo digno de mi talento?

–Por supuesto –contestó Scapegrace–. Soy la cabeza de un zombi dentro de un frasco. Soy único. Soy todo un desafío.

–¿Y qué querrías que hiciera?

–Que me uniera a un nuevo cuerpo, doctor. Quiero volver a vivir.

Nye soltó una carcajada y se enderezó. Su rostro desapareció de la vista de Scapegrace.

–Me temo que no –dijo dando media vuelta.

–Puedo pagarle –añadió Scapegrace.

Nye titubeó y Scapegrace vio sus largos dedos, que se retorcían como las patas de una araña gigante. La criatura bajó la cabeza y sus ojos diminutos se ampliaron cuando miró a través del cristal.

–¿Cuánto?

–No voy a pagarle con dinero, doctor. Tengo algo mucho más valioso.

–La paciencia no se cuenta entre mis virtudes, cabeza de zombi. Dime qué tienes o...

–El Hendedor Blanco –dijo Scapegrace–. Tengo al Hendedor Blanco.

Nye le observó con atención.

–El Hendedor Blanco fue destruido. Lord Vile lo despedazó.

–Y aun así, siguió vivo. Los pedacitos de los dedos se retorcían entre la sangre. Su ojo derecho estaba intacto y miraba a su alrededor. Así que ordené a Thrasher que recogiera los trozos, todos y cada uno de ellos, y los guardara en recipientes de plástico.

–¿Y se encuentran en buen estado?

–Pues claro. Solo tiene que unirlos –contestó Scapegrace–. Puede hacerlo y tomar posesión de él después de que me haya dado un nuevo cuerpo.

–Yo también quiero –intervino Thrasher.

–No vamos a compartir cuerpo –replicó Scapegrace rápidamente.

–Me refiero a uno nuevo para mí, maestro. Este se está pudriendo y se me caen los intestinos todo el rato.

Scapegrace suspiró.

–Está bien: si nos consigue dos cuerpos, doctor Nye, le entregaremos el Hendedor Blanco. Estoy convencido de que alguien como usted, con sus antecedentes, le encontrará alguna utilidad.

Nye sonrió.

–Seguro que sí, cabeza de zombi. Muy bien. Pero deberías tener en cuenta un detalle: pegar vuestras cabezas a cuerpos frescos es una estupidez. Las cabezas se seguirían pudriendo. En su lugar, lo que haré será trasplantar los cerebros. Decidle adiós a lo que queda de vuestras caras.

–Ya casi no tengo cara, doctor. Entonces, ¿hay trato?

–Sí, cabeza de zombi, hay trato. Que tu compañero el idiota me traiga los restos por una entrada secreta; en cuanto lo haya hecho, haré que viváis de nuevo.

Fue un momento muy dramático, solo estropeado por el grito de Thrasher:

–¡Yuju!

19

MÁS DURA SERÁ LA CAÍDA

VALQUIRIA estaba a punto de subir al Bentley cuando Abominable la llamó. Se detuvo y esperó a que llegara a su altura.

—Toma —dijo él tendiéndole una cajita—. Para el viaje.

Valquiria la abrió.

—¿Un pasamontañas?

—Así no pasarás frío. ¿Hubieras preferido un gorro de lana y unas orejeras?

Ella sonrió.

—Esto me irá bien, gracias.

—Es del mismo material que tu ropa. No te emociones: absorbe los impactos y los amortigua, pero aun así los sentirás y te dolerán.

—También es a prueba de balas, ¿no?

Abominable tardó en contestar.

—Sí —admitió lentamente—. Es a prueba de balas. Pero procura que no te peguen un tiro en la cabeza, ¿quieres? El pasamontañas detendría la bala, pero el impacto podría matarte. Valquiria, por favor: esto es para no pasar frío, piénsalo así. Nada más.

—Vale. Gracias.

–También te he hecho unos guantes.

–Eres el mejor, Abominable.

–Llámame Mayor Bespoke cuando estemos en público.

Ella pestañeó y él se alejó riéndose entre dientes.

–Qué chispa tengo –dijo antes de perderse de vista.

Valquiria sonrió y entró en el coche, donde ya la esperaba Skulduggery. Fueron a toda velocidad hasta la pista privada del Santuario, donde ya esperaba el avión. Era un aparato enorme, de carga, que parecía fabricado durante la guerra mundial (Valquiria no habría sabido decir si la primera o la segunda). El interior era enorme, ruidoso y frío, y lo tenían entero para los dos. Valquiria se puso los guantes, se apoyó en la malla que forraba las paredes metálicas e hizo un esfuerzo por dormirse hasta que logró caer en un duermevela. Horas más tarde la despertó Skulduggery.

–¡Hemos llegado!

Valquiria se sentó. Ya no tenía frío: ahora estaba congelada. Se movió con dificultad, un poco tiesa, se acercó a una ventanilla y contempló los picos nevados de los Alpes.

–Toma ya –dijo–. Es como ver la tele.

Skulduggery sacudió la cabeza.

–Una vez más, Valquiria Caín se las ingenia para acabar con la magia de uno de los paisajes más impresionantes del mundo.

Ella sonrió.

–¿Estamos cerca del aeropuerto?

–¿Aeropuerto?

–Perdona, pista. O aeródromo, lo que sea.

–Ah… Me temo que no vamos a aterrizar. Los pilotos hacen el viaje de ida y vuelta sin parada en medio.

Abrió los ojos como platos.

–¿Vamos a saltar en paracaídas? ¡Estupendo! ¡Siempre he querido hacerlo!

–Paracaídas... –repitió Skulduggery–. Ahora que lo dices, habría sido una buena idea.

Valquiria hizo una mueca.

–¿No tenemos paracaídas?

–¿Para qué los necesitamos?

–Porque... Porque vamos a saltar de un avión.

–Tú saltas de la ventana de tu habitación día sí, día también.

Ella le clavó la mirada.

–Esto es ligeramente distinto, Skulduggery. Mi ventana no está a diez kilómetros de altura.

–Pero utilizas el aire para frenar la caída, ¿no? Pues aquí tienes que hacer lo mismo. No entiendo por qué te preocupas.

–No me preocupa saltar –precisó ella–. Me preocupa caer. Concretamente, me preocupa estrellarme.

Él le dio una palmadita en el hombro.

–Me haces gracia –dijo, y se acercó a la cabina del piloto.

Valquiria respiró hondo para controlar los nervios y terminó por sonreír. Sacó el pasamontañas del bolsillo y se lo puso. Le tapaba toda la cabeza salvo los ojos y la boca, y tenía un agujero en la nuca para la coleta. Como todo lo que confeccionaba Abominable, se ajustaba a la perfección, y su rostro entró en calor de inmediato.

Skulduggery regresó con un GPS.

–Nos quedan sesenta segundos para llegar a nuestro destino –le informó.

Ella se puso los guantes.

–¿Qué opinas? ¿Me queda bien? ¿Estoy guapa?

–Sin duda.

–¿Parezco una ninja?

–Ni a un millón de kilómetros de distancia.

Valquiria buscó algún sitio donde mirarse y encontró un espejo atado a la malla, seguramente para cuando los paracaidistas se embadurnaban la cara con pintura de camuflaje, o algo así. Se agachó para ver cómo estaba y su sonrisa se desvaneció.

–Ay, madre –murmuró–. Parezco un engendro.

–Estás estupenda –aseguró Skulduggery.

–Abominable me ha hecho una máscara que me hace parecer un monstruo.

–Pues yo creo que te sienta muy bien.

–Claro, si te gustan los engendros.

–Tonterías. Yo te veo perfectamente normal. Vamos, es hora de saltar de un avión sin paracaídas.

Todavía con mala cara, le siguió hasta la portezuela. Los dos esperaron, con la mirada fija en la bombilla que había sobre el hueco. Poco a poco, el ceño de Valquiria desapareció y sus rasgos volvieron a esbozar una sonrisa inconsciente.

La luz se encendió, y Skulduggery abrió la puerta y se lanzó sin más. El viento se lo llevó de inmediato. Sonriendo de oreja a oreja bajo la máscara, Valquiria se agarró a la barra que había sobre la puerta y se lanzó tras él, con un rugido de pura adrenalina.

El vendaval la zarandeó. Las montañas, increíblemente vastas y de una belleza arrebatadora, se extendían por el horizonte que giraba a su alrededor mientras caía. El viento helado se le coló por las mangas de la chaqueta, por el cuello, por los tobillos. Gritó mientras giraba entre el frío.

Skulduggery se encontraba bajo ella. Tenía el sombrero en una mano y el GPS en la otra. Se acercó a él y los dos flotaron a la misma altura, girando sobre sí mismos y dando vueltas. Los movimientos del esqueleto eran mucho más elegantes que los de ella, pero le daba igual. Acababa de saltar de un avión sin paracaídas. Se echó a reír bajo la máscara.

Extendió los brazos y las piernas para estabilizarse, imitando a Skulduggery, y atrajo el aire para corregir el rumbo. No quería que aquello terminara. Allí arriba se sentía más libre que nunca en su vida. La única vez que había experimentado un abandono tan puro como ese fue mientras era Oscuretriz y sobrevolaba Dublín. Recordó aquella sensación de puro placer, se regodeó en ella un instante y después apartó el recuerdo de su mente, abrumada por la vergüenza.

Skulduggery había empezado a frenar, y el aire se ondulaba a su alrededor. Valquiria atrajo el viento para reducir la velocidad de forma gradual, capturando poco a poco las corrientes. De pronto, perdió el control y salió despedida en una ráfaga que la llevaba de cabeza contra la montaña. Intentó engancharse a algo, cualquier cosa, pero a su alrededor solo había vacío. Empujó el aire pidiendo ayuda a gritos, mientras el paisaje se acercaba a velocidad de vértigo. Milagrosamente, consiguió frenar lo suficiente para no romperse ningún hueso al estrellarse contra el suelo. Rodó gruñendo. Cuando al fin logró parar, se quedó tumbada, intentando orientarse, hasta que vio a Skulduggery de pie ante ella.

–Bueno, no hacía falta que fueras tan dramática –dijo él.

Echó a caminar, y Valquiria se incorporó un momento después. Miró a su alrededor y vio los inmensos Alpes cubiertos de nieve. Los hermosos e inmaculados Alpes que habían estado a punto de matarla.

El frío se le colaba por los agujeros de la máscara. Le dolía todo, especialmente la cabeza. Tenía el cuello helado y tiritaba.

–Odio este sitio –dijo en voz bien alta, pero Skulduggery no la oyó: el estúpido viento de los estúpidos Alpes apagaba su voz.

Todavía rígida, echó a correr tras él. El avión ya daba media vuelta y desaparecía entre las nubes.

–Estas son las coordenadas –dijo él–. Tiene que estar cerca.

–Me congelo.

–En tal caso, deberías haber traído un abrigo.

–Creí que bastaría con mi chaqueta. Aquí hace un frío horrible. ¿Por qué nunca me llevas a un sitio bonito, un lugar cálido y soleado donde pueda ir a la piscina?

–Hablas de ir de vacaciones.

–No, para nada. Hablo de un caso en el que tenga que sentarme junto a una piscina, tumbarme al sol y ponerme morena. ¿Cuánto te costaría encontrar un caso como ese?

–Para el próximo caso, me aseguraré de tener en cuenta la existencia de alguna piscina cercana.

–No pido otra cosa.

–Hummm...

–¿Qué?

Skulduggery se agachó y ella le imitó. El esqueleto señaló un punto delante de ellos.

–¿Ves eso?

–¿Qué? ¿La nieve?

–Más lejos.

–¿Más nieve?

–Deja de mirar la nieve.

–No sé adónde apuntas. ¿A la montaña? Sí, Skulduggery, veo la montaña. Es difícil no verla. Es una montaña –algo se movió a lo lejos, algo peludo y oscuro, y a Valquiria se le desorbitaron los ojos–. Oh, Dios mío. ¿Es el abominable hombre de las nieves?

–Eso parece.

Resultaba difícil distinguirlo, pero desde luego era grande y peludo. Valquiria se acercó más a Skulduggery y bajó la voz.

–¿Te puedo hacer una pregunta? Dado que existen los vampiros, los licántropos, los goblins y un montón de cosas así... ¿hay alguna criatura mitológica que no exista?

–Por supuesto –contestó él–. El unicornio y el duende, por citar los más importantes. Y el monstruo del lago Ness tampoco es real, solo es un tipo llamado Bert. ¿Tienes alguna otra pregunta, o podemos centrarnos en la situación actual?

–Por favor, adelante.

–Muchas gracias. El yeti, también conocido como Kang Admi, no es una criatura autóctona de esta zona. De hecho, yo pensaba que nunca salían del Himalaya.

–Puede que este se haya perdido.

–O tal vez Tyren Lament lo trajera hasta aquí como medida de seguridad.

–¿Es peligroso? Desde luego, lo parece. En una escala del uno al diez, ¿cómo es de peligroso?

–Bueno, si el uno es un gatito y el diez un yeti, yo diría que diez.

–No sabes las ganas que tengo de pegarte.

–Los yetis son fuertes, rápidos y feroces. Si ves que uno corre hacia ti, ya es demasiado tarde. Tenemos que mantenernos lejos de su vista. Por cierto, vestir de negro de la cabeza a los pies no es el mejor camuflaje en la nieve.

–Lo dice el que lleva un traje azul marino.

–Ah, pero basta con que me quite el sombrero y mi cabeza se confundirá con el fondo.

–Entonces parecerá que hay un traje azul marino corriendo por ahí sin nadie dentro, lo cual sin duda es mucho menos sospechoso. Valquiria echó un vistazo a su alrededor–. Si Lament ha traído un yeti para que guarde la puerta, eso significa que la puerta tiene que estar por aquí.

–Busca cualquier cosa que parezca fuera de lugar.

–¿Te refieres a cualquier cosa que no sea una piedra ni un copo de nieve?

–Exacto.

Skulduggery se calló de pronto. Valquiria bajó la vista y vio la enorme pisada que había en la nieve.

–¿Y...? Ya sabemos que hay un yeti.

Él negó con la cabeza.

–No estoy del todo seguro de que ese yeti haya dejado esta huella. Al ritmo que cae la nieve, ya debería estar cubierta.

–¿Y eso significa...?

Skulduggery la miró fijamente.

–Eso significa que hay más de un yeti.

Oyeron un rugido a sus espaldas. Valquiria se giró con los puños en llamas, vio cómo la criatura se lanzaba contra ellos, y se preparó para la pelea de su vida.

–Bueno –dijo Skulduggery cuando terminó la lucha–. Ha sido tonificante.

Valquiria resopló y se sentó en la nieve.

–Intentó comerme la cabeza.

–Sí, ya lo he visto.

–Literalmente: por un momento, tuve la cabeza dentro de su boca.

–¿Y cómo fue la experiencia?

–Apestosa. Húmeda. Horrible. Exactamente lo esperable cuando un yeti intenta comerte la cabeza. Mi máscara de engendro me ha salvado.

La ayudó a levantarse.

–Lo has hecho de maravilla.

–¿Tú crees?

–Tus gritos incesantes sin duda le confundieron.

–Sí, es una nueva táctica que estoy probando. La llamo «mearse en los pantalones». ¿Tú crees que el otro me habrá oído?

–No creo: el viento se llevaba los gritos en dirección contraria. Pero deberíamos movernos antes de que venga. Me imagino que se pondría hecho una fiera si viera lo que le ha pasado a su amigo.

–Si a ti te tiraran por un precipicio, yo también me pondría furiosa.

Valquiria avanzó sobre la nieve, con las manos enguantadas bajo las axilas. Se le estaban congelando los labios. También los ojos. Sus botas se hundían en la nieve, y no tardó mucho en tener las piernas agotadas.

–¿Ya llegamos? –preguntó mirando a Skulduggery por primera vez desde que habían empezado a andar–. ¡Eh! ¡Eso es trampa!

La nieve se enroscaba a su alrededor sin tocarle y se abría bajo sus pies.

–La nieve es agua, Valquiria. Llevo cinco minutos esperando a que te des cuenta.

–Se me ha congelado el cerebro.

–Manipula la nieve igual que lo haces con el agua y avanzarás sin problemas.

Los guantes que le había hecho Abominable eran idénticos a los de Skulduggery: con ellos puestos, podía chasquear los dedos para crear una chispa y sentir el aire para mover un objeto. Sin embargo, si quería manipular el agua –un elemento con el que apenas había practicado–, necesitaba las manos desnudas. Se quitó el guante derecho y el frío le heló hasta los huesos. Intentó ignorar la sensación y se centró en hacer que la nieve fluyera bajo sus botas igual que una ola, pero no pasó nada. Apretó los dientes y volcó toda su magia en el empeño. La nieve ascendió, apartándose bajo sus pies.

–Lo he encontrado –dijo Skulduggery, que iba por delante.

Gruñendo, Valquiria avanzó a pisotones sobre la nieve hasta llegar a su altura. Puede que en tiempos aquello hubiera sido una cueva, pero ya no era nada más que una masa de nieve y piedras.

–A mí me parece idéntico a todo lo demás que hay por aquí –protestó–. ¿Seguro que es esto?

–Hay restos de un puente allí –señaló con la cabeza el borde del precipicio–. Debió de conectar este pico con el de al lado. En cuanto transportaron todo el equipo, destruyeron el puente y la entrada se derrumbó.

Valquiria le dio una patada a la roca.

–¿Y cómo entramos?

Skulduggery apoyó las manos en la piedra, y un instante después, Valquiria oyó un rugido sordo. Se levantó una nube de polvo y la pared de rocas se sacudió con violencia hasta que apareció un orificio en medio. El detective esqueleto dio un paso atrás.

–Ya está: no puedo hacer mucho más sin derrumbar la pared entera.

El agujero daba entrada a un túnel angosto, casi horizontal. A Valquiria no le hacían demasiada gracia los espacios pequeños.

–¿Quieres que entremos ahí?

–Yo iré primero. Comprobaré si es seguro. Sostenme el sombrero.

Valquiria obedeció y le vio agacharse hacia el agujero. Metió la cabeza y los hombros, se retorció un poco y empujó. Sus zapatos desaparecieron.

–¿Qué tal? –le preguntó–. ¿Qué hay al otro lado?

–Un túnel.

La mano de Skulduggery apareció en el orificio y flexionó los dedos.

–Mi sombrero, por favor.

Valquiria se lo entregó y se agachó, observando el hueco con desagrado.

–¿Seguro que pasaré por aquí?

–Por supuesto que sí. Yo he entrado.

–Pero tú eres un esqueleto.

–Sí, pero tengo los huesos anchos. Cabrás perfectamente.

Ella volvió la vista, contempló los remolinos de nieve, la vasta extensión desierta y blanca, y suspiró. Metió los brazos primero, luego la cabeza y los hombros, y se impulsó. Al otro lado hacía calor, demasiado para ser natural. Skulduggery encendió fuego con una mano para iluminar el pasadizo. Gruñendo ligeramente, Valquiria avanzó raspándose el pecho contra la roca. Cuando estaba a mitad de camino, su avance se hizo más lento hasta detenerse.

—Estoy atascada.

—No, qué va —la contradijo Skulduggery—. Muévete, saldrás enseguida.

—Estoy atascada —insistió ella echándose a reír sin querer.

Skulduggery torció la cabeza.

—Creí que no te gustaban los espacios cerrados.

—Y no me gustan. Estoy muerta de miedo, pero es que se me ha atascado el culo. Es inevitable que te dé la risa si se te atasca el culo, ¿sabes? Ayúdame.

Él le agarró las manos.

—Oh, Dios —dijo Valquiria intentando controlar la risa—. Esto no vale para nada. ¿Podrías sacarme de aquí, por favor?

—Por supuesto, querida.

Skulduggery extendió las manos, agarró a Valquiria de la cintura y tiró un poco. Luego la sujetó de las axilas y tiró más fuerte hasta liberarla. En cuanto Valquiria estuvo de pie, se sacudió el polvo de la ropa y se quitó la máscara, sonriendo.

—Nunca le cuentes esto a nadie —dijo guardando la máscara y los guantes en un bolsillo de la chaqueta.

—Tu secreto está a salvo conmigo.

Avanzaron iluminándose con sendas llamas por el túnel, que se había inclinado hacia abajo. Poco a poco, la oscuridad se convirtió en penumbra y fue dejando paso a una luz brillante. Apagaron el fuego y avanzaron con cautela.

El suelo ya no era de piedra, sino una rejilla de metal; sobre su cabeza había gruesas vigas que se entrecruzaban, con esferas colgantes que refulgían como si alguien hubiera llevado la luz del día allí dentro. Atravesaron pasillos cortados en la roca viva; el aire era fresco y olía a hierba recién segada y a flores. En el interior de la montaña hacía un día de verano.

Un pájaro pasó volando y desapareció por una esquina.

–Bueno –dijo Valquiria–. Eso sí que no me lo esperaba.

Siguieron la ruta que había tomado el pájaro y vieron que el pasillo se ensanchaba. Algo más allá, de perfil, había un hombre que Valquiria reconoció por la foto de su expediente: Kalvin Accord, adepto, especializado en magia científica. En aquel instante vestía lo que parecían un albornoz y unas chanclas.

–Kalvin –le llamó Skulduggery con amabilidad.

Él se dio media vuelta, con los ojos muy abiertos, y se quedó mirándolos.

Skulduggery dio un paso adelante.

–Perdón, no queríamos asustarte. ¿Qué tal?

–Ay, esto no me gusta –murmuró Kalvin–. No me gusta nada de nada.

Se giró y echó a correr.

Skulduggery cruzó una mirada con Valquiria y los dos le siguieron a toda velocidad.

–¡Kalvin! –gritó Skulduggery–. No tienes de qué preocuparte. Por favor, para un momento y hablemos.

Pero él no dejaba de correr. En realidad, su carrera no era demasiado impresionante: al fin y al cabo, llevaba chanclas. En cierto momento, una de ellas salió volando y Kalvin continuó medio descalzo. Valquiria la recogió sin detenerse y observó cómo Skulduggery alcanzaba al mago científico y correteaba a su ritmo.

–Hola, Kalvin.

Él soltó un gemido.

Valquiria le adelantó y corrió de espaldas, con la sandalia en alto.

–Te traigo esto.

–Gracias –jadeó Kalvin, recogiéndola.

–¿Por qué huyes de nosotros? –preguntó Valquiria.

–Pues no estoy seguro. Pero ya que he empezado, lo único que puedo hacer es seguir.

–Me parece estupendo. Solo quiero recordarte que ya no huyes, porque te hemos alcanzado –indicó Skulduggery.

–Es verdad. Pero es que no puedo parar. Me gustaría, pero no puedo.

–Basta con reducir la velocidad –observó Valquiria–. Vamos, baja el ritmo. Muy bien, así. Un poquito más.

Kalvin redujo la marcha. Cuando ya casi se había detenido, sus piernas se doblaron. Se inclinó hacia la pared, se derrumbó contra ella y rodó por el suelo, agarrándose el costado.

–¡Me ha dado un calambre! –explicó cuando sus perseguidores se acercaron a él, intrigados.

–No hacéis mucho ejercicio por aquí, ¿verdad? –comentó Skulduggery.

–La verdad es que no.

–¿Te echo una mano?

–Si no os importa..., prefiero quedarme en el suelo un rato más.

–No hay problema.

–¿Por qué...? ¿Qué estáis haciendo aquí?

–Venimos por Argeddion.

–Entonces tendréis que hablar con Tyren –Kalvin tomó aire, aún jadeante, y se sentó–. No se va a poner muy contento de veros.

20

LOS HECHICEROS DE LAMENT

EFECTIVAMENTE, Tyren Lament no se puso nada contento de verlos. Skulduggery y Valquiria se sentaron al otro lado de la larga mesa del comedor, mientras Lament los miraba de brazos cruzados. Aparentaba unos cuarenta años y tenía el pelo largo y rubio, la nariz prominente y la mirada aguda e inteligente. Vestía exactamente igual que Kalvin. Visto lo visto, el albornoz y las chanclas eran el uniforme de los hechiceros de los Alpes.

–¿Cómo nos habéis encontrado? –les espetó sin molestarse en saludar.

–Fue más bien difícil –respondió Skulduggery.

–Se supone que debería haber sido imposible –replicó Tyren, molesto–. No pasamos por todo esto para que fuera «más bien difícil» encontrarnos. Lo hicimos para desaparecer.

–Nunca habríamos venido a buscarte si no fuera por Argeddion –explicó Valquiria–. Está haciendo algo a la gente normal y corriente, les está confiriendo poderes mágicos.

Lament negó con la cabeza.

–Imposible. Nadie puede dar poderes mágicos a una persona que no cuente con ellos.

–Por lo que sabemos, estos mortales sí tenían magia en su interior, pero de forma latente –dijo Skulduggery–. No eran conscientes de ello.

–¿Y por qué creéis que es culpa de Argeddion? No sé en qué os basáis, pero puedo aseguraros que él no lo ha hecho. Lleva treinta años en coma.

–¿Estás seguro?

–Completamente. Lo vigilamos con aparatos que registran el mínimo aumento de actividad neuronal. Quienquiera que esté haciendo eso a los mortales, no es Argeddion.

–Si no es cosa de él –repuso Skulduggery–, será culpa de alguien que está relacionado con él de alguna forma. Aun así, nos gustaría verlo.

–Me temo que no puedo permitirlo.

–¿Y por qué no?

–Porque no quiero. Ya habéis violado nuestro perímetro exterior, y no voy a permitir que paséis el interior. Te conocía hace treinta años, Skulduggery, pero un hombre puede cambiar mucho en ese tiempo.

–No confías en mí.

No. Y ni siquiera conozco a tu compañera.

–Hemos salvado el mundo –puntualizó Valquiria.

–Y en nombre de esta pequeña parte del mundo, os damos las gracias –replicó Lament–. Pero aun así, no vais a ver a Argeddion. Lo siento.

Skulduggery suspiró y se reclinó en la silla.

–¿Podemos hacerte unas preguntas sobre las instalaciones?

Lament se sentó frente a él.

–Por supuesto.

–¿A cuántos pueden contener?

–No entiendo a qué te refieres.

–Si hubiera otro hechicero como Argeddion, alguien que conociera su verdadero nombre, ¿podríais encerrarlo aquí también?

Lament palideció.

–¿Es que hay otro?

–Es una pregunta hipotética.

–Y las preguntas hipotéticas preceden a las reales –murmuró Lament–. Tú mismo me lo dijiste una vez. ¿Hay otro?

–Puede que lo haya –admitió Skulduggery–. Con suerte, no, pero cabe la posibilidad. Tal vez tus psíquicos hayan captado algo. Una hechicera llamada Oscuretriz.

Lament asintió.

–Hemos oído hablar del asunto. No sabemos cómo obtuvo su poder. ¿Qué sabéis de ella?

–Nadie sabe nada –contestó Skulduggery–. Lo único que sabemos es que puede que algún día nos cause problemas, así que ¿cómo detenerla?

–Si todavía no se hubiera dado cuenta de lo que es, yo utilizaría su nombre verdadero para combatirla.

–¿Y si ya lo hubiera sellado? –preguntó Valquiria.

Lament resopló despacio.

–Entonces, estáis en un aprieto. Queréis saber cómo contenemos a Argeddion para utilizar la misma técnica contra Oscuretriz, ¿no es eso? Pues me temo que habéis venido para nada.

Skulduggery inclinó la cabeza.

–Vamos, Lament. ¿Cómo lo controláis?

–No hay nada que controlar –dijo Lament–. Por lo que me han dicho, Oscuretriz será una fuerza de destrucción. Cómo llegará a ser así, nadie lo sabe. Pero Argeddion no era de esa forma.

–Hablamos con Greta Dapple –asintió el esqueleto–. Según ella, Walden D'Essai era un pacifista, y cuando se convirtió en Argeddion no cambió.

–Es cierto –asintió Lament–, pero... Mirad: antes que D'Essai, hubo otros ocho hechiceros que descubrieron sus nombres verdaderos. Al menos, esos son los que conocemos. Tres murieron casi inmediatamente, antes de que pudieran utilizar su poder. Dos fueron incapaces de controlarlo y murieron por ello; otros dos quedaron anulados porque otras personas emplearon sus verdaderos nombres en su contra, y el octavo simplemente desapareció. Creemos que se destruyó a sí mismo. Nadie que haya descubierto su verdadero nombre ha sido capaz de vivir en paz.

–Entonces, aunque Argeddion era un pacifista que no mostraba ninguna inclinación hacia la violencia, no quisisteis correr el riesgo de que cambiara de opinión.

–No fue una decisión fácil. Walden me caía bien; era un buen tipo. Confiaba en él. Pero no podía confiar en Argeddion. Bastaba con que tuviera un mal día... Tal vez sea eso lo que desencadene a Oscuretriz. Puede que sea una hechicera normal que haga su trabajo, pero quizás algún día, en el futuro, tenga un mal día, uno muy malo, y haga que el mundo entero lo pague.

–Bueno, ¿y qué le hiciste?

Lament titubeó un instante antes de responder.

A Argeddion le gustaba hablar de lo que estaba aprendiendo. Todos los días desarrollaba una nueva habilidad o entendía una nueva ley mágica que nadie había descubierto aún. Hablaba sobre la fuente de la magia y también sobre sus cunas, qué relación tenían entre sí y cómo afectaban a lo que tenían alrededor. Era una persona fascinante, que estaba empezando a ver las cosas desde un punto de vista totalmente nuevo.

–De modo que le tendisteis una emboscada.

–Así es. El problema de adoptar una perspectiva nueva es que pierdes la antigua. No podíamos permitir que abandonara su condición humana. No podíamos consentir que valorara más la magia que a las personas.

–¿Y eso era lo que le estaba pasando?

–Posiblemente. Muy posiblemente. En cuanto me di cuenta, supe que se nos estaba acabando el tiempo. Así que, efectivamente, le tendimos una emboscada.

–¿Cómo? –preguntó Valquiria.

–Cuando Walden era pequeño, asesinaron a su madre delante de él. Jamás capturaron al asesino. Al parecer, después de matarla se volvió hacia Walden y le habló. Le dijo unas palabras que le dejaron traumatizado; nosotros descubrimos cuáles eran y las usamos contra él. Se quedó petrificado y nosotros le atrapamos. No empleamos la violencia, nos limitamos a capturarlo y sedarlo. No se ha despertado desde entonces.

–¿Y cómo lo sedasteis?

–Nos centramos en sus ondas cerebrales. Tomamos posesión de ellas y las regulamos… Se durmió en cuestión de segundos.

–¿Podríamos emplear ese sistema con Oscuretriz?

–No lo sé; Argeddion nos subestimó. Tal vez sus nuevos poderes hacían que le pareciéramos inofensivos. Fuera cual fuera el motivo, no nos consideraba una amenaza y estaba muy tranquilo cuando le atacamos. Oscuretriz, hasta donde yo sé, no estaría tan tranquila. Si se intentara emplear ese sistema contra ella, lucharía y vencería con facilidad.

–Pero si lo consiguiéramos –insistió Skulduggery–, ¿podríamos contenerla aquí dentro?

–¿Aquí? No. Todas estas instalaciones están equipadas para un solo paciente. Si construyerais una réplica exacta de este sitio, no veo por qué no. Habría que vigilarla y controlar sus constantes estrechamente, eso sí.

–Y si estuviera encerrada en un sitio como este, supongo que sería imposible hablar con ella, conseguir que aprendiera a controlarse a sí misma o algo así, ¿no?

–Imposible. El único motivo por el que Argeddion no ha escapado es porque está en un coma inducido. No podemos permitir que despierte jamás. Con Oscuretriz sería todavía más importante tenerla sedada. Si le permitieras recuperar la consciencia un instante, te mataría. A ti y a todos.

–Pues vaya mierda –dijo Valquiria con el ceño fruncido.

–¿Preferirías que siguiera libre? –preguntó Lament, sorprendido.

–No –contestó rápidamente–. No, solo pensaba que desde su punto de vista eso sería una mierda, no desde el nuestro... Da igual. ¿Nos podrías entregar una copia de los planos?

–No veo por qué no. Pero ¿contáis con gente para vigilarla? ¿Hay alguien dispuesto a pasar el resto de su vida con ella?

–Yo lo haría –dijo Skulduggery.

Valquiria apartó la vista.

De pronto entró una chica de unos veinte años. Era menuda y rubia, con los ojos enormes.

–Gente –jadeó–. Pero...

Lament sonrió.

–Tranquila, no son enemigos. Lenka Bazaar, te presento a Skulduggery Pleasant y Valquiria Caín.

Valquiria se levantó para darle la mano, y Lenka se lanzó sobre ella y le dio el abrazo de oso más fuerte que pudo con su delgados bracitos.

–¡Gente! –gritó–. ¡Gente aquí! ¡Gente nueva!

Valquiria no pudo evitar reírse. Finalmente, Lenka la soltó.

–Hola. Me llamo Lenka. ¿Quieres ser mi amiga?

–Esto... Sí, claro –contestó Valquiria.

–Tyren –se volvió hacia él–. Solo puedo tener un número determinado de amigos en toda mi vida, así que tú ya no eres amigo mío. Lo siento.

–Lo superaré.

Lenka sonrió a Valquiria.

—No quiero asustarte —dijo de pronto—, pero detrás de ti hay un esqueleto con sombrero.

—No te preocupes, es ahí donde tiene que estar —contestó Valquiria con una sonrisa.

—Encantado de conocerte —dijo Skulduggery estrechándole la mano.

—Lenka es la más joven de todos —dijo Lament—. Es sensitiva y una ingeniera de gran talento.

—Pensé que no volvería a conocer gente nueva nunca jamás —dijo Lenka, todavía con los ojos como platos—. Creía que las tres personas que están aquí conmigo serían las únicas que conocería el resto de mi vida. Y mira: ¡dos personas más! Y una de ellas es la más increíble que he visto nunca.

—Gracias —dijo Skulduggery.

—Me refería a ella —le corrigió Lenka, y Valquiria soltó una carcajada—. ¿Habéis visto el Arboretum? Tyren, ¿se lo has enseñado?

—Acaban de llegar...

—¡Entonces tienen que ver el Arboretum! —exclamó Lenka agarrando la mano de Valquiria—. ¡Ven! ¡Te lo enseñaré todo!

Lament se giró hacia Skulduggery.

—¿Quieres que te lleve de la mano?

—Preferiría que no lo hicieras.

—Totalmente comprensible —asintió Lament, y los dos siguieron a Lenka y Valquiria hasta la puerta.

De camino conocieron a Vernon Plight, un hombre de piel morena con una sonrisa sorprendentemente cálida, a pesar de su aspecto severo. Valquiria había leído en su expediente que tenía casi trescientos años y que era un adepto con reputación de combatiente feroz. Conocía a Skulduggery, y los dos charlaron amigablemente un rato hasta que Lenka tiró de ellos.

–Esto es todo un acontecimiento –dijo Lament–. ¿Cuándo volveremos a tener la oportunidad de mostrar a alguien el Arboretum? Skulduggery, Valquiria: bienvenidos.

Entraron a una enorme caverna y ante sus ojos se abrió el panorama de una selva tropical. Los envolvió una oleada de calor húmedo. Un rumor de arroyos y cascadas, pájaros e insectos sonaba de fondo.

–Vaya... –se asombró Valquiria.

Incluso Skulduggery parecía impresionado.

–Esto es extraordinario.

Lament sonrió.

–Es nuestra biosfera particular, que mantienen Lenka y Kalvin. Tenemos otras cavernas al lado, cada una con un ecosistema, pero este es sin duda el mejor. Hemos tenido que renunciar a unos cuantos lujos, pero al menos podemos cultivar nuestros alimentos. Tenemos todo lo que necesitamos... Todo lo que nos apetece, en realidad. Hasta café. Y es bastante bueno, la verdad.

–¿Eso de ahí arriba son monos? –preguntó Valquiria estirando el cuello.

Lament asintió.

–Tenemos mamíferos, pájaros, insectos... Es un ecosistema autosuficiente. Hace que nuestra vida sea más entretenida.

–Supongo que el aburrimiento es un gran problema –comentó Skulduggery.

–Sí, pero tenemos acceso al mundo exterior gracias a Kalvin. Cuando no se dedica a mantener los sistemas básicos de las instalaciones, está buscando formas de ver películas y leer nuevos libros. No entiendo mucho de tecnología, sinceramente, pero Kalvin... Kalvin puede acceder al mundo exterior sin dejar ningún rastro que conduzca hasta aquí. Es realmente impresionante.

–Tiene que ser difícil contemplar el mundo y no formar parte de él, ¿verdad? –preguntó Skulduggery.

–Al principio mantuvimos muchas discusiones al respecto –respondió Lament–. ¿Debíamos mantenernos totalmente al margen? Yo estaba a favor de eso; creía que la otra opción resultaría demasiado difícil. Pero ahora me parece valioso estar al tanto de lo que sucede fuera. Eso nos recuerda por qué hacemos lo que hacemos.

Una mariposa se posó sobre el dedo de Skulduggery.

–He de decir que cuentas con todo mi respeto y mi admiración –dijo–. Lo que hacéis es sorprendente, bueno y decente. Tengo cierta tendencia a olvidar que hay gente como vosotros –la mariposa se alejó volando.

Lament sonrió.

–No somos santos, Skulduggery. Discutimos y nos peleamos más que la familia peor avenida que hayas visto en tu vida. Pero es lo que somos: nos hemos convertido en una familia.

–Es una pena que nadie sepa lo que estáis haciendo –dijo Valquiria.

–No pueden enterarse –la voz de Lament estaba teñida de ansiedad–. No podéis hablar con nadie de este sitio. Ya es bastante preocupante que estéis vosotros aquí... y lo digo con todo el cariño del mundo. Pero hay hechiceros que destrozarían todas estas instalaciones para llegar hasta Argeddion, ya sea para averiguar lo que él sabe o simplemente para soltarlo y dejarlo campar por el mundo. Muchas personas estarían dispuestas a olvidar que es incontrolable con tal de utilizarlo en su beneficio. ¿Os imagináis lo que podría suceder si el Santuario enviara aquí a sus Hendedores? Cuando todos estuviéramos muertos, empezarían con sus experimentos y Argeddion finalmente despertaría.

–Hay gente ahí fuera en la que se puede confiar –dijo Skulduggery–. Empezando por nosotros.

Lament miró al esqueleto y después a Valquiria, pero no contestó.

21

ARGEDDION

POR la noche, las esferas que iluminaban las instalaciones de la montaña se fueron haciendo más tenues. Sus tonos naranjas y rojos se convirtieron en plateados, grises y azules, imitando la luz de la luna.

Estuvieron toda la tarde en la sala de estar. Lenka les explicó que el nombre había cambiado varias veces: la habían llamado «zona común» y «área social» antes de decidir que «sala de estar» sonaba mucho más hogareño. Había sofás, sillones, mesas, cuadros en las paredes y una pantalla gigantesca en un extremo.

–¿Y cómo matáis el tiempo? –preguntó Valquiria cuando Lenka terminó de explicárselo todo.

Vernon Plight soltó una carcajada.

–A veces nos aburrimos mucho –admitió–. Vemos la televisión, tocamos música... Pero principalmente hemos encontrado aficiones que nos entretienen.

–¿En serio? –preguntó Valquiria–. ¿Cuáles?

La sonrisa de Plight se desvaneció.

–Practicar sacrificios humanos.

La sujetó de un brazo mientras Lenka apresaba el otro, y Valquiria gritó.

213

–Qué va –dijo Plight, y los dos la soltaron entre carcajadas–. Juegos de mesa, sobre todo.

–¡No has visto tu cara! –chilló Lenka doblándose de la risa–. ¡La cara que has puesto cuando pensabas que íbamos a matarte!

Valquiria los fulminó con la mirada.

–No ha tenido gracia.

–Un poquito, sí –comentó Lament, que pasaba en ese momento junto a la puerta.

–No ha tenido ni pizca de gracia –insistió Valquiria–. Skulduggery, díselo tú.

–Ojalá hubiera tenido una cámara –dijo él meneando la cabeza.

Os odio. A todos y cada uno de vosotros.

Kalvin Accord entró en la sala.

–¡Ha picado! –chilló Lenka–. ¡Ha picado con lo del sacrificio humano!

Kalvin logró contener la risa unos segundos. Luego explotó en carcajadas, se dio media vuelta y salió de nuevo de la habitación.

–Os odio a todos –repitió Valquiria con amargura.

Tal vez fuera por el aire de la montaña, pero a la mañana siguiente Valquiria se despertó llena de energía, repleta de buenas intenciones y pensamientos positivos. Se duchó, se vistió y se unió a Lenka para desayunar. Había fruta recién cogida y zumo de naranja natural.

–Y además –dijo Lenka frotándose el estómago–, tenemos cerdo recién sacrificado.

Valquiria puso una mueca.

–¿Matáis animales para comer?

–No es que podamos acercarnos a un supermercado –dijo Lenka, risueña–. Cerdo. Chuletas de cerdo. Beicon. Oh, Dios mío, beicon...

214

Cerró los ojos con una gran sonrisa y Valquiria frunció el ceño.

Entonces Lenka suspiró y alzó la vista.

–No comemos cerdo –murmuró tristemente–. Tenemos animales en el Arboretum, pero no los tocamos. No podemos. Los monos son demasiado simpáticos.

–¿Y por qué no trajisteis unos cuantos cerdos? Cuando vinisteis, digo.

–Ah, sí los trajimos. Pero se nos escaparon. Llevan años perdidos en alguna parte de la montaña, y cada vez son más. A veces los oímos de noche: chillan para comunicarse unos con otros. Suenan bastante siniestros, para ser cerdos.

–No... No sé si creerte o no.

–Eso es muy inteligente por tu parte. En realidad, decidimos antes de venir que sería mucho más sencillo hacernos vegetarianos, y eso hicimos. ¿Tú comes carne?

–Sí.

Lenka se inclinó hacia delante con los ojos brillantes.

–¿Y qué carne fue la última que comiste?

–Esto... No sé, fue.... Antes de subirme al avión. Me llevé un sándwich. De pollo.

–¡Pollo! –exclamó Lenka–. ¿Y estaba bueno? ¿A qué sabía?

–Pues no estaba mal. Sabía bien, a pollo.

–Hummm –suspiró Lenka–. «Sabía a pollo...». No sabes cuánto te envidio por poder comer pollo y hacer... cosas. Me encantaría pasar un solo día en el exterior. Dar un paseo, ir de tiendas, asistir a un concierto, sentarme en una oficina...

–¿Una oficina?

–Ya lo creo. Todo el mundo con camisa y corbata, discutiendo sobre las cuentas anuales mientras la fotocopiadora se rompe... Eso sería el cielo.

–¿Estás segura?

–Y el zumbido de los fluorescentes... ¿Es tan agradable como lo recuerdo?

–Pues...

–Echo tanto de menos ese ruido...

Lenka apartó la vista y, al cabo de un instante, Valquiria advirtió que la chica estaba imitando el zumbido con la boca.

Se aclaró la garganta.

–¿Puedo hacerte una pregunta?

Lenka dejó de hacer ruidos raros.

–Claro.

–¿Por qué viniste aquí? No me puedo ni imaginar lo que tiene que ser tomar esa decisión, abandonarlo todo para vigilar a alguien al que ni siquiera conoces.

Lenka sonrió.

–Tyren me lo pidió. ¿Cómo iba a negarme? Acababa de empezar en el Santuario, y estaba llena de ideales y buenas intenciones. El simple hecho de trabajar allí supone sacrificarte por algo más elevado, ¿no? Te conviertes en una protectora, dispuesta a dar la vida para garantizar la seguridad de los demás.

–Es una forma un tanto dramática de ver las cosas.

–Yo soy muy dramática, pero estoy convencida de que tú eres igual que yo.

–¿Dramática?

–Dispuesta a dar la vida por el bienestar de los demás.

–Eh... No te creas. ¿Has conocido a los demás? Muchos son unos imbéciles.

–Entonces, ¿no hay nadie por quien estés dispuesta a morir?

Valquiria guardó silencio unos instantes.

–Moriría por mis padres y por mi hermana.

–¿Lo ves? –dijo Lenka–. Allí fuera, en el exterior, hay gente por la que merece la pena morir. Estoy aquí por ellos. Son el motivo por el que he renunciado a llevar una vida normal. Lo hago por mantenerlos a salvo.

–Espero que sepan valorarlo.

–Desgraciadamente, nunca lo sabrán. Piensan que desaparecí sin más. Ni siquiera pude dejarles una nota.

–Dios mío. Es la cosa más... más generosa y desinteresada que he oído en mi vida.

–Pues deberías hablar con los otros –dijo con una risilla–. Todos han sacrificado tanto como yo, o más. Pero hacemos lo necesario para que este mundo sea más seguro. Cuando siento frío, mucho frío, pienso en eso para entrar en calor.

–Me gustaría darte un abrazo.

–Abrazarse también sirve para entrar en calor.

Valquiria la abrazó y Lenka volvió a reírse.

–Cuando hayáis terminado... –dijo Skulduggery, que pasaba por allí.

Valquiria se incorporó.

–¿Te veo luego? –le preguntó a Lenka.

–Es casi inevitable –respondió ella alzando las manos.

Valquiria echó a andar con Skulduggery.

–Esta gente es encantadora. No estoy acostumbrada a la gente encantadora. Estoy acostumbrada a ti.

–Yo soy encantador.

–Como a estas alturas estoy acostumbrada a ti y me pareces normal, cuando conozco a gente encantadora me da la sensación de que son bichos raros.

–Yo soy un encanto.

–Ofendes a todas las personas que conoces.

–No a todas. No tengo tiempo para ofenderlas a todas y cada una. Además, ¿he ofendido a alguien desde que llegamos? No, no lo he hecho, porque soy, como ya he dicho, un encanto.

–Yo no sería tan simpática si llevara aquí atrapada treinta años. ¿Qué clase de persona es capaz de pasar treinta años en una montaña?

–No sé –dijo Skulduggery–. ¿Alguien a quien le guste la montaña, tal vez?

–No creo que fuera capaz de soportarlo.

–Yo tampoco. Estaría de muy mal humor. Pero Lament los escogió por una razón: tienen el carácter adecuado. Todos poseen esa cualidad que llamamos paciencia.

Valquiria chasqueó los dedos.

–¿Ves? Por eso yo no sería de ninguna utilidad aquí.

–Sin duda, ese es uno de los motivos.

Valquiria le miró con mala cara.

Algo más allá, el pasillo se bifurcaba. Giraron a la izquierda y entraron en una sala que, sorprendentemente, no tenía paredes de roca viva. El laboratorio estaba forrado de acero inoxidable; era la estancia más moderna que Valquiria había visto jamás, incluso en el Santuario. Resultaba elegante y compacto, y casi ni se notaba que estaba lleno de maquinaria y monitores. Lament bebía té, sentado en una esquina.

–Hola –le saludó Valquiria acercándose.

–No te oye –le indicó Skulduggery–. ¿Ves sus ojos? ¿Te has fijado en cómo se mueven? Está trabajando.

–Está bebiendo té.

–Su cuerpo bebe té. Su mente está centrada en los circuitos.

Ella miró a su alrededor.

–¿En qué, en todo esto?

–¿Por qué molestarse en mirar un ordenador cuando puedes convertirte en uno?

–Eso es... bastante escalofriante.

Lament se incorporó.

–La verdad es que sí.

–¡Ay! Perdón...

–No pasa nada. Cuando yo tenía tu edad, mi madre intentó por todos los medios convencerme de que estudiara una disciplina de magia más convencional, pero siempre tuve debilidad por la ciencia. Gracias por esperar; tenía que acabar unas pruebas. ¿Has dormido bien?

–Sí –respondió Valquiria–. Gracias.

–Quería pediros perdón por la forma en que me comporté anoche. Me pillasteis por sorpresa, como podréis imaginar. Habéis venido hasta aquí para ver cómo nos las ingeniamos para contener a Argeddion, y sería una grosería por mi parte negarme a enseñároslo. Por favor, seguidme –abrió una puerta, se situó a un lado y les presentó su creación con un ademán teatral.

La habitación era una masa de madera y acero, con símbolos mágicos grabados en todas las superficies. Cuatro brazos metálicos sobresalían de las esquinas y avanzaban hacia el centro, donde terminaban antes de tocarse. Entre sus puntas había una jaula de energía que chisporroteaba, y dentro se encontraba un hombre vestido de blanco. Argeddion giraba suavemente en el aire, con los ojos cerrados y expresión de placidez. Parecía joven, de no más de treinta años. Tenía el pelo negro y corto y el rostro bien afeitado. No semejaba la clase de persona capaz de destruir el mundo si despertaba.

Debajo de la jaula había una pirámide de cristal de un metro de altura, en la que rugía una pequeña tormenta de energía. De su base emergían varios cables que llegaban hasta una silla acolchada, situada bajo un arco metálico con símbolos grabados y circuitos.

–Seis horas al día –dijo Lament–, uno de nosotros se sienta ahí, se amarra y se conecta.

–¿Para qué sirve la pirámide? –preguntó Valquiria.

Skulduggery se adelantó a Lament.

–La magia se absorbe desde la silla y se guarda allí, ¿verdad? Seguramente para dotar de energía a la jaula de Argeddion.

–Exacto –asintió Lament, visiblemente impresionado–. Pero no lo llamamos jaula, sino Cubo. Una jaula sirve para guardar animales. A la pirámide la llamamos Tempestad. Almacena nuestra magia de forma turbulenta pero no peligrosa, y la conduce hasta el Cubo para mantenerlo intacto.

Skulduggery asintió.

–¿Solo se necesita una persona al día?

–Al principio necesitamos emplear muchísima energía, pero ahora basta con un mínimo para mantenerlo en marcha. Es lo bueno del diseño.

–¿Y si algo saliera mal? –preguntó Valquiria.

Lament señaló un gran botón rojo.

–Esto –dijo– es el Gran Botón Rojo. Si hubiera una emergencia, lo apretaríamos y la Tempestad se vaciaría en el Cubo, reforzándolo. Al hacer esto, eliminaríamos la necesidad de recargarlo durante tres días; con suerte, eso nos daría un margen suficiente para reparar el problema y regresar a la rutina. Nunca hemos tenido necesidad de usarlo, y confío en que no lo necesitemos.

–Es una máquina impresionante –comentó Skulduggery examinando la silla–. Si todas las cárceles contaran con este nivel de tecnología, no habría ni un intento de fuga.

–Pero tendríamos el mismo problema que con Nadir –intervino Valquiria–. ¿Qué sentido tiene mandar a un delincuente a la cárcel si no va a pagar por lo que hizo, si se tira toda la condena durmiendo?

Lament negó con la cabeza.

–No hace falta que duerma –respondió–. Más o menos un tercio de la energía se dedica a mantener a Argeddion en estado comatoso, pero podría perfectamente estar consciente. Evidentemente, en el caso de Argeddion sería mala idea, porque el Cubo no bastaría para contenerlo. Pero si habláramos de otra persona, sería más que suficiente.

Skulduggery se acercó al Cubo.

–¿Ha envejecido algo? –preguntó–. Tanto tiempo sin magia debería haberle pasado factura, por pequeña que sea.

–No parece haber envejecido nada –dijo Lament–. No era lo que esperábamos, sinceramente. Tal vez se deba a su estado evolucionado o sea un efecto secundario del coma, pero según nuestras pruebas, sigue exactamente igual que cuando lo metimos aquí.

–¿Y cuál es vuestro plan? ¿Lo vais a mantener aquí encerrado hasta que muráis todos de viejos? ¿Entonces qué?

–Todavía estamos pensando qué hacer.

–Obviamente, habréis considerado la posibilidad de matarlo.

–No existe esa opción.

–Destruid el cerebro, Tyren. Destruidlo antes de que el instinto de supervivencia se ponga en marcha.

–No hemos pasado por todo esto para acabar con la vida de un hombre que nos han encargado custodiar.

–Puede que sea mezquino, pero sería una solución bastante práctica ante un problema que tiene muy pocas salidas.

Lament negó con la cabeza.

–Siempre hay otras opciones.

–Pero no siempre mejores.

–Skulduggery, aunque quisiéramos acabar con su vida, no estoy seguro de que pudiéramos. Tal vez su mente esté dormida, pero su cuerpo sigue curándose a sí mismo. Y alguien con el poder de Argeddion... No creo que pudiéramos matarlo ni siquiera aunque lo intentáramos.

–¿Y cómo evitamos que extienda la infección? Tenemos un licántropo en Irlanda, Tyren. Hay que parar esto.

–Ni siquiera creo que Argeddion sea el responsable. Este hombre está en coma.

–El subconsciente es más poderoso de lo que piensas, Tyren. Yo mismo lo he comprobado de primera mano. Es posible que el subconsciente de Argeddion haya infectado las mentes de los mortales más sensibles y les esté transfiriendo magia a distancia. Y si esto empezó hace unas semanas, solo hay una explicación posible.

–Argeddion está despertando –dijo Lament frunciendo el ceño.

–Su mente ha empezado a activarse.

–Imposible. No: lo siento, Skulduggery, pero nuestros aparatos habrían detectado algún cambio en él. No hay ninguna actividad cerebral fuera de lo común, nada en absoluto. Lenka escanea su mente todos los días. Si estuviera pasando algo raro, una sensitiva lo vería, ¿no?

–No necesariamente. Se pueden falsear las mediciones de los aparatos. No sería la primera vez que se hiciera.

–Pero lo hizo el psíquico más poderoso.

–¿Y Argeddion no es el más poderoso en todo, ahora mismo? Lament titubeó.

–Sí, lo sé –continuó Skulduggery–. No hay ni un solo sensitivo en el mundo que haya oído hablar de Argeddion. Pero hemos ido a una prisión donde los reclusos más inestables, los más susceptibles a este tipo de cosas, se dedicaban a pintar su nombre en las paredes. Visita a la gente en sueños, Tyren. Está haciendo algo a los mortales, algo que tiene que ver con el Verano de la Luz. Tenemos menos de cuatro días para averiguar lo que es. Debemos detenerlo.

–Ya te he dicho que no tengo ni idea de cómo hacerlo.

–¿Y si se lo contáramos a los Mayores? –preguntó Valquiria–. Ahora están al mando Abominable Bespoke y Erskine Ravel, y se puede confiar en ellos.

–¿Y podemos confiar en Madame Mist, un Vástago de la Araña?

–Bueno... No, mejor mantenerla a distancia. Pero podéis conseguir apoyo. El Santuario os ayudaría, y eso significa que no tendríais que vivir aquí. Podríais regresar a vuestras vidas. Todos compartiríamos la responsabilidad... Y, no sé, tal vez podríamos reforzar el Cubo...

–Es una idea –murmuró lentamente Skulduggery–. Si fortaleciéramos el Cubo, podríamos evitar que el subconsciente de Argeddion vagara por ahí infectando a la gente. He mirado los planos y no encuentro ningún motivo por el cual no se pueda multiplicar su potencia dos o tres veces.

–Un momento, esperad –interrumpió Lament–. Vais muy deprisa.

–Se podría hacer, ¿no? –preguntó Skulduggery.

Lament vaciló.

Sí –respondió al fin.

–Y si el Cubo estuviera reforzado, Argeddion no despertaría.

–Pero correríamos el riesgo de que se difundiera su existencia... –protestó Lament.

–... Lo cual sería mucho menos grave que la posibilidad de que Argeddion abra los ojos –le interrumpió Skulduggery.

–No sé. Nos estáis pidiendo que abandonemos nuestro plan.

–En cuanto os disteis cuenta de que no envejecía, el plan dejó de tener sentido. Se puede reforzar el Cubo, ¿no?

–Sí, claro que se puede, pero la potencia necesaria para mantener ese refuerzo mataría a quien lo cargara. La Tempestad le extraería al mismo tiempo la magia y la vida, y se necesitaría otro hechicero para reemplazarle. No, lo siento. Es imposible.

–No veo por qué el proceso debería ser distinto al actual. La Tempestad no es más que una cámara de almacenamiento, al fin y al cabo.

Lament negó con la cabeza.

–Las cosas no son tan fáciles cuando estás tratando con ese nivel de potencia. Sería imposible almacenar tanta energía; tendría que ser un trasvase instantáneo. La magia se extraería del hechicero, sería aspirada hasta la Tempestad y en cuestión de nanosegundos estaría chisporroteando alrededor del Cubo. Para que vuestro plan funcionara, habría que conectar el Cubo a una fuente de energía constante y torrencial. Y lo siento, pero eso no se puede...

Se quedó callado de pronto.

–¿Qué pasa? –preguntó Valquiria.

–Nada –dijo Lament–. No se puede hacer.

–Ibas a decir algo. ¿El qué?

Lament apartó la vista.

–Tengo que hablar con mis compañeros.

Sin esperar respuesta, se marchó.

Valquiria cruzó una mirada con Skulduggery y se encogió de hombros.

–Realmente alentador.

22

HABLANDO CON MI ASESINO

OS recipientes de plástico llenos de pedazos de cuerpo estaban a punto de expulsar a Scapegrace de la mesa. Había seis apilados, y Thrasher seguía trayendo más y más por la entrada secreta de Nye. Scapegrace no pensaba que un cuerpo humano tuviera tantos trocitos, pero al parecer se equivocaba. A no ser que Thrasher hubiera recogido por accidente un montón de piedras mientras buscaba los restos del Hendedor Blanco, claro. Lo cual, conociéndole, no era descabellado.

Scapegrace oyó a través del líquido las pisadas lentas y desgarbadas del idiota. Venía con otro par de contenedores. Nye iba a tener que trabajar lo suyo para juntarlo todo. Aun así, si había alguien a quien aquello podía divertirle, ese era el doctor Nye.

De pronto, Scapegrace empezó a deslizarse hacia el borde de la mesa.

–¡Eh! –gritó–. ¡Para!

El frasco se inclinó tanto que la cabeza casi se dio la vuelta. Cuando estaba a punto de estrellarse, Thrasher saltó para atraparlo al vuelo.

–¡Maestro! –gimió el idiota apretando el tarro contra su pecho–. ¡Lo siento muchísimo! ¿Se encuentra bien? ¡Maestro, por favor, hábleme! ¡Por favor, dígame algo!

–Hablaré –gruñó Scapegrace– tan pronto como cierres el pico.

Thrasher casi lloró de alegría.

–¡Oh, gracias a Dios! Gracias a Dios...

–Busca otro sitio donde ponerme. Tan lejos de ti como sea posible.

Thrasher echó un vistazo a su alrededor y finalmente se decidió por una habitación en la parte trasera del centro médico. Había una zona cerrada con una cortina, y al lado, una mesa. Dejó el tarro allí y salió a toda prisa, seguramente para llorar un poco. Scapegrace aún se balanceó un rato en el líquido antes de detenerse. La cortina no estaba completamente echada, y divisó a un paciente acostado en la camilla, con el torso embarrado y lleno de vendas. Llevaba unas gafas de sol, a pesar de estar entre cuatro paredes. Scapegrace lo reconoció incluso antes de que girara la cabeza.

Billy-Ray Sanguine le observó con cara inexpresiva y Scapegrace le pagó con la misma moneda. No iba a dejarse intimidar por el hombre que le había matado: estaba por encima de esas cosas. Había cambiado. Había madurado. Era el Rey de los Zombis y ¿quién era Sanguine? Otro paleto americano con barbita de tres días y abdominales marcados. ¿Y qué? Scapegrace tenía ojos, y uno de ellos incluso funcionaba.

Miró atentamente a Sanguine y él le devolvió la mirada. Ninguno de los dos apartó la vista. Era cuestión de orgullo. Aquello estaba más allá de un simple concurso de miradas: se trataba de dominio, de superioridad. De fuerza. Y Scapegrace, desde luego, no iba a ser quien apartara la vista primero. Aunque sentía que el otro, al llevar gafas de sol, estaba haciendo trampas.

Sanguine se sentó lentamente en la camilla, se sujetó las vendas con un brazo y se levantó gimiendo por el esfuerzo. Descorrió la cortina y dio un par de pasos hasta la mesa. La mente de Scapegrace bullía de posibles insultos y contrarréplicas. Las primeras palabras que saldrían de la boca de Sanguine serían desagradables, lo sabía perfectamente.

Sanguine se inclinó y lo miró de hito en hito. Golpeó el cristal con el dedo.

–Qué cosa más fea.

–Mira quién fue a hablar –le espetó Scapegrace, triunfal.

Sanguine soltó un grito, brincó hacia atrás, se golpeó contra la cama y cayó de espaldas hasta quedar tirado al otro lado.

Scapegrace le fulminó con la mirada.

Nye y Thrasher acudieron inmediatamente a ayudar a Sanguine y lo subieron a la camilla. Era obvio que sufría muchos dolores.

–¿Qué ha pasado? –preguntó Nye examinando las vendas–. Te dije que no te movieras.

–Tienes una cabeza dentro de un tarro –señaló Sanguine.

–¿Y...?

–¡Me ha hablado!

–¿Y qué pensabas que haría, estrecharte la mano? Te podías haber abierto los puntos. Tienes que reposar mientras te recuperas, ya te lo expliqué.

Sanguine agarró la bata de Nye y acercó a la criatura hasta él.

–¿Por qué demonios hay una maldita cabeza parlante en un frasco? –preguntó con los dientes apretados.

Tú me hablaste primero –indicó Scapegrace.

Sanguine se recostó.

–Que alguien le cierre la boca; me está poniendo histérico.

–Culpa tuya –dijo Scapegrace.

–Mis principios me impiden mantener una conversación con una cabeza.

–¡Tú fuiste el que me mató!

–Considero importante recordar a quién he matado y cómo, y nunca le he cortado la cabeza a nadie.

–Cuando me mataste, tenía la cabeza puesta. Soy Vaurien Scapegrace.

–Me alegro por ti.

–¡Tú me mataste, y tu padre me convirtió en un muerto viviente!

Sanguine frunció el ceño.

–Un momento, ya me acuerdo. Tú eres el tipo...

–Sí.

–El idiota.

–¿Qué? No.

–Tú eres el imbécil que se las daba de asesino y luego perdió el control de sus propios zombis.

–Yo no perdí nada –replicó Scapegrace–. Fueron ellos los que se perdieron.

Thrasher dio un paso adelante.

–Ahora es el Rey de los Zombis.

–Dios mío –murmuró Sanguine–. Hay otro. ¿Cuántas cosas de estas tienes aquí?

–Dos, y a mí también me parecen demasiadas –contestó Nye con expresión ausente.

–Bueno, al menos este tiene la cabeza sobre los hombros. Pero ¿cómo soportas esta peste?

–No tengo nariz –Nye hundió los dedos en el estómago de Sanguine–. ¿Te duele?

–Sí.

–Bien.

–¿Y qué hace este aquí? –preguntó Scapegrace–. Lo último que sé es que está en busca y captura por un montón de crímenes. Uno de ellos fue matarme a mí.

Nye subió la vista.

–Tú y yo tenemos un trato, zombi: tú me das lo que quiero y a cambio yo te doy lo que tú pides. Tengo el mismo acuerdo con el señor Sanguine, aquí presente. Exijo discreción a mis pacientes.

—Creo que deberíamos echarlo al váter y tirar de la cadena declaró Sanguine.

—¡Ni se te ocurra! —chilló Thrasher saltando frente al tarro.

Scapegrace suspiró: ahora solo veía la floja culera de los pantalones del imbécil.

—Por favor... —exclamó Sanguine con repugnancia—. ¿Eso es el intestino? Sí, ¿verdad? Mira cómo se menea... Por el amor de Dios, hombre, guárdate eso. Es asqueroso.

Scapegrace cerró los ojos, avergonzado.

—Yo soy como soy —proclamó Thrasher con orgullo.

—Eh, a mí me parece bien que estés orgulloso y que esa sea tu seña de identidad, pero, por favor, no la lleves al aire. Un poquito de dignidad, ¿no?

Thrasher se giró de forma teatral, con los brazos en jarras, y el trocito de intestino arrugado se estrelló contra el jarro de Scapegrace.

—No te atrevas a decirme lo que tengo que hacer. Solo mi maestro Scapegrace, el Rey de los Zombis, puede darme órdenes.

—Guárdate eso, Thrasher —gruñó Scapegrace.

Thrasher pestañeó.

—¿Maestro?

—Que te lo guardes, imbécil.

Thrasher lo miró, con el labio inferior tembloroso, y salió corriendo de la habitación. Scapegrace suspiró y observó cómo Nye examinaba a Sanguine.

—Has tenido suerte —valoró el doctor—. Pero si vuelves a moverte de esta cama, te arrancaré los puntos que te queden.

Se acercó a la puerta y Sanguine le miró con mala cara.

—Oye, ¿me vas a dejar con una cabeza parlante? Nye, por lo menos dale la vuelta. ¡Que mire a otra parte!

229

Pero el doctor ya se había marchado. Sanguine hizo una mueca y se recostó.

Pasaron los minutos.

Finalmente, volvió la cara.

–¿Y qué paso?

–¿Qué pasó cuándo?

–¿Cómo perdiste la cabeza?

–No perdí la cabeza –corrigió Scapegrace–. Perdí el cuerpo.

–¿Cómo perdiste el cuerpo, entonces?

–El Hendedor Blanco me lo cortó.

Sanguine asintió y volvió a quedarse callado.

–¿Jugamos al veo veo?

Scapegrace se hubiera encogido de hombros si los tuviera.

–Vale.

23

LA CONSPIRACIÓN

 UÉ sabéis de Roarhaven?

Valquiria y Skulduggery estaban sentados en la sala de estar, frente a la mesa grande. Lament, Plight, Lenka y Kalvin se encontraban frente a ellos.

Skulduggery se echó hacia atrás, con las manos donde hubiera estado su tripa si no fuera un esqueleto, y tamborileó con los dedos.

–El solo hecho de que nos lo preguntes me hace pensar que hay algo muy importante que ignoramos sobre Roarhaven. Valquiria os contará lo que sabemos hasta la fecha.

–Esto... Vale –Valquiria se esforzó por organizar sus ideas–. La mayoría de las comunidades mágicas se establecen en pueblos y ciudades y se mezclan con sus habitantes para pasar desapercibidos. Pero los habitantes de Roarhaven construyeron una ciudad en mitad de la nada y se aislaron a propósito; por ese motivo, la hostilidad que sienten hacia la gente normal ha ido creciendo. No les gusta la política oficial del Santuario: están convencidos de que los hechiceros deberían gobernar el mundo, no esconderse en él. Así que tramaron una conspiración para destruir el Santuario y hacerse con el control.

231

–¿Y cuál fue la conspiración? –preguntó Lament.

–No tengo ni idea.

Skulduggery se volvió hacia ella.

–Sí que lo sabes. Te lo expliqué.

–No, qué va.

–Sí. Lo de la bomba, el intento de golpe de estado y las detenciones.

–Ah... Sí, me suena.

Skulduggery suspiró.

–Eso fue solo el comienzo –apuntó Lament–. Según la información de la que disponemos, los planes de los hechiceros de Roarhaven eran mucho más ambiciosos. ¿Sabías que desde que terminó la guerra contra Mevolent han desaparecido cientos de magos en todo el mundo?

–Desaparece gente a diario –observó Skulduggery–. Vosotros desaparecisteis, al fin al cabo.

–Muy cierto –asintió Lament–. Pero no fuimos a reunirnos con representantes de Roarhaven inmediatamente después de desaparecer.

Skulduggery inclinó la cabeza.

–Entonces, ¿qué les ha pasado a esos hechiceros desaparecidos?

–No lo sabemos –intervino Plight–. Eso es todo lo que averiguamos acerca de esa ciudad y de sus habitantes. Tienen grandes planes, y dudo que los hayan abandonado. Al fin y al cabo, consiguieron lo que buscaban, ¿no? El Santuario se encuentra ahora en Roarhaven.

–Pero eso no fue porque dieran un golpe de estado –indicó Valquiria–. Fue porque Davinia Marr destruyó el antiguo Santuario y los Mayores decidieron mudarse allí.

Plight se encogió de hombros.

–Llevamos treinta años apartados del mundo y no conocemos los pormenores de la situación, pero el hecho es que el Santuario se encuentra ahora en Roarhaven, y también el Acelerador –Lament se inclinó hacia delante–. Los científicos hablamos. Compartimos ideas, descubrimientos y teorías. Yo nunca hubiera sido capaz de construir algo como la Tempestad y el Cubo sin haber discutido ciertos aspectos con otras personas mucho más inteligentes que yo... El caso es que hablamos mucho, y nos encanta cotillear. Así me enteré de que el colega de un viejo amigo mío, un hombre llamado Rote, estaba trabajando en un proyecto tan secreto que no lo había compartido con nadie. Sin embargo, sí que consultó algunos de sus aspectos con varios colegas para que le aconsejaran. Por pura casualidad, algunas de aquellas personas se reunieron y empezaron a hablar de Rote y de las extrañas preguntas que les había hecho. Cada uno tenía una pieza del rompecabezas; cuando las juntaron, comenzaron a tomar forma. El proyecto en el que estaba trabajando, el Acelerador, era una máquina capaz de amplificar la magia hasta niveles increíbles.

–Incluso podría corresponderse con los descubrimientos del propio Argeddion sobre la fuente de la magia –intervino Kalvin–. Tal vez Rote encontrara la forma de canalizar ese poder, extraerlo y utilizarlo.

–Por desgracia –continuó Lament–, no sabemos lo suficiente para llegar a ninguna conclusión firme.

–¿Y para qué creéis que servirá? –preguntó Valquiria.

–Para hacerse con el poder. Todos los hechiceros del mundo obtendrían ese gigantesco aporte de energía, suficiente para convertir las balas en polvo y los misiles en arcoíris. La civilización de los mortales perdería el poder en cuestión de semanas. Acto seguido, los conspiradores apagarían el Acelerador y el nivel de magia regresaría a la normalidad. Para entonces, el mundo sería muy diferente: los hechiceros serían la especie dominante.

–Ya he visto cómo es eso –murmuró Valquiria–. Y no me parece divertido.

–¿Y existe ese Acelerador? –preguntó Skulduggery.

–Creo que sí –contestó Lament–. Yo diría que está escondido en alguna parte de Roarhaven. Incluso aunque no estuviera terminado, podríamos ponernos a trabajar con él para un propósito diferente del original. Podríamos alterarlo y utilizarlo para cargar el Cubo de forma indefinida. Skulduggery, tú hablabas de duplicar o triplicar la energía del Cubo... El Acelerador la multiplicaría por cien, y ni siquiera necesitaríamos conectar la Tempestad. Argeddion nunca despertaría, jamás podría escapar. Y si Oscuretriz es de verdad tan poderosa como todo el mundo cree, podríamos mantenerla en un Cubo contiguo al de Argeddion. Sería una prisión de máxima seguridad, capaz de contener incluso a dioses.

–En ese caso –Skulduggery se incorporó–, creo que ha llegado el momento de hacer una llamada.

Valquiria le acompañó a una habitación vacía. Tenía el móvil en la mano, pero no marcó.

–¿Qué opinas? –le preguntó.

–¿De qué? ¿De la idea? Me parece genial.

–Te pregunto qué te parece la idea de construir una prisión que pueda contenerte. Esto ya no es teórico: si continuamos por este camino, será una realidad. Estamos hablando de construir un Cubo para ti, Valquiria.

Ella se encogió de hombros.

–Es lo que queremos, ¿no?

Él se cruzó de brazos.

–¿De verdad piensas quedarte ahí tranquilamente y decirme que todo esto no te da miedo?

Valquiria se echó a reír.

–¿Y qué quieres que te diga? ¿«No construyáis un Cubo para mí»? Y entonces, ¿qué? ¿Mato a todo el mundo?

–Lo único que quiero es que admitas lo que sientes.

–¿Y eso de qué serviría?

–Tienes que estar absolutamente segura de lo que quieres para seguir adelante con esto.

–Así que quieres que sea sincera. Porque, claro, a los dos siempre se nos ha dado bien eso, ¿no? Nunca le hemos ocultado la verdad a nadie, ¿a que no? ¿Sabes qué? Vale. No, no quiero una prisión para mí, ¿de acuerdo? No quiero dormir toda la eternidad dentro de un Cubo. Quiero ser libre, ser feliz y estar viva. Pero no puedo.

–Eso no lo sabemos.

–Por supuesto que lo sabemos. Por Dios, cada vez que me descuido y Oscuretriz emerge, toda mi vida parece cobrar sentido: nada me asusta, no me preocupa nada. Soy pura. Soy feliz. ¿Sabes lo maravilloso que es sentirse así? Y cuantas más veces ocurre, más me cuesta volver a encerrarla. Me... me gusta ser Oscuretriz. Creo que incluso más que ser yo misma.

Se miraron durante una eternidad, y después él dio un paso al frente y la abrazó. Fue un abrazo frío y huesudo, pero cuando Valquiria apoyó la cabeza contra su esternón, no le importó.

–Claro que sientes eso –murmuró suavemente, y ella dio un paso atrás–. Ya te lo dije: el poder crea adicción. ¿Por qué no te va a gustar ser tan fuerte? ¿Cómo no vas a disfrutar de la capacidad de curarte cuando estás a punto de morir?

–Ya no es solo eso. Es la forma en que estoy empezando a pensar, las ideas que se me ocurren. Ni siquiera me doy cuenta; de pronto es como un puñetazo en el estómago. No es que Oscuretriz esté tomando el control, es que... Es que yo me parezco más a ella cada día que pasa. No quiero tirarme el resto de mi vida encerrada en una jaula, Skulduggery, por supuesto que no. Pero es lo que necesitamos. Tenemos que construirla.

–Muy bien –dijo–. Siempre que ambos estemos dispuestos a aceptar lo que podría significar eso.

Marcó un número y encendió el altavoz.

–¡Por fin! –contestó Abominable–. ¿Recuerdas que te pedí que llamaras cada cuatro horas? Pues te voy a decir una cosa: eso fue hace veinticuatro horas.

–Iba a llamarte –replicó Skulduggery–, pero estaba demasiado ocupado disfrutando del éxito de la misión. Tyren Lament te manda saludos, por cierto.

–¿Están todos allí?

–Los cuatro, en una base secreta construida en la ladera de una montaña. Te encantaría; parece sacada de una película de James Bond.

–¿Y Argeddion? ¿Está vivo?

–Lo mantienen en un coma inducido, sí. Es posible que haya una forma de reforzar la jaula donde se encuentra, para cortar así cualquier influencia que esté teniendo en el mundo exterior. Pero para hacerlo necesitamos otra máquina que se encuentra en alguna parte de Roarhaven; seguramente, dentro del propio Santuario.

–¿Qué máquina?

–Se llama Acelerador. Te enviaré un archivo en cuanto lo tenga para que sepas qué buscar. Formaba parte del intento de golpe de estado de Roarhaven, así que estará bien escondido. Tal vez sea prudente evitar que los hechiceros de Roarhaven participen en la búsqueda... De hecho, mejor que no se entere ningún mago salvo Ravel.

–Eso suena un poco paranoico.

–Tengo motivos para ser suspicaz. Si cae en malas manos, el Acelerador puede convertirse en el arma más devastadora que haya existido nunca.

24

BUSCANDO EN EL SANTUARIO

GRAN Mago, Mayor Bespoke. Me preguntaba si podríamos hablar un segundo...

Ravel respondió sin dejar de andar.

–¿Con usted, señor Sult? ¿Ya no somos lo bastante importantes como para hablar directamente con el Gran Mago Strom, y por eso nos envía un administrador ayudante para hablar con nosotros?

–Si nos importara, nos sentiríamos de lo más ofendidos —remachó Abominable.

–Mis más sinceras disculpas; les aseguro que no deseo ser irrespetuoso. Lo que sucede es que, tras el asesinato de Christophe Nocturnal en este mismo edificio, se ha decidido trasladar al Gran Mago Strom a una ubicación más... segura. Pero estoy autorizado para hablar en nombre del Consejo Supremo sobre cualquier asunto.

–Así que te han dejado tirado, ¿eh? –dijo Ravel–. Les debes de caer de maravilla para dejarte en un sitio tan peligroso.

Sult sonrió cortésmente.

–Confían en que estaré bien protegido por sus Hendedores y operativos, a los cuales no se les puede reprochar nada, ya que cumplen perfectamente con su función. Personalmente, yo no siento que corra el más mínimo peligro.

Abominable cruzó una mirada con Ravel y se detuvo en seco. Sult casi se chocó contra él, y dio marcha atrás con una sonrisa mientras Ravel continuaba avanzando. Abominable se dio la vuelta y encaró a Sult.

–Y bien, ¿qué puedo hacer por usted?

–Ah, sí, pasemos al asunto. Ha llegado a mi conocimiento, Mayor Bespoke, que existe cierta tensión entre nuestra gente y la suya.

–Se refiere a la pelea que se desató ayer por la noche.

–Así es, señor. Quería pedir disculpas en nombre del Consejo Supremo. Nada más lejos de nuestra intención que causar problemas.

–Ajá.

–Sin embargo, como resultado del incidente, tres de nuestros agentes necesitaron atención médica.

–Y dos de los nuestros.

–En efecto, Mayor Bespoke. Pero, sin ánimo de ofender, fueron sus hombres quienes empezaron la pelea.

–No es lo que yo he oído.

–No tengo ningún deseo de contradecirle, señor –sonrió Sult–, pero según nuestro informe, se dio un desacuerdo verbal que concluyó con un enfrentamiento físico cuando uno de sus hombres golpeó al jefe de nuestro equipo de seguridad.

–Que había hecho algunas observaciones bastante despectivas.

–Por las cuales será sancionado. Aun así, un ataque verbal es algo muy diferente de uno físico.

–Ambos son ataques, ¿no?

–Sí, señor, pero...

–Un ataque físico normalmente viene precedido por un ataque verbal, y nuestro personal está entrenado para detectarlo y actuar en consecuencia. Así que, aunque uno de los nuestros fuera el primero en lanzar el golpe, no fue él quien empezó la pelea: fue uno de los suyos.

–Mayor Bespoke...

–Señor Sult, no tengo ni tiempo ni ganas de quedarme aquí discutiendo de esto con usted. Sus chicos se pelearon con los míos. Ya está. Son cosas que pasan. Pero si vuelve a suceder, echaremos a su gente del país.

–¿Qué? No puede hablar en serio.

–Los nervios están a flor de piel, y se nos agota la paciencia. Tenemos un problema muy serio que estamos intentando solucionar, y nos enfrentamos al asesinato de un prisionero que estaba bajo nuestra custodia. No le doy la menor importancia a una pelea en la que nadie ha resultado herido de consideración, y usted tampoco debería dársela. Hay otras cosas de las que preocuparse. Salude a sus superiores de mi parte.

Sin más, Abominable reemprendió la marcha. Sult no hizo amago de seguirle.

Ravel estaba esperando a la vuelta de la esquina.

–Gracias –dijo –. La verdad es que no me gusta ese tipo.

Bajaron las escaleras, viendo cómo los Hendedores se ponían en posición de firmes a su paso. Según avanzaban, los pasillos se fueron haciendo más oscuros y fríos. Abominable sacó un plano para orientarse.

–¿Esto no está por debajo de nuestra categoría? –preguntó Ravel–. Seguro que sí. Somos Mayores. Se supone que no deberíamos encargarnos de buscar cosas, sino mandar que nos las buscaran.

–Me sorprende lo rápido que te has malacostumbrado.

–Nunca me ha gustado buscar –se quejó Ravel–. ¿Recuerdas cuando buscábamos pistas con Skulduggery? Yo lo odiaba. Nunca sabía distinguir una pista de lo que no lo era. Yo miraba una habitación y veía una habitación; él miraba la misma habitación y resolvía el caso.

—Yo en tu lugar no me preocuparía por eso —repuso Abominable—. Puede que no seas tan buen detective como Skulduggery, pero hay muchas cosas que se te dan bien. Por ejemplo, llevar túnicas y quejarte por todo.

—Eso se me da de fábula —asintió Ravel—. Y mandar, eso también se me da bien. Esta mañana, Tipstaff me trajo una taza de té y le dije: «No, no quiero té, prefiero café». Fue fantástico: reafirmé mi autoridad.

—¿Se fue y te trajo un café?

—No, me dijo que había una tetera llena y me tomé el té porque, al fin y al cabo, ya estaba hecho. Pero aun así, mi autoridad se reafirmó.

Abominable asintió.

—Así aprenderá: ahora se lo pensará dos veces antes de volver a hacer té.

—Exacto, amigo mío. Por cierto, ¿qué buscamos?

—¿Me lo preguntas en serio? Te entregué el informe hace media hora.

—Sí, es verdad.

—¿Y lo has leído?

—Qué va.

Abominable suspiró.

—Se llama Acelerador. Es una máquina, un cacharro enorme.

—Genial. ¿Y qué pinta tiene?

—Ni idea.

—¿Es eso de ahí?

—No. Eso es una pared.

—Podría estar disfrazada.

—Realmente no se te da bien buscar cosas, ¿eh?

—Se me da bien buscar paredes. Mira: he encontrado otra.

Llegaron a una bifurcación y Abominable paró en seco, con el ceño fruncido.

–Qué raro: este corredor no aparece en el plano.

Ravel cruzó los brazos.

–Puede que no esté aquí.

–¿Que el corredor no esté aquí?

–Podría ser una ilusión óptica. O algo así como el gato de Schrödinger: hasta que no miras en la caja, está y no está a la vez.

–Pero lo tenemos delante de la cara, Erskine, y estoy bastante seguro de que se encuentra ahí. Simplemente, no aparece en el plano.

Ravel se encogió de hombros.

–Es un edificio antiguo: hay túneles y pasadizos secretos por todas partes.

–Pero lo primero que hicimos nada más llegar al Santuario fue enviar un equipo de magos aquí abajo para comprobar cosas como esta. Y tengo en la mano el plano que hicieron.

Ravel le miró fijamente.

–Enviamos un equipo de hechiceros de Roarhaven.

–Omitieron este corredor a propósito –concluyó Abominable guardando el mapa–. Skulduggery tenía razón: no podemos confiar en ellos. ¿Qué habrá aquí que quieren mantener en secreto?

–Si tenemos suerte, será el Acelerador. Si no, un cuarto de baño que quieran reservar solo para ellos. ¿No deberíamos llamar a un escuadrón de Hendedores para cerciorarnos de que no hay trampas ocultas?

–Pues sí –asintió Abominable–. Eso es justo lo que deberíamos hacer. Podríamos volver a subir, sentarnos en nuestros tronos y beber té mientras esperamos tranquilamente.

–Buena idea. Y también muy segura. Tipstaff lo aprobaría.

–Sin duda alguna –sentenció Abominable.

Ambos se adentraron a la par en el corredor.

A los lados se abrían varias estancias sin puertas; las que no estaban vacías, estaban llenas de materiales de construcción cubiertos por una gruesa capa de polvo. No había electricidad, así que los dos hicieron fuego con las manos para iluminar el camino. Las ratas se escabullían por los rincones y el agua goteaba sobre grandes charcos helados. Las sombras bailaban a su paso.

Ravel se detuvo.

–Creo que lo hemos encontrado.

Se encontraban en una sala grande y casi vacía, tan oscura y húmeda como el pasillo. El Acelerador estaba justo en el centro, como un jarrón gigante abierto por delante. Sus paredes curvas se inclinaban suavemente, y sus puntas dentadas casi raspaban el techo. En la base, un disco blanco formaba una plataforma no muy elevada. Por la superficie del artilugio corrían circuitos, como venas bajo la piel; la máquina parecía casi traslúcida a la luz parpadeante de las llamas.

Ravel le dio un toque con los nudillos y el sonido que produjo fue extraño, como una mezcla entre metal y goma. Abominable penetró en el interior y se situó sobre el estrado, rodeado por las paredes curvas. Resopló, notando una extraña claustrofobia.

–¿Cómo diablos se pondrá esto en marcha? –farfulló Ravel mientras lo examinaba.

Abominable salió del Acelerador antes de que Ravel estropeara algo.

–Dejemos eso en manos de los científicos, ¿vale? Seguro que lo rompemos si intentamos encenderlo.

–Estoy seguro de que podríamos averiguar cómo funciona –replicó Ravel sin despegar la mirada del aparato–. Somos bastante inteligentes. Es posible que carezcamos de conocimientos científicos, pero somos muy listos. Hemos estudiado en la universidad de la vida, ya lo creo que sí.

–¿Y qué universidad es esa, exactamente?

–Una de las más tontas, la verdad –respondió Ravel encogiéndose de hombros–. Puede que tengas razón: le diremos a Skulduggery que lo hemos encontrado para que le pida a Lament que venga a ponerlo en marcha.

–Excelente idea, Gran Mago.

–A veces tengo alguna de esas, sí.

Volvieron sobre sus pasos hasta encontrar un pasillo que reconocieron. Reinaba una humedad helada, y las luces parpadeaban en el techo. Pasaron junto a una esquina en la que debería haber estado un Hendedor montando guardia, pero no había nadie. Abominable miró la hora; tal vez hubieran cambiado el turno antes de tiempo, a pesar de que no sabía de ningún Hendedor que hubiera abandonado jamás su puesto.

Tres magos aparecieron corriendo. A Abominable le sonaban, pero no conocía bien a ninguno de ellos. Brennock era el grande, la mujer se llamaba Paloma y el tercero, Tevhan, era un tipo fuerte, silencioso y mal encarado.

–Gran Mago, Mayor Bespoke... –los saludó Brennock–. Siento interrumpirles, pero hemos recibido una llamada de emergencia del detective Pleasant.

Ravel aceleró el paso.

–¿Qué ha pasado? ¿Algo va mal?

–Me temo que no lo sé, Gran Mago. Ha dicho que solo puede contárselo a usted.

Brennock y Paloma flanquearon a Ravel, mientras Tevhan esperaba a que Abominable los alcanzara. Los tres eran magos de Roarhaven. Abominable sacó el plano mientras caminaba y revisó la letra pequeña hasta encontrar los nombres de los hechiceros que lo habían trazado. Asintió con la cabeza. Eran tres: Brennock, Paloma y Tevhan.

–Gran Mago –dijo guardándose el mapa–, ¿sabías que el gorrión vuela al sur en invierno?

–¿Y eso a qué viene? –contestó Ravel, pero mientras se giraba dobló la muñeca para desplazar el aire y Paloma se estampó contra la pared.

Abominable se giró en redondo y le propinó a Tevhan un derechazo que le dobló las rodillas y le hizo soltar el cuchillo que escondía en la manga. Le golpeó una y otra vez, sin darle oportunidad de recuperarse. Su adversario era un adepto, pero Abominable no sabía en qué disciplina estaba entrenado; no estaba dispuesto a correr ningún riesgo.

Cuando Tevhan perdió el conocimiento, Abominable se volvió hacia Ravel justo cuando este le hacía un barrido a Brennock. El hechicero se golpeó la cabeza al caer, y Ravel le dio una patada de propina para dejarlo definitivamente en el sitio.

–¿Sabes qué? –jadeó Ravel–. La estúpida contraseña de Skulduggery funciona.

25

EL INEXORABLE REGRESO
DE FLETCHER RENN

LAMENT los condujo a una habitación pequeña con cuatro grandes símbolos grabados en las paredes. Se marchó y Valquiria se quedó de pie junto a Skulduggery en el centro de la estancia. Un instante después, los símbolos empezaron a brillar y ante ellos aparecieron las figuras borrosas de Ravel y Abominable.

–Lamento las molestias –dijo Abominable–, pero necesitábamos hablar por una línea segura.

La imagen era traslúcida, pero el sonido era tan claro como si se encontrara delante de ellos.

–Tengo que conseguir algo así para mi móvil –murmuró Valquiria.

–¿Hay problemas con el Consejo Supremo? –preguntó Skulduggery.

–No, la verdad es que no. Bueno, sí, pero esto no es por ellos. Hemos encontrado el Acelerador. Está en buenas condiciones, pero no parece funcionar.

–Por eso no te preocupes –replicó Skulduggery–. Lament confía en que podrá ponerlo en marcha. ¿A qué problema te refieres, entonces?

–Nos han atacado. Unos magos de Roarhaven, personas que trabajaban a nuestro lado desde hace un año. De momento hemos conseguido mantenerlo en secreto; no nos apetece explicarle a Strom que nuestra propia gente quiere matarnos.

–Por ahora no nos han dado ninguna respuesta –dijo Ravel–. Nuestros sensitivos han intentado averiguar algo, pero los prisioneros saben cómo bloquear las sondas psíquicas.

–¿Crees que os atacaron por el Acelerador? –preguntó Skulduggery–. ¿Cómo se enteraron de que lo estabais buscando?

Abominable miró a Ravel, que se mordió el labio.

–Creemos que nos han pinchado los móviles –dijo finalmente–. Y no es el único problema; al parecer, alguien cambió las órdenes de todos los Hendedores de la zona para que nuestros atacantes tuvieran una oportunidad de oro. Hemos hablado con varias personas y ninguna se explica cómo ha pasado.

–Yo sí –intervino Valquiria–. Ha sido Madame Mist.

–No lo sabemos –contestó Ravel rápidamente–. Además, si quisiera matarnos, no habría sido tan torpe.

–Tal vez se haya puesto nerviosa –caviló Skulduggery–. Si sabía de la existencia del Acelerador, no querría que lo encontrarais.

–¿Y si no lo sabía?

–Si simplemente se enteró de su existencia al escuchar nuestra conversación, puede que viera una oportunidad y la aprovechara. Aun así, me extraña que fuera tan torpe.

–Podría ser –murmuró Ravel–. Pero no estoy convencido.

–Aun así, atentar contra vuestras vidas es un paso importante para quienquiera que lo haya tomado. Si han llegado a este punto, irán cada vez más lejos.

–Necesitamos mayor control sobre los Hendedores –dijo Abominable–. Ellos no cuestionan las órdenes. Si Mist, o quien haya sido, los ha usado una vez contra nosotros, puede volver a hacerlo, y no me apetece enfrentarme a sus guadañas.

—Estoy de acuerdo —asintió Skulduggery—. Erskine, deberías tomar el control directo: dispón que los Hendedores solo reciban órdenes del ti. Mist tiene de su lado a Roarhaven. Nosotros necesitamos a los Hendedores del nuestro.

—Pero no tenemos muchos —señaló Ravel—. Si Mist está detrás de esto y vamos contra ella, no tenemos garantizada la victoria, incluso aunque contemos con los Hendedores y con los hechiceros que nos son leales. Necesitamos contar con alguna ventaja.

Los tres se quedaron callados. Nadie quería señalar lo evidente.

—Podríamos pedir ayuda al Consejo Supremo —dijo al fin Valquiria.

—Cambiemos de tema antes de que me entren ganas de darle un puñetazo a alguien —gruñó Abominable, y la imagen de Ravel se alejó ligeramente de él—. ¿Qué necesitamos para poner en marcha el Acelerador?

—Lament tendría que echarle un vistazo —dijo Skulduggery—. ¿Podéis mandárnoslo hasta aquí?

Ravel negó con la cabeza.

—No se puede mover del sitio; creemos que el propio Santuario sirve como una especie de pararrayos para atraer energía hacia él. Si lo queréis utilizar para cargar la jaula de Argeddion, habrá que traerla a Roarhaven.

—De acuerdo —accedió Skulduggery—. No debería ser difícil convencer a Lament. Eso sí: nos vendría muy bien la ayuda del exnovio de Valquiria.

Ravel frunció el ceño.

—¿El vampiro muerto?

Valquiria le echó una mirada asesina.

—Creo que se refiere a Fletcher.

—Oh. Perdón.

—Caelan nunca fue mi novio.

–No quería...

–No vamos a hablar de Caelan –murmuró Abominable.

–Lo siento mucho, Valquiria –dijo Ravel–. Fletcher es un chico estupendo, y estoy seguro de que estará encantado de ayudarnos. Contar con un teletransportador nos resolvería muchos problemas, desde luego. Vamos a organizarlo: que vaya hasta donde tú estás y ponemos esto en marcha, por así decirlo. Una vez más, siento haber mencionado al vampiro.

Abominable le fulminó con la mirada.

–¿Y por qué sigues hablando de él? –gruñó.

–No puedo evitarlo –musitó Ravel–. Ahora mismo soy incapaz de pensar en otra cosa.

–¿Os dais cuenta de que oímos perfectamente lo que decís? –preguntó Valquiria.

Ravel asintió lentamente.

–Ah, claro, es cierto. ¿Seguro que lo has oído todo? ¿Has oído la parte en que decía que eras una chica estupenda e increíble?

–Me la he debido de perder.

–Oh, qué lástima. Es una auténtica... –echó un vistazo a su derecha, con las cejas enarcadas–. ¿Qué? ¿Me necesitan en alguna parte? ¿Un asunto importante?

Abominable suspiró.

–Allí no hay nadie.

–Valquiria, Skulduggery: vamos a hablar con Fletcher para que se teletransporte hasta donde estáis –concluyó Ravel.

Miró a Abominable y la imagen de ambos se esfumó en el aire.

Cuatro horas más tarde, el mismo avión gigantesco que los había llevado hasta Suiza apareció como una mancha sobre las montañas. Valquiria encendió una llama entre sus manos para calentarse mientras aguardaba. Sabía que Fletcher no iría a bordo; rara vez se dignaba perder el tiempo en viajar. Como los teletransportadores solamente podían desplazarse a sitios donde hubieran estado antes o a lugares que pudieran ver, había ideado una táctica que empleaba con aviones, trenes y barcos. En primer lugar, se teletransportaba a Irlanda, se presentaba ante los pilotos y entraba en el avión. Luego se teletransportaba a su casa en Australia y pasaba las siguientes horas haciendo lo que quiera que hiciera cuando se encontraba allí. Cuando el avión llegaba a su destino, el piloto le llamaba y él se teletransportaba hasta el avión, miraba por la ventana y se desplazaba hasta su destino. Era una forma simple y efectiva de viajar por todo el mundo sin perder ni un minuto en llegar hasta allí. Muy propio de Fletcher.

El avión se acercaba y Valquiria se quitó la máscara. Acto seguido, arrojó un puñado de sombras que caracolearon sobre la nieve para atraer la atención de su amigo. Al instante, Fletcher Renn apareció ante sus ojos.

–¡Dios mío! –fue lo primero que dijo–. ¡Me congelo!

Valquiria sonrió.

–Va a ser por la nieve. Vamos, dentro hace calor.

Él miró con mala cara el agujero en la roca por el que había pasado Valquiria.

–¿Esta gente no ha oído hablar de las puertas?

–Así mantienen fuera al abominable hombre de las nieves.

–¿Va en serio?

–Sí, hay dos. Uno de ellos intentó comerse mi cabeza.

Fletcher le tendió la mano y Valquiria la agarró. Él se agachó, echó un vistazo por el agujero y de pronto se encontraron al otro lado de las rocas, donde hacía calor. A aquellas alturas, Valquiria estaba tan acostumbrada al teletransporte que ya ni siquiera le producía una leve náusea, y mucho menos el vómito de las primeras veces. Fletcher se enderezó y sonrió.

–Hola –dijo.

–Hola. Tienes buen aspecto –era verdad; se le había olvidado lo guapo que era–. Tu peinado sigue siendo estúpido.

Fletcher asintió.

–Gracias por el detalle. Conociéndote, era de esperar que no fueras capaz de ser amable durante más de cinco segundos.

Ella se rio.

–Lo siento. Mala costumbre. Pero sí que tienes buen aspecto. Australia te sienta bien.

–Eso es porque Australia sabe apreciarme. Has tardado en avisarme, pero obviamente has decidido que no puedes vivir sin mí. He de decir que me siento halagado. ¿Todo este lío de Argeddion solo por volver a verme?

–Eres tonto. ¿Por qué tienes que ser así? Eres guapo, estás bueno... Si supieras cerrar la boca, serías perfecto.

–Ya sabes que a veces no puedo controlar mis labios –respondió encogiéndose de hombros.

–Y ahora te estás poniendo más idiota aún. Enhorabuena.

–Lo hago lo mejor que puedo –frunció el ceño de pronto–. ¿Deberíamos darnos un abrazo o algo así? Creo que sería lo más adecuado, después de tanto tiempo sin vernos.

–¿Por qué no? –dijo ella, y le estrechó. Le vino a la mente lo bien que se sentía cuando le abrazaba y se apartó enseguida.

Él miró por encima de su hombro y se tensó.

–Skulduggery.

–Fletcher.

Fletcher le tendió la mano y Skulduggery la observó con atención.

–Disculpa, ¿qué se supone que estamos haciendo?

–Estrecharnos las manos –explicó Fletcher–. Como adultos. Quiero que sepas que este año me ha cambiado. He madurado como persona; ya no soy el mismo Fletcher que conocías.

–Te pareces un montón a él.

–Bueno, sí, pero...

–Y llevas el mismo peinado ridículo.

–¿Podemos estrecharnos la mano?

–Por supuesto que sí –asintió Skulduggery.

Chocaron los cinco.

–Y ahora, ¿qué? –preguntó el detective.

–Esto... Pues... No sé. ¿Qué hacen los adultos normalmente después de estrecharse la mano?

–Normalmente, la sueltan.

–Ah, sí –dijo Fletcher.

Se soltaron.

–Bueno, ¿cómo te van las cosas, Skulduggery? Tienes buen aspecto. Llevas una corbata muy bonita.

–Es azul.

–Y de un azul precioso.

Skulduggery volvió la vista hacia Valquiria.

–Me prometiste que no se pondría pesado.

–Y tú me prometiste no ser antipático.

Skulduggery suspiró y encaró de nuevo a Fletcher.

–¿Qué tal van tus estudios? Eres el último teletransportador, y es importante que te tomes en serio tus responsabilidades.

–Sí, lo soy –dijo Fletcher–. Y ya lo hago.

–Cuando yo tenía tu edad, conocí al último cinético. ¿Sabes lo que es eso? Tenía la capacidad de absorber la energía cinética y almacenarla en forma de poder puro. Básicamente, cuanto más le golpeaban, más fuerte se volvía. Cuando murió, todos los secretos de su arte murieron con él. Hace unos años, un joven hechicero decidió prepararse para ser el primer cinético en cuatro siglos. ¿Sabes lo que pasó?

–Pues no –respondió Fletcher–. ¿Qué pasó?

–Se le daba de pena.

251

Fletcher frunció el ceño.

–Ah.

–Que te sirva de lección –sentenció Skulduggery, y volvió por donde había venido.

Fletcher se acercó a Valquiria.

–Creía que la historia tendría un final más dramático –susurró.

–Pues sí.

Los dos se pusieron en marcha para recorrer las instalaciones. Kalvin, que los esperaba en el Arboretum, le explicó a Fletcher todo lo que debía tener en cuenta para teletransportar animales. Habían decidido trasladarlo todo, árboles incluidos, a espacios vacíos de diferentes partes del mundo donde hubiera un clima adecuado. Valquiria se quedó callada y los dejó hablar, cada vez más impresionada con Fletcher mientras él obtenía toda la información que necesitaba.

Cuando terminaron, fueron a ver a Lenka, cuya reacción fue tan exagerada como Valquiria esperaba. En cuanto Fletcher entró por la puerta, ella soltó una carcajada tan fuerte que se cayó de la mesa donde estaba sentada.

–¡Qué pelo! –chilló tirada en el suelo–. ¡Oh, Dios mío, ese pelo!

Fletcher suspiró.

Lament entró, estrechó la mano del chico y le pidió que no hiciera caso de la chica histérica que rodaba por el suelo. Luego los llevó hasta el Cubo y Fletcher le echó un vistazo a Argeddion.

–¿Estáis seguros de que duerme? –preguntó.

–Lo estábamos, sí –murmuró Lament con mala cara–. Ahora ya no lo estamos tanto. Así que el tiempo es esencial.

Fletcher asintió y contempló la máquina.

–Entonces hay que mover todo esto a la vez, ¿no?

–Exacto –contestó Lament–. La Tempestad, esa pirámide de ahí, no será necesaria una vez que conectemos el Cubo directamente al Acelerador, pero eso nos llevará más de un día de trabajo. Entretanto, necesitamos que todo esté exactamente igual... pero en el Santuario. ¿Crees que será difícil?

–No –consideró Fletcher–. Todo está conectado y enganchado, así que no creo que se me olvide nada. Debería ser un teletransporte limpio, directamente de aquí a la sala que me enseñó Abominable.

–¿Has visto el Acelerador?

–Sí. Un armatoste muy raro.

Lament sonrió.

–Muchísimas gracias por todo, Fletcher. No sé cómo nos las arreglaríamos sin ti.

–Solo pongo mi grano de arena –respondió encogiéndose de hombros, y salió de la habitación pavoneándose aún un poco más que al entrar.

Valquiria puso los ojos en blanco y le siguió.

Tardaron un par de horas en organizar todo lo que había en las instalaciones de la montaña. Valquiria pasó al lado de Fletcher la mayor parte del tiempo, riéndose y charlando mientras esperaban a que la siguiente remesa de maquinaria o animales estuviera preparada. Cuando llegó el momento de despedirse de los monos, a Lenka se le arrasaron los ojos en lágrimas; pero Fletcher se aseguró de enviarlos a sitios agradables y seguros, y eso le sirvió de consuelo. Lo último que se movería sería el propio Argeddion, dentro de la máquina que lo mantenía en estado de coma.

Fletcher parecía tenso, y Valquiria lo comprendía perfectamente. Si algo salía mal, liberarían al hechicero más poderoso del mundo.

Lament y los otros tres magos se acercaron y se agarraron de las manos.

–Esto es nuestro hogar –dijo Lament–. Vinimos aquí hace treinta años para proteger al mundo de una amenaza, y al hacerlo encontramos un sitio al que terminamos por tomar cariño. Sin duda no ha sido fácil vivir aquí, aislados y solos, pero lo conseguimos. Pensábamos que no saldríamos nunca más de aquí. Pero ahora, gracias a las personas que tenemos al lado, lo imposible se ha convertido en posible y tenemos una segunda oportunidad en la vida. Voy a echar de menos este lugar –sonrió tristemente–. Pero no demasiado.

Se rieron un poco, enlazaron sus brazos y Fletcher puso una mano en la silla. En un parpadeo, mucho más rápida y fácilmente de lo que se habría podido suponer dada la gravedad de la situación, todos se encontraron en una sala en lo más profundo del Santuario, junto a una máquina que solo podía ser el Acelerador.

Ya estaba, sin explosiones, gritos ni hechiceros todopoderosos sueltos por el mundo. En el fondo, Valquiria estaba incluso un poquito decepcionada.

Ravel entró a darles la bienvenida y Lenka vomitó sobre sus zapatos. Valquiria y Fletcher se escabulleron durante las presentaciones y salieron a dar un paseo junto al lago. No es que el agua estancada fuera un paisaje muy bonito, pero era el único disponible.

–Buen trabajo –dijo Valquiria–. Gracias.

Él se encogió de hombros.

–No es fácil ser el único al que todo el mundo acude cuando hay una emergencia, pero lo llevo sorprendentemente bien.

–Ya lo creo –respondió riéndose–. ¿Te vas ya?

–A no ser que me necesitéis para algo más...

Ella dejó de caminar y le miró.

–Bueno... Yo no tengo nada que hacer durante unas horas.

Él le devolvió la mirada y su sonrisa se desvaneció.

–Ah.

Valquiria soltó una carcajada.

–Guau. No era la reacción que esperaba.

–No, perdona, no quería decir eso. Es que...

Ella le agarró las manos.

–Fletcher, tranquilo, no es nada importante.

–No, Val, no es eso, es que... estoy saliendo con alguien.

Ahora le tocó a ella.

–Ah.

–Es muy simpática –continuó él–. Llevamos saliendo más o menos dos meses, pero es genial. Creo que te caería bien. Espera un momento.

Desapareció.

Valquiria pestañeó. ¿Fletcher estaba saliendo con una chica? ¿Había encontrado a alguien antes que ella? No es que tuviera ningún tipo de agenda ni programación, pero siempre había creído que ella superaría la ruptura antes que él. Al fin y al cabo, había sido ella quien había cortado.

Fletcher reapareció de la mano de una chica muy guapa.

–Valquiria, te presento a Myra.

Myra tenía el pelo castaño claro y una sonrisa muy agradable. Tanto, que Valquiria sintió deseos de darle un puñetazo en su estúpida cara.

–Hola –dijo reprimiéndose.

–Encantada de conocerte –respondió ella tendiéndole la mano.

Valquiria estaba convencida de que podría romperle esa manita tan pequeña. Además, Myra tenía un acento australiano de lo más molesto.

–Fletcher me ha hablado mucho sobre ti –dijo Myra–. Si he de ser sincera, pensaba que se había inventado la mitad; no creía que nadie pudiera ser tan fantástico como te describía.

Valquiria consiguió esbozar una sonrisa.

–He tenido mis momentos –dijo–. ¿Y cómo os conocisteis?

Myra le pasó un brazo por la cintura a Fletcher.

–Me salvó; hubo un incendio en mi universidad y él me sacó de allí. Mi caballero andante...

Valquiria pestañeó.

–¿Eres mortal?

Fletcher soltó una carcajada.

–Creía que odiabas ese término.

–¿Qué? Ah, sí, no me gusta. Me refiero a que no eres una hechicera, ¿no?

Myra negó con la cabeza.

Soy normal hasta unos niveles deprimentes, me temo. Pero no te preocupes: sé guardar secretos. Fletch me ha contado todas las cosas que puedes hacer y lo buena que eres luchando y todo eso; es genial. Creo que yo perdería una pelea contra un gatito. Me encantaría saber hacer magia, pero supongo que tener un novio capaz de hacerla es casi igual de bueno.

Valquiria ya no quería golpearla: Myra era demasiado simpática como para darle un puñetazo. Pero continuaba con ganas de pegar a alguien. Seguramente a Fletcher.

–Llevo tiempo con ganas de presentaros –dijo él–. Pero no sabía cómo hacerlo sin que pareciera que estaba chuleándome, en plan: «Mira, Valquiria, fíjate, tengo nueva novia y nueva vida». Pero... Bueno, aquí estamos. Solo quería que supieras que no estoy resentido por lo que pasó y por cómo terminó todo, y que me alegro de que sigamos siendo... Ya sabes, amigos.

–Sí. Yo también.

Se quedaron ahí los tres, tan amigos, en un silencio incómodo.

–Deberíamos irnos –dijo Fletcher al fin–. La he teletransportado justo cuando estaba a punto de sacar unas magdalenas del horno.

Valquiria se la quedó mirando.

–¿Haces magdalenas?

–Sí, pero no creas que me salen muy bien –respondió Myra–. Las hacía muchas veces con mi madre. Parece una cosa de viejecita, ¿verdad? Hacer magdalenas... –se rio–. Bueno, me alegro de haberte conocido, Valquiria.

–Yo también.

Myra sonrió, Fletcher le dedicó esa sonrisa que siempre había hecho que a Valquiria se le acelerara el corazón y ambos desaparecieron.

–Pues vaya –dijo Valquiria en voz alta–. Menudo asco.

26

POBRE TOMMY PURCELL

ELSIE O'Brien no era una chica valiente. Tampoco era especialmente inteligente ni poseía ningún talento en particular, y sin duda alguna tampoco era demasiado guapa. Pero ya sabía todo aquello: esos eran los hechos ineludibles que constituían la base de su persona. Respecto a la valentía, nunca había dedicado un minuto a pensar sobre ello. Suponía vagamente que era el tipo de persona capaz de hacer lo correcto en circunstancias adversas; pero allí estaba, en circunstancias adversas, y no tenía ni idea de qué era lo correcto.

Kitana y Doran tampoco lo sabían. Habían perdido el norte. Estaban embriagados de poder. No había esperanza para ellos. Elsie no sabía si habría esperanza para ella, pero no le importaba demasiado. Lo único que le importaba era Sean, pero cada día que pasaba se alejaba más de ella y se parecía más a los otros.

—No pares —dijo Kitana, y Elsie, obediente, corrió más rápido tras ellos.

En el fondo, lo que quería hacer era darse media vuelta y huir. Pero no lo hizo. Los siguió sin detenerse, porque así era Elsie: una seguidora.

Llegaron a casa de Doran. Su padre estaba fuera, y su madre los había abandonado hacía años. Doran nunca hablaba de ella y Elsie jamás le había preguntado. En realidad, no creía que le respondiera aunque le preguntara.

Los cuatro entraron en el cuarto de estar. El hermano mayor de Doran estaba enfrascado en un videojuego.

–Eh, Tommy –saludó Doran.

Tommy se giró y su ceño se desvaneció cuando vio a Kitana. Aquella chica tenía el don de conseguir que los hombres cambiaran en su presencia.

–Eh, hola –respondió, sentándose un poco más derecho.

Doran intentó con poco éxito que no se le escapara la sonrisa.

–¿Qué tal está ese juego? ¿Mola? ¿Se te da bien? ¿Eres bueno jugando?

Tommy dejó el mando sobre la mesilla y se incorporó lentamente.

–¿De qué va esto? –preguntó –. ¿Te estás haciendo el duro delante de tus amiguitos? No eras tan duro la semana pasada, cuando te retorcí el brazo y te pusiste a llorar, ¿eh?

Fuera cual fuera la reacción que se esperaba Tommy, no era que Doran ensanchara su sonrisa.

–No, no lo era –contestó–. No era ni la mitad de duro que ahora, mi querido hermano mayor. ¿Quieres volver a intentarlo?

Tommy le echó un vistazo a Kitana y luego volvió a mirar a Doran.

–¿De verdad quieres que lo haga? ¿Te apetece pasar vergüenza delante de tu novia?

–Ah, yo no soy su novia –susurró Kitana dulcemente–. Prefiero a los chicos mayores. ¿Qué edad tienes, Tommy?

–Veinte –respondió él irguiendo los hombros.

–Veinte –jadeó Kitana–. Una edad perfecta para mí.

Tommy sonrió y se volvió hacia Doran.

–¿Por qué no os largáis todos los demás? Kitana, ¿quieres quedarte un rato?

–La verdad es que preferiría ir a un sitio más privado. Tal vez dar una vuelta en coche.

Doran soltó una carcajada tan repentina que fue como un disparo.

–Sí, Tommy. Llévatela a dar una vuelta en coche. ¿Qué tal tu coche, por cierto? ¿Se encuentra en buen estado? ¿Funciona bien? ¿Lo has visto últimamente?

–¿De qué demonios estás hablando?

–De tu coche –repitió Doran, sin aguantar ya las carcajadas–. ¿Lo has visto en... digamos... los últimos cinco minutos?

Tommy le fulminó con la mirada.

–Más te vale no haberle hecho nada.

Doran se encogió de hombros. Tommy le apartó de un empellón para mirar por la ventana y Doran chocó de espaldas contra la pared, sin dejar de reír.

Elsie no necesitaba mirar por la ventana para saber lo que estaba viendo Tommy. Su preciado coche –el coche que había restaurado con tanto cuidado– estaba desmantelado en la entrada. El motor parecía arrancado de cuajo, la carrocería estaba rajada y de los neumáticos apenas quedaban jirones. A Doran solo le había llevado cinco minutos dejarlo así.

Tommy se tambaleó y tuvo que agarrarse al alféizar para no caer redondo. Sus ojos estaban desorbitados y su boca abierta, y mostraba una palidez preocupante.

Doran se dobló sobre sí mismo, carcajeándose aún más fuerte. Tommy se volvió, con el rostro contraído en una mueca de odio absoluto, y corrió hacia su hermano menor con el puño ya preparado. Doran cayó de espaldas por el puñetazo, sin parar de reír, y Tommy empezó a darle patadas. Con cada una, Doran se reía más. Tommy se puso a horcajadas sobre él y descargó una lluvia de golpes que a Doran parecían hacerle cosquillas.

Finalmente, Tommy cayó de espaldas, jadeando con fuerza, rabioso y confuso. Doran se incorporó sin prisa, como si no tuviera ninguna preocupación en el mundo. Tommy también se levantó.

Elsie sintió lástima por Tommy. No le caía bien, nunca le había gustado. Siempre le había visto maltratar a Doran: le humillaba delante de todo el mundo como si necesitara hacerlo para reafirmarse. En ocasiones, le daba palizas por pura y simple maldad.

No: Tommy no era un buen tipo, pero aun así sintió lástima por él. No tenía ni la menor idea de lo que estaba pasando ni de con quién estaba tratando.

Tommy empujó de nuevo a Doran.

—¿Qué demonios le has hecho a mi coche?

—Lo mismo que voy a hacerte a ti —contestó Doran agarrándole.

E igual que había destrozado el coche con las manos desnudas, despedazó el cuerpo del pobre Tommy.

Cuando Doran terminó, Sean estaba tan silencioso y pálido que parecía un cadáver, y Kitana reía. Elsie salió corriendo de la casa por la puerta trasera y vomitó en el jardín. Las lágrimas corrían por su rostro, pero tenía la cabeza sorprendentemente clara.

Había un muro bajo en el fondo del patio. Elsie trepó por él y se alejó de allí. Ni siquiera se molestó en correr; tardarían por lo menos media hora en darse cuenta de que se había ido.

27

CAOS

ECUERDAS al hechicero que desapareció, ¿verdad? –preguntó Skulduggery.

Valquiria se despertó y levantó la cabeza de la almohada. Tardó un instante en ubicarse, pero enseguida reconoció la casa de la calle del Cementerio. Pestañeó un par de veces.

–¿Quién? –gruñó.

–Patrick Xebec –dijo Skulduggery, que estaba de pie junto a la ventana iluminada por el sol–. El elemental que desapareció. Estaba pasando por Monkstown cuando vio una especie de rayos en el cielo. Michael Delaney, el pobre chico al que destrozaron en su propio cuarto de estar, vivía en Woodside. Eso está casi al lado de Monkstown.

Valquiria se sentó y se frotó los ojos.

–Así que las luces del cielo tienen algo que ver con quien matara a Michael Delaney.

–Y seguramente también con quien asesinó a la última víctima.

–¿Hay otra?

–En Ballinteer. Nos vamos en quince minutos.

Salió de la habitación y Valquiria, con un suspiro, sacó las piernas de la cama. Se dio una ducha rápida y se vistió; Skulduggery ya le tenía preparado un tazón de cereales cuando llegó a la cocina. La primera vez que Valquiria fue a su casa, hacía ya tantos años, todas las habitaciones eran cuartos de estar. Ahora tenía una habitación propia, con cuarto de baño y una ducha enorme, y también había una cocina con el frigorífico siempre lleno. A veces se preguntaba cuánto dinero le habría costado a Skulduggery la reforma en la que tanto había insistido ella, pero luego lo pensaba mejor y se daba cuenta de que no importaba: el dinero no era ningún problema para alguien como él.

Cuando se subieron al Bentley, Valquiria ya estaba completamente despierta.

Llegaron a Ballinteer; como de costumbre, en los alrededores de la escena del crimen había Hendedores disfrazados de policías para asegurarse de que nadie se acercara demasiado. Philomena Random hablaba con la gente de la prensa y, cuando Valquiria se bajó del Bentley, los periodistas estaban recogiendo y se largaban sin haber filmado nada.

Valquiria dejó pasar a Skulduggery y aguardó en la puerta. No le hacía ninguna falta ver más sangre.

–¿Es el mismo asesino? –le preguntó cuando salió.

–El método es distinto, pero el resultado es idéntico. Esto no ha sido a distancia: quien lo haya hecho, ha lanzado a la víctima contra las paredes como si fuera un muñeco de trapo. Hay un montón de huellas. Es una chapuza. Fruto de la ira. Sádico.

–¿Eso significa que tenemos dos asesinos?

–Si este crimen está relacionado con los otros, creo que al menos hay dos personas implicadas, y tal vez más. Esto tiene toda la pinta de ser una banda en la que unos animan a otros. Cada asesinato es más salvaje que el anterior, más cruel.

–¿Se te ocurre por qué hay un coche despedazado y esparcido por delante de la casa?

–Ni idea.

–Tenemos que encontrar alguna relación entre las víctimas –resolvió Valquiria–. ¿Cómo se llamaba?

–Thomas Purcell. Tommy. Tenía veinte años. Era aprendiz de electricista. Su madre se marchó hace algún tiempo y su padre trabaja en turno de noche; todavía no ha llegado del trabajo. Su hermano menor, Doran, tiene diecisiete años.

–Tal vez pueda ayudarnos –dijo Valquiria–. Si Tommy tenía enemigos, alguien que quisiera hacerle daño, su hermano debería saberlo, ¿no?

–Podría ser. Aunque dudo que esté en condiciones de hablar.

–¿Se encuentra aquí?

–Geoffrey está hablando con él en el garaje. Anda, comprueba si sabe algo útil; yo voy a echar un vistazo por los alrededores.

Valquiria asintió, fue al garaje y vio a Geoffrey Scrutinus sentado sobre un cajón, hablando con un chico que llevaba pantalones anchos y sudadera con capucha. Geoffrey tenía el pelo tan desordenado y rizado como siempre, pero parecía agotado. Llevaba varias semanas desplazándose por todo el país, convenciendo a decenas de personas de que no habían visto lo que había visto.

–Puedes notar cómo te tranquilizas –decía Geoffrey–. Estás calmado y despejado. Ah, hola, Valquiria. Mira, este es Doran Purcell. Ha perdido hoy a su hermano.

–Lo siento mucho –dijo Valquiria.

Doran subió la vista. Geoffrey había hecho maravillas: parecía sorprendentemente tranquilo.

–No pasa nada –dijo–. Gracias.

–¿Te importa que te haga unas preguntas?

–Tienes mi edad –respondió él, sonriente–. ¿Cómo es que te dejan jugar a los detectives?

–Solo quiero hablar un poco contigo, a ver si puedes ayudarnos a encontrar a la persona que ha cometido esta atrocidad.

–Claro –dijo Doran–. Atrocidad. Sí. Pregunta lo que quieras.

–Gracias. ¿Conoces a alguien que quisiera hacerle daño a tu hermano?

Doran asintió.

–Oh, sí. Sí, conozco a alguien. A muchos, de hecho: todos los que le conocían.

Valquiria pestañeó.

–¿Perdón?

–Mi hermano era un cretino. Un matón. Se metía con todo el mundo, siempre y cuando fueran más débiles que él. Tenía montones de enemigos; todo el mundo quería hacerle daño. Cuando esto salga a la luz, te aseguro que mucha gente se alegrará.

–¿Tú estás contento, Doran?

–¿Yo? No. Era un abusón, pero aun así era mi hermano.

–¿Alguna vez se metió contigo?

–Sí.

–Tiene que haber sido duro.

Se encogió de hombros.

–¿Sabes quién lo hizo?

–No. Llegué a casa tarde, entré por la puerta de atrás y me fui directo a la cama.

–¿Se te ocurre algún sospechoso?

–Como ya he dicho, tenía un montón de enemigos. Podría haber sido cualquiera –hubo un atisbo de sonrisa, tan veloz que Valquiria no supo si lo había visto realmente–. ¿Sabes quién podría haber sido? –se echó hacia delante . Mark Boyle. Era el mejor amigo de Tommy desde que eran pequeños. Boyle es tan matón como Tommy. Puede que discutieran y se les fuera de las manos.

–¿Que se les... fuera de las manos? –Valquiria titubeó–. Doran, ¿has visto el cuerpo de tu hermano?

–Lo que queda de él, sí.

–¿Y cómo crees que Mark Boyle podría haber hecho eso?

–Ni idea. ¿Con un cuchillo? Tal vez con una motosierra.

–Podría ser –dijo Valquiria–. Oye, ¿te importa esperar un momento? Vamos a pedir que localicen a Mark Boyle. Si se ha dado a la fuga, tenemos que ser rápidos.

–Id a por él –asintió Doran.

Valquiria salió y se acercó a Skulduggery.

–Creo que tenemos a nuestro asesino –susurró.

Los ojos del tatuaje fachada de Skulduggery miraron por encima del hombro de Valquiria y se centraron en Doran.

–Puede que sea estrés postraumático –dijo Valquiria–, así que lo mismo estoy metiendo la pata; pero da la impresión de estar loco de contento con la muerte de su hermano. Y huele muchísimo a jabón.

–Se ha tenido que duchar para quitarse toda la sangre –murmuró Skulduggery–. ¿Crees que puede ser otro infectado por Argeddion?

–Solo que en esta ocasión, el mortal con magia es un psicópata.

–Tarde o temprano tenía que pasar. No podemos detenerlo aquí: alguien tan poderoso puede ser impredecible en un lugar público. Necesitamos aislarlo.

–¿Qué hacemos?

–Le dejamos marchar y lo seguimos. Con suerte, puede que nos lleve hasta sus cómplices. Organizamos un equipo, los atrapamos a todos a la vez y nadie sale herido.

–Un plan precioso.

–Muchas gracias.

–¿Cuántas probabilidades hay de que funcione?

–¿Con la suerte que tenemos? Muy pocas.

Tres horas más tarde, Valquiria tenía los brazos cruzados y el ceño fruncido.

–Odio este coche.

Skulduggery cambió de marcha.

–¿Qué tiene de malo?

–Es naranja.

–Pero es de un naranja muy bonito.

–Es horrible. Es un naranjomóvil. Estamos montados en un naranjomóvil intentando no llamar la atención.

–Estamos de incógnito –dijo Skulduggery–. El Bentley, aunque sea la culminación del buen gusto en sí mismo, no es adecuado para seguir a alguien. Este coche, con su carrocería y su motor nada excepcionales, se confunde sin problemas con los demás vehículos.

–¿Confundirse? –repitió Valquiria mirando a su alrededor–. ¿Ves algún otro coche naranja por aquí? ¿Lo ves? ¡Porque yo no! Este coche no se confunde: destaca.

–Pero se olvida de inmediato.

–Dudo que yo lo olvide –gruñó ella.

–¿Se ha dado cuenta Doran Purcell de que le seguimos? No. ¿Sabes por qué? Porque la gente que pasa no está señalando un hermoso Bentley negro que los sigue despacio por la calle. Deberías aprender a valorar las cosas nada excepcionales, Valquiria.

–¿Pero por qué tiene que ser de un color tan horrendo si no es nada excepcional?

Skulduggery se encogió de hombros.

–Porque me divierte.

Doran Purcell entró en una cafetería y el naranjomóvil aparcó al otro lado de la calle.

–Me apetece un café –murmuró Valquiria.

–Puede que haya quedado con alguien ahí dentro.

–Voy a ver –dijo agarrando la manija de la puerta.

–Te conoce –negó Skulduggery, y su calavera quedó oculta bajo un nuevo rostro–. A mí no. Quédate aquí.

–Tráeme un café.

–No.

–Tráeme uno.

Skulduggery salió, cruzó la calzada y entró en la cafetería. Valquiria bostezó y encendió la radio. Sonaba una canción de Imelda May, *Big Bad Handsome Man*. Valquiria comenzó a cantar. Había llegado al verso que decía «*His rugged good looks...*» cuando Skulduggery atravesó el escaparate de la cafetería.

Valquiria soltó una maldición, saltó al asiento del conductor y puso en marcha el coche. Skulduggery se levantó, ignorando las miradas de sorpresa de la gente que había alrededor. Doran Purcell y dos amigos suyos, un chico y una chica, salieron por el escaparate roto tras él. Sonreían.

Girando la muñeca, Valquiria desplazó el aire e hizo añicos la ventana del copiloto. Pasó con el coche junto a Skulduggery y este se lanzó hacia él, manipulando el aire para entrar por la ventanilla; acababa de caer en el asiento cuando una corriente de energía chisporroteó contra el retrovisor. Valquiria soltó otra maldición, miró por el espejo y vio a los tres adolescentes andando por la mitad de la calzada. La chica alzó el brazo y de su mano brotó un destello. El naranjomóvil volcó y el mundo entero empezó a dar vueltas, desdibujado y confuso.

Cuando el mundo se estabilizó, Valquiria estaba en el asiento de atrás, con la boca llena de sangre. Se había mordido la lengua. El falso rostro de Skulduggery apareció ante sus ojos.

–¿Te encuentras bien? –le preguntó. Su voz sonaba amortiguada.

Ella murmuró algo incomprensible y asintió. Su ropa había absorbido todos los impactos.

–Tenemos que irnos –dijo Skulduggery–. Arriba, Valquiria. Ahora.

Ella se giró, notando pinchazos en las manos. Se las miró: estaban ensangrentadas. Los fragmentos de cristal se las habían llenado de cortes; eran dolorosos, pero no graves. Se arrastró hasta salir del coche. Le dolía la cabeza y oía un zumbido continuo.

Doran Purcell y sus compañeros se acercaban por el centro de la calzada, riendo. Skulduggery apareció junto a Valquiria, con el revólver en la mano. Disparó y los dos chicos empezaron a correr en sentido contrario. Su amiga los llamó y luego abarcó con un gesto el aire ante ella, que mostraba un borroso tono azul: una burbuja protectora antibalas. La chica soltó una carcajada.

Skulduggery agarró a Valquiria y la arrastró detrás del coche. Ella luchó por enderezarse, mientras oía más disparos, y consiguió quedar sentada. Disparos y ráfagas de energía en mitad del día, en plena calle... Algunas personas se asomaban con cautela por las ventanas. Valquiria respiró hondo.

—Valquiria —dijo Skulduggery—, te necesito consciente.

—Estoy bien.

Se arriesgó a echar un vistazo por encima del capó y se tuvo que agachar de inmediato para evitar un rayo.

Skulduggery negó con la cabeza.

—Tenemos que escapar de aquí. Como esto siga así, va a haber muchos heridos. Si nos marchamos, dejarán de atacar.

—¿Puedes sacarnos volando?

—Seríamos un blanco muy fácil. Primero necesitamos alejarnos de ellos. ¿Puedes correr?

—Estoy bien, sí.

—Pues entonces, adelante.

Detrás de ellos había una librería cerrada, con el escaparate protegido por tablas. Skulduggery guardó el revólver y adelantó de golpe la mano abierta; el aire se onduló y las tablas reventaron hacia dentro. El esqueleto chasqueó los dedos para convocar una llama.

–¿Preparada?

Valquiria asintió.

Skulduggery echó a correr, lanzando dos rayos de fuego hacia Purcell y sus amigos. Las llamas chocaron contra el campo de fuerza, incapaces de atravesarlo, pero Valquiria aprovechó la distracción para salir disparada desde el coche hasta la librería y saltó a ciegas. Tropezó con algo en la oscuridad y casi se dio de bruces contra una estantería, pero consiguió mantenerse en pie sin dejar de correr. Volvió la cabeza. Skulduggery estaba justo detrás de ella.

Un rayo chisporroteante le atravesó el pecho, lo lanzó por los aires y lo estrelló contra el suelo.

–¡No! –gritó Valquiria corriendo hacia él. Le agarró de un brazo y tiró, fuera de sí–. ¡Levanta! ¡Levántate!

–Creo que lo he matado –dijo la rubia entrando en el local–. Ups.

Valquiria empujó el aire, pero la chica esquivó la ráfaga y el viento golpeó de lleno al chico que iba detrás de ella. El otro, Doran Purcell, se lanzó sobre Valquiria, y ella utilizó las sombras para arrojarlo contra la pared.

La chica rubia lanzó un gritito de emoción y, sin previo aviso, saltó sobre Valquiria. Fue un ataque bastante torpe. Valquiria la derribó con facilidad y comenzó a darle puñetazos. Ni siquiera advirtió que el chico desconocido se le acercaba por la espalda hasta que notó que le rodeaba el cuello con el brazo. Se debatió con violencia y los dos se estrellaron contra la mesa. Valquiria le estrelló la bota en una pierna, y luego le pisó la rodilla y le propinó un codazo en la mandíbula.

Estaba a punto de dejarlo fuera de combate cuando Doran la atacó de improviso, con un gancho en la mandíbula que la estampó contra la pared, y la sujetó con un brazo mientras la golpeaba con la otra mano. Valquiria no quería matarle, no quería matar a nadie, pero Skulduggery estaba tendido en el suelo y no se movía, así que le golpeó la garganta a Doran con todas sus fuerzas. Él se derrumbó y Valquiria giró sobre sus talones y le propinó una patada a la chica, que intentaba levantarse.

Corrió hacia Skulduggery y le dio la vuelta. Su tatuaje fachada se había derretido. No se movía. Mientras intentaba levantarlo, oyó una risita ahogada a su espalda.

Los tres estaban de nuevo en pie y sonreían.

–¿En serio creías que sería tan fácil? –dijo la chica.

Valquiria agarró un puñado de sombras, pero Doran se movió tan rápido que no lo vio venir y su puño impactó contra ella como un camión desbocado. Salió despedida, sin aliento, y aterrizó en los brazos del otro chico, que le agarró la cabeza y la lanzó contra una estantería. Se dio contra las baldas y después contra el suelo, mientras los libros llovían sobre ella. Una mano se cerró en torno a su tobillo, y Valquiria se dio cuenta de que el segundo chico la estaba arrastrando por el suelo. Le lanzó unas sombras que rebotaron contra su campo de fuerza.

Le asestó una patada en la muñeca con la pierna libre y giró al mismo tiempo, liberándose e incorporándose de un salto. El chico volvió la cabeza, sorprendido, y ella aprovechó para propinarle un puñetazo en la mandíbula. Fue una sucesión de golpes perfecta y elegante que solo hizo retroceder unos pasos al chico, cuando debería haberlo noqueado.

Doran la agarró por detrás con un abrazo de oso y la alzó en vilo. Ella lanzó hacia atrás los talones; el izquierdo falló, pero el derecho alcanzó la rodilla. Él siseó de dolor y la dejó caer, y Valquiria le estampó el codo en el mentón.

Debería haberlo dejado fuera de combate. No lo hizo.

El otro chico le propinó un puñetazo; no sabía pelear, pero tenía tanta fuerza que daba igual. La habitación empezó a dar vueltas y Valquiria chocó contra el borde de la mesa.

–Me gusta tu chaqueta –dijo la chica–. Doran, Sean: traédmela.

Doran saltó hacia ella, y Valquiria dio un salto de espaldas para que la mesa se interpusiera entre los dos. Él empujó la mesa, que salió despedida y alcanzó a Valquiria en el muslo. Gritó, a punto de perder el equilibrio, mientras él se elevaba para emprender un nuevo ataque; pero enseguida logró reponerse y lanzó a Doran a la pared opuesta con una ráfaga de viento.

Vio un borrón por el rabillo del ojo. El otro chico –Sean– se abalanzó sobre ella desde detrás y le dio un golpe en la sien. Cayó de rodillas, y él le dio una patada que la tiró a un lado. Cuando se derrumbó, habría gritado de dolor si le hubiera quedado aliento. Sean le pisoteó la espalda una y otra vez, y ella sintió como si su cuerpo se rompiera en mil pedazos. El chico le dio la vuelta, bajó la cremallera de la chaqueta y se la arrancó. Valquiria gimió, se volvió e intentó cubrirse, pero el pie de Doran impactó contra sus costillas.

Sean le arrojó la chaqueta a la chica.

–Mola –dijo ella probándosela–. Me gusta. Ya lo creo que me gusta.

Valquiria intentó acurrucarse como una pelota, pero cada movimiento la hacía gritar más fuerte. Se envolvió con los brazos, notando cómo las costillas rotas se le clavaban en la carne.

–¿Qué hacemos con ella? –preguntó Doran; se le notaba en la voz que sonreía.

–Me da igual –respondió la chica–. Pateadla hasta que muera y ya está.

28

PLANES PROPIOS

FURIOSO dentro de su frasco de líquido repugnante, el zombi gritó:

–¡Exijo un cuerpo!

Sanguine resistió el impulso de lanzarle la almohada; ya lo había hecho una vez y había conseguido tirar el tarro. La cabeza había chillado mientras el tarro rodaba por el suelo, y Sanguine se había reído a carcajadas hasta saltarse algunos puntos de sutura.

–¡Exijo un cuerpo!

–¿Te importaría callarte? –dijo Sanguine–. Si te oye alguien aparte de Nye, estamos los dos acabados.

–¡Doctor Nye! ¡Doctor Nye, exijo un cuerpo!

Nye agachó la cabeza para entrar por la puerta, se deslizó en el interior de la habitación y se encorvó para escudriñar el frasco.

–Tú –exhaló a través de su mascarilla de cirujano–. Estás gritando otra vez.

–¿Dónde está mi cuerpo, doctor Nye? ¡Hicimos un trato!

–Lo recuerdo. ¿Creías que se me olvidaría? ¿O tal vez piensas que voy a traicionarte, ahora que tengo los restos del Hendedor Blanco?

–Oh, no, sé que no lo harás –Scapegrace intentó clavar una mirada asesina en los ojillos amarillentos de Nye, pero tenía la cabeza torcida en el frasco y solo podía fulminar con la mirada el codo de la criatura–. Porque hasta que no me consigas un nuevo cuerpo, no obtendrás el cerebro del Hendedor Blanco.

–¿El cerebro?

Scapegrace soltó una risilla.

–No creías que te lo daría todo, ¿verdad? Le pedí a Thrasher que pusiera los trozos de cerebro en un recipiente distinto y que lo guardara... para asegurarnos de que cumplías tu palabra.

–¿Y cuando cumpla mi parte del trato?

–Te entregaremos el último recipiente. Ya ves, doctor Nye: no estás tratando con ningún aficionado. Yo soy el Rey de los Zombis. Soy el Asesino Supremo. Y en este instante vas a dejar lo que estés haciendo y me buscarás un cuerpo, o nunca verás...

Nye se sacó una fiambrera del bolsillo y la puso en la mesa junto al frasco. Estaba llena de lo que parecían trozos de cerebro.

Scapegrace soltó una burbuja con un gemido.

–Tu amigo Thrasher es tan idiota como tú lo hiciste.

–Voy a matarlo –gruñó Scapegrace.

Nye acarició el frasco con un dedo largo y huesudo.

–Paciencia, zombi. Cuando encuentre un cuerpo apropiado, comenzaré el trabajo. No vuelvas a amenazarme.

Agarró el recipiente de plástico y se agachó de nuevo para salir de la habitación. La cabeza de Scapegrace se inclinó un poco más en el frasco.

–Muy hábil –comentó Sanguine.

–Cierra el pico.

–¿Ahora me vas a ignorar? ¿Es eso lo que vas a hacer? ¿Castigarme con tu silencio? ¡Oh, no, la cabeza decapitada del zombi no me habla! ¿Qué voy a hacer ahora? ¿Cómo lo soportaré? ¡Qué vergüenza, qué horror, una cabeza no me hace caso!

Scapegrace masculló algo.

–¿Perdón? ¿Qué has dicho?

–¡He dicho que yo al menos tengo ojos!

Sanguine soltó una carcajada mientras Tanith entraba en la habitación.

–Parece que os lo estáis pasando bien –comentó, tapando el tarro con una toalla sin hacer caso de los gritos y las protestas de Scapegrace–. ¿Cómo te encuentras?

Sanguine le dedicó una sonrisa.

–Cualquiera diría que te importa.

–Por supuesto que me importa, amorcito –dijo ella apretándole la mano–. Pero si pudieras curarte un poquito más rápido, sería fantástico.

–La cosa va a peor ahí fuera, ¿no?

–Este sitio está lleno de hechiceros –suspiró ella–. No es seguro para nosotros. No dejo de esperar que en cualquier momento Skulduggery entre por esa puerta o que Abominable grite mi nombre.

–Tú pídemelo, cariño, y yo me ocuparé de ese monstruo lleno de cicatrices en un instante.

Tanith sonrió y le dio un toquecito en el pecho.

–Deja a Abominable en paz. No quiero hacerle daño, ¿me oyes? No seas malo.

–No sé, Tanith. Si no te conociera, juraría que todavía sientes debilidad por ese tipo.

–¿Y esto a qué viene? –ella se inclinó y le besó–. ¿Otra vez te estás poniendo celoso?

Sanguine estaba a punto de responder cuando distinguió algo que se movía más allá de Tanith. Se envaró, y Tanith volvió la cabeza justo cuando Madame Mist entraba en la habitación.

Sanguine ni siquiera había tenido tiempo de sentarse cuando Tanith se abalanzó hacia la recién llegada, espada en ristre. Mist alzó el brazo y un torrente de arañas diminutas salió disparado de su amplia manga para estamparse en la cara de Tanith, que cayó de rodillas entre arcadas, casi sepultada por la montaña de bichos. Había cientos. Decenas de miles. Más aún.

Mist bajó el brazo y Sanguine vislumbró las venas negras que se extendían bajo la piel de Tanith. La chica gruñó y saltó, sacudiéndose las arañas. Mist la atrapó en el aire: cerró su delgada mano en torno a la garganta de Tanith, la levantó por encima de su cabeza y la lanzó al suelo. La espada salió despedida; cuando Tanith hizo ademán de cogerla, Mist la alzó como si fuera una muñeca y la lanzó volando al otro extremo de la habitación. La chica se estrelló contra unas cortinas que se vinieron abajo y aterrizó tras la camilla, enredada y maldiciendo.

Las arañas regresaron hasta su dueña, formando líneas que fluían hasta los bordes del largo vestido negro de Madame Mist.

Nye apareció como una araña gigantesca, una más entre miles.

–¿Hay algún problema? –chilló.

Sanguine esperó a que Mist diera la voz de alarma, que avisara a los Hendedores o pidiera ayuda. Pero lo único que hizo fue quedarse de pie, inmóvil, y Sanguine se dio cuenta de que Nye se lo había preguntado a él.

–Es una Mayor –explicó Sanguine, con la sensación de que se estaba perdiendo algún detalle importante.

–Madame Mist es mi mecenas –replicó Nye–. No tenemos nada que ocultar. La deuda que has contraído conmigo por haberte curado ahora la tienes con ella.

Sanguine tardó unos instantes en procesar la información.

–Vale –dijo–. Muy bien. En ese caso, Tanith, tal vez sea mejor que no la mates.

Nye subió la vista hacia Tanith, que se encontraba boca abajo en el techo, justo encima de la cabeza de Mist, con un bisturí en cada mano. Aún tenía a la vista los labios oscuros y las venas

276

negras del Vestigio. Sanguine reconoció para sus adentros que Mist tenía narices: la Mayor ni siquiera se había molestado en subir la mirada.

Tanith saltó al suelo y, sin quitarle los ojos de encima a la Mayor, le entregó a Nye los bisturíes y le tendió la mano a Mist, que la rozó con los dedos. Una hilera de arañas abandonó el brazo de Tanith y desapareció bajo la manga de Mist.

–¿Esas son las últimas? –preguntó Tanith, y la mujer del velo asintió.

Tanith recogió la espada del suelo. Su rostro había regresado a la normalidad.

–Así que Madame Mist tiene planes propios. ¿Quién lo hubiera adivinado?

–Los demás albergan sospechas –susurró Mist–, pero no tienen pruebas, así que aún hay tiempo.

–¿Tiempo para qué? –preguntó Sanguine.

–Para prepararnos –contestó Mist–. Para organizarlo todo. Me debéis un favor. Quiero que matéis a alguien.

–Ya nos lo imaginábamos –replicó Tanith–. ¿A quién?

–No os vayáis muy lejos y permaneced escondidos: os informaré de quién es el objetivo cuando sea el momento.

Mist se alejó silenciosamente. Sanguine sacudió la cabeza: por un momento, había creído ver que caminaba sobre una alfombra de arañas diminutas.

29

TODO SE ACLARA

DENTIFICARON rápidamente a los amigos de Doran Purcell: Kitana Kellaway y Sean Mackin. Los tres tenían diecisiete años y eran estudiantes del instituto Saint Brendan. Sus padres llevaban días sin verlos, y nadie sabía nada de ellos. Había una cuarta persona desaparecida, una chica llamada Elsie O'Brien. A Valquiria no le importaba demasiado Elsie O'Brien: no había intentado patearla hasta la muerte, al fin y al cabo.

No recordaba casi nada. El dolor se le había clavado como agujas en el cerebro y los detalles eran borrosos: no sabía qué bota le había golpeado primero ni cuál había seguido después, ni durante cuánto tiempo había permanecido consciente antes de verlo todo negro. Pero sí recordaba el instante en que el aire tembló y Doran y Sean se estrellaron contra Kitana. El momento en que Skulduggery la alzó en vilo estaba muy claro en su mente, al igual que la imagen de la puerta trasera reventada por el impacto. Perdió el conocimiento antes de elevarse en el aire, y solo lo recobró cuando ya estaba en el Santuario.

La curó Reverie Synecdoche, una doctora del Santuario que se estremecía cada vez que el doctor Nye pasaba a su lado. Nye seguía trabajando allí, lo cual irritaba profundamente a Skulduggery. El ataque de Kitana había agravado las fisuras en sus huesos causadas por el licántropo, y tuvo que resignarse a permanecer tendido mientras Nye le curaba con su magia. El esqueleto amenizó el proceso con una buena dosis de gruñidos.

Ravel se pasó a verlos en cuanto pudo. Escuchó un rato las quejas de Skulduggery y luego se pasó por la habitación de Valquiria.

–Les estamos siguiendo la pista –le informó–. Tenemos magos peinando toda la ciudad, con instrucciones de no involucrarse si no es imprescindible. ¿Cómo te encuentras?

Valquiria masticó una hoja que mitigaba el dolor.

–Enfadada –dijo–. Me quitaron la chaqueta. ¿Qué ha pasado con los testigos?

Ravel resopló con fuerza.

–Estamos haciendo todo lo que podemos. Geoffrey y Philomena están a pleno rendimiento, hay equipos de limpieza y reconstrucción en marcha... Pero no te voy a mentir, Valquiria: esto ha sido muy grave. Podría tener consecuencias definitivas.

Valquiria subió la vista.

–Skulduggery te lo contará: lo hicimos todo correctamente. Mantuvimos la distancia hasta que perdimos de vista a Doran Purcell. Skulduggery entró en la cafetería tras él y le vio con los otros dos. La chica, Kitana, estaba insultando a una mujer que pasaba por allí. Se dispuso a derretirle la cara y Skulduggery intervino. Lo siguiente que pasó fue que salió volando por el escaparate. No estamos tratando con hechiceros. No conocen las normas; no ocultan su poder en público, y si no los encontramos rápido, las cosas van a ponerse mucho peor.

–Al menos, su inexperiencia juega a nuestro favor –dijo Ravel–. No sabrán dónde esconderse ni cómo desaparecer del mapa. No son más que adolescentes.

–Yo también lo soy. Tenían una cantidad de poder fuera de lo común; yo no he visto nunca una cosa igual. Argeddion debe de haberlos sobrecargado de magia, porque carecían de habilidades y entrenamiento, y aun así han estado a punto de matarnos. Cuando Skulduggery les disparó, crearon un campo de fuerza instantáneamente, sin pensar, por puro instinto.

–Sí, me da la impresión de que todo lo hacen por puro instinto. Pronto los encontraremos.

De pronto, Valquiria se dio cuenta de que había varios Hendedores de pie, a una respetuosa distancia.

–¿Son... tus guardaespaldas? –preguntó con el ceño fruncido. Ravel puso mala cara.

–Me siguen a todas partes; dondequiera que vaya, estoy bajo su protección. Constantemente. Abominable puede deambular a su antojo, pero yo...

–Bueno, es que eres el Gran Mago. ¿Qué opina Mist de que hayas asumido el control de los Hendedores?

–No ha dicho gran cosa, pero es que nunca lo hace. Ni siquiera sé si se da cuenta de que sospechamos de ella: ese maldito velo lo esconde todo. Al parecer, habéis averiguado quién mató a Christophe Nocturnal.

–Era fácil: la puerta abierta, la herida de espada... Lo asesinó Tanith.

–¿Alguna idea del motivo?

–Probablemente, por haber enviado a esa mujer para que me matara. Es bastante protectora, a su manera.

–Bueno –dijo Ravel–. Dejando a un lado que se ha saltado todos nuestros controles de seguridad, al menos es un caso cerrado; solo nos quedan dos. Tenemos a Silas Nadir encerrado en una celda, por si quieres hablar con él y pedirle que termine con tus paseos interdimensionales. Y si Lament y sus compañeros acaban con su trabajo en el sótano, ya no tendremos más mortales que se vuelvan locos y el Consejo Supremo nos dejará en paz.

–¿Ves? Todo va como la seda.

Ravel sonrió a su pesar.

–Te voy a dejar; tengo cosas que hacer y jaquecas que sufrir. Me encantaría decirte que te tomes con calma la recuperación, pero...

–No necesito tiempo –repuso Valquiria devolviéndole la sonrisa–. Estoy perfectamente, lista para continuar.

–Esa es mi Valquiria –respondió mientras retrocedía–. Ah: cuando Skulduggery se levante, ¿podríais bajar para comprobar cómo va Lament?

–Sin problemas.

–Eres mi detective favorita, ¿lo sabías?

–Apuesto a que eso se lo dices a todas las adolescentes que conoces.

Él soltó una carcajada y avanzó hacia la puerta, flanqueado por los Hendedores.

Un minuto después, Skulduggery apareció en la puerta de Valquiria, colocándose la corbata. Ella se levantó y salió tras él. De camino al sótano para visitar a Lament, le contó lo que le había dicho Ravel, y Skulduggery decidió hacer una parada en la sala de interrogatorios. Silas Nadir ni siquiera levantó la vista al oírlos entrar.

El esqueleto se sentó frente a él y Valquiria se quedó apoyada contra la pared. Skulduggery tamborileó tranquilamente en la mesa y Nadir movió la cabeza como si notara un calambre en el cuello. Después subió la vista.

–Mira quién ha venido –gruñó–. El esqueleto tramposo y su compinche. ¿Por qué estoy aquí?

–Porque tienes alternativas –explicó Skulduggery–. Han cerrado Hammer Lane, así que te van a enviar a una nueva pri-

281

sión. Si cooperas con nosotros, podrías ir a la cárcel de Keel, o tal vez a Funshog. Si no cooperas, terminarás en las Profundidades.

Un destello de pavor cruzó el rostro de Nadir.

–No puedes mandarme allí. Imposible. He matado a algunas personas, sí, pero no tengo... No tenéis derecho a...

–Podemos hacerlo –dijo el esqueleto–, y lo haremos. A no ser que cooperes.

–¿Cómo?

–Deshaz lo que le hiciste a Valquiria.

Nadir le miró fijamente y después volvió la vista hacia ella.

–¿El qué?

–Deshazlo –repitió Skulduggery.

–¿Deshacer qué?

–Por aquí vas mal, Nadir.

–Oye, no tengo ni la menor idea de qué quieres que haga o deshaga. Dime qué es y me pongo manos a la obra.

–Me hiciste oscilar –dijo Valquiria.

–Qué va –respondió Nadir con una mueca.

Skulduggery se puso en pie.

–Vámonos.

–¡Esperad! –gritó Nadir–. Esperad un minuto. Decidme qué se supone que he hecho.

Skulduggery se detuvo ante él.

–Cuando la atacaste en Hammer Lane, le provocaste algún tipo de oscilación dimensional que se activó con retraso.

–No sé de qué demonios estás...

Skulduggery dio un paso hacia la puerta.

–¡Vale, vale! –chilló Nadir–. Vale, muy bien, si dices que la ataqué, pues la ataqué. No recuerdo haberlo hecho, pero acababa de desconectarme de la máquina. Así que vale, puede que tengáis razón.

–¿Qué me hiciste exactamente? –preguntó Valquiria–. Me dolió el brazo durante varios días, y luego me encontré de pronto en otra dimensión. Veinte minutos después, regresé a esta.

Nadir se inclinó hacia delante, con un brillo de emoción en los ojos.

–¿Y cómo fue? Obviamente, la atmósfera era respirable, pero ¿qué más había? ¿Viste animales? ¿Gente?

–¿Nunca has estado allí?

–No. Dios mío, no –respondió él–. Una cosa es encontrar la frecuencia de una nueva dimensión, pero ¿viajar de verdad hasta allí? ¿Y si el aire fuera tóxico? ¿Y si aparezco en medio de un volcán? ¿Y si no hubiera ningún planeta en el que aparecer? Si no existen demasiados osciladores dimensionales es por algo, ¿sabes? La mayoría han acabado pulverizados en alguna realidad extraña donde las leyes de la física funcionan al revés. Pero la dimensión a la que te envié... es habitable. ¡Increíble! ¿Sabes lo raro que es eso? ¡He encontrado una realidad que no se había descubierto antes!

–Y me enviaste hasta allí –remachó Valquiria–. ¿Cómo?

Nadir asintió.

–Ahora lo entiendo. Se llama «eco», y ocurre cuando la oscilación no se produce de inmediato. Digamos que las ondas reverberan en el cuerpo de alguien, haciéndose cada vez más fuertes y más altas. Cuando alcanzan un nivel determinado, esa persona oscila.

–¿Me volverá a ocurrir?

–Depende. ¿Cuántas veces te ha pasado?

–Fui y volví. Una vez.

Nadir titubeó.

–Entonces, sí. Volverá a suceder.

–Pues detenlo –ordenó Skulduggery.

–No puedo. Es una cuestión de reverberación en su interior. No tiene nada que ver conmigo. Se detendrá solo: al cabo de unos ocho o diez trayectos, el eco se debilitará y ya no podrá afectarte. Ya has oscilado dos veces, así que te quedan entre seis y ocho.

–¿Entre seis y ocho? –preguntó Skulduggery–. Entonces, puede que ni siquiera sea un número par: podrían ser siete, por ejemplo. Eso significa que podría oscilar hasta allí y quedarse atrapada.

–Ah, pues sí –dijo Nadir–. No me había dado cuenta.

–¿Cuánto tiempo tenemos antes de que vuelva a oscilar? –preguntó Valquiria.

Nadir se encogió de hombros.

–Estas cosas van a su ritmo.

–Si la detective Caín oscila hasta allí y no regresa en un plazo razonable –gruñó Skulduggery–, tendremos que ir tras ella. Y tú nos llevarás.

Nadir se reclinó en la silla.

–¿Ah, sí? Bueno, como parte esencial de la misión de rescate, puede que ponga algunas condiciones. Os las haré saber –sonrió.

Skulduggery apoyó las manos en la mesa y se echó hacia delante.

–Has oído hablar de mí. Sabes las cosas que he hecho.

La sonrisa del oscilador se desdibujó.

–¿Y qué?

–Los rumores que has oído sobre mí no son nada en comparación con lo que he hecho de verdad, y eso no será nada en comparación con lo que te haré si le pasa algo a Valquiria. Soy el peor enemigo que puedas encontrar, Silas. Mírame fijamente y responde con sinceridad: ¿me crees?

Nadir tragó saliva.

–Sí.

–Bien.

Salieron sin decir más y se dirigieron a la sala del Acelerador.

–No deberías bajar al subsuelo –dijo Skulduggery–. Cuando osciles, aparecerás en el mismo sitio de la otra dimensión. No sabemos si en la otra realidad existe el Santuario; de no ser así, aparecerías en mitad de un macizo de roca.

–Y si estoy en la superficie, puede que aparezca en la pared de un edificio, dentro de un árbol o metida dentro de otra persona. Es peligroso de todos modos.

–Es cierto, pero...

–Mira, vamos a seguir como si nada. Estamos demasiado liados para no hacerlo. Te prometo una cosa: cuando Lament consiga poner en marcha el Acelerador y Kitana, Doran y Sean estén esposados, buscaremos un sitio agradable y seguro y me quedaré allí todo el tiempo que sea necesario, ¿vale?

–Todo el tiempo necesario. Aunque sean semanas.

–Me llevaré un libro largo lleno de palabras complicadas.

–Trato hecho –asintió Skulduggery–. Si oscilas antes, no te muevas del sitio, mantente lejos de la gente y evita los líos hasta que vuelvas. ¿Te crees capaz de hacer eso?

–¿Yo? ¿No meterme en líos? Eso no debería costarme ni lo más mínimo.

En las profundidades del Santuario, el Acelerador palpitaba como un corazón. Un resplandor tibio recorría los circuitos semejantes a venas que se dibujaban en la superficie de la máquina. El disco blanco que antes se encontraba en la base ahora flotaba unos centímetros por encima del suelo, suspendido por una fuerza desconocida. Era una especie de plataforma que Lament denominaba «estrado».

Lament y los demás trabajaban en silencio para desconectar el Cubo de su fuente de alimentación. Tal vez Kalvin y él fueran los ingenieros del grupo, pero Lenka Bazaar y Vernon Plight no se quedaban atrás en sus habilidades científicas. A Valquiria no le extrañó: pasar treinta años aislado en una montaña podía dar mucho de sí.

Ravel visitaba con frecuencia la estancia, que habían bautizado como «sala del Acelerador». El Gran Mago estaba deseoso de ver resultados, pero Lament no se dejaba presionar: solo conectaría el Cubo al Acelerador después de tomar todas las precauciones. Valquiria los estuvo mirando hasta que se aburrió. La verdad es que no tardó demasiado.

Decidió echar un vistazo por los alrededores. Ahora había calefacción y luz en los corredores subterráneos, y el aire ya no estaba tan húmedo como antes, pero aun así el lugar resultaba bastante sórdido. Mientras avanzaba, se preguntó cuántos túneles secretos estaría recorriendo. Roarhaven era famosa por sus secretos, al fin y al cabo.

–¿Cómo te encuentras? –le preguntó Skulduggery a su espalda.

Ella se volvió extendiendo los brazos.

–Genial. ¿Me ves genial?

–Te veo estupenda. Tal vez poco abrigada.

Ella frunció el ceño y contempló sus brazos desnudos.

–No me puedo creer que esa desgraciada tenga mi chaqueta. La próxima vez que la vea, le voy a enseñar a no quitar cosas a la gente.

–Te dieron una buena paliza.

–Las he sufrido peores.

–¿En serio?

Valquiria se encogió de hombros.

–Puedo arreglármelas. ¿Y tú?

–Lo único que me sigue doliendo es el orgullo.

–Sí. Al fin y al cabo, no eran más que tres aficionados. Tiene que ser muy embarazoso para ti.

Él torció la cabeza.

–¿Embarazoso para mí, pero no para ti?

–Yo no tengo la reputación por los suelos.

–Creo que mi leyenda sobrevivirá a esto, muchas gracias. El problema es que los subestimamos: ese fue nuestro error. La magia se ha fundido de tal forma con sus reflejos e instintos que no necesitan saber lo que hacen; lo hacen y ya está. La próxima vez, estaremos preparados.

–La próxima vez, le partiré la cara a esa tipa.

Skulduggery asintió y después la miró con curiosidad.

–¿Sabes qué? Con todo lo que ha pasado, no hemos tenido la oportunidad de hablar acerca de Fletcher.

Ella soltó una carcajada.

–¿Y cuándo hemos hablado de Fletcher?

–Casi nunca –admitió él–. Pero llevabas un tiempo sin verlo, y de pronto regresa y tiene novia...

–¿Sabías que tenía novia?

–Sí, me lo dijo.

–Ah. Sí, es simpática. Se llama Myra.

Skulduggery asintió sin decir nada y Valquiria enarcó una ceja.

–¿Qué pasa?

–¿Cómo te hace sentir eso?

–¿De verdad estamos hablando de lo que siento por mi exnovio? ¿No tenemos nada mejor que hacer? ¿No hay ningún asesinato que resolver?

–Me daba la impresión de que necesitabas hablar, nada más.

–Estoy bien. Por Dios, ya soy mayorcita. Ni que fuera el amor de mi vida. Cortamos, tiene otra novia... Ya está, no ha pasado nada más.

–Tú no tienes novio.

–Gracias por recordármelo.

–Y Hansard Kray no parece interesado en ti.

–Skulduggery, por favor, ¿podrías dejar de consolarme?

–Lo que pasa es que... si te sientes... no sé, poco atractiva...

–¿Perdona?

–No quería decir eso –se corrigió rápidamente–. Me refería a que tal vez pienses que pasarás el resto de tu vida sola, y...

–No pienso eso –replicó ella–. Ni siquiera se me había ocurrido. Pero ahora sí que lo pienso. En serio, ¿crees que siempre estaré sola?

–No quería decir eso.

–Entonces, ¿qué querías decir? Por favor, Skulduggery, dímelo. Sé sincero conmigo. Fletcher lo ha superado, a Hansard no le gusto... –escondió la cara entre las manos–. Por Dios, tengo diecisiete años y nadie me querrá nunca. Voy a pasar sola el resto de mi vida, he perdido mi oportunidad, ya jamás seré feliz. Me he convertido en una solterona. Oh, santo cielo...

Skulduggery se cruzó de brazos.

–Te burlas de mí.

Ella bajó las manos.

–Sí, un poco.

–Solo intentaba ser agradable.

–No necesito que seas agradable, Skulduggery. Necesito que seas insensible, irresponsable y arrogante. Por eso te quiero. Por eso te permito que me des la lata.

–Me siento muy honrado.

–Tú también me quieres –sonrió ella–. En cuanto lo admitas, todo irá mejor.

–Están a punto de conectar el Cubo con el Acelerador –dijo él, dando media vuelta y alejándose.

–¡No puedes huir de tus sentimientos! –gritó ella echando a correr.

–Pero puedo alejarme de ellos.

Valquiria soltó una carcajada que se interrumpió de pronto. Acababa de vislumbrar un resplandor azul a su espalda. Se dio la vuelta y descubrió un muro curvo y traslúcido que cortaba el corredor.

—¿Y esto? —preguntó con una mueca.

—Un campo de fuerza —dijo Skulduggery.

Se acercó para darle un toque y el muro chisporroteó ligeramente bajo sus nudillos.

—A juzgar por la curvatura —reflexionó—, se trata de un escudo esférico que atraviesa paredes y suelos desde el centro.

—Ajá. Así que estamos dentro de una pelota, ¿no?

Siguieron caminando.

—Ha debido de lanzarlo Lament —elucubró Skulduggery—. Con suerte, será una simple medida de precaución —redujo el paso—. Espera un instante. ¿Has oído eso?

En el pasillo contiguo sonaban voces. Los dos se desplazaron con sigilo y echaron un vistazo.

El campo de fuerza se cortaba al final del pasillo, dejando fuera a un montón de gente que intentaba sin éxito romper la barrera de energía. Lament los observaba desde dentro del escudo. Parecía más alto de lo normal, y Valquiria tardó unos segundos en descubrir que flotaba unos centímetros sobre el nivel del suelo.

El científico giró lentamente; las puntas de sus pies asomaban por el borde de sus chancletas hasta casi rozar el suelo. Regresó levitando hasta la sala del Acelerador, y Skulduggery y Valquiria se agacharon para evitar que los viera.

Valquiria sacó el móvil y marcó el número de Abominable, quien contestó de inmediato.

—¿Dónde estáis? Tenemos un problema.

—Lo sabemos —musitó ella—. Estamos en su interior.

—¿Te has quedado dentro del campo de fuerza? ¿Skulduggery está contigo?

—Sí, te está oyendo. ¿Qué ha pasado?

—Lament nos dijo que saliéramos porque el siguiente paso podía ser peligroso, y entonces apareció el campo de fuerza. Me di la vuelta y de pronto le vi flotando, con los ojos cerrados. Y entonces me pidió perdón.

—¿Por qué? —preguntó Skulduggery—. ¿Qué dijo?

La voz de Abominable sonó tensa.

—Dijo que no habían venido a mantener a Argeddion prisionero, sino a liberarlo.

30

EL EXPERIMENTO

E hizo el silencio en el auricular mientras Abominable discutía con los demás. Después volvió a hablar por el móvil.

–Tenemos aquí un sensitivo; dice que acaba de recoger una longitud de onda psíquica que de alguna forma estaba oculta hasta ahora. Creemos que Argeddion los está controlando.

–Han pasado los últimos treinta años vigilándole en esa montaña –dijo Skulduggery–. En determinado momento debió de recobrar la conciencia y empezó a manipularlos. Todo este asunto ha sido una estratagema para que lo trajéramos aquí.

–No lo entiendo –susurró Valquiria–. Si querían liberarlo, ¿por qué no apagaron el Cubo?

Skulduggery negó con la cabeza.

–No creo que el problema sea que el Cubo esté encendido. El problema es que Argeddion lleva tres décadas en coma inducido, y quizá no sea capaz de despertar. Yo, en su lugar, emplearía el Acelerador como una especie de desfibrilador mental.

–Le van a despertar con una descarga –asintió Abominable–. Vale, escuchadme: vosotros dos sois las únicas personas que tenemos ahí dentro. Me encantaría decir que vamos a ayudaros, pero este muro es lo más resistente que he visto en mi vida.

291

–¿Por qué no llamamos a Fletcher? –sugirió Valquiria–. Podría teletransportaros a todos a la vez.

–Un teletransportador no puede atravesar un campo de fuerza de esta magnitud –negó Skulduggery–. Si Fletcher lo intentara, todos sus átomos se dispersarían por el universo. No os preocupéis, no necesitamos a nadie más. Contamos con el factor sorpresa y con una tendencia deliberada a adoptar medidas drásticas. Nos las arreglaremos.

Abominable suspiró.

–Intentad no matar a nadie, al menos. Recordad que Lament y su gente no actúan por voluntad propia.

Valquiria guardó el móvil y Skulduggery desenfundó el revólver. Tras cruzar una mirada, doblaron la esquina, ignorando el muro azul y la gente que había al otro lado y centrándose en la puerta de la sala del Acelerador. No había nadie de guardia. No se oían voces en el interior. Valquiria preparó sus sombras mientras Skulduggery hacía una cuenta atrás con los dedos.

Tres... dos... uno...

Entraron de golpe.

–Hola –saludó Argeddion.

Lament y sus magos estaban arrodillados en círculo alrededor del Acelerador, con la cabeza gacha. El Cubo giraba lentamente dentro de la máquina: una jaula vacía. Argeddion flotaba en el aire sobre los restos de la Tempestad, sonriente. Un halo de energía residual chisporroteaba alrededor de su cuerpo, y sus ojos eran resplandecientes orbes de poder.

Valquiria no sabía qué hacer.

–Hummm –dijo Skulduggery–. Esto es... decepcionante, si no te molesta que te lo diga. Creí que llegaríamos en el último segundo e impediríamos que sucediera esto. Naturalmente, yo tengo la culpa. Y otra gente. Sobre todo, otra gente. Para ser exactos, la culpa la tiene esa gente que está de rodillas en medio de la sala. Tienen un montón de culpa. Supongo que dispararte no servirá de nada a estas alturas, ¿verdad?

La sonrisa de Argeddion se ensanchó.

—Lo intentaré de todos modos —dijo Skulduggery amartillando el revólver, que desapareció de su mano y reapareció en la de Argeddion.

—Violencia —murmuró girando el arma y contemplándola—. ¿Por qué siempre hay que recurrir a la violencia?

—¿Te importa devolvérmelo? —preguntó Skulduggery—. Es mi favorito.

Argeddion soltó el revólver, que regresó flotando a la mano de Skulduggery.

—Gracias —dijo disponiéndose a enfundarlo, pero en el último instante hizo puntería y disparó. La bala rebotó en la cabeza de Argeddion—. Sí, es lo que pensaba que sucedería —guardó el revólver.

—Skulduggery Pleasant —dijo Argeddion—, estoy encantado de conocerte. Valquiria, siento como si te conociera de toda la vida. He estado dentro de tu mente. Tienes unos pensamientos increíbles.

Ella sintió un escalofrío de alarma. Si podía leerle la mente, entonces sabría...

—Sí —dijo Argeddion—, sé quién eres. Somos muy parecidos, tú y yo. Tan iguales y a la vez tan diferentes... Ambos hemos descubierto nuestros verdaderos nombres, ambos tenemos acceso a un poder inimaginable. Pero mientras que tú lo has utilizado para hacer daño y destruir, yo lo usé para explorar y aprender. ¿Por qué motivo? ¿Tú qué crees?

—Puedes leerme la mente —dijo Valquiria—. Dímelo tú.

Argeddion sonrió.

—Crees que eres una mala persona. Piensas que detrás de todos esos actos heroicos, de toda tu valentía y de tus buenas obras, se esconde alguien malvado. Es lo único que tiene sentido para ti, la única forma que se te ocurre de explicarlo. Crees que todo lo bueno que haces es puro teatro para engañarte a ti misma. Eso es lo que crees.

Valquiria se quedó callada y Argeddion volvió la mirada a Skulduggery.

—No puedo leerte la mente: tus pensamientos están configurados de tal forma que me resultan impenetrables. Pero te conozco. Te he visto a través de los ojos de Valquiria. ¿Quieres explicarle el pequeño y simple detalle que ella pasa por alto?

Skulduggery vaciló y luego se volvió hacia ella.

—Todo es teatro —dijo—. Para todo el mundo. La gente que actúa con nobleza y bondad lo hace porque practicar el bien es precisamente lo que nos hace bondadosos.

—Y ahora Valquiria se está preguntando: «Si eso fuera cierto, ¿por qué Argeddion utilizó su poder de forma pacífica y yo empleé el mío para matar?». La respuesta, amiga mía, es que yo soy especial —soltó una carcajada—. Soy un pacifista. Creo en la no violencia por encima de todas las cosas. Pero tú sí crees en la violencia. Piensas que, aunque sea terrible, es necesaria. Y en tu mundo, con el tipo de cosas a las que te enfrentas a diario, puede que tengas razón. Pero en mi mundo no es así, y me niego a permitir que lo sea.

—Si eres pacifista —intervino Valquiria—, explícame lo de Kitana, Doran y Sean. Están matando a gente con el poder que les diste.

—Es lamentable —asintió Argeddion—, pero debo comprobar lo que sucede hasta el final.

—¿Comprobarlo hasta el final? ¿De qué va todo esto?

Skulduggery ladeó la cabeza.

—Son sujetos de prueba. Es un experimento.

—Así es —dijo Argeddion—. Y la mayoría de los mortales que he escogido no han hecho daño a nadie. Al menos, no a propósito.

Valquiria frunció el ceño.

–Pero ¿por qué lo haces? ¿Para qué?

–Tal vez algún día seas capaz de ver lo que yo he visto –respondió Argeddion–. De hecho, si alguna vez encuentras la paz en tu interior como Oscuretriz, me encantaría mostrártelo. Entonces podrías vislumbrar la realidad de la magia, como yo lo he hecho. Es una experiencia que deja sin aliento. Cambiará todo lo que piensas.

–Suena fabuloso. Pero no has contestado a mi pregunta.

–La magia es algo maravilloso que debe ser celebrado y compartido, pero los hechiceros la han acaparado desde el principio de los tiempos. Si los mortales supieran de su existencia, se podrían a hacer pruebas para identificar a los que son capaces de usarla. Podrían entrenarse para aprender. Contaríamos con cientos de miles, incluso millones de magos que traerían al mundo una auténtica edad de oro. No más guerras. No más mezquindad. Paz, amor y búsqueda del conocimiento. El paraíso.

–Tu idea no es nueva –declaró Skulduggery–. Pero si demuestras al mundo que la magia existe, la humanidad entera se desmoronaría. Los mortales se sentirían amenazados y lucharían con todo lo que tuvieran a su alcance.

–Solo si quedaran mortales.

Valquiria palideció.

–¿Quieres matarlos? Dijiste que eras pacifista.

–No quiero matar a los mortales –repuso Argeddion con una carcajada–. Quiero cambiarlos. Mis sujetos de prueba están allanando el camino para que toda la población mortal del planeta reciba el don de la magia.

–Pero... Tú... ¿Tú puedes hacer eso?

–Yo solo, no –dijo Argeddion–. Pero con el Acelerador y la ayuda de mi invitado sorpresa, es posible.

–¿Tu invitado sorpresa?

La sonrisa de Argeddion se suavizó.

–Esto es una locura –dijo Skulduggery.

–Tú no ves lo que yo veo, detective. El cielo en la tierra. ¿Te lo imaginas? En cuanto termine todas mis pruebas y analice los resultados, la magia inundará a todas y cada una de las personas de este mundo. Evolucionarán de la noche a la mañana y transformarán este planeta en un reino de paz e iluminación.

–El Verano de la Luz –murmuró Skulduggery–. Es eso, ¿verdad? Lo has planeado para que todo esté listo el uno de mayo, el día en que Greta Dapple cumple doscientos años. Entonces lo cambiarás todo.

–Será glorioso.

–No, qué va. Estás hablando de cambiar la naturaleza humana. Eso no se puede hacer. No habrá ningún reino luminoso. Pronto empezará a pudrirse y la putrefacción se extenderá. Habrá guerra, dolor y muerte. Tu Verano de la Luz se convertirá en el Verano de la Oscuridad. La raza humana se destruirá a sí misma.

–Estás cegado por tus propias limitaciones.

–Y tú estás cegado por tu falta de ellas. Eres mejor persona que yo, Argeddion. Eres mejor persona que la mayoría de la gente, ese es el problema. No tienes ni idea de cómo reaccionarán los humanos.

–Confío en ellos. Tengo fe.

–Estás equivocado y vamos a detenerte.

–Podrías haberlo hecho –dijo Argeddion–. Podrías haberte puesto la armadura de Lord Vile y atacarme. Gracias a tu fuerza y a tu naturaleza violenta, tal vez me hubieras derrotado. Pero tras echar un rápido vistazo a la mente de Valquiria, sé exactamente dónde la has guardado.

Se esfumó en el aire y un instante después regresó con una caja metálica. Skulduggery se tensó.

—La sientes desde ahí, ¿verdad? —preguntó Argeddion—. Un tirón, como si estuviera imantada. Pero me temo que no vas a vestir esta armadura de momento —la caja desapareció—. Y ahora que Lord Vile está fuera de juego, solo queda una amenaza.

Skulduggery se puso delante de Valquiria.

—No le hagas daño.

—Nada más lejos de mi intención —replicó Argeddion—. No deseo que sufra en absoluto, pero Oscuretriz es un problema que debo resolver. Valquiria, si fueras capaz de acceder a ese poder, me destrozarías, ¿verdad? No eres tan fuerte como yo, todavía no; pero mientras que yo buscaría una forma de detenerte que no fuera letal, tú no sentirías esa necesidad de contenerte. Oscuretriz es una asesina, y no puedo dejar que aparezca.

Una cuchillada de dolor atravesó a Valquiria arrancándole un grito. Skulduggery se volvió hacia ella y la sostuvo antes de que se derrumbara. De pronto, el dolor desapareció.

—Lo siento —se disculpó Argeddion—. No creía que fuera a dolerte tanto.

—¿Qué me has hecho? —jadeó Valquiria.

—Imagínatelo como un muro. Un muro entre la dulce muchacha llamada Valquiria y Oscuretriz, la asesina sanguinaria. Ya no puedes oír su voz, ¿verdad?

Valquiria se incorporó. La cabeza le daba vueltas.

—Nunca volverá a molestarte —explicó Argeddion—. No mientras yo viva. Estás a salvo de ella, Valquiria. Puedes utilizar tu magia como siempre, pero ese nivel de poder está bloqueado para ti.

—¿Se ha ido?

—Sigue ahí, pero está... prisionera, por así decirlo. El futuro terrible que te esperaba se ha evitado. Tus temores de matar a tus padres y destruir el mundo ya tienen fundamento —Argeddion sonrió con amabilidad—. Y aun así, siento tu pérdida.

–¿De qué estás hablando? –le fulminó con la mirada.

–Recuerda que puedo leerte la mente: todos tus secretos, el sentimiento de culpa del que tanto te avergüenzas, se abren ante mí. Tus pensamientos más ocultos, tus dudas, tus fantasías y deseos… Valquiria, no te sonrojes. Lo único de lo que deberías sentirte avergonzada es de lo mucho que disfrutabas siendo Oscuretriz.

–¡Eso es mentira!

–No disfrutabas matando –continuó Argeddion–, pero adorabas el poder. Es vergonzoso adorar el poder, pero al fin y al cabo, eres joven. Puedes cometer errores. Solo somos humanos, ¿no?

–¿Tú también? –preguntó Skulduggery.

–¿Y qué otra cosa podría ser?

–Algunos dirían que un dios.

–Eso no significa que no sea también humano –respondió Argeddion con una risa suave.

Los hechiceros de Lament se agitaron, y uno a uno se alzaron en el aire y giraron lentamente. Seguían con los ojos cerrados.

–Debo pediros que os marchéis –dijo Argeddion–. Mis amigos os acompañarán al exterior del campo de fuerza. Por vuestro propio bien, os ruego que no intentéis romperlo.

Los magos comenzaron a avanzar, pastoreándolos hacia la puerta.

–Hablemos –dijo Skulduggery–. Intenta convencernos de que estás en lo cierto. Danos la oportunidad de explicarte por qué te equivocas. Llevas apartado del mundo treinta años, por el amor de Dios. Ni siquiera sabes cómo es la realidad.

–No importa: voy a cambiarla –repuso Argeddion.

De pronto, desapareció como si se lo hubiera tragado el vacío.

–Ha aprendido a teletransportarse –dijo Skulduggery–. Puede que no estuviera despierto cuando Fletcher nos trajo desde la montaña, pero estaba consciente.

–¿Eso es todo lo que necesita? ¿Le basta con experimentar algo una vez para poder hacerlo?

–Conoce su verdadero nombre –explicó Skulduggery–. Puede hacer cualquier cosa.

El grupo de Lament avanzaba, creando a su paso una especie de barrera invisible que empujaba a Skulduggery y Valquiria fuera de la habitación. Valquiria intentó resistirse, pero le fallaban las fuerzas. Se sentía agotada, como si haber perdido a Oscuretriz le hubiera arrebatado también su fuerza de voluntad y su determinación.

–Lenka –dijo–. Soy yo, soy Valquiria.

Lenka sonrió. Resultaba desconcertante verla sonreír con los ojos cerrados.

–Eso ya lo sé, tonta.

–¿Sigues siendo tú? ¿Cuánto queda de ti?

–Soy yo entera –respondió–. No me he ido a ninguna parte.

–Pero Argeddion te está controlando.

–No es así.

–Entonces, ¿por qué haces esto?

Lament flotó más cerca de ellos.

–Porque Argeddion merece ser libre –dijo–. Nunca ha hecho daño a nadie, nunca ha querido hacerlo. Lo encarcelamos sin motivo.

Skulduggery intentó resistirse a su energía, pero no sirvió de nada.

–De modo que os sentís culpables y queréis compensarle, ¿no es eso?

–Así es.

–¿Y por qué flotáis sobre las puntas de los pies y vais con los ojos cerrados? –preguntó Valquiria.

Lenka soltó una carcajada.

–¿De qué hablas? No tenemos los ojos cerrados.

–Sí, los tienes cerrados, Lenka. Te estoy mirando y tienes los ojos cerrados. ¿Me ves?

–Pues claro que te veo. No nos pasa nada, Valquiria. Intentamos hacer lo correcto. No soy como Tanith, no tengo un parásito malvado en mi interior. Sigo siendo yo.

Valquiria frunció el ceño.

–¿Cómo sabes lo de Tanith?

–Argeddion nos habla: abre sus pensamientos para nosotros y nos permite ver lo que él ve. Cuando te leyó la mente, lo vimos todo. Conocemos tu sentimiento de culpa, tus miedos, tus afectos... –bajó la voz–. Y sabemos tu secreto. Ha sido espantoso para ti vivir sabiendo que matarías a tus padres. Pero ya no tiene por qué ocurrir, Valquiria. Argeddion te ha ayudado, ha encerrado a Oscuretriz en tu interior. Ha cambiado el futuro.

–Va a destruir el mundo, y no creo que... –protestó Skulduggery.

–Por favor, ten un poco de fe –le interrumpió Lament.

Cuando llegaron al campo de fuerza, el muro azulado se debilitó por un instante. Skulduggery y Valquiria tropezaron contra él, lo atravesaron y cayeron sobre los hechiceros que había al otro lado. Lament y los demás se quedaron en el interior, levitando con los ojos cerrados.

Ravel avanzó hasta ellos y los miró fijamente.

–Dejadme adivinar –murmuró con un suspiro–: tenéis una noticia fabulosa.

31

CAROL

VALQUIRIA se sentía rara. Anulada, de alguna forma. No es que antes fuera consciente todo el tiempo de la presencia de Oscuretriz en su interior, y tampoco escuchaba su voz continuamente; pero ahora notaba que esa parte de ella estaba de pronto en silencio. No era justo. Argeddion lo había dicho: Oscuretriz podría haberle destrozado. Era como si el campeón del mundo en combate cuerpo a cuerpo hubiera caído fulminado por un francotirador apostado a un kilómetro: lo habían eliminado antes incluso de empezar la pelea.

Y no es que echara de menos haber peleado contra él, claro que no. Pero prefería ser fuerte, poder vencer a cualquiera que estuviera en su contra. Quería aplastar a sus enemigos, y eso no tenía nada de malo. No era malo querer sobrevivir. Vencer. Sentir el poder que corría por sus venas.

Echaba de menos ese poder. Se había acostumbrado a tenerlo ahí, listo para cuando lo necesitara. Echaba de menos la voz en su cabeza. Por mucho que la ignorara y luchara contra ella, su presencia le resultaba tranquilizadora. ¿Enfrentarse a un hombre lobo? ¿Soportar que tres matones la patearan hasta dejarla medio

301

muerta? Nada de eso le había importado, porque sabía —estaba convencida de ello— que solo tenía que dejarse llevar durante un instante glorioso... y volvería a sentir de nuevo ese poder.

No le dijo nada a Skulduggery. No porque creyera que no podría entenderla, sino porque sabía que la comprendería perfectamente. Y Valquiria no quería eso.

En cualquier caso, Skulduggery estaba ocupado en otra parte del Santuario. El campo de fuerza había atravesado algunas de las celdas, produciendo cortocircuitos con los símbolos que anulaban los poderes de algunos presos. Ocho habían escapado, y uno de ellos era Silas Nadir. Skulduggery no estaba nada contento.

Valquiria se cruzó con Tipstaff y lo siguió porque no tenía nada mejor que hacer. Así llegó a una sala con una mesa grande en torno a la que se sentaban los Mayores, Strom y Sult. Tipstaff les ofreció té y galletas, y todos se sirvieron sin decir nada.

—¿Por qué rechazáis de entrada el plan de Argeddion? —preguntó ella rompiendo aquel incómodo silencio.

Los demás la miraron sin comprender.

—A ver —explicó—, sé que todo será distinto y que el mundo cambiará de manera drástica, pero ¿quién dice que no será para mejor?

Quintin Strom removió su té con la cucharilla.

—Si de pronto todo el mundo fuera capaz de usar la magia, se desataría una lucha terrible por obtener el poder. Estaríamos hablando de un nuevo orden mundial, y la humanidad se vería diezmada mientras todas las naciones pugnan por afianzarse en la cima.

—Morirían millones —dijo Ravel—. Miles de millones. Si los Santuarios existen es por una buena razón: debemos controlar a nuestra gente, mantenerla a raya. Muchos hechiceros tienen el potencial de armas de destrucción masiva. Y en un mundo tan dividido como el nuestro, con tantas creencias religiosas y políticas distintas... un pequeño grupo de extremistas podría acabar con todo.

–Pues explicadle eso a Argeddion –dijo Valquiria.

–Ese hombre lleva treinta años viviendo en una burbuja –intervino Abominable–, y antes de eso vivía en otro tipo de burbuja, una en la que todos somos amigos y nadie quiere hacer daño a los demás. Nunca sería capaz de entender cómo ve el mundo la gente violenta.

–¿Quiénes? ¿La gente como nosotros? –preguntó ella.

Abominable la miró fijamente.

–Si pudiéramos vivir en el paraíso de Argeddion, lo haríamos. Y tal vez sea posible; sería maravilloso creerlo y pensar así. Pero para alcanzarlo tendríamos que pisotear un montón de cadáveres, toda una generación. El coste, Valquiria, es demasiado grande.

–No podemos permitirnos el lujo de ser idealistas –murmuró Ravel sin alzar la mirada–. Nuestro trabajo es hacer que las cosas continúen funcionando. Sí, permitimos que los mortales las cambien; aunque sean torpes y corruptos, este no deja de ser su mundo. Nosotros nos limitamos a protegerlo.

Se abrió la puerta. Skulduggery entró en la sala, avanzó hasta situarse al lado de Valquiria y se quitó el sombrero.

–Nada –suspiró–. Ni rastro de Argeddion. No tengo ni idea de dónde se ha materializado, y los sensitivos no logran captarlo.

–Necesitamos averiguar quién es su invitado sorpresa –dijo Abominable–. Si su plan depende del Acelerador y de ese invitado, tenemos que quitarle al menos uno de los dos. El Acelerador está detrás del campo de fuerza, pero puede que el invitado sea vulnerable. ¿Cuánto tiempo nos queda?

–Mañana es jueves –respondió Skulduggery–, y según dice Argeddion, sus pruebas terminarán el sábado. Debió de transmitir magia a los mortales que hemos ido atrapando para buscar la mejor forma de infectar a la humanidad en masa. Acabo de hablar con la doctora Synecdoche, pero no hubo ningún cambio en el estado de los mortales sedados cuando Argeddion despertó.

–¿Y qué pasa con Greta Dapple? –preguntó Ravel–. Si lo ha planeado todo para que coincida con el día de su cumpleaños, lo cual, por cierto, es un bonito detalle digno de un psicópata, puede que ella juegue un papel importante en el asunto.

–Tal vez sí –asintió Skulduggery–. Pero no está en su casa y no contesta al teléfono. He mandado un equipo en su busca. Si la localizamos, tal vez nos conduzca directamente hasta Argeddion.

–¿Y qué haremos cuando le encontremos? –preguntó Sult–. ¿Qué podemos hacer? –miró a Strom, Strom miró a Ravel y Ravel a Skulduggery.

–Estoy trabajando en ello –dijo este último.

A Valquiria se le hizo eterno el viaje de regreso a Haggard. Se quedó dormida dos veces, y en las dos ocasiones se despertó al darse un cabezazo contra la ventanilla.

–Au.

–Lo siento –se disculpó Skulduggery. Avanzaban entre baches, por carreteras rurales, y su calavera quedaba casi oculta por las sombras–. ¿Cómo te encuentras?

–No lo sé... Me siento vacía. Me la ha arrancado. Ya no la tengo, nunca más la sentiré.

–Si es permanente, debería ser un motivo de celebración.

–Pero puede que Oscuretriz y Vile fueran nuestras únicas armas contra él –suspiró–. ¿Qué vamos a hacer? Esto no está tan claro como de costumbre. Kitana, Doran, Sean, Silas Nadir... Estamos acostumbrados a tratar con ese tipo de gente. Asesinos. Personas que hacen daño a otras. Pero Argeddion no es como ellos.

–Argeddion es tan peligroso como los demás –replicó Skul-duggery–. Puede que no quiera hacernos daño físicamente, pero sus objetivos son igual de perniciosos. Hay que tratarlo igual que a cualquier otro enemigo.

–¿Lo matarías? Es un pacifista que solo quiere ayudar a la gente, y no sabemos si la humanidad se destruiría realmente a sí misma. Puede que todo funcionara como él ha previsto. ¿Quiénes somos nosotros para decir que no?

–¿Estás dispuesta a correr ese riesgo?

–Lo que pasa es que... No sé, no me siento cómoda con todo esto. Argeddion quiere hacer del mundo un lugar mejor, y noso-tros, mantenerlo tal y como está. No suena muy heroico...

–Tenemos que preservar la realidad, Valquiria. Nuestro tra-bajo no es cambiar el mundo: esa es tarea de los mortales.

–Entonces, ¿tú le matarías?

Skulduggery se quedó en silencio.

–Creo que su plan provocaría millones de muertes –dijo por fin–. Sí, lo mataría.

–Yo... Yo no creo que pudiera.

Skulduggery se volvió hacia ella.

–No te estoy pidiendo que lo hagas.

El Bentley aparcó en el muelle y Valquiria se bajó. Eran solo las diez de la noche, pero estaba agotada. Utilizó el aire para al-canzar la ventana de su dormitorio y se coló dentro. La habita-ción estaba vacía. Se sentó frente al escritorio, que estaba lleno de libros de texto abiertos. Estaba bostezando cuando su reflejo entró en la habitación y cerró la puerta.

–Eh –le saludó.

–Eh –respondió el reflejo–. Parece que has tenido un mal día.

–Bastante malo.

–¿Y tu chaqueta?

Valquiria puso mala cara.

–No me apetece hablar de eso, solo quiero irme a la cama. ¿Has terminado los deberes?

Negó con la cabeza.

–Me queda más o menos media hora. ¿Puedes esperar?

–Sí, claro. Voy a dar un paseo –se levantó–. Oye, me gustaría saber tu opinión.

–Claro –dijo el reflejo dando un paso hacia el espejo.

–No –negó Valquiria–. Quiero tu opinión como reflejo de la persona que yo era la última vez que estuve aquí, no como reflejo de la persona que soy ahora. Si supieras todo lo que yo sé, tu perspectiva sería la misma que la mía. Y no quiero mi punto de vista, sino el tuyo.

–Para cualquier otra persona, eso sería extremadamente complicado de entender, pero vale. ¿Sobre qué quieres que te dé tu antiguo punto de vista?

–Argeddion se ha escapado. Está libre. Quiere convertir a todos los mortales en hechiceros y vivir en un mundo lleno de justicia y de luz. Suena precioso, sinceramente. Pero según Skulduggery y los demás, nunca funcionaría porque los humanos nos mataríamos unos a otros. La cosa es que Argeddion es muy poderoso, y la única forma de detenerlo es...

–Convertirte en Oscuretriz.

–Sí, pero ya no puedo hacerlo. Argeddion entró en mi cerebro y la encerró. No puedo convertirme en Hulk, y Argeddion se ha llevado la armadura de Skulduggery a no sé dónde. No la ha destruido, porque si lo hiciera toda la magia nigromante regresaría a Skulduggery, pero la ha escondido.

–Pareces decepcionada.

–Argeddion es al menos tan poderoso como Oscuretriz. La necesitamos.

—Necesitarla es peligroso.

—Lo sé.

—Tal vez fueras capaz de detener a Argeddion, pero ¿quién te detendría a ti?

—Con suerte, Skulduggery.

—¿Se pondría la armadura e iría detrás de ti? ¿Después de lo que pasó la última vez?

Valquiria se derrumbó en la silla.

—No sé. Sí. Ya lo hizo antes.

—Consiguió detenerte después de que destrozarais la calle O'Connell. Intentaste matar a gente y derribar un helicóptero. ¿Y qué pasa con Skulduggery? Cuando se pone esa armadura se convierte en un asesino. Y lo sabes.

—Pero la última vez.

—La última vez salió bien de casualidad —repuso el reflejo—. De alguna forma, Skulduggery consiguió recuperar el control de sí mismo y habló contigo hasta que te calmó. Pero si permites que Oscuretriz recupere el control, la próxima vez no se irá tan tranquilamente.

—Bueno, esa opción ya no existe.

—Es que ni siquiera deberías considerarla. Argeddion tiene un plan que podría salir fatal, pero... ¿tu plan es contrarrestarlo con dos asesinos? Para ser exactos, con dos amenazas para la humanidad. ¿Vas a atacarle con eso? Su plan podría descarrilar y provocar muerte y destrucción en el mundo; es una posibilidad. Pero si liberas a Oscuretriz, es seguro que morirá gente.

—Skulduggery me detendría.

—No puedes estar segura.

—Confío en él.

—Ese es el problema.

—¿Qué? ¿Cuál es el problema?

El reflejo se puso en cuclillas y apoyó los brazos en las rodillas de Valquiria.

–En cierta ocasión, China te dijo que Skulduggery te mataría sin vacilar si fuera necesario. Sacrificaría a cualquier persona por un buen fin. Cuando te diste cuenta de que eras Oscuretriz, eso te sirvió de consuelo: sabías que, si las cosas se ponían mal de verdad, podías confiar en que Skulduggery te metería una bala en la cabeza para evitar que mataras a tus padres.

–Eso es ridículo. Yo nunca...

–Puedes mentirte a ti misma –la interrumpió el reflejo–, pero no a mí.

Valquiria cerró la boca.

–Sin embargo, las cosas han cambiado –continuó el reflejo–. Tu relación con Skulduggery se ha hecho más estrecha, y lo sabes. Ahora sabes hasta dónde está dispuesto a llegar por ti. Y ese es el problema, Valquiria: él sacrificaría el mundo entero para salvarte.

–Eso no lo sabes a ciencia cierta.

–No –concedió el reflejo–. Pero es lo que tú sospechas.

–No me permitiría hacer eso. No lo haría.

–Tal vez no. Pero sí perdería el tiempo. Se lo pensaría dos veces. Intentaría buscar otras opciones. No optaría por matarte a la primera, en cuanto se presentara la oportunidad, y después podría ser demasiado tarde. Ya no tienes ese consuelo ni esa seguridad. Sois vosotros dos contra el mundo, pero eso no es lo que necesitas. Necesitas que esté dispuesto a ponerte el revólver en la cabeza y apretar el gatillo. Deberías agradecer que ya no exista la opción de Oscuretriz. No podría haber acabado bien.

Valquiria suspiró.

–¿Y cómo puedo saber qué hacer?

–No puedes saberlo –repuso el reflejo con amabilidad–. Tienes diecisiete años. Lo que se supone que deberías hacer es ir al instituto, luchar contra las hormonas y discutir con tus padres de vez en cuando. Se supone que deberías estar descubriendo la persona que eres.

–Pero ya sé quién soy –dijo Valquiria–. Soy una amenaza para la humanidad.

Se cambió de ropa. Aún hacía calor, así que se enfundó unos vaqueros, se puso una camiseta limpia y fue a dar un paseo por el muelle para escuchar el rumor de las olas al chocar contra la piedra. Después dio media vuelta y regresó a Haggard. Pasó por delante del sitio de comida rápida que habían montado cuando el Pizza Palace quebró. El videoclub también había desaparecido. Habían cambiado muchas cosas en los últimos cinco años.

Carol Edgley estaba saliendo del establecimiento con una bolsa de comida que soltaba vapor. Vio a Valquiria y escondió la bolsa.

–Hola, Stephanie –dijo sonrojándose.

Valquiria le dedicó una sonrisa.

–Hola, Carol. Uf, eso huele de maravilla.

–Esto... ¿Quieres? ¿Te apetece compartirlo?

–¿No te importa? Solo un poco.

Carol titubeó y después abrió la bolsa y se la ofreció. Valquiria agarró unas cuantas patatas fritas y notó un gruñido en el estómago. No se había dado cuenta del hambre que tenía. Sopló sobre las patatas y se las metió en la boca.

–Están buenísimas.

Carol sonrió y comió unas pocas. Caminaron hasta la esquina de Main Street, donde la carretera se bifurcaba.

–¿Cómo va todo? –preguntó Valquiria.

–Bien –respondió Carol–. Fenomenal.

–¿Qué tal está tu madre?

–Bien. Se ha apuntado a un club de bridge.

–No sabía que le gustara el bridge.

–Y no le gusta, pero desde que empezamos a defenderte, descubrió que necesitaba un número mayor de personas a las que criticar.

Valquiria tomó algunas patatas más, sonriendo.

–Ya sabes: si te facilita la vida, siempre puedes darle la razón.

–No, de ninguna forma. Eso se acabó. Fíjate en todo lo que nos perdimos mi hermana y yo por mirarnos el ombligo: Gordon te escogió a ti para todas esas aventuras. Podría habernos elegido a nosotras, si hubiéramos sido... No sé, más simpáticas o más alegres. Es como si nuestra madre nos entrenara para ser infelices. Papá nos sobreprotegía y mamá era un mal ejemplo, y mira cómo resultó. Fíjate en tus padres. Son geniales, divertidos, excéntricos... Son auténticos, ¿sabes? Mi madre no es auténtica.

Siguieron paseando un rato, mientras Carol comía patatas y Valquiria la observaba.

–No es tan mala.

–Te equivocas, Steph –respondió Carol–. Es mi madre y la quiero, pero no es una buena persona. Tal vez creyeras que no nos dábamos cuenta, pero sí lo hacemos.

–No sé qué decir –admitió Valquiria–. No quiero darte la razón, porque eso sería bastante borde. Y tampoco puedo llevarte la contraria...

Carol soltó una carcajada y Valquiria sonrió.

–En fin, nadie es perfecto –continuó–. Mis padres pueden ser un incordio también, como cualquiera.

–Pero tuviste un buen comienzo –replicó Carol–. Ellos te lo dieron, y eso es lo que los hace fantásticos. No te convirtieron en una niña mimada, sino que te criticaron cuando era necesario. No te trataron como si fueras una princesita que solamente ellos pudieran mirar. Eras mucho más independiente con doce años que nosotras ahora. ¿Lo entiendes? Tu versión de doce años era más madura de lo que yo soy ahora, con veinte.

–Creo que eres un poco dura contigo misma.

Llegaron a la esquina y Carol se giró hacia ella.

–Mírame, Valquiria. Soy un desastre.

–¡Qué va!

–Es miércoles, son las diez de la noche y vuelvo a casa con una bolsa de patatas fritas, igual que hago todos los días. Estoy gorda. Siempre he estado gorda y siempre he odiado estarlo, pero soy demasiado perezosa para ponerle remedio. Empiezo a hacer dieta, pero como es demasiado duro, lo dejo y me pongo a comer más. Yo estoy gorda y Crystal delgada, demasiado delgada, pero no me escucha ni me cree cuando se lo digo. Ella me dice que no, que todavía no ha conseguido llegar a su peso ideal, y cada vez está más esquelética. Ya se le adivinan los huesos... Sé que tú estás acostumbrada a ver a Skulduggery, pero es muy distinto cuando se trata de tu hermana.

–Ya.

Y luego, mírate tú. A esta distancia te veo los músculos de los brazos.

–Tengo que ser fuerte para hacer lo que hago. Si no estuviera metida en todo esto, sería igual que vosotras.

–No, qué va. Seguirías siendo alta, para empezar, y probablemente irías todos los días a nadar, a montar a caballo o algo así.

–Bueno, pues eso es lo único que necesitas hacer tú. Cuando no estoy trabajando en un caso con Skulduggery, entreno muy duro. Practico magia, lucho, levanto peso y hago ejercicio. Cada pocos meses, Skulduggery me trae un amigo experto en algún arte marcial del que nunca he oído hablar, y mi nuevo «entrenador» me lanza por los aires una y otra vez. Los músculos que tengo son fruto del trabajo y el sudor. Y a veces es odioso. Lo único que tienes que hacer es encontrar alguna afición que te guste y que no te importe practicar, por dura que sea.

–Yo... Puede que haya encontrado una afición –Carol desvió la vista–. He estado... Bueno, digamos que he estado practicando magia.

Valquiria enarcó una ceja.

–Entiendo.

–Solo la de fuego –añadió rápidamente–. No se me da muy bien el viento y no sé hacer nada con el agua y la tierra, pero si chasqueo los dedos, a veces hago llama.

–Suena... peligroso.

–Siempre lleno un cubo de agua antes de practicar.

–Mira, no te voy a decir que lo dejes. No tengo derecho a decírtelo. Tienes magia en tu interior, es parte de tu herencia al igual que es parte de la mía. Pero estás arriesgándote cada vez que lo haces. ¿Y si te viera tu madre? ¿Y tu padre? Se asustarían de verdad, Carol. Llamarían a todos los servicios de emergencias que se les ocurrieran y te meterías en un buen lío.

–No, te lo prometo.

–Al menos intenta no incendiar nada, ¿vale? Eso levantaría sospechas tarde o temprano.

–No lo volveré a hacer dentro de casa.

–Estupendo. Gracias.

–¿Quieres más patatas?

Valquiria sonrió y tomó otra.

–¿Estás trabajando en algún caso? –preguntó Carol.

–Sí.

–¿Algo emocionante?

–Hace unos días luché contra un yeti.

–¡Qué dices!

–Sí –Valquiria sonrió–. Estuvo bien. Aunque tenía un aliento asqueroso, repugnante de verdad.

312

–Eeecs.

–Y he estado en un universo alternativo.

–¿En serio? ¿Como en *Star Trek*?

Valquiria soltó una carcajada.

–¿Desde cuándo ves *Star Trek*?

Carol echó un vistazo a su alrededor, como si temiera que alguien las estuviera escuchando, y se inclinó hacia ella.

–No se lo cuentes a tus padres, pero a mi madre le encanta *Star Trek*. Cuando éramos pequeñas, veíamos las reposiciones de la serie original de los años sesenta: *Nueva Generación*, *Espacio Profundo 9*... Le gustaba más *Voyager* que a nosotras, y a ninguna de las tres nos gustaba *Enterprise*. Pero no quiere que nadie se entere de que es una fanática de *Star Trek*, así que...

–Te prometo que no le diré nada, por mucha gracia que me haga.

–Gracias. ¿Y cómo era ese universo alternativo? ¿Había dobles malvados de todo el mundo? ¿Había un doble malvado de mí?

Valquiria soltó una carcajada.

–Lamentablemente, no. La historia de ese universo y la del nuestro se separaron hace siglos, así que creo que allí no nacimos ninguna de las dos.

–Vaya mierda –Carol se comió otra patata–. Con lo que molaría conocer a tu doble malvada...

Valquiria hizo una mueca.

–No creo, la verdad.

Acompañó a Carol a su casa, y al llegar ya se habían acabado la bolsa de patatas. Carol le habló de un compañero de universidad que le gustaba; las dos se rieron mucho, y cuando Carol entró por la puerta, se contoneaba al andar y parecía más ligera de lo que sugería su silueta. Sonriendo para sus adentros, Valquiria tomó el camino que llevaba a la playa y regresó a su casa dando un paseo por la arena. Trepó hasta su habitación y le pidió a su reflejo que entrara en el espejo. Luego se quedó en ropa interior y camiseta y se metió en la cama. Se durmió muy rápido.

No sabía qué hora era cuando la despertó el dolor del brazo, pero aún era de noche cuando se levantó. Agarró el móvil y el anillo de la mesilla de noche y se tambaleó hasta el armario. El mundo daba vueltas a su alrededor, y el mareo hizo que tropezara contra el espejo. Dejó caer el anillo y luchó por recoger su ropa mientras el reflejo entraba en la habitación. Entonces, su cuarto desapareció y Valquiria cayó al vacío. Chocó contra el suelo, rodó y se quedó de espaldas.

Su casa había desaparecido. Se sentó con un gemido y miró hacia el muelle, donde las olas se estrellaban contra las rocas. Todas las casas modernas se habían esfumado. Aquí y allá se veían muros que se desmoronaban junto a los caminos de tierra. Ya no había carreteras.

Se quedó sentada entre los hierbajos, vestida con ropa interior y camiseta, con el móvil en la mano. No tenía su ropa protectora. No tenía el anillo de nigromante. Lo único que había logrado hacer a tiempo fue liberar a su reflejo, así que al menos su familia no se daría cuenta de su ausencia. Era un consuelo, al menos.

—Me temo que estamos en un lío —dijo su propia voz, y Valquiria se giró para encontrar a su reflejo detrás de ella.

32

EXTRAÑAS EN UNA TIERRA EXTRAÑA

HAGGARD había desaparecido, y en su lugar había un grupo de chabolas hechas con madera podrida. Estaban diseminadas en la oscuridad, bultos negros recortados frente al cielo lleno de estrellas. A Valquiria le resultaba inquietante caminar por un sitio que conocía tan bien y verlo tan distinto a la vez. Rodeó las cabañas, notando las piedrecitas que se le clavaban en las plantas de los pies. El reflejo iba al mismo ritmo que ella, pero no mostraba ninguna señal de incomodidad.

–Deberías haberte apartado de mí –dijo Valquiria con sequedad.

–Lo siento.

–Por el amor de Dios, si existes es precisamente para quedarte cuando yo me voy. ¿De qué me vales si desaparecemos ambas? Mi madre se va a asustar de verdad.

–A lo mejor piensa que te fuiste temprano al instituto.

Valquiria se volvió hacia ella.

–¿Hemos hecho eso alguna vez?

–No –admitió el reflejo–. Pero últimamente hemos hablado tanto de los exámenes que tal vez piense que te lo estás empezando a tomar en serio.

315

–¿Y va a creerse que me he levantado una hora antes para estudiar?

El reflejo se encogió de hombros.

–La gente cree lo que quiere creer, siempre que sea razonable. De todos modos, lo siento; debería haber esperado en el espejo hasta que te fueras. No sé por qué intenté ayudarte. A lo mejor es que estoy funcionando mal otra vez.

Valquiria no respondió: estaba siendo injusta y lo sabía.

–Vale –dijo finalmente–. Tengo un plan. Consiste en lo siguiente: procurar que nadie nos vea hasta que regresemos. No podemos separarnos, ¿de acuerdo? No sé cuánto tiempo estaremos aquí.

–Tienes frío. Necesitas ropa.

–Tú también necesitas ropa. No me gusta que andemos por ahí medio desnudas en una dimensión desconocida. Cuestión de pudor.

Valquiria miró el móvil, más por curiosidad que porque esperase verlo funcionar. Evidentemente, no daba tono ni encontraba red. Intentó localizar su posición en el GPS, pero le saltó un mensaje de que el móvil no podía determinarla. Había agarrado las dos cosas, ¿por qué no se le habría caído el teléfono en lugar del anillo? Al menos el anillo funcionaría.

Junto a una casucha encontraron una cuerda con ropa tendida. Valquiria se la probó. Debía de pertenecer a un hombre más bien gordo, porque los pantalones le estaban bien de largo pero le venían muy amplios. Buscó algo que utilizar como cinturón y terminó por amarrarlos con un pedazo de cuerda. La chaqueta sí le valía, aunque tuvo que remangársela bastante. Junto a la puerta trasera había unas botas llenas de barro. Estaban destrozadas y le quedaban enormes, pero al menos no iba descalza. El reflejo sí, y no tenía nada con lo que abrigarse, pero se metió la mano en el bolsillo y sacó unas cuantas monedas. Al menos tenían algo de dinero, aunque Valquiria no tenía ni idea de si valdría allí.

Se dirigieron al siguiente pueblo. El plan era avanzar por carreteras secundarias; de momento lo estaban haciendo de maravilla, porque todas las carreteras que veían parecían secundarias.

–¿Qué hora es? –preguntó el reflejo.

¿Por qué? ¿Tienes que ir a alguna parte?

Lo pregunto porque la primera vez que oscilaste, volviste al cabo de veinte minutos. Llevamos horas andando; está a punto de amanecer.

–Sí, ya me he dado cuenta. Nadir me dijo que esto del eco llevaba un ritmo propio, pero no tengo ni idea de cuál será.

–Podríamos pasarnos días aquí.

–Sí... –murmuró Valquiria, notando cómo se le caía el alma a los pies.

El amanecer tiñó el cielo de un naranja glorioso que se extendió por el horizonte. A lo lejos, varios agricultores trabajaban los campos con mulas y caballos, sudorosos bajo el sol. Era como viajar atrás en el tiempo.

–Me pregunto si el mundo entero será así –dijo Valquiria–. Tiene que haber algún país que haya avanzado, donde se hayan inventado cosas. La vida evoluciona; las cosas no se quedan siempre como están.

–Sí lo hacen, si el mundo está poblado por esclavos –respondió el reflejo–. Y eso es lo que son los mortales en esta dimensión, ¿no? Esclavos. Los hechiceros se guardan la magia para ellos, evolucionan y su sociedad progresa, pero los mortales... Se quedan aquí, con los pies hundidos en el barro. Los hechiceros no les permiten avanzar.

Valquiria los contempló.

–Menudo asco.

–Pues sí.

Al llegar al siguiente pueblo, vieron una panadería abierta. La tendera observó sus monedas con desconfianza, pero terminó por aceptarlas. No les dio mucho pan a cambio, pero al menos Valquiria engañó el hambre. La gente las miraba con curiosidad, pero nadie las molestó, y ambas fueron tan discretas como pudieron. Las casas eran chabolas, como en Haggard, y el camino pedregoso que servía de vía principal estaba lleno de estiércol de caballo.

Una mujer se tambaleaba por la calle pidiendo ayuda a los viandantes, que la miraban con indiferencia. La mujer se agarró al brazo de un hombre y este se desasió. Valquiria le dio la espalda ignorando sus gemidos y súplicas, pero se volvió al oír que el hombre la arrojaba al suelo.

–¡Eh! –gritó, y antes de darse cuenta ya estaba a mitad de camino.

–¡Por favor! –exclamó la mujer–. ¡Ayuda, por favor!

El hombre la insultó mientras alzaba una mano para golpearla. Valquiria chasqueó los dedos y encendió una bola de fuego; al verla, el hombre retrocedió, dio media vuelta y echó a correr. Valquiria dejó morir la llama y miró a su alrededor: la calle se había quedado prácticamente vacía y su reflejo negaba con la cabeza. La mujer, de rodillas, se abrazó a las piernas de Valquiria.

–Ayúdame, te lo suplico.

–Vamos, levántese. Tranquila, deje de llorar. ¿Qué pasa?

La mujer permitió que la ayudara a incorporarse, pero pasó a sujetarle la muñeca en lugar de la pierna.

–Por favor, mi hijo. Se han llevado a mi hijo...

–¿Qué ha pasado?

–Estaba hablando con sus amigos, hablando nada más, solo eso. No tenía nada que ver con la Resistencia ni con esas cosas, era solo... No quería decir nada, no se estaba quejando... Pero los controlamentes salieron de la nada y lo detuvieron antes de que pudiera explicarse.

Valquiria se quedó helada.

—¿Los controlamentes patrullan por aquí?

—Patrullan por todas partes —contestó la mujer—. Le apresaron solo a él y dejaron libres a sus amigos. Fue un error: él nunca habría albergado pensamientos contrarios a Mevolent. Por favor, por favor... Si pudieras hablar con ellos, hacerles entender que mi hijo no es ninguna amenaza...

—Lo siento, no puedo hablar con nadie; no los conozco.

—Pero tú eres una hechicera, ¿no? Eres... —sus ojos se desorbitaron—. Formas parte de la Resistencia.

—No formo parte de nada.

La mujer la agarró con más fuerza.

—¿Puedes ayudarle? ¿Podrías rescatarle?

—No, lo siento. Ni siquiera soy de aquí.

—¡Tienen a mi hijo! Por favor... Puede que le ejecuten. Tienes que ayudarme; nadie más lo hará.

—Si lo han llevado más allá del muro, no puedo hacer nada.

—Pero es que aún no se lo han llevado —insistió la mujer—. La barcaza no regresará al palacio hasta dentro de tres horas.

«Lo único que tienes que hacer es no meterte en líos», le había dicho Ravel. Y en aquel momento parecía tan fácil cumplirlo...

—¿Dónde está esa barcaza? —preguntó Valquiria.

—Saldrá de aquí dentro de unos minutos para unirse a las demás, y luego todas regresarán a la ciudad. No queda mucho tiempo...

Valquiria suspiró.

—Espere un momento.

—¡Por favor, no me dejes sola!

—Voy a hablar con mi hermana, ¿vale? Aguante un segundo.

Consiguió soltarse y corrió hasta el reflejo, que estaba entre las sombras con la cabeza gacha.

—Voy a ver si puedo ayudar a esta mujer.

—Skulduggery te dijo...

—Ya sé lo que me dijo. Quiero que me sigas. Vaya donde vaya, haga lo que haga, tú sígueme. No intervengas a no ser que estén a punto de matarme o algo así.

—Creía que tenía que estar siempre a tu lado, al alcance de tu mano.

—Los planes han cambiado.

El reflejo alzó la vista.

—No me gustaría nada que regresaras sin mí y me dejaras aquí sola.

—Lo sé —titubeó Valquiria—. Escucha: si ocurre eso, vuelve a Haggard, al sitio donde llegamos. Yo volveré a buscarte.

El reflejo asintió.

—Procura que no te maten, ¿vale? —dijo finalmente.

Valquiria le dedicó una sonrisa vacilante.

—No puedo prometer nada.

La mujer las condujo por un campo que bordeaba la aldea; en medio había un buque más o menos del tamaño de un avión jumbo. De hecho, si alguien hubiera agarrado un avión de metal negro, le hubiera arrancado las alas y hubiera aplastado el cilindro para darle forma rectangular, habría acabado con algo muy semejante a la barcaza. Solo le faltaban ruedas, ventanillas o alguna puerta por la que entrar.

—¿Esto es la barcaza? ¿En serio pretende que me cuele ahí dentro?

—¿No puedes?

—No veo cómo. Ni siquiera sé cómo va ese cacharro. ¿Por dónde se abre? ¿Dónde está la puerta?

—¿De verdad nunca has visto una barcaza? —preguntó la mujer examinándola atentamente—. ¿De dónde eres?

—No soy de por aquí.

La mujer se mordió el labio y asintió.

–Puedo enseñarte dónde está la puerta. Cuando se ponga en marcha, si nos damos prisa, podremos llegar hasta ella sin que nos vean.

–Usted debería esconderse.

–No la encontrarás sin mi ayuda, y puedo ser muy rápida si es necesario –agarró una piedra–. Si vienen los Capuchas Rojas, lucharé a tu lado.

–No vamos a pelear con los Capuchas Rojas a menos que no tengamos otra opción –sentenció Valquiria–. Si los ve, eche a correr, ¿de acuerdo? Déjeme pelear a mí.

La mujer asintió, pero no soltó la piedra.

Se agacharon tras unos matojos al ver una patrulla de Capuchas Rojas que atravesaba el campo y desaparecía detrás de la barcaza. Unos minutos después, se oyó el ronquido de un motor gigantesco.

–Prepárate –dijo la mujer.

La barcaza se sacudió y después se levantó un poco del suelo.

–¿Esto vuela? –exclamó Valquiria–. ¡No me dijo que volaba!

–¡Vamos! –gritó la mujer saliendo de su escondite.

Contraviniendo todos los dictados de su instinto, Valquiria la siguió. Cuando se encontraban justo debajo de la barcaza, la mujer se detuvo y señaló hacia arriba.

–¿Lo ves? Justo ahí, ¿ves esa escotilla?

Valquiria frunció el ceño. La parte inferior de la barcaza era plana, sin nada a lo que aferrarse cuando se impulsara hacia arriba.

–¿Esa es la única entrada que hay? ¿No hay otra arriba?

–Que yo sepa, no.

–Entonces, tenemos un problema –meditó Valquiria–. Seguramente pueda llegar hasta allí, pero no veo cómo podría abrirla...

La mujer se lanzó hacia delante y le clavó la piedra afilada en el cráneo. Valquiria ni siquiera reaccionó: cayó de espaldas, con la mente nublada. La escotilla se abrió por encima de su cabeza y una plataforma descendió hasta la tierra. Por ella bajó un hombre; a Valquiria le resultaba familiar, pero estaba tan confusa que no pudo reconocerlo. Era alto y ancho de hombros, con pelo canoso y mandíbula fuerte. La mujer le habló, con las manos enlazadas como le suplicara, pero el hombre ni siquiera se molestó en mirarla. Tenía los ojos fijos en Valquiria, mientras ella luchaba por centrarse.

–... os la he traído –decía la mujer–. Dejad libre a mi hijo, por favor. Cometió un error; nunca volverá a suceder. Lleváosla a ella en su lugar. Sé que la estabais buscando.

–Tu hijo va a ser interrogado –tronó el hombre con voz profunda y llena de autoridad–. Si no ha cometido ningún delito, te será devuelto como recompensa por tus servicios.

La mujer rompió a llorar.

–Gracias. ¡Gracias! ¿Cuándo lo liberarán?

Pero el hombre ya había perdido demasiado tiempo con aquella mujer mortal, así que la ignoró. Se acercó a Valquiria, con las esposas en la mano, y la volteó de una patada. De pronto, ella supo quién era. No lo había reconocido sin la barba.

El barón Vengeus le esposó las manos y la obligó a incorporarse.

33

EL HOMBRE DE NEGRO

ELSIE esperó detrás de la farola, intentando reunir el valor suficiente para hablar con el supervisor de las obras. Las reparaciones estaban casi completas: la cafetería contaba con un nuevo escaparate, los restos del coche habían desaparecido y una cuadrilla de operarios daban los últimos toques a la calle.

Según las primeras informaciones de la prensa, esa calle había sido el campo de batalla de una guerra de bandas, gente con pistolas que había disparado y puesto bombas en los coches. Luego, los periodistas empezaron a sugerir que alguien había utilizado un lanzallamas o una especie de rayo láser. Pero las últimas noticias aclaraban la confusión: se había tratado de un simple accidente de coche sin ningún interés. Los testigos oculares volvieron a aparecer en la tele para disculparse por la confusión, y los lectores y espectadores se rieron del asunto. Lo importante era que nadie había salido herido y no habría demandas.

Elsie lo había escuchado todo. Sabía que Kitana y los otros dos eran los responsables, y que la gente de la que les había hablado Xebec, los policías mágicos, estaban ocultando lo que había pasado de verdad.

–¡Hola! Perdona...

Se giró: dos periodistas se acercaron a ella, uno de ellos con una cámara. El otro echó un vistazo rápido a su alrededor y le dedicó una sonrisa furtiva.

–¿Estabas aquí? –preguntó–. ¿Viste lo que pasó?

Elsie pestañeó y miró a la cámara.

–¿Sois del telediario?

–Estamos haciendo un documental –explicó el hombre–. Queremos sacar a la luz la verdad, lo que se está intentando encubrir. ¿Fuiste testigo de lo que pasó? ¿Te importaría contarnos lo que viste?

–Lo siento, pero no sé de qué... No estaba aquí. Perdón.

El hombre la miró fijamente.

–También te lo han borrado, ¿no?

Ella frunció el ceño y el cámara tiró del brazo de su compañero.

–Vámonos, Kenny.

–Esta chica sabe algo.

–Nos van a ver. Vámonos.

El cámara ya se estaba alejando a toda prisa, pero el otro hombre, Kenny, le dio a Elsie una tarjeta.

–Si te acuerdas de algo –le dijo mientras caminaba hacia atrás–, llámame.

Elsie esperó a que los dos se alejaran, y después cruzó la carretera y tiró la tarjeta entre los escombros y los cristales rotos. Respiró hondo y se acercó al jefe de obras.

–Disculpe... –dijo–. Me gustaría hablar con quien esté al mando.

El supervisor sonrió.

–Ese soy yo.

–Esto... No, me refiero a... a alguien que esté de verdad al mando. Ya sabe. Que controle el secreto.

–¿El secreto?

Ella asintió.

–El secreto... de estas cosas.

Él frunció el ceño.

–Señorita, ¿se ha dado algún golpe en la cabeza recientemente? Podemos buscar un médico que le eche un vistazo.

–Estoy bien –añadió rápidamente Elsie–. Bueno, no, no estoy bien, pero quiero ayudar. Sé que esto no ha sido un accidente de coche, ni tampoco una guerra de bandas con rayos láser. Creo... Creo que conozco a los que han hecho esto.

El supervisor la miró atentamente y sonrió de nuevo.

–¿Cómo te llamas?

Ella se lo dijo.

–¿Sabes qué? –repuso el supervisor–. Creo que voy a llamar a mi jefe. ¿Te importa esperar un momento?

–De aquí no me muevo.

Él asintió, se apartó y llamó por teléfono. Media hora después, un coche negro precioso aparcó y de él salió un hombre alto y delgado con un traje negro. Se quitó el sombrero, sonrió y le estrechó la mano a Elsie. Llevaba guantes.

–Elsie –dijo; tenía una voz increíble, suave y aterciopelada–. Gracias por avisarnos. Llevamos días buscándote; tu madre está muy preocupada.

–No puedo volver a casa –protestó ella–. Todavía no. Necesito ayuda.

–Lo sé. Me llamo Skulduggery Pleasant. Sé que es un nombre poco común, pero es que soy una persona poco común. Como tú, al parecer.

–¿Usted sabe de... de cosas raras?

–Si con «cosas raras» te refieres a poderes mágicos, sí.

–Solo quiero que pare todo esto –barbotó ella–. ¿Lo puede conseguir? ¿Puede quitarme los poderes?

–No –respondió él–. Todavía no. Pero estamos en ello.

—No quiero hacer daño a nadie.

—Lo sé. Pero tus amigos sí.

Elsie esbozó una sonrisa carente de alegría.

—No creo que sigan siendo mis amigos. Conozco a Sean desde que éramos pequeños. Mi madre y la suya eran muy amigas, así que crecimos juntos. Con Doran casi no he tratado. A ver, llevamos años en la misma clase, pero en realidad no le conozco. Es un matón, y el año pasado le detuvieron por pegar a un chico universitario. Al final no le pasó nada. Está... enfadado. Creo que intimida a todo el mundo. Salvo a Kitana.

—Háblame de ella.

—Siempre ha sido muy popular; todos los chicos hacen lo que ella dice. En realidad... supongo que todo el mundo hace lo que ella dice, incluso yo. Lo único que tenemos en común es Sean. Si no fuera por él, no creo que ella supiera ni siquiera cómo me llamo. Kitana es... No está bien. Incluso antes de tener estos poderes, nunca ha estado bien.

—Hablando de los poderes... Dime, ¿tenéis todos las mismas capacidades?

—Creo que sí.

—¿Qué hiciste cuando las obtuviste?

—¿Que qué hice? No lo sé. Supongo que me entró el pánico. Estábamos detrás del instituto porque no nos apetecía ir a matemáticas. Vamos allí cuando nos saltamos las clases, nos escondemos en la parte trasera. El caso es que estábamos como siempre, yo callada y los chicos intentando impresionar a Kitana, cuando de pronto me encontré mal. Me entró calor y empecé a sudar, pero al mismo tiempo temblaba de frío, como si tuviera la gripe o algo así. Miré a los demás y estaban todos igual. Creímos que sería un virus, así que nos fuimos a casa. Y esa noche soñamos todos con un tal Argeddion. No recuerdo mucho: solo que un hombre vestido de blanco nos entregaba algo. Un regalo. Por la mañana, cuando me desperté... simplemente lo sabía, sabía que tenía algo extraño en mi interior.

–¿Cómo te sentiste?

–No me gustó. Kitana dijo que era increíble, pero yo... No sé. Era como si una parte de mí no fuera yo. Era, ¿cómo decirlo?, inquietante.

–Así que los cuatro os encontrasteis de pronto con que teníais poderes –concluyó Skulduggery–. ¿Qué hicisteis?

Elsie se encogió de hombros.

–Jugamos con ellos unos cuantos días. Cuanto más los usábamos, más fuertes nos hacíamos. Sean estaba emocionadísimo: decía que deberíamos convertirnos en superhéroes o algo así. Doran le llamó retrasado y dijo que lo que deberíamos hacer era robar todos los bancos del país. Kitana decía que usaría sus poderes para hacerse famosa; siempre quiso ser modelo, salir en películas y cosas por el estilo. Decía que se iba a convertir en una estrella.

–¿Y tú? ¿Para qué querías usar tus poderes?

Elsie enrojeció.

–La idea que más me gustaba era la de Sean.

–¿Y qué sucedió después?

–No lo sé. Estábamos juntos una noche, riéndonos y decidiendo qué haríamos, y entonces...

–¿Entonces?

Elsie vaciló antes de continuar.

–Había un portero de discoteca que nunca dejaba entrar a Doran porque es menor de edad. Doran siempre estaba quejándose y hablando de él: decía que un día iba a ir a por él y le iba a saltar los dientes. Y eso fue lo que hizo. Se acercó a la discoteca, el gorila le dijo que no podía pasar y Doran utilizó sus poderes. El tipo acabó en el hospital; creo que sigue en estado crítico. Doran se reía sin parar cuando nos lo contó.

327

–¿Cómo reaccionaron Sean y Kitana?

–Sean al principio estaba muy callado, pero Kitana no dejaba de preguntarle a Doran cómo se había sentido y cosas así. Se notaba que le parecía bien, y como a ella le gustaba la idea, Sean se dejó llevar.

–Y así empezó todo.

–Sí. Y la cosa se nos fue de las manos. Mataron al ex de Kitana, mataron al tipo que nos habló de la policía mágica... Mataron al hermano de Doran...

–Tenemos que detenerlos antes de que hagan daño a nadie más. En cuanto vuelvan a la normalidad, haremos lo que haya que hacer, pero ahora mismo lo importante es detenerlos. ¿Puedes ayudarnos?

–¿Qué tengo que hacer?

–¿Tienes alguna idea de dónde pueden estar o de cuáles son sus planes?

–Van de un sitio a otro, ni siquiera sé si tienen algún plan. Los chicos hacen todo lo que Kitana les dice, y Kitana hace lo que le apetece.

–Mataron a Patrick Xebec porque podía ser un amenaza para ellos, pero sus objetivos auténticos eran el exnovio de Kitana y el hermano de Doran. Van a ir a por gente que los haya tratado mal a lo largo de su vida. ¿Sean tiene algo contra alguien?

–No, que yo sepa. Sus padres son buena gente. El padre de Doran siempre está borracho y los padres de Kitana no pasan por casa, pero la familia de Sean es estupenda. Sean no le haría daño a nadie.

–El poder le está corrompiendo.

–Pero aun así, no lo haría. No es como los otros dos. Es buena persona.

–Es cómplice de asesinato, Elsie. Tenemos que pararlo antes de que las cosas se pongan todavía peor para él. ¿Se te ocurre adónde podrían haber ido? ¿Sabes de alguna cuenta pendiente que quieran saldar?

–No se me ocurre nada, lo siento. Ni siquiera tiene sentido lo que han hecho; a Kitana no le importaba nada su ex, en realidad.

–Entonces, solo estaba buscando una excusa para hacer daño a alguien –asintió Skulduggery–. Nadie está a salvo de ella, Elsie.

–No sé dónde puede estar, de verdad. El único... el único sitio que se me ocurre donde haya gente a la que odie es nuestro instituto. Pero no creo que haga nada allí, ¿no? Allí hay amigos nuestros.

–Mandaré a alguien para vigilar el sitio. Si aparecen, estaremos preparados. Entretanto, me gustaría que me acompañaras a un sitio; lo llamamos Santuario. Puede que no sea el lugar más seguro del mundo, pero al menos Kitana y los demás no te encontrarán allí. ¿Quieres venir conmigo?

Elsie asintió.

–Gracias. Muchas gracias, de verdad.

Skulduggery le abrió la puerta del coche y Elsie se acomodó en el asiento del copiloto. Skulduggery se puso al volante.

–Tendrás que ajustar el asiento –dijo–. La chica que suele ponerse ahí es bastante alta y le gusta tenerlo justo en su sitio.

Elsie desplazó el asiento hacia delante.

–No le importará, ¿no?

–Suponiendo que siga viva y regrese alguna vez, estoy convencido de que no parará de quejarse. Ponte el cinturón.

34

DENTRO DE LA CIUDAD

LA barcaza se sacudió y retumbó mientras sobrevolaba la ciudad de Dublín. Si no fuera porque su reflejo se encontraba abajo, a saber dónde, Valquiria hubiera estado encantada de pasar varias horas en aquella pequeña celda, matando el tiempo hasta volver a su dimensión. Pero no quería dejar al reflejo allí; no podía abandonarlo.

Las esposas le hacían daño en las muñecas: Vengeus no había tenido muy en cuenta su comodidad cuando la había encerrado allí. Vengeus... La última vez que lo vio, el Grotesco le estaba destrozando la cabeza. Eso fue hacía... ¿cuánto? ¿Cuatro años? La verdad es que lo prefería con la cabeza aplastada. El Vengeus de esta realidad tenía tan poco sentido del humor como el de su dimensión, y era exactamente igual de intimidante. Sin embargo, no llevaba la especie de machete que lo acompañaba siempre cuando Valquiria lo conoció. Algo era algo.

Por poco que fuera.

Vengeus no había perdido el tiempo en preguntarle nada: había dado por supuesto que formaba parte de esa Resistencia de la que todo el mundo hablaba, y seguramente se reservaba para interrogarla en serio en cuanto llegaran al palacio. Valqui-

330

ria se preguntó si Skulduggery habría arrestado a esta versión de Vengeus tras la pelea legendaria de la que le había hablado China, o si en esta dimensión no habría sucedido nada de eso. Si Mevolent estaba vivo y Vengeus también, ¿quién más lo estaría? ¿Se encontraría Nefarian Serpine tras el muro? ¿Habría otro Skulduggery? ¿Sería muy distinto del que ella conocía? La idea de que hubiera dos versiones idénticas de Skulduggery Pleasant la hizo sonreír. Podrían mantener conversaciones entre los dos de lo más ingeniosas y narcisistas.

El ruido del motor cambió, pero la falta de ventanas le impedía a Valquiria hacerse idea de lo que estaba pasando. El vehículo se sacudió, retumbó y se estremeció, y los motores se apagaron lentamente.

Habían llegado.

La puerta de la celda se abrió, y un Capucha Roja levantó a Valquiria y la arrastró hasta el centro de la barcaza. Vengeus estaba ocupado supervisando el traslado de los prisioneros mortales, y no le hizo el menor caso. Finalmente se giró, despidió al Capucha Roja y bajó las escaleras. A mitad de camino se volvió hacia Valquiria y la miró, con los ojos encendidos por un destello amarillento. Cuando Valquiria echó a andar frente a él, sus ojos volvieron a la normalidad.

La condujo al exterior, alejándose de la sombra de la barcaza. La parte de Dublín que quedaba dentro de la muralla era un oasis de lujo. Las calles eran anchas y organizadas, y todos los edificios estaban adornados con gárgolas de aspecto fiero y extravagante. Había torres que se alzaban hacia el cielo y frondosos árboles en las aceras. En cada esquina había un balcón de piedra, desde el que un elemental manipulaba el aire sobre aquella gente privilegiada. Carruajes sin ruedas, caballos ni motores se elevaban por el cielo y se unían a las corrientes de aire para desaparecer de su vista. Había algunas calesas a ras de suelo para los que deseaban tomar rutas distintas, pero ningún coche. Los conductores de los carruajes aéreos eran hechiceros jóvenes, probablemente elementales que todavía estaban ensayando sus habilidades. Los que tiraban de las calesas, en cambio, eran mortales con ropas pardas que mantenían la cabeza gacha. Pensándolo bien, Valquiria no se sorprendió demasiado. ¿Para qué les servía a los hechiceros estar en la cumbre de la sociedad, si no podían despreciar a los que se encontraban debajo?

También se veían otros mortales que caminaban deprisa y con la cabeza gacha, escabulléndose por los callejones para no ofender la vista de los hechiceros. Eran sirvientes, trabajadores manuales y esclavos. Sus superiores caminaban tranquilamente, ataviados con ropajes tan finos y delicados que casi parecían peligrar, como si una mancha de polvo pudiera hacerles un agujero. Todos llevaban cuellos altos y zapatos puntiagudos, y los tonos de su ropa eran brillantes y coloridos. Valquiria no entendía de moda, pero estaba segura de que una chica vestida con ropas marrones, viejas y demasiado grandes para ella no podía resultar una visión agradable para aquella gente. Las esposas no ayudaban, claro, ni tampoco el hecho de que Vengeus le pisara los talones.

La gente la miraba y arrugaba la nariz cuando pasaba cerca de ellos. ¿Y esos eran hechiceros? ¿Aquellos idiotas pomposos y emperifollados? Los hechiceros que ella conocía eran duros, curtidos en mil batallas, acostumbrados a mantenerse en la sombra y no llamar la atención. Los hechiceros de aquella realidad eran de una pasta muy distinta.

—Nunca has estado aquí —afirmó Vengeus—. En tus ojos veo la mirada de la gente que contempla la ciudad por primera vez. Mírala bien, disfruta de la vista; el calabozo no tiene este esplendor. Tus días estarán llenos de dolor, y pasarás las noches temblando, llorando y esperando a que el sufrimiento se reanude.

–Pues vale... –dijo Valquiria encogiéndose de hombros–. De todas formas, yo no soy muy nocturna: rindo más por las mañanas.

Él la fulminó con los ojos y Valquiria fingió no darse cuenta.

–¿Sabías que los controlamentes no quieren entrar en tu cabeza? Los que lo intentaron aún no se han recuperado. Dicen que en tu interior hay algo vivo. Un guardián. Un protector. ¿Es cierto eso?

–Sí –respondió, decidiendo que era mejor no explicar que su cabeza era un sitio bastante frecuentado.

–Ahórrate esa cara de satisfacción –gruñó Vengeus–. Tal vez te libres de la desagradable experiencia de que un psíquico entre en tu mente, pero por suerte nos queda la tortura física. Así que hazte un favor: antes de que empiece el interrogatorio, dinos qué hiciste con el teletransportador y tal vez tus sufrimientos sean menores.

–¿Con quién? –preguntó Valquiria frunciendo el ceño–. Ah, te refieres a ese tipo, Remit, el del bigote puntiagudo. Ya, sí. No le hice nada. Lo dejé en un tejado, no sé dónde.

–¿Quién lo tiene?

–Yo no, desde luego. Puede que huyera. Tal vez no fuera feliz. Al fin y al cabo, tenía un bigote estúpido: eso es signo de una profunda infelicidad. ¿Qué ha sido de tu bigote, por cierto? ¿Dónde está tu barba? ¿Por qué te has afeitado?

–Ah –murmuró él–. Eres una de esos, ¿eh?

–¿De quiénes?

–De los que hablan y bromean cuando están esposados. He conocido a unos cuantos como tú. Sueltan chistes para ocultar su miedo. ¿Sabes? Eso siempre indica que se romperán fácil... y rápidamente.

–También puede indicar que no tengo ni pizca de miedo y que me río de la tortura. A ver, no digo que sea así, pero podría serlo.

Salieron de la avenida y se internaron en un barrio de calles más estrechas. Todo seguía estando limpio y bien cuidado, pero era un poco menos luminoso y bastante menos frecuentado.

Valquiria miró a Vengeus con curiosidad.

–¿Puedo hacerte una pregunta? Sé que los interrogatorios normalmente no funcionan así, pero como todavía no hemos empezado oficialmente, he pensado que podría darle un poco de variedad. ¿Qué te ha pasado, barón? Me refiero a que... ¿Ahora te dedicas a esto, a llevar prisioneros? Antes eras general.

–Sigo siéndolo.

–No, ahora eres un carcelero.

–Hago lo que sea necesario. En tiempos de guerra, la labor de un general es ganarla. En tiempos de paz, el trabajo de un general es mantenerla.

–¿A esto le llamas paz? La gente está aterrorizada.

–¿Te refieres a los mortales? Por supuesto que están aterrorizados. Gracias al terror los controlamos. La gente asustada es gente pacífica.

–La paz no significa nada si no hay libertad.

–Entonces, la paz no significa nada. Lo siento, ¿tienes intención de empezar un debate sobre el tema? Eres una prisionera, y pronto serás una prisionera transida de dolor. No vamos a debatir ni a discutir. Tú no eres nadie: solo otra simpatizante de los mortales. Muy pronto todos tus secretos estarán al descubierto.

Pasaron por un túnel en el que no entraba la luz del sol. Una mujer rapada se acercó a ellos desde el otro extremo.

–Esposo... –dijo, y Vengeus respondió algo entre dientes.

Valquiria la examinó enarcando las cejas. La mujer llevaba un informe vestido gris hecho con tela de saco. Iba descalza, con los tobillos presos por dos grilletes unidos con una cadena que la obligaba a avanzar a pasitos rápidos. De su cuello colgaba un trocito de madera atado a un cordel, con el símbolo de los dos círculos grabado. Su cabeza estaba rapada, y en su pálido rostro no había rastro de maquillaje. Valquiria tardó unos segundos en reconocerla: era Eliza Scorn.

–Han vuelto a venir de noche –dijo, sin mirar a Valquiria siquiera–. Hicieron pintadas en la puerta de la catedral. Garabatos obscenos y dibujos de mal gusto. Hay que detenerlos; tienes que detenerlos.

Su voz se fue haciendo más aguda según hablaba, amplificada por la resonancia del túnel. Vengeus extendió las manos como si quisiera tranquilizarla, pero ella lo detuvo con un gesto justo antes de que la rozara.

–Ya he avisado a la Guardia Mágica –dijo el barón–. Han intensificado las patrullas por la zona. Por favor, ahora estoy con una prisionera y no puedo...

Scorn negó con la cabeza.

–No es suficiente. Hay que dar caza a esos blasfemos. Tienes que enviar a la Diablería tras ellos.

–Amor mío, la Diablería tiene trabajo...

Un destello de furia cruzó el rostro de Scorn.

–¡Han profanado la catedral! –chilló–. ¡Si la mancillan, nos mancillan a todos! ¿No piensas hacer nada mientras ultrajan a tu propia esposa?

Por alguna extraña razón, Valquiria sintió la necesidad de apartar la vista para ahorrarle a Vengeus la vergüenza de que alguien lo viera discutir con su desquiciada mujer en presencia de una prisionera. Entonces recordó que la prisionera era ella y dejó de sentirse incómoda.

–Nadie te ha ultrajado –susurró Vengeus–. No son más que alborotadores y gamberros; los capturarán y los castigarán.

–¿Gamberros? –repitió Scorn, incrédula–. ¡Son terroristas! Blasfeman abiertamente contra los Sin Rostro, y si no los detienes, esto empeorará. ¿Me oyes? Cada vez irá a más.

Vengeus asintió.

–Triplicaré la guardia.

–¡Debes darles caza!

–Lo haré. No escaparán a la justicia.

Scorn se llevó las manos al colgante de madera.

–Interroga a los prisioneros de las mazmorras. Lo saben. Saben quién lo está haciendo. ¿Quién es esta muchacha?

–Todavía no lo sé. Trabaja para la Resistencia.

Scorn respondió entre dientes, pero Valquiria entendió perfectamente sus palabras:

–Interrógala. Arráncale las uñas. Córtale los párpados. Sabe quién lo está haciendo.

–Hola, Eliza –saludó Valquiria.

Scorn se envaró y se dio media vuelta.

–No le hables a mi esposa –gruñó Vengeus.

Valquiria le ignoró.

–¿Y esos grilletes, Eliza? ¿Se te ha ido tanto la cabeza que ya no se fían de ti?

Vengeus la abofeteó y Valquiria se obligó a no mostrar dolor.

–Mi esposa lleva esas cadenas como penitencia. Lo hace por todos nosotros, para mostrar a los Sin Rostro que estamos dispuestos a aceptar el castigo por lo que les hicieron. Es una verdadera creyente de alma justa, a diferencia de la tuya.

–Impura... –murmuró Scorn.

Valquiria levantó una ceja.

–¿Perdón?

–¡Impura! –tronó Scorn, con la mirada fija en el suelo empedrado–. ¡Tu alma está impura! ¡Podrida! ¡Putrefacta!

–Llevas un saco muy bonito.

–¡No dejes que me dirija la palabra!

Vengeus empujó a Valquiria contra la pared, con la mano crispada en torno a su garganta.

Scorn se cubrió la cara con los brazos.

–¡Que deje de mirarme! ¡Detenla!

Unos dedos fuertes se clavaron en la mejilla de Valquiria y le ladearon la cabeza para obligarla a apartar la vista. Oyó los pasos rápidos de Scorn y el tintineo de sus cadenas. Se estaba acercando.

–Hazle daño –gruñó Scorn llena de furia, mascando las palabras–. Mátala. Destrózale la cara. Arráncale la lengua. Sácale los ojos.

–Mevolent quiere hablar con ella –replicó Vengeus.

–Que hable con su cuerpo. Que hable con su cadáver. Que hable con su carne descompuesta, cuando tenga la cabeza clavada en una pica. Que hable con ella entonces.

–Nos está esperando, esposa mía.

–¡Que espere! ¡Esta repugnante niña me ha mirado a la cara! ¡Me ha dirigido la palabra, me ha hablado con desprecio! ¡Los Sin Rostro exigen que sufra!

–Si es así, Mevolent lo ordenará sin lugar a dudas. ¿Acaso no es la voz de los Sin Rostro en la tierra?

Lo único que oyó Valquiria como respuesta fue un jadeo de Scorn.

–Regresa a tus plegarias –dijo Vengeus–. Cuando le haya entregado esta escoria a Mevolent, regresaré a tu lado junto al comandante de la Guardia Mágica. Los dos le daremos instrucciones de cómo vigilar la catedral.

–Son terroristas –murmuró Scorn con un hilo de voz.

–Así es, y como tales serán perseguidos. Vete. Reza. Regresaré pronto a tu lado.

Hubo un momento de silencio y de nuevo se oyó un tintineo de cadenas: Eliza se alejaba. Instantes después, Vengeus se inclinó sobre Valquiria.

–Debería partirte el cuello ahora mismo –rugió.

337

Valquiria iba a decir que hacían una pareja estupenda, pero apenas había articulado la mitad de la frase cuando Vengeus la alzó en vilo. Por más que Valquiria pataleó y se debatió, no pudo aflojar la mano que se cerraba en torno a su tráquea.

–No sé qué sabrás sobre mí –dijo el barón con voz tranquila–, pero no me divierte intercambiar ocurrencias ingeniosas. Si vuelves a soltar un chiste en mi presencia, te romperé los dedos. ¿Lo has entendido?

Valquiria sintió que un hilo de saliva se escapaba entre sus labios. Sin previo aviso, Vengeus la soltó. Ella cayó de rodillas y resolló en busca de aliento.

–Muy bien –sentenció Vengeus–. En marcha: Mevolent espera.

El palacio era un prodigio de piedra, acero y cristal, tan brillante bajo el sol que dañaba la vista. Sus torres y capiteles se alzaban como cuchillas que rasgaran el cielo. Aquello era lo que Valquiria había divisado desde el otro lado del muro: un palacio con agujas tan altas que debía de verse toda Irlanda desde allí arriba.

Ante la enorme puerta de entrada montaba guardia una docena de hombres, con el brazo izquierdo acorazado y el derecho envuelto en tiras de cuero. Llevaban unos pesados uniformes adornados con los tres castillos del escudo de Dublín, una espada envainada en la cadera izquierda y una pistola enfundada en la derecha. La Guardia Mágica, supuso Valquiria.

El vestíbulo que se abría tras la puerta era absurdamente grande. En el centro había un tanque lleno de un líquido de color verde claro, en cuyo interior flotaba el cadáver desnudo del señor Bliss. Una cadena en el tobillo impedía que emergiera.

–A Mevolent le gusta exhibir a sus enemigos derrotados –comentó Vengeus mientras pasaban al lado.

Valquiria apartó la vista, sintiendo una extraña sensación de vacío.

Si el exterior del palacio estaba custodiado por la Guardia Mágica, el interior se encontraba bajo el dominio de los Capuchas Rojas. Permanecían quietos como estatuas, con las guadañas en la mano, y Valquiria pensó en el tacto de su chaqueta marrón contra la piel y en lo vulnerable que era. Aquellas guadañas cortarían la carne con tanta facilidad como la tela.

Entraron en una sala grande. Al otro extremo había un pequeño estanque de líquido negro que despedía vapor. Valquiria supuso que de allí saldría el hedor que flotaba en el aire. Junto al estanque había un hombre arrodillado, rodeado por seis Capuchas Rojas armados con lanzas largas. Era delgado, con los hombros estrechos y el pelo corto. Su piel tenía un tono amarillento, como si tuviera manchas de nicotina que se hubieran extendido por todo el cuerpo. Mantenía la cabeza gacha y no se le veía la cara.

–¿Ese es Mevolent? –preguntó en un susurro.

Vengeus no respondió.

Los Capuchas Rojas dieron un paso al frente, como si obedecieran una orden inaudible, y clavaron las lanzas en el torso de Mevolent. Este se puso rígido, pero no gritó. Los guardias tiraron de las lanzas y dieron un paso atrás, mientras Mevolent caía hacia delante y se apoyaba en una mano. Se quedó quieto un instante, haciendo acopio de fuerzas, y después volvió a ponerse de rodillas. Los Capuchas Rojas avanzaron de nuevo y volvieron a clavarle las lanzas. En esta ocasión, Mevolent echó la cabeza hacia atrás, con los ojos apretados, y dejó escapar un chillido de agonía. Los Capuchas Rojas hincaron las lanzas más profundamente y las retorcieron, y el aullido se cortó en seco. Se retiraron y Mevolent se derrumbó en el suelo. La sangre manaba de sus muchas heridas.

De pronto, en el estanque negro se alzó una criatura con las extremidades tan largas como una araña. Alzó lentamente los brazos mientras se enderezaba. Sin volverse hacia Valquiria, Nye agarró a Mevolent y lo arrastró con cuidado por el suelo. Los Capuchas Rojas permanecieron en posición de firmes mientras Mevolent se hundía lentamente en las aguas negras.

–Muere cada día –dijo Vengeus en voz baja–. Una muerte violenta. Siempre muy dolorosa, siempre con derramamiento de sangre. De esta forma le enseña a la muerte quién manda, y cuando venga a buscarle en contra de sus deseos, titubeará y se retirará.

Nye salió del estanque y abandonó la estancia sin posar la mirada en Valquiria. No tenía ningún motivo para hacerlo: solo era una prisionera más.

Un instante después, la figura de Mevolent se alzó en el líquido negro y subió por los escalones que debía de haber en el interior del estanque. Una mujer se acercó corriendo a él, y solo entonces Valquiria se dio cuenta de lo alto que era. Incluso descalzo, era mucho más alto que la mujer y que los Capuchas Rojas. La mujer le tendió una toalla, y Mevolent se limpió los restos negruzcos del rostro y se volvió antes de que Valquiria pudiera verle la cara. Se dirigió a la misma puerta por la que había salido Nye, y Vengeus empujó a Valquiria para obligarla a seguirle.

Llegaron hasta una especie de sala del trono. En las paredes colgaban armas de todos los tipos, lujosamente ornamentadas; el trono en sí, sin embargo, era sencillo, una pesada silla de madera que parecía tallada de una sola pieza. A un lado de la sala había una urna de cristal, en cuyo interior se divisaban las piezas de una armadura hecha de tela, cuero y cota de malla de colores negros y grises. El yelmo, fabricado de un metal oscuro, figuraba un rostro en pleno grito. La capa que debía cubrir todo, cuajada de símbolos medio ocultos, estaba hecha jirones.

—Su armadura de combate —explicó Vengeus—. El maestro jamás ha sido derrotado mientras la llevaba puerta. Ese casco ha provocado terribles pesadillas a sus muchos enemigos.

Valquiria no contestó. No estaba mirando la ropa ni el casco: contemplaba una pequeña vara dorada, con una gema negra incrustada en la empuñadura.

El Cetro de los Antiguos.

Lo miró fijamente. Ya no contaba con Oscuretriz. Skulduggery tampoco tenía a Vile. Pero el Cetro podía matar a Argeddion. Si pudiera llevarlo a su realidad...

Vengeus la empujó con tanta fuerza que estuvo a punto de caer rodando. La agarró para sujetarla y la situó delante del trono.

—No mires al maestro a los ojos —susurró—. Mevolent es la voz de los Sin Rostro en la tierra, y como tal, tú no tienes derecho a gozar de la visión de su cara. Cualquier intento de mirarle a los ojos te acarreará un severo castigo. ¿Me has entendido?

Valquiria asintió.

Mevolent entró por una puerta estrecha que había detrás del trono. Iba descalzo, y vestía una túnica sencilla y una especie de velo que ocultaba sus ojos. Recordando la advertencia de Vengeus, Valquiria le miró las manos mientras se sentaba. El maestro tardó unos instantes en hablar.

—¿Es la primera vez que ves a un hombre retornar a la vida? —preguntó finalmente. Su voz era profunda, pero plana. Inexpresiva—. No muchos lo han visto. Con los años, ha crecido la leyenda sobre lo que acabas de presenciar. La verdad queda más oculta cuanto más corren los rumores y las historias. Dicen que me baño en sangre. ¿Lo has oído? Muchos afirman que debo sumergirme en sangre de mortales durante dos horas cada día, o mi cuerpo empezará a pudrirse debido a la corrupción que albergo en mi interior. Eso es mucha sangre; pero los que inventan las leyendas nunca tienen en cuenta esos detalles, ¿verdad? Desde un punto de vista puramente práctico, si tuviera que matar a diario a los mortales suficientes para sumergirme en su sangre, apenas tendría tiempo para hacer nada más, ¿no crees? Otras leyendas dicen que devoro bebés inocentes, que mido tres metros de altura, que respiro fuego o que tengo alas de dragón. Nada de eso es completamente cierto: no tengo alas de dragón, no respiro fuego, solo mido dos metros y medio y nunca he devorado un recién nacido que no se lo mereciera. Mi nombre es Mevolent. ¿Cuál es el tuyo?

Por un instante, fue incapaz de responder. Tenía un nudo en la garganta.

—Valquiria —articuló finalmente—. Valquiria Caín.

—No eres de por aquí, ¿verdad? No necesito que me lo digan mis controlamentes; es evidente con solo mirarte. Este no es tu sitio.

—No.

—Pero, obviamente, has oído hablar de mí. Tienes demasiado miedo como para no saber quién soy. ¿Respondo a la idea que tenías de mí?

Ella negó con la cabeza.

—Habla. Responde en voz alta, Valquiria.

—No. No eres como esperaba.

—Me alegro. No me gustaría ser predecible. Has oído hablar del monstruo Mevolent. Conoces las leyendas. Sabes lo que he hecho. Y esperabas algo... diferente. ¿Qué esperabas?

—No lo sé.

—Esta conversación es lo único que retrasa el dolor que sufrirás. Deberías mostrar interés en prolongarla.

Valquiria tragó saliva.

—No sabía qué esperar. He oído hablar mucho de ti, pero no... no sabía cómo eras. Esperaba a alguien más...

—¿Terrorífico?

—Eres terrorífico.

—¿Violento, tal vez?

—Sí. Puede ser.

—He cambiado. Durante la guerra era violento y estaba sediento de sangre. Cuando terminó la contienda, seguía siendo violento y despiadado. Durante mi reinado me he mostrado violento e inflexible. Dondequiera que caminara, dejaba un rastro de sangre. Pero eso se terminó: la violencia solo trae desgracias, y me he cansado de las desgracias. Me gustaría dialogar con tus amigos de la Resistencia y firmar un tratado de paz.

—Yo no tengo amigos en la Resistencia.

—Los dos sabemos que te opones a mí.

—Pero no conozco a nadie de la Resistencia. No soy de aquí; tú mismo lo has dicho.

—Aun así, te has hecho notar, Valquiria. Hemos tenido noticias de ti en dos ocasiones durante los últimos días. Estoy convencido de que también has llamado la atención de la Resistencia.

—No. En serio, no he conocido a nadie.

—No me tomes por idiota, Valquiria. Te estoy tendiendo la mano en señal de amistad.

—Lo siento, no...

Los labios de Mevolent se retorcieron bajo el velo y Vengeus golpeó a Valquiria en la cara. Cayó de rodillas.

—Estoy intentando ser amable —murmuró Mevolent—. Ofrezco la paz en lugar de la guerra, y esto es lo que obtengo a cambio. Insultos. Burlas.

—No pretendía burlarme de ti.

—¿Esperas que crea que alguien como tú no ha llamado la atención de la Resistencia?

—Tal vez sí, pero no han sido capaces de localizarme. Y en cualquier caso, no quiero unirme a ellos.

—Mientes.

—No miento, es...

—Por supuesto que mientes. Tienes que hacerlo. Mientes porque tu vida está en peligro. Mientes porque le puedo pedir al barón Vengeus que te parta el cuello y no hay nada que pudieras hacer para impedirlo, ¿a que no? Responde.

—No, no podría hacer nada —murmuró.

—Así que es evidente que estás mintiendo. Esperaba que lo hicieras; es natural. Seguirás mintiendo hasta que no puedas más, y luego nos dirás la verdad, y después volverás a mentir otra vez y nos dirás lo que piensas que queremos oír. Ya lo sabemos. Es algo inevitable; siempre es así. Tú no serás distinta a los cientos, miles, decenas de miles de personas a las que hemos interrogado.

Valquiria mantuvo la vista apartada del rostro de Mevolent, muy consciente de la proximidad de Vengeus. En momentos como ese, si estuviera en su dimensión, Skulduggery Pleasant derribaría la puerta de un golpe y entraría en escena lanzando al tiempo un chiste y una bala. Cuánto le echaba de menos, cuánto deseaba que estuviera allí presente... Habría dado cualquier cosa por que se abriera esa puerta y el detective esqueleto entrara.

La puerta se abrió y Mevolent movió ligeramente la cabeza, con los labios crispados. Una sombra en el umbral. Pasos. Pasos muy familiares. Los pasos de Skulduggery. Valquiria sonrió sin poder evitarlo: la había encontrado. Había conseguido que Nadir la siguiera hasta allí, la había encontrado y...

El recién llegado entró en la sala y a Valquiria se le cayó el alma a los pies. La sangre abandonó su rostro y se quedó helada.

—Oh, no... —susurró mientras Lord Vile se acercaba al trono y se situaba a un lado. Su armadura negra era una sombra que lamía el aire a su alrededor.

35

DEBILITÁNDOSE

RSKINE Ravel era como una antigua estrella de cine, toda elegancia y encanto. Era sencillamente... cautivador, y Elsie jamás había utilizado aquella palabra para describir a nadie antes que él.

¡Y Abominable era genial! Al principio sus cicatrices la habían sorprendido, pero no recordaba a nadie que la hubiera hecho sentirse tan segura. Tal vez su padre cuando era pequeña, pero nadie más.

Caminaban entre una especie de soldados vestidos de gris, y Elsie vio su propia imagen reflejada en sus cascos. De repente se dio cuenta de lo ridícula que resultaba al lado de Ravel y Abominable: rechoncha, insegura y vestida con una ropa que intentaba disimular ambas cosas.

La gente que tenía alrededor era excepcional y magnífica. ¿Y quién era ella? Cuando le quitaran aquellos poderes que odiaba, volvería a no ser nadie.

Se acercaron a un muro de energía azul. Al otro lado había cuatro personas ataviadas con túnicas que levitaban con los ojos cerrados. Elsie se quedó boquiabierta; todo aquello era increíble.

345

Uno de los hombres sonrió sin abrir los ojos.

–Erskine –dijo–. Abominable. ¿No estabais ocupados? ¿Acaso no tenéis que hacer frente a una crisis?

–Siempre estamos dispuestos a encontrar un hueco para visitar a los viejos amigos –repuso Ravel–. Hemos bajado a ver cómo estáis y preguntaros si necesitáis algo: un tentempié, una revista, tal vez una pausa para ir al baño...

–No podéis parar a Argeddion.

–¿Quién ha hablado de Argeddion? Yo no lo he mencionado, desde luego. Ni siquiera estaba pensando en él. Pero ya que has traído a colación el tema, Tyren, tienes toda la razón: no podemos pararlo. No sin tu ayuda.

La sonrisa de Tyren se ensanchó.

–¿De verdad crees que haríamos el más mínimo gesto contra él? ¿Después de lo que le hemos hecho? Merece la libertad.

–Hace años, sí. Cometisteis un error, y no fuisteis los únicos. Meritorius nunca debió aceptar vuestro plan. Pero ¿ahora? Ahora es demasiado tarde. Podríamos argumentar que lo convertisteis justo en la amenaza que tanto temíais, pero no soy quién para echar la culpa a nadie. No es así como funciona el Consejo de los Mayores. A nosotros lo que nos interesa es la redención, y esta es vuestra oportunidad de redimiros. Elsie O'Brien –Ravel hizo un gesto–, te presento a Tyren Lament. Tyren y sus amigos están infectados por la misma magia que tú. Tyren, saluda a Elsie.

Lament volvió ligeramente la cabeza, como si pudiera verla a través de los párpados cerrados.

–Me pareció reconocer a un espíritu afín. Hola, Elsie. ¿Cómo te encuentras? Tienes todo el derecho a estar de este lado, junto a nosotros.

Abominable enarcó una ceja.

–¿Y bien, Elsie? Es decisión tuya.

–Esto... no. No, gracias. Sin ánimo de ofenderle, señor, me está... Me está aterrorizando.

Lament soltó una carcajada y sus compañeros se le unieron.

–De acuerdo, muy bien. ¿Es esta vuestra táctica? ¿Traernos a una jovencita encantadora para enseñarle lo bien que nos quedan las chanclas?

–No es ninguna táctica –replicó Ravel–. Solo pensamos que a Elsie le gustaría ver a los primeros que recibieron un fragmento del poder de Argeddion. ¿Qué opinas, Elsie?

Ella vaciló antes de contestar.

–¿Voy a acabar como ellos? –preguntó en un susurro.

–No –dijo Abominable–. Argeddion lleva años controlándolos, por eso están así.

–No es tan malo como parece –dijo Lament.

Ella lo observó con atención.

–Pero ¿cómo os movéis? ¿Cómo habláis con nosotros? ¿Argeddion controla lo que decís?

–No funciona así. Piénsalo de este modo: hace muchos años, Argeddion se sentó a nuestro lado para dialogar con nosotros y nos hizo ver que nos habíamos equivocado y que él tenía razón. Ahora creemos en lo que hacemos. Funciona así.

Elsie puso mala cara.

–Entonces, ¿sabéis que os está controlando? ¿Y por qué no intentáis liberaros?

–Porque no queremos.

–¿Y por qué no?

–Porque no tenemos por qué querer.

–¿Por qué no?

–Porque Argeddion nos ha quitado ese deseo.

–Yo... No quiero insultarte –dijo Elsie–, pero no creo que pudiera vivir así. ¿No quieres ser libre simplemente por el hecho de serlo? Tiene que haber algo en tu interior que te diga que hagas lo que quieres hacer.

–No –replicó Lament–. No hay nada.

–Dudo que eso sea del todo cierto –intervino Abominable–. Nuestros sensitivos han notado que el vínculo que tenéis con Argeddion se está debilitando. Cuanto más tiempo pasa lejos de vosotros, menos control tiene. ¿Lo sientes? ¿Sientes cómo se debilita?

–Lo lamento muchísimo, pero no: no siento tal cosa.

Una chica menuda y rubia que flotaba a la derecha de Lament levantó la mano.

–Yo sí –dijo.

Lament giró ligeramente la cabeza.

–¿Lenka?

–Sí, yo... lo siento –murmuró, dubitativa–. El control de Argeddion se está debilitando.

El hombre que estaba al otro lado asintió.

–Yo también lo noto. Últimamente he tenido pensamientos propios. Es una sensación muy extraña.

–Interesante –declaró Abominable–. ¿Todos lo sentís?

–Yo noto un cambio –dijo el otro hombre, el de piel oscura–. No tanto como Kalvin o Lenka, pero sin duda algo se ha modificado. A este ritmo, es posible que todos nos liberemos de su control mañana o pasado.

–¿Todos? –preguntó Abominable.

El hombre sonrió.

–Todos.

–Esto sí que es interesante –comentó Lament, que parecía feliz–. Así que libertad, ¿eh? Bueno, lo estaré esperando, aunque no me interese demasiado.

Lenka sonrió.

–¿Y el hecho de que la esperes no es la primera señal de que la estás consiguiendo?

–Lenka –dijo él amablemente–, acabas de romperme los esquemas.

Abominable se giró hacia Elsie y se encogió de hombros.

–Y esta no es la conversación más rara que hemos mantenido esta semana.

36

EL VIEJO ENCADENADO

N Capucha Roja condujo a Valquiria a las mazmorras que había en el sótano del palacio. En el subsuelo reinaba una oscuridad profunda, solo rota por algunas antorchas que colgaban de soportes oxidados. Las celdas estaban abiertas y los prisioneros yacían en el interior, la mayoría demasiado heridos o débiles para intentar escapar. Los que aún tenían fuerzas estaban encadenados a los muros. El hedor a suciedad, sangre y miedo llenó de lágrimas los ojos de Valquiria y le dio arcadas.

El Capucha Roja la metió en una celda vacía, la amarró a la pared con una larga cadena sujeta a sus esposas y se marchó. Valquiria se tapó la nariz con las manos y respiró por la boca.

–Te acabarás acostumbrando –dijo una voz.

Había un hombre en la celda de enfrente. Tenía el pelo largo y gris y la barba larga y gris, y parecía llevar allí un tiempo igual de largo y gris. Era viejo y huesudo. Estaba colgado de las muñecas, pero no parecía importarle demasiado.

–El olor –explicó–. Te acostumbrarás a la peste. Dentro de unos días, ni siquiera lo notarás.

Valquiria se acercó a la puerta de la celda y echó un vistazo al pasillo en penumbra. Abrió la boca, pero no supo qué decir.

Alguien lloraba. Otra persona murmuraba algo. En algún lugar de la oscuridad sonaba el rumor de una conversación desenfadada; Valquiria no estaba muy segura de que hubiera más de una persona charlando. Se mordió el labio.

–Te estás esforzando por no sucumbir al pánico –dijo el anciano.

Ella esbozó una sonrisa temblorosa.

–Sí.

–Sigue esforzándote. Sucumbirás muy pronto, pero al menos lo habrás intentado. La mayoría se dejan llevar por el pánico en cuanto los traen aquí, y creo que lo que termina realmente con ellos es la vergüenza.

Aquel hombre... Había algo en él, algo en su voz, que de pronto hizo que a Valquiria se le encendiera la bombilla.

–¿Gran Mago? –preguntó frunciendo el ceño.

Eachan Meritorius soltó una carcajada.

–¿Gran Mago? Hace mucho que nadie me llama así. Debes de ser mayor de lo que aparentas, querida. ¿Cómo te llamas?

–Valquiria. Valquiria Caín. ¿Qué...? ¿Qué le ha pasado?

–Me temo que vas a tener que hacer preguntas un poco más concretas.

La cadena de Valquiria era lo bastante larga como para permitirle entrar en la celda vecina.

–No siempre ha estado así.

–Eso es cierto –respondió él–. A veces me cuelgan boca abajo.

–No me refiero a eso.

–Lo encuentran divertido. Supongo que lo es, dentro de lo que cabe. Un guardia de mazmorras tiene que buscarse algún entretenimiento, ¿no? Bueno, cuéntame qué hiciste para que te encerraran. No es el tema más original de conversación en una cárcel, lo admito, pero me temo que no estoy muy al día en los temas de actualidad.

–Intenté ayudar a alguien.

–Un gesto muy noble.

–Intenté ayudar a una mortal.

–Un gesto muy inútil. ¿Por qué cometiste una tontería así? Estas celdas están llenas de gente noble y tonta como tú y de los mortales a los que intentaron ayudar.

–Gran Mago, yo no soy de aquí.

–¿Estás de turismo?

–No soy de esta dimensión.

–Buah –gruñó Meritorius–. Parece que este sitio no ha tardado mucho en afectarte.

–No estoy loca.

–No te juzgo, querida. Algunos de mis mejores amigos están locos –señaló con la cabeza la esquina–. Como Wallace, por ejemplo. Está como una cabra. ¿A que sí, Wallace?

Valquiria arrugó el entrecejo.

–Esto... Allí no hay nadie.

Meritorius suspiró.

–Los prisioneros que llevamos mucho tiempo encerrados llamamos a esto «humor carcelario». Terminarás por apreciarlo dentro de unos años.

–No estoy loca y no miento. Vengo de otra realidad. Mire –sacó el teléfono y se lo mostró–. Es un móvil. ¿Ve la pantalla? No es magia, es tecnología. Tecnología mortal. ¿Había visto alguna vez algo parecido?

–No –admitió Meritorius–, pero tal vez sea porque llevo décadas encerrado en estas mazmorras. ¿Para qué sirve?

–Para hablar con personas que no están presentes.

Meritorius no pareció nada impresionado.

–Todos podemos hacer eso, mi querida niña.

–Sí, pero a mí me contestan.

–Seguro.

–¡Que no estoy loca! –replicó ella, molesta–. Es para comunicarse. Esto me permite hablar con cualquier persona del mundo.

–Espera, espera. Un segundo. ¿Estás hablando de un teléfono? Cariño, he visto teléfonos y, aunque el progreso es algo maravilloso, hay algunas verdades ineludibles. Si eso es un teléfono, ¿dónde está el cable?

–No lo necesita.

–¿Y me quieres convencer de que no es magia?

–Los teléfonos ya no necesitan cables.

–¿Y cómo te oyen? ¿Cómo marcas? ¿Dónde están los números? Es un cacharro muy pequeño para hacer unas cosas tan maravillosas, ¿no crees?

–Hace muchas más cosas que eso –dijo Valquiria, abriendo un juego y mostrándoselo.

Al Gran Mago se le desorbitaron los ojos.

–¿Qué prodigio es este?

–Se llama *Angry Birds*. ¿Me cree ahora?

Tardó un instante en contestar.

–Tecnología mortal, ¿eh?

–Los mortales de mi mundo han podido prosperar explicó Valquiria guardándose el móvil–. Un oscilador dimensional me envió aquí. En mi realidad, Mevolent lleva mucho tiempo muerto: al no haber esclavizado a todo el mundo, la civilización ha avanzado.

Meritorius asintió.

–Y esto, ese *Angry Birds*, es la cumbre de la evolución mortal, ¿no?

–Eh... Sí, una de ellas, supongo.

–Asombroso. Por favor, perdona mi escepticismo. Por lo que sé de los osciladores, sus poderes tienen unas aplicaciones muy limitadas. La posibilidad de que un oscilador encuentre otra dimensión que sea habitable es muy remota, y hallar una realidad paralela es casi imposible.

–Sé que es muy raro –dijo Valquiria–, pero ese tipo lo logró y me envió aquí.

–Desafortunadamente para ti, he de decir, y me quedo corto. ¿Y Mevolent está muerto en tu mundo?

–Sí. Usted estaba presente cuando fue derrotado. De hecho, colaboró en ello.

Meritorius soltó una carcajada.

–Bueno, eso es muy alentador. Al menos, una versión de mí no fracasó. Conoces a mi doble, entonces. ¿Todavía soy Gran Mago en tu dimensión?

–Lo era –vaciló Valquiria–. Después se murió.

–Ah.

–Con gran valentía.

–Así que en la dimensión donde el bien triunfa sobre el mal, estoy muerto. Y en la dimensión en la que el mal vence al bien, estoy encerrado en un calabozo. No puedo evitar sentirme un poco ofendido. La existencia es una dama caprichosa y cruel, al parecer.

–Creo que es por Mevolent. Él marca la diferencia. En mi mundo murió. En el suyo no. Y todo cambió desde el instante en que asumió el poder.

–Bueno, como puedes observar, en esta dimensión ganó la guerra. Mató o encarceló a todos los que se opusieron a él. Algunos escaparon de sus garras, pero no muchos. Y por lo que me han contado mis compañeros de prisión, la Resistencia no es tan fuerte como nos gustaría.

Valquiria reflexionó unos segundos.

–Si es tan poderoso, ¿cómo es que no ha hecho que regresen los Sin Rostro?

–Gracias a Dios, no ha sido capaz. Algunos secretos siguen estando más allá de su comprensión.

–¿Y qué pasa con el Libro de los Nombres? ¿No puede utilizarlo para averiguar todo lo que necesita? O para encontrar su nombre verdadero y hacerse tan poderoso que pueda hacerlos regresar simplemente con desearlo.

–Podría hacerlo si lo tuviera –asintió Meritorius–. Pero el Libro de los Nombres se encuentra a buen recaudo: yo soy el único que conoce su paradero. ¿Por qué crees que no me ha matado todavía, como mató a Morwenna y a Sagacius?

–¿Sagacius Tome?

–El hombre más valiente que he conocido. Le arrancaron una extremidad tras otra y aun así no me traicionó. ¿Sagacius está vivo en tu mundo?

Valquiria pensó dos veces si entrar en detalles o no, y finalmente decidió no hacerlo.

–No –dijo–. No vive ninguno.

–Mis queridos amigos... Al menos, todo ha terminado para ellos. A mí, Mevolent me tortura cada pocos meses. Nunca le revelo nada, por supuesto, y sus psíquicos son incapaces de entrar en mi mente. Creo que me tortura por pura costumbre, más que otra cosa.

–Pero tiene teletransportadores, ¿no? De modo que podría abrir un portal cuando tenga el Grotesco...

–Me temo que no sé lo que es un Grotesco.

–Ah. Bueno, en mi mundo, Vengeus encontró los restos de un Sin Rostro y después lo utilizó como Ancla Istmo para...

–¡Calla! –la interrumpió él–. No digas nada más. Si sabes dónde están esos restos en tu realidad, entonces los encontrarán en esta y...

–Pero es que no lo sé –explicó Valquiria bajando la voz–. Vengeus los encontró durante la guerra. No sé dónde.

–Entonces hay alguna diferencia más entre las dos líneas temporales –meditó Meritorius–. El punto en que nuestras dos realidades se separan no es la muerte de Mevolent, al parecer. Fue otra cosa. Interesante.

–¿El mundo entero es así? ¿Todo está tan mal?

–Hay sitios donde es todavía peor. África ya no existe, ¿lo sabías? Fueron los últimos en caer, y Mevolent decidió que debían servir de ejemplo.

–Parece un infierno.

–Tiene sus similitudes. Y tu hogar a mí me parece el cielo. Un paraíso donde los mortales controlan su destino y lanzan pajaritos enfadados contra cerdos encerrados en cajas. ¿Me lo puedes enseñar otra vez?

Valquiria sacó el móvil.

–¿Qué tal si escuchamos música? Me apetece oír la canción *Apple of My Eye.* ¿Existe Damien Dempsey en esta dimensión?

–No estoy muy seguro.

–Bueno, entonces será muy educativo –sonrió ella.

Se había quedado dormida contra la pared. De pronto, alguien la zarandeó. Abrió los ojos y distinguió una silueta en la oscuridad.

–¿Valquiria Caín? –musitó el hombre–. Tu reflejo nos ha pedido que te sacáramos de aquí.

Antes de que pudiera responder, el hombre se levantó y se escabulló entre las sombras para despertar a otro preso. El corredor se había convertido en una colmena tan silenciosa como rebosante de actividad. La gente se escabullía a la luz de las antorchas, las cadenas tintineaban levemente cuando se abrían los grilletes. Era una fuga.

Llena de esperanza, se puso en pie. Había un hombre de rodillas, con las manos atadas a la espalda y una mordaza. Una cuerda le rodeaba el cuello, como si llevara una correa. El otro extremo estaba en manos de alguien a quien Valquiria conocía.

–Dexter Vex –dijo.

Vex frunció el ceño y sonrió a la vez.

–¿Nos conocemos?

Contuvo el impulso de abrazarle.

–Podría decirse. Más o menos. En realidad, no. ¿Has visto a mi reflejo?

Él asintió.

–Nos está esperando en el punto de encuentro.

–¿Sois la Resistencia?

–Así es. Y gracias a ti hemos podido liberar a nuestros hermanos y hermanas.

–¿Yo? ¿Qué he hecho yo?

Vex sonrió.

–Nos proporcionaste una forma de entrar.

Tiró de la correa y el hombre arrodillado alzó la cabeza. Era Alexander Remit.

–Lo dejaste en un tejado, y el pobre tipo estaba tan desorientado cuando llegaron mis compañeros que ni siquiera pensó en teletransportarse.

Remit gruñó algo tras la mordaza.

–Llevábamos años intentando conseguir uno de sus teletransportadores –continuó Vex–, pero nunca nos hubiéramos imaginado que atraparíamos a uno tan útil como este. Ha estado en todas partes, por todos los rincones de la ciudad y del palacio. Se nos ha presentado la oportunidad en bandeja y la hemos aprovechado. Gracias a ti.

–Me alegro de haberos sido de ayuda –contestó ella–. ¿Quién va a liberar a Meritorius?

Vex volvió la vista hacia el anciano, que seguía sujeto a la pared.

–No podemos liberarlo –murmuró con voz ronca–. Las cadenas que lo aprisionan están más allá de nuestros conocimientos.

Mevolent se aseguró de que el Gran Mago continuaría prisionero pasara lo que pasara.

—¿Y vais a dejarlo aquí?

—No tenemos otra alternativa —dijo un hombre que pasaba a su lado.

Era el mismo que la había despertado. Debería haber reconocido su voz.

—Abominable... —exclamó.

Abominable Bespoke se giró hacia ella.

—Tu reflejo y tú sabéis mucho de nosotros. ¿Te importaría decirme por qué?

Valquiria titubeó.

—Más tarde —dijo—. Te lo prometo.

Le resultaba inquietante mirar a Abominable y notar en sus ojos que no la reconocía. Por primera vez, advirtió cómo iban vestidos algunos de los miembros de la Resistencia: llevaban prendas negras del mismo material que las que ella se había dejado en casa. Aquella versión de Abominable era distinta, más delgada. Aunque tenía los mismos hombros anchos, el Abominable que conocía tenía el físico de un boxeador y el que se encontraba ante ella parecía un ciclista. Menos fuerte, pero mucho más rápido.

Se acercó a Meritorius y Valquiria le acompañó.

—Lo siento —dijo Abominable.

—Tú no tienes la culpa, amigo mío —sonrió Meritorius—. Salvad a todos los que podáis; llevaos también a esta chica. Tiene una historia muy interesante que contar.

—Estoy convencido de ello —asintió Abominable—. Ya estamos todos. Tenemos que irnos.

—Entonces, hacedlo cuanto antes.

—Volveré a buscarte, Eachan. Te sacaremos de alguna forma.

—Soy un anciano y mi tiempo se acaba, así que no te preocupes por mí. No soy tan valioso como todos pensáis, y desde luego no soy tan sabio como pretendo aparentar. Si alguna vez nos volvemos a ver a la luz del sol, que así sea. Si muero aquí, me aseguraré de que tengan que limpiar mis restos durante una semana.

Un grito cortó el aire.

–¡Vile! –bramó alguien–. ¡Es Lord Vile!

De pronto, todo el mundo se dejó llevar por el pánico. Abominable agarró a Valquiria del brazo y la arrastró consigo. Una silueta negra avanzaba a zancadas entre las celdas mientras todos intentaban escapar.

La oscuridad brotaba de su armadura y ondeaba tras él. Unos zarcillos salieron disparados como cobras, atravesaron a varios presos que intentaban huir y los alzaron en vilo, formando una comitiva de muertos y moribundos que abría la marcha ante Vile. Sus gritos torturados llenaban de terror a los que aún tenían alguna posibilidad de escapar.

–¡Contenedlo! –rugió Abominable, y de inmediato cinco hechiceros pasaron al lado de Valquiria y se interpusieron en el camino de Vile.

Elementales y adeptos le atacaron con todas sus fuerzas, pero la mayor parte de su magia fue absorbida por los cuerpos indefensos de las víctimas. Lo poco que llegó fue devorado al instante por las sombras.

Abominable corrió hasta un muro y empezó a dibujar con tiza.

–¡Detrás de mí! –bramó–. ¡Poneos detrás de mí!

La gente se arremolinó y Valquiria estuvo a punto de perder el equilibrio. Abominable terminó de trazar un símbolo y corrió a la pared opuesta para hacer otro. En la mano sostenía un papel del que intentaba copiar lo mejor que podía.

Las sombras se encresparon frente a los cinco hechiceros que se enfrentaban a Vile y estos se giraron para huir. La oscuridad se retorció y culebreó expectante, a la espera de la silenciosa orden de ataque. De pronto, varios filos de sombra traspasaron a los hechiceros y alzaron sus cuerpos para unirlos al macabro desfile.

Abominable terminó el dibujo, apoyó la mano en el símbolo y se giró hacia Valquiria.

–¡Deprisa!

Los pocos que se habían rezagado hicieron un último esfuerzo por llegar hasta Abominable. Vile, imperturbable, lanzó a un lado los cuerpos de sus víctimas y continuó avanzando. Hubo un destello verde, tan potente que Valquiria quedó cegada por un instante y se tambaleó. Poco a poco recuperó la visión y se giró, pestañeando. Vile, en el suelo, intentaba incorporarse.

Abominable la agarró del brazo y se volvió hacia los demás. Había docenas de personas y todas estaban en contacto con Vex y Remit, que se encontraban en el centro.

–¿Estáis todos agarrados? –preguntó Vex a gritos.

Valquiria echó un vistazo a su espalda. Vile se había levantado.

–¡Vamos! –ordenó Abominable, y Vex le puso un cuchillo en la garganta a Remit.

El grupo entero se teletransportó, y la asfixiante mazmorra se convirtió en un prado. Estaban al aire libre. Atardecía.

La pradera estaba llena de gente que se les acercó a la carrera, gritando. Valquiria creyó por un instante que pretendían atacarlos, pero cuando se encontraron con los recién llegados, todo fueron besos y abrazos. Todavía agarrada a Abominable, vio cómo se reunían amigos y familiares. Divisó el filo de una guadaña entre la multitud y se tensó, pero después distinguió un tono gris, en lugar de rojo. Hendedores. Hendedores auténticos, no Capuchas Rojas, en posición de firmes.

–Espera aquí –dijo Abominable, y se alejó a paso rápido hasta perderse de vista.

Valquiria buscó algún rostro reconocible entre la multitud.

–¿Has visto a Mevolent? –le preguntó su reflejo apareciendo a su lado.

Valquiria se sorprendió al darse cuenta de lo mucho que le alegraba verlo.

–Sí –respondió, sonriente–. No era como esperaba. Pensé que estaría... No sé, rodeado de fuego y azufre y chorreando sangre. Pero es normal. Bueno, no del todo: mide dos metros y medio y está loco, pero resulta bastante normal. Lord Vile está de su parte.

El reflejo la miró atentamente.

–Tal vez ese sea el motivo de que Mevolent siga vivo.

Valquiria se acercó a ella.

–Justo estaba pensando en eso –le susurró al oído–. Eso significa que, si nuestro Skulduggery no se hubiera librado de la armadura, Mevolent gobernaría también en nuestra dimensión. ¿Qué te ha pasado? ¿Cómo conociste a esta gente?

–Me encontraron ellos –dijo el reflejo encogiéndose de hombros–. Al parecer, una extraña vestida de forma rara basta para atraer la atención de la Resistencia. Vex vino a verme. Es tan guapo...

Valquiria le dio un codazo.

–Baja la voz.

El reflejo enarcó una ceja.

–Mi opinión es tu opinión.

–Ya, pero no hace falta que él se entere de mi opinión.

–Perdón –sonrió el reflejo.

Abominable se acercó a ellas.

–Valquiria, te recibirá ahora.

Se volvió y Valquiria le siguió un poco vacilante, con el reflejo al lado.

–¿Quién? –musitó.

–La líder de la Resistencia –respondió el reflejo con una leve sonrisa.

La muchedumbre se apartó y Valquiria se encontró frente a la mujer más hermosa que había visto en su vida. Llevaba un vestido largo y blanco; su pelo era tan negro como una noche sin estrellas, y sus ojos eran tan azules como el hielo y el doble de fríos. China Sorrows la observó sin sonreír.

–Niña –dijo–. Estamos en deuda contigo. Si no fuera por el teletransportador que nos ofreciste en bandeja, mi gente continuaría pudriéndose en aquellas mazmorras.

–Gracias por liberarme a mí también –contestó Valquiria–. ¿Tú eres...? ¿Eres la líder de la Resistencia?

China enarcó las cejas.

–Pareces sorprendida. ¿Acaso nos conocemos?

–No. Pero he oído hablar de ti.

–Tu reflejo me ha dicho que eres una elemental. ¿Me equivoco? Siempre buscamos nuevos reclutas para la causa.

–Claro –dijo Valquiria, dubitativa–. Lo que pasa es que no sé cuánto tiempo me quedaré aquí.

China ya se alejaba. Le había hecho un ofrecimiento, y eso era lo único que le importaba.

Abominable se acercó a ella.

–Prometiste que me explicarías cómo sabes todo lo que sabes. Noto en tu mirada que me conoces. Nos hemos visto antes, ¿verdad? Pero no lo recuerdo.

–Es complicado –respondió–. No soy de aquí –de pronto, sintió una punzada en el brazo–. Además, me temo que voy a volver muy pronto a casa.

–¿En serio?

Valquiria le sonrió.

–Ha sido un placer conocerte, y me alegro de haber podido ayudaros. Ah, por cierto: si alguna vez conoces a una chica llamada Tanith, hazte un favor a ti mismo y pídele que salga contigo del tirón.

–Eres un poco rara –sonrió Abominable.

Valquiria asintió.

–No es la primera vez que me lo dicen.

El reflejo se adelantó y señaló algo a la izquierda de Valquiria.

–¿Quién es ese hombre?

Valquiria y Abominable se volvieron. En medio de las lágrimas, las risas y los abrazos del reencuentro, había un hombre vestido con harapos, solo entre la multitud. Tenía la cabeza gacha y miraba a los lados continuamente.

–No sé –dijo Abominable al cabo de unos instantes–. Otro ciudadano inocente apresado por los Capuchas Rojas, supongo.

–Parece muy nervioso –comentó el reflejo.

–Salir de prisión produce esos efectos.

–No deja de mirar a su alrededor como si esperara algo.

Valquiria frunció el ceño.

–Mevolent sabía que teníais al teletransportador –dijo frotándose el brazo–. Podría haber puesto un espía en las mazmorras por si acaso intentabais rescatar a todo el mundo, y luego enviar a Vile para asegurarse de que huíais rápido sin comprobar quién venía...

Abominable la miró y después se volvió de nuevo hacia el hombre andrajoso.

–¿Me puedes hacer un favor? –dijo sin quitarle los ojos de encima–. ¿Podrías informar a China Sorrows de que ya es hora de irse? Y también dile a Dexter que haga que toda la gente se disperse. Gracias.

Sin esperar respuesta, se acercó al hombre, que le vio venir y empezó a alejarse. Abominable apretó el paso y Valquiria oyó un grito a su izquierda. Volvió la vista justo cuando Lord Vile aparecía entre un remolino de oscuridad.

Los que tenía más cerca chillaron, retrocediendo. Vile hizo un gesto con el brazo y las sombras se condensaron en forma de alas antes de salir despedidas como látigos. Rajaron miembros, atravesaron torsos y cortaron por la mitad a media docena de personas antes de retroceder de nuevo hasta Vile.

Olvidando al hombre andrajoso, Abominable se dio media vuelta. Manipuló el aire, se alzó por encima de la multitud aterrorizada y cayó en cuclillas ante Vile. Chasqueó los dedos para convocar a las llamas y se abalanzó contra Vile sin dudarlo; pero este estaba preparado para recibirle, y le recibió con un descomunal cuchillo de sombras. La sombra negra atravesó a Abominable del hombro a la cadera, y Valquiria ahogó un grito mientras su amigo caía partido en dos.

Una gran sombra se cernió sobre ellos, y Valquiria alzó la vista justo en el momento en que la barcaza abría su compuerta. Una lluvia de Capuchas Rojas cayó sobre los rebeldes. Vex desató un torrente de energía, pero una guadaña refulgió en el aire y le cortó el brazo.

Valquiria oyó un grito ahogado junto a ella. Se volvió: el reflejo intentaba esquivar a un Capucha Roja, pero este era demasiado rápido. Valquiria empujó el aire y chasqueó los dedos, pero sus esfuerzos fueron vanos. Recibió una patada en la tripa y se dobló sin aliento, crispada.

Con los ojos vidriosos por las lágrimas, vio cómo los luchadores de la Resistencia intentaban contener a los Capuchas Rojas mientras China escapaba. No aguantaron mucho tiempo. Pronto las hojas de las guadañas se tiñeron de rojo y los alaridos llenaron el aire. Valquiria era incapaz de respirar. Le latía la cabeza como si fuera a desmayarse. De improviso, el mundo entero pareció vibrar.

Se arrastró entre las botas relucientes de los Capuchas Rojas en dirección a su reflejo; al darse cuenta, este la miró, intuyó lo que estaba a punto de suceder y comenzó a gatear también hacia ella. Valquiria se estiró, el reflejo extendió la mano, el mundo tembló de nuevo y, justo antes de que sus dedos se rozaran, el reflejo y el mundo desaparecieron y Valquiria se encontró en medio de una carretera, jadeante, iluminada por el brillo de unos faros.

Oyó un chirrido de frenos. Se puso a cuatro patas, se obligó a levantarse y se alejó entre tropiezos. El conductor se bajó del coche, gesticulando y gritando que acababa de ver a una chica que había aparecido de la nada. Valquiria avanzó sin hacerle caso, abrazándose la tripa. Nadie le creería. A la mañana siguiente comenzaría a dudar de lo que había visto. No tenía por qué preocuparse de aquello.

Lo único de lo que tenía que preocuparse era de su reflejo, atrapado en un mundo que no comprendía. Asustado. Desvalido.

Solo.

37

EL INFORME

VALQUIRIA carraspeó.

–Mevolent tiene el Cetro de los Antiguos –dijo.

Estaba sentada en el centro médico, vestida con aquella ropa marrón que le venía grande, mientras Reverie la curaba. Los Mayores y Skulduggery la miraban mientras digerían aquella información. Quintin Strom y Bernard Sult estaban cerca de ellos, con Grim, el guardaespaldas de Strom, a un paso.

–¿Y funciona? –preguntó Ravel.

–No lo vi en acción, pero estaba entero, con la gema negra. Sí, yo diría que funciona.

–Si fuéramos allí y lo trajéramos –murmuró Abominable–, contaríamos con un arma capaz de detener a Argeddion.

Valquiria asintió y fijó la vista en él; era agradable verlo de una sola pieza.

–Pero ¿cómo? –intervino Strom–. Silas Nadir ha escapado, lo cual significa que necesitaríamos un equipo con nuestros mejores agentes al alcance de Valquiria en todo momento. Y quién sabe cuánto tiempo pasará antes de que vuelva allí... Es poco práctico.

–Lo primero es lo primero –sentenció Ravel–. Valquiria, ¿dónde guarda Mevolent el Cetro?

–En la sala del trono.

Mist sacudió la cabeza.

–Y si conseguimos robarlo, ¿qué? El propietario del Cetro debe morir para que un nuevo dueño pueda utilizarlo. Habría que matar a Mevolent.

–No necesariamente –interrumpió Nye, que se cernía por encima de todos ellos–. Discúlpenme, no he podido evitar escucharlos. No soy ningún especialista en el Cetro, pero casualmente poseo algunos conocimientos de física transdimensional. Es más bien por afición.

–Desembucha –dijo Skulduggery.

Nye estiró su largo cuello y carraspeó.

–Transportar entre dimensiones cualquier objeto de poder, como el Cetro, por ejemplo, produce lo que podríamos denominar un cortocircuito. Al viajar hasta aquí, el poder del Cetro quedaría agotado, y lo único que haría falta para activarlo sería una sencilla recarga de magia. Como resultado, obtendríamos un Cetro en pleno funcionamiento, listo para pasar a un nuevo propietario.

¿En serio? –preguntó Ravel–. ¿Seguro que sería como una página en blanco?

–Estoy casi seguro.

–¿Casi?

–Mi «casi seguro» es mejor que el «totalmente seguro» de cualquier otro científico. Estoy convencido de que Kenspeckle Grouse se mostraría de acuerdo conmigo... si no fuera por el molesto detalle de que está muerto, claro.

Ravel volvió la vista hacia Skulduggery.

–Tú decides.

El esqueleto inclinó la cabeza.

–¿Yo?

–Si alguien va a estar cerca de Valquiria la próxima vez que oscile, ese serás tú. Tal vez puedas llevarte a un par de personas con vosotros, unos Hendedores, por ejemplo, pero es posible que solo viajéis vosotros dos.

—Así que nos estáis encomendando la misión de robarle a Mevolent el Cetro de los Antiguos. A Mevolent, uno de los hechiceros más poderosos y malvados de todos los tiempos.

Ravel asintió.

—Me temo que sí. Vais a tener que improvisar. Si la Resistencia de China sobrevivió al ataque, tendréis que buscar su ayuda. Organizad un ataque, colaos en el palacio... Llevaos la esfera de camuflaje del Depósito, tenedla siempre a mano. Y pedid todo lo que creáis que os puede hacer falta. Tu objetivo principal, el de los dos, es recuperar el Cetro.

—Hay otra opción —intervino Valquiria—. No haría falta matar a Argeddion si pudiéramos detenerlo. Hace treinta años, Lament lo paralizó con las mismas palabras que le había dicho el asesino de su madre. Al parecer, esa frase le traumatizó en su infancia. Al oírla, se quedó clavado en el sitio y la gente de Lament obtuvo el tiempo que necesitaba para atraparlo.

—¿Y cuál es esa frase? —preguntó Strom.

—No lo sabemos. Pero si encontramos a Walden D'Essai en la otra dimensión, podríamos preguntárselo.

—¿Qué te hace pensar que está vivo allí? ¿Y cómo lo vas a encontrar?

—La ciudad de Mevolent es muy próspera. Todo el progreso se reserva para la gente que vive entre esos muros. Teniendo en cuenta el cerebro de Walden y lo que es capaz de hacer... estoy segura de que se encuentra dentro de la ciudad. Mevolent no permitiría que se marchara.

—Es posible —dijo Ravel—. Vale: entonces, nuestro primer objetivo es recuperar el Cetro. El segundo sería averiguar la frase que traumatizó a Argeddion para tratar de inutilizarlo temporalmente.

–Y el tercero es recuperar mi reflejo –recalcó Valquiria.

–No te preocupes por eso –replicó Ravel–. Los reflejos no sienten dolor si no tienen por qué hacerlo, y no hay ningún sensitivo en el mundo capaz de leerles la mente. No dirá nada sobre el sitio del que procede.

–No me preocupa que les diga algo: me preocupa ella. No quiero dejarla sola allí.

–Valquiria...

–No me digáis que el reflejo no es una persona. Ya lo sé. Pero eso no impide que quiera ponerlo a salvo.

Ravel miró a Skulduggery en busca de apoyo.

–He renunciado a convencerla de lo contrario –suspiró él–. La verdad es que su reflejo es único. No es como las falsificaciones obvias que conocemos.

–Pero aun así, no es una persona –insistió Ravel.

–Para mí, sí –replicó Valquiria.

Ravel suspiró.

–De acuerdo: vuestro tercer objetivo será recuperar el reflejo. Pero solo si no implica ningún peligro, ¿eh? Por cierto, Valquiria: necesitamos que un sensitivo te implante una barrera mental tan pronto como sea posible.

–¿Cómo? –repuso ella torciendo el gesto–. ¿Por qué?

–No podemos permitir que Argeddion te lea la mente si os encontráis. La existencia del Cetro debe permanecer en secreto.

–Ah, ya. Vale.

–Necesitaremos a la mejor sensitiva del mundo; por suerte, ya la había llamado para que tratara de romper el vínculo psíquico entre Argeddion y el grupo de Lament. Dejemos esto en sus manos.

El grupo se separó para dejar paso a una mujer con melena canosa y expresión amable.

–Hola, Valquiria –dijo Cassandra Pharos.

Se acercó y le estrechó suavemente las manos. De ella emanaba una serenidad que hubiera resultado reconfortante, si Valquiria pudiera quitarse de la cabeza el recuerdo de haber quemado el atrapasueños que le había regalado.

–¿Cómo estás? –preguntó la psíquica–. Has crecido mucho desde la última vez que te vi.

–Bueno, han pasado muchas cosas. Te veo estupenda.

–Una mujer de mi edad ya no necesita que la adulen, querida. Pero aun así se agradece, de modo que gracias –su sonrisa se desvaneció–. Ahora que te tengo delante, supongo que no sabes nada de Finbar, ¿verdad?

Valquiria negó con la cabeza.

–Esperaba que tú supieras algo de él.

–Por desgracia, no. Si he de ser sincera, estoy preocupada. Puede que los Vestigios le hayan... dañado. De forma permanente.

–Tal vez solo necesite un poco de tiempo. Incluso puede que le venga bien llevar una vida normal, para variar.

–Es posible –concedió Cassandra–. Pero tenemos asuntos más urgentes, ¿verdad? Necesitamos una barrera mental.

–Me temo que sí.

–Tranquila: no podré leer tu mente mientras lo haga, y la barrera no te afectará de ninguna forma cuando la tengas implantada. Es un simple escudo que impedirá que entren en tu mente sin permiso. El proceso es indoloro: solo tienes que tumbarte y cerrar los ojos, eso es todo. Quiero que te relajes. Tranquila. Siente cómo la tensión de tu cuerpo se desvanece...

Regresaron a Haggard de noche. Había algo raro, algo que no iba bien, pero Valquiria no lo identificó hasta que aparcaron en el muelle. Se giró hacia Skulduggery.

–¿Se ha sentado alguien en mi sitio?

–Hummm... Ah, sí. Elsie O'Brien. Una chica muy agradable. Con la autoestima por los suelos. Entre nosotros, debería aprender de ti. Creo que le vendría bien conocerte.

–Me da lo mismo, Skulduggery. Dejaste que moviera mi asiento.

–No es tan alta como tú.

–Pero tú permitiste que lo moviera.

–Sí, lo hice.

Le fulminó con la mirada.

–Esto... ¿Lo siento mucho? –dijo Skulduggery, vacilante.

–¿Me voy menos de veinticuatro horas y tú permites que alguien me mueva el asiento? ¿Qué pasa, ya estabas buscando una nueva compañera? ¿Tan fácil es sustituirme?

–Retiro lo que he dicho: Elsie no debería conocerte. Obviamente, estás desquiciada.

Valquiria pasó un minuto entero intentando poner el respaldo en su posición original. Al final, resopló y se arrellanó con expresión avinagrada.

–Ni siquiera sé si estaba así. ¿Lo tenía tan atrás?

–Yo lo veo bien.

–Estaba perfecto, ¿sabes?

–Lo siento muchísimo. La próxima vez que lleve a Elsie, la pondré a correr al lado del coche.

Valquiria se cruzó de brazos, enfurruñada, y él le dio una palmada en el hombro.

–Lamento haber permitido que alguien ajustara tu asiento. Y estoy muy contento de tenerte de vuelta.

Ella sonrió.

–¿Lo ves? ¿Tanto costaba decirlo?

Salió del coche, se quitó aquellas botas viejas de una patada y las lanzó al mar. Luego corrió descalza hasta su casa, se coló por la ventana y se cambió rápidamente de ropa, ocultando los harapos marrones bajo la cama. Se miró en el espejo: parecía exhausta y necesitaba darse una ducha. Extendió la mano lentamente y rozó el espejo, pero no sucedió nada. Su reflejo era solamente un reflejo.

Se le escaparon las lágrimas. Dio un paso atrás, intentando no pensar en ello. No era el momento de derrumbarse, por el amor de Dios. Respiró hondo, muy hondo, y soltó el aliento. Ya estaba. Mucho mejor. No más lágrimas. Fin de la debilidad.

Ensayó una expresión alegre, como la que habría adoptado su reflejo, y bajó a saltos las escaleras.

–Hola, mamá –dijo.

Su madre apareció en la puerta de la cocina al mismo tiempo que su padre salía del cuarto de estar.

–Guau –exclamó dando un brinco final–. Parecéis ninjas.

–Steph –dijo su madre, como si pronunciar el nombre le quitara un gran peso de encima–, ¿dónde estabas?

Notó una presión en el pecho e hizo un esfuerzo por ignorarla.

–Te dije que iría a la biblioteca después de clase.

–No, qué va.

Valquiria se echó a reír.

–Es verdad, no te lo dije: te lo dejé escrito en una nota.

–¿Qué nota?

Pasó junto a su madre y se acercó al frigorífico.

–Esta nota, la que dejé... Vaya. ¿Dónde está?

–Yo no he visto ninguna nota –dijo su madre.

–Yo tampoco –aseguró su padre.

–Uf –Valquiria se agachó y se puso a buscar por el suelo–. Pues se habrá caído. Tal vez se haya colado debajo de un mueble o algo así. Y a mi móvil se le acabó la batería... –se giró hacia ellos, con los ojos como platos–. Vaya por Dios. ¿No sabíais que me había ido antes de que os despertarais? ¡Lo siento mucho! ¿Estabais muy preocupados?

Su madre se rio.

–No, no, claro que no.

–Yo sí –gruñó su padre.

Su madre le lanzó una mirada incendiaria.

–Te diste cuenta de que no estaba hace diez minutos.

–Los diez minutos más largos de mi vida.

–¿Y por eso te pusiste a leer el periódico?

–Necesitaba distraerme con algo.

Valquiria les sonrió.

–Bueno, siento mucho haberos preocupado. Intentaré que no se repita. Mamá, ¿queda algo de cena? Me muero de hambre.

Cenó y luego jugó un rato con su hermanita antes de subir otra vez al dormitorio. Dobló sus ropas negras y las dejó junto a la cama antes de meterse. No se quitó el anillo de nigromante. Se quedó tumbada en la oscuridad unos minutos y después agarró el móvil. Marcó.

Skulduggery contestó de inmediato.

–¿Estás oscilando?

–No. Tranquilo, todo va bien. Pero ¿y si pasa esta noche?

–Ya lo había pensado. Y, sin ánimo de asustarte, estoy bajo tu ventana.

–¿Que estás dónde? –se rio ella.

–Si te duele el brazo, abre la ventana y oscilaremos los dos juntos.

–No puedes quedarte toda la noche en el jardín –dijo Valquiria.

Se levantó, se envolvió en el edredón y abrió la ventana. Un instante después, Skulduggery estaba en el alféizar. Valquiria volvió a la cama y se acurrucó bajo el cobertor.

–Entra –susurró.

–Estoy bien aquí fuera.

–No seas tonto. Te puede ver alguien.

Se lo pensó un momento, y después entró y cerró la ventana.

–¿Y si vienen tus padres?

–Pues les cuento que me han prestado el esqueleto del laboratorio del instituto y que le he puesto un traje chulo para gastar una broma.

–Tú no gastas bromas.

–Tal vez sea hora de cambiar eso.

Skulduggery se apoyó contra la pared opuesta a la cama y se deslizó hasta quedar sentado. Con la luz apagada, lo único que distinguía Valquiria era la silueta del sombrero.

–¿Quieres que te cuente un cuento?

–No, gracias –sonrió ella–. Cántame una nana si quieres.

Y eso fue justo lo que hizo. Con una voz tan suave que apenas era un murmullo, le cantó *Me and Mrs Jones* hasta que Valquiria se quedó dormida.

38

DOS CONTRA TRES

L A despertó el ruido de un teléfono. Era la mañana del viernes 30 de abril; al día siguiente sería uno de mayo, el cumpleaños de Greta Dapple y el comienzo del Verano de la Luz, cuando el mundo estallaría en pedazos. Qué pensamiento tan alegre y feliz para empezar el día. Valquiria se incorporó y bostezó mientras se desperezaba.

–Sigo aquí.

Valquiria ahogó una exclamación, a punto de caerse de la cama.

–Perdón –dijo Skulduggery–. Me daba la impresión de que te habías olvidado de mí.

–Pues no te equivocabas –contestó ella con una mueca–. ¿Nos han llamado?

–Sí. Uno de los hechiceros que montan guardia en el instituto Saint Brendan ha visto por la zona a alguien que casa con la descripción de Kitana Kellaway. Deberíamos pasarnos por ahí de camino al Santuario para comprobarlo.

Mientras Skulduggery esperaba en la habitación, Valquiria se duchó, se vistió con el uniforme del instituto y bajó a la cocina para desayunar a toda prisa. Al acabar, se despidió de sus padres y salió de la casa. Corrió a la esquina, se elevó hasta su ventana y se coló en su habitación.

Skulduggery apartó la vista mientras ella se ponía su ropa negra y sus botas. Remató el conjunto con una sudadera negra, echando muchísimo de menos su chaqueta. Los dos saltaron al jardín y sesenta segundos después estaban en el Bentley, circulando por la calle principal de Haggard.

Detrás del instituto de educación secundaria St Brendan había un supermercado cerrado, y tras él un aparcamiento pequeño. Al pasar por allí, Skulduggery y Valquiria encontraron los cadáveres de los cinco hechiceros que vigilaban el instituto, uno de los cuales había telefoneado hacía un rato. Estaban destrozados.

El esqueleto masculló una maldición. Sin decir nada, Valquiria se acercó al muro que separaba el aparcamiento del instituto y manipuló el aire para elevarse.

—Parece todo tranquilo —dijo, a horcajadas sobre el muro.

Skulduggery se elevó hasta quedar de pie a su lado.

—Dentro de diez minutos llegarán refuerzos. Deberíamos esperar.

—Sí, eso deberíamos hacer —convino Valquiria, pasando la otra pierna y entrando en el patio del instituto.

Skulduggery descendió a su lado.

—No me parece justo —murmuró observando su revólver—. Esos hechiceros entrenaron durante años para desarrollar sus poderes, y de pronto unos críos se despiertan por la mañana y son capaces de despedazarlos con un solo gesto.

—No son críos —dijo Valquiria—. Tienen mi edad. ¿Tú a mí me consideras una cría?

—No, pero nunca he considerado que tu edad te definiera.

—Pues a ellos tampoco. No son críos, son asesinos.

–Si estás sugiriendo que no me contenga porque tienen menos de dieciocho años, no tienes de qué preocuparte.

–¿Vas a ser tan despiadado como de costumbre?

–Me ha funcionado bien hasta ahora.

Valquiria se giró hacia él.

–¿Conocías a alguno de los hechiceros muertos?

–A todos. Tú conocías a tres, pero en ese estado era imposible que los reconocieras.

El vacío que notaba en el pecho se hizo un poco más grande.

Llegaron al campo de fútbol y echaron un vistazo a los edificios. No se oían alarmas, gritos ni explosiones.

–Puede que hayan cambiado de idea –comentó Valquiria.

–Lo dudo mucho –replicó él guardando el revólver.

–¿Tenemos algún plan?

–Sí, pero no es demasiado bueno.

–Cualquier plan me serviría de consuelo.

–Muy bien: entramos allí y evacuamos el edificio lo más silenciosamente que podamos.

–Pues parece un buen plan.

–Suena bien hasta que caes en la cuenta de que no tiene en cuenta los detalles. Por ejemplo, la forma de evacuar a todo el mundo sin que cunda el pánico.

–Podríamos accionar la alarma de incendios.

–Lo cual causaría el pánico que acabo de mencionar, y a su vez podría desencadenar el ataque de Kitana y sus amigos. En caso de que las cosas se pongan feas, tendrás que olvidarte de ocultar la magia a los mortales. Si tienes que lanzar una bola de fuego justo delante de sus ojos, eso es exactamente lo que harás. Lo importante es que te defiendas a ti misma y a la gente que hay aquí, ¿me entiendes?

–Sí. No va a ser una situación muy bonita, ¿verdad?

–No creo.

Se acercaron por la parte trasera del edificio. Skulduggery desconectó la alarma de una salida de incendios y los dos se colaron dentro. El corredor era muy largo y estaba desierto. Aún no se oía ningún grito. Skulduggery cubrió su calavera con un rostro falso y abrió la puerta de la primera clase. Los dos entraron. El profesor, de pie junto a la pizarra, se volvió hacia ellos.

–¿Desean algo?

–Me gustaría hablar con usted un segundo, por favor –pidió Skulduggery.

El profesor puso mala cara, pero salió al pasillo.

–Soy el inspector detective Yo –dijo Skulduggery en voz baja–, y estoy a cargo de las nuevas medidas de seguridad implantadas en los institutos. No creo que haya oído hablar de ellas, porque son estrictamente reservadas. Las instrucciones para hoy son sencillas: tiene usted que sacar a todos sus alumnos por la salida de incendios y acompañarlos hasta que se encuentren a una distancia segura del instituto.

–¿Disculpe?

–Saque a su clase del instituto.

–Escuche, nadie me ha avisado de todo esto.

–Eso habría arruinado el factor sorpresa, ¿no cree? Por favor, haga lo que le digo.

–¿Podría ver su identificación, su placa o algo así?

–No necesito ninguna identificación: gozo de autoridad natural.

El profesor miró a Valquiria con mala cara.

–¿Y tú quién eres? Un poco joven para ser inspectora, ¿no?

–Sirvo de enlace con los estudiantes. Mi trabajo es tomar apuntes sobre la forma en que interactúan los profesores con los alumnos en los momentos de crisis.

–Entonces, ¿esto es una especie de simulacro de incendio? ¿Por qué no suena la alarma?

–Porque queremos observar la actuación clase por clase, no todas al mismo tiempo –explicó Skulduggery–. Y hablando de tiempo, se nos está acabando. Si no dan comienzo a la evacuación en los próximos treinta segundos, su clase suspenderá la prueba.

–¿Suspender? Espere un instante...

–Veinticinco segundos.

El profesor abrió los ojos como platos.

–¿Y adónde los llevo?

–A cualquier sitio que esté alejado del centro educativo.

–¿Pero dónde? Supongo que podríamos cruzar el campo de fútbol; al otro lado hay un aparcamiento vacío. Podríamos...

–Allí no –le interrumpió Valquiria–. ¿No hay otro lugar?

–El camino que va al bosque.

–¿Está lejos del instituto?

–Sí.

–Pues allí. Quedan ocho segundos. Pídales que no hagan ruido.

El profesor entró de nuevo en la clase. Mientras Skulduggery esperaba a que salieran, Valquiria se acercó a la siguiente puerta y echó un vistazo por el cristal. Estaba llena. Corrió hasta la contigua: estaba vacía, y luego había dos más repletas. Al llegar a la siguiente, frenó en seco. El profesor estaba tras la mesa, completamente rígido. Los alumnos también parecían muy tensos. Alguien hablaba, pero lo hacía demasiado bajo para entender sus palabras. Valquiria volvió sobre sus pasos y abordó a Skulduggery mientras el último de los alumnos cruzaba la salida de incendios.

–Están ahí –musitó–. En esa clase. Los demás alumnos parecen aterrorizados.

El rostro de Skulduggery hizo una mueca.

–Tendremos que evacuar a los demás por la ventana. Si van por el pasillo, harán demasiado ruido.

–Imposible –replicó Valquiria–. Estamos hablando de cientos de alumnos que no dejarán de hablar y de reírse. Además, en cuanto salgan, tú y yo sabemos que habrá un par de idiotas que se pongan a gritar de alegría por haberse saltado una clase. En cuanto Kitana se dé cuenta de que pasa algo raro, empezará a matar gente.

–Entonces nos olvidamos de la evacuación y nos centramos en atraparlos.

–Tendremos que abordarlos por sorpresa.

–Tengo justo lo necesario –repuso Skulduggery desabotonándose la camisa y metiendo la mano dentro.

¿Qué haces?

–Llevo una bolsa. Ya que cuento con un gran espacio vacío en mi interior, ¿por qué no usarlo para transportar cosas? Es mucho mejor que llevar bultos antiestéticos en los bolsillos de la chaqueta. Ah, aquí está –le tendió una bola de madera: la esfera de camuflaje–. Tú la llevarás. Tendrás que ajustarla según sea necesario, porque vamos a entrar para sacarlos de uno en uno. O eso, o entramos, nos colocamos donde podamos y nos lanzamos contra ellos. O hacemos otra cosa completamente distinta. No sé. Todo depende de cómo lo veamos. ¿Te ha quedado claro el plan?

–Eso no es ningún plan.

–¿Te ha quedado claro lo que habría que hacer?

–No mucho.

–Entonces, adelante.

Giró la esfera –una mitad en el sentido de las agujas del reloj y la otra hacia el lado opuesto– y una burbuja de neblina los rodeó, haciéndolos invisibles a cualquiera que se encontrara fuera. Skulduggery ajustó la posición de los hemisferios para reducir un poco el tamaño de la burbuja y los dos se acercaron hacia la puerta, caminando a la par. El esqueleto giró el picaporte y abrió lentamente.

–¿Quién está ahí? –preguntó Kitana desde la última fila.

–Na... nadie –dijo el profesor.

Entraron. Era rarísimo estar allí de pie, ante treinta personas, sin que nadie pudiera verlos ni oírlos. Kitana y Doran se sentaban codo con codo en la última fila, y Sean estaba tirado de cualquier forma en su pupitre, un poco más adelante. Los demás estaban paralizados por el miedo.

–¡Eh! –gritó Kitana, que llevaba puesta la chaqueta de Valquiria–. ¡Venga, entra, seas quien seas!

–Primero iremos a por Sean –masculló Skulduggery.

Valquiria asintió. No le gustaba hablar mientras eran invisibles; le parecía feo.

Kitana puso los ojos en blanco.

–Sean, ¿qué tal si cierras la puerta? Quiero continuar con mi discurso. ¿Por dónde iba? ¡Eh! ¡Profesor! ¿Qué estaba diciendo, señor profesor?

Sean se levantó y se acercó a la puerta mientras el profesor tartamudeaba.

–Yo... yo...

–¿Qué fue lo último que dije, señor profesor? –continuó Kitana. Su mano brilló intensamente, colmada de energía–. ¿No lo recuerda? ¿Es que no me prestaba atención?

El profesor volvió la vista hacia la puerta abierta, se levantó de un salto y echó a correr, pero Sean lo atrapó y lo lanzó de nuevo contra su escritorio. Kitana se rio a carcajadas y Doran soltó un silbido estridente.

–¡Muy bien, Sean! –gritó Kitana–. ¡Eres mi héroe! ¡Sobresaliente para Sean en Arrojar Profesores, mi nueva asignatura favorita!

El aludido soltó una risotada mientras Doran golpeaba el pupitre con las palmas, entusiasmado, pero la sonrisa de Kitana se desvaneció de pronto. Se echó hacia delante.

–Oye, Sean, ¿qué te pasa?

Valquiria bajó la vista. Sean había metido parte de la rodilla en la burbuja.

–Tío, te falta un cacho de pierna –dijo Doran.

Skulduggery asintió y Valquiria giró un poco más la esfera. La burbuja creció y envolvió a Sean por completo. Toda la clase ahogó un grito ante su desaparición, mientras Skulduggery apretaba el brazo en torno a su garganta. Sean forcejeó, atragantándose, y sus brazos se sacudieron cuando el detective estrechó su llave estranguladora.

Doran brincó de la silla, con los ojos desorbitados.

–¿En serio? ¿Ahora podemos volvernos invisibles? ¡Esto cada vez es mejor!

Skulduggery retrocedió y Valquiria lo imitó, pegada a él. Cuando salieron al pasillo, Sean estaba inconsciente. Skulduggery lo dejó en el suelo y le esposó.

–¿Sean? –Kitana avanzó por el aula y se asomó al corredor–. ¿Sean? ¿Estás aquí?

Skulduggery maldijo entre dientes y arrastró a Sean un poco más lejos.

Doran salió tras Kitana, con el rostro colorado por el esfuerzo.

–¿Sigo aquí? ¿Me ves?

–Claro que te veo, imbécil –le espetó Kitana–. No creo que Sean se haya hecho invisible.

–Entonces, ¿dónde está?

–Creo que sigue aquí. Lo noto, está cerca. ¿Tú no lo sientes?

Doran se encogió de hombros, se giró y miró directamente a Valquiria. Por un instante ella creyó que podía verla, pero el chico apartó la vista con expresión indiferente. Valquiria soltó un suspiro de alivio.

–Lo han atrapado –musitó Kitana.

–¿Y ahora qué hacemos? –le preguntó Valquiria a Skulduggery. Su voz parecía fuera de lugar, sonaba demasiado alta.

–¿Quién habrá sido? –susurró Doran.

–Atraparlos por sorpresa parece que funciona –dijo Skulduggery.

Kitana miró a su alrededor.

–Los magos... –dijo.

–Si no nos ven venir, no pueden reaccionar a tiempo –concluyó Skulduggery, satisfecho.

Dejó a Sean en el suelo, sacó el revólver y apuntó a la cabeza de Doran.

Valquiria pestañeó.

–¿Crees que están aquí? –musitó Doran–. ¿Nos estarán viendo?

Kitana no contestó. Doran movió el brazo y palpó el aire, intentando tocar a sus enemigos. El dedo enguantado de Skulduggery se apoyó en el gatillo mientras Doran se giraba.

No puedes... comenzó Valquiria, titubeando.

–Dijiste que debía ser tan despiadado como de costumbre –replicó él–. Si acabo ahora con los dos, no podrán hacer daño a nadie más. Lo mejor para todos es que mueran aquí.

–¿Y vas a cargártelos sin más?

–Es cuestión de vida o muerte, Valquiria –amartilló el revólver–. Si le das a alguien la oportunidad de luchar, se la das también de vencer. ¿Qué te he enseñado sobre las peleas?

Ella contempló a Doran y a Kitana, que se alejaban despacio.

–Nunca juegues según las reglas que pone tu contrincante –dijo en voz baja, y cerró los ojos–. Hazlo.

Esperó el disparo, pero solamente oyó los susurros de Doran. Elevó la vista.

Skulduggery estaba guardando el revólver.

–Maldición... –farfulló.

383

Levantó en vilo a Sean y se lo lanzó a Doran, que vio cómo su amigo aparecía de pronto en mitad de la nada y se abalanzaba contra él. Sus cabezas chocaron y los dos cayeron, enredados. Kitana dio un salto hacia atrás y soltó un taco.

–Sácalos de aquí –ordenó Skulduggery, empujando el aire para atacar a Kitana.

Saltó sobre ella y la agarró del cuello, pero una oleada de energía lo lanzó despedido contra la pared.

Resistiendo la tentación de unirse a la pelea, Valquiria entró corriendo en el aula. Cerró la puerta y desactivó la esfera, aterrorizando a todo el mundo.

–¡Las ventanas! ¡Salid por las ventanas, deprisa!

Los alumnos las abrieron, histéricos, y se apelotonaron para saltar. El profesor se esforzaba por organizar la salida, pero solo conseguía poner aún más nerviosos a los chicos.

Valquiria chasqueó los dedos y convocó una bola de fuego. Todo el mundo se quedó helado.

–Vosotros –señaló a un grupo–. Salid primero. Que nadie más se mueva.

Obedecieron, y cuando ya habían huido señaló a otro grupo.

–Vosotros, salid.

La clase se fue vaciando. El profesor fue el último en marcharse. Cuando lo hizo, Valquiria se volvió hacia la puerta. En el pasillo reinaba un silencio muy sospechoso.

Giró el picaporte y se asomó. Sean continuaba inconsciente y esposado. Valquiria saltó por encima de él, se dirigió a la puerta doble que había al final del pasillo y la cruzó a la carrera. Oyó un golpe seco y corrió hacia el gimnasio. Una de las puertas estaba arrancada, y por el hueco salía un potente resplandor. Al oír un grito de Skulduggery, Valquiria giró la esfera y entró corriendo.

El esqueleto estaba en suelo del gimnasio. Ya no llevaba el tatuaje fachada. Kitana y Doran se acercaron a él con el ceño fruncido.

—A ver si afinas la puntería, ¿no?

—No ha sido culpa mía —se defendió Doran—. Por culpa de este tipo tengo la cabeza que me explota.

Kitana bajó la vista.

—¿Y tú qué eres? ¿Eres un esqueleto de verdad, o es un truco? ¿Llevas un disfraz?

—No es ningún disfraz —gruñó Skulduggery.

—¿Por qué llevas traje? —preguntó Doran.

—¿Preferirías que fuera desnudo?

—No —replicó Doran—. Sería desagradable.

Kitana resopló.

—¿Por qué sería desagradable? Es un esqueleto.

—Ya, vale, pero es un tío. Más o menos. Si fuera un esqueleto de mujer en pelotas, estaría bien.

—Así que un esqueleto de mujer te molaría, ¿no?

—Claro —respondió él, como si fuera la cosa más obvia del mundo—. Pero solo si estuviera desnuda.

Kitana se volvió hacia Skulduggery.

—Perdona a mi amigo. No es muy listo y es un poquito homófobo.

—Eso no es ser homófobo —respondió Skulduggery incorporándose lentamente—. No es más que la típica bravuconería adolescente. La superará si vive lo suficiente.

—¿Eso es una amenaza? —preguntó Kitana—. ¿Nos estás amenazando?

—En absoluto. Pero ahora que tenemos un momento para hablar en privado, ¿por qué no discutimos de un asunto más urgente? Por ejemplo, qué intentáis conseguir con todo esto.

–¿Con qué? –preguntó Kitana–. Ah, ya. ¿Te refieres a los asesinatos, el caos y la destrucción? ¿No te gusta? ¿No te divierte?

–No especialmente.

–Pues entonces, señor esqueleto, no sabes divertirte. Argeddion nos escogió para que usáramos nuestros poderes. Nuestro destino era castigar a la gente que se había metido con nosotros.

–¿Tu exnovio se metió contigo?

–Me humilló.

–Cortó contigo; no es exactamente lo mismo. Doran, tú mataste a tu hermano. ¿De verdad crees que se lo merecía?

–Sí –dijo él–. Ya lo creo.

–¿Y qué pasa con Patrick Xebec y los demás? ¿Y toda la gente que habéis herido? Y cuando acabéis de vengaros de todo el mundo, ¿qué? ¿Qué pensáis hacer?

–Lo que nos apetezca –respondió Kitana–. Vamos a hacer lo que nos dé la gana el resto de nuestra vida.

–Sabes que no puedo permitirlo.

–No puedes pararnos. Tus amigos magos intentaron detenernos y los matamos con tanta facilidad que me entró la risa.

–Entiendo.

Kitana sonrió.

–¿En serio?

–Sí. Sois unos psicópatas. Puede que la magia os haya llevado hasta este punto o tal vez siempre hayáis sido así, no lo sé. Pero lo importante es que ahora sois unos psicópatas.

–Supongo que sí.

–Debería haberos disparado cuando se me presentó la oportunidad.

–¿Y nosotros somos los psicópatas? –se rio Kitana.

–No obtuvisteis vuestros poderes para vengaros de los que se habían metido con vosotros. No os escogieron por ningún motivo en particular.

–Estás celoso, eso es lo que pasa.

Valquiria avanzó hacia Skulduggery.

–Argeddion os está utilizando –dijo el esqueleto enderezándose la corbata–. Sois un experimento.

–¿Conoces a Argeddion? –preguntó Doran frunciendo el ceño.

–¿Lo veis? Ni siquiera sabéis lo que está pasando. ¿Quién os creéis que es Argeddion? ¿Un ser místico que regala poderes a los mortales? Antes de convertirse en Argeddion, era un hechicero normal y corriente. Trabajaba por la paz y el conocimiento. Ahora sois sus conejillos de Indias y estáis pisoteando todo aquello en lo que él cree.

Kitana puso los brazos en jarras.

–No me digas. Bueno, pues si somos un error tan garrafal, ¿dónde está? ¿Cómo es que no viene a decirnos que nos estamos equivocando?

–Se niega a creer que sois así de malvados. Eso sí, no sé cómo habrá encajado esto... ¿Venir a vuestro instituto para atacar a la gente? Creo que es lo que le hacía falta para darse cuenta de que se ha equivocado.

–A mí me parece que estás mintiendo.

–Me da lo mismo.

–Estás muerto de envidia –sonrió Kitana–. Admítelo. Te pone celoso que Argeddion nos escogiera a nosotros y no a ti. Os pensáis que sois los mejores, con vuestra sociedad secreta y vuestras historias raras, pero nosotros somos una nueva raza de hechiceros. Y somos más fuertes que vosotros.

Valquiria avanzó hacia Skulduggery y la burbuja se lo tragó, haciéndolo desaparecer. Lo arrastró hacia un lado mientras Kitana y Doran soltaban sendos rayos de energía que les pasaron peligrosamente cerca.

–Gracias –dijo Skulduggery.

–De nada.

Se encorvaron para no ofrecer un blanco fácil y rodearon a los dos chicos, mientras ellos disparaban al azar con los ojos desorbitados.

–¿Dónde están? –chilló Doran–. ¿Dónde se han metido?

–¿Cómo quieres que lo sepa? –bramó Kitana.

Skulduggery sacó el revólver.

–Preferiría no tener que hacer esto –dijo mientras apuntaba.

Valquiria apartó la vista y el esqueleto disparó dos veces.

39

MANOS ATADAS

MALDICIÓN –masculló Skulduggery, Valquiria volvió la vista. Kitana y Doran continuaban en pie. Junto a cada cabeza había una bala que flotaba girando suavemente.

–Hola, hijos –dijo Argeddion levitando sobre ellos.

Hizo un gesto y la esfera de camuflaje dejó de funcionar. Kitana y Doran, sin embargo, ya no mostraban ningún interés por el esqueleto. Miraban hacia arriba como si estuvieran viendo a su dios.

–Eres tú –musitó Doran.

–Hola, Doran –saludó Argeddion–. Hola, Kitana. Siento haber tardado tanto en presentarme personalmente. Pasé un tiempo disfrutando de la experiencia de ser libre de nuevo. Hola, Skulduggery. Hola, Valquiria.

El detective enfundó el revólver.

–¿Te sientes orgulloso de ellos? –preguntó–. Vinieron aquí, a su instituto, para matar a todo el mundo. Si esperabas iluminarlos, me temo que tengo que darte una mala noticia.

–Son jóvenes –dijo Argeddion–. Ya aprenderán.

–Y entretanto, matarán y destruirán todo lo que encuentren. Se supone que eres un pacifista, que valoras la vida humana por encima de todo. ¿Cómo puedes permitir que esto continúe?

389

Argeddion sonrió.

–Porque veo la diferencia entre una vida y muchas. Entre unas pocas y todas. Estos niños están aprendiendo, explorando y forzando sus límites. Aún no saben quiénes son.

–Hace mucho que han pasado el límite. Necesitan normas.

–No tengo ningún deseo de limitarlos siguiendo las estrechas miras de la moral occidental.

Skulduggery negó con la cabeza.

–Tienes que asumir tu responsabilidad en todo esto.

–Acepto la responsabilidad final: la espiritual. Estos pequeños errores no tienen importancia. ¿No lo entiendes? Míralos. Son hermosos, imperfectos, un trabajo sin terminar aún.

–Maldita sea, Argeddion: tu plan no funciona. ¿Por qué no lo aceptas? Querías elevar a los humanos dándoles magia y mira lo que has creado: son asesinos.

–Vosotros dos también.

–Hemos cometido errores, pero siempre intentamos actuar correctamente.

–Quieres decir que habéis aprendido la lección. Cometisteis errores, matasteis y destruisteis, y ahora lucháis del lado del bien. ¿Qué te hace pensar que estos niños no seguirán vuestro ejemplo?

–El hecho de que son un par de psicópatas.

–¿Y Lord Vile no? ¿Oscuretriz está muy equilibrada, acaso? –Argeddion soltó una carcajada–. Me da la impresión de que tenéis un rasero para vosotros dos y otro para el resto de la gente.

–No puedes permitir que aprendan de sus errores a costa de vidas inocentes.

–Es triste que se pierdan vidas, pero también es necesario. Estos niños son el futuro. Necesitan la libertad de cometer errores y madurar a partir de ellos.

–¡Eso! –dijo Doran, otra vez con su sonrisilla–. ¡Déjanos madurar, señor esqueleto!

—Si quieres que aprendan, déjanos llevarlos al Santuario —replicó Skulduggery—. Los entrenaremos y les enseñaremos a controlar sus poderes.

—Los encerraréis —le rebatió Argeddion—. Igual que a mí, porque tenéis miedo. Porque no los entendéis y no podéis controlarlos. Lo siento, Skulduggery. No puedo confiar en ninguno de vosotros.

—Por el amor de Dios, no puedes dejarlos libres.

Argeddion bajó la vista hacia Kitana y Doran.

—Idos dijo—. Os veré pronto.

Tardaron unos instantes en moverse, pero cuando se alejaron iban riéndose como niños pequeños. Kitana incluso les lanzó un beso.

Skulduggery no movió un hueso.

—No deberías haberlo hecho.

—Cuando todo esto termine, lo entenderás —respondió Argeddion, y desapareció.

Una patrulla de Hendedores llegó en una furgoneta para encargarse de cerrar el instituto. Skulduggery metió a Sean Mackin en la parte trasera del vehículo y cerró la puerta dándole un golpe en la cabeza.

Valquiria y él esperaron un rato a que llegaran Scrutinus y Philomena Random y les explicaron la situación. Era bastante alarmante. Ya estaba activo un bloqueo que impedía la comunicación, pero varios cientos de adolescentes habían contado con media hora para difundir las locuras que habían visto, y el rumor se estaba propagando.

Al llegar al Santuario, encontraron a Abominable fuera de la sala de interrogatorios donde Sean Mackin estaba encerrado.

—Esto no pinta nada bien —dijo Abominable.

–Ya lo sabemos –asintió Skulduggery.

–Bernard Sult va de un lado para otro preguntando cosas como si esperara obtener respuestas. He conseguido evitar a Strom toda la mañana, pero me temo que Ravel no ha tenido tanta suerte. ¿Qué información queréis sacarle a este Mackin?

–Dónde se esconden sus amigos. No podemos permitirnos retrasos: saben que le vamos a interrogar, así que no permanecerán allí mucho tiempo.

Abominable asintió.

–Mandaré primero a Elsie. Puede que ella sea capaz de apelar a su razón sin que tengamos que asustarlo.

Valquiria y Skulduggery entraron en la sala contigua e hicieron un gesto con la cabeza a una hechicera que se sentaba frente a un monitor. La pantalla mostraba a Sean sentado detrás de una mesa. Parecía asustado. La puerta se abrió y entró una chica robusta vestida de oscuro, con los ojos pintados con una gruesa línea negra y un piercing en el labio: Elsie O'Brien. Su expresión era amable, pero parecía preocupada y nerviosa.

Sean la taladró con la mirada.

–Sabía que estarías aquí.

–Todo va bien –dijo Elsie–. Todo irá bien a partir de ahora.

Él se repantingó en la silla.

–¿En serio? ¿Les vas a obligar a soltarme?

–Solo quieren ayudarte.

El chico soltó una carcajada desagradable.

–¿A ti te parece que me están ayudando? Estoy encerrado en una celda. Me han esposado.

–Sean, debes entender que lo que hacías estaba mal.

–Eres una cobarde.

–Por favor, solo...

–«Por favor, solo...» –se burló él con voz de falsete–. ¿Tienes idea de lo desagradable que es tu voz y lo mucho que me molesta oírte graznar, estúpida? ¿Te he dicho alguna vez que pareces una foca? Estás gorda como una vaca y eres igual de fea. No soporto que me sonrías. Cada vez que lo haces me entran ganas de vomitar.

La puerta se abrió de sopetón y Sean se interrumpió.

Era Abominable.

Sean se enderezó en la silla, rígido, y se miró las manos mientras Abominable se sentaba delante de él.

–Vamos a ver –dijo–. ¿Quieres hablar de fealdad, Sean?

El chico tragó saliva.

–Hay gente que me ha repetido durante años que yo soy feo. ¿Tú qué opinas?

Sean encogió los hombros en un gesto atemorizado y tembloroso.

–¿Soy feo, Sean? –preguntó Abominable inclinándose hacia él.

–Tienes... Tienes cicatrices.

–¿Y eso me afea?

–Yo... Yo no...

–¿Y bien?

–No, no. No te hacen feo.

–¿Así que no soy feo? ¿Soy guapo?

Sean asintió rápidamente.

–¿Soy el hombre más guapo del mundo?

–Sí.

–Justo lo que sospechaba –Abominable se giró hacia Elsie–. Este chaval no tiene ni idea de lo que dice.

Una sonrisa tímida se dibujó en los labios de la chica. Abominable se encaró de nuevo con Sean.

–Está intentando ayudarte, so imbécil. Nos pidió que la dejáramos entrar y hablar contigo para echarte una mano. ¿Y sabes qué? Nadie más está dispuesto a ayudarte. ¿Te parece que hay un ejército de gente ahí fuera deseando echarte un cable?

393

–No… No creo.

–No. Exacto. Porque no hay nadie. Pero Elsie quería intentarlo. ¿Y tú se lo pagas así? Nos dijo que eras buena gente, Sean. Que eras un tipo decente, no como Doran. Doran es un psicópata. Y que tampoco eras como Kitana. Kitana es… otra cosa. Elsie nos dijo que te dejaste llevar un poco. El poder se te subió a la cabeza. ¿Es eso lo que pasó?

–Sí.

–¿Se te subió el poder a la cabeza, Sean?

–Sí.

–¿Por eso mataste a toda esa gente?

–Yo…

–También mataste a algunos de los nuestros, cerca del instituto. Y a otro hechicero, un hombre llamado Patrick Xebec. Tenía esposa, ¿lo sabías? Apuesto a que no. Y tú lo mataste.

–No –replicó Sean–. Yo no. Yo no he matado a nadie.

–¿Dónde están tus amigos, Sean?

–No… No lo sé.

–¿Dónde duermen?

–No lo sé, lo juro.

–Entonces, ¿dónde dormías tú?

Sean titubeó.

–Por favor… No quiero…

Abominable asestó un puñetazo en la mesa y Sean pegó un brinco.

–Aquí no cuentas con tu magia, Sean. Solo eres un chico normal y corriente. Un chico normal y corriente que está metido en un buen lío. Se acabó todo. Te hemos atrapado. Estás en nuestro poder. Vas a tener que ayudarte a ti mismo tanto como puedas, porque no le importas lo más mínimo a nadie salvo a Elsie. ¿Dónde dormíais?

Sean tragó saliva con dificultad.

–En casa de un amigo –dijo finalmente–. Se llama Morgan Ruigrok.

–No te inventes nombres, Sean.

–No se lo está inventado –intervino Elsie–. Le conozco; toda la familia tiene nombres raros. Sé dónde vive.

Abominable asintió.

–Entonces, vale. Es un buen comienzo –se levantó y avanzó hasta la puerta.

Sean se lamió los labios.

–Esto... ¿Voy a poder llamar a un abogado?

Abominable abrió la puerta.

–Tenemos gente que puede leerte la mente, Sean. ¿Para qué demonios necesitamos abogados? –dijo sin volver la vista.

Cuando Abominable y Elsie salieron al pasillo, Valquiria y Skulduggery se acercaron a ellos.

–Elsie, te presento a Valquiria Caín –dijo Abominable–. La compañera de Skulduggery.

–Hola –Valquiria le estrechó la mano–. ¿Conoces a ese tal Morgan Ruigrok?

–Sí, va a nuestro instituto –contestó Elsie–. Su familia vive en Stonybatter, pero ahora están de viaje por Holanda. Creo que vuelven en un par de semanas.

Abominable asintió.

–Tenemos una pista; mejor ponerse en marcha.

Skulduggery y Valquiria hicieron ademán de marcharse, pero se detuvieron en seco. Abominable soltó una maldición. Ravel se acercaba a ellos, seguido de Quintin Strom y Grim. Strom parecía furioso.

–Tú –dijo señalando a Skulduggery con el dedo–. Quiero hablar contigo.

–Me temo que no tengo tiempo.

–Haz un hueco –le espetó retorciendo los labios–, porque estoy deseando conocer la razón por la que decidiste entrar en ese instituto sin esperar refuerzos.

–Venga ya –saltó Valquiria, notando cómo crecía su ira–. Si hubiéramos esperado diez minutos, ¿quién sabe lo que habría pasado? Vale, circulan rumores por internet, pero no ha muerto nadie. Un profesor tiene algunos moratones, pero nada más. La operación ha sido un éxito.

–¡Ha sido un desastre! –tronó Strom–. Un desastre sin paliativos. Teniendo en cuenta la tecnología actual, no nos queda más remedio que desactivar las comunicaciones e impedir que circule la información. Este es justo el tipo de problema que nos preocupaba.

–La situación está bajo control –dijo Ravel.

Strom le clavó la mirada.

–¿Control? ¿Esto está bajo control? ¿Esto? Hasta ahora te he tratado con mucho tacto, porque sé que no es fácil asumir que todo el Consejo Supremo esté pendiente de lo que haces. Casi me daba vergüenza estar aquí. Pero ahora compruebo que soy necesario. No sé qué pasaría aquí si no hubiera gente como yo.

–Espera un segundo...

–¡No! –clamó Strom–. ¡No, no pienso esperar ni un segundo más! Se te ha confiado la tarea de gobernar este Santuario y hacer cumplir las normas y leyes, y estás fracasando espectacularmente.

La expresión de Ravel se crispó.

–No olvides que eres un invitado aquí, Gran Mago Strom. No hagas que me arrepienta de mi decisión de permitirte observar.

–¡Tú no me permites nada! ¡Yo te lo permito a ti! ¡Yo os he permitido creer que podíais elegir! –Strom tomó aire, controló su furia y continuó hablando–. No estás capacitado para ser Gran

Mago, Ravel –sentenció–. Y vosotros tres no sois aptos para formar el Consejo de los Mayores. En virtud de la autoridad que me ha conferido la comunidad internacional, tomo el mando de este Santuario. Quedáis relevados de vuestras funciones.

Nadie se movió.

Valquiria se quedó clavada en el sitio, paseando la mirada de uno a otro. Grim movió lentamente la mano hacia su chaqueta y Skulduggery sacó el revólver y le apuntó a la cara.

–Yo no lo haría si fuera tú –dijo.

El guardaespaldas alzó las manos mientras Strom abría los ojos como platos.

–Lo que acabas de hacer es ilegal.

–Aquí las normas las ponemos nosotros –le espetó Ravel–. ¿Creías que íbamos a cederte el puesto solamente porque tú lo dijeras? ¿Quién demonios te crees que eres?

–Soy un Gran Mago, señor Ravel: me he ganado ese título con trabajo duro y dedicación, mientras que tú eres Gran Mago porque nadie más quería el puesto.

–Vaya –exclamó Ravel–. Ese es un golpe bajo, ¿no crees?

–Ninguno de vosotros cuenta con la experiencia o los conocimientos necesarios para cumplir vuestra función. Sé que os cuesta creerlo, pero no hemos venido a arrebataros el mando: lo que queremos es ayudar.

–Y ya que estabais, habéis decidido controlar el cotarro.

–Solo tras comprobar vuestra incompetencia. ¿Y cómo reaccionáis? ¡Amenazando a un Gran Mago a punta de pistola!

–Técnicamente, Skulduggery está amenazando al guardaespaldas del Gran Mago con un revólver. Eso no es tan grave.

–Creo que habéis olvidado que me acompañan treinta y ocho hechiceros leales al Consejo Supremo.

–Y yo no sé por qué crees que eso nos intimida.

–Si desaparezco...

—¿Desaparecer? —dijo Ravel—. ¿Quién ha hablado de desaparecer? No, no: solo vas a asistir a una reunión muy larga y muy importante, nada más.

—No seas estúpido —gruñó Strom—. Ravel, no puedes ganar. Somos más que vosotros. Y en el instante en que nuestros magos se enteren de lo que está pasando, el resto del Consejo Supremo caerá sobre tu cabeza como nunca habrías imaginado.

—Ay, Quintin, Quintin... Haces que esto parezca el inicio de una guerra. Pero no es una guerra, sino una discusión. Y como todos los adultos cuando discuten, procuramos que no se enteren los niños. ¿Tienes treinta y ocho magos en Irlanda? Abominable, ¿con cuántas celdas contamos?

—Si los ponemos de dos en dos, nos apañamos.

—No empeoréis la situación —les advirtió Strom—. Un ataque contra cualquiera de nuestros hechiceros será considerado como una declaración de guerra.

—Y dale con la palabreja —suspiró Ravel.

—Esto es una locura. Erskine, piensa en lo que estás haciendo.

—Lo que estamos haciendo, Quintin, es permitir que nuestra gente haga su trabajo.

—Esto es un secuestro.

—No seas exagerado. Solo te mantendremos apartado el tiempo necesario para resolver la crisis actual. Skulduggery y Valquiria ya están trabajando en el caso. Nunca nos han fallado —Ravel se giró hacia ellos con una sonrisa—. ¡Más os vale no empezar ahora!

Skulduggery inclinó ligeramente la cabeza y echó a andar. Valquiria le siguió, pisándole los talones.

—Cielo santo —musitó Valquiria cuando doblaron la siguiente esquina.

—Pues sí: cielo santo.

Antes de que Kitana y sus amigos se instalaran, aquella debía de ser una casa muy bonita. Ahora, las paredes estaban llenas de agujeros provocados por explosiones y algún que otro puñetazo. Valquiria no envidiaba a la familia que se encontrara ese desastre cuando regresara.

Lo normal hubiera sido mandar un equipo de limpieza de inmediato; pero con todo lo que estaba pasando, no podían permitirse el lujo de entrar en detalles.

–No sé adónde pueden haber ido –masculló Skulduggery–. Abominable va a intentar sonsacarle algo más a nuestro prisionero, pero no creo que consiga nada. Si Sean tuviera algo que contarnos, ya lo habría hecho.

–¿Estás preocupado?

–¿Parezco preocupado?

–Nunca lo pareces.

–Eso no significa que no lo esté.

–¿Estás preocupado por haber arrestado a Quintin Strom?

–Ah, eso. Hummm... No lo sé. Pero si algo tengo claro es que no nos dejó otra opción.

–¿Podría provocar una declaración de guerra?

–Es posible.

–Pero... ¿En serio nos declararían la guerra? A ver, la guerra es una cosa seria. Es algo importante. Es... No sé, es la guerra.

–La guerra es la guerra –admitió Skulduggery–. Eso es muy cierto.

–¿Y de verdad irían a la guerra por una tontería como apuntar con un revólver al Gran Mago y encarcelarle junto a su guardaespaldas y a todos sus hechiceros? No es como si le hubiéramos matado ni nada parecido. No estamos hablando del archiduque de Austria.

–Con suerte, confío en que vean la parte humorística del asunto.

–¿Hay una parte humorística?

–No lo sé. Por eso espero que la vean.

–¿De cuánto tiempo crees que disponemos antes de que la gente de Strom empiece a sospechar?

–Ravel debería ser capaz de engañarlos al menos unas horas, así que tenemos que aprovecharlas al máximo. ¿Te has dado cuenta de que te estás apretando el brazo?

Valquiria bajó la vista y de pronto fue muy consciente del latido sordo.

–Ay, ay, ay...

Skulduggery la agarró del hombro y sacó el teléfono. Valquiria empezó a teclear un mensaje en el suyo. La habitación vibró.

–Abominable –dijo Skulduggery–, estamos a punto de oscilar. Te llamo cuando pueda.

El pulgar de Valquiria tamborileaba contra su móvil: «Mamá, estoy casi sin batería! Me quedo en casa de Hannah a estudiar y a comer pizza!!! Mañana vuelvo, bss».

Aunque el brazo le vibraba, hizo un esfuerzo por pulsar el botón de Envío y esperó conteniendo el aliento.

Y entonces, la casa desapareció. Se encontraban en el exterior, iluminados por la luz del sol que se filtraba entre los árboles. Skulduggery miró a Valquiria.

–¿Has podido enviar el mensaje?

Ella comprobó la pantalla y asintió con un suspiro de alivio. Mientras lo escribía se había preguntado si no estaría usando demasiados signos de exclamación, pero se alegraba de haberlos puesto. Nada en el mundo expresa «Todo va de maravilla» mejor que un signo de exclamación, al fin y al cabo.

–Así que esta es la realidad alternativa –masculló Skulduggery.

Valquiria le siguió con la mirada mientras él echaba un vistazo a su alrededor. Cuánto se alegraba de que estuviera a su lado...

–Bien –concluyó el esqueleto–, tenemos que traspasar el muro y entrar en la ciudad. No podemos entrar volando; habrá guardias apostados y sistemas de seguridad de todo tipo, y no tenemos tiempo para buscar los puntos débiles. Vamos a precisar ayuda. Necesitamos a la Resistencia.

–Si es que queda alguien en ella –murmuró Valquiria–. Cuando volví a nuestra dimensión, no llevaban precisamente las de ganar.

–El mejor sitio para empezar a buscarlos es el prado donde estuviste con ellos por última vez –Skulduggery le rodeó la cintura con un brazo y los dos se elevaron–. ¿Por dónde se va?

–¿Te has planteado que China es su líder?

–Sí.

–¿Y no tienes ningún problema con eso?

–Ninguno. Además, siempre cabe la posibilidad de que haya muerto a manos de Vile.

–Eres la alegría de la huerta.

40

VIEJOS AMIGOS

TARDARON media hora en llegar al prado. Había franjas de hierba chamuscada, y algunas partes estaban calcinadas por completo. En la tierra había manchas de sangre seca. Valquiria solo había visto el comienzo de la feroz batalla que se había librado allí. Se preguntó si su reflejo habría sobrevivido y el estómago se le encogió de nerviosismo.

Skulduggery se elevó hasta que los campos de cultivo se convirtieron en una colcha de retales coloridos, unidos por zanjas, caminos y vallas. El pueblo más cercano estaba al sur, y hacia allí se dirigieron, reduciendo la velocidad al acercarse.

No contentos con aplastar a la Resistencia, los esbirros de Mevolent habían descargado su furia contra la población de la zona. Las casas estaban quemadas y ruinosas, y las calles aparecían salpicadas de cuerpos que yacían pudriéndose bajo el sol, cubiertos de moscas. Sobrevolaron las calles hasta comprobar que no quedaba nadie vivo. Había cadáveres de hombres, de mujeres y de niños. Incluso de perros. Un odio desenfrenado había arrasado aquella aldea y no había dejado nada a su paso.

Valquiria se preguntó cuántas de aquellas vidas inocentes habrían terminado a manos de Lord Vile. A juzgar por el silencio de Skulduggery, él estaba pensando lo mismo. Le abrazó un poco más fuerte.

Siguieron un camino de tierra más ancho que los otros hasta llegar a la salida del pueblo. A unos cuantos kilómetros al sur se divisaba una granja hacia la que se dirigieron. Cuando aterrizaron, el granjero y sus hijos los miraron sin decir nada ni moverse.

–Habla tú con ellos –dijo Skulduggery–. Una chica guapa impone menos que un esqueleto andante.

Valquiria avanzó con paso lento.

–Hola –dijo cuando se encontraba lo bastante cerca como para que la oyeran sin dificultad.

Los niños, que debían de rondar los diez u once años, se escondieron detrás de su padre, un hombre delgado con el rostro curtido.

–No queremos problemas.

–No hemos venido aquí a buscar líos –contestó Valquiria–. El pueblo que está al final de ese camino... ¿Sabéis lo que sucedió?

El granjero la miró, contempló a Skulduggery y asintió.

–No somos de la ciudad –añadió Valquiria–. No trabajamos para Mevolent.

–No queremos problemas –repitió el granjero.

–Por favor, necesitamos hablar con alguien de la Resistencia.

El hombre negó con la cabeza.

–No sé nada de ellos. Por favor, váyanse.

–Comprendo que estén asustados...

–No puedo ayudarlos.

–¿Conoce a alguien que pueda hacerlo?

–No. A nadie. No sabemos nada.

–Señor, no tenemos mucho tiempo.

–Por favor, váyanse.

Skulduggery le rozó el codo y Valquiria suspiró.

–De acuerdo. Siento haberlos molestado.

Los hijos del granjero dejaron de ocultarse tras su padre en cuanto Skulduggery y Valquiria despegaron. Ella les dijo adiós con la mano, pero ni siquiera le devolvieron el saludo.

–Ha sido horrible –murmuró–. ¿Has visto lo asustados que estaban esos niños?

–No me extraña –respondió Skulduggery–. Acababan de enterrar a su madre.

–¿Cómo lo sabes? –preguntó, perpleja.

–Había un vestido entre la ropa tendida. Pero el padre no les dijo a los niños que entraran en casa, así que no había nadie que pudiera cuidar de ellos allí dentro. El carro tenía una lona encima.

Valquiria cerró los ojos.

–Oh, Dios. Y nosotros aparecemos volando, justo la clase de personas con las que no quieren tener nada que ver...

–Vaya mundo has encontrado –suspiró él.

–Y ahora, ¿qué? ¿Buscamos otra familia a la que traumatizar?

–He averiguado dónde estamos, y en nuestra dimensión la ciudad más cercana es Ratoath. Con suerte, aquí tendrá una población gemela.

–¿Así que ahora vamos a traumatizar a una ciudad entera? Genial. Nos van a adorar.

Ratoath resultó ser un pueblo bastante grande: las casas eran un poco más amplias y algo más resistentes que las de las aldeas por las que Valquiria había pasado. Algunas incluso resultaban bonitas, con sus huertos traseros, y en el centro del pueblo había un mercado bullicioso y lleno de gente. Todos llevaban la insulsa ropa marrón que los identificaba como humildes mortales, pero caminaban con la espalda recta y la cabeza alta. Aquellas personas mostraban una seguridad en sí mismas de la que carecían los demás.

Skulduggery y Valquiria aterrizaron detrás de una fonda sin que nadie los viera. Ella frunció el ceño y observó el edificio. Era exactamente eso: una fonda. Se encontraban en el siglo XXI de aquella dimensión, la misma época que en su realidad, pero aquello no era un bar ni una discoteca, sino una auténtica fonda. Esta dimensión era un lugar verdaderamente extraño.

Skulduggery se detuvo en la esquina y señaló con la cabeza un edificio grande que había al otro lado de la plaza.

–Si hay alguien que sepa algo, estará allí –dijo.

Ella le dio un codazo y señaló el edificio que había a la derecha. Era una iglesia ruinosa y con el tejado casi hundido; no hacía falta ser un experto para darse cuenta de que necesitaba una buena reforma. En la puerta se veían los dos círculos que ya le resultaban tan familiares a Valquiria. El edificio parecía abandonado.

–Lo más probable es que todas las poblaciones cuenten con una –observó Skulduggery–. Pero aunque puedas obligar a un pueblo a que construya una iglesia, no puedes obligarlo a rendir culto.

–¿Qué significan los círculos? –preguntó ella.

–El grande representa a los Sin Rostro, que todo lo abarcan y todo lo saben. El pequeño somos nosotros, justo al borde, cruzándonos apenas con el otro. Significa que somos unas miserables pulgas, incapaces incluso de comprender la majestad de su existencia. Como símbolo religioso, es muy condescendiente y bastante victimista.

–La Eliza Scorn de esta realidad lleva cadenas.

–En la nuestra también había gente que lo hacía. Siempre hay algún creyente fervoroso que decide cargar sobre sus hombros el peso de los pecados de los demás. Se supone que debería ser algo altruista y desinteresado, pero siempre me han parecido personas deseosas de llamar la atención. Hummm... Esto es muy interesante.

–¿El qué?

–Parece que se nos acerca un caballero armado con una escopeta.

Valquiria se asomó. Efectivamente, allí estaba: un mortal de unos sesenta años que avanzaba con una escopeta a la altura del vientre.

–Hola –dijo el mortal.

Skulduggery esperó un instante y luego dio un paso al frente. Valquiria le imitó.

–Vaya, vaya –comentó el hombre–. Un esqueleto con un traje elegante. Eso es algo que no se ve todos los días.

–No puedo decir lo mismo –replicó Valquiria.

El hombre sonrió.

–Me llamo Healy. Soy, por así decirlo, el policía local de Ratoath.

Skulduggery asintió levemente.

–¿Cómo está usted, señor Healy?

–Y también habla –observó Healy con una sonrisa–. No cesan las maravillas. Estoy estupendamente, señor, gracias por preguntar. Pero voy a tener que pediros a los dos que levantéis las manos.

–No queremos meternos en problemas –dijo Skulduggery mientras obedecían.

–Solo un loco buscaría problemas en un sitio como Ratoath –respondió Healy–. Tenemos normas muy estrictas, ¿sabe? Soy el comisario, lo que no me convierte precisamente en la persona más popular del pueblo; al fin y al cabo, mis deberes incluyen la captura de alborotadores para la barcaza cada cierto tiempo. Pero arrestando a gente como vosotros lleno rápido la cuota.

–¿Gente como nosotros?

—Hechiceros —aclaró Healy—. Hechiceros de la Resistencia.

—¿Y cómo sabe que somos de la Resistencia? —dijo Valquiria—. Podríamos venir en nombre de Mevolent.

Healy negó con la cabeza.

—Esos no llegan a escondidas. Te hacen saber que se acercan para que te eches a temblar. No: vosotros dos sois de la Resistencia, se nota a un kilómetro.

Skulduggery inclinó la cabeza.

—No parece muy nervioso, señor Healy. Si fuéramos hechiceros de la Resistencia, seríamos gente muy peligrosa.

—La Resistencia no hace daño a los mortales. Todo el mundo lo sabe.

—Parece usted muy convencido de que no corre ningún riesgo.

—Te sorprenderías de la confianza que da apuntar a alguien con un arma.

Skulduggery movió la mano izquierda, desplazó el aire y le arrancó la escopeta. Al tiempo, el revólver salió volando desde su chaqueta hasta su mano. El esqueleto lo amartilló.

—¿Sabe qué? Tiene usted razón. Ahora mismo estoy rebosante de confianza.

Healy alzó las manos lentamente.

—No os disparé —dijo—. Os agradecería me devolvierais el favor.

La escopeta voló hasta las manos de Valquiria, que la abrió y sacó los cartuchos.

—¿Y si se equivoca? —preguntó—. ¿Y si realmente viniéramos en nombre de Mevolent?

Healy se encogió de hombros.

—¿Después de lo que acabo de hacer? Seguramente prenderíais fuego al pueblo entero.

—Y aun así, no está nervioso.

—No, señorita, no estoy nada nervioso.

—¿Le importaría decirme por qué?

Healy sonrió y movió lentamente los ojos. Valquiria y Skulduggery se giraron y descubrieron que Anton Shudder aguardaba de pie junto a ellos.

Sin parpadear siquiera, Shudder contempló a Skulduggery como si lo viera a diario desde hacía años.

–Por favor, no montes una escena –dijo Skulduggery.

Como era de esperar, Shudder no se dignó esbozar una sonrisa.

–¿Por qué has regresado? –le preguntó a Valquiria.

–Necesitamos hablar con China.

Shudder no contestó.

–Queremos entrar en la ciudad –intervino Skulduggery–. Pensamos que China conocerá alguna forma de hacerlo. O tal vez tú sepas una; si nos la cuentas, no hará falta que la molestemos. Creo que eso sería lo mejor para todos, la verdad.

–Yo no puedo hacer nada sin el permiso de la señora Sorrows.

–Pues vaya vida más plena tienes que llevar.

–Mi reflejo –los interrumpió Valquiria–. ¿Está aquí?

Shudder se giró hacia ella.

–Se llevaron a tu reflejo junto a trece de los nuestros. Ayer noche murieron otros nueve, y cuatro han muerto hoy a causa de las heridas.

–¿Podemos hablar con China? Me dijo que estaba en deuda conmigo. Si no hubiera sido por mí, nunca habríais conseguido el teletransportador.

–El teletransportador que nos condujo a la mazmorra –dijo Shudder–. El teletransportador que los llevó hasta nosotros.

–Yo no tengo la culpa de eso.

–Dile a China que tengo una propuesta para ella –terció Skulduggery.

–Soy su guardaespaldas, no un mensajero. Si quieres decirle algo a la señora Sorrows, hazlo tú mismo –echó a andar hacia el edificio grande que cerraba la plaza.

–Creo que es su forma de decir «acompañadme» –indicó Healy con una sonrisa.

Valquiria le devolvió la escopeta y avanzó al lado de Skulduggery. Sin despegarse de Shudder, entraron por la puerta principal y una parte del suelo se abrió, mostrando unos peldaños que descendían. Al fondo había varios Hendedores vestidos de gris, con los cascos que tan siniestros le habían parecido siempre a Valquiria. En ese momento, sin embargo, le resultaron tranquilizantes: prefería mil veces a los Hendedores vestidos de gris que a los Capuchas Rojas con su uniforme escarlata.

Shudder empujó una puerta. Al otro lado había un hombre sentado en una silla, con el pecho desnudo y un disco negro del tamaño de un posavasos pegado al brazo. China Sorrows tallaba un símbolo en su pecho con un bisturí. Se interrumpió un instante, levantó la vista y fijó sus impresionantes ojos azules en Skulduggery.

–¿Quién eres tú?

Valquiria torció el gesto.

–¿No lo reconoces?

China continuó trabajando en el símbolo. El hombre que estaba sentado no parecía notar el dolor.

–Todos los esqueletos se parecen –dijo–. Claro que solo he conocido a uno que caminara.

–Hola, China –dijo Skulduggery.

Tal vez fuera una ilusión óptica, pero Valquiria hubiera jurado que China palidecía. Se enderezó.

–Eres tú –dijo–. ¿Dónde estabas? ¿Qué ha pasado? Yo... Todos pensábamos que estabas muerto.

Skulduggery se quitó el sombrero.

–¿A ti te parece que estoy muerto?

–Me niego a contestar preguntas estúpidas.

–China Sorrows... Todos tenemos todo un pasado, ¿verdad? Es abrumadora la influencia que hemos tenido cada uno en la vida del otro. Tú me ayudaste a convertirme en la persona que soy ahora.

China se volvió hacia el hombre de la silla.

–Terminaremos después.

Él asintió, se quitó el disco negro del brazo haciendo una mueca y se marchó. China se puso a limpiar el bisturí.

–Y estoy convencido de que yo también he afectado enormemente a tu vida –continuó Skulduggery–. Todos los años que hemos sido enemigos, persiguiéndonos, luchando, peleando... Mírate: has pasado de ser una discípula de los Sin Rostro a ser la líder de la Diablería, y ahora de la Resistencia. Has cambiado.

–Espero que sí. ¿Dónde te habías metido?

–Eso no tiene importancia.

–Para mí, sí –guardó el bisturí en un estuche y cerró la tapa–. Primero aparecen de la nada una tal Valquiria Caín y su reflejo, y ahora regresa el esqueleto viviente después de... ¿Cuánto? ¿Ciento cincuenta años? Y además resulta que son amigos. Así que tengo unas cuantas preguntas: de dónde habéis salido, qué hacéis aquí y quiénes sois.

–Ya sabes quién soy.

–Sé quién eras –repuso China–. En cuanto a ti, Valquiria, he preguntado a mucha gente y nadie parece saber de dónde vienes. Todo esto es de lo más misterioso, y no me gustan los misterios. Me perturban.

Valquiria fue consciente de pronto de lo vulnerables que eran, con Shudder y los Hendedores justo detrás de ellos.

–Venimos de fuera –dijo Skulduggery.

China le taladró con la mirada.

–Explícate.

–Un oscilador dimensional nos envió hasta aquí. No pertenecemos a este mundo.

–¿Esperas que crea que venís de un universo paralelo? ¿En serio? Respóndeme a una pregunta: ¿en tu mundo hay una China Sorrows?

–Así es.

–¿Y es una estúpida?

–No.

–Entonces, ¿qué te hace pensar que voy a creerte?

–Podemos demostrarlo si quieres. Tal vez pueda contarte algo que mi doble de esta realidad no podría saber. Por ejemplo, que tú le entregaste a Serpine a mi esposa y a mi hijo para que los asesinara ante mis ojos. Algo así, tal vez.

China no respondió de inmediato.

–¿Cuánto hace que lo sabes?

–Un año, pero lo averigüé en una realidad completamente distinta.

–Y mi doble, la China de tu mundo... ¿La mataste rápidamente o la torturaste mucho tiempo?

–Ninguna de las dos opciones. Sigue viva.

–No me lo creo.

–Puedo ser muchas cosas, pero no soy ningún hipócrita.

–He participado en el asesinato de tu familia, he ayudado a convertirte en lo que eres ahora... ¿Y tú no quieres matarme como venganza?

–Por supuesto que quiero matarte –reconoció Skulduggery–. Quiero matar a muchísima gente. Pero entonces, ¿dónde acabaría yo? En medio de un montón de cadáveres, sin nadie con quien hablar.

–Eres diferente del Skulduggery que conocía.

–Quizás. O quizás no.

–¿Qué necesitáis? ¿Una forma de volver a vuestra realidad?

411

–Eso se solucionará solo. No: necesitamos entrar en el palacio de Mevolent.

–¿Para qué?

–Ha apresado a mi reflejo –dijo Valquiria.

–Que se lo quede –replicó China–. Solo es un reflejo. No me lo creo... Tiene que ser otra cosa.

–Así es –asintió Skulduggery–. Tienen algo que necesitamos. Es muy valioso para nosotros.

–Dime lo que es; tal vez yo tenga uno de sobra.

–Lo dudo.

–Acabarás por contármelo, porque en caso contrario no pienso ayudaros. Evidentemente, puedes mentirme, pero me daría cuenta.

–Nuestro mundo está en peligro –explicó Skulduggery–. Necesitamos un arma lo bastante poderosa para matar a un dios.

China soltó una carcajada.

–¿Queréis el Cetro? Imposible. Mevolent lo guarda en la sala del trono. Está protegido por el símbolo de Arietti, y cuando sale del palacio lo lleva siempre encima. Nunca lo conseguiréis.

–Préstanos al teletransportador que capturaste y tal vez te sorprendamos.

–Si pudiera, lo haría –suspiró China–. Por desgracia, escapó aprovechando la confusión cuando Lord Vile y los Capuchas Rojas nos atacaron. Ha regresado junto a Mevolent, y lo mismo han hecho, muy a su pesar, una docena de nuestros mejores combatientes. No fue un buen día para nosotros.

–Entonces ayúdanos a colarnos de otra forma, o danos un plano y nos las arreglaremos solos. ¿Qué pierdes con eso?

–Pierdo un plano perfectamente válido. ¿Cómo pensáis haceros con el Cetro, aunque consigáis colaros? ¿Te haces a la idea de cuántos Capuchas Rojas vigilan los corredores? ¿Has olvidado a Vengeus, a Lord Vile y al propio Mevolent?

–Ya nos hemos enfrentado otras veces a Vengeus y a Lord Vile –contestó Skulduggery–. Nos las arreglaremos. Y respecto a Mevolent, esperaremos a que se duerma. No es un plan perfecto, pero servirá.

Valquiria asintió.

–Tienes toda la razón, Skulduggery. No es un plan nada perfecto.

–Pero no podéis usar el Cetro –apuntó China–. Mientras Mevolent viva, solamente él lo puede utilizar.

–No si nos lo llevamos a casa. Podríamos usarlo para salvar nuestro mundo; además, y aquí viene lo más interesante para ti, Mevolent perdería para siempre un arma muy poderosa.

China los observó durante un largo momento y luego recogió su estuche.

–Buscaré un guía que os conduzca hasta allí –dijo–. Supongo que el tiempo es esencial, ¿no?

–¿Cuándo no lo es?

–Tienes razón. Necesitaréis esto –alzó el disco negro que había tenido pegado al brazo el hombre del principio.

Skulduggery hizo un gesto y el disco voló hasta su mano.

–Si os capturan –prosiguió China–, agradecería que tuvierais el detalle de morir antes de que os interroguen. Esta ciudad es muy importante para la Resistencia: no nos podemos permitir perderla.

–Intentaremos morir luchando.

–Eso es todo lo que os pido. Esperad aquí: voy a buscar a alguien que os presente a vuestro guía. Valquiria, ha sido un placer volver a verte. Skulduggery... –sin molestarse en terminar la frase, les dedicó una leve inclinación y salió de la estancia.

–¿Eso qué es? –preguntó Valquiria señalando el disco negro.

–Un regulador de dolor –respondió Skulduggery jugueteando con él–. Se utiliza para atenuar el dolor o avivarlo.

Separó de la parte de abajo una pieza plana de pizarra, con un símbolo pintado en blanco, y se lo guardó todo en el bolsillo.

Una chica de unos veinte años entró en la sala y les indicó que la acompañaran hasta un edificio cercano. Se llamaba Harmony, tenía la piel pálida y era bastante atractiva, aunque tenía una cicatriz desde el ojo hasta la boca. Con una antorcha en la mano, los condujo por las desgastadas escaleras de piedra.

–¿Nuestro guía vive aquí abajo? –preguntó Valquiria, no muy convencida.

–Sus movimientos están limitados –contestó Harmony–. No es exactamente de confianza.

–Y aun así, confiáis en él lo suficiente para encargarle que nos lleve al palacio –intervino Skulduggery.

–Sí, sí. Completamente. El problema es lo que haga después de guiaros: ahí es cuando las cosas pueden ponerse difíciles. Pero no os preocupéis. Hace años, Mevolent ordenó que cualquiera que lo viera lo matara en el acto, así que no creo que intente traicionaros como le traicionó a él.

–¿Traicionó a Mevolent? –preguntó Valquiria–. Un momento, ¿estaba de su lado?

–Era uno de sus mejores hombres. Uno de sus tres generales –Harmony llamó a la puerta con los nudillos y abrió sin esperar respuesta.

Nefarian Serpine estaba tumbado en un catre en el interior del cuarto, tapado solamente con una toalla. Se rascó la barba y los observó con sus ojos brillantes de color esmeralda.

–¿Qué demonios queréis?

41

EL GUÍA

AQUELLOS ojos verdes y brillantes se posaron en Skulduggery, y este alzó el mentón en un gesto teñido de ironía.

–Aquí estás, después de tantos años... –dijo–. ¿Qué pasa, te perdiste cuando venías a matarme o algo así?

Serpine se incorporó. Su pelo negro estaba muy largo y tenía una barba descuidada. Se le notaban todas las costillas.

–¿Me darás al menos la oportunidad de defenderme? –preguntó.

Se levantó de la cama y alzó la mano derecha, que llevaba enfundada en un tosco guante metálico.

–Este bonito guantelete que me han puesto me impide hacer magia, así que tendremos que pelear a puñetazos –dijo–. ¿Estás listo, esqueleto? ¿Quieres zanjar esto de una vez por todas?

–No ha venido a matarte –dijo Harmony–. Vas a quedar bajo su custodia.

–Eso no me parece muy deportivo.

–Conoces la forma de entrar en la ciudad sin que nadie se entere –afirmó Skulduggery–. Esta noche nos vas a ayudar a traspasar el muro. Si intentas algo raro, estaré encantadísimo de acabar contigo.

Serpine sonrió.

–Si alguien me ve dentro de la ciudad, habrá muchas personas encantadas de acabar conmigo. Creo que prefiero quedarme aquí, gracias.

–No es una petición –indicó Harmony–. La señora Sorrows ha ordenado que vayas.

–Bueno, pues dile que cambie de idea –replicó Serpine con un bufido–. No pienso poner un pie en la ciudad, y si tuvieras algo de sentido común, tú harías lo mismo, esqueleto.

Skulduggery se volvió hacia Harmony.

–¿Nos disculpas un instante? Me gustaría hablar con Serpine a solas.

Ella se encogió de hombros.

–Esperaré fuera –dijo, cerrando la puerta tras de sí.

Skulduggery y Valquiria se miraron.

–¿Qué opinas? –preguntó él.

–No me impresiona demasiado –consideró ella–. Y no me gusta su barba. Además, la toalla no es que le tape mucho.

–Está pasando por una mala racha –replicó Skulduggery–. Necesita encontrar una meta en su vida. Le hace falta dirigir la mirada al futuro. Nefarian, nosotros podemos ayudarte a hacerlo –sacó el regulador de dolor del bolsillo, desplazó el aire y el disco salió despedido desde la mano de Skulduggery a la tripa de Nefarian, que gruñó e intentó quitárselo de encima.

–No te molestes –dijo Skulduggery–. Solo nosotros podemos quitártelo, y no tenemos intención de hacerlo hasta conseguir lo que queremos.

Sostuvo la pieza de pizarra negra en la mano y acercó el pulgar hasta rozarla ligeramente. Serpine cayó de rodillas, con los ojos desorbitados. Todo su cuerpo se estremeció y sus músculos se contrajeron como si fuera a saltar. Valquiria hubiera jurado que quería gritar pero no podía hacerlo.

Skulduggery volvió a rozar la pieza de pizarra, ahora en sentido contrario, y Serpine cayó derrumbado hacia delante, jadeando.

—Te ofrecemos un nuevo objetivo en tu vida —declaró Skulduggery—: librarte de ese aparatito. El futuro al que puedes aspirar es uno en el que no tengas que sufrir una agonía cegadora cada vez que nos aburrimos. Es una meta muy saludable, ¿no crees?

Serpine alzó la vista.

—Quiero que después me soltéis —dijo—. En cuanto os lleve hasta allí, me quitaréis esta cosa y me dejaréis libre.

—¿Acaso no lo eres ahora?

—Dicen que sí, pero no puedo ir a ninguna parte sin una escolta armada. Le he demostrado a Sorrows mis ganas de cooperar, le he dado nombres y ubicaciones y le he revelado algunos de los secretos mejor guardados de Mevolent. ¿Y qué recibo a cambio? Que me arrebaten mis poderes y me encierren en una habitación helada con un catre diminuto. Si conseguís ese acuerdo, os llevaré.

—China nunca lo aceptará —dijo el esqueleto—. No nos va a prestar a alguien para que lo dejemos escapar a la primera. ¿Qué ganaría ella con ese trato?

—No tenéis por qué decírselo. Hacemos un trato nosotros tres, aquí y ahora: me dejaréis libre en cuanto os haya llevado adonde queréis ir. Pienso aprovechar la oportunidad.

—Tal vez podamos dejarte libre, pero entonces no me conformo con que nos metas en la ciudad. Nos conducirás hasta el interior del palacio. Hasta el Cetro.

—Estás loco.

—Ese es el trato.

Serpine vaciló.

—Muy bien. Os llevo hasta el Cetro, me quitáis el disco, abrís el guantelete y me dejáis marchar.

–Trato hecho. ¿Cuánto se tarda en entrar en la ciudad?

–¿Qué hora es?

–Las tres.

–¿De la tarde o de la noche, esqueleto? Sin ventanas a la vista, se pierde la noción del tiempo.

–De la tarde.

Serpine asintió.

–El mejor momento para colarse es el final de la jornada. Tenemos que estar junto al muro a las seis. Pero antes necesitaré ropa, mi propia ropa. Y decidle a vuestra gente que quiero un barbero; si voy así, nos arrestarán en el acto. La gente de la ciudad es culta y elegante, nada que ver con los individuos siniestros y desagradables que pululan por aquí. Tú, niña –le arrojó a Valquiria la toalla que llevaba a la cintura–. Prepárame un baño.

Valquiria se quitó la toalla de la cabeza sujetándola con dos dedos.

–Por Dios, qué asco... –gimió.

Skulduggery y Valquiria hablaron con Harmony para que arreglara el tema del barbero y el baño, y luego recogieron la ropa de Serpine y se la llevaron. Los dos esperaron frente al edificio, montados en los caballos que les había proporcionado la Resistencia, hasta que Serpine salió escoltado por un Hendedor.

Ya no llevaba barba y tenía el pelo corto. La ropa estaba vieja y desgastada, pero aún resultaba elegante. Serpine pestañeó bajo la luz del sol y se protegió los ojos con el guantelete. Valquiria se fijó por primera vez en lo pálido que estaba.

Sonrió al acercarse a ellos.

–Ya está –dijo–. Mucho mejor. Si te encaminas hacia una muerte segura, qué menos que ir bien vestido, ¿no creéis? Casi me siento como si fuera yo mismo, mi antiguo yo –se volvió hacia Skulduggery–. Ya sabes, el que mató a tu familia.

–Ah, sí –dijo Skulduggery–. Él.

Serpine subió a su montura y bajó la vista hacia Harmony.

–Espero que no me eches demasiado de menos –dijo–. Si la nostalgia se hiciera insoportable, tienes permiso para acostarte en el lado que más te guste de mi cama.

El rostro de Harmony enrojeció súbitamente. Serpine se echó a reír y se giró de nuevo hacia Skulduggery.

–¿Nos vamos?

Salieron del pueblo al galope. Valquiria llevaba años sin montar a caballo, y tardó un poco en adaptarse al ritmo. Al cabo de un rato empezó a disfrutarlo. Minutos después, empezaron a dolerle todos los músculos.

Vieron el muro a lo lejos antes de divisar Dublín. Pronto se encontraron avanzando por las estrechas callejuelas de los mortales, que corrían para alejarse de su camino aunque habían aminorado la velocidad e iban al trote. Casi todo el viaje había transcurrido en silencio, pero cuanto más se acercaban, más charlatán se volvía Serpine.

–Parece que los años te han amansado, esqueleto –dijo–. ¿Qué ha pasado con aquella rabia que yo conocí? ¿Dónde está la furia? ¿Qué ha sido de tu odio? ¿De verdad has cambiado? ¿Te has convertido, a falta de una mejor definición, en un hombre diferente?

–Han sucedido muchas cosas desde que me viste por última vez. Para empezar, me he cobrado venganza.

–¿Ah, sí? ¿Cómo?

–El cómo, el dónde y el cuándo no te conciernen, Nefarian.

–Como quieras –Serpine sonrió–. Al menos, dime si fue como esperabas.

–Ah, ya lo creo que sí. Salvo que terminó demasiado rápido.

–Bueno, aquí estoy yo por si te entran ganas de derramar más sangre.

Skulduggery tardó unos segundos en responder, y Valquiria lo observó con preocupación. Pero entonces el detective inclinó la calavera de esa forma tan propia de él.

–Una oferta tentadora, y te agradezco mucho el detalle. No todos los días me invitan a infligir dolor a alguien a quien detesto. Si no te conociera, juraría que quieres que te mate aquí mismo para no correr el riesgo de que Mevolent te ponga las manos encima.

Serpine se rio.

–En realidad, si no te importa, preferiría no sufrir una muerte prematura.

–Lógicamente. Pero si fueras a morir en esta misión, y parece una posibilidad nada remota, estoy seguro de que preferirías una muerte rápida, que te rompiera el cuello, por ejemplo, a una larga sesión de tortura... Que será lo que Mevolent te tiene reservado, sin duda.

–Ah, tú no conoces a Mevolent tanto como yo. Bien mirado, no es un tipo rencoroso. Si me capturan, estoy seguro de que será comprensivo.

–En ese caso, si nos encontramos en inferioridad numérica, no te importará que te dejemos atrás, ¿verdad?

Serpine esbozó una sonrisa forzada.

–Sin problema –dijo–. Llevo muchos años sin ver a mis viejos amigos. Tenemos tanto que contarnos...

42

RESULTADOS

BOMINABLE se miró en el espejo. Llevaba la túnica de Mayor. Odiaba aquel ropaje. Lo odiaba tanto que quería rediseñarlo, convertirlo en algo nuevo e interesante o, al menos, extravagante y curioso. Se lo quitó, lo lanzó sobre el escritorio y se frotó los ojos. El Gran Mago Strom estaba encerrado en una celda, Skulduggery y Valquiria se habían ido de aventuras interdimensionales, Kitana y sus amigos sembraban el caos en alguna parte, y medio Santuario era inaccesible por culpa de Lament y sus hechiceros.

Si a aquello se le sumaba que Argeddion, prácticamente omnipotente, iba de un lado para otro haciendo experimentos, era comprensible que Abominable no hubiera dormido muy bien últimamente.

Echaba de menos su vieja cama. Añoraba su sastrería. Recordaba con nostalgia la parte de su vida en la que la gente no acudía a él en busca de respuestas. Era un sastre, no un líder. Si había aceptado aquel trabajo fue solo para contar con recursos para localizar y curar a Tanith Low. Pero había pasado mucho tiempo y seguía en el mismo punto.

Escogió una corbata, se la puso, apretó el nudo y luego lo aflojó.

No había vuelto a ver a Tanith desde aquel día en la furgoneta, la Navidad anterior. Un instante estaban hablando, y al siguiente hubo un destello brillante y todo se volvió negro. Cuando recuperó la consciencia, Tanith había huido con un Vestigio en su interior. En el fondo, a Abominable le dolía que se hubiera infiltrado en el Santuario hacía unos días para matar a Christophe Nocturnal y ni siquiera se hubiera parado a saludar. Era absurdo que le molestara eso, lo sabía, pero no podía evitarlo.

Se abrochó el chaleco y se remangó la camisa, dando exactamente el mismo número de vueltas en cada brazo. Tenía que cuidar su aspecto, al fin y al cabo. Tal vez estuviera desfigurado, pero ese no era motivo para abandonarse. Además, por lo menos sus cicatrices eran simétricas.

Alguien llamó a la puerta y Abominable abrió.

–Los mortales –dijo Tipstaff–. Están todos despiertos.

Abominable echó a correr hacia los niveles inferiores y se encontró con Ravel por el camino. Al pasar junto a Elsie, Abominable le agarró la mano para que le acompañara. Cuando llegaron a la zona en cuarentena, vieron un corrillo de gente. Abominable se acercó con Elsie al lado.

Los cuarenta y tres mortales estaban en el otro extremo de la sala, de pie, rígidos y con la mirada perdida en el vacío. La doctora Synecdoche meneó la cabeza.

–Esto es imposible –dijo–. Están sedados hasta las orejas. No deberían ser capaces de abrir los ojos, y mucho menos levantarse de la cama.

Ravel se acercó a la mortal que tenía más cerca y movió la mano delante de su cara.

–No responde –señaló–. ¿Sonambulismo, quizá?

–Puede ser –contestó la doctora–. Pero no entiendo por qué están así. No ha pasado nada, no ha habido ningún cambio, pero de pronto todos se incorporaron a la vez.

–Elsie... –Abominable se volvió–. ¿Te encuentras bien?

–Aquí hay alguien –musitó ella–. Lo siento.

–¿Argeddion?

Asintió.

–Igual que siento a Sean, siento a Argeddion. Se aproxima. Cada vez está más cerca.

–Gran Mago –exclamó Abominable–, Argeddion se acerca. Tienes que ir a un lugar seguro y...

–No –le interrumpió Elsie.

–¿No, qué? ¿No viene de camino?

La chica negó con la cabeza.

–Ya está aquí.

Argeddion apareció en el otro lado de la estancia.

–Hola, Elsie –dijo.

Los hechiceros y los Hendedores que se lanzaron contra él desaparecieron antes de dar dos pasos. Solo quedaron Abominable, Elsie, Ravel, Synecdoche y Tipstaff.

Ravel miró a su alrededor lentamente.

–¿Qué le has hecho a mi gente, Argeddion? –preguntó.

–Están a unos kilómetros de distancia. No les he hecho daño, tranquilo. Soy pacifista, ¿recuerdas?

–¿Qué haces aquí?

Argeddion sonrió.

–Los primeros sujetos de prueba han terminado su tarea. He venido a recoger los resultados.

Se paseó lentamente entre los mortales, cuyos pechos comenzaron a brillar. A su paso, de cada uno de ellos brotó una esfera ardiente que flotó hacia Argeddion. En el instante en que la luz los abandonaba, los mortales se derrumbaban. Synecdoche se lanzó hacia delante, pero Argeddion levantó una mano para detenerla.

–Se encuentran bien –dijo–. Solo están dormidos. Cuando despierten, habrán vuelto a la normalidad.

Ravel agarró a Synecdoche y tiró de ella hasta colocarla a la altura de Abominable y Elsie.

–¿Les estás quitando la magia?

–Sí. Y con ella estoy absorbiendo toda la información. Cómo los afectó, cómo los mejoró, si les hizo daño...

–¿Por qué? –preguntó Synecdoche–. ¿Para ajustar la dosis la próxima vez?

–Exacto, mi querida doctora –sonrió Argeddion–. No queremos que la gente se vuelva loca, ¿verdad? En el primer ensayo era previsible que se dieran comportamientos extraños e irracionales. El gran día, sin embargo, os aseguro que la experiencia será mucho más suave.

Llegó hasta el final de la hilera y el último mortal cayó al suelo. Argeddion suspiró.

–El ambiente está revuelto, ¿verdad? –dijo mientras salía al pasillo seguido por los demás–. No gastéis saliva intentando convencerme de que lo que hago está mal. Skulduggery y Valquiria ya lo han intentado con sus mejores argumentos y no he cambiado de idea. Creo, en cambio, que ellos están empezando a ver las cosas de otro modo.

–Lo dudo muchísimo –gruñó Ravel.

Argeddion se encogió de hombros.

–Siempre he sido un optimista.

Subieron las escaleras. El personal del Santuario les abría paso según se acercaban.

–Parece que tú no has utilizado tus poderes igual que tus amigos –le dijo Argeddion a Elsie, sonriendo.

–Yo... no quiero hacer daño a nadie.

–Claro que no. ¿Por qué ibas a querer hacerlo? No eres ninguna salvaje.

–Los otros sí lo hicieron.

Argeddion asintió con tristeza.

–Lo sé. Ya lo he visto. Es inquietante, ¿verdad? Pero ya aprenderán. Eso es lo maravilloso de los humanos: su capacidad para aprender de los errores.

–Creo que no deberías habernos concedido esos poderes.

–Pero erais perfectos: os adaptabais a mis necesidades. Necesitaba saber cómo afectarían a la sociedad en conjunto, y vosotros cuatro teníais todo lo que buscaba: una dinámica de grupo, la cantidad justa de tensión, lealtad y amistad. ¿Fue todo perfecto? No. Pero cuando esto acabe me daréis las respuestas que necesito, y vosotros sabréis que habéis colaborado para hacer del mundo un lugar mejor.

Salieron del Santuario y Argeddion se detuvo.

–Hola –saludó con voz suave.

Lament y los suyos flotaban en cielo por encima de ellos. Tenían los ojos abiertos.

–No podemos permitir que te vayas –dijo Lament–. Eres demasiado peligroso. Tenemos que detenerte.

Argeddion subió la vista.

–He de decir que estoy impresionado. Sabía que existía la posibilidad de que os liberarais, pero no creía que fuerais a hacerlo tan pronto. Os felicito, amigos míos.

–Sentimos mucho lo que te hicimos –repuso Lament–. No fue una decisión fácil. Pero los últimos acontecimientos nos han demostrado que teníamos motivos para temerte.

–No os deseo ningún mal –susurró Argeddion–. Llevo años en vuestras mentes. Vosotros, todos vosotros, formáis parte de mí, y os quiero.

–Gracias, Argeddion. Pero no podemos permitir que sigas con esto.

–No podéis sobrevivir sin mí, Tyren; ninguno de vosotros puede. Mi magia os ha mantenido vivos desde hace años. Si intentáis detenerme, fracasaréis. Quiero que seáis conscientes de eso.

—Tenemos que intentarlo.

—Por supuesto que sí.

Argeddion sonrió y se elevó en el aire hasta quedar en medio de ellos. La energía chisporroteaba a su alrededor.

—Ha sido un honor conoceros —dijo.

Hubo un destello luminoso y los hechiceros se desplomaron.

Abominable echó a correr y se dejó caer de rodillas junto a Lenka. La chica tenía los ojos abiertos. No respiraba.

—¿Qué has hecho? ¿Qué les ha hecho?

—Les arrebaté el poder que les había entregado —contestó Argeddion.

El rostro de Ravel se retorció de ira.

—¡Los has matado!

—Iban a utilizar mi propia magia contra mí. Hubiera preferido no hacerlo, pero no me dejaron otra opción. En cierta forma, eran mis amigos... Han muerto sin dolor.

—Los has matado. ¡Los has asesinado!

—Y ellos me encerraron durante treinta años a pesar de que yo no había hecho nada malo —le espetó Argeddion, y por primera vez su voz sonó áspera. Cerró los ojos y volvió a abrirlos—. Lo siento, no tenía intención de alterarme. Pero acabo de perder a cuatro amigos, los únicos que tenía en el mundo. Estoy bastante afectado.

Ascendió en el cielo y desapareció.

43

EL 18 DE MOUNT TEMPLE PLACE

SE colaron en la ciudad gracias a un comerciante mortal que le debía un favor a Serpine. Al mortal no le hizo mucha gracia, y no paró de quejarse mientras cruzaban el puente de O'Connell escondidos en su carro. Dejó de hacerlo justo el instante en que cruzaron las puertas. Una vez dentro, los tres saltaron de la carreta y Serpine los guio por los callejones.

En cuanto estuvieron a una distancia razonable de los Capuchas Rojas y las patrullas de la Guardia Mágica, Valquiria se adelantó para buscar información. Vio un hombre que avanzaba a toda prisa, vestido a la última moda del Dublín del interior del muro: llevaba unos zapatos puntiagudos que taconeaban contra la acera, una camisa de cuello larguísimo y un sombrero extraordinariamente ridículo. Decidió acercarse a él porque se le notaba agobiado y avanzaba a toda velocidad. La gente que lleva prisa tiene tendencia a responder sin pararse a hacer preguntas.

–Disculpe, señor, ¿podría ayudarme?

Él frunció el ceño sin dejar de avanzar y Valquiria le siguió el ritmo.

–¿En qué? Estoy muy ocupado. ¿Acaso piensas que la ciudad funciona sola? Pues te voy a decir una cosa: no, no funciona sola. Necesita trabajo. Hace falta gente como yo.

–Quisiera encontrar a alguien.

–¿Y has intentado buscarlo? –replicó apurando el paso.

Valquiria le imitó para no quedarse atrás.

–Es que acabo de llegar y no conozco a nadie. Estoy buscando a mi tío.

–¿Familia? Mantente alejada de tu familia. La familia es una pesadez. La mía no me aguanta, ¿y sabes por qué? Porque yo trabajo muy duro. Están celosos. Todo el mundo está celoso. La gente siempre quiere irse a casa para estar con su familia, pero ¿yo? Yo no. Yo sigo trabajando, eso es lo que hago. Por eso están celosos. No es sencillo ser como soy yo. Es más fácil ser tú, y mira que ni siquiera te conozco. Pero me conozco a mí mismo, y sé que deberían darme una medalla.

–Solo necesito encontrar...

–¿Necesitas encontrar? ¿Lo necesitas? ¿Por qué lo necesitas? Si buscas a alguien, mira en el Pozo.

–¿Dónde?

–En el Pozo. ¿Eres idiota?

–No sé muy bien qué es eso.

Se giró de pronto.

–¿No sabes lo que es el Pozo? ¿El Pozo Global? ¿De verdad no sabes lo que es? ¿Qué edad tienes?

–Esto... Diecisiete años.

–¿Tienes diecisiete años y no sabes lo que es el Pozo Global? ¿Dónde has estado metida todo este tiempo? ¿De dónde eres? ¿Tienes algún problema? ¿Eres estúpida? ¿Eres retrasada? ¿Eres...? –de pronto se interrumpió y en su rostro apareció una expresión horrorizada.

Valquiria se preparó para propinarle un golpe contundente en cuanto abriera la boca para gritar pidiendo ayuda, pero el hombre sonrió de pronto.

–Ay, cuánto lo siento –dijo, hablando de pronto muy despacio–. No era mi intención ofenderte.

–Esto... No pasa nada –masculló ella.

Él torció la cabeza.

–No todos somos iguales: cada uno aprende a un ritmo diferente. No hay nada de lo que avergonzarse.

–¿Perdón?

–No, no, no, soy yo quien debe disculparse. Tengo una hija, ¿sabes? Me recuerdas mucho a ella. Tiene cuatro años.

Valquiria le fulminó con la mirada.

–Ya veo.

–El Pozo Global es una cosa maravillosa –continuó el hombre, hablando cada vez más despacio–. ¿Te imaginas un cubo grande? ¿Eres capaz de imaginártelo?

–Un cubo. Sí.

–Pues dentro de ese cubo, de ese Pozo, está toda la información del mundo. Todos los libros que se han escrito, todos los hechos, todos los datos... ¿Lo entiendes?

Valquiria tomó aire e hizo un esfuerzo por controlarse.

–Sí.

Bueno, pues ahora la cosa se complica un poco. Ese cubo está... por todas partes, alrededor de nosotros. Está casi en el aire. Está en la magia, y la magia lo impregna todo. Así que si quieres buscar algo, un dato cualquiera, lo único que tienes que hacer es meter las manitas en el cubo y sacar lo que necesites.

Valquiria le miró fijamente sin decir nada.

–A ver, estabas buscando a tu tío, ¿verdad? ¿Cómo se llama? ¿Te acuerdas de cómo se llama? ¿Mamá y papá te lo apuntaron en un papelito?

—Walden —dijo Valquiria intentando sonreír—. Walden D'Essai.

—Walden D'Essai —repitió él—. Vale, espera un segundito y te lo busco yo.

El hombre sonrió a Valquiria con los ojos vidriosos, y ella se preparó para esbozar la expresión más inocente y tonta que pudiera por si acaso Walden no vivía en la ciudad. Si resultaba estar muerto, debía parecer angustiada.

—¡Ajá, aquí está! —exclamó el hombre—. Anda, fíjate, tu tío es un hombre muy importante. Se ocupa de las aguas residuales, ¿lo sabías? La ciudad olería muy mal si no fuera por personas tan listas como tu tío Walden.

—¿Dónde vive?

El hombre aguardó un instante y luego sonrió.

—Lo he encontrado: en el número dieciocho de Mount Temple Place. Está en la otra punta de la ciudad, no puedes ir andando —se rio entre dientes—. ¿Paro un taxi?

Valquiria asintió, empezando ya a alejarse.

—Me parece buena idea.

—¿Llevas dinero?

Se detuvo. Maldición...

De pronto, el hombre le dio unas monedas.

—Toma: con esto tendrás para llegar en taxi a casa de tu tío Walden y además te sobrará para un helado. ¿Te gustan los helados?

Valquiria masculló una respuesta afortunadamente incomprensible.

Él sonrió y alzó la mano para llamar a un carruaje, que se separó de la corriente de aire y aterrizó junto a ellos.

—Al número dieciocho de Mount Temple Place —le dijo el hombre al conductor mientras Valquiria subía—. Saluda a tu tío de mi parte. ¡Y dale las gracias por su maravilloso trabajo con las aguas residuales!

–Lo haré –murmuró Valquiria, reclinándose en el asiento. El carruaje ascendió y se unió a la corriente. Cuando sobrevolaba la esquina, Valquiria avisó al conductor.

–Pare aquí un momento, por favor.

El taxista obedeció, y un instante después se abrió la puerta del carruaje para dejar paso a Skulduggery y Serpine. En cuanto volvieron a despegar, Valquiria se volvió hacia Serpine con expresión avinagrada.

–¿Por qué no has utilizado el Pozo para averiguar dónde vive Walden?

–Me hubieran detectado en el acto –replicó él–. La gente está convencida de que el Pozo Global sirve para compartir información, pero en realidad es una herramienta de Mevolent para controlarte y espiarte.

–¿El Pozo Global? –preguntó Skulduggery.

–Internet mágico –explicó Valquiria.

–Ah.

No tardaron mucho en llegar al número 18 de Mount Temple Place. Era una casa de dos plantas en la ladera de una colina, idéntica a los edificios de alrededor. Examinaron rápidamente la zona.

–El sistema de seguridad de D'Essai es mucho más elaborado que el de sus vecinos –indicó Skulduggery–. Tardaríamos horas en entrar; pero si está a punto de llegar a casa, como parece que está haciendo todo el mundo, solo contamos con unos minutos.

–La alarma se desactivará cuando él entre –dijo Serpine–. Si uno de nosotros le distrae mientras abre, los otros dos podrían colarse por la puerta trasera. Me temo que soy bastante reconocible, así que no puedo ser yo quien le distraiga.

–Yo me encargo –dijo Valquiria.

Mientras ella daba vueltas por la calle intentando no llamar la atención, Skulduggery y Serpine se ocultaron detrás de la casa.

Al cabo de un rato, Valquiria vio que Walden D'Essai subía la cuesta y se pasó la mano por el pelo, el gesto que habían acordado como contraseña. Walden pasó por delante de ella, y ya estaba abriendo la puerta cuando le llamó.

–¿Señor D'Essai?

Él se dio la vuelta.

–Sí, soy yo. ¿Sucede algo? ¿Te puedo ayudar?

–Eso espero –dijo ella con su mejor sonrisa–. Me llamo Valquiria Caín. ¿Podría hablar un momento con usted?

–¿Sobre qué?

–Sobre su trabajo.

Walden sonrió.

–¿Y qué interés tiene el tratamiento de las aguas residuales para una jovencita como tú?

–¿Sinceramente? Está lleno de glamur.

La sonrisa de Walden se convirtió en carcajada.

–Ahora en serio. ¿Te importaría decirme de qué quieres hablar?

–Es un asunto... de carácter personal.

Él la miró fijamente.

–Lo siento, creo que no puedo ayudarte.

–Es el único que puede.

–Me temo que me has confundido con otra persona. Lo siento.

Entró en su casa y cerró la puerta. Valquiria se quedó donde estaba. Segundos después, la puerta volvió a abrirse y Serpine le hizo una seña para que entrara.

La casa estaba decorada con buen gusto, y seguramente habría sido muy bonita si no estuviera llena de libros y cuadernos por todas partes. Walden estaba sentado en lo que parecía su sillón favorito y miraba a su alrededor con expresión tensa.

–No tengo nada de valor, pero podéis llevaros lo que queráis. No avisaré a las autoridades, os doy mi palabra.

–No hemos venido a robarte –replicó Skulduggery, y el rostro que llevaba sonrió amablemente.

Valquiria agarró un par de libros y los hojeó.

–Una lectura un poco densa para un ingeniero especializado en tratamiento de aguas residuales –comentó–. *Reinos de la magia. La ecuación de la existencia. Filosofía y hechicería. Entre dioses y hombres: las próximas etapas de la evolución humana.*

–Me da la impresión de que tienes un pasatiempo muy interesante –comentó Skulduggery–. ¿Cómo se las apaña alguien tan interesado en la magia y en su origen para soportar un trabajo de diseñador de alcantarillas?

–No le deis a mi biblioteca más importancia de la que tiene –murmuró Walden . Solo son unos libros. No significan nada. Por favor, si no habéis venido a robar, ¿qué hacéis aquí? ¿Qué queréis de mí?

–Yo me estaba preguntando lo mismo –dijo Serpine.

–Walden –Skulduggery se sentó en el sofá frente a él–, no somos de por aquí.

–¿A qué te refieres?

–Me refiero a que no somos de este mundo.

–No... No entiendo.

Serpine se encogió de hombros.

–Es la verdad. Sé que parece ridículo, pero es verdad. No son de aquí.

Walden pestañeó, con los ojos fijos en Skulduggery.

–Entonces... Entonces, ¿sois alienígenas?

Antes de que pudiera responder, Walden empezó a parlotear sin parar.

–¡Lo sabía! ¡Lo sabía! ¡Sabía que no estábamos solos en el universo! Cuando era pequeño se reían de mí, pero yo sabía que había algo más allá, otros lugares aparte de este mundo y esta magia y la rutina del día a día... Y aquí estás, delante de mí: ¡un autén-

433

tico alienígena! ¿Tienes un platillo volante? ¿Me puedes llevar a dar una vuelta?

Skulduggery vaciló.

–Esto...

–No somos alienígenas –le cortó Valquiria–. Venimos de una dimensión paralela.

Walden pareció desinflarse.

–Ah.

–Pero mira esto –intervino Skulduggery. Se llevó las manos a las clavículas y su rostro se retiró de la calavera–. Soy un esqueleto.

Walden asintió, nada impresionado.

–Ya. ¿Y qué hacéis aquí? Tengo mucho trabajo.

–Necesitamos tu ayuda.

–¿Para qué?

–No podemos decírtelo.

–Fantástico. Maravilloso.

–¿Nos ayudarás?

–Si os ayudo, ¿os marcharéis?

–Sí.

–Entonces me encantará hacerlo, siempre y cuando no me metáis en problemas.

–Tranquilo.

–Pero antes respóndeme a una pregunta: ¿quién es ese?

Serpine arqueó una ceja.

–¿Yo?

Walden asintió.

–Te conozco, me suenas de algo. Sé que te he visto en alguna parte, pero tengo mala memoria para las caras. ¿Quién eres?

–Me han llamado muchas cosas, pero mi nombre es Nefarian Serpine.

Walden se quedó boquiabierto.

–El traidor.

–Sí: esa es una de las cosas que me han llamado.

Walden se levantó tan rápido que tiró la silla.

–¡No puedo hablar con vosotros! –elevó la voz–. ¡No puedo hablar con él! No debería ni mirarle a la cara. ¿Sabéis qué sucedería si los controlamentes me leyeran la mente y descubrieran esto? ¡Me arrestarían! ¡Me torturarían!

–No va a pasarte nada –dijo Skulduggery tranquilamente.

–¡Eso no lo sabes! –chilló Walden, presa del pánico–. Estoy condenado. Estoy muerto. ¡Me van a detener!

–Walden, siéntate –ordenó Skulduggery–. Respira hondo.

–¡No puedo! ¡No puedo respirar!

No te asustes; cuanto antes nos ayudes, antes nos iremos de aquí.

–¡Idos! –bramó–. ¡Marchaos! ¡Largaos de aquí antes de que alguien llame a la Guardia Mágica!

–Primero tenemos que hablar.

Walden hundió el rostro entre las manos.

–Por favor –murmuró–. Por favor, dejadme en paz...

Dentro de un segundo, Walden. Me temo que hay una emergencia en nuestra dimensión de origen, y tú eres el único que puede ayudarnos.

–¿Por qué yo?

–Voy a serte sincero: mejor que no lo sepas. Estamos procurando que todo esto te afecte lo menos posible.

–¿Qué queréis que haga?

–Recordar. Necesitamos que recuerdes un momento de tu vida. No es un recuerdo feliz, Walden. Es el día que asesinaron a tu madre.

–¿Qué? ¿Por qué narices os interesa eso?

–Sería demasiado largo de explicar. El hombre que la mató te dijo algo, ¿no es cierto? Después de asesinarla.

435

Walden le miró fijamente.

–¿Por qué lo dices?

–Necesitamos que repitas lo que te dijo.

–Pero no entiendo por qué...

Sonó un golpe en la puerta.

–¡Walden D'Essai! –dijo una voz–. Abra inmediatamente. ¡Abra en nombre de Mevolent!

Walden estaba demudado.

–Oh, no –musitó.

44

LA FORMA DE ENTRAR

VALQUIRIA pegó la espalda a la pared y respiró hondo. Un puñado de sombras culebreaba en su mano derecha. Al otro lado de la habitación, Serpine se agazapaba detrás de una silla. Valquiria se asomó y observó cómo Walden avanzaba hacia la puerta; detrás de él, Skulduggery le encañonaba con su revólver. El esqueleto hizo un gesto con la cabeza y se quedó detrás de la puerta mientras Walden abría.

Dos Capuchas Rojas y un hechicero de la Guardia Mágica esperaban en el rellano.

–Buenas –saludó Walden–. ¿Sucede algo?

Nos han avisado de que había disturbios –dijo el mago–. Gritos y ruidos.

–¿Y venían de aquí? ¿En serio? Lo siento, señor, no sé qué decirle. Yo no he oído nada.

–Dicen que un hombre estaba gritando –explicó el hechicero con aire aburrido–. ¿Ha gritado usted?

–¿Yo, gritar?

–Sí, usted. ¿Elevó la voz, señor? ¿Dio la voz de alarma? ¿Soltó un chillido, por casualidad?

–Un chillido... –repitió Walden como si se lo estuviera pensando–. No, lo siento, no he sido yo. Puede que fuera el viento.

–¿Me está diciendo que el viento ha gritado, señor? ¿Y cómo iba a gritar el viento? ¿Por qué motivo?

–No entiendo...

–Yo tampoco, señor: ha sido usted quien lo ha dicho. Hasta que lo sugirió, no se me había pasado por la imaginación que fuera el viento en lugar de una persona. Una persona como usted.

–Bueno, me refería a que tal vez el ruido del viento pareciera un grito de una persona.

–Ajá. Ya veo. Bueno, eso no suena tan absurdo, lo admito. ¿Hay alguien con usted que pueda corroborar lo que está diciendo?

–No, lo siento. Vivo solo.

–Yo también, caballero, pero no me sorprenderá usted gritando.

–No, señor.

Detrás de la puerta, Skulduggery se colocó en posición de tiro.

–Caballero, podría llamar a los controlamentes ahora mismo para que registren su cerebro y averigüen si ha gritado o ha sido, como usted dice, el viento. ¿Cree que debería hacerlo?

–Eso... Eso depende de usted.

–En efecto. Depende de mí, ciertamente; muchas gracias. Podría llamarlos, emplear el sistema oficial, seguir las normas al pie de la letra... o podría dejarlo pasar. Por ejemplo, si usted me diera su palabra de que no van a sonar más gritos en este domicilio, continuaría patrullando en la confianza de que ni usted ni el viento molestarán más a los vecinos. Tiene usted unos vecinos muy silenciosos. Les molestan los ruidos fuertes.

–No... No gritaré, señor. Se lo prometo.

–¿Y el viento?

–No creo que el viento grite tampoco.

El hechicero le observó con detenimiento.

—Que pase una buena noche, señor —dijo bajando el escalón de la entrada.

—Gracias —respondió Walden mientras cerraba la puerta—. Muchas gracias.

Skulduggery regresó con él hasta la sala de estar y guardó el revólver. Serpine se incorporó.

—¿Por qué no nos has delatado? —preguntó Valquiria.

Walden estaba muy pálido, pero su mirada era firme.

—¿A qué te refieres? ¿Por qué iba a delataros? Rápido, no tenemos mucho tiempo. ¿Qué es lo que necesitáis?

—Ya te lo hemos dicho —dijo Skulduggery.

—¿El qué? ¿Lo que me dijo el hombre que mató a mi madre? Dijo que lo sentía y salió corriendo.

—¿Eso es todo?

—Sí. Dijo: «Lo siento». Y se marchó.

—No parece que te traumaticen especialmente esas palabras.

—Las oigo a diario: la gente las emplea con frecuencia. Lo que me afectó no fueron sus palabras. Fue más bien que matara a mi madre, la verdad.

—Tal vez sea distinto —murmuró Skulduggery—. Puede que el asesino de nuestra dimensión dijera otra cosa.

—Mira: no entiendo qué pasa, pero me aseguraron que nadie de la Resistencia se pondría en contacto conmigo. Podríais haber conseguido que me mataran.

—¿Trabajas para la Resistencia? —preguntó Valquiria—. ¿Haciendo qué?

—No entiendo... ¿No os ha mandado China Sorrows?

—Nos ha ayudado a entrar en la ciudad —contestó Skulduggery—, pero no sabía que veníamos a verte. ¿Qué haces para la Resistencia?

—¿Acaso importa? Entráis en mi casa, hacéis que los Capuchas Rojas y la Guardia Mágica llamen a mi puerta, me preguntáis cosas absurdas sobre el asesinato de mi madre... ¿No es hora de que os vayáis?

–Sacas a gente –dijo Serpine–. Es eso, ¿no? Sacas a gente por las alcantarillas. Llevo años sospechándolo; de hecho, lo intenté una vez y me perdí. Estuve días allí abajo, y os aseguro que no olía demasiado bien.

–Por favor –insistió Walden, rígido–. Tenéis que marcharos antes de que lo echéis todo a perder.

Cuando salieron de la casa, Walden estaba temblando. Dejaron que Serpine se adelantara, pero Skulduggery mantuvo la pieza de pizarra en la mano.

–«Lo siento»... –repitió el csqueleto meneando la cabeza–. No puede ser esa frase; Lament dijo que paró en seco a Argeddion.

–Es evidente, Skulduggery –dijo Valquiria–. Lament estaba bajo el control de Argeddion cuando nos dijo eso. Debió de mentirnos.

Skulduggery masculló una maldición.

–¿Y eso es todo?

–¿A qué te refieres?

Se acercó más a ella y le habló en un susurro.

–Lo cierto es que, hace treinta años, la gente de Lament atrapó a Argeddion. Y Lament, estando bajo su control, nos dijo que pudo hacerlo porque esa frase tan traumática se lo permitió.

–Y dado que nos mintió –murmuró Valquiria lentamente–, eso significa que lo atraparon de otra manera.

–Y obviamente, Argeddion no desea que sepamos cómo fue.

–No pareces muy convencido...

El entrecejo del rostro falso de Skulduggery se frunció.

–Me parece muy extraño, eso es todo. ¿Una frase que le traumatizó en su infancia tanto como para paralizarlo cuando la oye? ¿Por qué inventar algo tan extravagante? ¿Para qué? ¿Qué podía conseguir Argeddion con eso?

Valquiria se quedó callada. A veces era mejor dejar que los razonamientos de Skulduggery siguieran su curso.

El esqueleto miró a su alrededor.

—Esto es lo que podía conseguir. Justo esto. Ha logrado que tú y yo estemos aquí.

—No te entiendo.

—Si estamos aquí, en esta ciudad, en esta dimensión y andando por esta calle, es precisamente por lo que nos dijo Argeddion.

—No —le contradijo Valquiria—. Estamos aquí porque Nadir me hizo oscilar y te he traído conmigo.

—Nadir también intentó atacarme a mí. Quería que osciláramos los dos.

—¿Por qué dices eso?

—Mien tuvo a Nadir conectado a la prisión durante quince años... El oscilador pasó quince años dormido.

Valquiria pestañeó.

—Y Argeddion se comunicaba a través de los sueños.

—Cuando le acusamos de atacarte, Nadir dijo que no sabía de qué estábamos hablando. Entonces creí que mentía, pero ya no estoy tan seguro. Tal vez no fuera consciente de haberlo hecho.

—Entonces... ¿Argeddion le habló a Nadir en sueños y convenció a su subconsciente de que nos hiciera oscilar a los dos hasta aquí? Pero ¿como podía saber que hablaríamos con él, para empezar? —arrugó el entrecejo—. Espera un segundo, claro que lo sabía: Greta nos proporcionó la información que nos llevó hasta Nadir, y después encontramos a Argeddion. También controlaba a Greta.

—Es posible —asintió Skulduggery—. O tal vez Greta simpatice con su visión optimista de la especie humana. Fuera como fuera, quería que viniéramos aquí. Este ha sido su plan desde el principio.

–Pero ¿para qué? ¿Para conseguir el Cetro? ¿Quiere que le matemos?

Skulduggery negó con la cabeza.

–Parece poco probable. De hecho, no creo que recordara la existencia del Cetro. No: nos ha enviado aquí en busca de lo único que no podía conseguir allí.

–¿Y eso es...?

–Walden. Quería que encontráramos a Walden.

–¿A su otro yo? ¿Para qué?

–Nos dijo que ni siquiera con la ayuda del Acelerador sería lo bastante poderoso para dotar de magia a todos los mortales del planeta. Pero dos Argeddion, trabajando juntos...

Valquiria abrió los ojos como platos.

–Entonces, ¿Walden es su invitado sorpresa?

–Y nosotros nos hemos encargado de encontrarlo. Argeddion no podía mandar a uno de sus lacayos: cuanto más lejos se encuentran de él, más se debilita su control sobre ellos. Necesitaba que alguien viniera aquí y le hiciera el trabajo por voluntad propia.

–¿Qué hacemos?

–¿Qué crees que deberíamos hacer?

Valquiria miró hacia atrás.

–Lo más lógico sería... matar a Walden.

–Estoy de acuerdo.

–Pero no podemos.

–No es que no podamos...

–Vale, pues entonces no queremos. Podemos esconderlo. Tú lo escondes y no me dices dónde está, y así Argeddion no podrá averiguarlo.

–Con eso solo ganaríamos tiempo –murmuró Skulduggery con un suspiro–. Vamos a ver: ahora que sabemos lo que quiere Argeddion, tal vez podamos evitar que lo consiga. Y la mejor forma de hacerlo es adelantarnos a él.

–Consiguiendo el Cetro.

–Consiguiendo el Cetro y utilizándolo contra él antes de que encuentre a Walden.

–Suena fácil –gruñó Valquiria.

–En efecto. Así que volvamos a nuestro objetivo principal.

–¿Y Serpine? –musitó ella–. ¿Podemos confiar en él?

–Por supuesto que no. Pero no conocemos la ciudad, y lo necesitamos para entrar en el palacio. Además, tenemos el regulador de dolor.

Serpine se detuvo, se giró y esperó a que le alcanzaran.

–¿Habéis terminado de maquinar? Porque os recuerdo que aún tenemos que colarnos en un recinto fuertemente vigilado.

Valquiria entrecerró los ojos.

–Pero si estamos a kilómetros de distancia.

–Uno no se cuela en un palacio por la puerta principal, Valquiria, especialmente en uno como este. No se parece a ningún palacio ni castillo que hayas visto en tu vida.

–¿Y cómo entramos, entonces?

–Aprovecharemos sus puntos fuertes y los convertiremos en una debilidad –repuso Serpine.

Los guio entre dos edificios hasta llegar a un muro en el que se abría una pequeña puerta. Skulduggery empujó el aire con la palma y la abrió de golpe. Serpine pasó el primero; apenas había desaparecido en la penumbra cuando Valquiria oyó un grito y un golpe. Entró corriendo y vio que Serpine arrastraba a Eliza Scorn hacia una puerta que parecía conducir a una bodega, tapándole la boca con la mano.

–El barón Vengeus es un hombre de gustos muy definidos –explicó cuando llegaron abajo–. Le gusta que le sirvan las comidas a su hora, le gustan los uniformes planchados y le gustan las casas con pasadizos secretos. ¿Me equivoco, Eliza?

Scorn se sentó en una silla en mitad de la bodega y lo fulminó con la mirada.

–Que los cuervos te saquen los ojos.

–Qué bonito.

Valquiria miró a su alrededor y se sorprendió al comprobar lo luminosa, cálida y limpia que parecía aquella bodega. También parecía vacía.

–¿Por eso nos encontramos aquí? –preguntó Skulduggery–. ¿Vamos a colarnos por un pasadizo secreto? Entonces, ¿a qué estamos esperando, Nefarian?

–No sé dónde está el túnel, Skulduggery. Y a juzgar por los grilletes que lleva Eliza en las muñecas y los tobillos, dudo que nos lo diga por mucho que la torturemos. Los mártires son unos prisioneros muy molestos. Ah, qué distinto sería todo si no llevara este guantelete...

Skulduggery le lanzó a Valquiria el regulador de dolor.

–Toma. Úsalo si tarda más de cinco segundos en contestar.

Serpine levantó las manos.

–¡Eh! ¡No hace falta ponerse nervioso! Solo tenemos que esperar a que vuelva Vengeus. Siempre ataja por su pasadizo secreto; el camino normal es demasiado largo. La puerta está aquí, en la bodega.

–No tenemos tiempo que perder –replicó Skulduggery–. Podríamos oscilar de vuelta en cualquier momento. En nuestra dimensión tenemos un aparato para detectar túneles... –sacó el móvil, encendió la pantalla y empezó a pasear por la bodega apuntándolo hacia el suelo. Valquiria no tenía ni idea de lo que estaba haciendo, pero no comentó nada.

Scorn miró a Skulduggery y después a Serpine.

–Los Sin Rostro reducirán tu alma a cenizas por esto.

Serpine se encogió de hombros.

–Prefiero que me quemen el alma a que me frían el cerebro.

–¿Cómo te atreves? –chilló ella–. Los Dioses Oscuros me abrieron la mente. ¡Me iluminaron! ¡Me entregaron un don!

Valquiria se apoyó en sus hombros para evitar que se levantara.

–Tranquila, por favor. Serpine, no la hagas rabiar.

–Solo quería darle conversación –protestó él con una mirada de falsa inocencia en sus ojos verdes–. Fue uno de los planes maestros de Mevolent: abrir un portal para los Sin Rostro. Lo hizo con un ritual incompleto que encontró en algún oscuro libro de magia arcana, y la cosa es que funcionó: el portal se abrió. Lo malo es que solo se abrió durante unos segundos. Pero durante esos instantes, Eliza vio algo... y ese algo la vio a ella.

–He visto el rostro de un dios –murmuró ella sin quitarle los ojos de encima a Skulduggery.

–Y todos sabemos lo que te hace eso –añadió Serpine–. Cuando dejó de gritar, unos años después, se rapó el pelo y empezó a andar por ahí arrastrando cadenas. Por pura coincidencia, Vengeus estaba buscando mujer en ese momento...

–Silencio –siseó Scorn.

–... y parece que su tipo son las chifladas calvas con grilletes. Hay gustos para todo, la verdad.

Scorn se lanzó llena de rabia contra Serpine, que se apartó riendo mientras ella tropezaba con sus cadenas y caía al suelo.

Valquiria la ayudó a levantarse.

–Eliza, ya vale. Solo intenta provocarte.

–¡Suéltame, criatura repugnante!

–¿Yo? Solo intentaba ser amable contigo.

–¡Que este despojo deje de hablarme en el acto!

–Por el amor de Dios...

Scorn la empujó.

–¿Dios? ¿Dios? ¡Tú no sabes lo que es un verdadero dios! ¡Eres una blasfema! ¡No te atrevas a posar tus ojos en mí!

–¿Que no lo sé? –Valquiria suspiró–. ¿Por qué todos los fanáticos religiosos hablan así? Son tan poco originales como los villanos –miró a Serpine con el ceño fruncido–. Oye, ¿cómo es que a ti sí te permite que poses tus ojos en ella y a mí no?

–Porque yo no soy un blasfemo –replicó Serpine, y Scorn cayó de rodillas y unió las manos en actitud de oración.

–Un segundo –Valquiria pestañeó–. ¿Sigues adorando a los Sin Rostro? Entonces, ¿por qué traicionaste a Mevolent?

–Porque está loco, porque es absurdo y porque creí que podría vencerle. ¿Por qué otro motivo se hacen esas cosas?

Valquiria se quedó de piedra.

–Entonces, ¿no te has arrepentido?

–¿Por qué iba a hacerlo? Vosotros sois los que estáis equivocados.

Eliza asintió.

–Sucia escoria blasfema, eso es lo que son. Sus almas arderán...

–Cierra el pico –le espetó Valquiria.

–Lo encontré –dijo Skulduggery señalando una pared, y todos se volvieron–. El pasadizo empieza aquí.

–¡Infiel! –gritó Scorn.

Se levantó y se abalanzó sobre él, pero a medio camino tropezó y acabó en el suelo, como era de esperar. Skulduggery la ignoró.

–A pesar de todas las distracciones, no me quitaba los ojos de encima, y cada vez que pasaba por esta zona apretaba los labios. No quería que mirara aquí.

–Así que ese dispositivo no sirve realmente para detectar pasadizos ocultos –dedujo Serpine.

–No –se guardó el móvil en el bolsillo–. Sirve para hablar con gente y jugar al *Angry Birds*.

Scorn intentó levantarse, pero Valquiria le puso un pie en la espalda.

–¡Blasfemos! ¡Nunca encontraréis la palanca!

–No nos hace falta –dijo Skulduggery.

Colocó las manos enguantadas en la pared y se concentró. Instantes después, el muro empezó a temblar, los ladrillos se agrietaron, el muro se desmoronó y el túnel se abrió ante sus ojos.

Skulduggery se volvió hacia ella.

–Eliza, has sido de gran ayuda, pero a partir de aquí continuaremos solos.

Los chillidos de Scorn se fueron haciendo más débiles a medida que avanzaban por el pasadizo.

45

EL CUERPO PERFECTO

YA estaban allí los cuerpos. Si Scapegrace hubiera tenido uñas, se las habría mordido mientras esperaban a Nye. Thrasher sujetaba el tarro y no paraba de dar brinquitos, cambiando el peso de un pie a otro.

–Para –ordenó Scapegrace, que chapoteaba dentro del tarro–. Deja de hacer eso.

–Ay, cuánto lo siento, maestro –dijo Thrasher, y esperó a que el líquido se asentara antes de seguir hablando–. Es que me siento nervioso.

–Pues siéntate con tranquilidad, hombre –dijo Scapegrace con una risita.

–Esto... No lo pillo, señor.

–Claro que no. Es porque yo tengo un humor sofisticado que solamente entiende la gente sofisticada. ¿Y qué es lo que tú no eres, Thrasher?

–Yo no soy sofisticado –dijo el zombi mansamente.

El doctor Nye agachó la cabeza para entrar por la puerta. Como era de esperar, no se disculpó por haberlos tenido en ascuas. Nye no era humano, nunca lo había sido, y no entendía lo que era eso. Era una cosa, una criatura.

Pero Scapegrace sí que había sido humano... y volvería a serlo muy pronto.

El doctor abrió la morgue.

—Aquí están vuestras opciones —dijo.

Había tres cuerpos cubiertos con sábanas azules. El doctor descubrió el primero: era un hombre bajito, anciano, totalmente calvo salvo por los mechones de pelo blanco que le asomaban de las orejas.

Scapegrace le fulminó con la mirada.

—¿A esto lo llamas opción? ¡Míralo! ¿Quién querría ese cuerpo? Cuando dije que quería un cuerpo nuevo, me refería a uno joven, que midiera por lo menos un metro ochenta, con una buena mata de pelo, en forma y...

—No me indicaste ningún requisito específico.

—Supuse que entenderías que quería lo mejor.

—Para mí no es tan evidente. Además, la gama de la que disponemos es... limitada.

—Si todos son como este, prefiero esperar al siguiente lote, muchas gracias.

—No te puedes permitir ese lujo, cabeza de zombi. No tardarás mucho en pudrirte dentro de ese frasco. Esta es tu única posibilidad.

Scapegrace apretó los dientes.

—Más vale que los otros sean mejores —masculló—. Muéstramelos.

Thrasher lo llevó hasta el siguiente y Nye tiró de la sábana.

—¿Este es más de tu gusto? —preguntó.

Scapegrace echó chispas por los ojos.

—Muy gracioso. ¿Se trata de un chiste?

—Confieso que no lo sé. Los humanos sois un misterio para mí. Pero este cuerpo cubre todos tus requisitos: veinte años, uno ochenta, una buena mata de pelo, excelente condición física.

449

–Sí. También es una mujer –gruñó Scapegrace.

–¿Qué problema hay?

–Doctor, puede que no se haya percatado del detalle de que yo soy un hombre.

–No, señor Scapegrace: usted es una cabeza en un frasco. Ni siquiera tiene nuez. Pero veamos el siguiente antes de decidir nada.

A Scapegrace le estaba abandonando la esperanza. Thrasher lo llevó ante el tercer cuerpo y Nye retiró la sábana.

–Oh, cielos –exclamó Thrasher.

Scapegrace sonrió de oreja a oreja. Aquel era perfecto. Alto, de hombros anchos, mandíbula fuerte, pómulos afilados como cuchillos... Pelo rubio. Músculos. Tableta de chocolate en el abdomen. Varón. Todo era perfecto.

–Doctor Nye –dijo Scapegrace–, se ha superado a sí mismo.

–¡Oh, maestro! –gritó Thrasher extendiendo la mano para tocar el brazo del cadáver–. ¡Es magnífico!

–¡Las manos quietas! –ordenó Scapegrace–. ¡No lo toques! ¡Las manitas en los bolsillos!

Thrasher obedeció y agachó la cabeza.

Scapegrace miró a Nye.

–¿Cuándo empezamos?

–Ahora mismo.

46

LO MALO DE LOS MORTALES

EL hombre de ojos dorados se sentó frente al muchacho y sonrió.

—Hola, Sean —dijo.

—Por favor —suplicó el chico—. Lo siento. Lo siento muchísimo. Siento todo lo que hice, pero no he matado a nadie. Los demás sí, pero yo no. Lo siento de verdad, yo... Yo solo quiero irme a casa.

—Ya es un poco tarde para eso, ¿no crees?

—Por favor...

—¿Sabes qué es lo malo de los mortales, Sean? —preguntó el hombre de ojos dorados—. Y cuando digo mortales me refiero a esa gente que carece de magia, como tú hace dos semanas. Lo malo de los mortales es que hay demasiados. Las cosas serían mucho más simples si los hechiceros fuéramos la especie dominante del planeta. No tendríamos por qué escondernos. No sería necesario que estuviéramos siempre ocultos, en la sombra... Aunque ese no es el único problema que presentan los mortales, claro. Son aburridos. Arrastran penosamente sus mezquinas vidas, ajenos a las maravillas que los rodean. Son malvados, rencorosos y miserables. A muchos de los nuestros nos encantaría hacer lo que habéis hecho tus amigos y tú: anunciar al mundo que la magia existe y que tenemos intención de tomar el control. Desgraciadamente, tenemos reglas. Y cuando hay reglas, siempre hay gente dispuesta a obligarte a cumplirlas. Así que nos vemos obligados a ser un poco más discretos.

–¿Qué quiere de mí?

–Esa es justo la pregunta que estaba esperando –el hombre de ojos dorados se levantó y avanzó hacia la puerta–. Voy a permitir que salgas de aquí, Sean. Varios amigos míos te esperan para conducirte a la libertad por uno de los muchos pasadizos secretos que hay en este edificio. Podrás reunirte con tus amigos y extender vuestro reinado de terror.

–No lo haré, lo juro.

–No, Sean. Esto no es ningún truco. Quiero que sigas. Todos lo queremos. Nos gusta lo que está haciendo Argeddion. ¿Ofrecer magia a toda la población? Es una idea fantástica: si todos fueran hechiceros, ya no tendríamos por qué escondernos, ¿no? El secreto dejaría de serlo.

El chico asintió.

–Sí...

–Te ayudaremos en todo lo que podamos. Si te vuelven a atrapar, no digas nada y estarás de nuevo libre en unas horas. Tienes partidarios, Sean. Todo el pueblo de Roarhaven está de tu lado. Aquí eres un héroe.

El chico volvió a asentir rápidamente.

El hombre de ojos dorados abrió la puerta y se giró hacia el muchacho. Fuera esperaban otros dos hechiceros.

–Será mejor que te des prisa. Tus amigos estarán preocupados por ti.

El chico titubeó un segundo y echó a correr por el pasillo, seguido por los hechiceros.

–¿Funcionó? –preguntó Madame Mist acercándose al hombre de Roarhaven.

–Creo que sí. El chico está asustado, pero en cuanto se reúna con sus amigos, la fuga le hará recobrar la confianza. Si piensan que estamos de su lado, sus ataques serán cada vez más osados.

–Tu plan es peligroso –musitó ella–. No podemos controlar a esos chicos. No sabemos cómo matarlos cuando hayan cumplido su cometido.

Él se encogió de hombros.

–Para entonces, el mundo entero sabrá que existe la magia y todos los Santuarios del planeta se unirán para derrotarlos. No me preocupa. Tú tampoco deberías preocuparte por eso.

–Prefería el plan anterior.

–Podemos retomarlo si este no funciona. Pero si marcha, piensa en todo el tiempo y el esfuerzo que nos habremos ahorrado. Y ni siquiera tendremos que involucrar a los demás brujos.

–¿Y los asesinos? –preguntó Madame Mist–. ¿Vamos a necesitarlos?

–Nos deben un favor, ¿no? Más vale que nos lo devuelvan.

–¿Ya has decidido el objetivo?

–Por supuesto –contestó el hombre de ojos dorados con una sonrisa.

47

DENTRO DEL PALACIO

TRAVESARON rápidamente el subsuelo de la ciudad, y al cabo de veinte minutos llegaron a una bifurcación en la que Serpine torció a la izquierda. Diez minutos después, estaban junto a una escalera de mano.

–Ya hemos llegado –declaró–. Justo como prometí. Aquí nos despedimos, ¿verdad?

–Me temo que no –dijo Skulduggery.

–Entonces, lo menos que puedes hacer es quitarme el guante –pidió Serpine tendiéndole la mano derecha–. Tendré que defenderme si nos descubren.

–Para eso ya estamos nosotros –replicó el detective–. No necesitas nada más.

Serpine hizo una mueca de desagrado, pero no respondió. Skulduggery le señaló la escalera. Refunfuñando entre dientes, Serpine subió el primero y abrió la trampilla. Valquiria cerró la marcha; al llegar arriba, se asomó y vio que estaba todo a oscuras. Serpine palpaba la pared en busca de un interruptor.

–Preparaos –musitó–. Está por aquí... Ajá.

Se oyó un chasquido casi imperceptible y la zona se iluminó. Estaban en un cuarto pequeño, junto a una puerta entornada.

Skulduggery la abrió un poco más. En el pasillo de fuera, de espaldas a ellos, había un Capucha Roja con su guadaña de rigor. El detective movió las manos en dirección a la cabeza del Capucha Roja; el aire onduló y el guarda cayó derribado. Valquiria le había visto usar ese truco otras veces: de un solo golpe provocaba una conmoción cerebral que dejaba fuera de combate al oponente. Era discreto, rápido y muy eficaz.

Skulduggery arrastró al Capucha Roja hasta meterlo en el cuartito y luego los tres salieron al pasillo. Serpine indicó la dirección que debían tomar.

Doblaron una esquina, y se estaban acercando a la siguiente cuando Skulduggery hizo una señal. Aminoraron la marcha.

Más allá se oían pasos.

Skulduggery pegó la espalda a la pared y se quedó inmóvil mientras los pasos se acercaban. Una puerta se abrió algo más allá, detrás de Valquiria, y ella abrió mucho los ojos. Un nuevo rumor de pasos salió de la puerta recién abierta. Serpine, que se encontraba entre Valquiria y Skulduggery, sonreía como si le divirtiera aquel dilema.

Valquiria se deslizó hasta la esquina. Los pasos del lado de Skulduggery sonaban más y más cerca, y ella tenía casi encima a su oponente.

No se giró cuando Skulduggery atacó. Fuera quien fuera el recién llegado, no tuvo tiempo ni de gritar; solo se oyó un forcejeo y un gemido ahogado. Skulduggery debía de haberle hecho una llave estranguladora. Valquiria respiró hondo: no tenía ni idea de cómo iba a reducir a su enemigo.

Un hechicero dobló la esquina, y Valquiria le golpeó la cara con tanta fuerza que se dobló la muñeca. El mago cayó de espaldas y abrió la boca dispuesto a gritar, pero antes de que pudiera hacerlo, ella empujó el aire y lo empotró contra la pared. El golpe pareció dejarlo inconsciente.

–Muy sigilosa –comentó Serpine pasando a su lado. Agarró al mago del tobillo y lo arrastró por el corredor.

Valquiria le fulminó con la mirada. Le dolía la muñeca, pero no se la frotó; se negaba a darle más motivos para burlarse de ella.

Pasaron junto a una puerta que Valquiria reconoció: era la que llevaba a los calabozos. Su reflejo estaba allí abajo. Se mordió el labio y se obligó a continuar. Primero el Cetro, después el reflejo.

Avanzaron con lentitud y cautela, procurando no hacer ruido.

–Ya hemos llegado –musitó Serpine.

Skulduggery y Valquiria se asomaron para echar un vistazo. Dos Capuchas Rojas montaban guardia frente al umbral de la sala del trono. Junto al trono de Mevolent había una mesita, y sobre ella reposaba una especie de cáliz. Todo resultaba de lo más medieval. La urna de cristal con el Cetro se encontraba justo donde Valquiria recordaba. No es que esperara que se hubiese movido del sitio, pero con la suerte que estaban teniendo últimamente...

Serpine se volvió hacia ellos.

–Muy bien –susurró–. Os he traído hasta el Cetro. He cumplido mi parte del trato. Ahora os toca cumplir la vuestra.

Skulduggery negó con la cabeza.

–No vamos a dejarte marchar hasta que salgamos de aquí.

–Ese no era el trato. Prometisteis dejarme libre.

–¿Para que avises a Mevolent de nuestra presencia? Estoy convencido de que ese detalle reforzaría vuestros lazos de amistad.

Serpine entrecerró los ojos.

–Muy bien –dijo–. Pero al menos quítame el regulador de dolor.

–Después.

–No. Después no. Ahora. ¿Tú no confías en mí? Yo tampoco en ti. Asesiné a tu esposa y a tu hijo. Puede que no a la esposa y al hijo que tú conoces, pero sí a unos bastante parecidos. ¿Qué te impide dejarme tirado aquí, retorciéndome de dolor? Estoy seguro de que podríais salir tranquilamente aprovechando la distracción que supondrían mis gritos.

Skulduggery lo observó un instante.

–La verdad es que tienes razón –dijo.

Serpine se abrió la camisa, y Valquiria separó el disco negro y se lo guardó en el bolsillo mientras Serpine se abotonaba la camisa.

–Gracias –dijo–. Me siento mucho mejor.

–Quedaos los dos aquí –ordenó Skulduggery.

Avanzó agachado unos pasos, estiró el brazo hacia la puerta y empujó el aire con delicadeza para derribar la copa de la mesilla. Los Capuchas Rojas se giraron al oír el ruido, y Skulduggery aprovechó el momento para colarse. Levitó silenciosamente hasta que Valquiria dejó de verlo. Uno de los Capuchas Rojas se acercó a la mesilla mientras el otro adoptaba de nuevo la posición de firmes.

Valquiria tardó un rato en atreverse a echar otro vistazo. Tras comprobar que no sucedía nada sospechoso, el Capucha Roja de la mesilla se había reunido con su compañero. Los dos permanecían inmutables a dos pasos de distancia, con las guadañas enhiestas.

Pasó un minuto más. Valquiria ya empezaba a preguntarse si Skulduggery se habría quedado atrapado en la lámpara de araña, o algo parecido, cuando lo vio aparecer flotando tras los Capuchas Rojas. El esqueleto balanceó las piernas a la vez, derribó a los guardias de sendas patadas en la nuca y, aprovechando el impulso, aterrizó con una voltereta mientras sus víctimas caían soltando sus guadañas. Los dos Capuchas Rojas quedaron inmóviles en el suelo.

Valquiria y Serpine se acercaron a la carrera.

–Lo lamento –se disculpó Skulduggery–. Ha sido una fanfarronada imperdonable.

–Pero ha funcionado –dijo Valquiria conteniendo una sonrisa.

Skulduggery desenfundó el revólver.

–No avances más –advirtió.

Serpine se volvió con una sonrisa en los labios, a un paso de la urna de cristal.

–Quería comprobar que no hay ninguna trampa –dijo–. Para tu información, parece que no la hay.

–Muchas gracias. Ahora, aléjate.

Serpine alzó las manos en un gesto de rendición y obedeció. Skulduggery enfundó el revólver y se acercó a la urna.

–¿Cómo la abrimos? –preguntó Valquiria.

El detective chasqueó los dedos y convocó una bola de fuego. Serpine frunció el ceño.

–Espero que no estés pensando quemarla. Está protegida con el símbolo de Arietti.

–El sello más fuerte que existe –murmuró Skulduggery.

Movió la muñeca y la bola de fuego disminuyó de tamaño, haciéndose más ardiente y concentrada.

–El fuego no le hace efecto –gruñó Serpine–. No hay nada que pueda romper este sello. Creí que conocerías alguna forma de anularlo.

La bola de fuego se contrajo hasta alcanzar el tamaño de una pelota de golf, pero no se detuvo ahí. Unos segundos después, era como una canica que flotaba sobre la mano de Skulduggery. Este extendió el dedo índice y la bolita de fuego se desplazó hasta la punta. Acto seguido, el esqueleto se acercó a la urna y utilizó la bolita para trazar un triángulo en el cristal.

–Tal vez tú no sepas cómo romper el símbolo de Arietti –dijo–, pero yo sí.

–Imposible. Si alguien hubiera encontrado la forma de superarlo, todos la conoceríamos.

–Olvidas que no somos de aquí –repuso Skulduggery, aún ocupado con el símbolo–. Allá de donde venimos, el secreto del símbolo de Arietti se desveló hace décadas. Lo reveló el propio Arietti.

Una vez que terminó de trazar el dibujo, extinguió el fuego y dio un paso atrás. Las líneas ardientes chisporrotearon.

Serpine se cruzó de brazos.

–No parece que haga nada.

–Espera un instante –replicó Skulduggery–. Tiene que acabar de derretirse y asentarse.

De pronto sonó un extraño ruido rítmico: plas, plas, plas... Valquiria se giró hacia la puerta a tiempo para ver cómo Eliza Scorn entraba corriendo en la estancia, descalza.

–¡Blasfemos! –aulló lanzando una andanada de dagas de luz roja contra ellos . ¡Infieles!

Valquiria se lanzó al suelo, agradeciendo para sus adentros que los años de chifladura de Scorn le hubieran perjudicado la puntería. La mujer ya no llevaba sus cadenas, seguramente por primera vez desde hacía años, y corría adelante y atrás como un conejo en medio de la carretera, con una mirada delirante y febril en los ojos. Skulduggery hizo un aspaviento y Eliza salió despedida contra la pared con un aullido. Se levantó de inmediato, como si no sintiera el dolor, y se dispuso a atacarlos de nuevo.

Esquivando una daga, Valquiria se lanzó contra ella, le arrojó un puñado de sombras que la hicieron tambalearse y aprovechó para rematar la jugada con media docena de codazos en la cara. Súbitamente tranquila, la mujer se desplomó en sus brazos.

Valquiria la depositó en el suelo y trató de recobrar el aliento, aguzando el oído por si sonaba alguna voz de alarma. No se oía nada raro. Volvió la vista hacia sus compañeros; sorprendentemente, parecía que lo habían conseguido.

–¡Quítale las manos de encima a mi esposa! –rugió el barón Vengeus desde la entrada.

Ah.

El barón se lanzó hacia Valquiria y ella intentó esquivarlo, pero era demasiado rápido. La agarró de la garganta y la alzó en vilo mientras ella se retorcía. Su campo de visión solo abarcaba los ojos desorbitados y los dientes rechinantes de Vengeus, y no pudo evitar pensar en lo bien que le sentaría a aquel hombre llevar barba. De pronto, Vengeus la soltó: Skulduggery acababa de embestirle. Serpine la ayudó a incorporarse mientras ella resollaba.

–El guantelete –exigió, ansioso–. Quítamelo.

Valquiria tosió, intentando liberarse de su agarrón.

–Skulduggery no puede enfrentarse solo a Vengeus –insistió Serpine–. Necesita mi ayuda.

–Yo le ayudaré –consiguió articular Valquiria.

–¿No tienes que encontrar a tu reflejo? Maldita sea, no nos queda mucho tiempo antes de que todo el palacio se entere. ¡Sé que Harmony te entregó la llave del guantelete! ¡Se suponía que estaríais preparados por si acaso!

Vengeus estampó a Skulduggery contra la pared y le llenó de puñetazos la cabeza y el torso. El detective aguantó el chaparrón como pudo.

Valquiria suspiró, se sacó del bolsillo la llave del guantelete y la pasó sobre la muñeca de Serpine, notando el tacto del metal bajo su palma. Un instante después, se oyó un chasquido y la mano de Nefarian quedó libre. Brillaba, tan roja y resbaladiza como si acabaran de arrancarle la piel. En el rostro de Serpine apareció una expresión de felicidad de lo más inquietante.

–Ayuda a Skulduggery –le ordenó Valquiria.

Él la miró con aquellos ojos burlones de color esmeralda y sonrió.

–Por supuesto –dijo.

Valquiria tuvo que obligarse a abandonar la sala.

Corrió hasta la puerta que llevaba a las mazmorras. No había ningún Capucha Roja vigilando, solo varios hombres con monos mugrientos que dormitaban en sus sillas. Los lanzó contra las paredes, les quitó las llaves y fue celda por celda buscando su reflejo.

Cuando lo encontró, se quedó helada. Estaba tirado en el suelo. Le faltaban los dedos de la mano derecha, y su camisa estaba cubierta de sangre seca.

–Estoy aquí –susurró Valquiria.

El reflejo alzó la cabeza y a Valquiria se le cortó el aliento. Le faltaba el ojo izquierdo y tenía la mitad de la cara hinchada y amoratada.

–¿Qué ha pasado? –consiguió articular.

–Estaban enfadados contigo, así que la tomaron conmigo –respondió el reflejo.

–¿Estás...? ¿Te dolió?

–Sí.

–¿Qué? ¿Por qué no te impediste sentir dolor?

–Me temo que no puede –dijo Meritorius desde la celda de enfrente–. A juzgar por lo que me ha contado tu reflejo, se ha apartado tanto de su misión original que ha perdido la habilidad de distinguir entre el dolor simulado y el auténtico.

Valquiria intentó controlar el arrebato de pánico.

–Pero... Pero ahora estás bien, ¿no? Estás...

–La verdad es que no –respondió el reflejo–. Me estoy muriendo.

Valquiria se volvió hacia Meritorius y él suspiró.

–El que no grite ni llore no significa que no sienta las heridas. Necesita volver al espejo para curarse.

A Valquiria se le aflojaron las rodillas. Se agachó y abrió los grilletes del reflejo con manos temblorosas. En cuanto lo liberó de las cadenas, le ayudó a ponerse en pie.

–¿Puedes andar?

–Sí. Pero no vayas muy deprisa, por favor.

Avanzaron despacio hacia la puerta de la celda. Valquiria se giró hacia Meritorius.

–Volveremos...

–No me lo digas –interrumpió él–. No quiero conocer vuestros planes. Cuanto menos sepa, menos podrán sonsacarme cuando me torturen. Idos, rápido.

Valquiria asintió y emprendió el camino de regreso. De pronto, Alexander Remit apareció ante ellas.

–Sé lo que estás pensando –dijo el teletransportador–. Estás pensando: «Maldita sea». Y haces bien en pensarlo. ¿Te has dado cuenta de que estás tiritando? Eso es porque te has percatado de tu gigantesco error.

–O porque hay corriente.

El reflejo asintió.

–En estas mazmorras hace mucho viento.

–Y el reflejo suelta un chiste –murmuró Remit–. Antes no bromeabas tanto, ¿eh? Mientras nos divertíamos no te oí soltar ninguna gracia. Lo único que oía eran tus gritos. No eres como los reflejos que conozco, casi podrías pasar por humana. Chillas igual que si lo fueras.

Valquiria apoyó al reflejo contra la pared y avanzó lentamente hacia Remit.

–Están a punto de asesinar a tus amigos de una forma espantosa –dijo él paseando en torno a ella–, y en esta ocasión nadie va a venir a rescatarte.

Valquiria imitó sus movimientos.

–¿Quién necesita que le rescaten? Ya te dejé fuera de combate una vez. Puedo volver a hacerlo.

–Me golpeaste cuando no estaba preparado.

–Intentaste atacarme por la espalda.

Él negó con la cabeza.

–No. Estás intentando provocarme para que cometa una imprudencia. Pero esta vez serás tú quien falle, y yo quien quede por encima y se dedique a soltar comentarios graciosillos.

–Dudo que seas capaz.

Él soltó una carcajada.

–No insultes mi inteligencia, chica. ¿De verdad piensas que os vais a salir con la vuestra? ¿Pretendes escapar viva del palacio por segunda vez? Ahora mismo están despertando a nuestro amo y señor, Mevolent. ¿Cómo esperas sobrevivir? ¿Cómo vas a escapar? La Resistencia ni siquiera cuenta con un teletransportador que pueda sacarte de aquí. Si esto no es el colmo de la estupidez, no sé qué puede serlo.

–¿Quieres saber cuál es el colmo de la estupidez? Emocionarte mientras das un discurso y olvidar que la persona que te escucha no está sola.

El reflejo se le acercó por detrás y le pegó el regulador de dolor a la espalda. Algo crujió y emitió un potente olor a ozono, y Remit cayó de rodillas con un chillido. Valquiria mantuvo el dedo sobre la pieza de pizarra negra. Era verdad: la Resistencia no contaba con un teletransportador que pudiera sacarlos del palacio. Mientras sostenía al reflejo y agarraba a Remit del pelo, pensó que ahora sí lo tenían.

–Voy a cortar el dolor durante dos segundos –dijo–. En cuanto lo apague, nos teletransportarás a la sala del trono o te mataré.

Agarró más fuerte al reflejo e interrumpió la corriente de dolor. Remit jadeó y, antes de que Valquiria pudiera parpadear, los tres se encontraban allí. Ante ellos, Serpine extendía su mano roja hacia el rostro de Vengeus. Este la apartó y le hizo una llave de cadera.

Valquiria activó el regulador de dolor antes de que Remit intentara algún truco.

Skulduggery se tambaleó, se puso en pie y empujó el aire hacia Vengeus, quien agarró a un Capucha Roja inconsciente y lo utilizó de escudo. El aire caracoleó a su alrededor.

La urna de cristal estaba abierta y el Cetro yacía en el suelo. Ninguno de los combatientes le prestaba atención.

–La próxima vez que corte el dolor –susurró Valquiria al oído de Remit–, nos sacarás de aquí y nos llevarás al prado de la última vez, o haré que Nefarian Serpine te mate. ¿Me has entendido?

Él balbuceó algo que sonó como un sí.

Valquiria extendió el brazo y el Cetro salió despedido hasta su mano.

–¡Skulduggery! –gritó.

El detective estaba demasiado ocupado recibiendo puñetazos de Vengeus, pero Serpine la oyó, abandonó la pelea de inmediato y se pegó a ella. Valquiria le miró con desconfianza, pero le dio el Cetro para tener las manos libres.

Reunió un puñado de sombras y lo lanzó contra la espalda de Vengeus, que se volvió hacia ella con los ojos amarillos y resplandecientes. Valquiria notó que le temblaba todo el cuerpo, pero la sensación se desvaneció cuando Skulduggery le propinó una patada en la rodilla al barón. Mientras este chillaba y se tambaleaba, el esqueleto aprovechó para ponerse lejos de su alcance.

A Valquiria le empezó a doler el brazo.

La puerta se abrió de sopetón y dejó paso a Lord Vile y a Mevolent.

Vile se detuvo e inclinó la cabeza. Skulduggery le saludó con la mano, y acto seguido se elevó en el aire y salió despedido como una bala contra Valquiria. Ella desactivó el regulador de dolor y Remit jadeó de alivio.

–Teletranspórtate –ordenó.

Los dedos enguantados de Skulduggery rozaron su hombro y, de repente, se encontraron al aire libre, en medio del prado, a oscuras. Remit estaba de rodillas, su reflejo de pie a la derecha, Serpine sostenía el Cetro y...

–Esto –sonó la voz de Skulduggery, que flotaba sobre ella– sí que ha estado bien cronometrado –posó los pies en el suelo–. Deberíamos sentirnos muy orgullosos de nuestras habilidades como escapistas.

–Yo estoy orgullosísimo de las mías –declaró Serpine frotándose el labio cortado con la manga.

Valquiria activó el dolor y Remit gorgoteó, temblando de nuevo.

–Me duele el brazo –le dijo a Skulduggery–. Creo que tenemos unos treinta segundos.

El reflejo la aferró con más fuerza.

Distinguieron unas siluetas en la oscuridad. Los primeros en aparecer fueron China y Shudder.

–Sorprendente –dijo China–. Lo habéis logrado.

–Gracias a ti –respondió Skulduggery–. Te estamos muy agradecidos por tu ayuda, pero no había necesidad de que te pusieras en peligro viniendo hasta aquí.

–Han muerto tantos hechiceros en este campo hace veinticuatro horas... –dijo China–. Su sangre aún sigue fresca. Se me pega a los zapatos. ¿Habéis visto a Meritorius?

–Sí –contestó Valquiria–. Se negó a que le contara nuestro plan. Sigue vivo y goza de bastante buen humor, teniendo en cuenta que está encadenado boca abajo.

–Es una buena noticia –sonrió China–. Lamentaría que Mevolent lo pagara con él. Es un buen hombre. No conseguisteis matar a Mevolent, ¿verdad?

–Lamentablemente, no –respondió el esqueleto.

–Eso es una desgracia para nosotros –murmuró China–. ¿Te importa que mire el Cetro?

Serpine se acercó y se lo tendió.

–Esto... –titubeó Valquiria–. Tenemos muy poco tiempo.

–Lo sé –dijo China dando vueltas al Cetro entre las manos–. Ah, qué bello. Es justo como me lo había imaginado.

Skulduggery dio un paso adelante y extendió la mano.

–En efecto. Una lástima que no funcione aquí.

Ella asintió con aire ausente.

–De momento.

Skulduggery hizo ademán de sacar el revólver, y la esencia de Shudder salió de su pecho, gritando, y se lanzó contra él. El esqueleto rodó y Valquiria reunió sus sombras por puro instinto, pero el reflejo le puso la mano en el hombro para detenerla: aunque China seguía absorta en el Cetro, los hechiceros que la rodeaban estaban dispuestos para atacar. Incluso Serpine extendía el brazo y retorcía la mano derecha. Valquiria dejó que las sombras se desvanecieran y alzó las manos en señal de rendición.

Skulduggery se puso en pie. La esencia gruñía en el aire sobre su cabeza, pero la ignoró y miró a China a los ojos.

–Mientras Mevolent esté vivo, el Cetro es inútil.

–Mevolent no vivirá eternamente –respondió ella alzando finalmente sus ojos muy muy azules–. Especialmente ahora que ha perdido su juguete favorito. Y una vez que esté muerto y yo me haga con el poder, nadie discutirá con la dueña del Cetro.

El mundo entero vibró.

–Skulduggery –le llamó Valquiria, apretando fuerte la mano del reflejo.

Él vaciló.

–China, necesitamos el Cetro. Te lo devolveremos cuando acabemos con él.

–Me temo que no puedo correr ese riesgo.

–¡Skulduggery!

Avanzó hacia ella, rígido. El mundo volvió a temblar mientras Valquiria agarraba a su amigo del brazo.

–No volváis por aquí –dijo China–. Si os volvemos a ver, os mataremos.

Y entonces los rebeldes desaparecieron y Valquiria se encontró en un campo de su dimensión original, flanqueada por Skulduggery y por su reflejo.

–Maldita mujer –susurró él.

48

EL DILEMA DE KITANA

POR primera vez desde hacía semanas, Kitana estaba asustada.

Doran llevaba un buen rato enfrascado en un videojuego, así que Kitana había decidido volar un rato en busca de Sean, confiando en que su instinto la guiara. La estupidez absoluta de Doran empezaba a agotar su paciencia; Sean, al menos, pensaba por sí mismo. Voló por encima de las nubes, sintiendo que cada vez estaba más cerca de él.

Finalmente llegó a un pueblo que estaba en medio de ninguna parte, junto a un lago de aguas estancadas. Aterrizó en una colina cercada. Desde allí se divisaba perfectamente el edificio bajo y circular que había en el borde del pueblo. Kitana podía sentirlo: Sean se encontraba allí, en algún lugar. Y también Elsie. Al notar la presencia de la otra chica, Kitana torció la boca. Estúpida, gorda y fea Elsie, siempre pegada a sus talones, siempre incordiando, siempre persiguiéndola desde que era pequeña, imposible de esquivar. Era como la peste.

Aún estaba en la colina cuando vio a cuatro personas vestidas con túnicas que flotaban en el aire frente al edificio circular. Kitana supo de inmediato quiénes eran. No conocía sus nombres ni sabía nada de su vida, pero reconoció la parte que compartía con ellos. Aquella gente también había recibido la visita de Argeddion.

Un instante después, las puertas se abrieron y apareció él. Argeddion. Aunque estaba demasiado lejos para verle la cara, lo reconoció: su presencia era innegable. Un grupo de gente lo seguía. Sintió la presencia de Elsie entre ellos, pero la ignoró. Centró toda su atención en Argeddion mientras él se elevaba en el aire, rodeado por los cuatro hechiceros. Kitana sonrió entusiasmada.

Y entonces, unas bolas luminosas salieron despedidas de los pechos de los hechiceros y fueron absorbidas por Argeddion. Al ver cómo sus cuerpos caían al suelo, Kitana supo que estaban muertos.

Se quedó de piedra. No, aquello no tenía ni pies ni cabeza. Se agachó para evitar que Argeddion la viera; le daba miedo que le hiciera lo mismo que a ellos. Echó a volar tan rápido como pudo, convencida de que el maestro la seguiría. Pero cada vez que volvía la vista, el panorama estaba despejado.

Voló durante horas, hasta quedar agotada. Finalmente, regresó a la casa donde se alojaban y vaciló antes de abrir la puerta, temiendo encontrarse con Argeddion allí de pie, esperándola.

En su lugar encontró a Doran. Seguía con su estúpido videojuego.

Le contó todo lo que había pasado.

–Los mató –le dijo–. Los mató como si no fueran nada. Estaban flotando en el aire y de pronto... Bum.

Él abrió los ojos como platos.

–¿Explotaron?

–No, imbécil. Se desplomaron, muertos.

Doran se encogió de hombros.

–Hubiera sido mucho mejor que explotaran.

–Mierda, Doran, ¿te importaría pensar un poquito? Los mató. Sin mover un dedo, sin una varita mágica ni nada. Cayeron muertos. No le costó ningún esfuerzo. Podría matarnos a nosotros igual.

–¿Y por qué iba a matarnos?

–Porque en cuanto termine su experimento, ya no nos necesitará. Nos matará y no tendremos ninguna oportunidad contra él.

–Argeddion nunca nos mataría; él nos hizo como somos. Ya oíste lo que dijo: según él, somos sus hijos. No mataría a sus propios hijos.

–¡No dijo que fuéramos sus hijos! Solo nos llamó hijos, y eso es una forma de hablar. No está de nuestra parte, Doran. Nos hemos quedado solos.

Él pestañeó tontamente.

–Y entonces... A ver, ¿qué hacemos?

–Tenemos que matarle.

–¿Cómo?

–¿Tú qué crees, genio? Con la magia que nos ha dado. Tenemos que pillarle por sorpresa, atacarle con todas nuestras fuerzas y machacarlo.

–Tal y como lo dices, parece fácil.

–Y lo será. Si baja la guardia ante alguien, será ante nosotros. Se lo debemos todo; no se lo esperará.

–¿Puedo...? ¿Puedo terminar esta partida?

Kitana echó una mirada asesina a su cara de idiota y pensó una vez más en lo mucho que echaba de menos a Sean.

–Claro. Tú tranquilo, Doran.

Él exhaló el aliento, aliviado, y volvió a enfrascarse en la pantalla. Kitana sintió deseos de estamparle el puño contra la cara, pero se obligó a salir de la habitación. Idiota. I-dio-ta. Necesitaba a Sean más que nunca, necesitaba su sensibilidad para compensar la necia brutalidad de Doran.

Y entonces Sean entró tambaleándose por la puerta trasera y la miró fijamente, como si no acabara de creerse que la hubiera encontrado.

–Justo a tiempo –dijo Kitana–. Tenemos una misión. Vamos a matar a Argeddion. ¿Te apuntas?

–Yo... Kitana, acabo de escapar de una celda, no sé si...

Ella le fulminó con la mirada.

–Maldita sea, Sean, deja de quejarte. No podemos esperar porque no sabemos cuánto tiempo nos queda. Tenemos que matarlo cuanto antes. Si eres demasiado sensible como para soportarlo...

–Eh, que yo no soy sensible –protestó Sean.

Kitana sonrió.

–Sabía que podía contar contigo.

49

EL TRATO

KULDUGGERY utilizó el aire para alzar el reflejo hasta la ventana del dormitorio, y Valquiria le ayudó desde dentro. El reflejo se desplomó entre sus brazos.

–Lo siento –murmuró Valquiria.

Le indicó con un gesto a Skulduggery que la esperara en el coche y ayudó al reflejo a llegar hasta el espejo. A medio camino se dio cuenta de que prefería mantenerse en pie solo, así que lo soltó.

–Quería darte las gracias por volver a buscarme –dijo el reflejo, y Valquiria no contestó–. La mayor parte de la gente no se habría molestado en hacerlo. Me habrían dejado allí en vez de arriesgarse. Te agradezco que no lo hicieras, que me salvaras.

¿Salvarla? Estaba destrozada, mutilada.

–Fue culpa mía –murmuró–. Tendría que haberme quedado a tu lado y no haberme metido en líos, como me advertiste. Si lo hubiera hecho, no habría pasado nada de esto.

El reflejo negó con la cabeza.

–Regresaste a buscarme. Es lo único que importa.

–Te torturaron.

–Si me das permiso, bloquearé esa memoria –la contempló con el ojo que le quedaba–. Créeme, Valquiria, es mejor que no lo recuerdes.

–Gracias –murmuró tragando saliva.

–Gracias a ti. Yo... necesitaba decirlo. Eso es todo.

Entró en el espejo y Valquiria tocó el cristal. Las heridas y las magulladuras del reflejo fueron desapareciendo a medida que Valquiria recibía sus recuerdos. Se recordó tratando de alcanzarlo en el prado, mientras la gente moría a su alrededor, y también recordó ser el reflejo, intentar llegar hasta Valquiria, ver cómo desaparecía en la barcaza con los demás prisioneros. Luego, todo se volvió negro.

Se dio cuenta de que estaba temblando.

Su madre estaba haciendo una tostada para Alice cuando Valquiria entró en la cocina. La niña estaba sentada en el suelo, riéndose. La alzó en brazos.

–Buenos días –dijo, y Alice hizo un gorgorito.

Su madre torció el cuello para mirarla. Parecía sorprendida y... otra cosa. Algo más.

–No te he oído llegar. ¿Te lo pasaste bien?

–Sí, muy bien. Aunque no estudiamos mucho, la verdad.

–Ah, no pasa nada. Ya trabajas muy duro.

–Me parto el espinazo –dijo Valquiria, y frunció ligeramente el ceño–. ¿Va todo bien?

–Sí, sí. Bueno... –su madre titubeó. Finalmente, se dio la vuelta y sonrió con tristeza–. Me han echado del trabajo.

–¿Qué? Mamá...

–No pasa nada, tranquila. En realidad, me lo esperaba. Todos lo veíamos venir. Están cerrando sucursales bancarias por todo el país, era cuestión de tiempo. Es peor para otros; al menos, Des tiene la empresa. Y yo ya estaba con horario reducido para cuidar de la señorita aquí presente...

—Y también contamos con el dinero de Gordon —le recordó Valquiria.

Su madre negó con la cabeza.

—Eso es tuyo, Steph. Te lo dejó a ti.

—Ya, pero también es vuestro.

Su madre se giró y untó mantequilla en la tostada.

—No, las cosas no funcionan así.

Valquiria se echó a reír.

—Pues claro que funcionan así. No me lo dejó solo a mí, nos lo dejó a todos. Da lo mismo que ponga mi nombre en el papel. Los beneficios de los libros y todo lo demás nos pertenecen a los cuatro.

—Gracias, cariño, pero no lo necesitamos. Yo tengo el paro y Des sigue con la empresa...

—¡Pero si ni siquiera tiene suficientes encargos para mantenerse ocupado! Se tira la mayor parte del tiempo jugando al golf, mamá, y ni siquiera se sabe las reglas.

Su madre vaciló y después asintió.

—Ya. En el club le odian...

—Es el dueño de una empresa de construcción y tú trabajabas en un banco. Cuando yo era pequeña os iba todo genial, pero últimamente no hay más que malas noticias. ¿Crees que no me he dado cuenta de que las cosas se están poniendo cuesta arriba?

Su madre sonrió.

—A veces es difícil saber lo que piensas, hija.

—Bueno, pues sí que me he dado cuenta, pero no decía nada porque pensaba que sabías que el dinero que me dejó Gordon es de todos. A ver, ¿cuándo me ha importado a mí el dinero? Lo que me importa es que seáis felices, que estéis bien.

Su madre tomó aire. A Valquiria le hubiera gustado abrazarla y compartir aquel momento con toda la sinceridad posible, pero tenía poco tiempo y Skulduggery la esperaba en el coche.

–Toma –le pasó a Alice–. Abraza a mi hermana y cuéntale que podrá ir a la mejor universidad del mundo cuando sea mayor. El dinero no es problema.

Su madre tenía lágrimas en los ojos.

–Eres muy buena, Steph.

–Tengo mis momentos –respondió Valquiria, y luego sonrió y salió de la cocina. Ya abrazaría a su madre después, cuando estuviera segura de que el mundo seguiría existiendo con normalidad.

Volvió a su habitación y sacó del espejo al reflejo, que ya había recobrado su aspecto habitual. Le entregó la ropa que llevaba puesta y se puso sus pantalones negros y las botas. El reflejo le lanzó una sudadera negra.

–Quiero recuperar mi chaqueta –gruñó.

–Lo conseguirás –dijo el reflejo–. Abrazaré a tu madre de tu parte.

Valquiria sonrió tristemente, saltó por la ventana y se reunió con Skulduggery. El viaje a Roarhaven se le hizo muy corto mientras pensaba en su madre, en su padre y en la pequeña Alice.

De pronto, Skulduggery dio un frenazo.

–¡Ay! –gritó Valquiria–. ¿Qué demonios...? –alzó la vista y vio a Kitana, Sean y Doran en mitad de la calle principal de Roarhaven.

Skulduggery apagó el motor y los dos salieron del coche.

–Hola –dijo Kitana. Sean parecía nervioso, pero Doran sonreía.

Con movimientos lentos, sin ninguna prisa, Skulduggery sacó el revólver, lo amartilló y apuntó. Kitana soltó una carcajada.

–Espera, espera. Hemos venido a hablar. No dispares, por favor. Ya sabes que las balas no nos hacen daño, pero el ruido impresiona.

Skulduggery no apartó el revólver ni un milímetro. Kitana se encogió de hombros y se volvió hacia Valquiria.

–A juzgar por tu mirada, yo diría que estás molesta conmigo.

–Llevas puesta mi chaqueta.

–Me queda mucho mejor que a ti, ¿no crees?

–Cuando acabe todo esto –dijo Valquiria–, la recuperaré.

La sonrisa de Kitana se ensanchó.

–Estoy deseando que lo intentes.

–¿Podríamos ir al grano? –preguntó Sean dando un paso adelante–. Estamos aquí para haceros una proposición.

–Adelante –dijo Skulduggery.

–¿Queréis detener a Argeddion? Nosotros también.

Skulduggery bajó el cañón del revólver.

–¿Por qué?

–No es asunto tuyo –le espetó Doran–. Lo único que necesitas saber es que ahora mismo somos los únicos capaces de hacerlo. Vosotros, desde luego, no podéis: os podría eliminar con un solo gesto.

–Y si sois tan poderosos, ¿para qué nos necesitáis? –preguntó Skulduggery–. ¿Por qué no vais a enfrentaros con él ahora mismo?

–Hemos pensado que podríais distraerlo –dijo Kitana con una sonrisa–. Cuando esté ocupado riéndose de vosotros, llegamos nosotros y lo atacamos por la espalda. Vale, sí, somos muy poderosos, pero él sigue siendo Argeddion.

–No sé –murmuró Skulduggery lentamente–. Me parece que deberíamos mantenernos al margen mientras vosotros peleáis. Cuando acabe todo, nos acercamos a pasar la escoba y barrer los restos.

–No podéis correr el riesgo –replicó Sean–. Si nos mata, desaparecerán las únicas personas que pueden plantarle cara. ¿Qué decís?

–Tendremos que consultarlo con los Mayores –contestó Skulduggery–. Podéis esperar en el Santuario mientras deciden.

Sean soltó una carcajada.

–¿Para que nos arrebatéis nuestros poderes como lo hicisteis conmigo? No, gracias. Preferimos esperar aquí.

–¿Y cómo podemos saber que no haréis daño a nadie?

–¿Por qué íbamos a hacer daño a nadie? La gente de Roarhaven nos adora.

–El tiempo corre –terció Kitana–. Ve a hablar con tus jefes. Aquí te esperamos.

–No matéis a nadie entretanto.

Ella guiñó un ojo.

–Palabrita.

Un círculo de Hendedores los había rodeado mientras hablaban, y Skulduggery y Valquiria pasaron entre dos de ellos para llegar al Santuario. Tipstaff aguardaba en la puerta.

–¿Dónde están? –preguntó Skulduggery.

–En la sala del Acelerador –respondió Tipstaff–. Los Hendedores intentaron evacuarlos, pero ellos se negaron a salir de allí.

–Muy propio de ellos, sí.

Cuando llegaron, Abominable y Sult estaban discutiendo. El campo de fuerza había desaparecido, y por todas partes había hechiceros examinando los restos de la Tempestad y el Cubo vacío, que aún giraba dentro del Acelerador.

Ravel apareció al lado de Valquiria.

–Gracias a Dios que habéis vuelto –susurró– Aquí la situación está bastante tensa.

Skulduggery se volvió hacia él.

–¿Y Lament?

Ravel vaciló.

–Muerto. Argeddion les arrebató los poderes a todos salvo a Kitana y sus amigos. Los mortales regresaron a la normalidad, pero para Lament y los otros fue demasiado.

Valquiria abrió los ojos como platos.

–Espera, ¿están todos muertos? ¿Lenka también?

—Lo siento.

Ella volvió la vista hacia el último sitio donde había visto a Lenka Bazaar, detrás del campo de fuerza. Otra amiga perdida. Una más en la lista.

—¿Tenéis el Cetro? —preguntó Ravel.

—Lo tuvimos —respondió Skulduggery—. Estaba en nuestras manos. Pero la China Sorrows de la otra dimensión es tan poco de fiar como la de la nuestra.

Ravel masculló una maldición.

—Detective Pleasant —dijo Sult mientras avanzaba con Abominable pegado a sus talones—. Tal vez usted pueda darme una respuesta directa. Aquí nadie parece saber dónde se encuentra el Gran Mago Strom. Sinceramente, me resulta difícil creer que se les haya perdido como si fuera un llavero.

—No se ha perdido —gruñó Abominable, con un tono que indicaba que lo había repetido ya muchas veces—. Está reunido con Madame Mist.

Sult se giró hacia él.

—¿Reunido? ¿Y de qué trata esa reunión? ¿Qué es tan importante como para mantenerlo apartado de esta crisis?

—Una crisis en la que él no tiene ningún papel —le recordó Abominable.

—De nuevo es usted incapaz de responder a una pregunta directa.

—He dicho que está en una reunión —insistió Abominable.

A Valquiria todo aquello le daba igual. Lenka había muerto. ¿Cómo podían hablar de política? De pronto, lo vio todo claro: había que detener el plan de Argeddion, había que impedir el Verano de la Luz antes de que segara más vidas inocentes.

—Caballeros —intervino Ravel—, este no es momento de pelearse. Señor Sult, entiendo su preocupación, pero debo pedirle una vez más que regrese a su base y nos permita ocuparnos de lo que tenemos entre manos.

–No pienso irme a ninguna parte –replicó Sult–. Soy el representante del Gran Mago Bisahalani y, como tal, también represento al Consejo Supremo. Y dado que el Gran Mago Strom parece encontrarse en paradero desconocido, soy el único que puede informarles de la decisión que se ha adoptado.

–¿Decisión?

–No veo el Cetro de los Antiguos en la mano del detective Pleasant. ¿He de deducir que la misión de recuperar dicha arma ha sido infructuosa? Por favor, no se molesten en contestarme: está muy claro. Eso significa que nos enfrentamos a cuatro amenazas extremadamente poderosas, y la única arma que podemos usar contra ellas es el Acelerador.

–¿Cómo? –preguntó Valquiria, aturdida.

–Ahora que el campo de fuerza ha desaparecido y Argeddion ha eliminado a los traidores, podemos acceder a él –explicó Sult.

–¿Traidores? –repitió Valquiria como un eco–. No eran traidores. Argeddion los controlaba.

Sult negó con la cabeza.

–Puede que los manipulara, pero creo que estaban en total posesión de sus facultades...

Valquiria se abalanzó sobre él.

–¡Lenka no era ninguna traidora! –gritó.

Ravel la sujetó de la cintura y Abominable le apartó las manos del cuello de Sult. Este dio un paso atrás y luego, con una mueca de cólera, cerró el puño y avanzó de nuevo hacia Valquiria, que se retorcía para liberarse.

–Doy por sentado –intervino Skulduggery en un tono que dejó a todos helados– que no tiene intención de golpear a mi compañera.

Ravel y Abominable soltaron a Valquiria lentamente y Sult dejó caer el puño.

–No, no... Claro que no –dijo–. Les pido disculpas, tanto por haber perdido los nervios como por insinuar que el grupo de Tyren Lament tuvo la culpa de lo sucedido.

Valquiria contuvo el impulso de partirle la cara.

–El Consejo Supremo quiere utilizar el Acelerador para sobrecargar a sus magos –explicó Abominable–, aunque no tenemos ni idea de los efectos secundarios que puede producir eso. Por lo que sabemos, tal vez los mate. O, lo que es peor, podría dotarlos de un poder absoluto que los enloqueciera, en cuyo caso acabaríamos muertos todos los demás.

–No creo que tengamos elección –dijo Sult–. Kitana y los suyos están frente a la puerta del Santuario mientras discutimos.

–¿Alguien ha hablado con ellos? –inquirió Skulduggery.

Ravel se volvió hacia él.

–¿Con quién?

–Con Kitana y sus amigos. Porque nosotros sí: nos ofrecen un trato. Nosotros distraemos a Argeddion y ellos acaban con él.

–Entonces, ¿ahora quieren acabar con Argeddion, de repente? –preguntó Sult–. ¿Qué ganan con eso?

–Seguridad. Ellos son los únicos que pueden hacerle daño, del mismo modo en que él es el único que podría hacerles daño a ellos. Temen que les arrebate sus poderes igual que hizo con Lament y los demás.

–¿Podrían hacerlo? –preguntó Abominable–. ¿Crees que podrían matarlo?

–Calculo que sí –murmuró Skulduggery–. Siempre y cuando nosotros atraigamos a Argeddion y lo ataquemos con todas nuestras fuerzas.

–¿Se te ocurre cómo hacerlo?

–Lo más sencillo sería atraerlo a una trampa.

–¿Y la segunda parte? ¿La parte en la que lo atacamos?

Skulduggery hizo un gesto en dirección a la Tempestad.

–Contamos con gente cualificada, ¿no? Estoy seguro de que no tardarán demasiado en averiguar cómo convertir esto en un arma.

–No sé... –suspiró Ravel–. Si el plan funciona acabaremos con Argeddion, pero aún tendremos el problema de esa chica y sus amigos.

Skulduggery titubeó.

–Ese es el punto del plan que tenemos que cambiar. Hasta ahora, nuestra intención era volver a encerrar a Argeddion en el Cubo. El Acelerador podría darle energía para toda la eternidad, de forma que jamás volviera a liberarse. Esa solución hubiera sido aceptable para todos. Pero ahora, con todo lo que sabemos, ya no nos vale.

–Tenemos que matarlo –sentenció Valquiria.

Los demás se volvieron hacia ella y la miraron con perplejidad. Abominable parecía especialmente asombrado.

–Tenemos que hacerlo –insistió–. Ha matado a Lenka y a Lament, y toda la sangre que han derramado Kitana y sus amigos mancha sus manos. Estamos a uno de mayo. Hoy empieza el Verano de la Luz... a no ser que lo detengamos.

Ravel cruzó una mirada con Skulduggery.

–¿Estás de acuerdo? ¿Tú quieres matarlo?

–No –respondió Skulduggery–. Quiero que lo maten Kitana y sus amigos. Hace unos días, Argeddion dijo algo que me hace pensar que la gente a la que infectó solo mantendrá sus poderes mientras él esté vivo. En el instante en que muera, el poder que ha otorgado desaparecerá con él.

–Entonces, si Kitana y sus amigos lo matan, estarán tirando piedras sobre su propio tejado.

–¿Estás seguro de lo que dices, Skulduggery? –preguntó Ravel.

–Más o menos.

Ravel se volvió hacia Abominable y este suspiró.

–Puede que sea la única forma... En fin, ¿cómo lo hacemos?

–Esa es la mala noticia –dijo Skulduggery–. Para asegurarnos de que son lo bastante fuertes, vamos a tener que aumentar sus poderes.

–¿Quieres meterlos en el Acelerador?

–Es la única forma.

–¿Y si los vuelve locos? –preguntó Sult.

–¿Más de lo que están? Creo que podemos correr ese riesgo. Si los mata... Bueno, entonces tendremos un problema menos del que preocuparnos. Pero si funciona, serán lo bastante fuertes como para acabar con Argeddion.

Ravel resopló.

–Creí que todos estábamos de acuerdo en no volver a incrementar los poderes de un psicópata. ¿No era una especie de regla no escrita?

–Solo serán así de fuertes hasta que derroten a Argeddion. En cuanto él muera, volverán a ser adolescentes normales y corrientes.

–¿Y entonces podré pegarles?

–Eres el Gran Mago: puedes hacer lo que quieras.

–Quiero pegarles.

–¿Sabes qué? –dijo Abominable–. Para odiar tanto los planes, siempre tienes un montón.

–Bueno, sí –replicó Skulduggery–. Pero las posibilidades de que funcionen son extraordinariamente escasas.

Ravel meneó la cabeza.

–Deberías aprender a reconocer el momento en que es mejor quedarse callado.

50

SOBRECARGADOS

TENÍA razón, evidentemente. Skulduggery normalmente tenía razón en asuntos como ese.

Ravel convocó en la sala del Acelerador a todo el departamento de magia científica del Santuario. Los expertos analizaron la Tempestad, y en menos de media hora habían determinado el mejor sistema para convertirla en un arma. Desmontaron los componentes y fueron adaptando y corrigiendo fallos según avanzaban. Era muy, pero que muy aburrido mirarlos, y Valquiria perdió el interés a la mitad.

Le dio un codazo a Skulduggery.

–¿No te parece fascinante? –preguntó él.

–Sí –mintió ella–. Dijiste que no sería difícil conducir a Arged dion a una trampa, pero ni siquiera sabemos dónde está.

–No hace falta. Tenemos algo que él quiere.

–¿El qué?

Él se volvió para mirarla.

–Tú quieres a tu abuela, ¿no?

Valquiria puso mala cara.

–No le vamos a entregar a mi abuela.

–No, me refiero a que la quieres. Es una viejecita adorable y tú la quieres.

483

–¿Y qué?

–A esas alturas de mi argumentación, es importante que te centres en que quieres a tu abuela, que es una señora mayor, y también en el hecho de que es una mujer fuerte e inteligente.

–Por favor, dime que no estás enamorado de mi abuela.

Skulduggery suspiró.

–Vamos a utilizar a Greta Dapple para atrapar a Argeddion.

–¿Y eso qué tiene que ver con mi abuela?

–Nada, pero quería dejar claro que no hace falta sobreproteger a los ancianos.

–A algunos sí.

–Bueno, sí, a algunos sí, pero a tu abuela no. Y... Vale, he perdido el hilo. No sé dónde quería ir a parar. ¿Ves? Esto es justo lo que quería evitar: ahora vas a confundir a tu abuela con Greta Dapple.

–¿Por qué voy a confundirlas?

–No sé, pero me da la impresión de que tal vez te suceda. Y si empiezas a pensar en Greta como una especie de sustituta de tu abuela, no querrás que la usemos como cebo.

–Mi abuela está viva.

–Estoy al tanto de eso.

–No necesito ninguna sustituta.

–Muy bien. Entonces, ¿te parece bien que usemos a Greta como cebo?

–Sí, claro, lo que haga falta. Lenka ha muerto por culpa de las mentiras que nos contó Greta. Tal vez pensara que eran verdad, pero eso no cambia las cosas.

Tipstaff se acercó corriendo; parecía aún más nervioso de lo normal.

–Perdonad, detectives. Me preguntaba si tendríais un segundo para hacer frente a un ligero... problema que nos ha surgido en el centro médico.

—Yo me encargo —se ofreció Valquiria—. Cualquier cosa antes que continuar con esta conversación.

Le siguió hasta las escaleras.

—Gracias —dijo Tipstaff—. Se oyen ruidos extraños procedentes de la sala del doctor Nye. Ruidos de pelea, si se me permite el atrevimiento.

—Sí, claro que se te permite.

—Espero que no te moleste; sé que hay gente que se pone nerviosa cerca del doctor Nye.

—Yo no. Cualquier oportunidad de emplear la violencia con esa cosa me parece bien.

Tipstaff esperó al pie de las escaleras mientras Valquiria se acercaba sola. Al entrar en la sala, encontró a Nye inclinado sobre un microscopio.

—Doctor —dijo—, nos dicen que hay algún problema por aquí.

La criatura levantó la vista.

—¿Problema? No, no hay ningún problema. Lo siento, pero no sé a qué le...

En la habitación de detrás sonó un golpe, y Valquiria enarcó una ceja y avanzó hacia allá. Nye se estiró y se interpuso en su camino.

—Hazte a un lado —exigió ella, mientras las sombras caracoleaban entre sus dedos.

—Detective Caín, le puedo asegurar que aquí no pasa nada raro. Esto es una pérdida de su valioso tiempo...

—Hazte a un lado. No pienso volver a repetirlo.

La criatura vaciló, y finalmente asintió y se apartó de su camino. Valquiria estaba a punto de abrir la puerta cuando Nye suspiró.

—Era una oportunidad demasiado apetecible para dejarla pasar.

Valquiria se giró en redondo.

—¿El qué?

–La oportunidad. Llevar a cabo el procedimiento. Nunca lo había hecho y quería averiguar si era posible. Comprobar qué sucedía con la conciencia, con el cerebro... con el alma. Y lo he hecho, no una, sino dos veces. Dos operaciones con éxito.

–¿Qué es lo que has hecho?

–¿En palabras sencillas? Un trasplante de cerebro.

–¿Qué?

–Dos, de hecho. Acudieron para pedirme ayuda hace un año. Dos zombis patéticos se arrastraron hasta aquí y yo los eché. Pero regresaron, y al contemplar sus rostros llenos de tristeza, sentí algo que no conocía desde hacía décadas: lástima. Yo... Me dieron pena.

–¿Estás hablando de Scapegrace?

–Scapegrace, sí, y el idiota de su compañero. Scapegrace ya no era más que una cabeza en un frasco, y su compañero, un imbécil. Así que decidí buscarles nuevos cuerpos, cuerpos fuertes, y trasplanté sus cerebros.

–¿Hablas en serio? ¿Están ahí, metidos en unos cuerpos nuevos? ¿De dónde los sacaste?

–¿Los cuerpos? Fueron donados a la ciencia. Puedo enseñarle todo el papeleo si quiere.

Se oyó un golpe seguido de un grito.

–Disculpe los ruidos –dijo Nye–. Aún tienen que aprender a coordinar sus movimientos. Les llevará un tiempo ajustarse.

–Esto es una locura –murmuró Valquiria–. ¿Me estás diciendo en serio que...? ¿Les sacaste el cerebro y...? ¿Puedo...? ¿Puedo verlos?

–Ah... Detective, este es un momento muy personal e íntimo para los dos. Seguro que entenderá su necesidad de estar a...

Un hombre tambaleante salió del cuarto trasero aferrando la sábana que llevaba en torno a la cintura. Era alto, rubio y con un físico absolutamente impresionante. Valquiria desorbitó los ojos.

–Guau –dijo al ver cómo tropezaba con una mesa–. Venga ya. ¿Scapegrace?

El hombre la miró y negó con la cabeza. Acto seguido, apareció una mujer que se estrelló contra el hombre. Ambos rodaron por el suelo.

–¡Devuélvemelo! –chilló la mujer–. ¡Dámelo!

Nye se cernió sobre ellos.

Señor Scapegrace, no se puede repetir la cirugía. Los cerebros están demasiado dañados.

–¡ME PUSISTE EL CUERPO QUE NO ERA!

–Fue una equivocación sin mala fe –repuso Nye–. Usted no estableció claramente sus preferencias. Dijo que el cuerpo de la mujer le parecía gracioso, y yo di por sentado que eso indicaba aceptación.

–Maestro... –gorgoteó el hombre de cuerpo increíble a la mujer que le estrangulaba . Por favor...

Valquiria retrocedió lo más silenciosamente que pudo, dio media vuelta y se largó de allí.

Encontró a Abominable en el pasillo siguiente, y él le indicó que se acercara.

–Necesito tu ayuda –susurró.

–¿Qué quieres que haga?

–Quedarte a mi lado. Hacer bulto. Participar en la conversación.

–¿En qué conversación?

–La conversación que se producirá cuando lleve a Sult al piso inferior y vea lo que hemos hecho con el Gran Mago Strom. ¿Te apuntas?

–¿Ravel te ha endosado esto?

–Sí. ¿A que es un encanto?

Cuando Sult se acercó, dejaron de hablar y emprendieron camino, envueltos en un silencio gélido. Al llegar a las celdas,

Abominable les indicó con un gesto que se detuvieran y Sult frunció el ceño.

–¿Qué hacemos aquí? –preguntó con una mirada recelosa.

Sin responder, Abominable abrió la puerta de una celda.

–¿Gran Mago? –exclamó Sult, con los ojos como platos–. ¿Pero qué...? ¿Qué está pasando aquí?

Strom, de pie en mitad de la celda, los observaba.

–Me han encarcelado, señor Sult. ¿A usted qué le parece?

Sult fulminó a Abominable con la mirada.

–No puede ser verdad. ¿Habéis sido vosotros? ¿Habéis encerrado al Gran Mago?

–Lo que planeaba era una amenaza para el Consejo de los Mayores y para este Santuario. Por lo tanto, tuvimos que detenerlo y encerrarlo hasta que...

–¿Estáis locos? –estalló Sult–. ¿Tenéis la menor idea de lo que habéis hecho?

–Nos amenazó y actuamos en consecuencia.

–¡Habéis encerrado al Gran Mago por la fuerza!

–El arresto fue totalmente legal.

–Detención ilegal, secuestro, asalto a un Mayor, obstrucción a la justicia...

–¿Obstrucción a qué...? –Abominable soltó una carcajada–. Vinisteis con amenazas y nosotros nos defendimos de forma pacífica.

–¡No podéis hacer esto!

–Bueno, pues lo hemos hecho.

–¡Es una locura!

–¿Es que el señor Sult va a unirse a mí? –preguntó Strom con voz calmada–. ¿O acaso habéis recuperado la cordura?

–Se nos ha presentado la oportunidad de resolver la crisis –respondió Abominable–. En combinación con los tres adolescentes dotados de superpoderes, vamos a lanzar un ataque a gran escala contra Argeddion, debilitándole lo suficiente para que ellos lo puedan rematar.

–Comprendo. ¿Y qué os hace pensar que podéis confiar en esos críos?

–Tienen miedo de él –intervino Valquiria–. Lo que no saben es que, una vez muera, sus poderes desaparecerán.

–Lo cual pondrá fin a la crisis –remachó Strom.

–De hecho, por ese motivo estoy aquí –declaró Abominable.

–¿Ah, sí? –dijo Strom.

–Nos ofreció ayuda y nos gustaría aceptar la oferta.

Los ojos de Sult casi se salieron de las órbitas.

–¿Cómo? ¿Ahora queréis nuestra ayuda? ¿Ahora, después de haber encarcelado de forma ilegal al Gran Mago?

–Así es –asintió Abominable.

Sult se echó a reír, pero Strom alzó una mano.

–Señor Sult, por favor. Mayor Bespoke, la actuación de su Consejo ha sido ilegal y agresiva.

–No estoy de acuerdo.

–Sea como sea, lo que han hecho podría muy bien dar lugar a una guerra entre Santuarios... Se trata de una situación inaudita –Abominable asintió y Strom soltó un suspiro–. Esto no puede quedar aquí. Si su plan funciona y logramos acabar con la amenaza que representa Argeddion, habrá consecuencias.

–Nos enfrentaremos a ellas en caso de que sobrevivamos.

–Muy bien –dijo Strom poniéndose la chaqueta–. Les prometimos asistencia y eso es lo que tendrán. Por ahora.

–Bien, entonces... –dijo Cerebrito muy pagado de sí mismo, pavoneándose con su bata de laboratorio–. El diseño de la Tempestad que realizó Tyren Lament estaba francamente adelantado a su época. Fue un logro trascendental, que aún hoy provocaría sensación en toda la comunidad científica.

En realidad, no se llamaba Cerebrito. Pero Valquiria era incapaz de recordar su nombre; era demasiado largo. Le llamaba Cerebrito para sus adentros porque se lo merecía.

–Para convertir la Tempestad en un arma –prosiguió Cerebrito–, nos hemos ceñido a los planos del diseño de Lament y hemos efectuado unos ajustes. Como diría mi buen amigo el profesor Lorre, hemos tuneado el sistema de transmisión y de descarga –hubo unas risas corteses por parte de otros científicos con batas blancas–. En csencia, hemos hecho una Tempestad móvil. Aunque la idea de la silla era perfecta para extraer el poder de un mago, no lo es tanto para nuestras nesidades. Así pues, les presento el nuevo y mejorado Disco Sifónico.

Alzó un dispositivo plateado con agujeros.

–Eso es un tapacubos –señaló Abominable.

Cerebrito asintió.

–Sí, es cierto.

Ravel se pellizcó el puente de la nariz.

–¿Nos estás ofreciendo un tapacubos mágico?

–Solo nos han dado un par de horas –protestó Cerebrito, un poco a la defensiva–. Hemos tenido que utilizar lo que había más a mano.

–Continúa –dijo Madame Mist.

Cerebrito se aclaró la garganta.

–Los Discos Sifónicos se conectan mediante un cable a la Tempestad. Esta, a su vez, está adaptada a nuestras necesidades.

–¿Cómo la habéis adaptado? –preguntó Skulduggery.

–La hemos abierto –explicó Cerebrito– y le hemos añadido un inyector para apuntar. Por desgracia, solamente puede apuntar hacia arriba.

–Menos mal que nuestro objetivo vuela –murmuró Abominable.

–Contamos con seis Discos Sifónicos –continuó Cerebrito–, así que necesitaremos al menos sesenta magos.

–¿Al menos?

–Los discos absorben la magia al igual que lo hacía la silla de Lament, pero más rápida e intensamente. Existe la posibilidad de que los magos se vean superados, y es un riesgo... significativo. Si alguno pierde el conocimiento, necesitaremos que otro tome su puesto.

–Entonces –dijo Ravel–, agarramos esos discos y ellos nos chupan el poder, lo recogen en la pirámide y luego lo disparan hacia arriba.

–En forma de energía pura –asintió Cerebrito–. Sí. Según nuestros cálculos, un impacto directo podría aturdir incluso a un ser tan poderoso como Argeddion. Siempre que podamos conseguir que se esté quieto mientras disparamos, claro.

–Eso dejádnoslo a nosotros –dijo Skulduggery.

–Ah, perfecto –exhaló Cerebrito, visiblemente aliviado.

Los ánimos se ensombrecieron cuando Kitana, Sean y Doran entraron en el Santuario. Los Mayores, a pesar de sus protestas, fueron trasladados al otro lado del edificio por razones de seguridad. Abominable parecía especialmente indignado. Todo el personal cuya presencia no era imprescindible fue evacuado del Santuario, de modo que solo Valquiria, Skulduggery y Bernard Sult escoltaron a los adolescentes hasta la planta baja. Sean intentaba ocultar su nerviosismo, mientras que Doran mostraba una sonrisita permanente. Solo Kitana parecía relajada cuando les mostraron la sala del Acelerador.

—Oooh —dijo, acercándose de una carrerita al Cubo que rotaba dentro de la máquina—. ¿Qué es esto?

—Lo llamamos el Cubo —explicó Sult—. Argeddion estaba encerrado ahí.

—Cómo mola —declaró ella con los ojos muy abiertos—. Es genial. Flota, brilla y todo eso.

Doran puso los ojos en blanco, como si nada pudiera impresionarle.

Skulduggery presionó un botón. Dos apéndices mecánicos descendieron de la parte superior, agarraron el Cubo por las esquinas y lo elevaron. Kitana lo observaba todo atentamente, maravillada.

—¿Y ahora qué está haciendo? —preguntó.

—Guardar el Cubo —explicó Skulduggery—. Lo volveremos a poner cuando terminemos, pero ahora mismo lo que nos interesa es el Acelerador.

Kitana hizo una mueca.

—¿El qué? ¿Eso? Menudo aburrimiento...

—¿Para qué sirve? —preguntó Sean.

Skulduggery le miró a los ojos.

—Aumentará vuestra magia lo suficiente para que derrotéis a Argeddion.

—¿Nos va a hacer más fuertes? —preguntó Kitana olvidándose del Cubo—. ¿Aún más de lo que somos?

—Amplificará vuestros poderes.

Kitana entrecerró los ojos.

—No estarás intentando timarnos, ¿verdad, esqueleto? He visto la peli de Superman en la que usa una máquina para arrebatarles los poderes a los villanos.

—No, Kitana. No pretendemos engañaros.

Doran golpeó con los nudillos la superficie brillante del Acelerador.

—Entonces, ¿por qué no lo usáis vosotros y vais a por él?

—No alcanzamos a comprender del todo de dónde brota la magia de Argeddion —intervino Sult—, pero sabemos que procede de una fuente más pura que la nuestra. Figuraos que la magia posee una frecuencia. Vuestra magia está en la misma frecuencia que la suya; por eso tenéis más posibilidades de hacerle daño.

Kitana se giró en redondo.

—Pues de entrada solamente lo vais a usar con uno de nosotros. Si comprobamos que es una trampa, arrasaremos el pueblucho que tenemos encima.

Skulduggery asintió.

—¿Y bien? ¿Quién quiere ser el primero? ¿Tal vez tú, Kitana?

Ella se rio.

—Me temo que no. Doran, ¿te animas?

—¿Por qué yo? —replicó él con mala cara.

—Tú eres el más fuerte, ¿no? Si fuera una trampa, serías el único capaz de resistir.

Sean frunció el ceño, pero Doran sonrió y asintió.

—Vale, sí. Empiezo yo. ¿Dónde me pongo?

Mientras Skulduggery le indicaba lo que tenía que hacer, Kitana se acercó a Valquiria.

—¿A que es divertido? —dijo—. Dos chicas rodeadas de chicos que revolotean a nuestro alrededor. Acabaremos siendo amigas íntimas cuando termine todo esto, estoy segura.

Valquiria la taladró con la mirada.

—Cuando termine todo esto, te voy a machacar hasta reducirte a pulpa y luego recuperaré mi chaqueta.

Kitana soltó una carcajada.

—¡Ay, Valquiria! ¡Eres tan graciosa!

Doran se irguió en el estrado, con los puños apretados.

—Muy bien —dijo—. Vamos allá, adelante. Cargadme.

Skulduggery tecleó en los controles.

–Espera un segundo...

–Vamos, deprisa –exigió Doran con voz un tanto temblorosa–. No tengo todo el día, ¿sabes?

–Un segundo...

–Oye, ya habéis usado este chisme con otra gente, ¿verdad?

–¿Eh? –murmuró Skulduggery–. ¿Con otra gente? No, con gente no. Ajá, ya está. Vamos allá.

El estrado se iluminó.

–Esto... No estoy seguro –dijo Doran–. No sé si quiero hacerlo.

–Todo irá bien –dijo Skulduggery.

–¿Y cómo lo sabes?

–En realidad, no lo sé.

Un destello cegador inundó la sala. A Valquiria se le erizó el vello de los brazos. El Acelerador rechinaba y gemía como un animal, cada vez más fuerte, mientras el estrado temblaba con violencia.

–¡Quiero salir! –gritó Doran–. ¡Sacadme de aquí!

–¡No podemos! –respondió Skulduggery, alzando la voz para sobreponerse al rugido de la máquina–. ¡Si sales, morirás!

–¿Seguro?

–¡No, seguro no! ¡Es pura intuición!

Hubo un nuevo destello. Doran soltó un aullido que apenas se oyó bajo el estruendo del Acelerador...

... y entonces, el bramido se redujo y la luz se atenuó.

Doran estaba arrodillado en el estrado, con la cabeza gacha.

Kitana se adelantó.

–¿Doran? Doran, ¿estás bien?

Él levantó la cabeza, la miró y sonrió.

–Tienes que probar esto.

51

LA CAÍDA DE ARGEDDION

SALIERON de Roarhaven, bordearon Dublín y tomaron carreteras secundarias hasta llegar a una casa de campo junto a la que se extendía un amplio prado. Bajo unos árboles cercanos había varios cobertizos pequeños, protegidos de la luz del sol. El Bentley redujo la velocidad y aparcó en el arcén. Las decenas de furgonetas que lo seguían lo imitaron.

Los hechiceros se pusieron manos a la obra de inmediato. Empleando una esfera de camuflaje para esconderse, situaron la Tempestad en medio del prado y conectaron rápidamente los cables. Varias decenas se tumbaron en el suelo formando un gran círculo y se camuflaron para resultar invisibles sobre la hierba. En cuanto quedaron ocultos, la esfera se contrajo hasta cubrir únicamente la Tempestad. Skulduggery y Valquiria avanzaron por el estrecho sendero hasta la casa de campo.

Llamaron a la puerta. Al cabo de un momento, Greta Dapple abrió y les sonrió.

—Me dijo que llegaríais tarde o temprano. Entrad, vamos —se hizo a un lado y cerró la puerta a su paso—. ¿Queréis tomar algo? ¿Os apetece un té?

–No, muchas gracias –declinó Valquiria.

La casa de Greta era un típico hogar de de ancianita: muebles anticuados, tapetes de encaje y un pequeño televisor. Valquiria le acercó una silla.

–Gracias, hija –dijo Greta, suspirando mientras se acomodaba.

Skulduggery se quitó el sombrero y fijó las cuencas en ella.

–Has hablado con él.

–Sí, claro.

–¿Y dónde está?

–Me temo que no lo sé.

–Greta –intervino Valquiria–, tal vez puedas ayudarnos. Tienes que convencerle de que pare. Mucha gente está sufriendo por su causa.

–Walden no haría daño a una mosca. Es un perfecto caballero, siempre lo ha sido. Si todos los dioses tuvieran tan buenos modales como él, el mundo sería un lugar mejor.

–Argeddion no es ningún dios –la contradijo Skulduggery.

Greta se encogió de hombros.

–Es lo más parecido a uno que yo he conocido.

–¿Te ha contado lo que piensa hacer?

–Sí; me parece una idea maravillosa.

–Está poniendo en peligro las vidas de miles de millones de personas.

–Ah, hay que tener un poco de fe en la humanidad, ¿no creéis? Quiere volverlos mejores. Quiere hacerlos más felices. ¿No os gustaría vivir en un mundo sin conflictos? –hizo una pausa–. Bueno, tal vez a ti no, detective Pleasant, pero confío en que tu joven compañera no esté aún corrompida por la violencia.

–Me encantaría vivir en un mundo sin conflictos –dijo Skulduggery–, pero ese no es mi camino. Me ocupo de cosas que hay que hacer para que otras personas no necesiten hacerlas. Argeddion no se da cuenta de lo que está a punto de desatar.

–Va a desatar la paz y el amor.

–Va a desatar a una bestia.

–La humanidad no es ninguna bestia.

–Sí que lo es, Greta. Es una bestia peligrosa y asustada. Argeddion cree que la gente despertará un buen día y se sentirá inspirada por todas las maravillas que él les muestre. Piensa que pasaremos a vivir en el reino de los justos y los nobles. Pero no somos así.

–Lo siento por ti, detective: luchas por nosotros, pero ni siquiera nos comprendes. Lo trágico es que la joven Valquiria seguramente comparta tu filosofía al pie de la letra.

–Solo intentamos ayudar a la gente –dijo Valquiria.

–Pues lo estáis haciendo mal –repuso Greta–. No te conviertas en una cínica y una amargada como tu amigo. Confía en la bondad de los demás y no te decepcionarán.

–¿Dónde está, Greta? –preguntó Skulduggery.

–No lo sé.

–¿Cuándo volverá?

–No sabría decirlo.

–¿Cuándo lo viste por última vez?

–Esta mañana. Hemos pasado la noche juntos. Hablamos de un montón de cosas, aunque él no tenía muchas novedades que contar, como es de esperar cuando llevas treinta años dormido. Pero yo le conté todo lo que me había pasado desde que se lo llevaron, y luego hablamos de nuestros antiguos sueños y del futuro.

–¿Y cuál es vuestro futuro? –inquirió Skulduggery–. ¿Walden y tú viviréis felices para siempre en la nueva Era de la Luz?

–¿Yo? –Greta sonrió–. Ah, me temo que a mí me queda poco tiempo. Es triste, la verdad. Ojalá hubiera podido mantenerme joven y hermosa para él... Aunque él afirma que soy la cosa más hermosa que ha visto nunca –rio suavemente–. Miente fatal, siempre lo ha hecho.

–Tú le quieres, ¿verdad?

—Por supuesto —asintió Greta.

—Entonces, no nos ayudarías ni siquiera aunque estuvieras de acuerdo con nosotros.

Greta le dedicó una sonrisa.

—Me alegro de que lo entiendas.

—Por desgracia, sí, lo entiendo. ¿Podrías acompañarnos fuera?

Greta pareció sorprendida, pero volvió a sonreír cuando Skulduggery la ayudó a incorporarse. Valquiria apartó la vista. No soportaba mirarla.

Salieron al aire libre y avanzaron despacio por el prado.

—Un sitio precioso —comentó Skulduggery.

—Era de mis padres —contestó Greta—. Murieron hace más de ciento sesenta años, pero aún puedo oír sus risas. Ellos no sabían que yo era una hechicera; de hecho, ignoraban que la magia existiera. Siempre me arrepentí de no habérselo dicho. ¿Y tú, Valquiria? ¿Tus padres lo saben?

Ella negó con la cabeza.

—Una lástima —murmuró Greta—. Pero no te preocupes: lo sabrán. Sería más fácil para ellos si se lo explicaras antes. Cuéntaselo hoy. Muéstrales lo que eres capaz de hacer. Maravíllalos. Diles que muy pronto ellos serán capaces de hacer lo mismo. Imagina la cara que pondrán...

Ya estaban en medio del prado. Habían pasado a través del círculo de hechiceros sin que Greta se diera cuenta, aunque había estado a punto de pisar a uno.

—A Walden le gustaba este sitio tanto como a mí —prosiguió la anciana—. Paz, tranquilidad... Por rápido que avanzara el mundo, siempre podíamos pararnos a escuchar el canto de los pájaros.

—Greta, hemos intentado ser razonables —dijo Skulduggery—. Hemos empleado la lógica y el sentido común para tratar de convencer a Argeddion de que este no es el camino. Pero nos hemos quedado sin opciones.

–No entiendo a qué te refieres.

A una señal de Skulduggery, los hechiceros ocultos alzaron una mano.

Greta se quedó sin aliento.

–¿Qué...? ¿Qué están haciendo aquí?

–Es una trampa –explicó Skulduggery–. Hemos ideado una forma de detener a Argeddion, y vamos a utilizarte para atraerlo hasta aquí.

–No. No, no pienso colaborar.

–Ya lo estás haciendo. Compartís un vínculo, así que siempre estará en sintonía con tu estado emocional. Tu pánico hará que acuda a toda prisa.

–Entonces no me dejaré llevar por el pánico. No...

–Lo estás haciendo ahora mismo, Greta. Estás haciendo justo lo que esperábamos que hicieras.

Greta lo miró y después se giró hacia Valquiria.

–¿Cómo podéis hacer esto? ¿Es que no os da vergüenza?

–Lo siento –murmuró Valquiria.

–¡Él no quiere hacer daño a nadie!

–Puede que no quiera –dijo Skulduggery–, pero lo hará.

Greta se tapó la boca con una mano. Sus ojos se llenaron de lágrimas.

–Él me quiere. ¿Cómo podéis utilizar eso en su contra? ¿Qué clase de personas sois?

Skulduggery inclinó la cabeza.

–La clase de personas que consiguen resultados.

–Estoy decepcionado –dijo una voz a su espalda.

Greta sollozó mientras Argeddion se acercaba a ella y la estrechaba entre sus brazos.

–No pasa nada, cariño. Tranquila...

Valquiria cruzó una mirada con Skulduggery y ambos dieron un paso atrás.

–Walden –dijo Greta–. ¡No! ¡Es una trampa!

–Lo sé –asintió Argeddion–. Pero no funcionará. Por favor, entra en casa. Pronto estaré contigo –la besó suavemente en la frente y después la hizo desaparecer. Alzó la vista–. Como ya he dicho, estoy decepcionado. Greta es una anciana, y la habéis puesto en una situación angustiosa simplemente para atraerme hasta aquí.

–Necesitábamos que vinieras.

–¿Para qué? ¿Para que todos los hechiceros que nos rodean me ataquen a la vez? ¿Qué pensabas, que no me daría cuenta? Un plan muy torpe para un hombre tan inteligente.

–No nos has dejado otra salida.

Argeddion se encaró con Valquiria.

–Ya veo que alguien te ha puesto una barrera psíquica. Ha hecho un buen trabajo, aunque no me llevaría mucho tiempo derribarla si quisiera hacerlo.

–Te estamos ofreciendo una oportunidad –continuó Skulduggery–. Regresa al Cubo; lo hemos modificado para que lo alimente el Acelerador, de modo que ahora es seguro. Olvida todo esto. Permite que el mundo evolucione a su ritmo.

–¿Abandonarlo todo, después de haber aprendido tanto?

Argeddion extendió una mano y a su lado apareció un hombre de unos veinte años, trajeado, que sudaba profusamente. Ni siquiera parecía haberse dado cuenta de que lo habían teletransportado.

–Este es mi último sujeto de prueba –dijo Argeddion–. De momento no presenta efectos secundarios ni anomalías de comportamiento. Está lidiando perfectamente con sus nuevas habilidades.

El hombre alzó la vista, con los ojos muy abiertos. Clavó la mirada en Skulduggery y su mano comenzó a brillar. Gritó, alzó el brazo y la energía crepitó...

... y entonces se desplomó en el suelo, inconsciente. Una pequeña esfera luminosa salió de su pecho y fue absorbida por la mano de Argeddion, que guardó silencio un instante mientras hacía desaparecer al hombre.

–Fue un comienzo prometedor –concluyó finalmente–. Siempre he sabido que esto no sería fácil; era consciente de que tendría que hacer muchas pruebas y subsanar errores. Pero estoy muy cerca. Cuando el poder que les entregué a Sean, Doran y Kitana alcance su pleno potencial y regrese a mí, tendré la respuesta a muchas preguntas. No tardaré mucho en descubrir qué cantidad de magia debo entregar a los mortales para que no sufran un trauma.

Skulduggery negó con la cabeza.

–Te hemos dado la oportunidad de rendirte. Es obvio que no piensas aprovecharla.

Argeddion sonrió.

–¿Ahora es cuando me tendéis la trampa? –se elevó en el aire–. Muy bien, adelante. Aquí estoy: un blanco fácil.

–En realidad, no –dijo Skulduggery–. ¿Te importaría moverte un poquito a la derecha?

–Cómo no... ¿Qué tal aquí?

–Perfecto, muchas gracias.

Argeddion suspiró.

–¿Y ahora empieza la violencia? ¿Me vais a atacar?

–Sí –respondió Skulduggery–. Pero no de la forma que crees.

La esfera de camuflaje se retrajo y la Tempestad quedó al descubierto, justo debajo de Argeddion. Los hechiceros camuflados saltaron de sus posiciones y aferraron los Discos Sifónicos. Una oleada de energía chisporroteó por los cables, se arremolinó dentro de la Tempestad y salió disparada hacia arriba, directamente contra Argeddion.

Valquiria siguió a Skulduggery hasta el borde del círculo de hechiceros, con un disco entre las manos y el pelo azotándole la cara. Era como estar en medio de una tormenta de electricidad estática. Notaba cómo el disco absorbía su energía; de hecho, no sabía hasta cuándo podría soportarlo. Cuando empezó a marearse, lo soltó e inmediatamente comenzó a sentirse más fuerte.

–Espera a reponerte del todo para agarrarlo otra vez –dijo Skulduggery a su espalda.

Valquiria apretó los dientes y volvió a agarrar el disco. Miró a su alrededor, temblorosa por el esfuerzo: todos los hechiceros emboscados alimentaban con su magia el rayo que mantenía atrapado a Argeddion.

–Funciona –dijo, y de inmediato frunció el ceño–. ¿Dónde demonios está Kitana?

Argeddion se retorcía para liberarse, pero el haz de energía era demasiado ancho. Levantó una mano, con el rostro crispado por el esfuerzo, y luego la otra. La energía chocó contra sus palmas y se dispersó a los lados. Argeddion respiró hondo, afianzó su posición y lanzó un rayo propio hacia abajo. El haz de sus atacantes ondeó como un látigo y, por un instante, la Tempestad retumbó y emitió un brillo cegador.

Skulduggery gritó para advertir a sus compañeros, pero era demasiado tarde: la pirámide estalló despidiendo una onda que lanzó a todos por los aires. Valquiria cayó al suelo y rodó sobre sí misma, mientras Skulduggery se estampaba contra la puerta de un cobertizo.

Cuando Valquiria consiguió ponerse en pie, le zumbaba la cabeza. Alzó la vista y vio a Argeddion flotando; parecía exhausto, pero estaba recuperando las fuerzas rápidamente. La Tempestad estaba hecha añicos. El plan de Skulduggery para detener a Argeddion se había malogrado, y Kitana y sus dos amigos ni siquiera se habían molestado en...

Un rayo golpeó a Argeddion desde arriba y le hizo gritar. Se desplomó en el vacío, mientras Kitana, Sean y Doran se lanzaban sobre él disparando corrientes de energía que se cruzaban en el aire y le golpeaban de lleno. Doran se lanzó contra él como una bala, le golpeó y lo arrojó al suelo, y Kitana soltó una ovación cuando vio cómo se estrellaba.

Greta Dapple salió de la casa y echó a correr hacia ellos tan rápido como pudo. Argeddion estaba tirado sobre los restos humeantes de la Tempestad. Kitana se acercó a él con paso tranquilo.

—No queremos parecer desagradecidos, que conste. Pero es que somos adolescentes, ¿sabes? Se supone que necesitamos modelos positivos en nuestra vida, y tú no lo eres.

La mano de Kitana resplandeció y el rayo impactó contra la espalda de Argeddion, que aulló mientras la chica reía a carcajadas. Argeddion se elevó en el aire, pero no por propia voluntad: Sean lo manipulaba, sonriendo mientras le veía retorcerse de dolor.

—Señor —dijo Doran—, solo quiero que sepa lo mucho que agradecemos el poder que nos entregó. Fue muy amable por su parte. Muchas gracias.

—¡Parad! —gritó Greta—. ¡Bajadlo! ¡Deteneos ahora mismo!

—¡No te acerques! —chilló Argeddion, pero ella no le hizo caso.

Valquiria soltó una maldición entre dientes y echó a correr hacia Greta. Sean dejó caer a Argeddion y Doran se tiró sobre él y empezó a golpearlo.

—Gracias —decía a cada puñetazo—. Gracias.

Argeddion ni siquiera intentaba defenderse; se limitaba a extender la mano hacia Greta.

—No... No te acerques —jadeó—. No... Aléjate...

Kitana mostró los dientes.

—Tonterías. Ven aquí, vieja.

Greta estaba sin aliento cuando los alcanzó, seguida por Valquiria.

–¡Dejadlo! –exclamó Greta–. ¡Dejadlo en paz!

Kitana se volvió hacia Argeddion.

–He de decir, y no te lo tomes como una invitación, que podrías haber aspirado a algo mejor –miró a Greta y la golpeó en la cara.

La anciana estaba muerta antes incluso de tocar el suelo.

Con un rugido de cólera, Valquiria saltó sobre Kitana. Esta la recibió con un puñetazo en el estómago y Valquiria se dobló sin resuello, notando que algo se le había roto por dentro.

–¡Greta! –gritó Argeddion–. ¡Greta!

Los chillidos le taladraron los oídos a Valquiria; por un momento, creyó que la cabeza se le iba a partir en dos. Doran retrocedió para dejar paso a Sean, que le pisoteó el cráneo a Argeddion hasta que dejó de gritar. Valquiria se había quedado sin fuerzas.

–Doran, espera –le detuvo Kitana–. No lo mates del todo –le dio un toquecito en la espalda a Valquiria, sonriendo–. ¿Has oído eso? No lo vamos a matar. ¿Creíais que éramos idiotas, o qué? Estaba claro: solo os faltó saltar de alegría cuando os contamos nuestro pequeño plan. Queríais que lo hiciéramos.

–Dos pájaros de un tiro –dijo Sean.

–Exacto –asintió Kitana–. Si lo matamos, perderemos nuestros poderes, ¿verdad? A ver, es la única conclusión lógica. Así que no vamos a matarlo. ¿Sabes lo que vamos a hacer? Lo meteremos en esa monada de Cubo que brilla tanto, lo mantendremos atrapado eternamente y nos quedaremos así para siempre.

Sean agarró a Argeddion y se elevó con él en el aire. Doran lo siguió, y Kitana fue la última en despegar.

–Por cierto, Valquiria –dijo antes de alzar el vuelo–. ¿Sabes qué? Ha terminado todo, y aún tengo tu chaqueta.

Se echó a reír y desapareció tras sus amigos.

Valquiria intentó respirar.

Oía voces. Alguien se había arrodillado junto a ella. Reverie Synecdoche. La doctora. Sintió sus manos, un calor sobre su piel que aliviaba el dolor. Sus pulmones se llenaron de oxígeno y jadeó.

–No intentes sentarte –la avisó Reverie–. Tienes una hemorragia interna; hay que llevarte al Santuario.

Valquiria miró a su alrededor con una mueca. Los hechiceros y Hendedores se estaban organizando y se disponían a regresar. Skulduggery avanzaba a zancadas. Sostenía algo: la caja que contenía la armadura de Vile.

–Gracias, Reverie –dijo alzando a Valquiria en brazos–. La llevaré al Santuario de inmediato.

–¡Recuerda que ha sido evacuado! –gritó Reverie mientras el esqueleto se elevaba–. ¡No hay ningún médico allí!

Se dirigieron a Roarhaven cortando el aire.

–Estoy bien –murmuró Valquiria mientras volaban.

–Claro que sí –respondió él. Había perdido el sombrero y tenía la chaqueta desgarrada.

Valquiria se concentró para seguir consciente a pesar del dolor.

–¿Dónde has encontrado la caja? –preguntó.

–En el granero de Greta; Argeddion debió de esconderla ahí. Ahora mismo, la única oportunidad de derrotarlos es Vile. Y si por algún extraño golpe de suerte lo lograra, tendrás que detenerme a mí.

–¿Cómo? ¿Escupiéndote sangre?

–Siendo tan encantadora como siempre.

–Ah –dijo ella ahogando una tos–. Mi arma secreta.

Al llegar al Santuario, Skulduggery descendió hasta flotar casi a ras de suelo, descendió y voló suavemente por los pasillos vacíos y las escaleras.

En la sala del Acelerador sonaba una discusión. Skulduggery se acercó con cautela: eran Kitana y sus amigos. Habían vuelto a meter el Cubo en el Acelerador, pero Kitana no sabía cómo abrirlo y, por algún motivo, le echaba la culpa a Sean. A juzgar por el ruido de puñetazos que se oía cada pocos segundos, Doran se estaba encargando de mantener inconsciente a Argeddion mientras los otros intentaban averiguar la forma de poner en marcha el aparato.

Entraron en una sala cercana y Skulduggery dejó a Valquiria en el suelo, apoyada contra una pared. Luego salió al pasillo con la caja. No dijo nada; no hacía falta.

Soltó el primer enganche y, de pronto, Sean apareció a su lado y lo lanzó contra la pared.

–¡Te lo dije, Kitana! –gritó–. ¡Te advertí que venía alguien!

–Vale, vale –gruñó ella desde la sala del Acelerador–. Mátale y ya está, ¿vale?

Valquiria se arrastró hacia la puerta, se asomó y vio que Skulduggery alargaba un brazo hacia la caja. Sean se hizo con ella y la apretó contra su pecho.

–¿La quieres? ¿Qué hay dentro? Es algo importante, ¿a que sí? Te la daré si me lo pides por favor. Vamos, esqueleto: empieza a suplicar.

Un líquido negro empezó a gotear de la caja y formó un pequeño charco a los pies de Sean. Cada vez goteaba más rápido; poco a poco, se filtró por todas las rendijas y empezó a caer a chorros, como si la caja estuviera llena de aceite. Sean se dio cuenta e intentó cerrarla más fuerte, pero la tapa se abrió de golpe y una ráfaga de negrura salió despedida contra Skulduggery. La oscuridad líquida chapoteó y lo cubrió de los pies a la cabeza, engrosándose hasta formar una armadura. Y lentamente, Lord Vile alzó la vista.

Sean soltó la caja.

–No sé qué está pasando...

Vile arremetió contra él; un muro de sombras se estrelló contra Sean y lo lanzó hacia atrás.

–¡Eh! –gritó el chico–. ¡Ayuda!

Kitana salió de la habitación y se quedó helada. Doran estaba tras ella.

–¿Qué demonios es eso?

–¡Es él! –chilló Sean–. ¡El esqueleto!

Vile le asestó una patada y el chico salió despedido por el suelo hasta estrellarse contra la pared opuesta. La mano de Kitana resplandeció al lanzar un rayo de energía que golpeó a Vile en la espalda. Él se tambaleó mientras su armadura se retorcía y caracoleaba. Estaba herido.

Se dio media vuelta y le lanzó a Kitana una ráfaga de zarcillos afilados de oscuridad. Ella cayó de rodillas y se tapó la cabeza con las manos, pero antes de alcanzarla las sombras impactaron contra el campo de fuerza que acababa de crear inconscientemente. La chica alzó la vista, creciéndose al darse cuenta de que había logrado protegerse sin saber cómo. Se puso de pie, estremeciéndose cada vez que las sombras chocaban contra su barrera como serpientes rabiosas, y sonrió.

–¡A por él! –ordenó, y Doran y Sean cargaron contra Vile.

Valquiria se incorporó y avanzó a trompicones. Cuando se detuvo para tomar aliento, se encontró a Kitana ante la puerta.

–No podías rendirte, ¿eh? –dijo Kitana, y le dio un puñetazo en el pecho.

Su mano atravesó la carne, agarró el corazón, apretó...

52

TEMIDA SIMETRÍA

YOscuretriz sintió cómo su corazón estallaba. Fue como si un millón de soles explotaran en su interior, una cascada de sensaciones que abrasó su mente e incendió sus pensamientos. En ese instante sintió que su cuerpo se preparaba para dejar de funcionar, que iba a detenerse de inmediato.

Pero para alguien como Oscuretriz, los segundos que le quedaban eran como horas. Si Kitana hubiera querido matarla, debería haber destruido su cerebro. Sin la capacidad de pensar, no habría tenido forma de ignorar el dolor y curarse a sí misma como lo estaba haciendo, incluso mientras Kitana continuaba con la mano dentro de su pecho.

Los grandes ojos azules de la chica se abrieron como platos mientras intentaba sacar la mano. Oscuretriz le dedicó una sonrisa y dejó que tirara de ella un par de pasos. Parecía como si la muñeca de Kitana se hubiera fundido con su pecho. Era muy divertido. Finalmente, Kitana consiguió liberarse y Oscuretriz se curó antes de que la sangre se vertiera en el suelo.

Kitana retrocedió.

—¿Cómo has hecho eso?

Oscuretriz no le prestó atención. Aquella chica era trivial, no merecía que le hiciera ningún caso. El poder que poseía, en cambio, sí requería un examen más profundo. Veía su centelleo en torno a la silueta de la muchacha, como lenguas de fuego. Qué cosa tan deliciosa... Oscuretriz extendió la mano para tocarlo, pero Kitana se la apartó de un golpe.

Oscuretriz soltó una carcajada y le dio un puñetazo a la chica, que salió despedida. Luego se asomó al pasillo. Doran, en el suelo, intentaba incorporarse, mientras Lord Vile se ocupaba del pobre Sean utilizando lo que Valquiria denominaba cariñosamente «burbuja mortal». La burbuja se expandió para envolver al chico, y la energía vital que emanaba su cuerpo se atenuó al instante y se volvió gris. Su rostro, entretanto, se puso muy pálido, con los ojos desorbitados y la boca abierta.

Resultaba muy interesante, y Oscuretriz observó atentamente el desarrollo de los acontecimientos a la espera de que Vile retrajera la burbuja y se llevara con ella la vida de Sean. El campo de fuerza no servía de nada contra un ataque como ese; aquello era magia, no puro instinto, y ninguno de aquellos críos tenía ni idea de magia. Habían recibido un regalo y lo habían empleado a tontas y a locas para hacer daño a la gente. Eran criaturas torpes e ignorantes, sin conocimiento alguno del poder que tenían a su alcance.

Un rayo de energía chocó contra Vile, que se tambaleó y perdió el control de la burbuja mortal. Sean cayó de rodillas, resollante. Desde la puerta, Kitana agitó el brazo y Vile se estampó contra la pared, que se llenó de grietas. La chica extendió las dos manos con una mueca de concentración, y Vile se retorció entre los escombros. La magia culebreaba entre ambos, invisible para el ojo humano pero absolutamente evidente para Oscuretriz. Kitana estaba intentando despedazar a Vile; era fascinante ver cómo aquella chica, poseedora de un poder gigantesco que no se había ganado, luchaba contra un oponente más débil pero mucho más hábil que ella. Y lo hacía empleando todas sus fuerzas, sin duda. Tenía los dientes apretados y los músculos tensos, y el sudor corría por su rostro congestionado. Y a pesar de ello, el nuevo aliado de Oscuretriz se las ingeniaba para mantener la compostura. Qué criatura tan impresionante.

Oscuretriz se acercó, empujó a Kitana y le propinó una patada en la pierna. El campo de fuerza se reconfiguró para defenderse también contra los ataques físicos. Oscuretriz lo pateó una y otra vez, notando cómo su bota chocaba en la barrera y rebotaba. Ignorando las carcajadas de Kitana, se concentró en el campo de fuerza, en lo que sentía cada vez que lo golpeaba. El poder de Kitana era puramente instintivo, no había ninguna planificación; carecía de diseño y sutileza, y eso lo hacía frágil. Le dio otra patada y a la vez lanzó su magia, que se retorció hacia abajo. La barrera detuvo su bota, pero la magia penetró y se onduló hasta rodear la pierna de Kitana, estrecharla y partirla con un crujido. El chillido de la chica fue como el de una alimaña.

Doran agarró a Oscuretriz por detrás y rodeó su garganta con el brazo. Ella lanzó los brazos hacia atrás en busca de sus ojos, pero él apartó la cara. Sonriendo, le clavó los dedos en el cuero cabelludo y apretó hasta notar cómo el cráneo se quebraba bajo sus yemas. Cuando Doran chilló, lo apartó de golpe y contempló cómo caía de rodillas, con las manos en la cabeza. Sus aullidos se mezclaron con los de Kitana. No habían tenido tiempo para aprender a curarse; una pena. Oscuretriz estaba disfrutando de aquella pelea.

Era el turno de Sean. Notó cómo la magia del chico recorría el pasillo. Él no la veía como si fuera un objeto físico, pero ella sí. La magia estaba preparada para obedecer los deseos de Sean, pero era un luchador inexperto y sus órdenes eran vacilantes. Un tentáculo de energía llegó hasta Oscuretriz y se retrajo, contorsionándose de forma nerviosa. Si Sean hubiera podido verse a sí mismo con la claridad con que ella le veía, tan inseguro y asustado, seguramente habría aprovechado la oportunidad para huir.

El chico se decidió al fin y la magia se solidificó en torno a su cuerpo. Sin embargo, cuando se dispuso a atacar, Oscuretriz lo esquivó con facilidad: el movimiento de su magia le había traicionado. La hechicera saltó sobre él, lo levantó en vilo y se elevó hasta quedar suspendida en el aire. Mientras él se debatía en vano, le aferró el brazo, rodeó su torso con las piernas y salió despedida con él hacia la pared del fondo. Al llegar, empujó el muro con los pies para rebotar y le rodeó el cuello con una pierna, mientras le retorcía el brazo en una llave salvaje que le arrancó al chico un grito de dolor. Oscuretriz apretó hasta oír como crujía el hueso y lanzó al suelo a su presa, sintiéndose como una campeona olímpica de judo.

Decidió llamar a esa combinación «llave atómica». Era un nombre perfecto.

Un rayo rozó su costado, y se dio la vuelta en mitad del aire. Doran bajó la mano mientras Kitana alzaba la suya. Oscuretriz trató de esquivar su disparo, perdió el equilibrio y no pudo recuperarlo a tiempo; la ráfaga le dio en plena mandíbula y le desintegró la carne y el hueso mientras caía. Otro rayo le atravesó el pecho, y Oscuretriz se desplomó en el suelo como un peso muerto.

Imposible. Eran más fuertes. Se habían curado y eran más fuertes que ella. A los ojos de Oscuretriz, resplandecían de poder, cuando instantes atrás estaban medio muertos.

Kitana volvió a disparar y Oscuretriz alzó la mano izquierda para bloquear el rayo y evitar que le diera en la cabeza. Su mano chisporroteó, mientras ganaba algo de tiempo para recuperarse. Kitana soltó una carcajada y el rayo de energía se hizo más intenso, haciendo arder la mano de Oscuretriz hasta convertirla en un muñón. La chica alzó los brazos y soltó un grito de victoria.

–Ahora ya no estás tan guapa –dijo entre risas.

Doran bajó la vista hacia Sean.

–Deja de chillar y cúrate –ordenó, irritado.

Estaban cambiando. Ya sabían cómo sanarse, y su magia los llevaba por nuevos caminos. Sin embargo, la sensación de triunfo los había vuelto confiados, menos dependientes de su instinto. Oscuretriz vio cómo sus campos de fuerza se evaporaban. Ellos ni siquiera se dieron cuenta de que en ese momento eran vulnerables a un ataque físico, pero Oscuretriz sí se percató: lo único que tenía que hacer era levantarse y patearlos. Aunque era más fácil decirlo que hacerlo, cuando solamente tenía una mano y media cara.

Sean dejó de sollozar y se concentró en su brazo roto, gruñendo del dolor que todavía no había descubierto cómo anular. El hueso chasqueó y regresó a su posición correcta. Sean se secó los ojos y se puso en pie.

Doran lo señaló y soltó una risotada.

–¿Estás llorando?

–Cierra el pico.

–¿Necesitas un rato para tranquilizarte?

–Te he dicho que te calles.

Doran sonrió, ajeno a las sombras que se retorcían de pronto tras él. Vile apareció a su espalda sin hacer el menor ruido, y a Oscuretriz le entraron ganas de vitorearlo. No sabía que los chicos ya no contaban con campos de fuerza; no veía la magia igual que ella. Le hubiera gustado advertírselo, decirle que los atacara y les destrozara el cerebro, pero no tenía boca con la que hablar.

Las sombras envolvieron la cabeza de Doran y tiraron de él hacia atrás. Kitana se dio la vuelta al sentir que la ola de oscuridad la golpeaba, y Sean tropezó, presa del pánico, cuando un cuchillo de sombra le rajó la cara. Vile extendió los brazos y su armadura arrojó tentáculos negros en tres direcciones. Doran se hizo un ovillo, mientras Sean se tapaba la cara y aullaba al notar que las sombras se le hincaban en los brazos. Kitana, furiosa, desgarró su tentáculo con una onda de energía. La oscuridad se replegó en la armadura de Vile para dejar paso a una espesa niebla de sombras que envolvió a los chicos y a él. Kitana disparó a ciegas, y uno de sus rayos alcanzó a Doran.

Vile se desplazó entre las sombras y apareció detrás de Kitana; pero ella debió de presentirlo de alguna forma, porque se giró y lo estrelló contra la pared. Le clavó los dedos en el pecho y las sombras azotaron sus manos, pero ella las ignoró. Estaba intentando arrancarle la armadura. De pronto, la coraza se abrió revelando la camisa y la corbata de debajo. Convencida de que había vencido, Kitana profirió una risotada de triunfo, que se interrumpió de golpe cuando la armadura volvió a cerrarse seccionándole los dedos. Kitana se tambaleó mientras sus dedos caían al suelo, y Vile la golpeó con un puño lleno de pinchos negros que le desgarró media cara. Le arrojó una lanza de sombras que se hundió en su garganta y la clavó contra la pared, y estaba a punto de arrancarle la cabeza cuando Sean se lanzó contra él. Lord Vile se volvió e inmovilizó al chico con una llave de cadera, mientras Kitana caía a cuatro patas.

Oscuretriz consiguió levantarse y se alejó, tambaleante. Dobló una esquina y cayó de rodillas.

Argeddion estaba ante ella.

Se miraron fijamente. Él no la atacó, por supuesto, y no solo porque fuera pacifista. No podía atacarla. Apenas le quedaban fuerzas.

–Oscuretriz –dijo–, ¿cómo has logrado escapar?

Ella terminó de regenerar su mandíbula, sus dientes, su lengua y sus labios.

–Tú me dejaste salir –explicó con su boca recién estrenada–. Cuando Greta murió, rompiste todas mis barreras psíquicas... Incluidas la que tú mismo habías construido –se puso en pie, sin dejar de regenerar su organismo–. Los estás haciendo más fuertes. Les estás entregando todo tu maravilloso y delicioso poder.

–No todo.

–Mírate –señaló ella–. Estás prácticamente indefenso –extendió su magia hacia Argeddion, pero este dio un paso atrás y empleó los últimos restos de su poder como parapeto–. Incluso hacer eso te ha costado muchísimo esfuerzo.

Argeddion palideció.

–¿Tú también la ves?

–¿La magia? –dijo ella, centrándose en la nueva mano que le había empezado a crecer–. Sí, claro.

–A mí me costó meses llegar a verla.

–Supongo que aprendo rápido –declaró ella encogiéndose de hombros–. O tal vez sea mejor que tú.

–Pero... si ves las cosas igual que yo, si eres capaz de distinguir esa belleza, ¿por qué quieres destruirlo todo?

–No quiero hacerlo. Los psíquicos dicen que me han visto arrasar el mundo, pero la verdad es que no encuentro ningún motivo para hacerlo. Me gusta el mundo tal como es: divertido.

–Pero eres una asesina.

–Puede que sea un poquito malvada, sí, ¿pero quién no lo es hoy día? Aparte de ti, claro. Y apuesto a que ahora mismo te estás arrepintiendo, ¿a que sí?

–Jamás me arrepentiré de no hacer daño a los demás.

Oscuretriz soltó una carcajada.

–Me encanta que ignores deliberadamente todo lo que está pasando. Por culpa de tu pequeño experimento, hay muchas más personas lastimadas o muertas de las que yo he tenido nunca la oportunidad de herir o asesinar. Mira a esos tres lunáticos

514

a los que has regalado tu poder: eres responsable de todo lo que han hecho.

Él negó con la cabeza.

–En cuanto empecé el experimento, dejé de intervenir. Los chicos debían tener libertad para tomar sus propias decisiones. Tenía que ver cómo reaccionaban.

–Y ya lo has visto –la magia de Oscuretriz chocó contra la de Argeddion, que cayó de rodillas–. Los científicos tenéis la sangre muy fría; si no, no sé cómo has podido observar tranquilamente cómo morían inocentes, mientras el poder que regalaste tan generosamente se retorcía y deformaba las frágiles mentes de la gente común. Me cuesta pensar que creyeras en el éxito de tu plan.

–Funcionará –murmuró Argeddion–. Esto todavía no ha terminado.

–¿En serio? Dame unos segundos.

–Me temo que no puedo. Ya puedes verlo todo sobre mí, ¿verdad? Mi energía, mi magia, mi aura… Con el tiempo, también podrás ver otras cosas. Todo está aquí, solo hace falta tiempo para examinarlo. Yo lo veo todo en ti, y además veo más cosas. Has estado oscilando entre dimensiones, ¿no? Viajes de ida y vuelta.

Oscuretriz le dejó hablar mientras intentaba penetrar en sus defensas.

–Veo la energía que te lleva a la otra dimensión. Te queda muy poca, apenas la suficiente para un par de viajes más. Se necesita algo de tiempo para acumular la suficiente. ¿Sabes? Lo que tiene la magia es que, en cuanto la ves, empiezas a entenderla. Y en cuanto la entiendes, puedes modificarla.

La energía de Argeddion se incrementó y Oscuretriz dejó escapar el aliento. Notó que le palpitaba el brazo, mientras el mundo entero vibraba y se estremecía. Argeddion se acercó a ella y de pronto se encontraron en la oscuridad, entre unas ruinas.

–Ya hemos llegado –declaró él alegremente.

Oscuretriz adaptó sus ojos para ver en la oscuridad. Se hallaban en el edificio del Santuario, pero estaba lleno de escombros, como si se hubiera derrumbado hacía siglos. Argeddion sonrió.

–Gracias –dijo retrocediendo un paso–. Yo solo no hubiera sabido llegar hasta aquí.

Era astuto, eso había que admitirlo. Oscuretriz no entendía la magia como él, todavía no. Pero sabía lo que había hecho: la había impulsado con su propio poder para acelerar el bucle del regalito que le había hecho Nadir. Los restos de esa energía chisporrotearon en su interior, recargándose rápidamente. No permanecería allí demasiado tiempo.

Le devolvió la sonrisa.

–Vale, aquí estás. Y ahora, ¿qué? ¿Vas a buscar a Walden? ¿Y luego? Soy la única que puede regresar, y no me apetece demasiado llevarte conmigo.

–No te preocupes por mí –respondió Argeddion–. He dedicado mucho más tiempo que tú a aprender cómo funcionan estas cosas... A estas alturas, me basta con experimentar algo para poder repetirlo. Estoy seguro de que tengo suficiente fuerza para oscilar de vuelta por mi cuenta, y regresaré mucho antes que tú, hija. Cuando regreses, el mundo habrá cambiado.

Oscuretriz extendió la mano, pero él se esfumó en el aire.

Soltó una maldición y salió despedida hacia arriba, notando cómo la piedra retumbaba y crujía a su paso. El techo se abrió y Oscuretriz se elevó hacia el cielo grisáceo. Estaba lloviendo; incluso el tiempo era distinto en aquella dimensión. La lluvia le pegó el pelo al cráneo. No estaba acostumbrada a que le dieran palizas, y no le gustaba la experiencia. El hecho de que Kitana y los otros hubieran estado a punto de matarla, y que Argeddion la hubiera superado... En fin, le molestaba. Le picaba en su orgullo. Hería su ego. Ella era Oscuretriz, por el amor de Dios: la Asesina de Mundos. Era la última persona a la que alguien querría enfrentarse. Y sin embargo, allí estaba, flotando bajo la lluvia mientras esperaba el momento de volver a su mundo.

Quería cortarle la cabeza a Kitana, aplastarle el cuello a Doran y sacarle a Sean la espina dorsal como si fuera la raspa de una sardina. Después quería arrancarle un miembro tras otro a Argeddion, emplear su cabeza como balón de fútbol, comerse sus ojos, tragarse su lengua y convertirlo en...

Polvo.

Una sonrisa se dibujó en el rostro de Oscuretriz. Bajó la vista hacia Ratoath. ¿Dónde habría metido China aquel maldito Cetro?

53

UN POCO DE GUERRA

RATOATH era una ciudad sitiada.

Las tropas de Mevolent atacaban con todas sus fuerzas las barreras mágicas. Los edificios ardían y el fuego se elevaba como si intentara escapar de aquella locura. La sangre corría por el pavimento, y la ciudad entera era pasto de la violencia: gritos, alaridos, disparos, entrechocar de espadas, chisporroteos de rayos mágicos que impactaban entre ellos... Los pocos combatientes de la Resistencia intentaban contener a las ingentes huestes enemigas desde sus barricadas.

Había enfrentamientos en muchas calles. Aquí y allá, las tropas de Mevolent habían logrado penetrar en la ciudad. Algunos mortales huían, mientras otros se mantenían firmes en sus puestos al lado de sus amigos hechiceros y hacían todo lo posible por contener el ataque. Era un esfuerzo vano. Noble, sin duda, pero vano. El ejército de Capuchas Rojas que atacaba la ciudad habría sido suficiente para alcanzar la victoria, por no hablar de los magos que luchaban a las órdenes de Mevolent.

Oscuretriz sobrevoló el caos buscando a una persona en particular en medio de la locura, extendiendo su magia para localizar a la líder de la Resistencia. La vio de pronto: China, vestida dc blanco, corría descalza por un callejón, perseguida por un batallón de Capuchas Rojas. Sus enemigos eran al menos catorce, y cada vez los tenía más cerca. Por un instante, Oscuretriz creyó que tendría que intervenir. Pero en cuanto salió del callejón, China rozó un símbolo oculto que había tallado en el muro. Estúpidos Capuchas Rojas... La habían seguido a una trampa. Las paredes del callejón reventaron y los perseguidores fueron despedazados. Se lo merecían.

Una nube de humo y polvo se extendió por el barrio. China tosió y agitó los brazos, intentado ver por dónde iba. Desde su observatorio privilegiado, Oscuretriz distinguió perfectamente cómo el barón Vengeus se acercaba a China por la espalda, dispuesto a saltar sobre ella como un maniaco sacado de una mala película de terror. Antes de que la alcanzara, Anton Shudder se lanzó sobre él desde una azotea.

Vengeus se sacudió para quitárselo de encima, lo lanzó contra la pared y empezó a darle puñetazos. Shudder se limitó a aguantar los golpes, y cuando el barón aminoró el ritmo, le agarró con una mano la mandíbula y le clavó los dedos en los ojos con la otra. La mano que aferraba la cara dio un giro brusco y Vengeus cayó retorciéndose, con el cuello roto. Shudder saltó por encima de su cuerpo, agarró a China del brazo y se la llevó. La mujer ni siquiera se había dado cuenta de la presencia de Vengeus, lo cual le hizo gracia a Oscuretriz por algún extraño motivo. Pobre barón Vengeus...

Continuó sobrevolando la escena, sin perder de vista a China. Al poco, la líder de la Resistencia se separó de Shudder y entró en una casa, mientras su compañero regresaba a la batalla.

El pueblo se iba consumiendo poco a poco entre el fuego y el humo. Las tropas de Mevolent entrarían muy pronto.

Oscuretriz se acercó al campo de fuerza que rodeaba la casa, lo rasgó y entró por una ventana. En la planta de abajo, China daba órdenes a un grupo de personas. El miedo rezumaba de ellos como vapor. Era muy emocionante.

Pasos. Pies desnudos en la escalera. China entró y avanzó hasta Oscuretriz sin advertir su presencia.

–¡Uuuh!

China giró sobre sus talones, con los tatuajes ya resplandecientes, y Oscuretriz esquivó una oleada de energía azul que agrietó la pared a su espalda. Su atacante entrecerró los ojos.

–Tú... –dijo. Un Hendedor entró corriendo, pero China alzó una mano para detenerlo–. Mira, ahora no hay tiempo para estas cosas. ¿Es que no tienes ojos? Mevolent nos ataca. Al parecer, él mismo dirige a su ejército. Huye. Corre mientras puedas.

–El Cetro –dijo Oscuretriz–. ¿Dónde está?

–Huye o haré que te maten.

–El Cetro...

China torció los labios en una mueca de hastío.

–Dije que te mataría si volvía a verte otra vez.

–¿A mí? –Oscuretriz sonrió–. Ah, a mí nunca me has visto.

China le hizo una seña al Hendedor y este dio un paso adelante. Oscuretriz lo miró e hizo que sus pulmones se retorcieran, y el Hendedor se derrumbó agarrándose la garganta. China enarcó una ceja.

–Ya entiendo...

–Me alegro. ¿Y el Cetro?

–En otra parte. Lo he escondido. Si eres capaz de sacarme de aquí y llevarme lejos de las tropas de Mevolent, te lo entregaré.

–No he venido a negociar, he venido a recoger el Cetro.

Y entonces la habitación explotó.

Oscuretriz lo vio a cámara lenta. El muro que tenía a la derecha se derrumbó, reventando las tablas del suelo, y el aire se llenó de fragmentos de madera y piedra. La onda expansiva le dio de lleno a Oscuretriz, que atravesó la pared opuesta mientras el edificio entero parecía desplomarse sobre ella. Cayó en medio de la calzada. Los oídos le zumbaban tan fuerte que apenas oyó los estallidos que se sucedieron. Tal vez hubiera sido un primer ataque para debilitar a los asediados antes de la gran explosión.

Rodó por el empedrado, esquivando los escombros que caían a su alrededor. Estaba herida, pero no era nada importante. Se sentó. A unas calles de distancia, los Capuchas Rojas cargaban contra la población aterrorizada. La silueta de Lord Vile apareció a lo lejos, rodeada de látigos de sombra que azotaban las tristes defensas y las barricadas. Los malos se acercaban.

Oscuretriz se puso en pie y se arrancó un pedazo de madera que se le había clavado en el cuello. ¿Los malos? Ja. La mala ya estaba allí.

No dudaba de que China habría sobrevivido a la explosión. No la había visto salir, pero una mujer como China Sorrows no podía caer por una simple bomba. Lo cual significaba que se habría escondido en un lugar seguro... Posiblemente, en el mismo donde había ocultado el Cetro.

Dio un paso y, de pronto, frunció el ceño y se llevó las manos a la cabeza. Se giró y vio un mar de túnicas blancas que se arremolinaban a su espalda. Sintió que le faltaba el aire y cayó de rodillas.

Los controlamentes la rodearon inundando su mente de dolor y agonía. Oscuretriz deseó acurrucarse y hacerse muy pequeña, rendirse, dejar de luchar, suplicar por el instante de liberación que supondría la muerte.

No servía de nada resistirse. La angustia era un sentimiento vano. Todo dolía, todo moría, nada merecía la pena. Debía abandonar, darse por vencida; lo deseaba con toda su alma. Estaba llorando, por supuesto que estaba llorando. ¿Cómo no iba a llorar? La vida no significaba nada, absolutamente nada, nada tenía sentido salvo la muerte. Dejarse morir al fin, morir y que los Sin

Rostro la juzgaran tras su muerte; quedarse allí tendida, dejar de luchar y aceptar el final...

Pero ella no adoraba a los Sin Rostro.

No creía que dominaran la vida y la muerte. No creía que fueran a juzgarla.

Aquellas no eran sus creencias, eran las de los controlamentes, los hombres y mujeres que la rodeaban y bombardeaban sus pensamientos. Ah, eran inteligentes, sin duda: se colaban en las mentes de sus enemigos y les obligaban a sentir aquello hasta llevarlos a la desesperación. Casi había funcionado con ella. Pero no eran lo bastante fuertes: no podían con Oscuretriz, que se estaba convirtiendo rápidamente en una criatura sobrenatural, tan fuerte como para terminar con los propios Sin Rostro si alguna vez volvía a encontrárselos. Aquellos controlamentes ni siquiera sospechaban con quién estaban tratando.

Mejor dicho, se estaban dando cuenta en ese mismo instante.

Algunos de ellos ya intentaban retirarse, pero era demasiado tarde: Oscuretriz se había colado en sus cerebros y se sobreponía a sus débiles mentes, aplastándolas con una facilidad que resultaba aterradora. Los fue capturando uno a uno y apagó sus cerebros. Cayeron uno, dos, tres, cuatro, cinco, seis..., hasta no quedar ninguno. Los observó: mentes destrozadas dentro de cuerpos sin vida.

Se incorporó y desactivó la jaqueca que le habían provocado.

No la habían atacado de uno en uno, como hicieron con Valquiria la primera vez que osciló hasta allí. Habían acudido en masa. Deberían haber sido más.

Avanzó por las callejuelas del pueblo sin prestar atención a los gritos y explosiones que sonaban a lo lejos, ignorando a la gente aterrorizada, mortales mezclados con magos, que corrían en todas las direcciones. Se detuvo ante un edificio grande de tres plantas de altura, tan defendido como una pequeña fortaleza y protegido por un campo de fuerza que ardía si alguien se acercaba. Tras la barrera había varios Hendedores en posición de firmes, con las guadañas en alto. Tampoco les prestó atención. Aquel era el único edificio seguro del pueblo. Un sitio tan bien fortificado podría resistir un asedio de varios días.

Lo ignoró y siguió avanzando.

La lucha aún no había llegado a esa zona de la ciudad. Allí las calles estaban tranquilas. Nadie corría, no había muertos en las ventanas y tampoco se veían Capuchas Rojas derribando puertas a patadas. Si no fuera por el estruendo de la batalla que estaba librándose a su espalda, habría sido un lugar casi idílico.

Avanzó hasta llegar a una pequeña taberna. Parecía un sitio encantador. Tan bonito, tan modesto... Empujó la puerta y entró. Incluso olía bien. Subió las escaleras y encontró a China y Anton Shudder esperándola. China tenía algunos cortes y magulladuras, pero, aparte de eso, estaba tan hermosa como siempre.

–¿Cómo me has encontrado? –preguntó con un suspiro muy propio de una dama.

Oscuretriz se encogió de hombros.

–Este edificio me pareció un lugar adecuado en el que esconderse. Su aspecto es humilde, pero tiene ventanas que dan a todas las calles para ver quién se acerca. También parece bastante resistente. No tanto como el fuerte en el que se concentran todas vuestras tropas, pero este llama mucho menos la atención –se giró hacia Shudder–. Sé lo que estás pensando, Anton, pero yo en tu lugar ni lo intentaría. Soy mucho más fuerte de lo que parezco.

Shudder la taladró con sus ojos fríos sin decir nada.

–Te daré el Cetro –declaró China–. No tenemos por qué ser enemigas.

–Perfecto –asintió Oscuretriz.

Shudder frunció el ceño y se acercó a la ventana.

–Un teletransportador –dijo.

Podía ser un farol, y desde luego era el truco más viejo de la historia. Pero Shudder no era amigo de engaños, así que Oscuretriz se acercó a la ventana.

Alexander Remit los miraba, de pie sobre el tejado contiguo. Desapareció antes de que a Oscuretriz le diera tiempo a hacer nada.

Ver un teletransportador era aproximadamente lo peor que podía pasar; en el mejor de los casos, Remit reaparecería allí al cabo de cinco segundos con un ejército entero. Tenían que largarse enseguida.

–El Cetro –exigió avanzando hacia China–. Ahora.

Los hermosos ojos azules de China se abrieron ligeramente, y Oscuretriz suspiró y se volvió. Allí estaba Remit, de pie junto a su amo y señor. Por supuesto. ¿Para qué teletransportar un ejército? Con Mevolent bastaba y sobraba.

Mevolent llevaba una armadura de combate hecha de cota de malla y cuero. En la cabeza portaba su yelmo de pinchos, adornado con un relieve de un rostro en pleno grito. Contempló a Oscuretriz de arriba abajo mientras Shudder y China salían de la habitación.

–Eres distinta –dijo.

Oscuretriz examinó su magia. Aunque su poder era impresionante, no vio indicios de que hubiera descubierto su verdadero nombre, como afirmaban los rumores. Sin embargo, sí notó que su poder como elemental superaba con mucho cualquier suposición de hasta dónde podía llegar un humano. Aparte de Argeddion y de la propia Oscuretriz, debía de ser el hechicero más poderoso del mundo.

Una amenaza digna de atención, sin duda.

Lanzó su magia contra él y Mevolent dio un paso atrás, confuso, sintiendo cómo todos los huesos de su cuerpo se tensaban y se retorcían hasta quebrarse. Se desplomó y Remit se alejó a trompicones, con los ojos muy abiertos. Al segundo siguiente, se había esfumado sin que Oscuretriz se lo impidiera. Estaba allí por el Cetro; no le importaba nada más.

Y entonces Mevolent se incorporó lentamente.

Oscuretriz le dedicó una sonrisa.

—¿Cómo has hecho eso?

En vez de responder, él hizo un gesto y el aire que Oscuretriz respiraba se expandió de pronto y le destrozó la tráquea. Le hubiera partido las vértebras cervicales si no lo hubiera controlado. Sin inmutarse, curó su garganta y reparó todos los daños. Tomó aire profundamente en cuanto hubo terminado.

—Tramposo —dijo.

Remit apareció de la nada, arrastrando la espada más grande que Oscuretriz había visto en su vida. Mevolent agarró la empuñadura con las dos manos y la blandió. Con ella parecía incluso más alto.

—¿Cuál es el plan? —preguntó ella acercándose—. ¿Vas a intentar clavármela? Qué aburrimiento. Menuda decepción.

Cuando tuvo a Oscuretriz al alcance de la hoja, Mevolent lanzó un mandoble y Oscuretriz descubrió un brillo extraño en el filo. Apartó la cabeza, y la energía que silbó junto a su garganta casi la hizo gritar. Mevolent volvió a blandir la espada, que ahora emitía una luz cegadora, y Oscuretriz se tambaleó hacia atrás. No sabía lo que era, pero su instinto le decía que podía matarla.

Mevolent avanzó hacia ella, encadenando ataques implacables con una velocidad y una fiereza que impedía que Oscuretriz organizara sus pensamientos. Lo único importante era mantenerse lejos de aquel filo. Tropezó, cayó y rodó, mientras la hoja cortaba la piedra y la madera. Su enemigo trazaba giros y se cubría al tiempo que lanzaba estocadas; jamás bajaba la guardia. Oscuretriz saltó hacia atrás y ascendió en el aire, pero él la siguió sin perder un segundo. Los dos giraron en una espiral borrosa hasta que Oscuretriz se agachó inesperadamente, apartó de un empellón a su atacante y retrocedió.

–Bonita espada –dijo desde el otro extremo de la habitación–. ¿Es una pieza que acabó por casualidad en tu colección?

–Te presento a la Asesina de Dioses –respondió él–. Aniquila todo lo que corta. Sabes que no miento, ¿verdad?

–Por eso estoy aquí, al fondo.

Oscuretriz se concentró para extender su magia y arrebatarle el arma de las manos, pero él resistió. Resopló, contrariada.

–No es necesario que luchemos, Mevolent. Vine aquí a buscar el Cetro, pero puedes quedártelo. Dame la Asesina de Dioses.

–Son armas forjadas para luchar contra los Sin Rostro. No puedo permitir que te apoderes de ninguna de las dos.

–Te prometo que no la perderé.

De pronto se oyó un gruñido espantoso. Mevolent se dio la vuelta y fue golpeado por la esencia de Shudder, que se clavó en su brazo obligándola a soltar la espada.

La Asesina de Dioses estaba tirada en mitad de la habitación. Oscuretriz sonrió. Mevolent intentó recuperarla, pero ella le propinó una patada en el costado que lo lanzó fuera de la habitación, no sin antes atravesar la pared.

Empuñó la Asesina de Dioses; era muy pesada. Oscuretriz no sabía mucho sobre espadas, aparte de que la parte afilada tenía que clavarse en los enemigos, pero se imaginaba perfectamente a sí misma blandiéndola en combate. Medía casi lo mismo que ella, y tal vez eso la hiciera parecer un poco ridícula, pero ¿qué más daba que sus enemigos se rieran de ella antes de que los despedazara? ¿No era mejor morir con una sonrisa en los labios, en lugar de gritando?

En el fondo, no lo sabía. Seguramente sería como decía siempre el padre de Valquiria: «Lo mismo me da que me da lo mismo».

Cuatro hechiceros armados se acercaron a ella, y su corazón dio un salto de alegría. Esquivó un hacha y lanzó un tajo que atravesó al hombre como si cortara el aire. Casi a la vez notó una lanza que se clavaba en su costado; la chaqueta de Abominable la habría detenido, y pensar en que Kitana la tenía en su poder la enfureció. Sujetando la Asesina de Dioses con la mano derecha, le partió el cuello al lancero.

Otra espada se cernió sobre ella, de modo que blandió la Asesina de Dioses para detenerla. Se oyó un entrechocar metálico, y luego las hojas se separaron para volver a cruzarse. Era muy emocionante, pero entonces el hombre –que, por cierto, era feísimo– hizo un volatín, se situó a su espalda y le clavó el arma. Ella intentó alcanzarlo; pero la espada le dificultaba los movimientos y, por si fuera poco, aún tenía aquella estúpida lanza clavada. Entonces, el cuarto hechicero lo arruinó todo al apuntarla con una pistola.

Antes de que apretara el gatillo, Oscuretriz le lanzó una andanada de magia que hizo hervir su cerebro dentro del cráneo. El hombre feo sacó la espada; se volvió hacia él y vio que se disponía a cortarle la cabeza. Le sujetó el puño con la mano y retorció hasta que la hoja se acercó a la garganta del hombre. Entonces empujó con todas sus fuerzas.

Lo dejó caer, se sacó la lanza del costado y la partió. Contempló la Asesina de Dioses: al parecer, las espadas no eran su fuerte. La lanzó por la ventana, se tomó un instante para curarse y después atravesó el agujero que había hecho Mevolent en la pared. Apareció en la habitación contigua justo a tiempo de ver cómo él le arrebataba el Cetro a China.

El yelmo de Mevolent se giró hacia ella. La gema del Cetro refulgió, y Oscuretriz esquivó a duras penas un relámpago negro que impactó cerca de su cabeza.

China, según su costumbre, aprovechó la oportunidad para huir.

Oscuretriz derrapó, esquivando por los pelos otro rayo que redujo a polvo la pared de detrás. El siguiente disparo pasó rozándole la cara. Retrocedió para tomar impulso y echó a volar a través del techo, con Mevolent pisándole los talones. Se alejó, cada vez más alto; no sabía lo rápido que sería él en el aire, pero estaba segura de que ella era más veloz. Sin embargo, allí arriba suponía un blanco fácil, sin obstáculos tras los que parapetarse.

Cambió de rumbo bruscamente y él la siguió. Necesitaba gente, personas que lo distrajeran para esconderse tras ellas. Necesitaba muros, puertas y parapetos.

Se dirigió hacia la batalla, donde los Hendedores luchaban contra los Capuchas Rojas y la Resistencia contra el ejército de lo que fuera aquello. ¿Un reino? ¿Un imperio? A saber sobre qué gobernaba Mevolent; a Oscuretriz no le importaba demasiado. Tenía asuntos más urgentes de los que ocuparse.

Al sentir que Mevolent le lanzaba una nueva ráfaga de rayos, se volvió en mitad del aire para enfrentarse a él. Le agarró y los dos forcejearon, Mevolent intentando esgrimir el Cetro y Oscuretriz tratando de impedirlo. Por fin consiguió que se le cayera de las manos, y los dos se precipitaron al suelo mientras la gente chillaba a su alrededor.

Oscuretriz logró ponerse a cuatro patas, alzó la mirada y descubrió a Mevolent ante ella, con un bloque de hormigón en la mano. Ni siquiera había tenido tiempo de preguntarse de dónde lo habría sacado cuando Mevolent lo estrelló contra su cráneo, tirándola de bruces contra la calzada. Se mordió la lengua al caer y maldijo para sus adentros. Odiaba que le pasara eso.

Mevolent la lanzó contra un edificio, y Oscuretriz rebotó y volvió a caer en la calle. Levantó la cabeza justo a tiempo de ver cómo él le lanzaba un carro. Lo partió de un puñetazo, pero la madera astillada le rajó la frente. Mevolent aprovechó el momento para abalanzarse sobre ella, pisotearle la rodilla y tratar de arrancarle la cabeza. Madre mía, qué tipo más violento.

Se echó hacia atrás intentando librarse de Mevolent, pero él la aferró con más fuerza. Oscuretriz sintió cómo empezaban a romperse los tendones de su cuello. Un enjambre de mortales vestidos de marrón correteaban despavoridos mientras ella luchaba. No iba a morir así; no pensaba dejar que le arrancaran la cabeza en una dimensión que ni siquiera era la suya. Lanzó a Mevolent de un empellón contra una pared y le mordió la muñeca, pero la cota que llevaba le protegió. Al menos había conseguido apoyar los pies en el suelo y...

Mevolent tiró hacia arriba y ella pataleó inútilmente, sin poder evitar que la arrastrara de nuevo. Sus cartílagos estallaron, sus músculos se rompieron, su piel se desgarró. Oscuretriz no entendió bien lo que sucedía hasta que él la levantó y se enfrentó a su máscara metálica. No lo veía bien; todo estaba borroso y oscuro. Mevolent la dejó caer y el mundo entero dio vueltas a su alrededor. Rodó, rebotó y dejó de moverse lentamente. Mevolent echó a caminar y pasó por encima de un cuerpo decapitado que estaba tirado en medio de la carretera.

Su propio cuerpo decapitado.

Maldición.

54

BOCA ABAJO

**S**IETE segundos antes de la muerte cerebral.

Lo sentía todo con enorme nitidez. El mundo se ralentizaba. El único sonido que oía era, curiosamente, el del mar, como si tuviera una caracola pegada a la oreja. Pestañeó. Veía en blanco y negro. Se preguntó si Scapegrace vería también en blanco y negro desde su frasco. Se preguntó si alguna vez tendría la oportunidad de hablar con él del tema.

Lo primero era lo primero. Aquel cuerpo, tan esbelto y fuerte... Y esos hombros... impresionantes. La camiseta estaba destrozada. Los pantalones, ajustados, justo como a ella le gustaban. Y esas botas eran fantásticas. Quería esas botas. Quería tener pies con los que llevarlas. Quería sus pies.

Cinco segundos antes de la muerte cerebral.

Mevolent se alejaba. Era más fuerte de lo que esperaba. Prácticamente la había asesinado. Prácticamente. Casi, pero no del todo. Al arrancarle la cabeza, el cerebro había seguido funcionado. Eso había sido un error.

Extendió su magia y tiró del cuerpo para acercarlo. Se deslizó por el suelo y los mortales vestidos de marrón abrieron la boca para gritar, aterrados. Pero ella solamente oía el sonido del océano, de un mar como el de Haggard, cuando era pequeña y llevaba una vida tranquila, protegida y feliz. Cuando era Valquiria Caín, y antes de eso, Stephanie Edgley. Haggard, donde estaban sus padres y su hermana. Donde había sido amada.

Pero aquello eran los pensamientos de Valquiria, que se enfrentaba a su propia muerte y se agarraba a todo lo que era importante para ella. Y Valquiria no tenía cabida allí. No en ese momento. Oscuretriz tenía que mantener el control: era la única que podía solucionar aquello.

Tres segundos antes de la muerte cerebral.

El cuerpo chocó contra su cabeza. Lo hizo girar para alinearlo con el cuello destrozado. Los zarcillos de carne se buscaron y se aferraron, uniendo la cabeza y el torso. Las vértebras chasquearon, los cartílagos y músculos se unieron, se regeneraron y se fortalecieron. Las venas y las arterias, los nervios y la piel avanzaron al encuentro de sus fragmentos correspondientes y se fundieron con ellos.

La sangre regó la cabeza de Oscuretriz, proporcionándole oxígeno y evitando la muerte cerebral.

Se apoyó en los codos y miró a Mevolent, que se acercaba a grandes zancadas.

–Guau –dijo–. Esto ha sido muy fuerte.

Mevolent se elevó en el aire para volar el último tramo, pero Oscuretriz le recibió con una patada en el estómago que lo lanzó contra la carretera. Él se levantó de inmediato y ella le imitó, pero de pronto se tambaleó, mareada.

–Maldición –masculló.

El puño de Mevolent se estampó en su mejilla, y Oscuretriz salió despedida hasta chocar contra un pesado poste de madera. Una empalizada. Arrancó el poste, lo hizo girar sobre su cabeza y golpeó con todas sus fuerzas. La madera se partió con el impacto, pero al menos Mevolent cayó de rodillas.

Oscuretriz buscó otro poste, tiró de él y lo lanzó mientras Mevolent se ponía en pie. Fue retrocediendo unos pasos para ir sacando más postes y los lanzó como si fueran dardos. Mevolent intentó incorporarse, sacudió la cabeza, apoyó una rodilla y consiguió ponerse en pie. Alzó la vista, y justo entonces Oscuretriz le lanzó el caballo.

Encontró el Cetro en un callejón cercano. China Sorrows acababa de recogerlo del suelo.

–Yo en tu lugar no haría eso –advirtió Oscuretriz, aterrizando con suavidad detrás de ella.

China esgrimió el Cetro.

–¿Has matado a Mevolent?

–Si lo he hecho, el Cetro ahora es tuyo y obedecerá tus órdenes, de modo que podrías usarlo para matarme. Pero, obviamente, si Mevolent no está muerto e intentas utilizarlo, no funcionará. En ese caso, te lo arrancaría de las manos y te machacaría.

–Un dilema interesante –dijo China.

–¿Verdad que sí?

–¿Cuánto tiempo tenemos?

–¿Antes de que yo regrese a mi mundo? Unos segundos. Ya noto el cosquilleo.

–Así que tenemos unos segundos para resolver esto.

Oscuretriz sonrió sin decir nada.

China se mordió el labio, pensativa.

–Supongo que no serviría de nada intentar huir.

Oscuretriz negó con la cabeza y avanzó hacia ella. China retrocedió.

–Llévate la espada, la Asesina de Dioses. Con ella puedes matar a tu enemigo.

–No me gustan las espadas.

–Hay otras armas; he oído hablar de ellas.

–Quiero el Cetro.

–El Cetro pertenece a esta dimensión.

–Me lo voy a llevar.

–Tiene que haber algo que pueda hacer para...

Oscuretriz extendió la mano.

–Entrégamelo.

La gema negra resplandeció con un brillo cegador y China sujetó el Cetro con más fuerza.

–Creo que Mevolent ha muerto. Si no lo hubieras matado, ya estaría aquí. Creo que está muerto y que esta cosa acabará contigo si la empleo contra ti.

–Tú misma –dijo Oscuretriz.

Sus dedos rozaron el Cetro y China apretó los dientes. Oscuretriz sonrió.

Agarró el Cetro, y China lo soltó y dejó caer la mano.

Era agradable sostenerlo. Oscuretriz buscó en su interior y encontró el eco reverberante de la energía que Silas Nadir había introducido en su sistema. No quedaba mucho, pero lo asió y lo fortaleció, y en unos instantes su brazo comenzó a palpitar.

Subió la vista hacia China.

–En tu lugar, yo echaría a correr –dijo– Las tropas de Mevolent se están acercando.

–¿No lo mataste?

–No me dio tiempo.

–Así que, si hubiera intentado atacarte...

–Mi puño estaría estampado en tu precioso rostro –el mundo comenzó a vibrar–. Mi tiempo aquí ha terminado. Buena suerte con tu guerra.

–Buena suerte con la tuya –repuso China alejándose hasta la puerta.

Pero allí había alguien esperándola. China se envaró y sus ojos azules se desorbitaron mientras su cuerpo se sacudía con una descarga de energía roja, tan potente que ni siquiera la dejó gritar. Serpine la soltó y la dejó caer al suelo, hermosa e inerte como una muñeca.

El recién llegado sonrió a Oscuretriz y ella le devolvió la sonrisa. El mundo volvió a temblar, y justo en aquel instante, Serpine alzó la mano y lanzó un rayo de energía contra ella. Oscuretriz cayó hacia atrás y dio vueltas sobre sí misma hasta terminar boca abajo en el aire. De pronto, el mundo cambió y ante ella apareció una excavadora aparcada. Se estrelló contra ella, cayó al suelo y trató de incorporarse.

Estaba de rodillas en su propia dimensión, en lo que parecía una obra, rodeada de camiones, palés y maquinaria. Durante un instante, se rio de la audacia de Serpine mientras se frotaba el lugar del pecho donde le había alcanzado su rayo. Entonces se dio cuenta de que tenía las manos vacías. Había dejado caer el Cetro.

–¡No! –rugió, poniéndose en pie de un salto–. ¡NO!

Salió despedida por el aire, soltando maldiciones mientras volaba hacia el Santuario a tal velocidad que le lloraban los ojos. «Serpine... Serpine... Maldita sabandija asesina y traicionera», mascullaba sin parar. Él estaba fuera de su alcance, pero Kitana, Sean y Doran no lo estaban. Iba a matarlos a todos. Los despedazaría. Los machacaría.

Voló más rápido que nunca en su vida; habría sido divertido si no hubiera estado tan rabiosa.

Roarhaven apareció a lo lejos. Entrecerró los ojos al acercarse al Santuario y buscó a Kitana con la mente: se encontraba tres niveles por debajo de la superficie, tras el laberinto de corredores, en la sala del Acelerador. Vio también a Doran y a Sean, y a Lord Vile en el suelo, intentando incorporarse.

Enfiló el techo del Santuario sin detenerse y empezó a atravesar planta tras planta. Al llegar a la que buscaba, cambió bruscamente de trayectoria y empezó a atravesar las paredes. Kitana se giró alarmada cuando Oscuretriz entró como una exhalación y sobrepasó a Doran y a Sean. Se abalanzó sobre la chica y golpeó una y otra vez con los puños su cara bonita, veloz como una ametralladora, hasta reventarle la cabeza.

La inercia llevó a Oscuretriz hasta la siguiente estancia, donde aterrizó riéndose. De nuevo estaba de buen humor. Regresó a la sala por el agujero que acababa de hacer en la pared; Doran y Sean, de rodillas, contemplaban lo que quedaba de Kitana.

–Ups –dijo Oscuretriz.

La magia caracoleó en torno al brazo de Doran. Su mano brilló y lanzó una corriente de energía que chocó contra el estómago de Oscuretriz. Aquel chico aún no se había dado cuenta de cómo se hacían las cosas.

Mientras se curaba, Oscuretriz desvió una parte de su poder hasta su mano y lanzó contra Doran un rayo que dejó un cráter humeante donde antes se encontraba su rostro.

–El cerebro –le explicó a Sean, que retrocedía–. Si destruyes el cerebro, ¿cómo va a curarse tu enemigo? ¿No lo ves? Es muy simple.

Sean se lamió los labios y su magia latió, a punto de salir despedida. Oscuretriz vio cómo iba a usarla y le dio un golpe en el brazo antes de que lo alzara. Luego se situó detrás de él, le aferró el cuello apoyando el otro brazo contra sus omoplatos, y le arrancó la cabeza con tanta facilidad como si hubiera abierto una lata de refresco.

Un hechicero que se hubiera ganado su poder a pulso, con entrenamiento, podría haber utilizado los últimos segundos antes de la muerte cerebral para intentar curarse. Pero Sean no tenía ni idea de magia. Oscuretriz dejó caer la cabeza y la lanzó al pasillo de una patada, deseando que Mevolent pudiera verla en aquel momento.

–Cuánta violencia –murmuró–. Demasiada –contempló a Lord Vile mientras él se incorporaba–. Tú y yo hacemos buen equipo; deberíamos seguir trabajando juntos. Tal vez atacar a Argeddion en cuanto vuelva y acabar con esto de una vez. ¿Qué opinas?

Vile, como de costumbre, se quedó quieto y callado. Sus dedos tamborilearon un ritmo rápido contra su pierna; Skulduggery llevaba ya tiempo con aquel tic, como si fuera una canción que no pudiera quitarse de la cabeza. Ahora que Valquiria lo pensaba, era bastante molesto.

Lo observó. Estando quieto, el sutil movimiento de su armadura resultaba evidente: latía al mismo ritmo sincopado. Oscuretriz estrechó los ojos. Skulduggery Pleasant era un adversario muy astuto. Había previsto la aparición de Oscuretriz y sabía que ella nunca le daría tiempo para que la convenciera otra vez. Necesitaba un arma contra ella, un arma que le había ocultado a Valquiria.

Aquel tamborileo no era un tic nervioso carente de significado: era un detonante que Skulduggery había enterrado en su subconsciente. Puede que Lord Vile se encontrara de pie ante ella, pero debajo se hallaba Skulduggery, y estaba empleando aquel tamborileo para librarse de la parte asesina de su naturaleza.

Planeara lo que planeara, Oscuretriz tenía que impedírselo.

Examinó la armadura y contempló su movimiento. La escrutó, analizando la nigromancia que la impulsaba. La armadura estaba viva, aunque carecía de consciencia. La magia habitaba en su interior, una magia viva que había transformado la naturaleza de la coraza. Oscuretriz lo vio, lo comprendió y se preparó. Y en cuanto estuvo lista, se concentró y llamó a aquella magia.

Vile inclinó la cabeza y dejó de tamborilear contra su pierna.

Volvió a llamarla con más fuerza, y la armadura reaccionó y se rebeló contra las órdenes de Vile. Gotas negras de oscuridad salpicaron en el suelo, mientras Vile pugnaba por contenerlas. La armadura se volvió sólida de nuevo, sólida y afilada, y Oscuretriz esquivó por poco el golpe que buscaba su garganta. Pero Vile era demasiado rápido: la agarró y le golpeó la cabeza contra la pared, y luego le hizo una llave de cadera que la lanzó por los aires. Oscuretriz se estampó de cara contra el suelo y se echó a reír mientras él le apoyaba las rodillas en la espalda. Aquello era muy divertido.

Se desembarazó de Vile con una simple descarga de energía y volvió a llamar a la armadura, que fluyó hasta su mano, apretándose en una bola de sombra que se retorcía. Los últimos restos chorrearon de Skulduggery y el esqueleto se derrumbó hacia un lado, apenas capaz de apoyarse contra la pared.

—Lo siento –dijo Oscuretriz observando aquella bola de sombras que no cesaba de girar–. Sé que tenías un plan para echarme, pero me gusta bastante estar aquí. No tengo la menor intención de regresar a un oscuro rincón de mi mente.

—Devuélveme a Valquiria –murmuró Skulduggery.

—No. Y no creas que vas a conseguir abrirte camino hasta ella. Se acabaron las historias conmovedoras de lo mucho que significáis el uno para el otro. Ella me quiere aquí. Quiere que esté al mando. Está disfrutando de esto.

Skulduggery caviló un instante y después se enderezó.

—No puedes matarme –dijo.

Oscuretriz soltó una carcajada, extendió la mano para demostrarle lo equivocado que estaba y de pronto titubeó.

—Tal vez quieras hacerlo –continuó el esqueleto–, pero no puedes. Es la influencia de Valquiria.

Oscuretriz se llevó una mano a la cadera.

—Una influencia que se está desvaneciendo. Su voz se debilita por momentos. Un día más así y creo que ambas llegaremos a un acuerdo, y entonces seremos una sola.

–No vas a contar con un día. Ni siquiera con un minuto más.

–Ajá –bufó Oscuretriz–. Ahora llega el momento en que desvelas tu arma secreta, ¿verdad? Venga, vamos, no me tengas en ascuas. ¿A qué esperas?

–A ellos.

Oscuretriz sintió la presencia de Argeddion antes de oír sus pasos y se giró para verle entrar en la estancia. Walden D'Essai lo seguía, con el rostro demudado y los ojos muy abiertos. La magia hervía en sus venas, y Oscuretriz supo que Argeddion había compartido con él su verdadero nombre.

Argeddion contempló la carnicería, consternado.

–No tenías por qué matar a esos niños.

–Pero lo hice –replicó ella–. Igual que te mataré a ti.

Incluso mientras lo decía era consciente de que no podría hacerlo. Al matar a Kitana y sus amigos, el poder de Argeddion había regresado a él. En ese momento, estaba muy por encima de ella.

–¿Por qué haces daño a la gente? –preguntó Argeddion–. Te hablé de todo lo que me gustaría enseñarte. Si hubieras dado la espalda a la violencia, los secretos del universo podrían haber sido tuyos.

Agitó suavemente la mano y Oscuretriz se dio la vuelta enarcando las cejas. Kitana se incorporó, con la cabeza intacta. Ya no había magia en su interior. Ahora era una persona de lo más normal: una chica aterrada y vacía. Doran se sacudió y comenzó a levantarse mientras la cabeza de Sean regresaba a su cuerpo y se unía a él.

–Has resucitado a los muertos –dijo Oscuretriz–. Es impresionante.

–Y esto es solo el comienzo de mis poderes –respondió Argeddion–. Hoy va a cambiar el mundo. Hoy evolucionará la especie humana.

Oscuretriz sonrió mostrando los dientes.

–Genial.

–Lo siento, Oscuretriz –Argeddion negó con la cabeza–, pero me temo que no vas a poder verlo. No entiendo por qué eres como eres, pero... Ay, mi querida niña. Podrías haber sido la mejor de los dos.

–Esto... –intervino Walden–. ¿Alguien me podría explicar qué está pasando?

Skulduggery se apoyó en el Acelerador y tamborileó su molesto ritmillo en la superficie.

–Estás aquí para cambiar el mundo, Walden. Quieres dar magia a la humanidad entera.

Walden se giró hacia Argeddion.

–¿A eso te referías cuando dijiste lo de «hacer del mundo un lugar mejor»?

–Se acerca una nueva era –respondió amablemente Argeddion.

Walden le taladró con la mirada.

–¿Pero tú estás loco?

Argeddion pestañeó.

–¿Cómo?

–¿Entregar magia a los mortales? ¿Has conocido alguno en tu vida? ¡Se matarían entre ellos!

–No –respondió Argeddion–. He completado mis experimentos y, gracias a Kitana, Sean y Doran, he determinado el nivel al que empieza a ser peligroso. La humanidad se elevará a un nuevo plano de existencia.

–Yo he vivido en un mundo dominado por la magia. Los fuertes gobiernan. Los débiles viven oprimidos y en la miseria.

–La fuerza dejará de ser un problema...

–¡La fuerza siempre es un problema, imbécil! ¡Siempre habrá fuertes y débiles! ¿Y tú quieres que te ayude? ¿Quieres que te ayude a utilizar la magia para destruir tu mundo? No. Me niego. Devuélveme al mío.

–La magia es prerrogativa de la humanidad entera, Argeddion. No entiendo por qué no lo ves.

–Tú te llamas Argeddion –replicó Walden–, yo no. Yo sigo siendo yo. Sigo siendo Walden D'Essai. Vivo en el número dieciocho de Mount Temple Place y estoy enamorado de Greta Dapple. No voy a cambiar solo porque pueda hacerlo. Mira toda la gente a la que has hecho daño; observa el dolor que has causado. ¿Dices que la magia es prerrogativa de la humanidad? Llevo estudiando magia toda mi vida y he llegado a la conclusión de que no era para nosotros; la tenemos por accidente.

–No. No. La magia es bella...

–¡Es peligrosa! ¡Es demasiado peligrosa!

–No puedes hablar en serio –Argeddion le agarró del brazo e intentó llevarlo hacia el estrado del Acelerador–. Por favor, ven. Haremos del mundo un lugar...

–¡Suéltame! –gritó Walden, y se soltó de un tirón.

Los dos hombres forcejearon y Walden terminó por agarrarle el cuello, furioso. Argeddion lo empujó hacia atrás, pero Walden no soltó su presa. De pronto se despertó en Argeddion el instinto animal. Se encendió de cólera y Walden terminó reducido a cenizas entre sus manos. Argeddion se tambaleó, anonadado. La sonrisa de Oscuretriz se ensanchó.

–No –dijo él mientras las cenizas caían al suelo–. No. No era mi intención. Yo no quería. ¿Qué he hecho?

Si Oscuretriz contaba con alguna posibilidad de matarlo, aquella era la ocasión, mientras estaba tan angustiado que era incapaz de pensar con claridad. Avanzó un paso hacia él.

Los dedos de Skulduggery continuaban tamborileando contra el Acelerador cada vez más rápido, al mismo ritmo sincopado, con una secuencia que se repetía en un bucle incesante.

Argeddion levantó la vista hacia el esqueleto y Oscuretriz se detuvo. Molesta, se giró.

—Tengo una pregunta para ti —dijo—. ¿Qué se supone que estás haciendo? ¿Es ese tu gran plan, tamborilear con los dedos? ¿Cómo piensas derrotarnos a ambos?

—Tenéis el poder de dioses —murmuró Skulduggery—, pero no sois dioses. Todavía no. Tenéis ideas humanas. Puede que vuestras mentes se estén expandiendo, pero seguís pensando como humanos. De momento, al menos.

Oscuretriz advirtió que había símbolos trazados en las paredes. Eran sencillos, concebidos para generar luz, no energía.

Entonces, los símbolos empezaron al palpitar al ritmo del tamborileo. Destellaban cada vez más rápido, con más brillo, deslumbrantes. Oscuretriz frunció el ceño, soltó una carcajada, abrió la boca para hablar y...

55

UN FINAL FELIZ

VALQUIRIA despertó tumbada boca arriba. Contempló el techo mientras intentaba averiguar qué demonios estaba pasando.

Se oían voces. Estaba rodeada de gente. Abominable pasó a su lado.

–Está despierta –le oyó decir.

Había más personas. El Santuario ya no estaba desierto: los hechiceros habían regresado.

–¿Cómo te encuentras? –preguntó Skulduggery agachándose a su lado.

Ella le miró un instante antes de responder.

–¿Qué hiciste?

–Programé las luces para que interfirieran en la actividad eléctrica del cerebro humano. Básicamente, os provoqué convulsiones a los dos.

–Pero yo no sufro epilepsia.

–No hace falta que la sufras. Lo único que hace falta es repetir la secuencia correcta a la velocidad adecuada.

La ayudó a levantarse. Argeddion estaba sentado de espaldas a la pared, con los ojos abiertos pero vacíos. Cassandra Pharos y otros sensitivos se arrodillaban a su alrededor. Valquiria reconoció a uno de ellos: era Deacon Maybury, un sensitivo especializado en asignar nuevas personalidades a sus clientes.

–Llevas días tamborileando ese ritmo –musitó.

Skulduggery asintió.

–Tenía que fijarlo en mi subconsciente para que Vile no fuera capaz de resistirse a reproducirlo. Desde que pensé que acabaríamos por necesitar a Oscuretriz, supe que debía encontrar la forma de detenerla con algo que no se esperara.

–Lo esperará la próxima vez –replicó Valquiria–. No volverá a dejarse engañar.

–La próxima vez, habré descubierto la forma de alejarla de ti para siempre.

–Y si no funciona, siempre nos quedará el Cubo –se irguió, notando cómo la fuerza regresaba a sus piernas–. ¿Qué le están haciendo a Argeddion?

–Encerrarlo no solucionaría el problema –contestó Skulduggery–. Solo retrasaría lo inevitable. Tenemos que hallar una solución, y solo será satisfactoria si Argeddion deja de ser un peligro. Y para ello tiene que marcharse y no regresar jamás.

–¿Eso es lo que están haciendo? ¿Meterle esa idea en la cabeza antes de que despierte?

No exactamente. Deacon nos debía un favor, así que decidí llamarle. Está ayudando a Cassandra y a los demás a ocultar a Argeddion, construyendo una barrera en torno a su personalidad y apartándolo del resto de Walden D'Essai.

–¿Le están reescribiendo la personalidad?

–Esperemos que no; confío en que baste con reescribir su identidad. Su personalidad se mantendrá en la medida de lo posible. Recibirá un nuevo nombre, un nombre mortal, y todos sus recuerdos acerca de la magia se borrarán.

–¿Eso se puede hacer?

–No lo sé. Pero si trabajan juntos, tienen bastantes posibilidades de conseguirlo –la examinó con atención–. ¿Te encuentras mejor?

–Sí, mucho mejor.

–Bien. Tenemos que hablar con ciertas personas.

Valquiria le siguió hasta el pasillo, donde se encontraban Kitana, Doran y Sean, rodeados de Hendedores.

Sean fue el primero en verla. Tenía los ojos enrojecidos por el llanto.

–Lo siento mucho –sollozó–. No sabes cuánto lamento las cosas espantosas que hice, la gente que ha sufrido, el peligro en que os puse a todos...

Valquiria avanzó en línea recta hacia él.

–No... No sé qué me pasó cuando obtuve la magia –continuó Sean, tartamudeando un poco–. No sé por qué hice todo lo que hice ni por qué dejé que Kitana sacara las cosas de quicio. Pero la seguí porque soy débil, porque soy un idiota y porque es muy guapa –se rio entre las lágrimas–. Cuesta creerlo. Casi te maté porque Kitana es guapa. Soy patético.

Valquiria masculló algo, esperó a que él subiera la cabeza y entonces le dio un puñetazo en plena mandíbula que lo tumbó.

Kitana parecía asustada, pero lo disimuló con un bufido.

–¿Ya está? ¿Vas a emplear tu magia contra nosotros, ahora que nosotros no tenemos nada?

–No he usado la magia –replicó Valquiria–. Por cierto: aún llevas puesta mi chaqueta y quiero que me la devuelvas.

Se acercó a Doran, que la miraba inmóvil y tembloroso. Le dio un cabezazo en la cara y lo dejó caer al suelo.

Kitana estaba muy pálida.

–Lo que tú digas –dijo intentando esbozar una mueca de desprecio. Se quitó la chaqueta negra y la arrojó al suelo, a los pies de Valquiria–. Esto te hace feliz, ¿a que sí? –gruñó–. Ver cómo tengo que volver a llevar una vida normal, después de todo el poder que he tenido...

Valquiria enarcó una ceja.

–¿Normal? Lo siento, Kitana, pero ¿qué crees que te va a pasar ahora? ¿De verdad piensas que vas a regresar a tu antigua vida? Has matado a gente, y te vas a pudrir en la cárcel durante el resto de tu vida.

Valquiria no creía posible que Kitana se pusiera aún más pálida. Se equivocaba.

–No podéis llevarme a juicio –murmuró la chica con voz trémula–. Le contaré a todo el mundo lo que sois. Todos lo sabrán.

Valquiria recogió su chaqueta y se la puso.

–Los juicios son para los problemas de los mortales. Este no es un problema mortal, y tú no vas a ir a una prisión para mortales.

–No podéis hacer eso –protestó Kitana–. Mis padres...

–Tus padres se enterarán de que has matado a alguien y has ido a la cárcel por ello. Mantendremos en secreto el detalle de la magia y les daremos suficiente información para dejarlos satisfechos. Incluso creerán que van a visitarte. Contamos con gente que puede hacerles creer lo que queramos.

–No... No podéis hacer eso. Quiero un juicio, un juicio de verdad. ¡Necesito un abogado! ¡Fue todo por culpa de la magia! ¡La magia me volvió loca! ¡No soy responsable de lo que hice! –Kitana rompió a llorar y se tapó la boca con las manos–. Por favor, Valquiria... ¡Yo no sabía lo que hacía! Argeddion me manipuló, entró en mi mente, en la de todos. Doran estaba fatal, incluso rezaba a Argeddion, ¿lo sabías? Todo esto fue idea suya. Voy a cooperar, haré todo lo que me digáis, pero mantenedlo alejado de mí, por favor. Es peligroso, Valquiria. Me matará si se entera de que os estoy ayudando.

Valquiria dio un paso adelante. Desde la primera vez que vio a Kitana, había deseado partirle la cara. Pero aquello fue cuando era poderosa, repleta de arrogancia y ansias asesinas. La chica que estaba ante ella, llorando y tartamudeando como una adolescente normal, no era la misma persona a la que quería darle un puñetazo.

Aun así, se lo dio.

El puño impactó con una sacudida tan satisfactoria que Valquiria incluso sonrió mientras Kitana se derrumbaba hacia un lado, inconsciente. Resistió el impulso de propinarle una patada mientras estaba tirada en el suelo: ese comportamiento sería completamente inadecuado para una detective del Santuario.

Quintin Strom se abrió camino entre todos los magos que intentaban detenerlo y avanzó, con Grim pisándole los talones. Ravel, junto a Skulduggery y Valquiria, soltó una maldición entre dientes cuando le vio acercarse.

–Gran Mago –dijo cuando Strom estuvo cerca–. Quería darle las gracias por los refuerzos que nos trajo. Sin ellos...

–Sin ellos, esto habría sido un desastre –completó Strom–. Tuvisteis suerte de que estuviéramos aquí.

Ravel farfulló algo ininteligible.

–El señor Sult se rompió el brazo cuando estalló la Tempestad –continuó Strom–. Los médicos le están examinando; en cuanto le hayan curado, llamaremos al Gran Mago Bisahalani y le daremos un informe completo de todo lo ocurrido.

–Entiendo.

–Os metisteis en un juego muy peligroso. Se os podría haber ido de las manos en cualquier momento, y no podríamos haber hecho nada para remediarlo. Es un milagro que eso no sucediera –tomó aliento–. Aun así, Erskine, quiero disculparme: lo que te dije antes fue fruto de un arranque de ira. Eres joven, careces de experiencia y tu Santuario ha sufrido un ataque brutal, pero aun así lograste detener a Argeddion. De modo que voy a mantener una pequeña charla con el señor Sult, y tal vez encontremos la forma de reinterpretar lo que ha sucedido aquí.

Ravel torció la cabeza en un gesto idéntico al de Skulduggery.

—¿Reinterpretar?

—Os enfrentabais a una situación imposible —explicó Strom—. No estoy seguro de que yo hubiera reaccionado de otra forma, si hubiera estado en tu pellejo.

—Así que el detalle de que te encerráramos en una celda...

—... no me hizo ninguna gracia —concluyó Strom con los ojos entrecerrados—. Y si vuelves a intentar algo parecido, te descuartizaré. Pero... Sí, considerando el incidente en su conjunto, creo que puedo perdonaros. Y con un poco de perspectiva, diré que me vino bien pasar unas horas a solas con mis pensamientos.

—Debo decir que es sorprendentemente generoso por tu parte.

—No quiero que me malinterpretes: las cosas distan mucho de estar arregladas. No tengo la seguridad de que podáis manejaros solos de ahora en adelante. Sigo pensando que necesitáis ayuda, orientación... y tal vez dirección por parte de otra persona, alguien más experimentado. Pero la situación no es tan grave como yo me temía. Gobiernas bien, de corazón y con cabeza, y cuentas con buena gente de tu lado. Todo eso ayuda.

—Entonces, ¿qué vas a recomendar al resto del Consejo Supremo?

Strom se frotó la barbilla.

—Con suerte, conseguiré convencer al señor Sult de que nos reservemos algunos detalles. Como supongo que sabrás, su informe, tal y como está, podría desencadenar un conflicto serio. Incluso una versión abreviada podría provocarlo. Sin embargo, creo que podré persuadir a mis colegas para que confíen en ti... de momento.

—Muchas gracias.

–Vais a necesitar ayuda, y lo sabes. No permitáis que vuestro orgullo os impida hacer lo mejor para el futuro de vuestro Santuario.

–No es nuestro orgullo lo que está en juego –replicó Ravel–. Es nuestra autonomía. Todos los Santuarios del mundo gozan de autogobierno; así es como debe ser.

Strom suspiró.

–El debate sigue abierto, desde luego. Sin embargo, confío en que podamos discutir de forma más civilizada a partir de ahora.

Ravel enarcó una ceja.

Depende de tu capacidad para convencer a Sult de que adopte tu punto de vista.

–Ah, no creo que eso suponga un problema. Puedo ser encantador cuando me lo propongo.

Strom les estrechó la mano y luego le hizo un gesto a Grim, quien les echó una mirada severa antes de seguir a su jefe por el pasillo. Ravel suspiró y se acercó para comprobar cómo iba Argeddion, y Skulduggery se giró hacia Valquiria.

–Me cuesta creer que me abandonaras en medio de una pelea –le dijo en voz baja.

–Yo no te abandoné: fue Oscuretriz la que abandonó a Lord Vile. Y ni siquiera fue a propósito, sino porque volví a cambiar de dimensión. Estuve a punto de regresar con el Cetro, pero se me cayó de las manos justo antes de oscilar. A Oscuretriz no le hizo ninguna gracia. En todo caso, no sé de qué te quejas. Has sobrevivido, ¿no?

–Por poco.

–Sobrevivir por poco sigue siendo sobrevivir. ¿Dónde está la armadura?

–En su caja, escondida. Por cierto: supongo que Oscuretriz te habla de nuevo, ¿verdad?

Valquiria se encogió de hombros.

—Vile y Oscuretriz nos salvaron. Fueron nuestras armas secretas. Y no me mires así, Skulduggery: no digo que quiera volver a utilizarlos, digo que aparecieron cuando los necesitábamos y solucionaron el problema.

—Me alegro de que opines así, porque no volveremos a dejarlos salir.

—Por supuesto. Ahora, si me disculpas, me voy un momento: tengo ganas de hacer pis desde que me provocaste un cortocircuito en el cerebro.

Se acercó al baño más cercano. Cuando salió del retrete, se encontró a Elsie delante del lavabo.

Valquiria vaciló y finalmente se acercó a lavarse las manos.

—Hola –dijo.

Elsie no respondió de inmediato.

—Sentí cómo moría Sean. Los sentí morir a todos. Pero... han vuelto. Ya no los siento más. Ya no siento nada. Estoy volviendo a ser yo.

Valquiria cerró el grifo y se secó las manos en la camiseta.

—Eso era lo que buscabas, ¿no? ¿No querías librarte de la magia?

—Sí. Creo que sí. Pero no sabía lo... lo sola que me sentiría –se volvió hacia Valquiria–. Mientras sucedía todo esto, estaba demasiado ocupada para pararme a pensar en lo que pasaría cuando todo terminara. Pero ahora voy a regresar a mi antigua vida, y Sean va a...

A pasar unos cuantos años en la cárcel.

Elsie tomó aire temblorosamente.

—Siempre he estado detrás de él, desde que éramos pequeños, y nunca se molestó en mirarme. Yo creía... Creía que estaba enamorada de él. Me convencí de que le quería. Y tal vez fuera cierto, pero cuando Kitana y Doran se reían de mí y me insultaban, Sean nunca me defendió. ¿Cómo puedes querer a alguien así?

¿Cómo te puedes enamorar de alguien que ni siquiera disimula lo poco que le importas? Eso dice muchas cosas sobre mí, sobre la opinión que tengo de mí misma. Ahora sé que me merezco algo mejor, alguien mejor que él. No es tan malo como los otros dos, de verdad que no. Pero él creía que Kitana era perfecta y maravillosa, y ¿sabes qué? Es un monstruo. Puede que yo no esté tan delgada ni sea tan guapa como ella, pero soy mucho mejor como persona.

Valquiria pestañeó.

–Guau.

Elsie se echó a rcír.

–Perdón.

–No pidas perdón: ha sido un gran discurso.

–Ya. No ha estado mal, ¿verdad?

–¿Te sientes mejor ahora?

–Un poco, sí.

–Kitana está encerrada en una celda en la planta baja, ¿sabes? ¿Quieres que la sujete mientras le das un par de collejas?

Elsie soltó una carcajada.

–Gracias por la oferta, pero prefiero irme a casa cuanto antes. Scrutinus me dijo que mi familia ni siquiera me habrá echado de menos, pero yo a ellos sí.

Valquiria sonrió.

–Te llamaré dentro de un par de días a ver qué tal estás. Y tal vez vuelva a plantearte la oferta.

Un hechicero se acercó y se ofreció a llevar a Elsie a su casa. Las chicas se despidieron y Valquiria regresó al lado de Skulduggery. Mientras los magos se apresuraban y corrían de un lado a otro, ellos pasearon lentamente por el Santuario, saboreando la sensación de no tener nada que hacer.

–La verdad es que estar contigo resulta agotador –dijo Valquiria, caminando con los ojos cerrados.

–Vamos, vamos. No creo que tengas derecho a quejarte de lo que ha pasado. ¿Has sufrido algún daño permanente? ¿Acaso no has recuperado tu preciada chaqueta? ¿No has gastado toda la energía oscilante que reverberaba en tu interior?

–No me refiero a eso –Valquiria abrió los ojos, bajó la vista y se cerró la chaqueta apresuradamente–. Madre mía. ¿Cómo has podido dejarme caminar por ahí vestida con esta camiseta?

–¿Qué le pasa a la camiseta?

–Está hecha trizas.

–Creía que era la moda.

–¡Pero si casi no le queda tela!

–No he dicho que fuera una moda muy inteligente.

Valquiria se subió la cremallera y los dos reemprendieron el paseo.

–Nadir sigue suelto –dijo ella al cabo de unos minutos.

–Cierto.

–Un oscilador dimensional y asesino en serie, suelto. Eso no puede ser bueno.

–Le detendremos –sentenció Skulduggery–. Si no lo hacemos nosotros, lo hará un detective de algún otro Santuario. O a lo mejor se le ocurre explorar la dimensión a la que te envió; con un poco de suerte, Mevolent lo despedazará y nos ahorrará trabajo.

–¿Y sin un poco de suerte?

Se encogió de hombros.

–Pues eso: le detendremos.

–¿Estás seguro?

–Por supuesto. Tengo fe en nosotros.

Se encontraron con Abominable en el pasillo. Estaba muy quieto, apoyado en la pared, con la cabeza gacha.

–Eh –Valquiria se acercó–. ¿Qué pasa? Hemos ganado, ¿no te lo han dicho?

–Strom ha muerto –respondió él sin levantar la vista–. Fue a su habitación para recoger sus cosas. Al ver que no salía, su guardaespaldas entró. Habían derribado una pared: eso lo hizo Sanguine. Pero la espada que le cortó la cabeza... era la de Tanith.

Valquiria se quedó rígida.

–Pero si... si hablamos con él hace...

–Sult se ha marchado en cuanto ha oído la noticia –continuó Abominable–. Se ha llevado a todos sus hechiceros. Ahora mismo estará telefoneando a su jefe; Strom no tuvo tiempo de hablar con él.

A Valquiria se le revolvió el estómago. Contuvo una arcada.

–¿Y ahora? –se volvió hacia Skulduggery–. ¿Qué hacemos ahora?

–Lo de siempre –dijo el esqueleto, abotonándose la chaqueta y enderezando la corbata–. Prepararnos para hacer frente a lo que venga.

EPÍLOGO

ERA domingo por la tarde, el sol brillaba y los pájaros cantaban. En casa de Fergus y Beryl Edgley no había nadie salvo Carol y el reflejo, que se encontraban en el dormitorio de la chica.

Gracias por todo –dijo Carol–. Te prometo que practicaré a diario hasta ser tan buena como tú. Y no pienso decirle nada a Crystal, si no quieres que lo haga. Se me da bien guardar secretos.

–Lo sé –respondió el reflejo.

–¿Te puedo llamar Valquiria? –preguntó Carol–. Solo cuando estemos solas, ¿vale? Te doy mi palabra. Y debería buscar un nombre para mí, ¿no? Si voy a entrenar contigo y todo eso...

–Sí, deberías –asintió el reflejo–. Aunque prefiero que a mí me llames Stephanie.

–Ah –dijo Carol–. Vale, sí. Como quieras. ¿Por dónde empezamos? ¿Qué llevas en la bolsa? ¿Puedo verlo?

–Aún no. Lo primero que tienes que hacer es desnudarte.

Carol hizo una mueca.

–¿En serio?

–Quédate en ropa interior. Vamos a usar el fuego, y la tela podría prenderse.

–Pero... yo...

–No te preocupes, no me voy a reír. No tienes nada de lo que avergonzarte.

Carol vaciló y finalmente empezó a desnudarse. El reflejo dibujó un símbolo en el espejo mientras esperaba. Cuando Carol estuvo en ropa interior, le entregó un trozo de papel.

–Léelo.

Carol lo miró.

–¿Qué es esto? ¿Un conjuro?

–Exactamente.

–Pero yo creía que los hechiceros no usaban conjuros.

–No es ese tipo de conjuro –respondió el reflejo–. Las palabras se utilizan para centrar la magia de las personas como tú, gente que no sabe bien lo que está haciendo.

Carol leyó las palabras escritas:

–«Habla, figura; siente, figura; piensa, figura; sé, figura» –subió la vista–. ¿Ya está? ¿Lo he hecho bien?

–No lo sé. Toca el espejo.

Carol vaciló, alzó la mano y rozó el espejo con las yemas de los dedos. Cuando apartó la mano, la imagen del espejo no lo hizo.

La chica dio un paso atrás.

–Oh, Dios –musitó–. ¿Por qué hace eso? ¿Me está...? ¿Me está mirando?

–Sí –asintió el reflejo–. Eso es justo lo que está haciendo.

Carol se giró, con los ojos brillantes.

–¿Y ahora qué hay que hacer? ¿Me vas a enseñar a lanzar bolas de fuego?

El reflejo sonrió.

–Eso lleva tiempo.

–¿Cuánto? Enséñame algo que pueda hacer.

–Me temo que no.

–¿Por qué?

–Porque yo carezco de magia.

–¿Qué dices? Tú tienes un montón de magia, Valquiria. Eres increíble.

—Aunque pudiera enseñarte —dio un paso adelante—, no te haría ningún bien. Te he mentido, la verdad. Creo que lo entenderás en cuanto te lo explique. No te gustará, pero al menos lo entenderás. O tal vez no, no lo sé. Nunca fuiste la más lista de las dos gemelas, la verdad.

Carol pestañeó, perpleja, y el reflejo dio un paso más y le clavó un cuchillo de cocina en la tripa. Carol emitió un gemido, entre la arcada y el jadeo, y sus manos se cerraron en torno al brazo del reflejo. Tenía mucha más fuerza de lo que parecía a primera vista.

—Te dije que no me llamaras Valquiria —dijo el reflejo.

Carol se tambaleó, se inclinó hacia delante y cayó de rodillas. Intentó apoyarse en un brazo, pero se le dobló y terminó en el suelo.

—¿Me muero? —preguntó con un hilo de voz.

—Sí —respondió el reflejo.

—¿Por qué? —jadeó.

—Necesito a alguien con magia —explicó el reflejo.

Metió la mano en la bolsa y sacó el Cetro. Le quitó el barro que tenía pegado.

—Fui a buscarlo y lo encontré debajo de un camión. Oscuretriz no se dio cuenta de que lo había traído consigo, y Valquiria ni siquiera volvió a plantearselo. Yo he sido la única que se ha molestado en organizar los recuerdos, la única que merece este Cetro. Tu muerte lo recargará; al menos, eso espero. Si yo tuviera magia, lo haría sola y sin perjudicar a nadie. Pero no la tengo y no puedo pedirla, ¿sabes? No le puedo pedir a Valquiria que lo recargue, porque entonces se daría cuenta de que planeo matarla —se inclinó hacia Carol, le puso el Cetro en la mano y le apretó los dedos.

—Por favor, llama a una ambulancia —musitó Carol.

—No —dijo el reflejo enderezándose—. Tú, sal.

El reflejo de Carol obedeció: dio un paso fuera del espejo y se quedó de pie junto a la auténtica Carol.

–Vas a ocupar su puesto –le ordenó el reflejo de Valquiria–. Es muy posible que su hermana note algo raro. No será fácil, pero tienes que evitarla todo lo que puedas. Y mantente lejos de Valquiria. Tranquila, esto no durará mucho... Solamente hasta que la mate.

–Skulduggery Pleasant sabrá que tú no eres Valquiria –dijo el reflejo de Carol con voz átona.

–Por supuesto que lo sabrá –respondió–, y querrá destruirme cuando se entere. Por eso también lo mataré a él. Y a Tanith. Y a Abominable. Y a cualquiera que intente arrebatarme lo que me he ganado a pulso.

El reflejo de Carol no pareció entenderla.

–Tal vez algún día seas como yo –continuó el reflejo de Valquiria–. Puede que crezcas y evoluciones. Con suerte, dejarás de ser el reflejo de esta chica y empezarás a ser algo más. Si es así, estás de suerte, porque la única persona que podría impedírtelo yace a tus pies. He solucionado tu problema; ahora te toca a ti solucionar el mío.

El reflejo de Carol bajó la vista.

–Parece muerta.

El reflejo de Valquiria agarró el Cetro. La gema negra resplandecía.

–Ha funcionado –dijo, complacida–. Limpia la sangre. Nadie puede enterarse de esto, ¿comprendido?

–Sí.

–Presta atención. ¿Me estás escuchando?

–Te escucho.

–La chica muerta que está a tus pies era una estúpida. Una cría estúpida, ignorante y egoísta. Lo cual significa que tú eres una cosa estúpida, ignorante y egoísta. Pero puedes cambiar.

Puedes mejorar. Puedes ser mucho mejor de que lo que ella era. Puedes convertirte en una Carol mucho mejor de lo que la auténtica Carol hubiera llegado a ser nunca. ¿Entiendes el regalo que te he hecho?

–No.

–Algún día lo harás, dentro de unos años. Serás mucho mejor. Mírame: yo era igual que tú. Todo, cada pequeño detalle, era falso. Pero ya no soy así. Valquiria Caín abandonó a Stephanie Edgley cuando adoptó un nuevo nombre. La dejó atrás, como una moneda que se le hubiera caído del bolsillo, para que otra persona la recogiera. Alguien como yo. Eso es lo que soy ahora: Stephanie, y soy una Stephanie mucho mejor de lo que Valquiria podría haber sido. No soy una cáscara vacía, y tú tampoco tienes por qué serlo. Este Cetro se vincula a las personas, no a los objetos. Yo no soy ningún objeto. No soy una cosa. Soy una persona. Soy yo.

Stephanie apuntó al cuerpo de Carol con el Cetro y la gema resplandeció. Un relámpago negro convirtió a la chica muerta en un montón de polvo.

–Tengo una familia que me quiere. Tengo padres y una hermana pequeña a la que cuidar. Tengo amigos en el instituto, pienso ir a la universidad. Quiero una vida normal. Una vida feliz. Una vida. Y pienso conseguirla.

Stephanie sonrió a su propia imagen, reflejada en el espejo de Carol. Le gustaba cómo le brillaban los ojos al hacerlo. Guardó el Cetro en la bolsa y se dirigió a la puerta.

–Encárgate de sus restos –dijo sin volver la vista–. Usa la aspiradora.

Rani Manicka

Touching Earth

SCEPTRE

Copyright © 2004 by Rani Manicka

First published in Great Britain in 2004 by Hodder and Stoughton
A division of Hodder Headline

The right of Rani Manicka to be identified as the Author of
the Work has been asserted by her in accordance with the Copyright,
Designs and Patents Act 1988.

1 3 5 7 9 10 8 6 4 2

A CIP catalogue record for this title is available from the British Library

ISBN 0 340 82384 4 HB
0 340 82389 5 TPB

Typeset in Sabon by
Phoenix Typesetting, Auldgirth, Dumfriesshire

Printed and bound in Great Britain by
Mackays of Chatham plc, Chatham, Kent

Hodder Headline's policy is to use papers that are natural, renewable and
recyclable products and made from wood grown in sustainable forests. The
logging and manufacturing processes are expected to conform to the
environmental regulations of the country of origin

Hodder and Stoughton
A division of Hodder Headline
338 Euston Road
London NW1 3BH

For
Girolamo Avarello who told me
about a man called Ricky, and
Sue Fletcher who blew her precious breath
into this book and made it live.

Author's Note

Dear Reader

   If you have read The Rice Mother *and desire a similar story then I must, in fairness, advise you to leave this book unread, for this is a dreadfully sordid world you seek to enter. But to you, bold reader, who raises your eyes to me light your lamp, and let us venture forth. We must find Beauty, she made a mistake, succumbed to temptation and now lies naked and without a friend, but she endures, because a single glance of admiration from you will rouse her from the ashes of her degradation.*

The woman stretched out her neck and howled like a wolf. She tore at her hair until clumps came out in her clenched fists. With the same fists she beat the dull earth. Alas, alas, the boy was dead. She sprang up suddenly, her eyes wild. 'Do not touch him until I return,' she instructed and ran all the way to the Bodhi tree to fall at Buddha's feet. 'Oh Enlightened One,' she cried, 'my son is dead. If you are indeed the true master, then bring him back to life.' Buddha opened his eyes. Perhaps he wanted to tell her about the inevitability of birth and death for the un-awakened, but he must have seen the dust of dreaming in her eyes, so he told her, 'Go forth and bring me a handful of grain from a home where death has not yet been, and I will return your son to you.' Overwhelmed by gratitude and joy the woman bowed many times before she withdrew to begin her search. She searched, and searched, and searched and . . .

Contents

The Players

Watch them carefully. They are not all to be trusted and one or two might even be ghosts.

The Twins

Nutan

Dawn was breaking over the hills when I opened the miniature wooden doors of our ancestral shrine. Into the exposed
niches I placed coconut-leaf containers of fruit, flowers and
cakes. In the trees, bushes and vegetation, everything was
quiet and still. I lit incense sticks. In the cool fragrant air I
closed my eyes and brought my palms to meet – and the
world fell away. I could have remained thus for a whole
hour, but for a sudden burst of childish laughter beyond the
garden walls. In that wisp of sound, just for an instant, she
had shimmered. I snapped awake.

It was not her. Of course it was not.

I stood frozen and staring at my clasped hands. The
knuckles were white. It couldn't be her . . . but I was tearing
across the hardened earth, scrambling up the wall, my feet
instinctively finding the familiar crevices in the uneven
stones. Over the wall I saw them. Two little girls, no more
than four or five years old dazzling in their dancing
costumes, great helmets of finely worked gold-leaf
bouncing and glittering in the early light. By our entrance
gate their bare feet crushed the fruit rind the squirrels had
discarded during the night. Then they rounded the corner
and were gone.

I heaved myself up onto the wall, and sat, unthinking, my
fingers caressing the velvet moss carpeting the stones, my
eyes on the tiny creatures scurrying inside a crack in the
wall, and suddenly the past returned. Innocent and un-
defeated by the day I had slumped to a filthy floor in a

squalid London flat, and surrounded by uncaring strangers, died.

I stared at it, tantalised. How completely untouched it was by loss. How magnificent we all were. A molten gold sun was setting and my sister and I were dancing to Mother's string instrument, the *sape*. With her deformed right leg tucked under her buttocks and the other drawn up to her slender body Ibu, our mother, attained the grace denied her during the day, standing and walking.

And I saw Father too, his hair long and still black, worn in the knot of a priest, squatting by a row of bell-shaped cages. Lovingly he fed corn kernels to his prize fighting cockerels. He was a puppeteer and a highly skilled ventriloquist. Actually a star of some repute. His shows were in such demand that he was often away for long periods, travelling from village to village performing with his two hundred or so leather-covered puppets. I was terribly proud of him then. Yet, in the shining bubble, it was Nenek, our grandmother, whom I saw most clearly. She sat on the steps of her living compartment, her fathomless black eyes half-obscured but intent and watching through the milky-grey smoke ascending from her clove cigarettes.

Ah, the past, that enchanted harmful fairy tale.

Tears splashed on my arms. I touched them. Fetched from a well of sorrow. If I could only reach out for the past. Catch it. I had smashed it up needlessly. Careless, careless. How vast was my carelessness. See now what is left over from yesterday.

The sun had come up over the hills. A spotted green and grey frog leaped into a cluster of banana trees, and I jumped off the wall restlessly. Yes, I will tell you everything, but not here. Not in this high garden of bright flowers, and trees drooping with clusters of ripe fruit. Here I would be accused of sentimentalising the past. The right home for my story is in the temple of the dead. There I will be forgiven. Transience is expected. It is not far from here, a marvellous place where time ceases. Its gates are intricately carved and guarded day and night by giant volcanic stone figures.

But wait, if I tell all, leave nothing out, and your travels bring you to my paradise island one day will you promise that if you see me, sarong-wrapped, and dusky, you will never call my name? For your glance of recognition will hurt. Like excrement on a flower, it will awaken the pointing finger and shame, oh God, such shame. How people will talk!

You see, in paradise a name come to harm trembles without remedy. One is required to go to great lengths to defend a reputation. Of course, I can hardly bring myself to care any more, but there are other members of my family to think of and protect.

Come, once we go past the open marketplace in the centre of the village, you can see it.

Here we are. Look. Didn't I tell you how fabulous the temple doorway is? Take your shoes off. Even this early in the morning the flagstones will already be warm. A dog will never set foot in here, but cats, they come and go as if it were home. When we were children we came here often, drawn to the eerie silence. Mortals among Gods. Hushed by a certain anxiety we tiptoed down corridors lined with life-size statues of grotesquely leering demons their tongues protruding down to their navels. But now that I am grown they emerge into my mind benign, smiling and genuine. Mortality is a game.

Here. We will sit in this patch of sunlight here, so when the disillusionment becomes too painful, our eyes may rest upon the splendour of the flame tree in full bloom, yonder. As you take my hand to draw closer do not forget your promise.

I was born twenty-four years ago in this tiny remote village. Balinese believe every child is a treasured gift from the heavens, and my sister and I were considered the most cherished treasure of all. Identical twins. So completely adored that for the first few months we were held in permanent bodily contact with either Nenek or Ibu, so our bodies would not touch the sullied earth. Afterwards every effort was made for us to awaken to a wondrous world.

My sister and I roused to lingering kisses in our hair and the nutritious first milk of cows curdled in a pan with rock sugar. We drank lemonade made with rainwater and limes that Nenek, to soften and heighten their flavour, had rolled under her broad feet. And because it is also our belief that a child's connection to its body and this material world is tenuous, never was there an occasion when we were beaten, or even scolded.

Why then in this season of delight did I stir from confused dreams, to confront a reality that existed only with the scurrilous laughter of night animals, and the sound of tree roots stretching for water? A ridiculous insistent whisper moving from room to room, 'It's all lies . . . It's all lies . . .' Why did it sometimes seem as if my sister and I were guests of benevolent strangers? That Nenek, Ibu and Father were owners of a secret they all conspired to conceal. Shame they didn't know that a lie must never be kept in paradise. That it will wreck everything in its desire for release.

I suppose I should start my story with Father, the puppet master. A shadow maker of incomparable talent, and fingers like moving snakes. He would lower himself onto a mat set in front of a coconut oil lamp and, with a wooden hammer clutched between the toes of his right foot, strike a rhythm, tock-tock. It was the signal the orchestra waited for. A delicate sound would fill the air as he picked up a flat dead puppet from a coffin-shaped box. On the screen a lacy silhouette would tremble, then distort as he threw it in and out of focus behind the flickering flame. Then it stopped suddenly, motionless in the middle of the screen.

By the time he had recited his magic mantras and began manipulating their articulated limbs a beautiful spell had been cast and all the little puppets had come to life. Their fantastic adventures never ended before dawn. How proud we were sitting in the audience, our bellies aching with laughter, or helpless tears running down our faces. Afterwards we went to kneel before him. To bless us with magical protection he sprinkled holy water on us, and pressed damp rice grains onto our foreheads, temples and throats.

Oh Father, Father . . . how could you?

Unbeknownst to us the puppet master had fitted invisible strings to our bodies, and on the sly threw his voice into our mouths as he pulled us this way and that. It was he who first brought grief into our home.

In my mind my father remains truly handsome with long sweeping eyelashes and a high nose bridge, but also mysterious, veiled and remote. Under his thin moustache the edges of his lips rose cautiously in a polite dignified smile. In all his movements he was measured and thoughtful. Except for the huge black and yellow orchid he sometimes wore behind one ear he dressed plainly, always in black. Mild mannered, yes, but behind the mask?

'He loves you both dearly,' Ibu said to my sister and me.

But I knew a secret she didn't. My father loved only my sister. Perhaps because he had guessed that my sister required his regard more. Or more likely because with my jaw clenched I was too much like Nenek. Too fierce and too bold for his liking. I sensed the barely disguised rejection in his whole being, in the tightly drawn-up knees, the implacable curve of his narrow neck, the wincing thin-lipped smiles he turned in my direction, and in his beautiful, purposely hiding eyes. But that's not the secret. The real secret was that I didn't care. The only person I ever wanted love from was Ibu. The one thing in the world I craved was for her eyes to descend upon me, bright and adoring. Filled with that same caressing light with which they rested upon my father. I thought her the most amazing, most beautiful and cleverest soul on earth. I wanted to be just like her. In my memory are perfectly preserved snatches of conversation where she appears brilliantly witty.

In fact, my memory serves me wrong. In reality she was a withdrawn, frail, crippled creature. Not by any standards could she be considered beautiful, but she did own two remarkable assets. One was a spectacular mane of thick, knee-length, jet-black hair that sat in a perfumed, sleek bun at the nape of her neck. The other was an unusually pale complexion. Her ghostly skin came from never having set foot outside the house on account of her easily tiring heart.

A hole-in-the-heart baby, she had lain in Nenek's lap and taken all of six hours to empty a bottle of milk. The doctors shook their heads, and warned that she would not make it past childhood. But Nenek gathered my mother to her breasts, spat on the disinfected floor, and cursed, 'What your cruel mouths have flung at me, may your children suffer.' She returned home rigid with resolution. Was she not descended from a long and illustrious line of medicine men?

Her daughter would live. There was nothing she would not dare, no sacrifice too great for the puny life she had brought into the world.

I remember well many bad nights while I was growing up, when the dark winds howled down the valley, only to turn around restlessly and like wolves dart up the mountain slopes again, wanting to take. Impatient for my mother to cease her rasping breaths. I wanted to stroke Ibu, comfort her, but I dared not. She lay on her thin mattress on the floor, a crumpled figure, too delicate to be helped.

That is how I remember Fear. A small dimly lit room dense with slowly smoking herbs and seeds. In the middle a woman's desperate fight for breath. The feral, haunted look in my sister's eyes as we passed each other noiselessly bearing countless braziers of red coals into Ibu's living quarters. And of course the blood pounding in my wrists.

And Hope I remember as another figure, crouched beside Ibu's prone body. Oh, so powerful that her force radiated from her palms, soaked her clothes and swirled around her. I wish you could have seen Nenek then. Slowly, rhythmically, she rubbed her home-made ointments onto her daughter's chest all the while singing to the spirits, her native hill-tribe dialect begging, wheedling, and now and again threatening. She made promises of offerings and sacrifices. Quickly I became an apostle of those strange half-commanding, half-plaintive songs. With every flare of lightning that struck the drenched sky, I too implored again and again,

> *Do not call her name at night, not at night.*
> *Oh Powerful spirits, I welcomed you to my home.*
> *If I have harmed you, forgive me, be kind.*
> *Accept my offerings, Oh powerful ones.*
> *Do not take what is not yours.*
> *Do not show your wrath.*
> *Oh you, leave me the child.*
> *Consent that she lives another day.*
> *Do not call her name, not at night,*
> NOT TONIGHT.

In the face of her mother's ferocious purpose Ibu's small hennaed hands lay still, her silent enduring eyes hopeless. Then it seemed she was a beautiful, fragile child already lost to us. Sometimes the child was moved to kiss her mother's broad feet, splayed like a fan. Gently she laid her cheek on them as if they were a pillow. In truth, she was weary. Softly, breathlessly she soothed her mother, 'It is only a garment I will discard, Mother. Let my soul go.'

The reasonable words only stung Nenek into beseeching the spirits so wretchedly that they listened. From our outposts in the shadowy doorway, my sister and I sat excluded and awed by the immensity of love in that tiny room, conscious of the night outside straining for what belonged to us. Suppose we lost Ibu to the night? Suppose in a moment of weakness we lost the battle? Outside, the inexhaustible wind bayed.

By the time Father's cockerels crowed in the dawn, my sister had long since curled up against the wall in exhausted sleep and my voice was hoarse or completely lost from relentless bargaining. Only then did I know relief. Only then through the solid smoke did Nenek's eyes, savage and triumphant, swing around to meet mine, her accomplice.

Even in the dark we had cheated death of his quarry. Again. He was not strong enough, not against the combined strength of Nenek and me. We had planted another day for Ibu to hobble into. Nenek stood up, taking with her Ibu's spittoon, half a coconut shell; inside, a mix of ashes and Ibu's yellow-green phlegm. Dizzy with exhilaration I stood up and went to claim the victor's seat, the place Nenek had vacated. Softly I touched Ibu's hand and it curled weak and pale around mine. She shut her eyes and opened her mouth, perhaps to say thank you, but I forestalled her. 'Sshh,' I whispered, 'sshhh,' and all the tenderness in the world trembled upon my lips. I remember it now like it was yesterday. How warm it was. That special space vacated by Nenek. Beside Ibu. And Ibu, poor thing, she smiled sadly, bravely, and endured another daybreak.

Painfully shy and reclusive, Ibu often passed most of her days in silence, her expression rapt, as her nimble clever hands, dyed red with plant juices, effortlessly twisted a single palm leaf into a work of art fit for a God, or created pretty umbrellas from the lacy stomach of a pig. She did these things as offerings for us to carry to the shrines.

Under her charge even the humble pale yellow feathers of an immature coconut leaf aspired to be a delightful vessel, held together by its own central spine.

One year during the *Galungan*, a great Hindu celebration, Ibu made the most beautiful offering I have ever seen, a two-meter-tall tower, so skilfully constructed that not even a hint of the wooden skewers nor the supporting banana stem showed through the cluster of whole roast chickens, sweetmeats, fruits, vegetables, cakes and flowers. Nenek carried the majestic thing on her head to the temple. At the inner temple entrance she bent low enough for the men waiting on the other side to receive the soaring tower.

The other women circled my mother's magnificent creation again and again. They stared at the wild sago-palm fruit, green satin balls quilted with red silk and jungle purple pitcher flowers. I saw their eyes changing: surprise, envy and, without fail, passion for my mother's skill. How long they stood studying the technique that managed clusters of waxy pink berries with scarlet bark, or vermilion chilli peppers with the crimson bracts and yellow petals of a mangosteen bloom. But in their hearts they knew they would never reach Ibu's perfection. No one could.

We rushed home to tell her. Smiling gently she gave us permission to decorate her hair.

I will never forget that first tantalising waft of coconut oil in my nostrils and the feeling of silk, released and uncoiling in my hands. Together we set about pinning it into a large smooth shape called *susuk konde*. While we surrounded it with jewelled combs and delicate pins worked in gold, Ibu chewed dates wrapped in betel nut leaves. Afterwards she traced our eyes, noses and mouths with her callused fingers saying, 'It is a good thing that both of you were given your father's face. Eyes like shimmering morning stars. You are the most beautiful children I have ever seen.'

Then she placed bougainvilleas in our hair. She wanted us

to be famous Balinese dancers. Gently she cupped our chins in her hands drawing us so close that we smelt the scent of dates and betel nut leaves on her breath, but I pushed my face nearer still yearning for a fiercer embrace, wanting those calluses deeper in my skin, because even with her fingers inquisitive on our faces, I felt her pushing us away. As if we did not belong to her.

As a result of her frailty we were never allowed to sleep with her, so those indolent afternoons when we lay quietly beside her were precious beyond words. Thrilled by her attention we took turns begging for more stories, wanting glimpses of her childhood in the hills with Nenek. But Ibu's memory was poor or her tongue lazy. All she cared to recount was still being hungry after a meagre meal of baked rice from the night before and sitting at the door of an improvised one-room hut waiting for Nenek to come up the hill slope. And when Nenek came, it was with her neck moving from side to side like a classical Indian dancer, in an effort to balance the enormous container of water on her head.

In her right hand she carried more water in a blue pail, and in the left she held the hand of my uncle, long dead. He was a blur in my mother's memory. A thin boy who broke Nenek's heart when he died in childhood.

Once Ibu told us of the moment of his passing. 'There were brown rats running along the walls of the hospital corridor when a white-coated man came to tell Nenek her son was dead. For a moment she stood utterly still. Then she sagged to the ground, sitting awkwardly, her head crooked, her mouth slobbering, and her breath rasping like some great felled beast; in terrible agony, but unable to die. Sometimes I think she should have.'

We did not ask why. Hypnotised by Ibu's voice, we absently stroked the odd, toeless stump that she usually curled up and concealed under her sarong. It was smooth bright pink and utterly useless. Only with the help of a walking stick could Ibu limp around. Though she thought it important that not even her good foot had sunk into the brown ooze of the rice fields her defect was not a cause for revulsion. We had not yet learned shame and we accepted things as they were, and if anything loved her all the more for her imperfection.

As a rule, when Ibu was well, she worked all day, every day on a simple loom. For though we lived in paradise we were very poor and each of us did our share to fill the rice bins; my father made his puppets talk, Nenek cured the ill and made the cakes that my sister and I sold after school, and Ibu wove luscious glorious lengths of *songket,* gold or silver thread embroideries on silk dyed in rich deep tones of indigo, ochre, turquoise, lime, black or cinnamon. Patterns so intricate and complex that they took her many months to finish. Each brought into existence to adorn the pampered curves of wealthy women. Even now it is a cause of sadness to me that not a single one was born destined to rest on my mother's body. Ibu would never wear anything but the simplest batik sarongs. 'It would be a waste to wear them in the house,' she always said.

On our tenth birthday, on two lengths of chocolate cloth, she began to make our heirlooms, pieces so exquisite that they took her two years to complete to her satisfaction. Fantastic forests of birds, animals, flowers and dancing girls. It is no lie to say they were the most beautiful things she ever made. It was another time, but if I close my eyes now, I can hear the bells on her loom tinkling as her industrious fingers worked swiftly, incessantly. It is the sound of Ibu, her work, her worth, and her beauty.

It was Nenek who carefully folded the beautiful pieces and took them to the expensive, air-conditioned boutiques in Seminyak. Now how do I describe Nenek to you? To start with she looked like nobody's grandmother. I remember many a time when strangers mistook her for our older sister. By Balinese standards she was considered a great beauty, and whenever we were out with her, *always* on our path stood staring men, tourists, their armpits sticky with sweat, and their eyes like licking tongues, so she must have been beautiful even by your standards. But what words can I use to make the rest of her acceptable to your Western mind? For my grandmother lived in utter simplicity, but accomplished feats that will have you suspecting trickery.

In her universe all of nature was a source of spirituality. She talked to it, it talked back to her. Have you seen a tree smile? I have. When Nenek passed. She acquainted them with her business, and they shared their ancient knowledge. Sometimes they gave her roots that looked like cassava, but when the dark bark-like skin was removed the flesh was as fresh and as sweet as watermelon. Other times they spoke of special roots, which had to be dug out with one's bare hands or their magic would dissipate into the earth. Squatting, she dug deep into the ground; only the thickest roots yield the special healing oils she needed. Sometimes her fingers bled, but no matter, the patient must smile. She needed them to make Ibu's medicine.

The villagers called her *balian*, a healer specialising in curing the ill and setting broken bones, but they sensed that she was more. Much more. And while they had no proof there were whispers all the same, insinuations that Nenek was in reality a *balian uig*, a maker of spells and charms, some dangerous. They pointed to the 'male' papaya tree growing in our compound. According to an old Balinese superstition only witches needed the strangely uneven shadow of such a tree, to congregate under and to indulge in obscene blood-drinking orgies. And so the innocent tree confirmed their ugly suspicions.

Although Nenek had arrived in the village when Ibu was

only nine years old she remained a stranger but accepted she would always be one and didn't care. She carried on making her daily offerings of flowers, fruit and sweet cakes in the temples, and at crossroads, graveyards and accident sites, rotting meat, onions, ginger and alcohol. Kneeling, she chanted, '*Rang, ring, tah.*' Born, living, dead. Let them think that she was odd.

She refused even to change her dance, to be like the rest of the women in our village. I saw them watching her when she danced in the temple courtyard, a container full of glowing coals balanced on her head. They kept their expressions neutral, half-interested, but I knew they thought her vulgar.

It was her vigour that they mistook for a fault. I perceived only the amazing energy in her pagan movements. They were, after all, tribal dances. Unsmiling, she craned her neck until its veins were like cords under her skin. Then she lifted her right foot, stiffened it into a weapon, and kicking it sideways, pranced high into the air, her eyebrows in her hairline, her fierce eyes wide and staring. Her mouth screaming a slow peculiar cry. With her wrists arranged in front of her face, she began to whirl, at first with controlled grace, then more and more wildly until she was spinning so fast that her eyes were rivers of black in her face. Spiteful sparks of orange flew around her.

The other women were frightened of her.

And yet their vanity was greater, and they courted her cautiously. They wanted the beauty she brewed inside her cauldron. In her charmed hands roots and leaves turned into potent liquids called *jamu*, capable of beautifying a body and captivating youth to dance a little longer upon a woman's cheek. She and Ibu were the best advertisement for her medicine, for even after Nenek touched fifty, and Ibu thirty, youth tarried. They remained as if in their twenties, with wasp-like waists, jet-black hair and dewy skin. They consumed so many unguents that their skin became fragrant to zigzagging dragonflies that sought camouflage on their colourful clothes.

When my sister and I reached puberty, we too were required to take a handful of the tiny black pellets Nenek rolled once a week. And once a month for two hours, she covered us from head to toe in *lulur*, a yellow paste made with ginger, turmeric, spices, oil, rice powder, and a secret blend of jungle roots. It could not be denied that my sister and I had exceptionally fine skin, finer than all the other girls in the village. It was a source of great envy, for every Balinese girl coveted beautiful skin the colour of gold. And so the women and their daughters came, smiling, their eyes carefully polite. They did this for beautiful skin the colour of gold.

But behind her back the cowards called her *Ratu Gede Mecaling*, after the legendary King of Nusa Penida, a fearful, fanged sorcerer, or simply *leyak*, witch. I even heard her referred to her as *rangda,* widow, but in fact the name is synonymous with a dreadful witch who tears children apart with her long fingernails and eats their innards.

'*Leyak geseng, teka geseng.*' Burn the witch, burn them all, their children chanted at the crossroads.

I rushed up to them and pushed the gang leader so hard he fell backwards into a ditch. My hands on my hips and breathing hard, I challenged them all to fight me. Nobody dared. I was the granddaughter of a witch. Instead they mumbled that they had seen her alone at midnight, meditating in the cemetery.

I laughed. 'I do not believe you. None of you has the nerve to go there in the first place,' I mocked.

They alleged that inside her locked cupboard was the smoked, dried corpse of my uncle, but I crossed my arms over my chest and retorted that I *had* looked, and her cupboard was completely innocent. Scornfully I advised them not to talk of that which they did not understand.

But here's the real truth.

They were right. Their tiny insignificant hearts were right to fear my grandmother. Nenek was a witch. A powerful one. She had magic powers, inherited from her father. She could see 'far away'. Things you and I cannot. It was she who taught us about the spirits that reside in each tree, animal and oddly shaped stone. 'Be good to them,' she said, 'they confer power to the respectful.'

But her real power she derived from another source. She secretly nurtured *buta kalas*, invisible treacherous ground spirits. Creatures of harm she bought from another like her. Keeping them was very dangerous, and she had to pass them on to another witch or sorcerer before she died or, unable to cross over to the next world, she would suffer terrible tortures on her deathbed. It was an ugly horrible business, but she could not do without them. She needed them to protect Ibu. Everyone had a purpose in life and my grandmother had only one, to prolong her daughter's life. There was nothing she would not do for Ibu.

In her command was *macan tutul*, a sleek, long-bodied, panther-like creature. He did her every bidding, but required fresh blood and wild boar meat on a regular basis, and sometimes the whole corpse of a dog. She also sought the assistance of another potent spirit, pale snake, who gave her visions and taught her to heal. When first he appeared, he tested her fortitude by coiling his monstrous body around her. She stood in the middle of the immense serpent, unmoving and unafraid, until he recognised her, his new master. Forced into submission he showed her how to listen to the blood rushing inside a man's veins, to know what sickness ailed him.

One moonlit night, I awakened in the early hours of morning and, still not fully awake, thought I saw him in my peripheral vision, enormous, vaporous and resting a few inches above the ground by Nenek's head. I swung my eyes around instantly, but the thick white coils had already returned to darkness. There was nothing left but gloom by Nenek's sleeping face.

Once I asked her, 'What if it ever came to pass that you simply cannot find another to pass your *buta kalas* to?'

She looked at me steadily, her enigmatic eyes bleak. 'I have already seen the face of my heir,' she replied finally. Her voice was alien and sad.

'Who is it?' I whispered, my heart leaping in my chest. I feared her answer.

'You are still too young to meet my successor. Think no more of it. I will not suffer. I will die in peace.' She placed a gentle hand on my forehead. 'Now, go find your sister and play in the fields.' And comforted by the cool sure hand on my skin I went. The world was so full of grown-up secrets then.

And Nenek went back to heating leaves and squeezing the green liquid on wounds and sores. Routinely she spat on her patients. Her spit was powerful. It could cure the sick. Muttering her chants she rubbed a dough ball all over a sick body to draw out the poison. Then she ripped it open and inspected the inside. If she found needles or black seeds then black magic was the source of sickness, and her black eyes would gaze at her patients warily. They left her with secretive eyes and a small square of hair shaved at the back of their heads, a puncture in the middle of it.

One day I saw Nenek, without warning, skilfully stab a man between his fingers. Shocked he tried to pull back but her grip on his hand was mighty. She held his hand over a pot, letting the blood flow into his medicine of tree sap. There was also that woman from Sumatra who came with blinding migraines that the Western doctors could do nothing about. I saw my grandmother reach up and carefully cut a vein in the woman's forehead. It was late afternoon and a whole bowl of blood was caught before the spiteful spirit pinching a nerve in the woman's head finally consented to exit her body.

It was while sitting on a mat sharing our evening meals from a common pot with Nenek that my sister and I glimpsed her secret special world. One that you would never believe. One where night wanderer spirits disguise themselves as black cats, naked women and shiny black crows. Invisible they travel in straight lines, gathering at crossroads, spots of great magic and importance, causing accidents and harm. Sometimes they tarried by the pigpen and Nenek caught and released them into trees and stones.

I was right. Your eyebrows have risen by the smallest fraction. You do not believe me. You think it is hocus-pocus. But remember this, you have your science, and we have our magic. Only when you look into my grand-mother's eyes will you know what I say to be true, will you name her remarkable.

For my grandmother sees out of eyes that are indescrib-able, at once tantalising and terrifying. They are coal black, bottomless and, in flickering lamplight, nearly inhuman. Inside her eyes you begin to understand why the Dutch stopped importing Balinese slaves in favour of more docile captives. It was ferocious women like her who wounded themselves with daggers and, dipping their fingertips in their wounds, painted their foreheads red before they fell into the flames that carried them and their dead husbands to the underworld.

And yet I remember Nenek best as a liquid shadow, moving silently in the gloom of early morning, her gold bracelets glinting. It was her habit to awaken at four in the morning, just as the windows of the rice farmers were beginning to yellow with the light of oil lamps. Softly she entered Ibu's room, and stood silently over her daughter. Satisfied with the gently breathing vision she went out to awaken her songbirds and begin her day. In Bali the sky lightens early. By five in the morning the sun is already in the sky.

She swept the courtyard clean of the lemon-white frangipani fallen overnight before hoisting a round bamboo basket onto her back, and setting off unarmed up the bodies of mountains. She was their child. She honoured them and they blessed her. Their jungles of laughing monkeys, beautiful butterflies and screaming birds were her medicine garden.

When we returned from selling cakes we found Nenek sitting at the doorway, eating wild quinces and flossing the coarse fibres caught in her teeth with strands of her own hair, or fanning herself with a woven palm leaf, lamenting for the cool mountain winds. She was descended from those remote tribes that lived in the blue-grey mountains. That much was clear, but the rest was a mystery. There was an abandoned husband and a dead child somewhere, but everything else was not for telling. Her secrets were many and could not be readily divulged. A loss of power or, worse, insanity awaited the loose mouth. Terrible secrets may only be revealed to lizards.

For they are special animals. Nenek said that they understood our language, but had been forbidden to speak of anything but the future. Even then they could not be completely trusted. At certain times of the year Nenek caught them in her bare hands and carefully sewed their mouths shut before whispering her secrets to them. It saddened me to see them scuttling away, their mouth sewn shut for ever. I remember the disloyal thought that she should keep her secrets to herself if they were so intolerable that a lizard must starve to death to protect them.

Still, I loved her deeply and recognised her and not my father as the head and protector of our family. Many a night during the hot seasons when we slept outdoors, my sister and I curled up to her warm body like puppies on the *bale*, platform. And though it was clear that she loved us much less than she did Ibu, she was the most extraordinary figure of my childhood. She took us to do amazing things, like going in search of the rarest flower in the world. Its tiny bud grows for nine months to bloom fleetingly, for four days.

We had to trek all the way up to Sumatra to find it. At the end of our exhausting journey, deep in a rainforest surrounded by the unfamiliar, we stood and stared at the strange flower. Deep red and dotted with velvet yellow warts; it emerged alien and enormous (four feet across), from between the roots of wild vines and the decaying litter on the forest floor. It was immediately apparent why it was called the corpse flower. It stank like a dreadfully rotting corpse. Carrion flies buzzed around it. But once dried and pulverised only a few motes of its dust were required to shrink a womb stretched by pregnancy or restore the sexual potency of an ageing man.

Often Nenek took us to the seaside, to rocky outreaches where tourists do not go. Squatting on the edges of rocks she used a hook to prise away sea urchins hanging on to their submerged undersides. We ran around in the salt spray helping her gather seaweed. On our way back we stopped by the poor village of the fish eaters to buy salt fish. We picked out the fish we wanted from the many carpets of dried fish and from a rattan basket Nenek selected the freshest fish in all of Bali.

With the crimson sun taken by the hills, Nenek began to grill the seafood over coconut husks. Ibu brought out plates of boiled sweet potatoes and the juicy bamboo shoots marinating in vinegar and chillies. We sat in a circle at the doorway of my mother's living quarters, eating fried soybean cake while the bats left the trees to look for food.

Dusk came quickly and Nenek rose to light the brass
lanterns while we carried on talking. Soon the courtyard
was sprinkled with the soft glow of burning lanterns each
with its orbit of countless buzzing insects. And when it
grew black the fireflies glowed.

Paradise is unforgettable.

It was with Nenek that we went to the bird market to
buy the songbirds that she hung in wood and bamboo
birdcages outside every pavilion in our compound. She was
unerring in her ability to choose only the ones with
exceptional voices. Some she chose for their high sweet
voices, keekey, keekey, keekey, and others for that odd
round chuckle they made, churr, churr, churr. If they were
ill, she grasped them gently in her right hand and, opening
their mouths, fed them the rice-sized pellets of medicine she
herself prepared. When the moon was full she set them all
free, but instead of flying away they came to perch on her
shoulders, hands and lap, tame and singing. They filled the
whole house with their beautiful song, and my sister and I
sat beside Ibu and watched my bird-covered grandmother
with awe.

Together we hunted the markets for the flesh of green
forest pigeons, wild purple moorhens and cave bats. The
bats Nenek bought still alive and chittering. She hung them
upside down from the ceiling from where they turned their
necks to peer at us. Hours they remained twisted and still,
but for their languorously waving claws. Always she
apologised to the animals. 'You are a sacred soul and I
respect and love you very much, but this day I must invite
you to be the fragrant ingredient in our feast.' Then she
took their necks to her jaw, and in one quick savage movement they were ready for the pot.

It was also Nenek who sat with us as we practiced the
English father taught us, her eyes as always hooded and
inscrutable, but her mouth grinning with pride. She would

not let us teach her the alien clipped sounds of the white man's language.

'Thorns in my mouth,' she said.

She had amassed an inexplicable loathing of the white race. One I never understood until it was far, far too late. But then I thought they were wonderful, cash-rich and generous. Nenek would have been furious if she knew that in gangs of three or four we used to run up to the German and French tourists who arrived in their minibuses to 'experience' the rice fields. With our thin brown hands stretched out and pitiful expressions borrowed for the occasion we begged. It was easy money. Undisturbed by the intensity of Nenek's hatred we really believed them harmless. Often when we went with her to Denpasar, to meet the Dayak merchants selling black coral and tree sap from Borneo, white men asked us to pose for their cameras. We grinned cheekily remembering the round hard feel of their coins in our clenched palms, but Nenek shook her head rudely and, grasping our hands, quickened her pace.

She glanced at them briefly, discreetly from the corners of her eyes. It was not only that she did not trust the concept of capturing a person's essence on paper; she was also perplexed by their meatiness, for she had tasted their food, so *nyam-nyam*, tasteless, that it made her wonder if their corpulence meant they secretly feasted on human flesh. Then, of course, there was the hygiene issue. She had heard that the white man was dirty beyond imagination.

'They hardly bathe, and use combs to stir their tea,' she said, her head rearing back, the tips of her mouth dipping with disgust.

We thought we knew otherwise. How clean and crisp were the notes that passed from their hands into ours. 'Who told you that?' we chorused immediately.

'The Dayaks,' she said simply. 'White people go to stay in their long houses.'

'Oh, but those are backpackers,' we defended loyally. We had heard about them in school. 'They probably did it for lack of a spoon.'

But Nenek remained unconvinced. 'Would a tiger dine on dates even if it was starving?'

'It would if it was magic,' my twin sister said, waving her hand at Nenek, her little worried face giggling.

My sister loved animals. All animals tugged at her heart. She saved the lives of overtired bees that lay stunned on the ground. She picked up the fatigued bundles of fuzz gently and set them in a spoon of shallow sugar water. She was fascinated by the smoky brown-glass trumpets the insect extended to draw in the liquid. And it pleased her greatly to hear the revived creature hum again.

My sister is the giver, the one who never fails to say, 'Here, you take the bigger one.' Whether it is a piece of *jaja*, rice cake, a kite, or a garland that Ibu has made for us. She always offers me the bigger piece or slips over my head the better garland.

Once we watched a dying monkey that had been run over by a passing motorbike, its pitiful eyes blinking. My sister turned to me. 'What if we are parted?' she asked in a small frightened voice, holding her pink slippers in her hand. She loved them too much to wear them.

'Don't be so silly,' I said. 'Of course we will never part. Nenek will never allow it. We will be two old ladies together. You'll see how utterly inseparable we will be.'

Yes, my sister was an innocent. I have a picture of her in my head – still a child, solemnly making her rounds in the village, on her little head a large tray of cakes, a tall pot filled to the brim with sweet coffee, and a stack of glasses. I might have forgotten to mention it, but my sister is also my heart. She belongs to me. And if my heart ceases to beat, then I will stop breathing and come to an end.

Zeenat

What are you doing here? Where is my sister?

You must be lost for this treacherous path leads only to the graveyard, a dangerous, haunted place at the edge of a deep ravine. No one dares venture into it alone once night falls but fear not, take my hand. Evening is not yet upon us, and the temple of the dead is not so far from here. I will lead you back to my sister before the sun sets. She is too gentle. This portion of the story always makes her cry so I will carry the burden of the tale for a while. Just until she returns.

If you have called my sister Nutan, you may call me Zeenat. They are not our real names, of course, but I too have much to conceal, a great fear of the finger raised to point, and a greater sorrow for the poor flower dipped in excrement. Sad but fitting that we must hide behind the names we once gave to a pair of pigs. Still, they were handsome and well loved. Their fat bellies sagging to the ground, they used to push their snouts over the low walls of their pens to gape at the ripened papayas. The clever beasts knew the discarded peel was theirs but, utterly spoilt, they forgot their curse; sleek knives waiting to plunge into their chests.

In our greed we too forgot, but never mind that now. Beware, this path is bad. See those enormous dark green trees edging the cemetery? They are magical *kepuh* trees. They shelter ghosts.

Ah, you smile. Politely hiding your superior derision? But I recognise you. Sometimes you speak English, sometimes

Italian and sometimes German or Japanese, your pockets always full of money. Our fingers might even have brushed. You are from that race of migrating humans. Every summer thousands and thousands of you descend upon our beaches seeking the unspoilt under a gently swaying pandanus tree. Hoping to see a prince sitting cross-legged or catch a mysterious maiden bathing without a shirt in a stone pool.

Your parched soul suspects the hidden magic behind the two-dimensional men who pester you, day and night, 'You want room? You want transport? You want girl?' But your pale eyes so bored and indulged by Hollywood get distracted by the unconvincing Sucky sucky girls, the transvestites posing under the neon lights of Hard Rock Café. And so you return to your reality insisting that your camera has caught the exotic – a funeral procession, or a smiling local – but guilty.

Or perhaps guilt has even led you to sit amongst earnest Japanese tourists in a covered theatre, to watch the barong dance listlessly performed in the heat of midday by those whose boredom matched only your desire to be gone. Did you see them pretend to go into a trance and stab themselves with the blunt point of their daggers? And because it was presumed you understood nothing, a beautifully dressed woman came up to the stage, stamped her foot, and clapped to signal that the performance was over. Immediately, dutifully, you applauded and stood to leave.

You knew you had paid too much for too little . . . but what if I told you there is more? What if I showed you what lies behind the meaningless Asian smile in your camera? And showed you mystic rites by lamplight where human blood touches the ground? What if I told you Bali is magic? Each gentle breeze, the breath of Gods and Goddesses.

I must warn you, though, that all I grasp in my hands are crumbs. Moving shadows of when my sister and I were the beautiful twins. Impossible to tell apart. The villagers thought of us as one person. 'Where are the twins?' they asked. No one would have thought to send just one of us to run even the simplest errand.

Of the two of us, my sister was the better dancer. Even eyes lowered and motionless she was breathtakingly hypnotic. Between eyebrows that had been shaved and reshaped into perfectly painted black arcs, she wore *priasan*, a white dot, the dancer's mark of beauty. Effortlessly her small fingers arched back until they touched her forearms, as if they were the delicate, opening petals of a lotus bud. My sister could dance for hours. Like a marionette on a wire, her face as fixed, and as unchangeable, as a mask.

During celebrations she danced the *legong*. Wearing cloth decorated with gold thread, a headdress ornamented with rows of fresh frangipani, and long golden nails on her quivering fingers, she transformed into the lone anguished princess. Wiping her tears, she slapped her thigh with a fan. The crowd, recognising the gesture, sighed. Bottomless grief.

The golden headdress sparkled in the sunlight.

Afterwards we ran past the stone pool where we bathed to Ni Made Wetni's *warung*, the wooden shed from where she sold slices of unripe pineapple in a sauce of red peppers, garlic and salt. We plotted to be her first customers for the day. The first customer must never be refused. A sale must be concluded at any price, or an unlucky precedent would be set. Sighing heavily she took the crumpled notes we held out, folded them in half, length-wise, and slapped them moodily on all her wares all the while muttering for profit.

We ate our fruit under the shade of the tamarind tree.

'Pretend you are me. Do what I do,' Nutan said and instantly I became her mirror. It was a game I was particularly good at. Each movement copied in such a split second it seemed as if we shared one mind. As if we were the same person. The other children were envious, and we smug.

She took care of me unconsciously. I am younger, only by minutes, yet it often seemed to me as if by years. I was shy, and she bold and daring and kind. She tells everyone that I am kind and always rescuing animals, but in fact I am nothing compared to her. She is like Nenek, deep and secretive. Did she tell you that she sobbed over a dying monkey by the roadside? When she was a child she took extra time to carefully build little ledges on her sandcastles for tired birds to rest upon. So they could say, 'Oh lucky me.' And it was always she who organised raids on the boys' crickets. We stole under their houses to free the fighting crickets they had trapped in the dried-out cracks of the harvested paddy fields.

My sister is special, more so than me.

I cannot explain how I feel about Nutan. I love my Nenek and Ibu, but it goes without saying that they are separate and different individuals. My sister is in my bones, a part of me. We belong to each other. What is hers is mine and mine hers. When we were children we even shared dreams, seeing each other in our sleep. I used to pity all the other children in school. How alone and frightened they must be.

When I saw a picture of the first Siamese twins, it shocked me. Surely some wicked fiend had caused such a monstrous abnormality. That night I dreamed my sister and I were joined at the stomach and struggling up a flight of stairs. At the landing we stopped. Together. An ungainly Y, joined at the hips, our bodies twisting away from each other. Stuck for ever. We had three legs between us, two good and one bad. It hung, limp, between us. I looked into my sister's face, and felt no horror at the three-legged creature that we were. We exchanged smiles. She comforts me. She is my heart. We are Siamese twins at heart. How can I explain it to you? It is indescribable.

Two afternoons a week we went to watch old Hindi movies at the temple keeper's house. He possessed a vast collection of old favourites. We sat enthralled as beautiful heroines in saris and their leading men danced down hillsides and played hide and seek behind coconut palms.

'*Laila, oh laila, laila, laila, ho se ho laila,*' we sang as we foraged the waterways by the paddy fields for small fish and frogs.

And when Father returned from his long absences we sat up the whole night through, captivated by all the different voices and beautiful chants he kept inside him. Nutan must have told you, of course, that our father knew more than a hundred stories by heart. Seamlessly he slipped out of the skin of a demon throwing thunderbolts and became a celestial prince speaking archaic Javanese. But among all the stories he told we had our favourite. Eagerly we waited for the evenings when he raised his head from reciting the special mantras to awaken his puppets, and began his tale with the words, 'And Valmiki sat upon a carpet of *kusa* grass, sipped holy water and said, "As long as the mountains endure and the rivers rush to the sea, so long will the epic of Ramayana be repeated upon the lips of mankind . . .".'

Of course you have heard the story of Rama and Sita, but never as my father told it. From his lips it was music. Did you know that Rama and Sita played hide and seek amidst blue lotus flowers in clear moonlit waters? Yes, Rama submerged himself into the dark water until only his blue face sat upon the water. Seeking Sita could not tell the difference between the flowers and Rama until she held each blue flower in her hand and, bending down to smell them, touched her lover's lips.

But in my most secret dreams Rama was not as beautiful as a blue lotus but stood with the flowing yellow hair of the Australian surfers. Men who could dance on waves. From where I stood on the beach they were impossibly beautiful.

Oh, was it already canto fourteen? Rama was to be king. Celebration and joy, but look, look, to the left where all the evil characters surface from; the misshapen hunchback servant, Kuni, with poisonous words. 'Oh foolish one,' Father hissed in her hateful voice to Rama's stepmother. She persuades the young Queen to use the two forgotten boons the Maharajah once granted her to banish Rama from the kingdom and install her own son as king.

You cannot imagine the childish passion with which my sister and I loathed that hunchback, Kuni. At his favourite wife's words the old king's shadow trembled and fell upon the ground, helpless. 'My beautiful queen, a tigress? How easily she accomplishes my ruin,' my father sobbed in the sonorous voice of the old king. All who heard Father wept. Rama was banished to the jungles.

A few verses later Father suddenly struck the gamelan drum and laid his palm flat on its throbbing yellow skin, muffling the sound. It was the breath of the evil demon Ravana, hiding in the bushes watching Sita plucking wild flowers. And on and on went the fantastic adventures of Father's puppets until Rama was returned to the throne.

My sister and I sighed with contentment. Father extinguished his lamp and the screen became dark. His face appeared at the side of the screen, his beautiful eyes sweeping the crowd, looking for us. He smiled. We grinned back at him. As the crowd dispersed my sister and I helped him pack his belongings, and together we walked home. The hills still withheld the sun and in the sea-blue light we saw Ibu sitting at the doorway, waiting, radiant. Her eyes fixed on my father. She loved my father so dearly I sometimes thought she was jealous of my sister and me.

It was a mystery how she came to be married to my Father at all, for not only was she a cripple, she was descended from the animistic ancient Bali Agas, a fierce mountain people who not only stridently refused to accept any form of class, but once filed and blackened their teeth. Such was their obsession with isolation that they swept the paths of their village after the visits of strangers, to obliterate their footprints.

My parents' past was obscure, muddy even, but Ibu would shed tears when questioned so we learned not to ask. At different times, I thought my father's beautiful eyes looked ashamed, even trapped. It seemed certain he had relinquished some cherished freedom. In my moment of childhood I assumed his shame was for my mother's flawed limb, but later, when I was much older, I realised that all through the years his regard had never faltered once.

It was not revulsion, but a tender, passionless love. A gentle hand on her bent head as if she were a dear sister. The secret disgrace nourished itself elsewhere. Perhaps in the *jong*, the dream bracelet he wore? It represented a masked memory that was close to his heart. Another woman? Before Ibu?

Ibu on the other hand was tireless in her adoration of him. Carefully positioning her body slightly lower than his, she ministered to his every need, serving him with a quiet obsession.

Early one morning Ibu suddenly had the idea that we should bake a cake together for Father. Nenek, Nutan and I took the bus all the way to Denpasar to buy the ingredients and that afternoon we followed the recipe on the side of the margarine tin. Ibu laughed and laughed. She was happy that afternoon. Afterwards my sister and I carried it to our friend Ketut's house and sat outside while the cake baked. When it was ready we carried it home, deep chocolate and fragrant. We had beaten it for so long it was like a cloud in our mouths. But Father did not come home that evening and the four of us sat on the *bale*, ate, talked and laughed. How Ibu laughed that wonderful evening.

Far away in the fields, the rice stalks had been tied into round bales of gold, and the left-over straw torched, so their valuable minerals could be returned to the soil. At sundown Nenek went out to put more coconut-leaf containers of food, flowers, money and a smouldering coconut husk in front of the gate so evil spirits would get everything they wanted without entering our home.

Isn't it strange the things you remember? I remember my mother's hands, how pale they were when she suddenly announced that she was tired, and needed to retire to her room. And how Nenek had lifted her up and carried her as if she was a child. I remember going into her bedroom to ask if she wanted some more cake. She lay on her bed, shook her head and said, 'No more cake for this body. As the eagle leaves his nest to soar across the sky, I too must leave this nest to fly free.'

Word was sent to Father. Ibu was very, very ill. She lay in bed, no longer able to weave or spin, her skin papery, her eyes usually closed, but when open, glittering with a strange excitement. Like a child who was waiting to go on some long-promised trip. To my tear-stained, frightened face, she advised only, 'Grieve not. It is only without my limbs that I shall be able to walk a while in the shining mud along the river.' Nutan would not cry. She sat straight backed at the door, addressing the spirits, her voice commanding and powerful. As if she was Nenek. For hours she rasped the same words, again and again. She would not cry. She would not stop. She was like a stranger. It was frightening.

> *Oh you forgive me if I have done wrong*
> *But do not take her.*
> *Do not take what is not yours.*
> *Do not call her name,*
> *Not at night. Not tonight.*

From a distant village came the faint but primal call of drums and singing, preparations for a dance performance. Tenderly Ibu trailed her weak fingers along Nenek's high cheekbones consoling, 'Look, how even the years dare not touch you.' Nenek could hardly hear for the harsh sound of Nutan's voice pleading with the spirits. Sadly she lowered her bowed head further, so Ibu's dying hand could rest on it, as if Nenek was the child, and her daughter the mother.

When Father arrived he hurried to Ibu's bedside. She turned her face to him and I saw her sigh with contentment. Her eyes were no longer feverish. Her voice was already no more than a fragile whisper when she said, 'For so long now, I have laughed the laughter you planted inside my mouth, and wept the tears you left in my eyes, but it is time to burn the frankincense and return me. For I have begun to long for the feel of your hands in my ashes, as you scatter me to the seas.'

A day later she extinguished her own weak lamp.

I fell asleep and awakened suddenly in the middle of the night to see father sitting as still as a stone statue on the steps of the rice barn, Nutan staring in with shock and disbelief, at Nenek bent over Ibu's still body. The air was soft with incense. Nenek, drunk on *arak madu*, palm spirit with lemon juice and honey, was massaging Ibu's body, the strokes long and loving. A heartbreaking hymn issued from her pagan lips.

> *Remain, remain for ever close to me.*
> *Never forget*
> *I grasped your foot,*
> *I stroked your face,*
> *I washed your hair,*
> *I kissed your cold lips.*
> *Fear nothing. Flee not.*
> *Remain, remain for ever close to me.*

When eventually her gaze met mine at the door, she shook her head as if confused or lost. Then she looked at Nutan and in a strangled voice cried, 'I could not keep her. I'm so sorry. You know there is nothing I would not have done to keep her. Nothing. I would have walked into the deepest jungle, and let the animals devour me, or not cared if forced to give my breasts to poisonous fish in the afterlife. She was my life. My life is gone.'

And when Nutan only stared back dumbly, she pressed her cheek against Ibu's and wept copiously. If she rose from Ibu's face it was only to beat her forehead wretchedly with her palm. Her sorrow was such that I went to fall at her feet, helpless. All through the night Nenek wailed her terrible songs. They carried over the silent rice paddies covered in mists, while Father sat unmoving on the steps of the rice barn, and the uncaring world slept on. Just before dawn when all the palm wine was gone, Nenek stood up slowly, unsteadily.

The sky was blood red.

Carefully she opened the petals of many flowers, and scattered their scent on Ibu's still body. As the petals fell she cried bitterly, 'If I lived in the jungle I would cut away my fingers and ears to show the horror of my loss, but in this dishonest land, I must pretend to be happy that my daughter has gone.'

Then she brought all the birdcages into the room where Ibu slept and one by one opened their doors. Standing in the middle of the room she clapped her hands loudly. In a flutter of confused feathers the frightened birds flew out of the open windows. The newly acquired ones made for the sky, but the ones that had belonged to her for a long time sat in the bamboo groves outside the compound, puzzled, singing one last time for her before they too, took to freedom. Covering her face with an old cloth she wept. Afterwards, we watched her smash our sacred shrines. Her deepest prayers had not been heard, so she would build a bigger better one for another divinity.

I remember they held Ibu up, washed and anointed her pale body with oils and flowers. Nenek rubbed fine rice powder onto her skin and decorated her hair for the last time. Her ankles and thumbs, they bound together. Steel on her teeth to make them strong, mirrors on her eyes to make them bright, intaran leaf on her eyebrows to beautify them, and jasmine flowers in her nostrils to perfume her breath. Eventually they were done. And then she was really dead. Until that moment she was alive. Now she was a body of glory. And I remember she was beautiful.

We stayed up all night to guard her body against obnoxious spirits. Every night that she lay in the Eastern pavilion, a lamp was lit to show her wandering soul the way home. In dark corners people huddled to nap. All through the night the *gambang* hummed and boomed.

They doused her with kerosene.

In the shade of a great dark kepuh tree beyond the temple Nenek stood. She looked like a toy, small and misplaced. Nutan clenched my hand, and Nenek turned her head away when the men poked my mother's corpse. They wanted to help it burn. Neither the frightening sight nor the charred smell of her blackened flesh affected them. In a good-natured way they joked with my mother's corpse, advising her to burn fast so they could go home. Do not be shocked. It is our way. A cremation is a happy occasion when friends and relatives send a loved one home.

It was only after her tranquil death that Father came to realise the depth of his loss. He sat alone at the doorway, his head leaning on his arm, the afternoon breeze in his hair, believing himself in a slow dream. Amazed that he had held her bad leg against her. Ashamed he had not let her into his world. Desolate, he would never again be the centre of an angel's life. He stood there tearless and devastated by the loss of his lame deer. Never again would her eyes light up at the sight of his handsome face.

For me the shadow of my mother's death was confusing. Had she not been eager to leave the rags of her life behind? For I truly believed Ibu when she explained, with luminous eyes and utter sincerity, that it was only right that she should be the first to go to heaven, so her missing limb could be returned to her.

'There is a pair of shoes of astonishing beauty waiting for me. We will walk for miles and miles together when you come,' she had promised. And the promise illuminated the house my thoughts lived in, but not a single ray from my lamp would consent to light Nenek's dwelling. She stumbled lost in the pitch black, knocking down furniture and crashing into hard edges. She awakened in the morning with her daughter's name on her lips. Returning from school I felt her inconsolable sadness from the moment we walked through our entrance gate.

Always her wandering led her to daughter's silent loom. Sometimes she sat on the *bale* as if listening for that rhythmic sequence of three sounds, the softly jingling bells, the ruler hitting the hollow bamboo, and the quick double knock on the weave. Other times she stood at the door of Ibu's narrow dim room, staring at the mattress on which Ibu had died.

Unlike my father, Nenek was not acquainted with the ways of the high born. She didn't know how to be disdainful of this life, to mock at its momentary pleasures and sufferings. To view death as a door, or a friend. Death, she always said, was when you saw no path in front of you, and you fell down. Therefore death was barbaric, and its celebration unnatural. No, no, she received every breath with joy. She was a child of mother earth and while her feet remained in contact with the ground, she was home.

She suffered greatly the physical passing of her daughter.

For her, the body could never be simply an impure, temporary container for the soul. The body was full of magic. In the past, my grandmother's ancestors had even been accused of cannibalism. It was not true, of course, but if in some ancient time they did consume human flesh, it was an act of love, to keep their dead alive.

Deep inside Ibu's drawer Nenek found an old black and white picture, curling at the edges, that Father must have taken while Nenek was away on one of her trips. Shocked, Nenek stared at the picture. Why, there it was, Ibu's spirit. Imprisoned. The sight of her daughter undid her. She put her face into the crook of her sleeve and sobbed. Truly she had loved her daughter, but photographs were wrong. They caged the spirit. Nevertheless every time she went to destroy the browning tear-stained thing she found she could not.

For many days she stared at her captive daughter. Then one day she made up her mind. She took it to the Japanese photographer's shop in Denpasar and he restored it. Airbrushed away every single flaw, tinted Ibu's cheeks rose and painted her lips such a delightful pink that she looked like a film star. Inside a gold and black picture frame, she hung in Nenek's living quarters. Often Nenek made offerings of incense to her image.

Nutan

How did you end up in our cemetery?

Come away, it will be night soon and unsafe. This way, and tread carefully. See that hunched sorry figure in that makeshift hut, yonder? That is Father. He is impure, but I have forgiven him. I had to. How to detach the tainted blood of the observed from the observer? It must be full moon tonight, if he is seeking his own company. All night long he will sit, old and forgotten, haunting the silver rice fields with his flute. If he is lucky he will catch sight of a sky snake, a falling star.

For a long time I thought our shameful family secret had something to do with his ancestors. And although you could never have guessed by how poor we were, they were once the powerful rulers of Bali. All that remained of their noble past was a rather astonishing heirloom. Three fine pieces of silver tableware taken – no, looted – from the Dutch shipwrecks, ferociously fought over by rogues, only to be confiscated by kings. I thought the superbly crafted things marvellous, but Ibu saw only their glint. She ran her delicate hands over the polished silver.

'How clever these beautiful things are,' she commented turning them so they caught the glossy light on their smooth bodies. 'Blinded by their glitter we are deceived into the illusion that they are our possessions. We forget we are nothing more than temporary caretakers. They will survive us all. Living for ever, carefully tended by fools.'

And she was right too. So polished, so completely tempting that they decided the demise of my father's proud forefathers. It was the excuse the white man used to take our power, land and wealth. Now my father's people were owners of crumbling palaces they could not afford to repair, lowly puppeteers denuded of land, and silent sweepers at deserted mountain temples.

But watching Ibu carefully polishing them, I began to imagine my simple father in a different light. With an ornate *kris* tucked into the back of long gold and silver robes, standing at the gates of a splendid palace. A Hindu prince. You see my father's ancestry was not Balinese at all. My father was entitled to the royal title, *I Gusti Agung*.

He was one of a handful of survivors of the royal house of Majapahit, the rulers of Java, who watched the Islamisation of their country with horror. The way its arid breath shrivelled and withered all the beauty it passed. They decided to take their decadence elsewhere. To Bali they brought not only their religion, but their finest actors, dancers, artisans, concubines and loyal servants. But to them a happy ending was not given; theirs is a story gory and terrible. In Bali, many years later, they did an insane thing.

They wagered the glory of an entire dynasty in a shocking rite called *puputan*. You must have heard of it. It happened when the Dutch first thought to rule Bali. Armed with superior fire power they advanced, expecting an easy battle over men wielding six-inch knives, and instead came upon a deserted town, smoke rising from the palace, and the chilling sound of pulsating drums within the palace walls. As the Dutch watched bemused, a silent procession emerged from the tall gates.

The Raja, dressed in pure white and heavily adorned in a magnificent array of jewellery, sat proudly inside his palanquin hoisted by four bearers. He wore his ceremonial *kris*. His armed guards, officials of his court, wives, children and servants, all splendidly dressed, followed him, their eyes glazed as if in a trance. One hundred paces from the Dutch the Raja halted his bearers and, stepping down, gave his signal.

At once a high priest approached, bowed low, and with perfect precision plunged his dagger into the Raja's breast. The horrified Dutch watched as all the others in a wild orgy of self-destruction turned their daggers upon themselves or one another. Singing they died. Then the women dressed in their best brocades surged forward, their eyes touched by frenzy, taunting the soldiers and contemptuously flinging their jewellery and gold coins at the frozen army. They offered their breasts, inviting the soldiers to shoot.

The startled Dutch could only stare. Never before had a colonised people behaved in such an unfathomable manner. Where was the automatic display of docility they had encountered everywhere else? How could they even begin to pretend munificence faced with such insanity? Here was irrefutable proof that the Balinese were too fierce, too depraved a sort to be brought to heel or suffer rule under a foe. They were nothing but savages.

Without shame the Dutch opened fire.

The children fell, riddled with bullets. The ones knee high, their dying mothers held up in the air. More and more people, *krises* drawn, rushed blindly out of the palace gates, stumbling over the pile of dead. But the Dutch fired until the butchered made a high hill. Underneath the silent bodies full of angry eyes lay a beautiful dream. They would not be ruled by the enemy.

One of the Raja's wives watched. Not even a whimper escaped her lips. She waited until the soldiers had stripped every corpse of gold and valuables and then she carefully wrapped the bloody body of the Raja in a woven mat. She would have gladly thrown herself into the flames of his funeral pyre but she was pregnant. A gift from the Gods cannot be refused.

She was my great grandmother, Nyang Ratu and in her belly was the holder of the proud name Anak Agung Rai, my grandfather. That is another story, but naturally I am not privy to the puppet master's secrets, and anyway you are in a hurry. So I will quicken my tale. Let the years fly past like wild birds in the evening sky. Let their wings carry you to the moment of our insanity.

Fed on Nenek's potions and herbs we sprouted like bamboo.

With the onset of menstruation, Nenek arranged for the rites of transition to be held. After a three-day period of seclusion, amidst much ceremony, we grasped between our thumb and forefinger the fringe of an undyed cotton cloth decorated with drawings of the Gods of love, and passed it gently over our cheeks. In this way we were given to the Gods of love. They protect but also bring uncertainty and temptation. Neither Zeenat nor I were interested in the village boys. Their eyes lingered as we went about our business but they were terrified of my grandmother and never approached.

When we were ready to have our teeth filed we were put into seclusion. We emerged cleansed, and were led in gold brocades and crowns of flowers to the *bale*, vividly decorated and filled with offerings. A Brahmin priest held our mouths open with small pieces of sugarcane while our front six upper teeth were filed straight to refine and beautify our appearance, and rid us of man's coarse, animal traits: lust, greed, anger, drunkenness, confusion and jealousy. Nenek had never had her teeth filed. She laughed and told us long canines were reserved for animals, demons and witches.

We were eighteen years old when Father came home one day and, in his cultured voice, told us an astonishing thing. He told us that he had sold his silver heirloom so we could go to university in Bandung, but before that, he had another surprise, a treat, something unexpected. His extravagant eyelashes swept down to hide his eyes. We listened in awe. A holiday overseas. Three or even four months in London. What did I know of London? *London Bridge is falling down, falling down . . .* Father told us about an uncle who had found us work as waitresses in his friend's café, very near Victoria Station.

Victoria Station. How foreign and exotic it sounded on my father's tongue.

It was all arranged. We were to stay in a room in a house nearby. Every meticulous detail had been seen to. We gasped, too amazed and excited to say anything. It seemed hardly possible. What a dream! The idea was so wonderful and fantastic we hardly dared respond, but then Nenek, who had been silent all the while, let out a thin, shrill cry. Her face was pale. 'No, don't take them away too,' she cried.

Father did not even turn his head. His beautiful eyes were set far away on the horizon, on the blue shadow of Mount Agung.

'They are my children and I will decide,' he said, using for the first time, not the usual familiar mode of expression we used with each other, but the very fine, formal one used by his people. As if he was a stranger. As if she was a stranger. So polite, so cold that a shiver ran up my spine. He turned to her, and an extraordinary look passed between them. In that surreal moment, without any warning, every foundation that I had taken for granted cracked and crumbled into dust. It was like looking into a mirror and seeing another's face in it. I realised that it was the first time I had seen Nenek actually look directly at Father. For many moments they were locked in a throbbing simmering world of their own. My sister and I had ceased to exist. In my head, as if from far away, I heard a voice, long forgotten. Ida Bagus's.

It was not friendly, her voice. It had long ago known the

taboo the adults in my family cloaked. Why, the gloating ridicule in the voice I had heard while stealing crickets under her house was true. It wasn't more idle gossip about Nenek. It was actually true. Only then it became clear why they called her *janda kembang*. Although the words simply translated mean young widow, their real meaning is derogatory. It means a newly widowed woman of easy morals.

For the first time I really understood. *He had made her look at him.* Finally he had made her look at him. At his terrible power. Of course, if I had only looked a little harder. The secret chase. It was my beautiful grandmother that my father had first and truly loved. And it was Nenek who had first lain with him, until she saw the light of desire in her crippled daughter's eyes. There were two laws my grandmother lived by: she never denied her daughter anything, and she made her own rules. She stepped aside and gave her lover to her daughter.

Ah, silence. The Balinese silence is a clear sign of disagreement or fury.

My father's fingers angrily twisted the *jong* bracelet he wore religiously day and night through all the years I had known him. Nenek had discarded him so easily, yet his crushed heart jealously hoarded her memory. It was startling the passion my gentle father masked. In my head I heard Nenek's voice, that night Ibu died, and the only time I had seen her drunk, '*You know there is nothing I would not have done to keep her. Nothing.*' Her decision had left her without regret. A high-born lover is easily replaced, but never a daughter.

Suddenly it all made perfect sense. No wonder Ibu's love was so despairing, so desperate; and Father, a puppeteer with a suitcase, his ferocious anger tumbling into his puppets. From very far away I saw Nenek's private angst, her legacy. And I pitied her. What had she allowed love to do to her? Like the paddy sheaf that willingly allows itself to be led to the threshing floor, to be trodden upon and defenceless submits to the grinding stones. And her dust? We scorched it in boiling oil, labelled it rice cake, and laughed while we ate it. How great and wonderful was her love for my mother?

But my father saw only that she had sacrificed him. Given him away to her crippled daughter like an unwanted possession. How blind my sister and I had been! The drama the adults in our life had played right before our unsuspecting noses. The uneasy ghosts that had walked around us.

No wonder. No wonder.

And that day I knew why the oppressive whisper, 'It's all lies . . . It's all lies . . .' moved restlessly from room to room. He had never loved us. None of them had. Not Ibu, not Nenek and certainly not Father. Our existence made theirs possible, polite, acceptable to the outside world. What did my father actually offer? What was this treat if not a bitter brew of thwarted passion simmered down to revenge. And yet I was willing to eat it, for I wanted his gift.

Sprung from poison it sat on the floor of our shabby dwelling like a marvellously winged fox. Just born, its existence was weak and fragile, but hidden in its shimmering wings, I knew, were the arrows meant for Nenek's heart. Even knowing that I couldn't help myself, I still wanted it. And why shouldn't I? Had they not for years plotted to offend us with their shabby protestations of love? The fox opened its special mouth – and yawned.

London, how near to me it stood.

Although I remained silent in my heart I had already abandoned Bali and my dear, dear Nenek. It's only a holiday, I told the guilt inside my chest.

'Inside every tiger hides a tired old man,' Nenek warned. Her voice was such a thin whisper.

But they made my father's back go rigid, and he stared unseeing at the once colourful woven mats carpeting the walls. She spoke the truth. The haunt of the tiger is always desolate and overgrown with weeds. Friendless, every majestically striped tiger hides a tired old man. I saw him, sitting as erect and proud as a warrior, but only half-alive. He was without doubt not one of us, but from a race old, shattered, and eaten by its own thoughts. His core was not Balinese, like Nenek, my sister and I. My father was a Javanese prince. And he had never forgotten it.

His carefully blank eyes hid a horror of the exuberance with which we embraced the coarse vulgarity of gilt, the baroque and the bright. The Javanese lord imitates so well the art and culture of the Balinese that he becomes a master of them, able even to entertain in the rough and ready Balinese humour, but he can never, never absorb any of it as his own. He was a refined knight, bearing misfortune, even injustice without flinching. The master of his emotions.

Ah Father, you should have clutched your secret better for you seem less beautiful now. Now you seem nothing more than a blind hawk, malicious with frustration and wrath. Over the years we had learned to love his dereliction as beauty. The fallen pillars, the moss-covered statues, the cracked stone steps, and the stagnant-smelling pond, we learned to admire. We purposely overlooked the thing inside him that was worn-out and defeated. Some part of me that still needed his love wanted to reach out and hold the lonely body hunched with years of crouching over his puppets.

'My sorrow is nothing. And if you do not look back you will not even see me fall with my wounds, but is it sweet, the blood of your own children in your mouth?' Nenek asked. Her voice was sad.

'Did you not decide the future of your child? Will you now deny me the privilege?' My father's voice was caustic.

Nenek smiled. It was a Balinese smile. It did not mean she was happy. It was simply an attempt to placate, to turn a disagreeable state of affairs into a more positive one. To show the opposition that one is not a threat.

In the ensuing silence my father rose suddenly and left for the temple. That night, after he had silently fed his cockerels, I hid outside his living quarters and spied on a shocking prayer. It was a prayer to intimidate a witch.

> *Your eyes be blind,*
> *Your hands be paralysed,*
> *Your feet be useless.*
> *The lofty and the learned guard over my sleeping*
> *body.*
> *I shall not die dreaming,*
> *My parasol is yellow, the Gods esteem me.*
> *Not afraid, not afraid.*
> *A thousand witches will bow down to me.*
> *Not afraid, not afraid.*

That night Nenek had a fit. In a trance-like state she began to crawl around the room growling that we must never leave the island. The Gods would forget to protect us, and she would lose control over the evil spirits that schemed to harm us. She cut her wrists and sitting as still as a sculpture let them bleed, feeding the insatiable pale snake and the black cat for so long that my sister hurled herself into Nenek's lap sobbing, 'Enough, enough, enough.'

Later that night my sister's urgent voice shook me awake. 'Quick, it's Nenek.' Together we ran to the *bale*. Nenek was sobbing like a child, the way she had that night she lost my mother. My sister knelt beside her and gently stroked her hair. And I saw Nenek surface as if from a terrible nightmare. 'Sorrow is upon me. I broke the rules. It was a mistake, looking back. Now the black cat will not be still. I am losing my power over him. He is becoming greedy,' she cried, her eyes haunted. When I brought her some water, she grasped my hand and begged, 'Don't go. If I beg your forgiveness will you say you will not go? Say it. Say you will not go.'

But I lowered my face silently. My mind was made up. They did not care for us. When I looked up I saw Nenek's eyes dim and slide away. Right before my gaze she appeared to grow old. Her jet-black hair mocked her suddenly tired face. 'Oh no, have I really left a crow to guard my precious eggs?' she whispered. Her eyes alighted on me again. This time they were terrifying. She understood that I was the head and my sister, the tail.

'Do you really want to go?' she asked at last.

The trip was not a gift, but a bribe; the reward for her loneliness and her frighteningly haggard expression. I tried to think of the two of them in this house. The bitter silence, Nenek's sad footsteps. That was what he wanted. That was why he wanted us away. Poor Nenek.

But that day I too wanted to punish her. Did she not clutch one edge of the blanket of lies? I felt my sister's hand on my arm and when I looked into her face, it was pleading. But the winged fox could not be denied.

'We will do as Father desires,' I said. I wanted to break free of our claustrophobic village where every person knew what we had forgotten to suspect. I wanted to go out into the big wide world. We deserved it. They had cheated us of my mother's love. Now they will not cheat us of this opportunity too.

'They run towards their destinies,' she said feebly. Although her eyes glistened in the night like two black pearls, her face was defeated. For Nenek had never denied us anything. Not once. If it was in her capacity she strove towards it. Once she told me, 'We seek to turn our children into messengers of our own thoughts. But our soul matures and our grandchildren we dare only love.'

For days she busied herself rolling thousands of little black pearls, five months' supply of *jamu* for us. She packed them into two old powdered milk tins. On the day of our departure we went to her dim room to receive her blessing. She sat alone on her narrow bed. By her were strewn the ingredients to make clove medicine to deaden pain. We went to kneel at her feet. 'Even now it is already too late,' she marvelled, and then she turned to me and advised, 'When the puppet master gives you wings of course you must fly away, but remember to beware the predators in the sky.' I did not know that she already saw me beyond the protection of her gaze. Like her, I would hobble with a broken heart. To my sister, she said only, 'Dream of Ibu.'

As we turned the corner I turned back and saw her at the gate, her face a mask of grief. I raised my hand to wave but she immediately fell back, away from sight. Her hand on her mouth. All her earlier outpourings had served only to harden my heart, but this, this dumb sorrow, it moved me. It seemed unfair that such a great woman should be felled by me. 'I am sorry, so sorry, but it must be so,' I whispered. Quite suddenly I remembered my sister and I perched on Father's knees, pretending to be ventriloquist dummies, opening and closing our mouths in perfect measure to his voice. And for first time my feet, following behind Father, hesitated and I felt a twinge of fear for the big wide world and the predators in the sky. Still, Nenek was right. Even then it must have been too late because my father turned around and in his calm disinterested voice said, 'Quickly now or you will miss the plane.' And the fear went and my feet hurried on.

*

I must sift the story very carefully now. Make sure all the gold is washed out of the river.

We arrived in England in January. Father's relative came to pick us up at Heathrow airport. He was a proud handsome man who looked us up and down as if he found us wanting, as if he couldn't believe my father's thoughtless deviation from the purity of their bloodline. For *this* . . . his look said.

'Come,' he instructed briefly and turning around took us through the crowd milling about the arrival gate. Just before we reached the doors he stopped. We put our bags down expectantly. He looked at his watch. He was in a hurry, he said. He had to return to Manchester where he lived with his family. We were not to meet them.

Outside it was freezing cold. Colder than the coldest night on the mountains. We had not dressed appropriately. Quickly we climbed into the back of a black taxi, huddling against each other for warmth. He gave the driver directions. It seemed we were to be taken straight to our room. Over a kebab shop. Unwilling to accompany us into our lodgings he waited in the taxi while a man from the kebab shop came out and, bidding us follow him, went ahead of us up a dark steep staircase. His name was Mustapha. He opened the door of our room. Tiny, squalid. Musty smelling. Two narrow beds pushed together. A window overlooking the street. Black handprints by the light switches. There was some sort of meter to put coins in to heat the place. There was a shower cubicle in one corner of the room and, at the end of the landing a toilet, with a proper flush toilet like the ones they have in Denpasar. The rent for that rat hole was £105 per week. I met my sister's scandalised eyes. It was impossible that such a hovel could cost so much. Why, a palace could be rented in Bali for such a sum.

We left our bags, hurried down the dingy stairs and back

into the waiting taxi. A very short drive away was the café we were to work in. There was condensation on the windows. A brass bell tinkled. Inside the air was thick with the smell of frying. A few customers dotted the chairs, eating huge meals, what I would later learn was called a Full English Breakfast. Fried eggs, sausages, bacon, baked beans, mushrooms and a fried tomato half. Even the bread was fried in that greasy world. My uncle shook hands with the owner, a man with a knife slit for a mouth, then introduced us, not as blood relatives, but as old friends of the family. Afterwards he turned to us and said, 'Well, I'll be leaving then. Since I won't be seeing you again, I might as well bid you goodbye and a safe journey back to Bali now.' We watched him walk out and get into the waiting taxi.

The owner was a cold-hearted man. We were to work six days a week from 6.30 in the morning till 6.30 in the evening with two half-hour breaks. Our take-home wage was £120 per person. He handed us a set of uniforms, white shirts and short black skirts. He would deduct £16 from our first wages to cover their cost. We could eat as much of the left-overs of every fry-up as we liked and there was a 2 litre bottle of lime cordial for our use.

'You can start tomorrow,' he said. 'If anyone official-looking asks, you are relatives on holiday. Just helping out for a couple of days.'

We nodded. In truth we were horribly frightened. We had not expected to be so quickly abandoned in a strange city. So began our wonderful holiday – working six days a week in that grimy depressing place. No matter how hard or how often I cleaned there was always a film of grease on the tables.

Six mornings a week we walked to work in the chilly dawn air, often passing the prostitutes working the morning trains. We waited outside until the cook arrived to open the doors. Very quickly we got used to the trade. First thing in the morning beefy builder types, who tried to pick us up with faultless regularity. There was no harm to them. They did it all in good fun. A little later aggressive, demanding, shapeless women with hard faces and two or three brats in tow burst in, threatening and swearing at their children. Chips and sausages for the little monsters and a full breakfast for them. I found out from the cook that these people did not have to work because the Government supported them and all their children.

At lunchtime some of the office crowd wandered in. Usually men. With pale timid eyes and often with something to read in their hand.

When school was over, more freeloaders on the Social Security system too lazy to cook dinner (they referred to this meal as tea). After them, just before closing time, after our mean-hearted boss had shut his till and left us to finish emptying out the ashtrays and lock up, a crowd of tramps. At first one came in and, carefully counting his change, ordered coffee. I felt so sorry for him that not only didn't I charge him for the coffee but I warmed up some left-over bacon for him. Within a week word had got around and we had seven or eight who became our closing-time regulars. We were no longer just serving left-overs but raiding the fridges.

We knew that if our mean boss found out he would be absolutely livid at the liberties we took with his stock, but we felt no allegiance towards him after we found out that only the two of us and the illegal Macedonian boy doing the washing-up received such pitiful wages. The other English waitress and the Greek cook with the proper papers were paid more than double our wages. It was almost certain he would deduct our wages if he found out.

The tramps' odour suggested dead dog, but was probably a mix of alcohol escaping from their pores and the rotting bits of food in their pockets. On the pretext of watching out for the boss, I opened the café doors to let the stench out. In the meantime I stood looking out at the bus stop across the road.

I watched the beautiful red double-decker buses roll up. In the gathering dark the fluorescent interiors made the drivers seem ephemeral. I gazed wistfully at the people queuing to enter doors swishing open. They stepped in one by one. Through the bus windows my eyes followed them paying the driver and hastening through to find a seat. Once seated they opened books or simply turned to peer out into the gloom. Sometimes their searching gazes met mine, and for a moment there would be surprise at being watched, but then their eyes would slide away from the watching waitress. Uninterested. Happy with their lot. I envied them.

Still, not once did I dare join the queue. The bus, I was afraid, was only a symbol. An illusion dreamed up by a disenchanted foreigner. An attempt to pretend that boarding just such a vehicle could spirit us away from the grinding boredom of our daily toil, our perpetually cold room, and the ugly reality of our holiday, and magically transport us to a place of warmth, security and love. If I allowed the illusion to capture me, where would I have gone? The bus would have become just a bus, futile, full of graffiti, splotches of chewing gum stuck on the seats.

The truth was I was miserable with regret. In a moment of childish pique I had broken my grandmother's heart for this grey raw place. She had always loved us. Of course she had.

And I was bitterly disappointed with London. It was not at all as the shimmering fox had promised. So often ignored by the sun, the city's gaze had become bitter and damp. In fact it rained nearly every day, huge freezing drops that splattered on the window. Even the day left early. By four in the evening it was already dark. And Victoria Station?

The place that had seemed so splendid, so tantalising was even greyer, even stranger.

We walked for miles in the foreign city, but always with shoes. There was nowhere to walk barefoot. The land was barren of emerald green or gold rice fields. Its people rushed towards you wrapped in thick funereal garments and unhappy faces. No one smiled. No one spoke to us. Once while we were out an old man in a squashed hat met our eyes and declared mournfully, 'Treacherous old day, isn't it?' We were so surprised at being addressed by an English stranger that we nodded and grinned. How starved we were for a little love and warmth.

And where did the Rice Goddess live? They must have chased her away. There was not a single bamboo shrine laden with offerings to be seen at crossroads. How mean the people had to be to deny their God food.

They held festivals for neither God nor demon. In fact they kept their kind-faced God, and they have only one, in very grand, enormous cave-like buildings they called churches and cathedrals. It was very cold inside their temple and the religious passed silently in and out with downcast eyes. They had nervous sombre faces as if they had committed very terrible sins and were in need of forgiveness.

I missed the taste of fern tips, bright green and glorious, served with slivers of the searingly hot chillies that grow wild in the edges of paddy fields. And my tongue remembered the small bright-red pineapples that Nenek gathered in the morning mist while foraging in the forests. Waking up in the chill of the morning, I saw on my closed lids Nenek bending to catch pollen falling from an exotic pink and yellow bloom. Disturbed, an iridescent orange lacewing butterfly as big as a dinner plate flirted away, flashing and fluttering.

'The forest is my mother,' Nenek said, carefully dropping the yellow pollen into a small plastic bag.

Curled close to my sister for warmth in bed I missed the sound of crickets singing in the night, but on Friday and Saturday nights children as young as thirteen and fourteen roamed the streets in groups, drinking cider from plastic bottles. They congregated outside the kebab shop. Intoxicated by their own daring they swore recklessly. I tried the word on my tongue. The 'f' was long and the 'k' salty.

There were no birds to call in the dawn, but in the still air of Sunday morning, on our way to get croissants for breakfast, we saw flocks of crows and pigeons feeding on the children's vomit.

Working six days a week and earning just enough to cover the rent and a few necessities, we didn't get to do much. Everything was so horribly expensive. One Sunday we walked to Trafalgar Square. It made us laugh to see the many pigeons there. How familiar, their grey bodies. The sight of them, moving grey puddles on the ground, reminded me of Bagaswati, a mountain dweller from the Batak highlands who made his money in Kuta Beach at night. He lit his kerosene lamp in the middle of a circle of tourists. When he had everyone's attention he broke a matchstick held between his thumb and forefinger and inside a cage placed on the ground, a pigeon would fall dead. Always a gasp, then silence from the women and theories from the men. Everybody paid.

Bagaswati would make a fortune in Trafalgar Square.

We walked to Piccadilly Circus and there was a thickly wrapped street vendor selling roasted chestnuts for a pound a bag just outside the tube station. Roasted chestnuts have the most amazing perfume. I know it will be the smell I associate with winter in London. We waited by the heat of his fire while his charcoal-blackened hands 'sorted' us with a portion each.

'Here, love,' he said, his voice hoarse, and handed me a small paper cone filled with hot, sweet chestnuts.

Down Shaftesbury Avenue we found Soho. How odd that homosexual men should show such aggressive defiance! In Bali, homosexuality is only an experiment indulged by young boys before they settle down with a woman and have children. Ah well, Bali is paradise, after all.

We had lunch in Chinatown where the smells were familiar.

There too we found durians, which made us long for home. Zeenat did some calculations and pronounced that the fruit cost twenty-two times more than we would pay at home. It would burn a noticeable hole in our meagre budget, nevertheless we were helpless to resist its call. In the tube station people turned to stare at us. The smell that made us salivate revolted them. How extraordinary! In our room we broke the fruit eagerly, but to disappointment. Inside it was not the coppery colour of the jungle fruit Nenek brought home but an insipid yellow. And in our mouth it fell short of the smoky intensely sweet taste we loved. They had harvested it too young. Afterwards, as we had been taught since childhood, we filled the hollow shell with water and drank it. Seven times.

After more than two weeks the letter that Nenek had written on the day we left arrived. It was a sad letter. We had broken her heart for nothing. We sat by the window looking at the grey rain and I whispered, 'Shall we go home?'

My sister nodded eagerly. We decided to leave before the next rent was due. In less than a week we planned to be home. We looked at each other with excitement. How happy Nenek would be to see that we had come to no harm. The next day during break time we went to a telephone box and changed the dates of our tickets. They were valid for a year, Father had paid extra for that, but we didn't care. We just wanted to go home. We meant to hand in our notice at the end of the night. I always look back on that fateful day with something approaching amazement, at how close escape had been.

In minutes our shift would have ended.

If it had not suddenly begun to rain.

But as Zeenat and I watched, the skies opened, water rushed out in sheets, and a man dressed all in black, dashing past, made a right turn. The brass bell tinkled and he slipped through the door of the café.

He was not our usual customer. He was big, tall and deep bronze with flowing yellow hair. His eyes were as blue as the sea, his nose straight and proud, but it was his mouth that I stared at. It was impossibly sensuous. Curling upwards at the edges into a sort of mocking smile. Never before had I seen such a mouth, in either man or woman. He sat down, brushing water droplets off his yellow hair and his expensive leather jacket. I noticed that he did not wear a wedding ring, but when he grinned at one of the slobs the Government paid not to work, he showed the long teeth of a dog.

Still, how I wanted him.

My sister and I looked at each other.

'I'll go,' I said, and I swear, I did not feel the tiger's breath upon my face. Until then we were innocent. Another might have said, babes in the wood, awaiting corruption.

Ricky Delgado

Ricky

Without any warning it began pissing down with rain. Swearing and cursing at the lousy English weather, I slid through the misted glass doors of a coffee shop. Jesus, what a fucking place! Someone had perfumed the joint with industrial-quality air-freshener. As if it was a toilet. Under their layer of grease the tables were probably still in quite good condition, but the chair, when I slunk into one, was a byword in plastic discomfort. A black-and-white-clad waitress approached, unfretted by any concept of haste, but definitely moving. Head erect, shoulders back and swaying very slowly from the hips. All of a sudden I was glad, very glad that the English weather is such a contrary, spoilt bitch.

When eventually the black and white vision stood before me, her eyes secretive and her mouth half smiling, I didn't bother to stop myself; I looked her up and down and whistled. The other customers turned to stare. Fuck them. What do they know about Asian babes with skin like silk? This one was so beautifully exotic, blood sped into my brain. Oh man, you should have seen that smoking body. My hands itched.

Sometime during the slow whistle, the half-smile floundered. Really black eyes stared at me, bemused and a touch unfriendly now, but inside my head I was already running my fingers down that rich honey and cream neck, into the valley of her breasts, resting my palms on the delicate smooth skin of her stomach . . . fucking her.

'What can I get you?' she asked. Deliberately cool. Good tactic. I liked it, hard to get. Rarely fails.

'Espresso, short,' I said, automatically gesturing with my thumb and forefinger.

'Espresso, short,' the voice repeated, the accent so foreign it made me think she had not been long in this country. I suspected her English might be a bit basic. Luckily for her, for what I had in mind, even if she was limited to nothing more than, 'Ooh, aah, Cantona,' we were in business. High-pitched kitten sounds would be an added bonus, of course, but . . . hey, I'm not fussy.

Twisting at the hips, she walked off. Head erect, shoulders back, tight skirt; nice arse. As she passed a large mirror, she turned her head; the blue-black hair in a pony tail high on her head swung far left, and our eyes met. Hers slid away quickly. She slipped behind the bar and busied herself with the coffee machine, speaking very fast in some chinky-sounding language to a sick-looking, miserable, yellow man. I hadn't eaten since lunch the day before and even the crispy-around-the-edges food in the fluorescent-lit glass cabinet looked distinctly edible. Perhaps I could ride out the rain inside the café with the slowly moving Goddess. The Goddess returned with my coffee.

'Thanks, Bella,' I said, my eyes hustling, softening, caressing, my mouth already tasting pussy.

'Anything else?'

I spooned sugar into the coffee. 'Have dinner with me,' I invited, grinning evilly. Contrary to popular belief women find two-legged wolves irresistible.

Teeth that looked as if they had been filed straight with a nail file appeared between her stretching lips. 'Where I come from we have a name for men like you.' She paused, and grinned. 'Land crocodiles.'

I threw my head back, laughed. Great. My kind of girl. Her mischief was infectious. 'And where is it that the rest of my kind live?'

'Bali.'

I knew it. A pagan. 'I've been there,' I said.

'Really,' she cried eagerly. Black eyes started to warm nicely.

'I'm Ricky. What's your name?' Not that it mattered. All girls can usually be trained to answer to Bella.

'Nutan.'

'Come on, Bella, it's only dinner.' I winked and nodded. Just in case you haven't realised by now, I'm Italian. Actually I can do even better than that. I'm Sicilian. She was considering. I could hear the wheels in her brain revolving.

'Bring a friend if you don't trust me,' I offered. This line never fails. If nothing else works, trust me, go with this one.

She laughed. Pretty. 'You are so determined. What must you have done when the ice-cream man came to your village? Okay, if I bring my twin sister?'

Mamma mia, her accent was a bit funny, but did she just say two for the price of one? Surely such completely unlikely offers were found only in supermarkets, not greasy little cafés in Victoria. Another exactly like her. Two. A set all for me. I had never had twins before. I wanted to wallow in the filthy fantasy of two fabulous bodies rubbing against each other, but she had said something that was making my mind race to another time, another place.

The ice-cream man is in the neighbourhood. I can hear his bell.

I am the little boy rushing into a homely farmhouse kitchen. There is a good woman in that kitchen. She is making involtini. Her husband says it is the best in the whole of Sicily.

'Mamma, Mamma, *gelato*,' I shout desperately.

'Not today.' This is her voice at its most decisive.

'Mamma, *gelato*, *gelato*,' I cry harder, racing madly around her.

'No, Ricardo. I said, no,' she says more firmly, louder than my screams.

Nobody calls me Ricardo any more.

I throw myself on the ground and kick my heels against the stone floor. '*Gelato*, Mamma, *gelato*,' I begin sobbing in earnest. Outside the silly tunes are getting louder, but soon they will be fading away.

She shakes her head again. 'No.'

I think this time she means it, but I was born to hustle. My hands rush up to press my temples, as if I am in mortal pain. She must relent or the ice-cream van will be gone. I go crazy. You will call it hysterical. 'My head, my head, help me, someone,' I scream.

'*O Dio Bono*,' she swears. She is giving up, I can tell.

'Mamma, help me, my head, my head,' I yell even louder.

'*Disgraziato*,' she hisses, but a plump floury hand is already reaching into her blouse, and pulling a purse out of her soft chest. I quit the bawling immediately and jump up, my hand outstretched. I snatch the money from her and run out into the yellow light outside.

Oh fuck, you don't really want all this childhood crap, do you?

You do. Okay, baby, I'll tell you what I know, and what I don't . . . well, it's not worth knowing. I'll try to save your blushes, and keep the swearing and cursing to a minimum. *Andiamo*. From the beginning this time.

My mother said that while she was pregnant with me she attended a wedding in Corsica. Now Corsicans have so much African in them that they are a bit odd. They believe in black magic. Anyway, at the wedding some old hag, a black-clad widow complete with a fishnet veil over her ugly mug, called Mamma over to where she sat, under an olive tree.

The old fright laid her gnarled hand on my mother's belly, and prophesised, 'Be triumphant. A beautiful boy will split your legs. And mark my words, he will grow to be a phenomenon.' My mother, who was thirty-six years old, and slightly embarrassed to be pregnant again after a sixteen-year hiatus, was gladdened by the blessings of a Corsican witch. Though in the coming years it made her soft in the face of my wilfulness, and served only to reinforce every contemptible quality in me.

After every misadventure I would set off at a sprint for the land, leaving Mamma, hands on hips, heaving at the doorway. Usually there was a broom or a rolling pin waving in her right hand. '*Disgraziato. Ti faro in pezzi.*'

Disgrace, yeah, but *you* cut *me* into pieces, never. You learn quickly. Italian parenting stipulates, in the unlikely event a child does not manage to leap out of reach, the consequences for bad behaviour must be a tolerable thing. Poor mite and all that. Hours later when the coast was clear I would return to raid the larder. Standing in the middle of the kitchen I'd hear her shuffle down the stairs, a short chunky woman in sensible shoes.

'So, you're hungry then?' she would observe, voice gruff, arms folded across her chest, but she had already forgotten that I was a shocking disgrace. I'd pretend shame, hang my head low and nod. She would expell a long suffering sigh, and set about making me supper. Then she'd sit at the wooden table and watch me eat. Ah, Mamma, pasty fleshy face, gun-metal hair and caramel eyes full of loving indulgence. She scolded and shouted and then gave me everything I wanted.

We lived in an dwindling ghost-like village called Ravanusa. So undeveloped that every fortnight around seven in the morning a lorry came around to supply our domestic water needs. If we finished the water before then, we had to borrow from neighbours. There was a pessimistic air even in the central *piazza*. Too many lean years had depopulated the town to the extent that everybody knew everybody else. Any stranger was the subject of the guarded eyes of the entire village, until he became a part of our secretive village life, or at least until everyone thoroughly knew his business.

Ravanusa boasted a deadbeat bar, a good-sized market, some sad small-town shops, a tiny post office, chained unloved dogs in every yard, and the notorious *circolos*, gambling clubs. Rooms rented along the piazza for use as gambling dens. This was one of the few vices available to the men of this dying village to ruin themselves on. But how can you blame them their bad habits? In a funny way I admired them. They were men running away from intolerable boredom.

When their burnt faces cried, 'O Dio bono,' it was without resignation. In a drought they alone drank at the fountain of sweet water. They were husbands, brothers, fathers, cousins and even a paraplegic lawyer who came accompanied by a little helper whose only function was to hold his master's cards, and fill out cheques for the huge sums his master called out.

My uncle lost his home in one of these dingy dens. He held up a six, the other pulled out a seven. And then there were the professionals, their eyes glazed and manic, shuffling their cards so fast, the flying cards swished by, tak, tak, tak. They were the ones who were capable of gathering crowds of gawking men. 'Are you completely crazy?' or 'Don't be a fool,' the men whispered excitedly to the brave and absurd men who gambled their unwary wives for a month, or six, or for good if the good woman upon hearing the news hanged herself.

If you didn't gamble chances are you indulged in that other very common vice. Alcohol. My favourite alcoholic was Toto, a funny, correct, little man who walked every day to the bar. Standing, he ordered his three grappas, threw them down in quick succession, and then took a step back, hollering out as if he was still in the army, 'One step back.' He followed that little routine with an, 'About turn' as he turned around smartly and clicked his heels, his back ramrod straight. Nobody took any notice. He walked home, drank a few litres of wine and passed out, usually in his barn. He bought his wine from my father, two barrels of red wine a year, each barrel with a holding capacity of 1,500 litres. My father says that, when Toto was a young boy he used to beg my grandfather for alcohol.

'Come on, *Zio*, give me some wine?'

'*Madonna mia*, not that again,' my exasperated grand-father would say.

Then one day he saw Toto lying on the ground, mouth open, drinking red wine straight from the barrel tap.

My job was to wake Toto up every morning. Spring, summer or winter the ritual was the same. I chucked a pail of water over his head and waited until he turned over. '*Alzati.*' Wake up, I shouted, until his heavy lids came unstuck and bleary eyes squinted up at me. His lips, stained purple by red wine jerked at the corners. He mumbled something that sounded like, 'And good morning to you too.' He sat up and I swear the man creaked. Then his right hand rooted around in his jacket for my wages.

One freezing February morning when the almond trees were frothy with white flowers I tipped a pail of water over Toto's head, and ordered him to wake up but he refused to move, so I rolled him over. His purple lips were twisted into a strange, sly smile, as if he knew something I didn't, but he was stiff and dead at thirty-five.

'Are you dead, Toto?' I asked the corpse.

No answer.

I took a step backwards and knocked the pail over. The noise of its clattering and rolling startled me, and suddenly I was scared witless. Toto smiled his dead smile.

I was alone with a dead body.

'Mamma,' I screamed and, filled with terror, ran. I ran as fast as my nine-year-old legs would carry me, but in those days I could really run. In fact I was famed for speed. Whenever there was a football match, both teams first begged, then resorted to the Italian way, bribery, to tempt me to play on their side. All the time I was running I saw Toto's dead face smiling insolently. Crazy.

By the time I pushed open the heavy wooden door of the house my great-grandfather built, I was shivering uncontrollably. It was cold and dim inside. Pushed against the thick solid walls were lumbering pieces of hideous, teak furniture. Everything had been acquired in my great-grandfather's day. There was a picture of him hanging on the wall. In it he looked like a good, honest, hardworking man, and no matter how hard I tried I could never see him as a murderer.

But he was. He even did time for it. Twenty years for ridding the village of a bullying oppressive gangster. On his release he became a Godfather. Exactly like Mario Puzo's Godfather, except that my great-grandfather had to give up twenty years of his life for the dubious privilege of being so loved and respected that not the smallest thing happened in the village without his blessing.

That was when the word *mafia* actually meant family, and stood for loyalty. When one pricked his finger, smeared the blood on a picture of a saint, and held on to the burning scrap of paper, swearing the *omerta*, 'I will burn this way before I betray the family.' Those were the days when powerful, carefully anonymous men of honour like my grandfather, an illiterate poor shepherd, lived without fuss, collecting favours in exchange for other favours. No one outside the village knew that the simple shepherd living in his hovel on the hill slope was *capo*. That was the way it had always been done in Sicily. Ruled from afar by a succession of mistrusted conquerors, our people learned to solve their own disputes.

If you asked the older people about Don Delgado, they

would first smile with remembered pleasure and then shake their heads forlornly. 'That was then. . .' they lamented. Before the fantastic profits from drugs and prostitution in the seventies and eighties changed it into the feared, cruel, insatiable thing it is today. My father hated the Mafia, what it had become. 'Let them all kill each other,' he spat every time there was a story of another killing in Palermo. 'They are a pack of dogs without blood or honour, killing innocent women and children.'

Once in the heat of summer, Mafia soldiers, five men in city clothes, arrived at the house opposite ours. As we sat spooning minestrone soup, our front door open to let in the evening breezes, they stood at our neighbour's open door and gunned him down. Just like that. Right in front of his wife and two screaming children. The noise was like an explosion. He fell to the ground with his chair, two streams of dark red running away from his body. They turned around to leave and met us, shocked and staring. For a moment no one moved, not them, not us, then Father stood up and closed the front door. 'One less of them,' he said. No one spoke about it afterwards. When the uninterested *carabinieri* arrived, we had not seen or heard anything.

Panting slightly I slammed the heavy door shut, the biting cold and Toto's crazy smile behind me. It was nine in the morning and only Mamma was home. She was standing in front of the huge open fireplace holding a long-handled pan. She turned her head to look at me and the orange and red fire illuminated her face. Quite often in winter she cooked my breakfast in the fireplace. Her cloud omelettes were quite delicious. When Father was home we ate them, sitting in front of the television. Afterwards Father would catch Mamma's eye, stick the forefinger of his right hand into his cheek, and rotate it clockwise on the spot. That meant the food was first-rate.

I ran up to her. Breathlessly I pulled at her skirt, and

delivered my death notice, 'Dead, dead, Toto, Toto, dead.' Her left hand flew to cover her open mouth, but I remember that she did not drop the saucepan. She is a pragmatic Sicilian mother. There is death outside the family circle, and then there is a good meal that does not need to be spoilt.

Yeah, Mamma was no Madonna. She was nosy, interfering, loud, shameless, aggressive, and tight-fisted into the bargain. She dragged me with her to the market and spent hours haggling over a shirt or a pair of shorts. Her strategy was simple. First she insisted that the trader was a rogue to charge such exorbitant prices. He must reduce his price. If that failed and it usually did, she dropped bullying and did begging. She took her purse out and opened it to show how little it held. The next course of action saw her pretending to walk away, so he could shout her back. '*Vieni, vieni, Senora.*' Then she would swagger back, triumphant, and pay the price she called. But sometimes he didn't shout her back. Then she had to back down, return. Apparently, if done in good humour, there is no shame attached to this perfectly legitimate renegotiation device. And so it began again, the entire process right up to the walking away bit. To the best of my knowledge she duplicates this scenario until today. She can't help herself.

She still recollects a time during the war when her family was so poor they wore the same dress for weeks, when they survived on almonds. The only meat to be had was when her father shot a wild rabbit.

The traders understand. They are all from the same generation. They were always nice, never gloated. It was just a game they played. Sometimes they lost and sometimes the loud lady lost. In the end it all evened out.

Toto's funeral was held three days later. It was a very Sicilian affair. The suffocating scent of white lilies, ill-at-ease men in their one good navy blue suit, women in black clutching starched, ironed, white handkerchiefs, rooms crowded with relatives come to shed the obligatory tear, and of course the grieving mother. Let me take a moment to tell you about tragic Sicilian mothers and their uncontrollable grief.

You will find her beside the coffin. It is a key position and much is required of the person who takes on such a role. She must weep for all of Sicily. Flinging her clenched fist into her own chest she howls, 'Oh, the p...a...i...n, oh, the p...a...i...n, ah, the p...a...i...n.' Then she recounts in great detail a boring non-event, an incident when she had refused the deceased some request he made. She sits there berating and cursing herself so much that you begin to imagine it was something of momentous proportions. And then you find out that it was nothing more significant than the refusal to bring a glass of red wine the dead person had asked for, many months back. But the lamenting, moaning and weeping doesn't stop there because the mother then starts to remember and recount other incidents of guilt further back in time. She intersperses them with more cries of 'The p...a...i...n, oh, the p...a...i...n. . .'

Don't forget, all the while there is continuous upper-left breast hammering going on. The men try unsuccessfully to comfort the woman. 'Enough, enough,' they plead unconvincingly. Like the traders in the market everyone knows their roles. It is a game they play.

Toto's mother looks at my father and then wails, 'Ooooh only last week Toto told me how much he liked you . . . The p...a...i...n, ah, the p...a...i...n, oh . . . why, oh why, didn't I . . .' Undaunted by the dismal success rate of convincing a grieving Sicilian *mother* to please just stop, Papa manfully moved forward.

Needless to say my father failed at the task he set himself that day, but in fact Papa is very special. He can smell rain in the air, and tell the time by looking out of the window.

He has never been more than fifteen minutes wrong. We share a special meal in a special way. We drop two anchovies into our mouths, followed immediately by two, or even three green grapes, and then we cram the remaining space with bread. It is our own special combination. We invented it, and we think it unbeatable.

He is a farmer. Sicilian farmers work uncomplainingly, like bulls, every day, even Sundays. Even on the coldest winter morning he is up and on the land by five o'clock. His consuming greed is land, land and more land, and once acquired never sold. He has twenty *tumina* of land. It is an old form of measurement that remains in the rural parts of Italy. 'How big is that?' I asked.

'Big, very big,' he said. The pride was quiet.

'Tell me in kilometres.'

He shrugged. 'Who knows? But it's big. Very big.'

I remember him as strong, hardworking and funny, so funny. He told such stories of life before the war. Times in Paris, more than once mind you, when he 'accidentally' found himself slap bang in the middle of a girlie bar with a drink in one hand and a ravishing blonde in the other. He liked a good blonde in his day. I wish you could have heard him. Even as he was opening his mouth I was already laughing. He was so funny. But if interrupted he became cross, and that was even funnier.

'Don't interrupt. Your grandfather was like that, your uncle was like that and now you are like that.'

'All right, all right, tell your story then.'

'No, now I don't remember any more,' he said sulkily.

Toto's funeral procession itself was a sombre thing, a painfully slow march in the freezing cold through the town, with the wailing women in the middle. As we passed, shop-keepers and other householders shut their windows and pulled down their shutters. I know it sounds like a heartless rejection of the dead and the grieving, and believe me it looks even worse, but it is our custom. They will do it when I die too.

In front of the procession, small children scattered flowers in the path of the hearse. At the back Giuseppe, Lillo, Ignizio and I whispered. We were a gang and we were up to no good. Our hero was Sandokan, *la tigre de Malaysie*. We never missed an episode of the Malaysian tiger on television. We were making plans for the February carnival celebrations. It was a street thing. The full gang that patrolled the streets to protect it from lunatic enemy gangs from other villages was twenty strong. We chased them out with sticks.

But the best times we had were always in summer when it was still warm and bright at eight in the evening. While my mother sat downstairs making a list of my misde-meanours for my father and his belt's attention, I crept into the attic. Lifting craftily loosened boards I climbed out to the ledge and shimmied down the drainpipes.

By the time I got to the main piazza, Giuseppe, Lillo and Ignizio were already there smoking cheap German cigarettes. We pooled our money and joined the queue of people buying *sangonaccio*, blood sausages. There is just nothing in the world to compare to those sausages warming on Don Collogere's small portable coal stove. If one ended up far enough back in the queue, there was a very good chance of leaving with only Don Collogere's regretful smile. He is dead now, but he was an institution in my day. Narrow, ancient, with patent leather hair, he sat on his wooden Peroni beer case, dressed completely in black, from the delicate little cap on his head to the highly polished shoes.

We wolfed the sausages down standing, but once when money was scarce and *sangonaccio* unaffordable, Giuseppe begged his father the fish seller for a box of sardines. Then we sneaked into my father's storeroom and stole some wine. We carried our box of fish and wine to a disused farmhouse, lit a fire with twigs we found on the hillside, and grilled the fish. Mindful of being discovered we ate and drank in the dark. Completely intoxicated, we ate even the heads. The next morning poor Giuseppe vomited when he realised that he had eaten fish eyes. I didn't care. I'm not the squeamish type.

Sometimes we staged sword fights in my father's garage. First we dipped our swords into the oil tank of my brother's Vespa, and then we lit them. One crazy day Lillo dipped his *burning* sword into the petrol tank. Instantly the petrol tank caught fire. In a blind panic we rushed out, only to stop suddenly three yards from the garage door, and run back screaming. Giuseppe grabbed a chair and advanced towards the burning Vespa.

'What are you doing?' I yelled. I saw the whole house going up in flames. We rushed this way and that, looking for water. In a fit of despair Lillo began to batter the mouth of the petrol tank with his sword and, *Grazia Santa Maria*, the fire miraculously went out. We sank to the ground in sheer relief.

Then school broke up for summer.

And I no longer had to leave for school with my father at five in the morning on a torturously slow, one-and-a-half-hour ride on his tractor. I used to dread that trip in winter when it got so bitingly cold on the open tractor that in minutes my teeth were chattering uncontrollably and my fingers were numb. Passing motorists automatically stopped to give 'the poor boy' a lift. But if the Sicilian winter was fierce, the summer was unrelentingly fiery. It got so hot that I could hardly sleep at night. I dragged the mattress out onto the balcony, but by half-four in the morning I was woken up again by farmers on the street below.

'What are you doing outside? Go inside,' crusty, irritatingly cheerful voices shouted up, above the rattling of their tractor engines.

74

'Too hot inside,' I shouted back.

'*Allora*, go back to sleep, then.' And the noise of their tractors died away.

During the holidays I didn't have the usual bread and milk or cloud omelette for breakfast, but took a lidded container to Tsi Stefano, down the road. In the basement I stood in a queue of clacking housewives and sleepy young boys. Tsi Stefano tended to a huge old iron cauldron of simmering milk over a roaring olive-wood fire. When it was my turn, the cheese maker's knotty, craggy hand dropped into my bowl three, sometimes four, shallow scoops of fluffy ricotta cheese, and some broth. I handed over my two hundred lira, and scuttled home to clean the bowl out with a hunk of bread. Beautiful.

My first job was to feed the pigs. They ate a paste of sawdust, water and leftovers. After the pigs I rushed to my grandmother's. She lived in a dusty house that smelt yeasty, as if she was growing mushrooms under her bed. Like every other grandmother in Sicily, she owned a red bulb and a bunch of fake flowers that she carefully displayed under a picture of the Madonna. I rushed about washing her floor and plates. This I did for money. Sometimes she made me sit in her living room and listen to her drone on about the war, 'Two days and two nights the Germans passed through Ravanusa . . . And when the polite American soldiers came to ask for watermelon, they put sugar on the flesh.' Cackling and chortling with delight. 'Those Americans, ha, ha, sugar on the watermelon. . .'

Summertime was also when my brother and I went olive picking with Papa. With hand rakes we loosened all the fruit onto a net on the ground. Then the bright green olives were gathered, poured into the wheeled container behind Father's tractor, and taken to the mill. Then there were those two crazy summers when my father was still growing white grapes for the supermarkets, and he had me march up and down the rows of grapes banging a spoon on a frying pan to keep the birds away. Seven hours a day that was my job. He was too stingy to invest in one those cannons that exploded noise every now and again.

The year Toto died was also the summer the *zingara*, gypsy children, came to steal our honey, made by bees that took their nectar from chestnut flowers. It was July and we were plucking almonds then. Almonds harvested that young are soft and sour and a local favourite. The gypsies came during siesta when they thought the land was deserted. Silly kids stole the nest and carried it away from the house, but when they opened the hive, the bees swarmed out, irritable with the midday heat and being knocked about. Running around in circles, the children flapped their scrawny brown arms, screaming, 'Get off. Get off.' We ran out into the fields and threw handfuls of dust and soil on them, and the bees flew away.

Up the Saracion hill were Greek ruins. We were always finding broken ceramic plates, cracked terracotta pots, damaged amphore, and bronze cooking utensils. Usually the things we found were crudely made, deserving of little attention, and just tossed away. However one spring when my father and brother were busy spraying the trees with noxious chemicals that kept away the maggots, I stumbled upon a treasure. I found a thing so fine that I, a vandal who took pleasure in killing chickens for fun, thought to keep it. It was some way away from the fallen half-buried limestone pillars, where it was believed a temple once stood.

The entrance to the cave was so narrow that it could be entered only by lying flat on the ground and slowly dragging oneself along for four or five feet into pitch darkness. Then the space widened until you came upon a domed room where it was possible to stand upright. There were niches carved into the walls, and ashes and burnt sticks inside a circular arrangement of stones on the ground. But the funny thing was someone, a long time ago, had gone ape-shit crazy in it. Everything in the room was broken or violently smashed to splinters. Everywhere lay fragments, a fractured male torso, damaged goats' antlers and bits of what must have been fine vases with red figures on black backgrounds.

But it was to the fireplace that I held my candle closer. Two-foot high, half buried, and charred around the edges, was a statue. One half of her marble face was hacked away as if someone had taken an axe to her, leaving an ugly crack that ran all the way from her rounded breast right down to her hips. Her legs were broken off at the thighs and both her hands were missing. I found one later. Someone had flung it against the wall, and it had landed in one of the recesses. Her smile was smashed, and even the one good eye that survived was as sightless as any Greek or Roman carving, but when I turned her sideways in the flickering light of my matches, a thrill ran through me. I recognised her as incredibly, indescribably beautiful. A blood goddess. A treasure. I ran my dirty fingers along the good side of her face and felt initiated in some inexplicable way. She was mine.

Many centuries ago an orgy of destruction had taken place in my secret cave. That much was obvious, but why? Once she must have graced a temple or a fine house. What was she doing, wilfully destroyed and abandoned in this cave? The whole thing was mystifying. As I cleaned the Goddess with the sleeve of my sweater, greed settled into my little heart, and for some reason, mysterious to me, I resolved to keep her away from the eyes of everyone else, even my *own* gang.

Carefully I concealed the cave entrance. Often I ran up into the hills and slid into the cave just to look at my deepest secret. Until one day love made me wrap it carefully and bear it as a gift to a girl.

That was the year the olives were too small to pick and turn into oil, and the farmers had simply left them on the trees. We had too much in store anyway. I was sitting in a tree waiting to discover the entrance to a rabbit's burrow, when I saw her coming from the adjacent fields of wild flowers. Her head was a glorious puff of honey-brown curls. She was quite the sweetest thing I had seen with a tiny mouth the colour of a half-ripe cherry.

Unaware of my presence she came to sit under the tree. Big blue dragonflies flirted around her. From a pocket in her skirt she took out a margherita bloom and began plucking the petals out one by one, chanting, 'He loves me, he loves me not, he loves me, he loves me not . . .' and the last petal . . . 'he loves me.' Instantly she sprang up and, laughing joyfully, began to whirl around, her small feet going faster and faster, the cloud of hair bouncing and flying as she spun around. What a curious delightful toy she was.

After a moment she sat down again and turned to another margherita. Once more she pulled out the petals, 'He loves me, he loves me not, he loves me. . .' and the last petal . . . 'he loves me not.'

'No,' she gasped. Incredible. Was it possible that her dismay was genuine?

That empty stalk was flung backwards. Another bloom was whipped out and the ceremony repeated. That stalk was immediately dispensed with, and another consulted. Why, that one gave exactly the same result too. She was not loved. Without warning she dumped her face in her hands and burst into tears, sobbing as if her heart was breaking. Watching her from above, I was intrigued.

That such a little thing could cry with such ardour was a novel and satisfying idea. I experienced a flash of resentment for the unknown *amore*, for the passion wasted. Quite without warning the strangest sensation coursed through me. Competition. The thought to win her love. The thought to possess her. Not in a sexual way. I was innocent then. I just wanted to own her. Like a toy. To be able to say to my friends, 'Look, look at this splendid creature. It is mine.' That was what I thought I felt, but perhaps I was already in love with her flying curls and the generosity with which she could love.

I dropped out of the tree beside her and her startled face flew up. What do I remember? Eyes. Soft, brown, wet. As I watched, that first open-mouthed flash of fear turned to horror as the realisation of what I had witnessed dawned upon her. And the blush? I have to tell you about it. A charming endearing bright crimson. But before her humiliation could develop into lasting awkwardness I stood and pulled her up by the hand, as if she was an old friend. Already determined that she would be mine one day.

'Come, I'll show you the caves' – not my secret one – 'and then we'll have ice cream.' It was while we were eating our ice creams sandwiched inside brioches that I learned all about Francesca Sabella.

Like so many other Sicilian farmers struggling with high taxes Francesca's father had migrated to foreign lands to better his family's lot. They returned every summer to spend the holidays with their relatives and swell the population of the town. She told me about this faraway land they lived in, England. Enviously I listened to her describe a place filled with hundreds of shops, houses, cinemas, dancing places, restaurants and big cars.

When the holidays were over we said goodbye sitting under the olive tree. I held out my clumsy newspaper-wrapped package. She opened it eagerly enough, but recoiled from its contents as if my present was a live snake. She stared in horror at my beautiful blood Goddess.

'It's horrible,' she uttered, hugging her body.

I had made a mistake, wasted my most beautiful possession. I should have given her a sweet, a cake, or a trinket
stolen from the village shop. It is a huge blow when a loved
one cannot appreciate the sacrifice endured in the giving.
Then, meeting the confusion in my eyes, she lied. 'No, in
fact, it is too beautiful . . . unusual . . . stupendous.' She bit
her impulsive lip. 'A work of art. Yes, yes, the more I look
at it, the more I like it,' she added. But the damage was
done. I had given away my most precious thing, and she did
not want it.

'I'll come to join you. Give me your address,' I said.

Quickly she wrote it down. I squashed it in my hand.

'*Ti amo, Francesca.*'

She beamed. There was a soft breeze in her hair, and I
bent to kiss her young plump mouth. It was strange that
first kiss. It was my first taste of innocence, no teeth, no
tongue, no passion and no technique. Yet it was the most
beautiful thing. Why, I remember it now. Ah, the past. The
incredible softness of Francesca.

'One day we'll get married,' I promised. Well, you say
things like that when you are thirteen.

'I'll be waiting for you,' she promised sincerely.

Many years later I stood at her front door. Francesca of
the sweet letters, her curls exactly as I remembered them.
The big brown eyes full of light. Politely I bid her parents
goodbye, we were going to the cinema. I walked her down
the path sedately enough, but as soon as we turned the
corner, I pulled her into my arms and kissed her. I had
learned a great deal since our last kiss. I kissed her long and
hard. By the time I lifted my face, I was ecstatically happy
and she had merited the title of my girlfriend, future wife
and mother of my children. She had learned nothing since
our last kiss. She still didn't know how to kiss.

I remember I once slept for a week. It happened when my
mother and aunt took me to Caltanissetta to remove a

small growth on my hand. I remember lying on an operating table looking at the big bright overhead light, and
waking up to my father peering worriedly down at me.
Then the world became black again. They had screwed up
a simple operation. My neck and chest were swelling up.
Later my mother told me my father ran down the corridor
screaming blue murder, pushed a doctor up a wall, and
swore to kill everyone in the hospital if anything, anything
at all happened to me. I woke up a week later to a room
wallpapered with all my relatives: distant aunts, uncles who
had not seen me since I was a baby, cousins I did not recognise, second cousins I did not know I had.

They said only the big hospital in Palermo could puncture
my enormous chest and draw out the air. I didn't know
what was wrong with me, but I wasn't afraid until I was in
the ambulance, all alone, and then I was convinced I was
dying.

In Palermo, the doctor decided on local anaesthetic. I saw
him coming towards me, in his hand a sharp knife, and I
began to scream, 'I am dying, I am dying.' He was a man
with a sadistic sense of humour. 'Ahhh, die then,' he
suggested. 'Come on then, die. What? Still not dead?' he
taunted, laughing.

For a month I could not move, a tube ran out of my chest
into a pyramid-shaped bottle full of water. My breath
showed as rising bubbles in the water. My leg muscles had
become so weak I had to be supported when I first tried to
walk. Then Rocco moved into the next bed. We were
instant friends. He was older and from Palermo.

At night after we had been fed, and the last round of
medicine had been dispensed, we climbed out of the
window, Rocco, me, and my triangular bottle safe in a
plastic shopping bag. Palermo waited in the dark. Usually
we just hung around the bars drinking coffee and smoking.
Then came the day Rocco suggested getting laid. We went

to the train station and I stood by an iron pillar and sang the old Neapolitan love songs from the 1950s that my father used to sing. Although they were songs normally hung on male voices made raspy with years of grappa swigging, they didn't sound too bad on my high unbroken voice.

Women responded immediately. 'Poor little boy,' they said, their eyes slipping on the tube running into the plastic bag, and each one with a dewy expression threw a coin into Rocco's hat. Women probably respond to children the way men respond to a beautiful woman. Instinctively, instantly and without justification. Soon there was enough in the hat.

By a side street we found her, leaning against a lamp post, using a folded newspaper to fan the hot night into her face. She wore a pair of black, very, very high heels. Wedged between the sharp stilettos and the black leather straps, the skin of her feet was as smooth as the eggs of a bird, but reddened with the weight of her. I stared, fascinated by her bulging calves. No woman in Ravanusa would ever dare wear such a thing.

Rocco did the negotiations.

She wanted to know how much he had, and he tried to lie, to keep back the price of a little celebratory drink and cigarettes afterwards. Eventually a price was struck. She led us down a short walk, up a narrow staircase, and opened the door to a grimy room.

'No, no, not together,' she said, when I tried to enter too.

Rocco was to have his turn first. I stood with my ear at the door listening intently. For perhaps five minutes the springs on her bed creaked. Then Rocco groaned as if in great pain. I heard the chink of a belt and had only time enough to take a step back before the door opened. I looked past Rocco's smirking face.

She sat on a filthy bed crooking her finger at me. I picked up my plastic shopping bag and went inside. I closed the door. Outside I hadn't seen her properly, but in the harsh light of a naked light bulb, I could see she was a proper slapper. The black lacy bra, the red suspenders, the heavy blue eye-shadow and a crimson mouth to clash with her crazy flame hair. She wore no knickers. All in all, cheap and foul.

Holding on tightly to my plastic bag, I walked my walk towards her. I put the bottle down. She unbuttoned and unzipped my baggy trousers. They fell around my feet. I felt the brush of her long curving nails. And suddenly, up close, the flaming hair that didn't match the unruly jungle of black pubic hair, the bored mouth, the garish make-up, and the copious amounts of flaccid breast were all too much.

I came.

The hard eyes were amused, but she only shrugged carelessly. Turning away from me, she began to dress.

'Hey,' I cried.

'*Bello*,' she explained, laughing openly now, 'for this price you only get to come once.' She dressed very, very quickly and stood with her arms crossed looking grimly at my trousers. I was not the man to get the better of her. I pulled my trousers up and zipped them. She opened the door. I followed her out. Rocco was lounging against the opposite wall. I did not meet his eyes. She locked the door and we walked down the stairs together.

'*Ciao*, go straight home now, boys,' she advised, in what I thought was a rather kind voice. Then she took a right turn down the street and disappeared from sight.

'What happened?' Rocco asked.

'It was great,' I said, my face flaming.

We went and had a slice of pizza each. I had Pizza Napolitana. Couldn't finish it. Sometimes I wonder where she is now, that pseudo-sincere, damaged creature who, in an irrelevant moment, for ever associated pizza with the taste of humiliation.

I returned to Ravanusa soon after and all the people in the street said,' Aah! But I heard you were dead.'

It was late summer, but the days were still sizzling and the wind was just a blast of scorching air. All of Sicily had turned into one giant oven. And on the hill slopes where the soil was chalky white it was dazzling to the eye. There were even water mirages on the roads. Behind the houses children were sneaking into the troughs the animals drank from. Stupid with heat I stretched on the shady veranda and baked. Some insect buzzed near my ear, but I was too sluggish even to flap it away.

The air was so still I could actually hear straw-hatted Tsi Stefano, creaking in his rickety rocking chair down the street. I ignored my mother calling from the kitchen for the fifth time. In that unrelenting heat I felt as if my life was slowly seeping out of my pores.

And it occurred to my lethargic brain, that if I was frozen evermore in that moment, it would be my description of hell. To be stuck for all eternity in that mind-numbing, merciless monotony. That was the first time I thought of running away.

Then it was autumn again, and the air was warm and drunk with the smell of grapes fermenting on the vines. Clouds of midges descended on us as we plucked the fruit. I sat in a cart lazily removing the leaves from the grapes. The mouldy grapes Father put aside for making wine. Only when the seeds have turned from bitter green to brown will a grape make a wine of full smoky flavour. And afterwards it must be stored in wooden barrels so as not to shock the grape. Papa made the best wine in the village. Red, of course. A true Sicilian's drink.

Ignizio, Giuseppe and I ate and fought with grapes, splattering bunches at each other. We jumped off mules, whistling and dancing our mad dances. Ignizio had learned a little trick. He kicked his mule in the mouth and it jumped into the air with pain. This he found hilarious. I laughed loudly too, but I was no longer one of the gang. I was dying in that small-town mentality. I needed to get out. I was hungry for a taste of what I had never had, for the arrogant wide world outside. And then, of course, there was the crumpled piece of paper with Francesca's address. The gleaners were under the almond tree carefully sifting through debris for almonds my father had missed, and I was making plans to leave.

My father had just begun to lay the foundations to my house when I stole some money and ran away. To Florence.

In Florence I worked in a market stall for Signor Rivoli. Helping him carry boxes of produce, carefully arranging the fruit into neat pyramids, and calling out to the women customers. I began to learn English. Language, unlike maths I found, came easy to me. I waited for the American and British tourists to come to the stall, so I could practise my English. I was cute then, and they had a lot of time for me. And so, it seemed, did the priests and friars who strolled by in their cassocks, stopping to buy fruit. It appeared they had a great weakness for fruit. They came often, masking their illicit desires with delicate humble gestures that thoroughly deceived Signor Rivoli. Their sexuality blazed in their pasty faces when their dark furtive eyes encountered my blond hair in the sunlight and flirted with my blue eyes.

Their voices were soft, but their breath was hot on my forehead as they made their orders, always a bag of peaches, as if it was some secret password that I might understand. Once one of them lightly ran his fingernail up my forearm. 'Che biondi,' he murmured. Both of us for different reasons stared mesmerised at the blond hairs on my arm as they lifted and fell under his passing fingernail. A manipulative streak in me reacted instantly, producing sexually provocative behaviour in exchange for the money that they pressed into my palm. For ice cream. For Francesca. I glanced at them, always sideways, always innocent.

I was in a hurry to get to Francesca and to save money I lived in the train wagons. A lot of poor destitutes did at that time. We sneaked in when they came to rest for the night in the station. In the morning the guards came around shouting at the top of their voices, 'Oooo wake up – get out.' I washed myself in the toilet, locked my little bag of belongings in a locker at the train station, and went to work. At night I slept with my little bag underneath my head. One night I regained consciousness with a throbbing pain at the side of my head, my pillow with all the money I had in the world had been taken. Robbed clean I sat in that train carriage and wept with defeat. In front of me I saw Francesca's father sneering, the relief on my mother's simple face, and my father, all is forgiven, my son, holding out the keys to that damn tractor. Under my feet the baked Sicilian ground burnt. Francesca was lost.

Curled tightly into a ball I cried myself to sleep. And I dreamed. In my dream I saw a mist gathering in the empty carriage. The steel under my feet became the pale chalky earth I had run upon as a child, and the air turned so wintry I began to shiver. The mist formed itself into a man. Slowly his edges stopped wavering. Once solid he was tall and beautiful, but foreign with that flat lean face of an Aztec warrior, chiselled cheekbones and thin cruel lips. But what was extraordinary about him was the enormous spider that sat on his chest. In my dream the spider spoke in a smooth, slightly ironic, female voice, 'Had enough, Ricky?'

I was robbed of speech because I could see that the spider had made a hole in the man's breast and was suckling red milk out of it.

'Had enough yet, Ricky?' the spider asked again. 'Had enough of your pathetic life? Come, Ricky, build me a temple once more.'

Once more? In my dream I couldn't speak. I was cold, so cold.

'Hecate, my little temple keeper does not recognise me.' The spider laughed, a private mocking chuckle. And as I watched, strangely unafraid, the spider grew bigger and blacker, its eyes glowing bright green in the dark. It changed its shape and then turned to show me her profile. I recognised her immediately.

My broken statue dressed in long flowing robes, the edges embroidered with gold. She was so beautiful I stared spellbound, intoxicated.

She smiled a long slow smile. A woman had never smiled so knowingly, so seductively before. 'I have waited an age for you, Ricky. Will you build my temple? To herd the lost and wounded, who walk the earth like sheep, to my altar. Bring me their poor little souls. Offer me equal amounts of lust, decay and ruin. . .' She paused, her eyes cunning. Her mouth elongated like a trumpet, a poisonous datura. 'Like before. . .' All around her the air crackled. 'And you will marvel at what rewards pour into your hands.' Her voice dropped to a whisper. 'All your heart desires – fame, fortune, love. . .'

I knew without being told that I had served her before. And that it was *I* who had once destroyed her temple in an uncontrollable fit of fury. Her watching eyes blazed with desire and deceit, and her alabaster skin, soaked so long in corruption, glowed a greenish hue. She stood before me, a monster. And I felt her evil deep in my freezing body, and yet in my dream I was a man, and when she moved and her robes parted I knew such a hunger it was irresistible. I was shivering.

'Say yes.'

'Yes,' I said.

And her eyes glittered like a fox's. After it had killed every chicken in the coop. I touched my stomach. Heat was glowing from the centre of me, and coursing through my veins. The black despair I experienced earlier had fluttered away and I felt as if I was soaring high with this new-found heat. The future beckoned heady and glamorous. In front of me the mysterious mist beings were slowly vaporising leaving behind only the spider woman's laughter, a low, cruel, idle sound.

I awoke suddenly alone in the cold empty carriage. It was just a dream, but it had left me strong and powerful. The path in front of me shone brightly.

I slid open the carriage door and a manic smile came to my lips. Unbelievable, but the entire world was covered in that magic mist of my dream. When you can see with your eyes closed. When the image your open eyes perceive is similar to the one you have seen on your closed lids . . . I touched the bump on my head. It was hot and throbbing to the touch, but I felt nothing. Perhaps the Corsican witch was right after all. *He will grow to be a phenomenon.* I was going to build a temple, a spider's temple of power, wealth and pleasure.

A friend told me about a room in a house. I moved in. Bloody hell, my landlady was so tight she would not eat for fear she would have to shit and use toilet paper. Nine-thirty sharp and the old bag switched off the electricity at source. I brought home a little portable television, and found it outside my room when I came back from work. 'No television,' the crack in her face warned bleakly.

I found work as a plasterer. It was hard work, six coats before we could call it *finito*. The plaster in Italy is different. It is completely different from the matt grey one used in England. Ours had a finish like pink marble. New plaster was a source of joy in Italy. People lived with the plastered surfaces for years, until the walls got so dirty that they cried for a coat of paint.

One summer we plastered a new block for a school.

During recess the giggling teenage girls lined up in a row and, emboldened by their numbers and the separating wall, openly stared at and commented on my shirtless body. For me it was the first time I came face to face with the availability of the opposite sex. Every day their comments became more risqué and it's a wonder how my head fitted through the door of my little room.

I bought a hair dryer, spent some money on an expensive leather jacket and some boldly coloured shirts and I was in style. When I walked the streets women and men turned to look at me. But I was dissatisfied; my wages were hardly going to make me rich. When was I going to be rich and powerful? I had to make it to England, where pots of money and Francesca waited to be mine.

I was seventeen when I hitched a ride to Paris in a French woman's car. She offered me her house for the night. That night she came to share the sofa. Maybe for one second my sleep-addled brain was confused by the sensation of a naked body next to mine, but when she began to kiss my back I turned myself over to the unexpected encounter. And what an encounter it was. It's left me with a soft spot for all French women.

I stayed in her home for three months, an addict. Sex, sex, and more sex. I surprised her at least three times a night, no words just suddenly something hot and hard inside her. At dawn I woke her warm body with more friction. When she went to work I spent the day just waiting for her to return, so I could pounce on her all over again the minute she came through the door. How mad I was for the newly found experience! Then one day I had enough of her, and I left.

I went to work in a restaurant, washing dishes; lunch and dinner. At night the boss, not a bad guy actually, locked me in the storeroom with a single mattress in the corner. All night long I listened to my little stereo blasting Pink Floyd and Cat Stevens. Soon I was trying the tunes on an old guitar my boss gave me. I found I already had the music in my head. Music came easy to me. I learned the chords and then the words. Getting the pronunciation right. To know all the words I bought an English/Italian dictionary.

There were rats living in the storeroom but it was cool. Very quickly we learned not to bother each other. They are funny creatures. I do not dislike them. Furry and half ugly. They were as hungry as I was. Those were the days I was crazy for cake and they kept cake in the storeroom. So some nights we got through a whole cake, the rats and I. But it was no life, and after a month the rats and I parted company. Now when I think back, it was the most blameless, uncomplicated time of my life. Hours strumming the guitar, learning to love the naivety of Cat Stevens and the idealism of Floyd.

I left to be a barman. Someone taught me to serve a warmed cognac, the glass resting on its side over a cup of boiling water, and someone else taught me about the ways waiters cheat their employers. They bring their own gin, keep the bottles in their sleeves and ask for the mix off the bar. They pay the bar for the mix and charge the customer the full whack. It was a great racket. The best stock-keeping system could never catch them. They cut me in too. Have to keep the barman sweet. He could squeal. Spoil a good thing.

And when the shift was over I went out with the waiters, the chefs were too dangerously unstable to contemplate a night out with. We went in search of tourists in the night clubs. 'Gosh, look at his eyes!' they cried as I passed. 'Are they coloured contact lenses?' Sometimes I said yes, sometimes no. What did it matter? They wouldn't see me in the morning. In my own way I was being faithful to Francesca. The faces and bodies I no longer remember, but I know they were many. Many. I was working my way to England.

The French taught me a great deal, but my favourite is the effortless way they manage to look and smell clean with one bath a week and the right mix of deodorant and perfume.

Finally I was in England. The weather was lousy, but it didn't matter, this was where I was meant to be. This was home. I knew a man from Sicily who had opened a restaurant in London. Don Calabrese's restaurant was more like a pirate's trove, stuffed to distraction with all kinds of crazy junk. He came to embrace me, he was so happy to see me. I nearly cried to hear someone speaking Sicilian to me. He knew my grandfather. 'Your great-grandfather was a hero,' he said. We sat down to a plate of spaghetti vongole.

He liked giving the impression that he was an eccentric, harmless, gently ageing man. He even had a mynah that ate dog food. He had trained it to screech, 'Oh no, not you again,' when customers walked in through the door; call out, 'Where's my dinner, then?' when customers were being served their food; and demand, 'Have you paid your bill?' to the ones departing. The customers lapped it all up, not knowing that most of the time the 'pretty, delightful' bird was screaming abuse at them in Sicilian. 'Bunch of *Inglese* pigs, they know nothing. Give them dog food.' It was that lunatic bird with its horrible smoker's cough that taught me to wolf whistle in response to a moving skirt.

In the kitchen Don Calabrese kept on his payroll a crazy chef who threw vats of boiling water, screaming, 'You are a shit,' at the poor Polish lad who jumped out of the way, pronto, with the agility of a cat. 'Piece of shit.' He was so crazy he stroked raw pieces of meat and fish cooing, 'Look, as beautiful as a Prada bag . . . a Gucci belt . . .' But when he came out in his white apron at the request of customers he was utterly charming. Unbelievably so.

'Don Calabrese, I need work.'

He stopped being the eccentric, harmless, gently ageing character for a minute and looked at me with sharp shrewd eyes. Yes, *this* was the man who dredged the lemon slices out of the bottom of the sink to reuse in the next day's drinks, and had his waiters go around the restaurant at the end of the night collecting all the left-over wine in the customers' glasses on the tables for the kitchen to use.

'What kind of work?'

'The kind that pays well.'

He downed his grappa. 'Do you want to carry packages? It's good money and it's not very dangerous because you're still a kid. They can't touch you.'

'*Si*,' I said.

'Come back Friday.'

'Can I work as a live-in waiter, do the washing up, or be a kitchen help?' I asked.

He grinned. 'Sure, but I warn now, the money is shit.'

'That's okay.'

I went to live upstairs, and when I was not pouring drinks, waiting on tables, or helping the Polish boy wash up I was running errands. Picking up packages and dropping them off, usually in pubs. After a while I was taking packages in sports bags, to France. It paid a lot more, up to £3,000 a go. When I had saved up about £30,000 I asked Don Calabrese if that was enough for me to buy something with. He raised his bushy eyebrows, nodding with admiration, 'Bravo'. A few days later he told me about a restaurant, La Gioconda, the Joker. A leasehold, of course, but still cheap considering the location. 'VAT problems,' he said sadly. Apparently he too was afraid of these people called the Customs and Excise. 'The curse of all restaurants,' he spat viciously.

The restaurant was a little hole in Jermyn Street, but it was my hole and as holes came it was a very nice hole indeed. In fact, its price was not £30,000, but £90,000. In the time-honoured traditional Italian way £30,000 was the official, Inland Revenue-declared, subject-to-capital-gains-tax price. Under the table, over the next eighteen months, the rest was to be spread as cash payments. That'll do me, I thought.

I got the key late one Saturday night. The previous owner left with his Saturday night takings, and I stood at the doorway. I looked into the half-lit restaurant at the glasses gleaming under the spot lights, the empty bar, the tables closest to the till still unlaid, and in that blessed silence it was all magic.

For the longest time I simply pottered around the place, touching this, rearranging that, examining that. Carefully I turned all the bottles in the fridge so their labels faced out. I emptied all the ashtrays. Then I wiped down and polished the bar until it shone. By the time I looked up it was five in the morning. I crossed the street and stood looking into the lighted interior of the restaurant. I almost couldn't believe it. I closed my eyes and imagined it full, noisy with well-dressed people and the deserted street full of parked cars. Years later my greatest pleasure was walking slowly along that street, seeing the expensive cars tightly parked and knowing they were there because of my restaurant.

After a while I put out my cigarette and went to lock up. I was only eighteen years old.

At the beginning I worked hard and long. The first weekend after everyone had gone, I went out back and brought in every single black bin bag of rubbish my staff had thrown away. I emptied them all on the kitchen floor. On my hands and knees I went through every single one. I have told you before, haven't I, I am not squeamish. The wastage was unbelievable. I collected every reusable thing and cooked a beautiful meal with it. The next day I fed it to my staff. After they had eaten I told them where the food had come from. One of the girls vomited and gave her notice immediately, but the ones that remained, they learned that once in a while the garbage still got checked.

Four months into trading, and I received a letter asking me to prepare for a visit from a VAT inspector. The dreaded VAT man turned out to be a woman. She arrived at ten o'clock on the said morning. Poor woman. She had paid too dear a price for the privilege of brains. Exactly as I had with the friars, when under threat or for monetary gain, I automatically switched into flirt, seduce mode. I gave her the look.

I wasn't called wolf in Paris for nothing. I had learned my craft well. I let my eyes travel from top to bottom, lingering on her saggy breasts, back to her eyes and then stopping on her narrow lips. For those sixty seconds she was the most beautiful woman on earth.

I raised an eyebrow. She blushed.

I offered cappuccino. She licked her lips uncertainly and nodded.

I winked. She touched her mousy hair.

I reached for a pot of sugar and brushed her arm. 'Sorry,' I apologised, my eyes on her mouth. Would she have dinner with me? I saw her hesitate.

'No,' she said, but both of us knew she was lost. She moved to a table in a corner of the restaurant and, going through my books, sipped my coffee. Fucking bitch. I went to offer cake. I smiled. I flirted.

'No,' she demurred, and instead approached my till. She tapped in a combination of numbers, and to my complete horror, my machine began spewing out a roll of information. Without looking at me she returned to her table, to pore over the incriminating till roll.

I began to sweat. I should have gone to see Don Calabrese's accountant. Now I was really in the shit. How was I to know that these tills were programmed to hold information even after the Z reading had been done?

She called me to the table. She looked into my eyes and said very clearly, 'Your figures don't match.' Blood rushed into my head. I felt the heat in my cheeks. Something alien grabbed my insides. Shit. Damn the bitch. Over the rim of her third cup of cappuccino her watching eyes were level. *She knew.* She let the silence ride. The fucking fat ugly bitch was letting me stew.

'I suppose someone in the restaurant could be stealing from you.' Her voice was like her eyes.

I stared at her. It was not blood she wanted. It was a power trip. Not so much for the flawlessness of my earlier performance, but because she had been tempted even though she knew it was her inspector's badge that I was flirting with. I couldn't speak for the relief that coursed through my body. Fat bitch had been playing with me.

And then she actually proceeded to teach me how one would go about catching such a culprit, what figures to look for and where. The things my thief could do in the future to hide his crimes, and the undetectable methods other criminals have employed before. When she was finished she packed her things. 'Good luck,' she wished and was gone.

She knew I was up to no good, but had just taught me how to conceal my tracks better so they were invisible to prying eyes. Was it a trap? I walked to the phone and made an appointment to see Don Calabrese's accountant.

'A Jew, but an irreplaceable marvel,' Don Calabrese had said.

I drove to Hounslow, rang the bell of a green door on a back street. His assistant was an ugly woman with a speech impediment. I mean, I'm all for hiring the disabled and all that, but it took her the best part of five minutes just to say, 'Please wait. Mr Fass is on the phone.'

She showed me to a closet-sized waiting room with tattered curtains. I was beginning to have serious doubts about Mr Fass. I mean, you should have seen that waiting room, the peeling paint, the mud sofas, that back door entrance. From behind the wall came the sounds of two children. One screamed. The sound of footsteps. A hard smack. The screaming moved away with the footsteps. The troublemaker, reduced to sniffles, remained. The walls were that thin. His assistant returned, this time to offer me coffee. It took so long for her to get the words out I finished her question for her and answered it. I smiled broadly. 'No offence. I'm just not used to disabled people.'

When she came in again she just used her finger to point upwards. I ran up the bare wooden stairs and knocked on the only door.

'Come,' someone called out.

I opened the door and it was wall to wall stacked with brown files. Always a good sign. In the middle of a table littered with papers sat a tiny man with a major black and grey moustache.

'Sit, sit,' he invited, half rising, pointing to a chair with a broken seat in front of his desk. His left eye moved but his right remained staring. Jesus, they had been serious when they'd joked that he was one-eyed because he had closed it so many times it went out of business. I sat, and for the next hour he talked, and I knew then why he was the darling of every Italian and Chinese restaurant as far away as Birmingham. He just knew everything there was to know, every tax dodge, every shady method.

'The Inland Revenue and the dreaded Customs and Excise . . . they know you cheat. If you didn't, they know you'd go bust. They've seen the figures. They've been in the business so long they've got to know all the scams, but they close one eye.' He pointed to his own unmoving eye. 'But it is when you get too greedy that they swoop down on you. Even then, it is not to close you down, but to squeeze you for as much as they can get. And they have the powers to do it. They can even come into your home. You must never play with them.'

In minutes he taught me everything I know today. Buy black (in cash without invoices) to keep the margins consistent. The walls have ears. Destroy everything, anything incriminating instantly. Split the linen supplier. They count it. Same with pizza boxes. Never ever declare your true wage bill to the Inland Revenue. They don't understand about Italian cooks who jump you for money day and night while flatly refusing to even consider paying their own national insurance or taxes. And very, very important, never let your profit margin drop below 30 per cent. That will keep the computers from throwing your figures out. Remember, the minute you open a restaurant in this country you are forced to inherit a silent greedy partner who does nothing, gives nothing, but wants almost half of your profit.

But VAT is 17.5 per cent.

Yes, 17.5 per cent of sales. Restaurants, unlike accountants, don't invoice the 17.5 per cent on top of the value of the bill. They have to eat it as a cost. When you work it into your final profit figures 17.5 per cent of sales does equate to half.

After that Mr Fass brought his trick box out. All kinds of schemes to keep the bastards out of my honey pot. I would have been a fool not to hire such a raving genius on the spot.

He nodded approvingly, modestly.

Before I was twenty the lease was transferred to my name. When I was twenty-one I married Francesca. I was in love and the world was perfect. Two years later I had my second restaurant and my first child. Good man that he was, Mr Fass sent one of his minions four times a year to work out the VAT and play around with the figures, to ensure the profit margin would be acceptable to the

Customs and Excise central computer. And once a year he did the year-end figures.

My parents came one Christmas. I went to pick them up from Heathrow. They looked like refugees. My mother was wearing the full-length fur coat I had sent for her birthday. It looked a lot better on the hanger in the store. She looked like every Italian middle-aged woman who wore such things, short and dumpy. My father, white with anxiety, almost sagged with relief when he spotted me. Poor things, they had never got on a plane before. The stopover and change in Milan had confused and frightened them Francesca greeted us at the door. I stood back and watched her clap her hands, kiss her in-laws and hug them, as if she did not completely detest them.

Mamma unzipped her bulky hand luggage and pulled out three 1.5 litre bottles of Primera Aranciata filled to the brim with homemade red wine. And then like a magician conjuring a rabbit out of a hat, she extracted a whole suckling pig, dead and raw. She smiled proudly.

'Bravo,' I cried fondly. I have always liked pigs, dead or alive. What she would have done if Customs had made her open her bags remains a mystery. I turned to my wife and I saw her eyes wide with disbelief and a hint of disgust. I must make her watch Bernado Bertolucci's movie, the one about the killing of a pig, so she will know the significance of Mamma's gift. Why was she not moved by the sight of a pink pig waiting to be roasted? She hurled herself too deeply into the task of being English. That was what was wrong with her. She was not a romantic. She had forgotten to be Italian. She made chicken souffles and served them in ramekins. Without a pig there is no feast, Francesca.

The children were thrilled with the pig on the table. Luca grabbed its trotters and Maria wanted to examine its mouth, but Francesca's strangled croak stopped them dead. 'Stop touching that pig and go and wash your hands.'

That's the shame about Francesca. She has not the hardiness of village folk. She had succumbed to the great Italian preoccupation, a neurotic obsession with hygiene. That need to clear the 'air' in a room every few hours by opening all the windows, even in the dead of winter, to dress children in designer clothes that they are forbidden to soil, and to call the doctor to the house every time a child has a cold.

Mamma folded her hands across her chest. She disapproved of the fact that her grandchildren had been taught to eat spaghetti with a fork *and a spoon*. She never got over the discovery of a spaghetti measurer in one of Francesca's drawers. Papa was tapping the partition wall. He turned to me and pronounced it as thin as cardboard. Ahh! Another Christmas to look forward to.

The restaurant was doing very well. So I made another. One, two, three, then four and five until I arrived at ten.

To pay for it all I ran a sort of drug ring. I got the ounces in and cut them into halves and quarters and distributed them around the managers of the different restaurants and night clubs. The Italian waiters in Tramp did an absolutely roaring trade. There was a time when just one of them was selling up to three ounces a week. Everybody it seemed was on it. Even the managers of my restaurants. After a while I started supplying them with coke in lieu of wages. Much cheaper.

It was brilliant. Money poured in. I had two gold Rolexes, bespoke shoes, Savile Row suits, piles of cashmere sweaters and an expensive address, 181 Chevening Road. My hero Cat Stevens had once lived in that road. The spider woman had kept her word. It was time to build her a temple and fill it with damaged people. A place purely for sin.

I decided on a flat. Anyway I wanted to say goodbye to humping waitresses in uncomfortable places, toilets, over kitchen sinks, on cutting boards, in walk-in fridges and inside pizza ovens! The couch in the office was lumpy. Besides, drunk and horny female customers were not as frequent as I liked. I wanted a place stacked with porn where I could throw massive orgies. Call prostitutes by the dozen. I would supply the coke and make even more money.

So I began to look for a flat. A place to offer equal amounts of sin, lust and decay. Through all this I loved Francesca. My *mater dolorosa*. Impeachable, virginal and pure. An essential part of me.

I found the flat, paid for it in cash, and registered it in my brother's name. Inland Revenue was not going to get me on that one. The flat was simple, open plan downstairs and two bedrooms upstairs. It was over a pub and you had to climb a set of stairs where someone had painted in purple, Stairway to Heaven. I found it quite appropriate. So started the craziest time of my life. Day and night people, often strange and troubled, came in and out. Prostitutes were a phone call away. All-night parties.

Up until then I had never touched a single grain of coke and then one day I thought, I'll have one; and poof, just like that, I saw the spider's web. Before I sprinkled it white, it had been invisible. But there it was, a perfect orb made of thousands upon thousands of delicately intersecting, catching angles. To the unwary, a dangerous trip wire, to the wary, an opportunity for endless sin.

Things were going well. I phoned my mother to tell her Francesca was pregnant again. There was silence for a split second, and then she fell over herself to congratulate me. But eventually she couldn't pretend any more, it was that other great Italian anxiety, and she inquired suddenly, 'Can you afford another child? You know you have to feed, clothe, educate and then build them houses, don't you?'

Jacked up on coke, I laughed. '*Si* Mamma. I can afford ten children now.'

'As you want,' she said doubtfully.

The parties became crazier, the prostitutes wilder. The money poured in.

All black, as they say in Italian, cash, and under the table.

Francesca Sabella

Francesca

When Ricky dropped out of the olive tree that afternoon in Sicily, I nearly died. I thought my heart would burst. There I was, crying over him in a deserted field, and suddenly he appears, his eyes so blue they were like the Sicilian sky on the clearest summer day. For as long as I could remember I had loved Ricky, from afar, of course. It seemed to me as if he rubbed sunshine on his skin and hair until he glowed. A burnished sun god running barefoot upon the earth. I stared at him blankly, a complete fool. I thought I had humiliated myself so spectacularly that it was irreversible, but he gave me his strong hand and took me to see the caves.

He asked me who I had been crying over, but once I overheard my grandmother counsel my mother, 'The more you love them, the less they love you. The best way is to always pretend to be the hunted. All men prefer it so.' I looked into his eyes. Let him be the hunter. Let him always be the hunter. So I told him it was an English boy. His blue eyes turned nearly purple with the jealous storm in his heart. My grandmother was right. I never forgot that lesson. I took it with me when my father replanted our family in England.

My father used to say, 'My vice is my work.' And he viced obsessively. I always remember Papa by his absences. He worked day and night to save enough to open his delicatessen in England. Of course it is closed now. You know how it is . . . the supermarkets . . . But for years he worked all the hours God sent, breaking off only to eat a piece of bread and a few tinned sardines, so one day he could afford his dream.

Before we came to England, he worked in Germany, building roads and houses. Living in large cold bunkers, cooking his food on makeshift stoves made from stones and firewood, and sleeping on mattresses of hay laid on bricks. When the roof leaked his mattress grew moss. Every mark he earned he sent home. I cried when he told me of the day he was so broke he had to eat bread and shoe polish. '*Fa niente*, it did no harm,' he said, 'after all, polish is made of lard.'

For the first couple of years after we left Sicily, my family and I lived in a mobile home on an isolated field in Egham. My father was a waiter and my mother a chambermaid in a beautiful old hotel nearby called Great Fosters. My father could hardly speak English then, but he worked in the tea rooms and he got by for almost a year knowing only how to say, 'Black or white, madam?' We didn't even have access to a tap. Every day I walked down a footpath to a well owned by a Sicilian farmer called Mario. He grew acres of vegetables, and let me pick whatever I wanted. Since we didn't have to buy our vegetables my mother pinched little things like soaps, washing-up liquid, bleach and polish and gave them to Mario, to show our appreciation.

Life was very hard in those first few years when my parents were putting every penny away. I was very lonely. I had never wanted to leave. In school I was a stranger. I spoke English with a funny accent. Sometimes I stood alone and tried to figure out what the other children were saying. They spoke so fast I found it hard to understand them. How I missed my friends in Ravanusa. So close to me that I never had to knock when I went through their front door.

It seemed as if girls grew up faster in England, wearing make-up, mini skirts and stilettos, drinking alcohol and making out with boys. My mother would never allow me such freedom. Not that I wanted it, of course. In fact, I often cried wondering how I could have left Ricky and Sicily for this.

In Sicily they said the English were cold, but the beef was good and there were lots of horses walking in the streets. I was fifteen years old, the English were a cold, unfriendly race, I didn't like beef, and there were no horses walking in the streets.

I decided to save money and go back to Sicily. Sometimes I wonder what would have happened if I had never left Sicily. Married Ricky and lived in that house his father had built for him. When you listen to me talk, or look at me, I may seem like any other European woman, but in blood and bone I am Sicilian. Sicily is only three hours away but it's like a different planet. Everything is utterly different, the weather, the people, the vegetation, the soil, the air, the buildings, the taste of the water. . .

'Marry me anyway,' Ricky said when we parted. How inconsolable I was! How ecstatic! How young! So young I waited. Then one day he came, his gold hair clean and his shoulders broad and strong. I was frightened that he would speak in the way my parents did, embarrassing me while I was growing up. But no, he spoke like a God. He even spoke French. He called me *cherie*. I was so proud of him. He asked my father for my hand. My father offered him grappa and my mother cried with happiness.

'Thatsa nice,' she sobbed.

We went to Bali for our honeymoon. I had never ever been outside Europe, let alone somewhere as exotic as South East Asia. For the first few days, I thought I was in paradise. They kept wild jungle cockerel in the hotel grounds so we awakened in the morning to their crowing. Everywhere there were gorgeous palm trees, their leaves swaying in the breeze. I stood on the balcony of our hotel room and ate a whole mango with both hands, the way the brown children on the beach did, sucking the stone until it was bare. In the sea below, the men on their inflatable banana boats waved. I waved back, the mango still in my hands, like a child.

Ricky came to embrace me. 'Here's my wife. Jeans, T-shirt and no underwear.'

I pressed my back into him. 'Here's your wife. Jeans, T-shirt and no underwear.'

And the sunsets. Unbelievable. So breathtaking they looked fake. Every day we stood holding hands on the beach to watch them. Swallows skimmed the water. In the pink light we stood staring, marvelling at the crazy insatiable craving we saw mirrored in the other's eyes. I pinched myself. Am I really in this paradise? We left our clothes on the beach and glided into the water, aflame with gold and copper glints. Warm and silky it swirled around us, as our young bodies, slipping against each other, found love in the sea.

I remember it like yesterday, when the world ceased to exist, and all that mattered was the warm sea and Ricky's skin. We came out of the water and walking along the beach waited for night. We watched the little children racing and diving into the sea shouting, 'Baywatch.' Then the sea turned as black as the sky, and in the distance the lights of the ships and boats looked like twinkling stars.

Alas we should not have left the hotel grounds.

Drive a little away from the touristy area and there are large open drains clogged with stinking rubbish. Take any road that does not lead to the airport, and you will see that their Government has not cunningly commissioned enormous, beautifully carved monuments at every roundabout. Keep going and you will eventually fall upon a horribly squalid Bali.

Even where the tourists gather, its commerce is insulting. There is nowhere you can go, nothing you can see without having to pay for it first. As for Kuta beach it is a polluted armpit full of hustling natives greedy for tourist dollars. If I was left alone for a minute, a gigolo – usually short with flat, unappealing features – would slide up to me with the offer of his company. None of the natives seem to understand the concept of a dustbin. They simply discharge their rubbish to the ground even when there is a bin next to them.

And their ridiculous dance performances, where a man dressed as a wild boar gets his long pink penis pulled off and carried away amidst laughter. And to top everything, there is not a single God-fearing person on that island. They all believe in some weird pagan religion, apparently a mutation of Hinduism.

The whole population would at different times come and throw, in a purposely disdainful manner, a disgusting mess of half-decayed food at crossroads, because crossroads, they believe, are dangerous places, infested with malign ghouls. As if that is not repulsive enough, they then pour alcohol on the mess and throw pieces of raw and rotting meat that are instantly covered in green flies and then pounced upon by the numerous stray dogs on the island.

Many times I just avoided stepping into that half-consumed superstitious nonsense on the ground. Apparently all these putrefying muddles are offerings intended for evil spirits, but even the little roadside temples meant for their gods are filthy.

But the thing that frightened me most was how fascinated Ricky was by their godless practices. How much he wanted to be part of their dangerous evil. One night while walking along Kuta beach we came upon a black magician and his pigeons. He was old and dressed in rags. He claimed that every time he snapped the matchstick he held between his forefinger and thumb, one of the pigeons in the cage a few feet away would fall dead. Ricky, convinced that it was a mere trick, watched him unblinkingly for an hour, and he must have moved a dozen times to see the trick from a different, more revealing angle but the mystery remained intact.

After the performance Ricky approached the old man, gave him some money, and asked him to show us the real Bali. In the man's considering face I saw something that night. A sort of recognition. As if my husband had spoken to him in a secret language. One I would never understand. He nodded and led us in the light of his lantern down narrow back lanes. He hailed a taxi, and we drove out along bad unlit roads for perhaps an hour. When the taxi came to rest, we were in some highland. The air was cooler, the ground soft.

Then we were going over a wooden bridge, underneath was the sound of trickling water. Even before we reached the bamboo groves I heard the primitive beat of drums, and smelt the incense. Bamboos creaked in the dark. An unhappy sound. We were going through the thicket.

Beyond, I could see a clearing lit with burning torches, and further in the distance the dim outline of a thatched temple. On either side in the half shadows were natives, their faces arranged into a wall of waiting. They stared at us curiously. The devil's work was afoot, but Ricky strode forward eagerly to join them.

There was a dark and malevolent presence in the air. May God strike me dead if I am lying, but the thing caressed my skin as if with a fingernail, until all my hair stood on end, and I shivered in the warm night. And then I heard it very close to my ears. A soft mocking laugh.

The savages stood around, alert, but unafraid. After all, it had left whatever dark pit it lived in because they had called it. This horrible unnatural presence was what they had travelled miles on foot to gawk at. This was their theatre.

In the middle of the clearing about a hundred and fifty bare-chested men, each with a single hibiscus tucked behind his left ear, sat cross-legged, in expanding circles, like some horribly massive, meat-eating jungle flower. In the flickering light their faces were fiendish. They appeared as if in a trance, their eyes unseeing and glazed, as they swayed in unison to the pulsating beat of the drums. In a bizarre way the drums were affecting me too. As if they were a force working together to hypnotise and control me against my will. Under my feet the ground began to vibrate. Suddenly I heard monkeys in the dark, screaming.

'Yes, yes, Ketchak, the monkey dance,' Ricky whispered excitedly. 'Let the battle begin.'

Men guised as demons rushed in, shrieking and triumphant. In the shadows the squatting swaying bodies, scenting danger, became rigid. They split the night with a single united clap and a great yell. Their bewildered swaying grew and their mouths began jabbering, and hissing a hypnotic rhythm, chak-a-chak, chak-a-chak, chak-a-chak. It was the chattering of monkeys.

'The performers have eaten the spirit of the monkeys they disturbed in the forest,' the old man whispered.

Three hundred perfectly coordinated hands waved in the air, fingers strumming, and the heaving bodies, like petals, shuddered and with a roar burst open. The air was full of clouds of dust and incense smoke. For a suspenseful moment the squawking stopped, and all was still. Then the wild chattering faces with their hair flying wildly swelled again. The demons were in a panic. The hot damp air lingered.

There was a piercing scream. It chilled me to the bone.

Magnified and made impossibly grotesque by the flickering flames, a sorcerer balanced in utter stillness on one toe. In my worst nightmares I still see him poised to strike. He tossed his long flowing hair, glared at the cowering bodies on the ground and began his magic. And what magic it was, wailing spells emitted in a falsetto scream. The night became eerily still with his satanic frenzy and silence prevailed in the surrounding bushes and paddy fields. Where were the animal and insect sounds? Slowly he began to dance with jerky, yet strangely graceful movements.

The demons attempted to fight him, writhing and rising up with fingers clawed as if to scratch his face, but the master's magic was too powerful. He reared up, glaring balefully, his hands curved and high over his head, hissing dangerously. And while I was still holding my breath it was over.

The flames were put out, and the exhausted men stole away into the black night. Ricky and I stood amazed. Something had happened. Something dangerous. The air . . . the way it had vibrated around us.

In the glow of the torches Ricky's face was unrecognisable. He stared as if in a trance. I had ceased to exist for him. I felt confused and frightened. As if I had caught a tiger by the tail and had just noticed the reason for its teeth. The pigeon murderer appeared once more beside us. My newly caught tiger handed him more money from his wallet. The man did not count the money, but led us away. He bade us goodbye at the beach where we had found him.

We walked in silence, each lost in our own thoughts. There was a dreamy moon in the sky, and waves broke on the beach softly. Into a beachfront hotel microphone someone was singing 'Killing Me Softly with His Song', and tears came into my eyes. I felt numb inside. Everything had changed. Perhaps I knew even then that my husband was not mine to keep.

On the dark water a lone fisherman lit his lamp. It shone yellow, and threw a beautiful reflection on the black water. The thought of fishermen eking a living from the sea has always moved me, and that lonely man seemed even dearer to my heart.

That night I awakened suddenly. The sorcerer had come

to touch my cheek. His hand was freezing. He was smiling. He had come to take my husband away. The air-conditioner hummed steadily and Ricky was fast asleep. Quietly I slipped out of bed and went onto the balcony. Out on the sea my fisherman had extinguished his lamp and gone home. Strange how acutely I felt his absence in my heart. I tried to imagine him in his wooden home with a simple supper of fish and rice, his five children and his wife around him. But I could not. He was another world away and yet . . . he belonged to me.

I went back in, sat on the edge of the bed, and watched Ricky. He slept like a baby while I was racked with fear. It was as if the island had tried to tell me something, a little warning. He too will disappear like my lone fisherman.

'The fisherman you may take back, but my husband I will keep for ever,' I said aloud. Against the crisp white sheets his tanned skin gleamed like polished copper. I knelt on the bed and licked the salt off it, savouring the sleepy warm taste of him, and was suddenly swept away by some nameless need. I bit him so ruthlessly that his golden head jerked, and swearing brutally his hard body possessed me. He is mine. See, he is mine. Curled inside his strong arms I slept. I forgot the sorcerer waited nearby.

My husband had asked him to.

The day we were leaving we sat at a nearby café drinking coffee, when a man selling wood carvings stopped at our table. Amongst the coffee drinking paraphernalia he spread out his wares, one by one. One I liked, an old bearded fisherman carrying a basket of fish.

'How much?' I asked in English, but surprisingly he spoke Italian, with a curious accent. So many Italians went to Bali that he had learned our language and learned to recognise us by sight. 'Italians appreciate elaborate handiwork,' he explained. 'The Germans are too mechanical. In paradise they just want to drink beer, but Italians have

style. Americans are the best customers.' He rubbed his
thumb and forefinger together. 'American *troppo denaro*,
too much money.' Ricky went to reach for his wallet, but
the old man smiled knowingly and asked, 'Wouldn't you
like a *penunggu*, a watcher, to go with your carving?'

Instantly Ricky's hands stilled, but how his eyes stirred.
He was uncurling his long brown body. 'What?'

'Into this carving I will cast a spirit, and when you return
to your own land you will awaken it with a piece of music
that I will give you. Afterwards it will sit on your shoulder,
invisible and watchful. Its only aim will be to protect you.
Day and night, your *penunggu* need never rest. Whenever
your enemies try to harm you it will destroy them.'

'How much?' Ricky asked. His voice was so cold and
precise.

'No,' I cried, my heart beating fast inside my chest. 'No,
go away,' I shouted harshly to the man, but he did not
budge. People were looking at us. The man watched Ricky.
His black eyes were knowing and contemptuous. I grabbed
Ricky's hands and pulled his face towards mine.

He wore a stranger's eyes.

'No, please don't play with things we don't understand,'
I said desperately, and after too long he nodded reluctantly,
and told the man to go away.

'Don't hurt us,' I begged. He smiled regretfully,
and absently stroked my cheek. And in my heart I
wondered what it was about my husband that made these
Balinese hustlers seek him out to buy their magic even in
the streets.

Another inexplicable thing happened while we were
there. One evening while watching a performance about a
contest of might, between a hideously masked child-
devouring witch called Rangda, and a very large lion-like
animal called Barong, I spotted in the audience a delightful
pair of twins. They were richly dressed in traditional

costume and long golden nails attached to their little fingers. I think they were waiting to perform in a bit. I walked up to the girls and offered them sweets. They smiled shyly. Their older sister, a truly stunning beauty, stood over them.

When I looked up to meet her magnificant eyes, they were black as the night, and at once remote and hypnotic. An effect that made me want to shiver, but I could not look away. They held mine cautiously without warmth or hostility. She was obviously the guardian or parent of those beautiful children. Then Ricky, who had been taking photographs of the dancers, being sprinkled with holy water to bring them out of their trance, appeared at my side.

'*Che bellina*,' he said, and put a hand out to stroke the cheek of one of the girls, and suddenly that strange and beautiful woman hissed like a striking snake and, jerking forward, snatched the two girls away, as if his touch could harm them.

Startled, I looked into her black and forbidding eyes and found uncontrollable fury in them. Ricky froze, and the strange woman with one last look of, I thought then, hate, pulled the girls away, and quickly disappeared into the crowd of onlookers. For many years I couldn't understand what had happened. I thought perhaps she had misunderstood Ricky's intention towards the little girls, or some custom forbade those children to be touched by a man, a foreigner . . . and then one day I awakened from a fantastic nightmare, shivering in my own sweat, and suddenly, in the dark, I knew. I saw the woman's real face. So inappropriate to her nature she had to disguise it with fury. The hair on my arms stood on end.

It was fear. She was terrified of Ricky. Terrified of his hand on her charges. As if my beautiful blond husband was an evil spirit who would contaminate them for ever.

I was pregnant. Ricky swung me around in a savage dance. It was our first Christmas together. My in-laws came to visit and I understood we would not get on as soon as I opened my present and found, inside an old shoe box, a peach negligee made from some synthetic scratchy material with bits of white lace around a deeply scooped neckline. It was unapologetically hideous. She had bought that revolting, cheap scrap of nylon in a Sicilian market, and brought it all the way to England as a Christmas present for her new daughter-in-law.

What did she mean to achieve? Perk up my sex life?

'It's beautiful. Thank you, Mamma,' I said, fighting not to show my hurt. And my mother-in-law sat there holding the beautiful Louis Vuitton handbag that I had given her, smiling. Actually proud of her nasty present.

Another year the woman pulled a pig, a whole dead pig, out of her bag. From snout to tail that piglet must have been about two feet long. I couldn't believe my eyes. She was like some African mamma bringing bits of bush meat illegally through customs. Then I looked up and caught Ricky's blue eyes. They were amused. I had never thought of him as a cruel man before.

When did I find out my husband was faithless?

That like a dog in heat he wanders without shame along dark alleyways and, finding the dirty bitches, ruts with them by stinking dustbins? The usual way. Through a close and poisonous friend. It was through Rosella I learned about my husband's search for mysteries new.

When I knew her she was the proprietor of an upmarket boutique, *Momi Intimi*. Soft pink carpets, one or two exclusive evening dresses and a very risqué line of Italian underwear. She played *Astor Pizzaola* but so softly that you had to strain to hear. We used to sit for hours just talking.

She was Italian too, but from Naples. I thought she was my best friend.

Then one day she opened a small box file of cheques, and suddenly remembered something that needed doing urgently. 'Watch this,' she instructed as she rushed to the back of the shop. Naturally my eyes fell upon the box and the very first cheque on the pile bore Ricky's bold untidy scrawl. I reached out to take that cheque, and stared at it in shocked disbelief. A hundred and ninety-five pounds he had spent. Buying underwear. Not for me: I was four months pregnant. For a moment I couldn't move. Then I flipped the cheque over.

It was blank. I picked up my bag and walked out of the shop.

I went home and sat down on the bottom step. I did not feel pain. I was in shock. Little things came into my head and, still unfinished, left. Soon I would have to pick the children up from school. I walked to the kitchen, opened the fridge. There were skate wings that, if I did not cook that day, would begin to smell of ammonia. The flesh tenderised, but the odour pungent. It would need a stronger stomach than mine to eat it.

I went into Ricky's study. I saw myself in the mirror over the fireplace. The area around my mouth was white, white with fury. I was so furious; my nose was running, and my hands shaking. I opened drawers and slammed them shut so hard the photographs on the surface of the desk toppled over.

It was the end of April. I smelt the hyacinths dying, leaving their last papery breath in the conservatory. How dare he? How dare the bastard? Buy my body and sell my soul. And a small voice said, 'How could he?' And why Rosella's boutique of all places? That really hurt. Finally I understood the reason for her sneering eyes whenever I talked of Ricky, his successes, his love, his devotion to his daughter. How she must have hated me! What a blind prize idiot I had been!

No wonder she had taken such pleasure in ensuring my discovery. She was so jealous she wanted to turn my prize unworthy. What a bitch! I hated her and I hated him. My eye fell upon a rabbit carved out of water agate, beautiful brown swirling in smoky grey. A Christmas present from Ricky. An expression of love during the season of indulgence. Or a fucking joke. A rabbit jumping in and out of holes.

I picked the thing up. It felt heavy in my hand. I swung around and hurled it into the fireplace. It shattered in a satisfying explosion of noise and flying shattered glass. There was an ugly ashtray, a present from his mother, bizarrely dear to him. That followed the rabbit.

The urge to destroy, I cannot tell you how it fought to take over, and after a while I let it. Afterwards I stood in its mess cold, my anger spent. I put my coat on and went to pick Luca up. After I had fed her and put her to bed, I called Ricky on the telephone.

'*Si, amore*, be home as soon as the restaurant shuts,' he said.

'I'll be waiting.'

From eleven to three that night I lay awake. Every time I closed my eyes I saw myself hit him with a lamp. I saw his shocked face, his hands rush up instinctively to cover his face, and the flash of pain in his eyes when the lamp hit his head. Even as I hit him I died inside. Oh God, he's the father of my baby, my stomach screamed, but I could not stop my body. It moved forward, hit, and, pushing him down the stairs, rained deodorant cans and perfume bottles at him until he staggered out of the front door.

I sat on the bed waiting for him to come home.

He tried to lie at first, deny history, the slimy snake, but I was prepared, I lied too. 'Rosella has told me everything, about all the other times, all the other women.' His jaw dropped. He had never for a moment suspected such a betrayal.

Kill two birds with one stone, they always say. That will take care of that bitch's further business with my husband. And then, oh God, this was not the first time. In my pain I asked the wrong question.

'Don't you love me any more?' I asked, crying.

'Francesca, please, you know I love you with all my heart. She was nothing. A mistake.'

'Don't lie to me, Ricky.'

He switched to Italian. He knew I could never resist that. '*Amore mio*, I have loved you for years. I have been bringing you flowers since I was a kid. Through all my travels I did not forget you. You're the only one I have ever loved, or wanted to marry. You are the mother of my children. We will grow old together. We will return to Sicily and sit in the evening on the balcony of the house myfather built for us, drinking the red wine from the grapes that we have picked together. Our bones will be old and our faces will be like the unattended grapes that fall forgotten to the ground and shrivel, but still I will say to you, "Let me look at you once more." And this, because you will always be the most beautiful woman in the world to me. I love you, Francesca. These women, they are nothing. Do you understand? Nothing. *Putanas*, all of them.'

It was a mountain that he asked me to swallow, but when I opened my mouth I was surprised to find it fit nicely. What he sold I wanted to buy. Be careful not to be too scornful of me. Wanting to hold fast when people are moving away is an instinctive reaction. Only now I can see how pathetic I was. Then I couldn't. My heart was young, and like an innocent child it longed for the sweet fruit of his words. I believed in my battle.

'Why do you need them then?' I sobbed.

His face crumpled and his hands went to hold the sides of his head. 'Because I am weak. Because I am a man. Because they tempt me, these *putanas*. But you arc the only one in my heart.'

'So who is this woman?'

'She is not important. I'll give her up now,' he declared instantly, although I knew even then he wouldn't. Why should he?

I remembered the time he had brought me that grotesque statue hacked so brutally it made my flesh crawl. Yet his shining eager eyes had told me it was the most precious object he owned. He did love me once in the land of my father. Before these immoral women, who needed underwear from a shop owned by a viper, obscured the path he walked.

'What does she have that I don't?'

'Nothing. She is only young.'

I know he said it to console me, to tell me that she was only a cold-hearted fuck, but I crumpled. He had hit too hard. No more kidding around. He didn't know it, but there was nothing worse the crazy bastard could have said. Until he said it I had never felt the passing of time. It was out, the essential truth. I was ancient and unattractive. If he had said that she was good in bed, or a better cook, or more understanding, I could have competed, but how could I compete with youth?

I had given birth to two childdren and carried another. My body had changed. I was no longer attractive to him. What did he know of bearing a child? He had never had his body shared, stretched, and finally torn. Of course, there were bits of me that sagged and wobbled now. I had registered them only with the corners of my eyes, but he, he had seen them and judged them.

He reached out his hand as if to physically stop me from crumbling. I looked into those sky-blue eyes and I could not see through them. Once I knew what he was thinking. Once I knew what he liked. He liked pears and pecorino cheese drizzled with honey after his Sunday dinner of lamb cutlets. Once I even thought he was mine and only mine.

That night after he had gone to bed I went to look at his mobile phone. The last call to it, at midnight, was from Gina. I knew her. That very young, impeccably polite waitress who had served me at the restaurant before. She called me *senora*. '*Si, senora, no, senora, per favore, senora, grazia, senora, arriverderci, senora*, I am fucking your husband, *senora*.' Fucking slut. Where did they do it? On the couch in his office or in the toilets downstairs? No, in all probability on table nine, when all the others had gone home, with all the lights turned off except for the one at the bar. He likes it there. I know from experience.

How I hated her! Still I decided she had only the novelty of her firm body. I had the children, the ring, the house, the history and half of everything. I would play my game and she would look up from digging her grave and call me dangerous.

'Pretend to be the hunted. Let him be the hunter.'

In the morning when Ricky came downstairs he looked wary, but essentially unshaken. He found breakfast waiting on the table and his suitcase packed by the door. He begged, he cajoled, but I stood unmoving, as cold as marble.

'Go to her,' I said. 'If you want her so badly, have her. There must be something lacking in our relationship if you need her body.' And when he would not stop his pleading, I said, 'Just go.' When finally he was gone I cried.

My plan was simple and brilliant. If I made him get rid of her she would be that forbidden thing. The fruit he must savour secretly. If I gave her to him on a plate her perfume would no longer be so alluring, her flesh too would sour. *The more you love them, the less they love you. . . Pretend to be the hunted*. And he would return on his knees and I would have him for ever. I was taking a chance, but not a big one. I was resting on the assumption that Sicilian blood ran in his veins.

The children and I were family.

It worked. He returned on his knees. Given so freely she lost her value. Sex on table nine became a bore. He gave her up willingly, but now that he and Rosella had taught me what to watch out for, it didn't take me long to figure out that women, and there were too many to count, made themselves available to him regularly. I saw them in his tousled hair, smelt them on his skin, understood them in his ripped buttons and gently touched them in the scratches their coloured nails left on his back.

But I had grown weary, lost the nerve for battle. I affected a sophisticated amusement at the thought of his furtive grubby affairs. When I thought the battle was won, was when it was lost. I was to blame. I had shown him clearly that I would take him back. That I not only knew how, but desperately wanted, to forgive. There was nothing left to do, but grow a little colder and harder. I was, as Maya Angelou said on *Oprah*, 'being pecked to death by ducks, by ducks for heaven sakes'.

And then I began to look at younger women. I sat in the middle of shopping malls staring at teenage girls, and weighing the difference between them and me. At first I didn't really understand, I knew the difference was there but couldn't put my finger on it. I went into changing rooms in swimming pools and surreptitiously observed their unaware bodies. I stood beside them in night-club toilets pretending to reapply my lipstick or flick back my hair and compared.

And slowly I saw the difference. I learned about the obvious ones like fashion; their clothes were cheap, but the height of trend, fun. Everything I put on my body was expensive, superbly tailored and understated. My skin was always wonderfully tanned and my lipstick pale. I looked like a million dollars. Exactly like those first wives of very rich men that you meet while shopping in Knightsbridge or Bond Street. The young, they just wore charming peacock feather chokers and little bead bracelets.

I, of course, wore a very large solitaire diamond ring.

And then the difference that made the difference; fat. In the places where it counted, face, derriere, hands. I learned to recognise them even from the back. They hardly felt the cold, so they preferred thin cheap materials that clung to their unripe rears. They pranced ahead, not mushy or dimpled but just learning to curve. I noted how redness concentrated on the inside middle of their lips. Of course, what is fresh meat if not red? Everywhere I looked my envious eyes met gorgeous skin stretching from jaw to chin in one smooth line.

I was terrified of the mirror and the judgement I saw there. When would I experience that bittersweet wonder and gentle resignation that Mother claimed was hers?

I took to shopping at night, at the weekends, when Ricky was at work. It is a lonely life for the wife of a successful restaurateur. The weekends were the worst. While everyone else was out getting drunk, having fun, I walked along the deserted aisles of the supermarkets. In a way the brightly lit interior of Sainsbury's comforted me. Among ready cooked meals and toilet paper I browsed filling my shopping trolley with their top of the range, premium, organic, better tasting, better, better, better . . .

At the checkout I glanced askance at the women who had bought store brands or items with the 'reduced' red sticker on the packaging. For a little while I would feel superior reaching for my gold card, and then I would look up and see across in the next aisle a couple flirting over their miserable bits of shopping, and I would realise again how much

I had given away to be able to hand over a gold card.

Because it always came back to that. The truth is love doesn't survive in an unfaithful home. It is only practical considerations that rule. It was always with a tinge of sadness that I wheeled my trolley out into the darkness. It was over. The night for me was over. After that I would put away the shopping, watch TV alone for a while and go to bed.

In bed I would toss and turn for I was a wretch. Ever since youth showed me to the door, my husband honoured me with the shell of faded affection. His wedding ring he fidgeted with unconsciously, and the fidelity that I wore as if a crown of precious gems, he gave away numerous times in dark and secret places.

One morning I went out to take in the post, and saw that some lovesick girl had drawn a lipstick love heart on the windscreen of Ricky's car. I came back in and made his breakfast. I told myself quietly that I desired only continuity from Ricky. He promised me that and I would have it. He was going to watch me grow old. We would be two shrivelled, forgotten grapes together. The others, he would only use disrespectfully and discard. Momentary pleasures. Bitches.

Ricky and I turned an aisle in a supermarket in St John's Wood and came face to face with a woman so coldly beautiful she reminded me of a mannequin. A platinum blonde. Tall and flawless in a white billowing top with Mexican stitches and stretch jeans – she was everything I wasn't. Ricky had no option but introduce us. Even though he tried hard to hide it, I heard it, respect. *For her.* And in Elizabeth Miller's frozen grey eyes I saw pity. *For me.*

Elizabeth Miller

Elizabeth

I stared at the half-eaten slice of toast that the man had left behind on his plate, the blobs of yellow butter too thick to melt. No matter how many times I saw such a sight it never failed to bring back the same picture. My sister's small red hands, nails bitten to the quick, meticulously wiping the butter off a triangle of toast with her napkin. The man returned to the breakfast room and the picture tilted a little.

'Like it?' he queried, his hands slightly raised at his sides.

Of course he looked as he always did. A fat bulldog in a suit he had paid an obscene amount of money for, but I made my face light up.

'Very nice,' I replied in Arabic. 'You must get another, in the same blue, definitely your colour.'

He moved away to admire himself in the mirror over the mantelpiece. He could afford to ignore me because I belonged to him in the truest sense of the word. Bought and paid for. One morning he woke up and decided he quite fancied a grey-eyed Irish witch in his collection, and I fulfilled the criteria. Once he even said it, that I was a fairy, a gay creature, having no soul, nothing in my bright body but a mouthful of sweet air, and, of course, silly negligible secrets. Yes, he chose to think of me as a body full of nothing. I was a function, a pleasure. I fulfilled a desire in him to be captivated, and amused. For a little while.

He looked down at me and I smiled.

Was I really that good an actress? Was it possible that I had managed to completely mask my horror of him? It amazed me that he saw nothing malevolent in his 'grey-

127

eyed Irish witch'. Even now when I had become foolish for another man. It must be the blessing of the 'off' switch I found in my head long ago. It is a brilliant thing to switch off and feel nothing, no fear, pain, hate, sorrow, or joy. Once in a while the repressed emotions rise up as a paralysing panic attack, but all said and done, the switch works pretty well.

In the beginning it used to shock me the way he thought he could get away with it, the way he so effortlessly assumed I would never retaliate. I concluded that it could be three things. His culture that made him assume a woman could only be docile and powerless, the arrogance that came of his boundless wealth, or more likely the cynical pact we had made: a substantial lump sum when he tired of me.

He looked into my eyes. I knew he wanted them sad so I turned them the right amount of mournful. It was one of a fairy's functions, to mourn his absences. He was going away again.

'Ready?' he asked.

I nodded.

Outside the door beefy watchful men took over. They surrounded us. Beyond the lift another two waited. The teamwork was always flawless. We walked together through the opulent hotel lobby. Someone had already perfumed the path ahead of us so it smelt like a flower garden. A man held open the door of a perfectly vulgar white limo. We got in and it slipped away immediately. In front the guards, behind a procession of cars. Inside it was pleasantly warm. His fat hand settled on my thigh. And suddenly I had an unbidden memory of the fat hand.

I swung my head away and felt myself begin to sweat. Not now. If he knew about the suffocating anxiety, the unquiet waves . . . Please not now. He would be gone soon. I breathed deeply. Slowly. Come, come don't be such a sissy, Elizabeth.

I felt his fingers absently in my hair. He twisted a lock of it around his forefinger. It was what attracted him to me first. 'What fabulous hair. I have never seen anything like it before,' he said, staring. I had left the bleach in too long that night. It was a mistake, but now he insisted on this tasteless soul-destroying platinum. Softly, softly I brought myself back to normal. Back to frozen. The switch still worked. I turned around to face him. I could even look at the fat hand without emotion. He brought the twist to his lips. Obligingly I moved my head closer. Before he could tug.

At the airport I stood facing him, smiling softly. Ah well . . .

His eyes were on my mouth. He once said I reminded him of pink and white bone china. If he only knew what this mouth has seen and done. Suddenly he asked a shocking thing, something he had never asked before.

'Do you love me?' he asked. Oh there it was, he wanted to own everything. Was I wrong about him? Did his selfish, shrivelled, ugly heart want even more? He was watching me closely, his hard eyes sharp. Perhaps I wasn't such a good actress, after all. Perhaps he had begun to suspect about the other. I had to be careful. He was dangerous.

'Yes,' I said.

'How easily she lies,' he murmured. The black rat eyes glittered, but he was smiling. He was only playing. It was only a test. A meaty hand fumbled around in his pocket and found a box. He made me open it. A diamond ring. Ah, sweet baby Jesus, he was closing the exits. He was half playing just now. A ring this size is never given freely, but lent out for as long as you belong to the borrower, in payment for good behaviour. The ring was not mine. It simply meant escape was going to be harder. Run, Elizabeth, run. Run now.

He slipped the ring on my finger. It was a perfect fit. I

stared at the enormous stone. He never did things by half, always the biggest, the best, the most expensive. My sister's fingers, bloody and raw, were busy. The toast had to be cleaned. I was frightened of him. Of the fat hand. The cold black eyes. How pitiless had I seen them once before?

He was right about one thing. I am a fairy, but he is wrong about everything else. I am not one of those iridescent creatures dreamed up by Enid Blyton, carrying gossamer wings on my back, and living at the bottom of his garden. I don't stay with him because of the substantial lump sum at the end of the nightmare. No, I live with him because it's all I deserve.

You see, I am an Irish fairy and Irish fairies are angels, who sat indecisively on the fence during the great rebellion in heaven. Since they had proven themselves neither good enough to be saved, nor bad enough to be lost, they were sent to earth and given dark and remote places to dwell in. This is my dark and remote place. Once I too had sat on the fence and watched a little rebellion. Did nothing at all. And because of my dangerous hesitancy, I was exiled.

Under my palm, inside his new suit his heart beat, regular, unwary. He pulled me towards him and kissed me. Then he turned away, and was lost in a mob of body-guards, and secretaries.

I turned away, took a handkerchief out of my handbag, and wiped my lips. I hated being kissed. It was like a physical harm. He was gone. I tried hard not to run to the waiting limo.

'I want to do some shopping. Just drop me in Knightsbridge,' I told the driver. I leaned back and stared at the unreal rock on my finger. What did I feel? Nothing. I entered Harrods and walked quickly past a smiling woman who stepped up and tried to offer a perfumed envelope. They cannot resist me, these perfume sellers. I was a magnet to them. I sidestepped her neatly and, quickening my pace, exited through the next double doors, back onto the street. I hailed a black cab.

'Swiss Cottage, and hurry please.'

The cab dropped me outside the Newt and Cabbage pub. From inside the barman waved at me. Once he ran out and said he always watched my legs run up the stairs until even the tip of my stiletto was gone from sight. At the top of the stairs I wrenched the ring off my finger and dropped it into my purse. A worthless bauble.

There was a doorbell but I did not ring it. I had a key. We all did. Ricky had given us all one. He wanted us to think of this flat as ours. I closed the door behind me and for an instant, leaned against it. This was another of the dark places I had been banished to. There was an assortment of people lounging about on the battered sofas, and from the kitchen came the smell of Ricky's famous *arrabiatta* sauce and singing. Soon he would be coming through the door, carrying a huge bowl of pasta.

I was home. Back where I belonged, in the Spider's Temple. The twins stood up, hand in hand and utterly beautiful, they came to greet me. Perhaps you have already met them. They are Balinese. I like them. They are from one of those pagan societies where sex has not yet been unravelled by Freud, and desire is not a bloated slut, but a beautiful barefoot nymph wanting to step into thresholds new.

In Nutan's outstretched palm lay a short length of straw.

I promise to tell you everything if you are patient. I will take you past the old-fashioned candy shop where they sold aniseed balls, blind mice, toff-o-mints, bulls eyes, and bright pink Galway Rock, up to where the road split into two narrow roads, into a land so wild and beautiful it will make you gasp. They call it Connemara. But first let me have a line. A neat row of white powder brought all the way from Colombia. Hurry with the straw, Nutan, these good people wait to know when I decided that I would be no better than I should be.

Only last year I returned to it, the land of my childhood, and it was exactly as I remembered it. I got off the bus at Clifden. The town was busy getting itself organised for the pony show as I took the Lower Sky road. I followed it slowly winding around the seashore. On my left the ground fell away fairly steeply into the sea, quiet and lazy that day, and rising on my right the untamed beauty of the Irish countryside. Still higher up, bracken and furze.

It was late August and the days were still long. The hedgerows were ablaze with purple loosestrife, montbretia and meadowsweet, and the ground was a carpet of blue with harebells, scabious and tufted vetch. There were children on the beach. Ah yes, I too was a happy child of the sea once, picking cockles and mussels barefoot, shrimping knee deep in rock pools, my dress tucked into my knickers. Now and again shading my eyes with my hands to watch the mackerel break.

I walked further up the road and everything was as it should be, until I turned onto a flint path. Until I stood before my old home, shocked.

The thatched roof of our cottage under the blue netting was still intact, but the half-doors that my father had painted bright red were missing and so were the window shutters. The walls were choked with wild woodbine tendrils, and Mother's red and purple fuchsias were woody with neglect. Inside, the floor was thick with dirt and debris and in one corner, a discarded flour bag. Did *we* consume its contents?

And when I looked up, the beams, smoke-stained from all those years ago, brought a dull ache to my chest. I stood for a long time with my back to the sea, staring at the ruin. Some cycling tourists wheeled past. I turned away from the great wild hill and walked towards the shore of the sheltered bay. A gust of cold sea wind buffeted me. There must have been a storm the night before. The beach was full of black and yellow seaweed.

I began to climb, sure and familiar, up, up, to the high cliffs where the great grey rocks wear their dangerously slippery yellow moss. Therein lay the past. Up, up high above the sea. If you stand at the edge during a storm, the soaring winds will fetch the salt spray to your face. I knew that place well. Awake, the sea was so beautiful, untameable, and wholly wild. I could almost hear it then, roaring, mighty.

Raging and wanting.

When I was a child, the storms that terrified my mother and sister and had the dogs cringing and whimpering under the bed, never frightened me. In fact, I loved them. The storm lantern swinging madly from the roof shed, the shrieking gales, the flashes of white lightning ripping open the sky, and those great claps of thunder that crashed nearer and nearer. Louder and louder, until the windows shook and it seemed our dear little house would smash to smithereens. In front of the fire, my mother gathered together my sister, my brother and me to her. Snug and warm we smelt dinner on her breath as she sang in her high, lilting voice haunting Irish songs.

Outside, the fierce winds, having circled the house, reappeared, only this time to talk in a human voice. 'Ach, it's only the ropes of the thatch rubbing against the walls,' my father dismissed, but I was convinced that the wind spoke.

Some bitter nights, I donned my father's oilskin and crept out while my family slept. Leaning against the wind, my teeth bared, eyes narrowed to slits and a lamp in my hand I made for the cliffs. Sometimes a bolt of lightning struck so close that my skin bristled with electricity, and my heart beat like crazy. From my high vantage point, I could see the entire countryside illuminated, the winding road shining white, and our little thatched cottage luminous against the hillside, an enchanted magical sanctuary.

Freezing rain lashed sharp and biting on my bare legs as I crawled right to the edge of the furthermost cliff. I wanted to watch the hungry sea smash against the rocks, frenzied, black and frothing, and catch the smell of wet seaweed rising from it. Before I left I always pulled from my pocket a bunch of wild flowers, a button, a feather or a dead butterfly to hurl into its seething turbulence. Roaring and hissing with mad delight, a huge white claw came up to seize my offerings. I owed the sea. From the time I was child I knew it wanted me. I felt it calling, but I refused to go. So I fed it. Little things so it would be content, but I had not fed it enough, so it reached out for something more precious. Too precious.

That late August I stood on my old perch, but without flowers, my best pebble/or a dead insect, so I took off my little silver bracelet and flung it into the water. My offering. Do not take me yet. Further ahead the sea sucked up to the beach, calm, friendly, lobster pots dancing in the water. So calm it made me sure that if only I turned left, the way of the rocks, I would see a jam jar full of shrimps.

A mob of seagulls flew overhead screaming harshly, and suddenly I remembered that day when my mother turned her unseeing face to the sea, her black cotton shawl limp around her waist, and grieved. But no, let me start before that.

Let me start with my father. My father is the most Irish Englishman you could ever meet. He had a bouncing shock of brown curls, eyes stolen from a child, a smile that urged you to mischief, and a great desire to laugh. Often he tumbled to the ground with laughing. He first came to Connemara in answer to an advertisement by the Ardagh Hotel for a piano player. My mother who was working there as the chef, was sitting at the bar after her shift, when he sauntered in, smelling like a brewery. 'You could tell straight away he was a rogue,' she said.

'Taxi needs paying,' he said to the manager, propping himself against the bar. Of course they went out to pay the 'taxi driver', although it was well known there was no taxi service from Galway to Clifden. It was just another of my father's hitch-hiking scams. *You get the drinks and I'll figure out something for you.*

But if my father was telling the story, he skipped that part, and started history with the day Mother and he first acquired our little house. How they came upon it on a stony hillside during the soft month of April. How it was raining and the sea was moaning quietly when Mother stood in front of the house and burst into tears of love.

Having been abandoned during the great famine only the thatched roof under the blue netting was still intact. A rotted green half-door, blown off its hinge, lay on the cracked stone floors. Successive storms had kicked away huge portions of the grey walls. Mother wanted to make right its painful dereliction. She ran to the shed that stood beside the house.

'And this here will be your studio,' she sobbed happily, for my father's real passion was painting. He only pounded the piano to pay the bills. So my father restored the house and the shed. He gathered the stones scattered on the hill-sides, and built her a dry stone wall so her Arum lilies and potatoes would be enclosed. My mother said fairies' fingers couldn't have done better. On the iron gate outside he hung up a simple black and white sign that said, Paintings For Sale.

On the day they moved in a farmer from across the hill came to welcome them. He was rosy about the cheeks and had in his hands home-churned butter wrapped in a piece of white muslin. My father invited him inside, and offered him a share of the whiskey bottle. They had a right old time, my mother on the spoons, my father on the fiddle and Seamus dancing and singing 'The Blackbird'. When he was leaving he said, 'Aye, good neighbour, yer know, this land here is mine. Would yer be wanting to pay some rent, like?'

I used to sit in my father's shed posing on a three-legged stool with a Kerry cream biscuit or an apple in my hand. Afterwards when I went to peek at his work he would have turned me into a frog in a pink dress or a strange lizard with long curly locks. He was not successful, my father. His work was too strange for the rural art shop. It lacked refinement. The tourists didn't want it.

When he was not painting he was a gardener, though it must be said he was incredibly unsuccessful at that too. He tried growing cherries and gooseberries, but in the unyielding soil they never made it past their first shoots. His vegetables were another sorry sight. Still it was certainly not for lack of trying. Whenever there was a storm he shook us awake at six, sometimes five in the morning, to rush us into rubber boots so we could collect the seaweed that the Atlantic sea had hurled at our shores and that he used as fertiliser. In the freezing cold our hands turned bright red and stiff and when I screamed with pain my brother, Jack, would stuff my hands into his armpits. Inevitably armed with tin cups we resorted to the ditches for wild strawberries and blackberries hiding like jewels among the green leaves, for Mother's kitchen and pantry.

If my mother had been born a French man, she would have been a world-renowned chef, for she could do amazing things with the simplest ingredients. Even the humble potato could be transformed with mustard or orange peel into something grand and magnificent. Newly married girls came to her to learn how a dollop of sour milk could make plain-boiled green and white cabbage taste exceptional. With plainly cooked fish she taught them to serve burnt fennel relish, and with roast pork a russet-coloured apple pickle.

And her preserves, by God, they were legendary. Elderberry jam with cloves, cherry in orange marmalade, and gooseberry with candied lemon. It was a happy day indeed in our household when Millars in Clifden agreed to stock her pickles. We went with Father to the kitchen of Ardagh Hotel, where we sat on the steps and ate the gorgeous honey, orange and lavender ice creams she made. On The Day Of The Well-Buttered Piece Of Bread, or The Day of The Big Portion she made ragouts of oysters and fricasees of artichokes and figs.

Discarded as a baby on the steps of a Christian Orphanage my mother told incredible, hair-raising stories of the cruelties endured at the hands of nuns. But she was not bitter. She threw away a solicitor's letter urging her to join a group of victims seeking compensation. 'What goes around comes around,' she simply said, wooden clothes pegs in her mouth as she filled the washing lines with clean clothes. She liked wearing a hat in the kitchen, a rather sad affair that she was very proud of. Even though my last memory of her was her mouth stretched sideways in the belief that she was smiling, I still remember her contented; a big pot bubbling on the traditional black stove behind her, a rough wooden table full of pickle jars before her. Above her a fading picture of Our Mother Mary.

My brother Jack was seven and I five when my sister Margaret was born. I remember the first day she came home, an ugly wizened, ill-tempered thing with thin lank hair. She had very dark eyes that followed you about gravely and spindly limbs that reached out, needy and clinging.

All the while she was growing she sat in corners screaming her screech, until my mother came to pick her up. My brother and I watched, surprised by her single-minded tenacity for attention. I couldn't understand her screaming rages. Why she was so needy of my parents' notice. Still it did not bother me, and it was Jack who first thought that the new baby might be a changeling that the wee people had left behind, when they stole away our real sister. He whispered that she would wreak ill in our home, and when she was done with her mischief, she would simply be gone, and no one would know where. He felt certain that only when the changeling was driven away would our real sister be returned, unharmed.

'Watch her appetite,' he said, 'changelings have abnormal appetites. They eat all that is set before them. They can eat a larder bare.' We took her clothes off to check if she was covered with the light downy hair of changelings. She had none. 'It might sprout later,' my brother muttered darkly.

Sitting on the three-legged stool I told my father about my brother's suspicions. For a moment his startled eyes left his canvas and settled on me. He tried to look earnest, but his eyes were twinkling. 'A duckling is ugly to protect it,' my father said, and set about telling me the story of the ugly duckling that became a swan.

'Aye, fairies have to be treated with respect or they will turn nasty,' Father said later, throwing Margaret, tears and all, high up into the air, 'oops' and catching her with a laugh. Jack said nothing. Despite all the attention I remember her only as a sullen round face at dinner.

It was late autumn, the sun was hazy in the sky and plump bees were buzzing in the hedges that day we took the warm footpaths to hook lobsters by the rocks. Jack put Margaret on a smooth boulder. 'Don't move now. Be a good girl and watch the seagulls for a bit,' he told her. The seagulls were sitting on the rocks like fat ducks. It was a good day and Jack's bag was almost full when I looked up and saw Margaret gone. My brother went white. I looked out to the sea and saw her head bobbing in the water.

'Look,' I cried. 'She's doing Father's trick.' Father had

taught us all that we would never sink as long as we kept our ears in the water. 'Will I go and get her, Jack?' I said immediately, but Jack was already running into the water. He was a strong swimmer. His arms moved powerfully towards the black head as he swam further and further out to sea. I never thought she was that far.

I felt a cold horror in my stomach when I heard a happy voice call my name. I turned around, and there she was, the little changeling.

'You couldn't find me,' she sang proudly.

Dear God, she was playing hide and seek. I started screaming out to Jack to turn back, but the strong winds coming from the northwest mountains simply snatched my voice and threw it back at me. Until suddenly I couldn't see my brother any more, only the black head floating further and further away. I had not fed the sea enough.

For a long time, I sat on the beach, waiting, shocked, numb, disbelieving, a vice-grip around the changeling's wrist. I think she might have screamed, but I did not hear. It was impossible. Impossible that the boy who could thrust his hand into a burrow and pull out a fine bit of rabbit wouldn't resurface. In the sky the seagulls were swerving, twisting and calling.

'Oh, God of all evil,' my father cried, anguished, when my sister and I went to tell him what the greedy sea had done. My mother ran out of the door straight into the green prickly gorse, scrambling down the cliff, cruel black gravel slicing her hands open, shouting, 'My jewel, my jewel of a son, do not leave. Do not leave me.' Who could blame her for her limitless grief? I thought of him eating periwinkles, his eyes twinkling. Who could blame the sea for wanting him?

That evening my father was so drunk he fell backwards, landing on his backside, his legs straight out in front of him. He looked around him in confusion. My mother just sat facing the window staring silently at the sea, her black shawl bunched around her waist. She would not speak. She would not cry. She was waiting for his body, but he was so precious, you understand, that the sea refused to return him, even lifeless. My mother was heartbroken that she could not even scratch a hole in the ground to lay her lost child. How could she go on living where her son had died in such a hurry? Within a month we had left Connemara. We moved to England. A horrid place called Kilburn.

I won't bore you by trying to explain just how sordid Kilburn was, how hideous our two-bedroom council flat was, or how my father forgot he was a great painter whose time had not yet arrived, and went off to become an ordinary employee in a courier company. No, I'll just tell you about the changeling.

She ate without stopping. Late one night I switched on the kitchen light, and found her sitting on the floor with her back to the refrigerator, hurriedly stuffing raw sausages into her big white face. I stared at her, shocked. 'What in God's name are you doing, Margaret?' She looked like a leprechaun hugging its pot of gold.

Our changeling. *They can eat a larder bare.*

'Get out. Get out. Stop spying on me,' she snarled, pulling her lips back from her teeth like a cur.

'I only came to get a glass of milk,' I defended, stunned.

She looked at me with hate and dashed out of the kitchen, still clutching the string of pink sausage in her hand.

It was only when she reached puberty that she suddenly became a total stranger, hiding inside huge woollen jumpers, layer upon layer of clothes, and a curtain of long hair. One morning she announced that she had become a vegetarian. It was the most insidious form of rebellion. It was not meat that she was cutting away. It was our way of life, the warmth that made our family. While the rest of us tucked heartily into roast duck and green beans glistening in a sauce so transparent it was like maroon glass, she reluctantly trudged through a meal of five beans, two boiled cauliflower florets and one new potato. She suffered one plain flat boxty while we had ours rich to bursting with the most delicious stuffing. And yet I caught her looking at the shining juices on our plates from the corners of her eyes. Fascinated and yet horrified. She had become a vegetarian in a bid to leave behind the calories, but I could never forget the sight of her greed. Pushing raw sausages down her throat.

It took mother to realise her cheekbones were sticking out of her face.

Then came the day she was being force-fed in a hospital. Her potassium level had fallen to dangerous levels. 'It is not a food thing,' the doctor explained.

'Oh God, save her soul. She is at war with herself,' Mother said.

'Ah well, anorexia,' Father sighed aloud, relieved. One of them new-fangled diseases then. Nothing serious. Just a little bit of attention seeking. But the same vein of determination that had made my sister scream for as long as it took to be picked up, took over the five-and-a-half-stone bag of bones that she had become. She turned meal times into a meeting of hunched, brooding strangers, each carefully watching the other. The silence we endured as we sat in front of our empty plates, and watched her cut her food into impossibly tiny pieces, and slowly, slowly, with the greatest reluctance, chew each tiny morsel.

To give the impression she had eaten already she emptied out the crumbs from the toaster into her unused plate. Cunningly she kneaded pieces of bread in the palms of her hands until they were lumps of dough that could be pushed up her sleeves. But the war was fought on both sides. While she filled the pockets of her baggy trousers with food from her plate my parents surreptitiously concealed double cream and butter in her mashed potatoes. As she obsessively wiped the butter off her toast with a napkin, my parents spilled sugar on the sly into her custard. Outside their tight circle I watched the cat and mouse game, an intricate contest of many rules and forfeits. Only the initiated may partake.

No matter how much love they poured into her, it simply wasn't enough.

I looked at her hooked nose, and understood her warrior blood. In a Turkish Sultan's turban she would die trying. It was the city of Constantinople itself that she wanted. Even if it was empty, all its inhabitants dead. Many times when we went to visit her in the hospital, she turned her head away, ignoring us, to glare defiantly at the tubes that carried nourishment into her starving body.

I remember her standing in front of the mirror. Lifting her blouse she complained, 'Look how fat I am,' but when I met her eyes in the mirror I found a proud liar. Of course she could see how pitifully thin she was, but she simply would not admit it. To admit it would ruin everything. Would turn her from a helpless victim, unable to stop herself from nibbling on wads of tissues to stave off the hunger pangs, into a conniving, selfish person.

I knew she did not want to die. So what did she want? She would go so far, but when she was near enough to see the edge, she would pretend to resist as my parents carried her back one step, or two if they were lucky.

And then she was back at the table strumming her fingers, fidgeting . . . refusing to eat. That was when I began to hate her. I recognised the cunning with which she kept my parents on the hook. Day and night. They thought she was sick, but I knew better. You see, I had seen the real Margaret in the mirror, as she turned this way and that and announced, 'Look how fat I am.' I had seen through her thin manipulative face and her long clinging fingers. The way she was tearing apart my family. The way she'd killed my brother.

I watched my parents patiently waiting for her to take the next mouthful and felt a surge of violence. Can't you just relax and fucking eat? Why do you have to be such a hog for attention? And then I lay on my bed and heard her in the toilet, throwing up. She came back, her eyes watery, but challenging. I hated her.

She was turning my mother into a hag, whose sobs came through the bedroom wall. In the dark of our bedroom I waited until I heard her breathing evenly, sleeping, and then I whispered my foul secret as loud as I dared, 'I hate you. I hate you, Margaret. I wish you were dead. Do you hear me? DEAD.'

One day I walked into our room and my sister was stretched out on her bed, her eyes staring at the ceiling, a bunch of flowers pressed to her chest.

'What are you doing?' I asked, shocked.

She looked at me, amused. 'Just pretending,' she explained serenely. 'Death, steal away my breath. Death, take my hand. Death smile on me. Death, don't wait too long . . .' and closing her eyes, she feigned death. Had she heard me whispering my hate in the dark? I decided no. She was just being a drama queen.

One day a big black raven nesting in the chimney flapped into our living room, its feathers badly scorched, and its poor body suffering. The poor creature shat the entire room before landing dazed and trembling on the dresser. Margaret couldn't watch my father kill it, but I did. I saw how quickly its spirit left its burnt body. Death was not so repulsive after all. In fact, a welcome release from pain. We buried it by the railway lines. One day Margaret too will be inside the earth, I thought. I will smell her in the brown fragrance of the earth.

She died, peaceful as an angel, in her sleep.

143

I remember that night coming upon her, not yet dead, and yet so close to it that I should have run to alert my parents about her gravelly breathing, but I climbed instead into my own bed. That was my moment of fence sitting, when I did nothing. That is why I was banished to dwell in dark and remote places.

It seemed for ever that I lay awake in the dark listening to the torturous breathing die away, until finally a great silence fell upon the room. Then I turned my head and watched the day break through the window. How beautifully the sun came up. For just a few moments the sky was white and gold. I could see it would be a fine day. The great silence was wonderful.

Then Mother came into the room and I closed my burning eyes.

I felt her move towards Margaret's bed. I heard her gasp. I heard that pallid woman panic. 'Margaret, Margaret,' she called, but of course Margaret was long gone. Isn't it quickly she went from us in the end?

'Steven, Steven,' my mother shouted for my father.

'Elizabeth, Elizabeth,' my mother shouted for me.

I opened my eyes and met her shocked, widened ones. We looked at each other and in that instant she knew.

Sabotage.

Pale as death she drew back, shaking her head violently. She turned her back on me and went to hug her dead child. But for one incredible moment, I had seen not the condemnation of her turned back, but gratitude glimmer in her eyes. I had cut away the source of her greatest torment. Done what she had not the guts to do. Dispatched my sister off into the night. And then the moment was gone and she was asking me to help her, although she knew there was nothing to be done. I stood up to look at my sister's corpse. Her still face was turned in my direction and her eyes were open and unforgiving. Why, those hard eyes had watched me all night.

Who knows what the dead see?

'Did you not hear me call? I did not want to die. Did you not hear the unpeaceful sound?' the staring eyes accused. 'The sound of me dying, those gasping desperate whispers calling your name?'

So now you know. I lied to you before when I said the breathing died away into silence. 'The unpeaceful sound.' Yes, I heard it. Horrible it was, too. A right bloody torment. Once the gasping voice even tried to trick me: 'Quickly, call Mother,' it begged weakly, 'I am already dead and I must say goodbye.' My sister, as I had always suspected, did not have the nerve to face death. In the end she did not want to die, but she cried his name so often in jest, *Bean si*, the messenger of death, came. He swallowed her into his enormous mouth, sucked her soul clean, and spat her lifeless body out.

My mother closed my sister's eyes. The first time they sprang open again defiantly, but she managed the second time. Then she carefully wrapped my sister's cold body in blankets, and cradled her precious head. Once the blanket fell away and we saw it then, the fine hair that had sprouted all over her stomach. My mother ran the tips of her fingers wonderingly over the gold velvet. 'She was cold. So cold her body grew her a blanket of fur,' my mother crooned. She shook her head and her mouth twisted on one side.

And I thought to myself, why, Jack had been right all along. She really was a changeling. For a long time Mother would not let my father call the ambulance. She sat there rocking, and singing the song of the dying swan. I understood that my mother was singing peace into her daughter's chest, but it was not the beautiful haunting voice I remembered, from the times she had gathered our little heads together, and sang to keep the terrible storms outside from frightening us. No, this one was a raw and tuneless screech, to accompany the grotesque dance of her rocking body.

I stood over my sister and decided that with her accusing eyes shut there was beauty in death after all. Good old Margaret, she made a nice corpse.

That evening the cat carried a dead blackbird into the house and placed the corpse reverently at Mother's feet. It was meant to be a gift, to console and comfort the grieving. Father erected a stone angel over Margaret's grave. Draped in stone garments the angel mourned with downcast eyes. Sometimes I went to lie on the grass over the quiet earth she lay in. I did not mean it. It was a mistake.

I was the snake child. I saw it in my mother's eyes.

The glue that bound my parents was gone and they drifted apart. Father left on St Patrick's Day with a secretary from his workplace. I thought of him in Connemara, flying around the room, unspeakably funny, on pointed toes and a tall hat. When he scooped my laughing mother up by the waist and called her *ma chroidhe*, my heart, and sometimes shortening it to a beautiful sound, *machree*. Afterwards, full of bright cheer, we roasted eggs on the open fire, and Father smoked a pipe.

Mother and I moved back to Ireland. We lived in squalor in Dublin.

Mother stood by the kitchen window in her dressing gown, an empty carton of milk in her hand. 'There's no more milk,' she said, bewildered.

'No,' I agreed. 'There is no more anything in the cupboards, Mother.'

I wanted her to ask, 'Why did you let her go?' but she wouldn't.

Mother's guilt was like an eight-inch kitchen knife that had approached from the side, when she wasn't looking, and embedded itself deep in her. I watched her try to draw it out, but it only made her bleed all the more. From this moment on she must always wear the blade. She used to say in a befuddled voice, 'Wait a little bit for me. Just a little bit and I promise I will be better.' So I waited and I waited, but Mother recovered into a stranger. She could not meet my eyes. She had forgiven the nuns, but she couldn't bring herself to forgive me. I knew her secret shame was so terrible we had to become strangers. We could not comfort each other. We were murderers. Both of us. We could not indulge in the comfort of sorrow.

I went to visit Father, and his secretary girlfriend sat on his lap and whispered things to him. Little secrets so I would know that I was the stranger, the third person. The man she wanted, his offspring she had no place for.

I have never found a place to put Margaret in, so I am forced to keep her inside me. Sometimes she slips into my dreams, her eyes demanding, 'Why? Why didn't you help me? I should be there, but I am not, because of you. Therefore you are responsible for my well-being.' Other times in the night she comes to sit in a corner of my bedroom, staring balefully at me. Her blank eyes are able to see in the dark without a torch. She is making a necklace of rats' teeth, and when she is finished my time will be up. 'Say my name and I will live,' she says.

Of course I have always refused. I did not deserve to heal, for in the mirror I had begun to see what my mother saw, a murderer hiding inside my skin. Like those fish that pretend to be coral, or floating seaweed, so they may survive on a diet of the unsuspecting. If you saw the murderer inside me you too might try to destroy her.

By the time I was sixteen I hated the monster inside me. Now every time I looked in the mirror I did not see the pretty girl that men declared undying love for. Just that cold monster that ignored a dying girl's plea.

So I ran.

Back to London.

I got off the train pale and lost. How busy everyone looked. Rushing, rushing, rushing. The world spread out, big and full of exciting adventures. One stepped out of the shadows in the form of a man. He was extremely good-looking in a polished, smooth style. He wore a nice blue suit and said, 'Would you like to be a model?' Instinctively my heart knew he was not to be trusted, and yet my mouth answered, 'Yes.'

He produced a card. It was plain and proclaimed him a talent scout for a modelling agency. Not Elite but Elites. Very similar. I was fooled. I wanted to be fooled.

The dangerous man took me to a flat. There were other girls there. All beautiful. One so beautiful I could not help staring. She wore ballet shoes and had curly brown hair and blue eyes. She was Irish and as familiar as soda bread. She smiled at me. 'Oh,' my heart whispered, 'she will be my friend.'

'Come,' Maggie invited. 'You will share my room.'

It took me no time to become a prostitute. It's very similar to pouring a Guinness. A two-step process. You pour some, you wait and then you pour some more. But you wouldn't understand if you haven't been through it. It's something like this anyway: 'You are my woman. Mine. No one else must even look. I don't share. Do you understand? Mine and only mine . . . But wouldn't you like to help me, if you could? You'll do it, if you really love me. Come on, it's only sex. It doesn't mean a thing. I'll love you more, you'll see. It's just another job for Christ sake. . .'

Like a butterfly on offer to every flower. Fluttering indiscriminately until it is snatched away by birds and the cruel cats next door. Your soul to the devil.

Men, I will tell you now, are despicable creatures. Ahh, I can see your secret smile. You think your man is better than those I have known. No, no, you poor misguided thing.

While you are me in my land I will be you in yours.

Your man is my man on the dark nights he wants it rough, or quick or different. Ultimately they all seek the same thing. They seek to try all, no, reveal all, without fear of dissension, or censure. It is there day and night, the desire to prove what despicable creatures they really are. You do not believe me. Perhaps it is better that you don't. Yes, heed the warning of the fairy crones, 'Too much knowledge can make a person old too soon.' Wring it this way and it establishes the bed barren, the sheets soulless. Look what it has done to me. Once an innocence is stolen it can never be given back.

Was it not you that I saw quickening your pace, grabbing the man you thought was yours alone, all the while glaring at me, as I leaned with another girl in a sleazy Soho doorway calling out to the passing men? We laughed at you when your back, indignant and offended, had passed. That wasn't prostitution. It was just a scam then. They paid dearly for my 'champagne cocktails', beautifully decorated glasses of highly coloured cordials. There was no such thing as regulars in that business. They slithered down the darkened staircase, got fleeced, and even the ones that didn't leave disgruntled and shouting blue murder never came back.

But did you notice the way your man's eyes slid over to me? The way he was helpless in the face of the bare-arsed curiosity that stole into his mind. But because you have labelled yourself pure, you are no longer free to explore your own sexuality, so you have to pretend condemnation and loathing to mask your secret envy of illicit little me, of all the things I will do for a price. You wish all of my kind annihilated, don't you? We are natural enemies since time immemorial, aren't we?

And then a young man, a client, a small-time drug dealer decided to save me from my profession. He installed me in his flat. Proudly he called me his girlfriend. He took me out on his arm. A sort of decoration, I suppose, for his mates and colleagues to admire. Until one day he misconstrued a glance exchanged between his mate and me. It made the young man insecure. The thought troubled him until he found the solution late one night in a bottle of gin. It was a brilliant plan. Why he had not thought of it before was a mystery. That night he lifted the square cut away from the false ceiling and brought down his stash, a hunk of white rock. It fell away into white powder with magical ease.

'Try it,' he invited. Until then he had never tried the stuff himself.

So we tried it. It was brilliant. We kept trying it late into the night, every night. Time turned me into a thief. I began to yearn for it. From the time I woke up I wanted a line. So I learned to pinch his stash during the day. Not so he'd notice. Slowly we changed. Right before each other's eyes we became monsters. Moody, greedy, unscrupulous. Turned me from grateful to desperate. At first he didn't notice, but eventually he saw his white rock dwindling in its hiding place. His eyes turned mean. He screamed at me and called me a prostitute. In the end they all seek to show their real nature, despicable creatures, but I stayed, as he knew I would. He held the power. He held the white stuff.

Once I had been snorting all day, stuff that I had stolen the night before while he was up there, high as a kite. That evening when he came home he decided to be mean, he decided he wanted to party at a friend's place. Without me. No doubt another woman waited. It did not bother me until I saw him take his white rock from its resting place and carefully pack it. He was taking the white rock.

I had a little money. I'd wait until he was gone and go out too. Buy some from another of his friends, but outside the door I heard the deadlock turn. The bastard was locking me in. I banged the door and shouted at him, but all I heard was his heavy boots fading away down the stairs. I was so furious I did not think at all. I acted instinctively, as an animal does. I opened the window and jumped out.

The air was cool and fresh, and flying, I can tell you, is glorious. I felt no fear, not even when I landed on the soft grass outside, flat on my back with total numbness along the length of my body. I heard his footsteps on the last step of the stairs.

I had reached ground level before him.

Unable to move I called out to him. For a moment he stood on the last step, confused by my voice. Then he came forward and stood over me, his face comical. Slowly he bent down to look closer at my face. We stared at each other for a while.

'Stupid bitch,' he swore, and slapped me hard. It did not hurt. Then he walked away. The sky was not black it was the most amazing midnight blue. So beautiful it made tears run down my face. He had a party to go to, but he must have called an ambulance on his way there. Sirens screaming, they came.

They trussed me up in a corset that ended beneath my breasts. I was lucky, they said. Could have broken my neck, died, and gone to heaven. They thought I had been pushed. They did not believe someone so young and beautiful could ever jump of her own free will. They looked for bruises and found none. Surprised and disturbed they hurried away back to their two children and their two-up two-down, glad they had no role in such a strange, strange world.

He came to the hospital to see me, weighed down with a truly enormous bunch of flowers, a heart-shaped box of chocolates, and a sorry face. I turned away when he gently put his hand in mine. And by and by I felt a neatly folded paper package slip into my hand. I turned to look at him. He looked steadily into my eyes. It was a test. How far would I let him go?

Watching him carefully I curled my fingers over the offering. His eyes flashed, triumphant. He had won. Now it was clear to both of us that I always was and always would be no more than a prostitute. With a price. I could be bought and sold at will. At such a silly price too. I shall never forget the moment of that dishonour. That unplanned moment when I had permitted an arbitrary value to be placed upon me. That moment when I invited the world to use me.

I am really one of those sin-eating cormorants. In my belly are my sister's sins. That is why my sister waits, unfinished in the dark, glaring angrily, making her rats' teeth necklace. I have to unform before she can claim back what I have eaten, and become whole again. She wants me to unform, to die.

The only time I forgot about death was when I was invited to Jamaica by a client who didn't like nut-brown lasses. Some golf tournament. For three days he disappeared at seven in the morning and came back drunk late at night, but the whole day was mine. Near the hotel was a little beach bar and the woman running it had a child, the loveliest thing you ever saw. Brown and fat.

She let me take the baby to the beach where she could still see us. For hours I lay on the sand playing with the baby. He ate a mash of potatoes, peas and chicken. He had hair like a black cloud, unbelievably soft. In the afternoons he slept under the bar in a basket and I went to swim in the warm water. When the baby awakened I went to collect him. Oh it was heaven. Then I forgot my death sentence. And at night, strolling on the beach on my own, the moon permitted itself to shine even on a whore.

It lay on my path, on my last day – a tiny dead baby bird. I had the brown baby in my hands. I stopped for a second to look at its corpse, no bigger than my little finger, naked and purplish. 'Poor thing,' I said, and the baby boy and I looked curiously at the still bird. At that moment I was like him, like all other men who live their lives on this earth, see death all around them, and yet hardly believe it will happen to them. With that child in my arms I was invincible. I thought I could be different. I thought to start again. Return to England, adopt a little brown baby. All for me.

I was different when I came back. The sin I bore didn't feel so heavy. I knew what to do. No more drugs. I wanted to belong to someone, wear his ring, carry his name. And when there were no more than a few teeth left in his head let him be heartbroken if I died. I wanted a baby, a family and my own kitchen that smelt of baking bread. All for me. I registered on the waiting list for a council flat, and went and got a job in a night club as a receptionist. A week later a girl in the queue screamed my name with delicious delight. Oh! Elizabeth. Oh! Maggie.

We became friends again and she told me that she too wanted to give up prostituting. She invited me to move into her top-floor apartment in Maida Vale until my flat came through. It seemed like a good idea.

Her flat was a shabby little place where great big cats suddenly landed in your lap and everywhere you cared to look were dozens upon dozens of second-hand books on philosophy, history, art and culture. They were piled into towers, arranged in book shelves, lying on top of tables, supporting tables, well just everywhere really. Cobwebs swayed from the ceiling, and all the cushions had been shredded to bits of fluff by the cats. The kitchen reeked of stale cat food, and the fridge was empty, but for cartons of milk and beer cans. Running free and untroubled on her kitchen window sill were millions of ants.

'Have you never heard of insecticide?' I asked, looking at the black swarm.

'They're just hungry. If I leave a spoon of jam on the window sill they don't roam around the rest of the place.'

Then she took me to her bedroom and I gasped. It was like being in a different house. There was not the least trace of cat smell or fur. It was spotless, but the most amazing thing was the walls. Every wall was covered with oil paintings.

'You?' I asked.

She nodded and smiled.

Ah, so that's what you really are, an artist, I thought. What a priceless thing to give up, for an easier life. They reminded me a little of my father's work, but better, much, much better and charged in some extraordinary way with terrible sadness or loss.

'They are grand, Maggie. Will you sell them?'

'No one wants them.' I thought of my dad struggling to sell his work and the soul-destroying knowledge that no one wanted them. Poor, poor Maggie.

To me she was everything a prostitute wasn't supposed to be. Some nights on my way to the toilet I was greeted by the shining sight of Maggie in a ruffled nightgown sitting in front of the fire, her feet up on a tattered padded stool, one hand gently stroking a cat in her lap, and a book in the other. It was from her that I learned about the gentle joy of reading. The trouble a book took to transport me into a world that was not mine, and could never be.

She got a job as a waitress in the night club I worked in. We had such fun together. We were invited to all the best parties and were the belles of the ball. We had no money to speak of, but we bought the latest fashions from Top Shop and updated them, gave them a zing of our own with buttons, pockets, laces, and velvet trims we cut out of the clothes we bought for a few pounds from charity shops. That was the greatest fun I ever had.

Some nights Maggie and I partied so hard we emptied out the last bottle of alcohol in the flat. At six in the morning we hurried past the milk cart and threw pebbles at the upstairs window of the corner shop. After a while the curtains parted and a brown face peered down. We waved brightly. We knew the routine. First the face would withdraw and the curtains would twitch again, but this time barely a flash of brown would show. That would be Mr Dulip Singh's wife. Soon the locked door would be unlocked and kept slightly ajar, just long enough for us to slip in quickly. At that time of the morning Mr D would be without his turban. His greying hair was wild and bushy.

'Vodka,' we said, pretending to gasp desperately.

'Ah you naughty, naughty girls.' His thickly accented voice was stern, but his wagging finger limitless in its indulgence. While wrapping the bottle with green tissue paper he warned us with touching paternal concern about the cold and the dangerous men in the streets. Then he would open the door and furtively peer out into the street, quickly looking left and right. Hurriedly he ushered us out. 'Don't forget, if the coppers ask, you're borrowing a bottle to return later.'

'Of course Mr D. Thanks Mr D.'

'Join us one day,' Maggie would invite. His eyes would gleam. He had long guessed her for a night walker, but in his black avaricious eyes I saw that he was devoted to sweet little Maggie.

One day I came upon Maggie cleaning her paint brushes in the kitchen. 'We need a new start,' she said. 'Let's start with the hair. Let's bleach it.' We left the bleach on too long in mine. 'Oops,' she said, laughing. But then she looked again and said, 'No, actually I like it. Looks all the rage.' We had a party to go to, but on the way, not far from Park Lane, a white stretch limo stopped alongside us. An olive-complexioned man got out of the driver's seat. 'You girls want to party?' he said, in a thick ugly accent. I shook my head.

'Yeah, sure,' Maggie squealed, and clambered in.

I stood outside. 'What in God's name do you think you're doing?' I hissed. 'This is how they audition actresses for snuff movies.'

'Don't be such a child,' she said impatiently. 'He's obviously just the driver. It's a party for loaded men. Come on, get in.'

I couldn't make her come out and I couldn't let her go on alone. 'A fine friend you are,' I said, and got in too.

Two things happened to me at that party. I met a tall blond man called Ricky, not an invited guest; he had only come to drop off the drugs. He sauntered up to me and slipped a key into my hand. 'When you get bored here, make your way to the best party in town,' he said, and walked away. The address was on the key ring. Has that ever happened to you before? Has anyone ever come up to you and given you a key that you know is forbidden? I felt like Bluebeard's wife.

I slipped the key into my purse, and looked up into the eyes of a stocky intense man who wasn't drinking or snorting. In his country he was a religious leader. The others at the party referred to him respectfully as Mullah. He was also the billionaire host. He put his hand out to touch my bleached hair and said in perfect English, 'What fabulous hair. I have never seen anything like it before.' He smiled. 'Also it is good that you take no drugs. It is a disgusting habit.'

He was a physically unattractive man, but exquisitely educated in England, and of course, his foreignness was intriguing. At the end of a game of chess he wouldn't cry out, 'Checkmate,' but shout, '*Shah mat.*' The king is dead. And he knew how to woo a woman. He showered me with gifts, set up expense accounts in designer boutiques, took me to the best places, and generally treated me like a queen. My slightest whim was his pleasure to fulfil. All I had to do anywhere was say his name and magically all things were mine. And in return he wanted to install me in an inordinately opulent apartment in Mayfair, so he could visit me whenever he was in town, and expected me to spend the winter in Saudi Arabia.

Do you know how irresistible is temptation? It sounded like so little for so much. So in the end, even though I didn't love him, I became his mistress. The months passed in decadent luxury. In winter I flew to Saudi Arabia. And right in the middle of the desert, the helicopter landed above a magnificent palace surrounded by acres of immaculate lawns and gardens greener and more luscious than any you could find in England. But in my heart, even while bathing in water that had flowed out of solid gold taps, I still felt like a prostitute. It was not what I wanted and when the council wrote to say my flat was ready, I knew it was time to leave. A sign from God. So I told him I was leaving. I was gentle. He had been good to me.

First he laughed, the laugh of a man who wanted for nothing. And then without warning, for I never perceived danger, and so fast that he must have been prepared for the eventuality of my request for freedom, he taught me all about the 'off' switch inside my head. It locked me in a cold dark place where I felt nothing. No fear, no pain, no hate, no sorrow, no joy. No hope.

Afterwards he kissed my forehead gently, stroked my hair and said, 'Why do you play these games with me, *habibi*? My temper is such a terrible thing. Maybe next time I should be the one to decide if it is time for you to go, hmmm.'

For days I paced the floors. Furious. Incredulous. Vengeful. I made plans. I thought of knives, poisons, hired assassins. I would not be the captured creature of such a predator. Maggie could only look on in disbelief.

Then one night I dreamed my sister had finished making her rats' teeth necklace. She opened her mouth and terrible things came out of the black hole. I awakened sobbing. I lost all hope then. No one could help. In the end I was only a prostitute. I felt hate towards the whole world. It had nothing for me but contempt. Always waiting to knock me down. My only defence was never to allow it to touch me again. I would be impregnable to its advances, its coy invitations to play by its inequitable rules.

Suddenly there was no need to punish my aggressor. I would remain purposely within his reach, but only to use him. To make him pay for what was worthless anyway. All the while keeping only disgust in my heart. As an act of defensive anger I froze. This way I could never be out-manoeuvred.

I knew only one way to keep my sister quiet. Scrambling out of bed I began searching in my cupboards, my drawers, my bags until finally I found it in a jar with all my forgotten odds and ends. The blond man's key. It was not the man I was looking for, it was what he promised. In my hand Bluebeard's key was already weeping blood. Arterial blood. It ran through my fingers and soaked my clothes. Had I not already been in that secret room, seen the headless corpses of all his other wives? But there was nothing else. All hope had been ruined. I was damaged. The key wept and wept in my hand as I left my Mayfair flat and made my way to the Spider's Temple . . . but here comes Anis now. You must meet him. I never know whether to admire or pity him.

Anis Ramji

Anis

I suppose you could say that I loved my father until I opened a 'not to be read until after my death' file on his computer. He was out managing my grandfather's business empire. It wasn't easy breaking his secret password, but it fell apart when I inserted his shoe size into the equation. I remember it was an exciting moment when the screen flashed 'God Bless' in bold letters and took me into his secret world. Gosh I was so young, then. What a horrid shock it was.

I still remember reading every word with disbelief and utter disgust. My wonderful father was a gay pervert. Every repulsive detail described with brutal relish or clinical detail. Every anonymous encounter lingered over. Apparently men of all shapes and sizes entered him. And all the times he sneaked into this room and locked the door it was to pore over these explicit diaries for sexual gratification. Such was the power of his words that in my mind I became a spectator of every nasty scene.

In the kitchen my mother was dry-roasting the shells and heads of prawns. I sat there so long staring out of the window at nothing that I heard her go outside to grind them on the stone grinder, and even smelt the finished curry she had thickened with the ground powder.

When he returned home, I looked at him and saw him on his knees, in a stinking toilet, before the large black man he had referred to as 'the dark angel'. I saw my father with impatient hands unzip the angel's trousers and suck him greedily. Ugly, ugly, ugly.

'What's the matter, Anis?' my father asked. He had changed into traditional clothes. From this flesh I had been fashioned. The thought sickened me.

'Nothing,' I said.

'Food's ready. Come to the table,' my mother called.

Silently we went to the table. My mother spooned food onto my father's plate. Rice, green dahl and my father's favourite, prawn curry. As she passed him, she tenderly smoothed a lock of hair off his forehead. It made me want to slap her. How could she? How could she not know about him? How could she be so blind? How could she touch such filth so lovingly? Well, I blamed her. I stood up suddenly and left the table.

'What's the matter, Anis?' my mother called. Her voice surprised and hurt. Her heart was too gentle. She could never be told.

'Nothing,' I shouted, running out of the door. I hated them both. I ran to my grandfather's house.

When my father came to look for me he had to leave without me, because my grandfather, a big powerful figure, said, 'Leave the boy here for a few days.' From a window I watched my father leave, subservient and defeated. Even as a small boy I understood. My father compromised himself, living a lie in exchange for his father's love and approval. Acceptance precluded homosexuality. There could never be permission for such unnatural perversions.

From that day onwards I lived with my grandfather.

My grandfather had fled from India to Kenya looking for gold, but living by the lake he had seen how very rapidly the fishermen's catch decomposed. So he brought in salt, and made his fortune in salt fish. He bought land and the family moved to the hills where the air was cool and roses the size of children's heads could be coaxed to flower. He built a huge bungalow and surrounded it with wide wooden verandas. It made the house so inviting and cool, that often the postman, or the labourers repairing the roads around the hill, came up to lie in the shady veranda. It was a wonderful house.

There was a set of white stone steps that led down to a cellar where my grandfather leaned back, fat Cuban cigars clenched between his teeth, and listened to the blues. Those songs have a special place in my heart. Lonely songs sung by the most blameless and misfortune-prone bunch of people that ever walked the earth. Got no money, the wife just walked out, the girlfriend's a slut, the rent's not paid, even the damn dog's gone and died. It was a strange choice of music, considering the red-blooded, robust, never say die, shrewd, tough entrepreneur that was my grandfather. Once, after consuming a great deal of wild boar meat and whiskey, he jokingly told me something that surprised me.

He told me he had never looked at another woman since he married my grandmother. He said it was because my grandmother had played a trick on him. She had never once completely disrobed. Always she sought the half light, so some part still remained an exciting mystery. And in this way she taught him never to tire of her. One day he would discover all of her, but until then he was content to let the illusion drive him crazy.

In seeking to explain away his deep love I think he did my grandmother a great disservice. She was far, far more than a partially robed body. She was an enigma. She spent most of her day in silence. When it rained outside she went for a walk without an umbrella. She thought the joyful sound of the temple bell the most desolate sound in the whole world. She could never bear its lonely, piercing clanging.

She had no friends to speak of, and if someone had taken her to a hospital they might even have labelled her insane, but I knew that behind my grandmother's serene face a whole different world ate, slept and talked. One she preferred and returned to under the cover of darkness. My grandfather said the night was an occasion for the enlightened, who meditated, the worldly, who plundered it, the sick, who suffered it, and my grandmother, who sat up listening to it as if it belonged only to her.

At night she became special. Night dew covered her and dripped from her skin. When she walked in the long grass by the green pond, frogs hopped every which way out of her path. Her travelling feet were noiseless. Only she knew where she was going. Madness is private, a velvet secret. Like a moss garden that refuses to be coaxed or persuaded into being, but once it finds its rare corner it spreads its beautiful magic and makes alive every stone and surface it spies. It must not be trampled on by the curious, or it will be destroyed for ever. Its secrets may only be whispered in the darkness of the night into the lonely ears of young boys. Sometimes I went to sit beside her. Hers was a still, gentle presence.

Her face softly illuminated by the pale light of moon she asked, 'Did you hear that, Anis?'

'What? That frog croaking in the pond at the end of the garden?'

Her eyes were set in the dark distance. As if she could see the ripples in the pond, the gentle wind that bent the reeds, the sleeping white lilies.

'How deep his craving to relinquish his coat of slime, sprout wings and soar into the blue of the forest yonder. In his dream he is no longer the soft prey of the snake he hears searching in the long grass. But listen . . . listen, he dare not. He fears he will lose his nerve, tumble from his freedom and plunge to his death, or find a new enemy in the beak and claws of the eagle.'

Sometimes she asked, 'Did you see that?'

That firefly that flickered into light so we could see a single leaf fall.

When I was younger I used to wonder about that enchanted world inside her head, the power it had to reach out and change the one inside mine. In the silvery night air I too began to hear the huge old trees cry for the treachery of man. For ever, every frog will be the risk-averse, self-doubting, wanting creature that one night long ago, for fear of what could happen, dared not its greatest dream. And what of the earth? A farmer fattening humans to dine on them when the time is right. Maggots? The earth's teeth. Listen . . . Do you hear that?

What did I really see and what was her imagination?

She drew me into her dreamworld and blurred the edges of mine. One day she handed me a velvet pouch. 'It will be good if you could use the contents one day.' Now I only remember her for the silent tea ritual she observed. Every day, once at ten in the morning, and again at four in the afternoon, she sat alone on the veranda in complete silence, drinking a cup of tea, eating exactly half a chocolate mint biscuit.

My grandfather knew he could never enter my grandmother's moss garden. He was content to wait outside the stone gates, guarding. None other may enter. And if he was not listening to the blues, he returned to the memory of his other passion, hunting. He told thrilling stories of lions that turned hunter in the dark, circling and recircling his camp, growling, their eyes luminous in the firelight. And how once the big cats stole away a man in their jaws. The entire cellar was lined with pictures of him standing over game he had killed, usually with one foot resting on the carcass. He loved his meat. My grandfather had never gone a day without eating meat. Even on holy days he waited until my grandmother had gone into the kitchen to get something before he took a piece of fish or meat from a Tupperware hidden inside his clothes and slipped it under a mound of rice. And then slowly, surreptitiously, he consumed the meat with rice, yoghurt, and the one vegetable that he would concede to eat, aubergine.

Then at a high society party in Canada he saw a Buddhist lama in a wet tunic step onto a snowy patio to meditate. While he sat in the freezing cold the incredible heat his body emitted dried his clothes.

My grandfather was so impressed by the feat that, in a shocking turn-around, he became a vegetarian. He sat unmoving for hours chanting, '*Om Mani Padme Hum.*' Om Jewel in the Lotus.

'Who are you? Sit very still and suddenly see yourself looking down at yourself. If you do it really fast, and without warning, you will catch yourself unwittingly. You will see what the knower, your soul, observes. A stranger.'

Many months later he felt a flaming sensation in his loins and pelvic region. For a few days the terrible burning persisted, but when it was gone, my grandfather could see people in a very special way, with colours around them.

'*Satchitananda,* God exists,' he told me. 'He will dilute himself into any soup you care to drink.'

As if his eyes were suddenly opened he saw me with my troubles, with the wrong colours swirling hatefully around me. Until then he had taken me into his room and encouraged me to meditate with him, but now he said, 'That which is coiled can strike back if awakened. First the boy must throw away his rage.' He wanted to know why I was so furious with my father, but I would not, could not tell him.

And then the political troubles of Kenya started and our entire family fled to London. So much land and so many valuables had to be left behind, but my father with great acumen invested everything he had managed to bring over into the hotel industry. He had a good business head and the business prospered. Soon he had acquired three for the family chain.

I found insidious rebellion came easy to me. I turned away from the subjects that my parents were especially proud of, maths, biology, physics and chemistry. I let them drop by the wayside, and found new interest in art and poetry. If you could have seen the disappointment in my father's face, you would have understood the pleasure I derived in giving up my best subjects. So I began to sculpt. First I simply sculpted blocks with holes in them. I did it to annoy, to be banal, unoriginal and useless, but they thought my efforts were logical attempts to understand form. So I took to painting. Here my rage found its outlet.

I painted my father. I disguised him sometimes with masks, sometimes using only one feature of his face. I painted him in a variety of demeaning poses. Unsatisfied, I slapped an apron on his ageing body. And then I began to pile bodies on him. My paintings were waterfalls of nudes, each a study of agonised faces. Some were downright obscene, and the critics were quick to rip my art to bits, but help came from an unexpected source. The agony in my faces was mistaken for pleasure.

I was knocking on the same door my father had knocked on. My paintings were selling as fast as porn on the gay market. How laughable! At parties gay men began to proposition me openly, those that did not, sent silent smouldering appeals. I noticed something weird, that gay men, *all of them*, had very beautiful eyes, often with long thick eyelashes. 'Try me,' their beautiful eyes said. 'Hey, it's dark in the closet. Come out, you know you're one of us.'

I stared back at them boldly, smiling mysteriously. I did not say yes, but I was careful not to say no. I even went to some of their parties. Rooms full of plotting, screaming sluts and Kylie Minogue blaring in the background. Did they imagine I did not know what they did? Filthy pigs. I knew about the towel soaking with brown slime. Sometimes I was even tempted to give the more persistent ones my father's number, but no, I did not succumb. I was very, very careful never to let them see my disgust for their kind.

With the money I inherited from my grandfather I bought a house in South Kensington. The living room with its beautiful tall bay windows I turned into my studio. I was picking up something of a cult status. I couldn't paint fast enough, but in my heart I knew I was a fraud. I was no painter. I was only a child trying to punish his parents. Secretly I agreed with the critics. My work was no good.

One day my father came to see my work. He had developed a nervous habit of biting the inside of his left cheek. He pushed his cheek against his teeth and ground it. It was the physical manifestation of his guilt. So many years of hiding such a turbulent secret, leading his double life. Dodging disgust. He stood brooding before each one, silent, his teeth grinding furiously, and when he was finished he turned to me, not ashamed and sorry as I had intended him to be, but in utter anguish.

'Some children we are given for our good deeds, and some for our sins,' he whispered hoarsely.

Then he walked out of my house, his feet dragging on the wooden floor, his head bent; a dirty old man with a collapsed cheek. He had seen in the jigsaw of my work pieces of himself. Now he knew, but he saw with the eyes of a philistine. Do the people in an art gallery filing past a glass case with a calf sawn in half and pickled in brine really believe that they are the shocked witnesses to brutality? They are only fools titillated for an instant by what they imagine is violence. Like my father. They see what they want to.

My father saw the violence and the mockery he wanted to see, but not the unspeakable agony of my soul. For one second, watching him walk out of my door, I wanted to call him back, take him by the hand and show him the difference. Teach him the unspoken language of art. It is a secret known only to the artist, sometimes his harshest critic, but almost never to the buyer.

That real violence is usually hidden inside a painting of a naked virgin waiting on a stretch of grass, a basket of beautiful white tulips by her side. In that delicate innocent smear of soft pink, therein lies danger. It must have been chilly if tulips were in season. There are other clues. Picasso was not violent he was simply selfish, greedy and ugly, the mad thick strokes of Goya, that's just frustration, the encrustations of Van Gogh, yes that's madness, the grinning false teeth of Bacon, that's unspeakable soul pain. For real insidious violence, you have to take another look into the paintings done by the repressed gentlemen of the Victorian age. If you don't find the cold, cold menace I speak of, knock on my door one day, and I will take you by the hand to any art gallery, and show you the face of real violence.

I didn't call out to the departing back.

I just carried on wasting my life painting those vulgar pieces of despair.

Then I met Swathi.

'Swathi means star,' she informed me with a laugh, but I already knew that. Like me, she was of Indian extraction, but unlike me she was HIV positive. I met her in Tramp just as I was getting ready to leave. Dressed in a minuscule black dress and lacy hold-up stockings that did not meet the hem of her dress, she was sitting cross-legged on a table under a pool of red light, regaling the group seated around with some anecdote.

Arrested by something in her I moved closer.

Saw the group break into laughter, saw her grab a man's head and pour champagne from a bottle straight down his throat. Saw the group hoot with more laughter. I stared at her, until she turned her head, and met me in the reddish light. She smiled the saddest smile I ever saw. I walked up to her, helped her down from the table and, pulling her close, came to two conclusions. She was very tall, and slight, too slight. Against my body I felt all the tiny protruding bones in hers. I took her home and we sat in the kitchen, drinking coffee and talking. She was full of life and dying. 'I married an American, a closet homosexual,' she said.

Ah, betrayal.

The next morning I put her on the window sill of my studio. She reminded me of the rich shades of autumn, from her burnt-sugar eyes, and riverweed, russet skin, to the clever yellow-leaf streaks her hairdresser had slipped into her hair. With the sun glinting on her rust coloured finger-nails, I slipped my thumb through my wooden pallette and for the first time in my life began to paint a woman, a beautiful woman.

I painted her charcoal eyelashes so long that sad shadows fell upon her cheeks. It made her look gaunt, the way she was, and other-worldly, the way she soon would be. And I painted as I never had. When I stood back and looked at my work I could not recognise it. The chance to be a mediocre painter was gone, denied. Something brown and beautiful slept upon my canvas. I had found my muse. Melpomene, the muse of tragedy.

My pink period was over.

Slowly, slowly, one by one I took her clothes off. Unaccustomed to passionless nakedness she clutched at her breasts defensively. But I kissed her closed eyelids, and whispered that every single inch of her was beautiful to my eyes. Could she not see that she would be sheer magic on my canvas?

'Look at me,' I begged. She opened her eyes and they were wide with her inner world. How complex and intriguing. I kissed her shoulder and removed her skirt. She did not resist. Afterwards I let my lips rest on the curve of her hips. She lay naked on the wooden floor unmoving.

'Oh, Swathi,' I sighed. The disease is inside you. I must hurry.

Swathi the star. In a drawer I found the old velvet pouch my grandmother had given me. Did that amazing woman know all those years ago I would need a bag of silver stars one day? I emptied the tiny silver stars by Swathi's naked body. They made a glittering heap. When I looked into her eyes they were gleaming with wonder.

'Look how long they've waited to touch a real star,' I whispered. One by one I put the stars in her hair. Many times I kissed her gently. 'Beautiful,' I murmured absently, but all the time her nakedness reminded me of when I had hidden in the cupboard choking with the reek of moth balls to peep out of a tiny crack between the doors, at a group of women washing my grandmother's still corpse. In complete silence they rubbed lime halves on her body. They rubbed so hard I was terrified her skin would come off. It was so long ago. Who knows why I keep such an ugly memory so fresh. Be gone.

'My own very beautiful Swathi.' Now it is your turn.

I painted her with the stars in her hair and a hand still covering her desolate breasts. One morning while I was painting I told her about my father. For the first time my secret was out.

'Do you not feel grateful that he spared your mother?' she asked. Apparently since she had adopted a saintly attitude towards her husband's betrayal, I was expected to do the same. I wondered where her fury was. I did not completely believe that sweet sad smile buried nothing. Unless hers was not a complete deception. Perhaps Swathi had married for a green card.

'It is society's fault that you and I suffer. If we didn't prosecute, discriminate and show our utter contempt for the way they are made, for what they cannot help, they wouldn't have to hide, lie and pretend, would they? Your father wouldn't have hurt you, and my husband wouldn't have married me. They would have done what their heart really wanted. What if it was the other way around? What if you were considered the one with the odd sexual preference? What if society forced you to have sex with a man?'

I stopped painting in mid-stroke. I felt betrayed. She had taken his side. Quietly I fetched another canvas and I painted her like an adder hiding in the sand, only her eyes visible, watching and waiting to strike, to murder. I had spoken once more, using the language of my art. But she only smiled. Angry, I painted her, mouth red and wanton, copulating sinuously with an enormous purple and green python. Still she smiled.

So I refused to paint her any more. I put my brushes away and sulked. Until one day I saw her, still without rage, her eyes open, her thin legs stretched in front of her, begin to die. The leaves were falling off my autumn tree. She was dying from a disease that only affects pigeons. It was her deficient immune system that allowed it. It was me. I had wanted to see Melpomene with a sword in one hand, and a pigeon in the other.

Oh, that disease ravaged her quickly. In a month her delicate body was so wasted she could not even sit on the window seat. I brought my canvases upstairs to the bedroom to paint her dying in my bed. I only stopped to feed us, and give her her medication. One day she began to talk, first about her grandmother, then her mother and poor father. I knew then she was giving herself away, piece by piece.

I learned of a rich and fierce woman who married her ugly, downtrodden son to the most beautiful girl in the village. I learned about the dutiful daughter-in-law who had to keep her eyes downcast at all times. Until one day the fierce mother-in-law died, and the beautiful woman raised her head, and showed her own fierce and terrible

eyes. She will be the new power in the house. The husband
was sent to pick coconuts like a servant. He may no longer
enter the house through the front door. And the little
daughter they shared, once she was slapped so hard she
flew across a room.

The daughter ran away and married a gay dancer in an
American dance troupe. She had never returned since. Now
there was a longing in her sunken eyes. To see once more
the hunched figure of her father, to call once more that
beautiful fierce woman, Ama. I saw it in her eyes.
Unspoken. But I could not let her go. Not now. Not when
I was so inspired.

I remembered seeing a painting by Pierre Bonnard. He
painted his wife as she died. The colours and the strokes
slowly becoming hysterical. Remember the secret language
of art. The price was high but the opportunity was priceless. Yes, in his terrible excitement, he began to use blue in
her skin. Never taking his gaze off her dulling eyes, the
downward pull of her mouth; he recorded everything.
More than sadness he was filled with the most intense
curiosity, to watch her dying. Record it on his canvas. Now
I too was filled with the terrible desire to watch a star die.
More and more she resembled death.

A sleeping skeleton.

Sometimes I looked at her sleeping, so still, so thoroughly
embalmed, that I was surprised when she opened her eyes.
Once I gently parted her clothes, and stood looking at her
breasts. They were shrunken, unused, unloved, the areoles
blackened and ugly with dying. Suddenly she opened her
eyes, and we stared at each other until I couldn't face her
gaze any more. I had broken something irreplaceable. I
slunk away, ashamed.

One morning I found her standing in front of my canvas,
staring at my painting.

'Do you like it?' I asked.

She placed her palm on her face in the painting and, very deliberately, slid her hand down the wet paint.

'Why?' I asked. Shocked. I thought it very good.

'I don't look like that. I am not dead yet, Anis. Remember it is nothing before you join me.' She turned around to look at me. Her eyes were resentful. The days had aged her. It occurred to me then that she loved me. And that she did look 'like that'. Exactly like that. What would this room be without her? I closed my eyes. I saw the sun streaming from the window and the dust particles suspended in its beam. The sheets, the way they crumpled on the empty bed, and my eyes snapped open.

'What's the matter?' she asked.

'Nothing,' I said furiously. I wanted to miss nothing. I must miss nothing. There was death. Coming to fetch you wherever you are.

When she realised I would never willingly let her go, these words seeped out of her cracked mouth: 'Take me back to my mother's bed. Don't let me die here. You never wanted me anyway.'

I took her back to the wooden shack in Kerala. Her father ran out from a field of coconut trees to greet us. He was a tiny, bow-legged, ugly man in a dirty loincloth. Once the weak son of a rich woman, now a coconut picker. Bowing and scraping, tears running down his face, he stood bleak before his fading daughter.

'Ama,' he croaked in the most pitiful voice.

His shaking hands moved towards her, but they did not dare touch her. Then her mother came out. She was decked in gold. Her brilliant blue sari shimmered as she walked towards us. Around her she had gathered the essence of crushed roses, but no one had told her that her once exquisite beauty was obscured by the worldly dust that had settled over her face. Wordlessly her hennaed hands took over, and helped her daughter in.

The father stood outside, his chocolate arms crossed over his jutting rib bones, and looked longingly into the house, as if he were an untouchable. A villager came running with water caught in a bottle from the Ganges River, procured at source, high up on the Himalayan mountain.

'The holy water will cure the child,' he said respectfully, his sun-blackened hands holding forth the sacred gift.

Then there was some mention of black lentil samosas, but when I saw her on her mother's bed, and heard her say, 'Ahh, my dear, dear Anis, don't you know every separation is a new opportunity,' it made me feel sick. I stumbled away and almost collided into her mother.

The woman's eyes were narrow with accusation. 'Have you taken too much from my daughter?' she asked quietly. The worldly dust shifted as if teased by a breeze and some fell to the ground.

I stared at her.

'When my daughter was little, she once went into a sweet shop and tried to give away her gold bangle in exchange for a piece of candy. That was probably the only man who ever refused her generosity.'

I felt the blood rush into my face. Ah, the shame . . .

I made some feeble excuse and returned to England to paint her day and night from memory. Big ambitious canvases that I covered feverishly, impatiently. The head is very important for scale. I made hers huge. She reclined, unconnected to the landscape, grotesque. I painted those terrible shrunken breasts. Those bits of her that I had promised with my eyes I would never paint. It was cruel to attack a dying creature, and yet the impulse was impossible to ignore. I was furious with her. How dare she accuse me of selfishness? How dare she blame me for her destruction?

You never wanted me anyway. I applied thick paint quickly with a chisel. I found that exact shade of her skin by adding a touch of French ultramarine to cadmium red, titanium white, yellow ochre and burnt sienna. It was revenge. Every separation is a new opportunity. How dare you? The shadows under her cheeks worked best with sap green. Ahh, my dear, dear Anis. No, you will not. I painted her in the jaws of a lion. Her skin-and-bone body in a slinky red dress. Offering flowers. With her back to me. Her wings spread out.

I cursed the light as it went out but I did not stop.

Until one day there was a reverse-charge call from India. It was one of her aunts. Her niece had died with my name on her lips, the last thing the child had called for was me. I had never called or written to her. Not once. She lay heavy in my arms. So heavy I longed to put her down, but there was nowhere to lay her. I cleaned my brushes. I was done.

A week later a letter arrived from her. But she was dead. I tore it open. It was dated from three weeks back. She wrote that she was feeling very good. Perhaps I will come to see you, she had written. If not for this tiredness, I feel as if I don't have this virus. Maybe not. Please God. Maybe not. Write soon, please, she begged. My only job is to wait for the mail.

The letter crumpled in my closing fist.

I exhibited in the Serpentine. It seemed I had arrived, with my paintings of Swathi. I was the critics' darling. The toast of the art world. Serious New York collectors thought my work beautiful.

I saw only the merciless cruelty. So did the critics. Remember, the secret language. I had thought I was angry with her, but in truth I had begun to loathe myself. For the first time I stood back from my creations and saw what she had seen when she smeared that painting and said, 'I am not dead yet.' I had abused her. I was a brute.

There was a chill wind blowing when I fell into a drinking spell.

I sent a large cheque to the father, and although I received by return a pathetically grateful letter I still exhibited the painting of his daughter copulating with the green and purple python, titled, 'Remember It Is Nothing Before You Join Me'. They slapped a ridiculous price on it, but it was the first to sell.

I felt more a fraud than ever, but I drank the champagne they served, and kept an appropriately enigmatic expression. The smear of my guilt went unnoticed. Drink in hand, I turned away from one gushing face, towards another congratulatory voice, my cheek muscles moved, and I smiled. I had learned well the only lesson my father taught me, grin and bear it.

When I was fourteen it had been impossible to express my shock, and now it was uncool to express my sorrow. Caged, it turned on me and began to eat my insides. When all was quiet at night, I heard it feeding voraciously, but I could not feel it. Sometimes I jerked awake, my fists clenched.

I couldn't bear to paint any more. I took up poetry. I drank a whole bottle of wine, and held my pen poised over a clean sheet of paper. Nothing. I dropped the pen and abandoned poetry writing. It felt odd not to want to pick up a paint brush, but it did not hurt. No one knew about my painter's block. I was the toast of my field. An enigma that intrigued men and women alike. I wore the perfume of success, and everywhere I went a great many people raised their eyes, seduced by my heady scent. I spent my days sleeping and my nights partying. There was always something happening, a new restaurant or club opening, a book launch, an art exhibition.

During one glittering event a sly man told me about a very special courtesan. 'There is nothing she will not do to give pleasure. Her refinement must be seen to be believed. None of that undressing straight away to speed up the erection business. Her name is Chandni and she is a disciple of Vatsyayana's *Kamasutra*. As a greeting the wonderful creature curls herself until her fingers can part her own buttocks,' he paused and looked at me gleefully, 'this she does so she can respectfully kiss her own anus, to show her client that no part of the body is disgusting or dirty. Everything and everything is permissible. . .'

He slipped a matt silver card into my shirt pocket. 'And then the goddess will, if asked, bend forward and kiss your arse too. But let me warn you. She is dangerous. She performs a dance called the enticement of the lotus. That alone will turn you into the most miserable addict. Mind you,' he said, 'the slut costs her weight in gold.'

I was angry with his familiarity and yet a dusky, sloe-eyed vision kept me still and silent.

Chandni, moonlight.

My grandmother had left a lingering enchantment for moonlight. 'Listen, listen to the moonlight. Its light will turn your limbs to fluid, and your head, your arms, your legs will dance in time with her voice.' I thought of cheeks smooth and curving, hair as black as the night. When she raised downcast eyes they would be huge with unspoken whispers. Yes, I decided to help myself to a little moonlight. I arranged an assignment with my Indian vision.

She opened the door and my heart sank.

I stared at the blonde, blue-eyed, almost plain woman. How dare she call herself moonlight? There was nothing of her that was mysterious or enchanted. When she told me I was early but enter anyway I realised that she was American to boot. She had applied too much black eyeliner and her eyes, like her accent, stood out, false and separate from her beautiful mystical name. She nodded and indicated with a tiny movement of her fingers that I should follow her. As she led the way down the narrow hallway I caught glimpses of her naked body through the long diaphanous blue gown she wore.

She turned her head slightly towards me, 'It can happen that in pursuing profit one tastes loss.' In her nasal accent I recognised Vatsyayana's words, and became uneasy, but she was pointing towards a tray arranged with interwoven betel nut leaves. I placed the agreed price on top of the leaves. She opened the door and I entered. 'I will only be a moment,' she said.

The door closed with a gentle click.

There was a sound of a sitar playing gently in the background. I looked around me. Painted in shades of the darkest green, fragranced with sandalwood essence and lit with many clay lamps, the room transposed one into a completely different world. By the side of an elaborately carved four-poster bed stood a lifesize statue of an Indian dancer. A lazy fan made the gossamer pink and white drapes flutter gently onto the figure. There was a dark green rug in the middle of the room. All the window shutters were closed, but beyond must have been a garden; from it came the tinkling of metal wind chimes.

There was someone else in the house. I could smell roasting coconut.

The door opened and she slipped in. And in that magical room she too was transformed. We travelled back in time. We were in the secret bedroom of a Raja's daughter. In the flicker of the many oil lamps her face glowed a warm gold. She came closer to stand on the green mat. An old-fashioned, nearly familiar fragrance drifted around her.

She wore a *chudamani*, a head ornament made of fine filigree leaves and butterflies. There were huge velvety red flowers in her hair. Around her neck a *harsaka*, a serpent-shaped choker. Two strings of the biggest *rudraksh* beads I have ever seen held up a gold breastplate. *Hestali* bangles encircled her forearms and bracelets of carved elephants moved on her wrists. There were rings a-plenty on her fingers and toes. From a thick belt of dull gold, engraved with fornicating couples, a fabulous curtain of silver beads dropped until the ground was attained. Adorned from head to toe in metal she whispered, *'Takht ya takhta?'* Throne or coffin.

'Takhta,' I replied. Coffin.

Surprised by her appearance and the strange query, I had answered without thinking. She was offering the law that had once ruled the behaviour of the ruthless Mogul dynasty. I should have said throne – for unlimited pleasure.

An eyebrow rose quietly but she only smiled. Everything is interesting, permissible.

'Mmm . . . could be what you deserve, but not here. Not now. Not when the throne is paid for,' she said and opened her fists. Petals fell to the ground. She was right. The throne was paid for, long before she even set eyes on me. My hands were as bloody as the most hideous Mogul emperor. In my court, I cruelly tortured and killed a beautiful star. I deserved this.

Chandni lay down on the rug in front of me. Hundreds of silver beads parted and pooled around her naked legs. It was a beautiful sight. She raised her waist and legs gracefully, until they were perpendicular to her body. I had not noticed before that her hands and feet were dyed a deep red. She let the soles of her feet touch so the dye on her feet joined to make a beautiful red circle.

Then she curled her torso up, until her head was touching her thighs. As I watched she parted her legs wide, and bent her head into her spread buttocks. Slowly, lingeringly, she kissed her own anus. When she straightened, strands of blonde hair curtained her heated face. She looked at me through the fair hair. And I had thought she was not beautiful!

Flushed, she was utterly beautiful, with eyes that coaxed the sullen. I was suddenly aroused in a way never before. A large and beautiful dog came into the room. She knelt by the dog's face, and watched me carefully. Everything and everything is permissible. I stayed silent.

I was not there for that. 'Go,' she said and the dog padded away noiselessly. She turned her back to me and began to fill an antique, copper instrument with hot water. She dried it with a cloth, her strokes long, smooth and deliberate, until it glowed in her hand. She left the smooth object on the ground, to wait. Useless until it is five degrees above body temperature. Then she turned around to stare at me. I stared back. Her plans were secret.

She was the mistress of the sixty-four methods of love.

She released a little knot in the *rudraksh* bead chain that held her breastplate and it came apart in her hand. She opened a small tub of some perfumed cream and started to rub her breasts. They were small but perfect. Indeed everything about her was flawlessly concentrated towards a secret purpose. I understood. She was a mirror. She reflected back everything she saw. Her nails were dangerously long, burnished gold, and sharpened not just to a point, but two, and sometimes even three.

I watched, mesmerised, as the razor-sharp points skimmed, touched and lightly scratched the pink and white skin. I saw her lift her chin and shut her eyes, and when she opened them I was travelling on the glinting waters of a canal. Inside a window, in the distance, two gorgeous Murano chandeliers blazed. How beautiful was this place of exile she offered! It conspired with the aspects of me that needed rehabilitation.

She reached out her left hand and pulled at the nail of her middle finger. It came off easily. It was false. There was just enough professional pride in her eyes to excite a desire for her skilled paid touch. She was a body any man could enter, and yet there was something completely inaccessible about her. Wordlessly she dipped the blunt finger into a tiny crystal jar. Coconut oil. Dripping oil on the wooden floor,

she glided towards me, a certain violence in her eyes. I
froze. Inside me was revolt. Horrible shame and uncontrollable excitement.

Oh, she knew me. How well she knew me, what I had
come for. In her glittering eyes I saw that I was no better
than my father.

I took to walking in the worst storms. When the winds
howled outside and freezing rain lashed angrily, I walked
into it. As if its fury would move some numb part of me. I
knew I was damaged. Beyond repair.

One night while I was slowly and with utter dedication
getting drunk in Tramp, I saw a man on his back on the
dance floor, making a spectacle of himself, pretending to be
a dying bug. He was blond, good-looking, and dressed in
the colours of the eighties, a black top, a bright green
jacket, jeans and a pair of black and white shoes. I decided
he could only be Italian. The other dancers had stopped to
watch him. At a table in a corner a group of beautiful
people were clapping and cheering him on, 'Go, Ricky, go.'

Their table was a mess of champagne bottles, cocktail
jugs and too many glasses. It was perfectly obvious they
were an exclusive sneaky lot. They had invested in an
utterly clever plan, they wore a second skin of sin to
disguise the grossness of their rotting wounds. It was Alice
in Wonderland, *rats in the coffee and mice in the tea. Baked
me too brown? Just sugar my hair*. To my desperate soul
they looked like they were brewing up a wild and
wonderful storm.

My artist eye studied them, intoxicated. What lay behind
the untroubled laughter?

The most stunning of them all was an aloof platinum
blonde. She was beautiful in a flawless way, though you
could tell by her quick eyes, that she was no bimbo. I knew
her type, cold to the core and high maintenance. They were

the women who demanded clothes, jewellery, cars, houses, properties and got them.

Beside her was another very beautiful girl, very fair skin and a cascade of brown curls. She tilted her head back and laughed, but she was really somewhere else, somewhere quite sad. I felt it instantly; she sold her body for bread.

Next to her was a hard, tough, obviously successful businessman. He wanted the platinum blonde, but she was having none of it.

On the next two stools sat what can only be described as a fantasy, Oceanic twins, each with the rounded face of those beautiful Indian statues. They were both dressed in black, and identical in every way. But one dazzled, and the other was transparent. As if she was the shadow, or the residue of her twin.

The shadow's almond eyes met mine and quickly darted away. How interesting. In that split second her dark, dark eyes told me she was completely without knowledge. An innocent. I was intrigued. How did innocence hold its ground mixed in with corrupt blood? After nearly a year of not even being able to pick up a paint brush I itched to paint her. Actually it was more than that. I wanted the transparent one for myself. I had not wanted Swathi. I had only wanted to paint her. This non-person I wanted to keep for myself.

Her skin beckoned; so absolutely without flaw or blemish, it was as if she belonged in a Gustav Boucher oil painting. Not the beautiful odalisque, but the slave holding up the mirror, her native eyes turned away from yours.

The reptilian bit of my brain took over, and I became excited by the prospect of the rest of my night.

So I followed the rabbit and fell into the hole, into the riot, never once considering how in the world I was to get out again. I went to introduce myself. The platinum beauty was Elizabeth, the sad-eyed girl Maggie, the dazzling laughing twin was Nutan, and the quiet shadow Zeenat. Little Zeenat. You will be mine.

The black and white shoes prowled towards me. He had dangerous wolf eyes. When he smiled they crinkled at the corners. Each feature considered separately could describe ugly, but arranged together they gained some crazy synergy and made a face of irresistible sensuality. It had been a long while since I had come face to face with such blatant sexuality in a straight man. He grinned and said something about a spider's temper.

At first I thought I had misheard, but the hard, tough, obviously successful businessman stepped forward, his hand outstretched and said, 'Bruce Arnold. Yeah, come with us to The Spider's Temple. You never know, you might even like it.'

Bruce Arnold

Bruce

Earliest memories?

That would be a toss up between a wet dream featuring the three Supremes in their heyday (oh the barefaced hussies) or standing on a chair using half a bottle of Fairy Liquid to obsessively wash and re-wash my plate, knife and fork *before* using them. My mother reckoned I was a troubled kid and packed me off to a psychiatrist. A fat lot of good it did me. He made it too easy – let me know the answers he wanted to hear – and now, at thirty-one nothing has changed. I'm still undressing them in threes, and as squeamish as ever at the least sign of filth or imperfection.

We lived in a humble terrace block around the corner from a council estate in the East End. My mother, originally from leafy Surrey, loathed her new address and was the object of much ridicule amongst the gossip mongers in the Laundromat. I suppose you couldn't really blame them, she did ask for it by referring to them as 'the locals'. To give her her due, she *was* different. She spoke different, kept her figure incredibly well, wore light dresses with little sleeves in summer, owned a real china tea set, and knew milk came after tea.

Her real interest was in befriending the old rich widows who lived in the houses on the tree-lined streets a few minutes up, but she soon discovered that her small-town snobbery was nothing compared to theirs. The sly bags wormed it out of my sister that my mother was an impostor. Her posh accent was only borrowed from the masters my grandmother cleaned or kept house for.

God, how utterly ferocious they were in their efforts to keep their pathetic circle pure. If they admitted the outsider to their little tea parties, where finger sandwiches were served on three-tiered plates lined with doilies, and cakes on glass stands, it was only so their thin condescending mouths could talk down to her, patronise her, and make her run errands like a servant. Why, I hated the stuck-up bitches.

I still remember on the chance of better pickings standing at the end of their street with my sister's rag doll in a wheelbarrow, when Prunella Woolridge's shapeless figure stomped to a halt in front of me. Her face was like a brick wall.

'Penny for the Guy?' I chanced, smiling sweetly. Most people would have thought it was cute, but not her. She glowered down from a great height and employing her fruitiest, most pompous voice said, 'Certainly not. Is your mother aware you are begging for money in the streets?'

'Yeah,' I shot back without missing a beat, lying through my teeth.

She sniffed huffily and marched off. Although I mouthed, 'Miserable old bag,' to the departing back, and resumed my begging, I never really forgot the way she made me feel for those few moments when she looked at me with such contempt. As if she was talking to my mother. I sometimes think that was the beginning of the nagging mixture of shame and pity I felt for my mother. Too often I viewed her less with affection than with curiosity. What made her tick? Why did she put herself through such torture? Why did she stay with my surly father? Not that he ever hit her of course.

When I remember my father, I remember only his eyes. Black, slightly narrowed, sometimes glazed, but always flinty. He was a huge, solidly built man with a deft hand at a belt. I suppose now you would call it abuse, but then he was just 'very strict'. Especially with my sister. Still he did it with the best intention. He didn't want her knocked up like all the other teenage girls in the estate. 'Babies pushing babies,' he used to mutter whenever he saw one of them behind a pram.

It would be easy to knock the man down, betray him in a moment, but if it wasn't for him I wouldn't have even the little education I have. I'd just have dropped out at fifteen like all the other kids on the block, doomed to failure even before they started. When he became ill, and half blind with diabetes, by unspoken consent we made a pact to 'forget' the past. I went to sit with him by the fireside in the evenings. I adjusted the blankets over his knees, and read to him. Funny, isn't it? That we who claimed to love him best should prefer him in his diminished state. The beast without teeth deserved a closer inspection. Through it all we had each nourished a secret fascination to pet the beast.

When I was very young I remember staying at Nan's whenever she wasn't mansion-keeping for Lord Haslem, or cleaning Sir Humphrey's manor. My grandparents lived in a small terraced house in Staines. I don't remember much about Grandad, except he was cheap. He sat on the best chair in the front room, hogging the fire and the television. And because he never thought to move away from the news or sports programmes, Nan saved for years, and bought a little portable for the top of her kitchen counter. Every time he heard me going to the downstairs toilet he called out, 'Don't be using more than two squares now, Junior.' That was toilet paper he was referring to. If he was being generous it wasn't a pack of mints that he handed out, but a single one.

Nan told my mother that the very first time he had taken her on a date he had made her pay for her own bus fare. I could never understand why she didn't just cut and run then because my nan was the best. She tidied other people's mess, cleaned their bathrooms, polished their banisters and emptied their bins, but there was something special inside her head. If she had been born in my time she could have been the CEO of a Fortune 500 company. My mother told me that Nan had once opened her front door to two small-time thieves. Jittery drug addicts with short knives in their hands. She immediately threw herself to the ground and screamed, 'Herbert, quick, let the Alsatians out.' And the two nervous robbers panicked and ran for their dear lives, but there was no Herbert and no Alsatians, just my mother and her in the house.

From a giant bag she poured a pint glass full of penny sweets each for my sister and me. Humming under her breath she went about her business while we sat at the kitchen table watching cartoons on her portable, and working through our pints. Yes, I remember the old bird well.

I remember, too, first day at school. Bawling my eyes out, screaming blue murder with all the other kids, but my mother was a lot smarter than other mums. 'I'll get dinner ready for when I come to pick you up.'

'All right then. See you soon.'

But Mum's Laundromat was my schoolyard. The cultivated accent that my mother was so proud of set me apart. The other kids were vicious. They wanted blood. 'Ooo, pass the butter, please,' they aped, exaggerating each vowel. They wanted the 't's out. B-er not butter. Ga-eau not gateau. More than a pint of blood was lost in the war of the 't's before genetics kicked in, and my father's barrel-chested frame became mine. Suddenly I was bigger than all the rest of the lads. I could beat anybody. Inside my solid fists, butter remained butter, and gateau kept its 't', East End not withstanding.

Glaring out of narrow black eyes and my nose broken in so many places I looked like an old convict, I picked up street cred. Suddenly it was cool to talk posh and I gained a bunch of followers: Paddy, Bonehead, George, Dwayne and Jelly. Jelly is not his real name, but the Chinese girl serving at the local chippy couldn't pronounce 'r'. In our time we took no prisoners. And when you are young and tough, the girls are for the taking. And that's what we did. Had a bit of whatever we fancied.

It feels like an age ago, though. I suppose I recall it with a kind of sad affection. My friends have all become what you would probably call losers. It seems they are always one or the other serving time for petty crimes, or getting right royally screwed in deals too big for their shoes. But in them days we were inseparable companions; rough and fiercely loyal. Oh! The fights we got into, getting home shit-faced from the Turks Arms. I can still remember Paddy shirtless on the sidewalk, loose at the knees, the muscles in his neck straining like wire, oozing blood from his forehead and snarling, 'Come on then, afraid are ya?' while two huge thugs circled him, spewing obscenities, and swinging broken bottles. That was Paddy for you. Crazy bastard.

I tended to fight a cold fight. Catch them unaware.

One by one my mates were dropping out of school and, to be friendly, I joined them after my O levels. There was nothing my father could say or do, his downward slide was already in progress. My grades were bad anyway. Fighting and whoring are not conducive to good grades. Even the idea of a nine-to-five bored me stiff. For a while I messed about with the guys as they tried different scams, but the good deals were thin on the ground. And inevitably the guys started running with small-time crooks, shifting drags, driving cars in from Europe, the tyres crammed with all kinds. Their garages were full of slashed tyres. I knew it was dangerous, and the risks they took didn't sit well with me, but after a while I went along with it. It was good money.

One time I was driving through Earls Court with Paddy when he muttered under his breath, 'Oh shit, pigs.' I looked up and ahead was a police road block. The boot was packed with drums of illegal chemicals. No, they didn't get us that time. They let our car through without checking, but that was it for me. No more runs, it was too high a price to pay.

Then one morning I woke up grey, with the most God-awful hangover, and knew without a shadow of a doubt what I really wanted. I wanted to be a hairdresser. The guys looked at me in disbelief. Had I gone soft in the head? Was I taking the first tentative steps towards a life of pillow biting? I sure took a lot of stick. But I didn't care. It was the only thing that had ever held any real fascination for me. From the time I was a child when Nan first took me with her to the hairdresser's, I had been in awe of that secret wonderful world that men hadn't a clue about.

She pushed open a glass door and suddenly we were in this divine-smelling garden of women. There were no men there, just all kinds of women stopping by to be pruned and trimmed. The soothing chatter of the blue-rinse brigade, the comforting warmth and drone of hair dryers, and the transformations. I sat big-eyed and watched one woman until, after one last preening, delighted glance into the mirror, she sailed out of the door, and then I let my eye rest on the next pretty one. And so it went. It was like being in a sweet shop. I saw the quiet pride with which Nan gently patted her immaculate white helmet and asked, 'What do you think, Buba?' I wanted to be responsible for that.

Also I thought I might have a knack for it. I would look at a woman on the street, and know instinctively if her hairstyle didn't complement her face.

The diploma was a piece of cake. I started work with a local hairdresser, Mr Wong, a paunchy Chinese man with spiky black hair. I was nineteen when my fighting fists unclenched for a bit of clean wet hair, and I found myself asking, 'Going anywhere nice tonight?' It was a bit of a shock to realise that I could actually reach out and help myself to the merchandise in the sweet shop. I rushed back with news for the guys; it was an amazing pick-up joint. I came on to the best lookers, and tried to fix up the ones that didn't quite make my grade with the rest of the guys. We did a lot of double-dating then.

Very quickly I learned what worked and what didn't. Most girls needed romance and cuddles before they would consent to grace my bed, but more and more I was finding exquisite dames who knew better; who wanted to skip the boring lies. I had my weaknesses. Like the length of a leg, a shoulder that didn't slope, slanting green eyes, a mole around the mouth, and yes, oh yes, long hair. Every time a girl with really long hair came through the door my temperature went up. I had a theory. Any woman who aspired to emphasise the difference between her sex and mine had to have no 'off' switch. No red button worth obeying. Green all the way. She had what the Zen masters termed a fox problem. Something I knew all about. Unless of course she was of Indian extraction, then the opposite could well be true.

So there I was going through Mr Wong's customers at a nice pace, when he exploded into the salon one day. 'What you think you doing, eh? Jigi Jigi with all my customer? Who you think you are? Bruce Lee. No more woman. You understand. Stupid. Shit where you eat.'

I was smoking a cigarette in the back and I didn't even break my stride. I took one last drag, killed it under the toe of my shoe, shrugged into my jacket and left with a two-fingered salute. Poor Mr Wong, his mouth fell open, but I was nineteen and so too cool to be anything other than a short fuse. I bummed around with my mates, and lost more hairdressing jobs for the same reason, until I was twenty-four years old.

By some dint of luck the guys started working on

something real for a change. They had hooked on to a proper con, operated very professionally by nameless drug kings in Amsterdam and linked to the Russian Mafia. They needed front men, stooges to take the fall if things went wrong. It was to do with importing curtain materials, a shipload of it that didn't actually exist from Russia and a lot of money. On the table for us was two per cent. The stakes were high, but the sting looked and smelt good. Only the insurance company would get ripped off. I called in.

Six months later we were walking away with more money than we had ever seen in our lifetime. A hundred thousand between the five of us. The other guys set about blowing their share. I found a run-down, empty shop lot and converted it into a hairdressing joint. I sort of fancied a small old-fashioned place with posters of glossy fifties movie stars on the walls, and a glass jar of candy by the till, just like the one of my childhood, but a smart PR girl I was dating widened my concept of decor and I went with pseudo Italian. As a finishing touch we plonked a stone bust of a scowling Caesar in the window.

On opening night the gang descended with one of those wooden barrels of Guinness. By the time we were finished, we were lurching over the railings of Bermondsey bridge at dawn, wondering why the Caesar bust was refusing to float down the Thames like the empty barrel. Two days later the guys drew up in a white van and from the back of it sheepishly offloaded a six-foot statue of the Duke of Wellington. They carried it into my salon and stood it by the till. I never asked, but I can only imagine it was lifted off some toffs garden. If ever you've sat in a salon in Bermondsey with a statue in a flat hat and long coat that nearly fills the entire frontage then you have been in my shop.

The shop was a roaring success and it was where I honed my skill to a fine art. I didn't want to date the customers any more and became all heart for poor Mr Wong. There's nothing like standing in a man's shoes to see clearly where he's coming from. The girls were the bread and butter. If any of my hairstylists had tried to use my place as a meat market, I'd have done my nut too. A few times an arresting face would meet me in the mirror, smiling. Then I simply slid my fingers down small sections of hair from either side of her face to check they were completely level and reminded myself again, you don't shit where you eat and you're not Bruce Lee.

And the money, WOW. Every time a woman walked in, it was five pounds towards costs, and everything else, pure profit. If she took to colour, a cool fifty quid profit. It was incredible. I couldn't understand why everybody wasn't in hairdressing. Every evening I cleaned the till of at least half the cash. Spending money. What the Government didn't know about didn't hurt it.

I opened another salon closer to London, entered a competition and was given the privilege of displaying a plaque that read 'Hairdresser of the Year, 1999'. It was a nice gold one. Then somebody approached me about lending my name to their hair care range. The Bruce Arnold range. Twenty pence for every product sold. Brilliant. But I took another look at the figures and said, sod off. Found me a chemist who came up with a complete line of hair products. Each item cost me a pound to manufacture, and I sold them in the shops for six pounds upwards.

At this stage I took a gamble and opened a salon in the middle of pricey London. And boy, was that a whole different ball game or what. Except for the rent, rates and slightly higher wages all my other operating costs remained the same, but my prices, you should have seen them go.

'Well, well,' said the boy from the arse end address. 'Who would have thought?' Delicious, snooty, upmarket girls in cat whiskers' jeans slinging ninety-eight pounds on to Daddy's charge card for a haircut. Poor Daddy, once every six weeks he shelled out another cool half a grand for highlights and treatments. It was crazy, it was brilliant. I learned gratitude, to God. Nice touch, giving the majority of English girls hair in tedious variations of mice. I hired a brilliant hair colourist, a real specialist. He arrived at their chair, his comb at an angle, a swagger in his leather trousers, a silver ring on his thumb; officially gay but flirting outrageously. And the cream thought he was a scream. I might have overpaid him. The guy was high the whole time.

There is so much drug-taking in the hairdressing world. And all at the top where the money is. I went for competitions where celebrity hairdressers you saw on the Sky channels were bent over, snorting cocaine. Don't just believe me. Watch them. Sometimes the bastards can't help themselves; there they are on TV and their lips are stuck to their gums, and their mouths twisted into a neurotic tic. The whole industry is so full of noses crying out for relining with some durable metal you could be mistaken for thinking it was all legal. Can't name names obviously, but watch the ones with the fancy foreign-sounding surnames. They're the cuties.

I never really got into the drug scene. My game had always been to get wasted at the pub with the guys. Nevertheless I had started carrying the gear around because more and more girls were asking for it. Cocaine, I found, had become the greatest babe magnet around. It had the miraculous 'open sesame' effect, third base, first night. Once the offer of a wedding ring might have had the same effect. Then again, perhaps not with quite the same ferocity. I have seen girls kneel in men's toilets and tear open zips in their hurry for a line. Disgusting really, but I was hardly going to complain seeing it was often my zip.

As time went on, I found I too was taking more and more but, oddly enough, without the crazy excitement of everyone else at the party. More with a sense of inevitability. That time of the night again. I did it almost from a growing sense of boredom. There was nothing else better to do.

Quite soon after I opened my fancy salon one of those women I call the St Tropez wives, too brown and too thin in white trousers, came in to the shop. She took off her designer sunglasses and her eyes were the colour of fading bruises. Odd how I felt it, a stranger's sadness, but then she smiled a cool confident smile and the impression was gone.

'Francesca Delgado. I have an eleven-thirty appointment with the head hairstylist,' she said.

'Bruce Arnold,' I said, smiling and holding out my hand. Hers was small and soft. For some time I had wanted to try out a new colour system and I saw that her brown heart-shaped face and long straight hair were perfect. I told her my plan. She nodded. Just make me look beautiful, the two sad bruises in her face said. It was only when her hair was washed that I realised that it was naturally curly. I held the wet curls in my hand. 'Jesus,' I said. 'How long does it take you to blow dry this lot straight?'

'Nearly an hour every other day.' A St Tropez wife with plenty of time to waste.

Very few women actually have the ability to look their best in curls, but I felt if she couldn't then nobody could. I set to work. I coloured it four shades of gold. As they dried the carefully waxed curls became a glorious golden riot. When I was finished I saw her blink in the mirror. She did not turn her head this way and that, like the other women. She simply stared at herself. Why, she didn't look like a hard cold neglected wife any more. She looked breath-takingly young and innocent again. Our eyes met in the mirror and she said, 'No, I don't like it. Redo it straight.'

'You *don't* like it!' I was incredulous. I couldn't convince her. In the end one of the girls straightened her hair to her satisfaction. When it was done she turned her head this way and that like the other women, smiled and thanked me politely.

'You must drop in on my husband. He owns the Italian restaurant along this same street. Villa Ricci.'

No shit, I had been going there for years.

So the next time I went to dinner at Villa Ricci, I asked to speak to the owner, and this huge lion of a man bounded out of the back office grinning sheepishly. It was immediately obvious that he was completely hammered. He explained that he hadn't stopped drinking since the wee hours of the night before. He pulled out a chair, and at the same time ordered aspirins and grappas. He said he had a party to go to in some hotel outside London. The problem was he had lost his licence on a drink-driving charge a month ago. 'It's a Jacuzzi thing. Plenty of bikini honeys high on coke. Can you drive?'

'Sure,' I said and he (bear in mind that that was the first time I had ever laid eyes on the bloke) clapped his hands on either side of my face, pulled me towards him, and deposited a noisy smacker right in the middle of my forehead, crying gaily, 'What luck, what good fortune.'

I was immediately struck by two things: his palm was a sight more callused than mine and that I had no defences against such a foreign display of warmth and exuberance. Right there and then I was lost. You just don't find too many like him walking around. His light shone bigger and brighter than mine.

'Wanna come?' he asked.

Was he kidding? After that? 'Yeah, I'm there,' I said, and we've been hanging around since.

I know he's selfish, obnoxious, vulgar, and doesn't give a shit for anyone else, but I can't help liking the guy. He's a human dynamo. A lurid, restless, jacked-up, big-spending, party animal, fucking his way through the London night scene. Somebody plugged him in many years ago, and he hasn't stopped since. One day we found him unconscious on the floor, and rushed him to hospital. The doctor ran a brain scan and pronounced that there was nothing really wrong with him, just that his brain had shut down to get some rest. The guy hadn't slept for four days.

'Go home and get some sleep,' the doctor advised.

'Nah, I slept inside your scanner,' he said. I thought he was joking until I saw him pop a handful of uppers – he was dead greedy like that – and beg space in a car heading for a rave in Southampton.

You see him under the flashing neon light of a club, dancing on top of a massive speaker, giving it all he's got, and shouting at the top of his voice, 'Oi, Oi'. And you want to label him shallow, but then the crazy fucker picks up his guitar and sings Pink Floyd's 'Hello, Is There Anybody Out There' in that weird throbbing voice of his, and goose pimples will scatter your skin. You will swear then that a beautiful distraught soul haunts his barely civilised body.

And then there is his wicked sense of humour. The jokes he tells. Sometimes I laugh so much I am banging the table with my fists, and dying with the stitch in my stomach. They are all in bad taste, but really funny, and unless you are an Italian restaurateur, you'll never have heard them.

And then, of course, there is his phenomenal ability to pull. I mean, I'm not exactly short of a good-looking bird to hang on my arm, with the hairdressing salon and everything, but this guy hauls them in by the truckloads. He is ruthlessly effective.

Although, to be fair to my record, I am a lot fussier than he is. He would bed anything once. He even said, 'The ugly fat ones are the best.' Apparently they try harder. I couldn't. Some of the women that ended up in his bed, ugh, I couldn't even bring myself to touch. I'm afraid we are back to that obsessive use of Fairy Liquid again, washing and re-washing.

Even the slightest suggestion of dirt was enough to send me sprinting in the opposite direction. Why, just looking at crutches made my gut ache. It sounds terrible, but just like they couldn't help their affliction I can't help mine. It was the way I was made. Squeamish. Some things I couldn't do and some I could. I could just about do dandruff. My tolerance certainly didn't extend to scars, crooked bits, amputated limbs, unhealed wounds, and bodily fluids not belonging to me.

But blood I could always do. Even as a child I was okay with that. My mother never tired of telling the story of when I walked away from a game gone wrong into her kitchen, a fork sticking out of my foot, announcing, 'Mum, I've got a fork in my foot.' But there were also other things that I was neurotic about, like watching people brushing their teeth. That actually made me want to be sick. When they did it on TV I had to turn away from the screen.

The Spider's Temple? You think it's some special place, don't you? Well it's not. It's just a depressingly dirty little flat in the middle of London where sad people gather to take drugs. Sometimes when I am filled with the queasy knowledge that I am wasting away my life in a rat hole, I can actually smell the cockroaches that infest the place, and yet I go. I go because every good party eventually ends up there. So many faces come and go, but there are a few 'regulars' that you see almost every time you are there.

One is a dazzling jam pot called Haylee. Masses of blonde hair, not out of a bottle, dream breasts, a bottom to peel your eyes, and the sort of instinctive sexual awareness that turns the job of retrieving something from the floor into a strip show; bending from the hips, nicely padded rear sticking out, body arched forward. All in all a truly tasty package, but she's playing for higher stakes. I believe she has pinned her hopes on bagging a first division footballer. Ricky's had her, though. A long time ago when she was drunk.

Then there is little Maggie, an Irish prostitute who always wears ballet shoes. Once she must have been a stunning beauty, but by the time I met her the body was still smoking, but too much wine and song had worn her face out, and touched her eyes with ugly desperation. When Harold Robbins writes about heroines who screw their way through armies of men, abuse alcohol and drugs at every opportunity and still look good, it is pure fiction. Still I like her. She is funny and warm.

Once we got high and ended up in bed. She undressed me and then ruined it all by sobbing her heart out. 'Love me a little, Bruce,' she begged but my ardour didn't run to it. I couldn't be the next in line to use her. Even I couldn't be that basic. I understood that sex for her was currency and every time she gave it away she was that little bit poorer. So I dried her tears and we drank ourselves silly. I was drunk enough to ask why she wore ballet shoes all the time and she told me the saddest thing. She said that, when she was five years old her grandfather told her only princesses wore ballet shoes.

Then, of course, Ricky met the Balinese twins. Lovely creatures. He started going out with the bold one, and I wouldn't have minded the other, but she made it clear she wasn't playing.

The other really interesting person is the artist, Anis. A slight, brown-skinned, brown-eyed man. Sometimes when he had been up all night, the dark circles under his eyes made his irises seem lighter, almost unreal. In a funny sort of way I am almost envious of him. He hadn't spent his school days drinking stolen gin by the bicycle sheds. He'd had a proper education so when he opened his mouth to talk it was never bullshit.

I was told about another Irish girl called Elizabeth, an Arab billionaire's whore, but I didn't get to meet her straight away. She was away in Saudi Arabia, and was, to quote Ricky at his melodramatic best, 'too beautiful'. His wild praise had the opposite effect on me. It put me off. I didn't do girls who were 'too beautiful'. They all seemed to step out of a *Vogue* magazine cover for the express intention of relieving me of my cash. I don't want to labour the point or anything, but I can't stand the mercenary bitches. And this one I imagined to be the mother of them all; but to be honest I was very curious about her, just to know the kind of girl it took to bag an Arab billionaire. Finally one day, just as we were entering a party, Ricky said, 'Oh, by the way, Elizabeth's back.'

I went looking for a juicy young thing bursting out of a non-existent, pink top, so I was totally unprepared for the face that regarded me. Actually that line from Lobo's song, *when I saw you standing there . . . the blood went to my feet,* came to mind.

God, she was dangerous in her perfection; porcelain complexion, the flawless features of a mannequin, snake hips and long, long legs. Except, of course, for the hair. Some idiot had bleached it a ghastly shade of platinum. Still, never could I have imagined one so coldly aloof as her. From the dead straight hair to the unsmiling frosty pink lips she was unreservedly icy. Did the ice sculpture feel it? That sudden tightening in the stomach. That frozen stillness of desire.

Her blood pooling in her feet.

The shock of her made me stupid. '. . . Ricky wasn't exaggerating. You actually are too beautiful,' I murmured, making sense to some slow-moving part of my brain, but wanting to kick myself even as the disastrous words left me. She had heard them a million times before. If she was part of Ricky's crowd she wanted intrigue not boredom.

'Thank you,' she dismissed politely, and turned away.

The platinum curtain parted, and I saw her nape. Tiny bones pressing against her skin. Pathetic or touching, depending how you looked at it.

'What's he like?' I asked.

'Sorry?' Her voice had that cold sound of a Scandinavian fiddle. A disturbing shimmer from the second string underneath that remained unmoving.

'The Arab. What's he like?'

Her eyes flashed, light grey and malicious. Good, I had meant to offend; but her only reaction was to sip at her champagne. I noticed she wore an alchemist's bracelet like the princesses in the legends of King Arthur. Each symbol standing for the secret ingredients for making gold, mercury, aqua fortis, copper, fire, earth, salt. . .

But suddenly she smiled. A trick smile that.

She said something, but I don't remember what. The smile was working its curious magic on me. No shooting stars or music flooding into my head, not even a struggle against strong winds, but I can remember it, in its entirety, today. Perfumed, pink, beautiful and indisputably disdainful. God, you should have seen it. Watching her looking down at me from her impregnable tower had an infuriating effect on me. It made me want the cold bitch so bad, I itched. The need, I soon found out, was blind, naked and apparently shameless.

THE SPIDER'S TEMPLE

The Games They Played

Forgive them their sins

April 2000

Nutan

The light was fading and all the other tramps were gone. Only Martin still lingered in the café, finishing the dregs of his coffee, and sucking the last bits of goodness from his collection of discarded cigarette ends. I watched the bus stop across the road. It was the same station, the same routine, people climbing in, hurrying to a seat, arranging their belongings around them, and avoiding the eyes of the watching waitress. And I was the envious waitress, of little significance, who had stood at that very spot three months ago, but on that spring evening everything was different. Now I knew for sure the bus went nowhere special, and I clearly saw the passengers for what they really were. Bored, and weary with their cheap lives. Certainly unworthy of envy. They did not know about the tantalising smell in the interior of a Rolls Royce.

I did.

Someone passing laughed. A nice civilised sound. Never had I suspected that London could be this beautiful. It was spring that made the air gentle, and naked branches reach for robes of luscious green. In the streets people did not huddle deeper into their thick coats to scurry away like rats. The pub across the road had put its tables out, and customers were sitting with their drinks, and hanging on to the dying evening. Night had a different feel, more dangerous.

Behind me I heard Martin shuffling to his feet, dirty,

ragged, and wearing the stink of stale piss. I stepped aside to let him pass.

'See you tomorrow, Martin,' I said.

He raised his right hand carelessly up to somewhere by his ear as he passed. Once, feeling sorry for him as any who comes upon a fallen tree would, I asked, 'If you could live your life again, what would you change?' He brought his black eyes up to mine and suddenly unveiled them. How fiercely they blazed. 'Not a single thing. Not one damn thing,' he hissed. As I stared in shock, his ruin forgotten, he smiled; for a life of coarse salt on Chateaubriand, the pout of a mistress dressed only in a string of pearls, a black Havana between his teeth, and a Maserati around a bend. Oh, just for a life wonderfully used. To life. Now. Without a thought for hungry ghosts. Unrepentant and uncompromising.

And it was true. He was not grateful for my benevolence. Give, don't give, he couldn't care less. He would dine in the dustbins out back. His smile told me so. Charity was only a euphemism for pity, and, in my case, disgust. There was, and should be, no regret, or apology given for a life lived gloriously fast. Better still, thoughtlessly. Three months ago, I would have been bewildered, even disorientated, by his attitude. A tramp pretending riches beyond me. I would have shaken my head with pity, and feeling superior, would have offered prayers for him.

But that was before, before a sun God sheltered from the rain in our humble café. You see, until he touched me I was unfinished. Didn't know better. Had only days before clapped eyes upon and been amazed by a moving staircase called an escalator. But Ricky was the ferryman. No charge. Just get in, love. He arranged it, so I wouldn't sink. So I would see that sin was only a grape. To be intoxicated all one had to do was squeeze it. And that is what I did, squeezed it.

Suddenly I was different.

And so different I was ready to be infected, dazzled, by the light I saw in the tramp's eyes. What an accomplishment to be able to die grinning from ear to ear, a well used, badly shrivelled crone at ninety. Utterly content with the sin I had consumed.

In a funny way the tramp reminded me of Ricky. Not because I thought he would end up as a bum, far from it, but it was that same reckless defiance in his eyes, the voracity with which he toasted life, the wine sloshing over his glass, dripping down his fingers. They were geniuses for taboos, rogues risking eternal damnation on a toehold. The exuberance of their religion obliterated the instinct for consequences, or the long fall below.

I had intended my own wickedness, so I was hardly alarmed when Ricky took me to a flat over a pub. The Spider's Temple. We Balinese learn from a very early age not to fear the spider. The wolf spider lurks at the base of rice plants, and devours the many pests of the plant. Without him the harvest would be a poor one. So you see, at no time did I experience fear.

In fact, I thought it a fascinating place filled with night people. Each intriguing, but in some provocative way flawed. They thought day was night and night was day. All of them wore the same wound-up expressions, gimme more. There were no provisions being made for tomorrow, and those dirty words 'for the future' never passed their lips. They were having fun.

The wolf spider sniffed and licked at my armpits. Midstride he grabbed me by the hips, and flipped me over. He was not only blond and handsome, but as strong as a water buffalo. He denied me permission to wear anything not made of Lycra, so he could have access to all of me in the dark corners of night clubs. Sometimes he pulled me into deserted stairwells. The sex was quick and furious.

Afterwards I went into the toilet, and in the many mirrors my eyes would glitter back, triumphant. A long time ago, I had run out into the dusty road with the other children to gape at the foreigners, their eyes blue, their skin pink, and their pockets rich. We gave them high fives, *chiu* as we called them. They were always delighted to see us running behind their coaches, wanting them. If it is true, that everything we receive is the fulfilment of our own secret wishes, then running barefoot I must have dreamed of this day when they occupied the spaces in the same mirror as me.

Ricky showed me a world so fantastic it could exist only at night after all the good people had climbed down from the red buses and hopped into their beds. And only if you were prepared to spend enormous amounts of cash. Ricky was. We donned our glad rags and went through dingy entrances guarded by large men in black suits. These places had wonderful names, Tramp, The Fridge, China White, Cloud Nine . . . A narrow flight of stairs led underground . . . into the earth. In these hot, dimly lit spaces people were not dressed in their customary colours of black and navy. No, no, in these secret places, shimmering fabrics and a bubbly drink called champagne reigned. I found what the winged fox had promised there. Gold dust in the hair of bronze strangers. People sampling the illicit.

Both Zeenat and I indulged in the forbidden. Colourless liquids that you mixed with your soft drink. But only in clubs where the beat is played very loud and strong. Or the liquid doesn't work properly. Oh, it was a wonderful thing. Then there was a white powder, so shockingly priced I did not dare convert a single gram into Indonesian currency. It went by a pretty name. Cocaine. A girl's name. Ricky used to call her Coca. Have you ever met her? She pulls an exciting trick in your head. My classmates were cutting grass to feed the cows. To think there was no one in my village who had experienced what I had.

'Coca,' Ricky shouted, tipping a whole bag on top of the TV. Spellbound, I stared at the white hill. Sometimes he made a line from one end of the bar to the other, and got on his hands and knees to snort the river of white. I was not in love with him but he was the ferryman, impossible to resist. In his right hand he swung a chain, at the end of it, the keys to outrageous pleasures. 'It is only a gate and I have the keys.' The ferryman winked.

In restaurants, he grabbed my ankle and, while I squealed with laughter, yanked it unceremoniously on the table. With his dinner knife he hacked off my stocking and tossed it away, to land in other people's soups. Deliberately he brought my foot to his mouth, and sucked my toes. I looked around at the unprepared audience, the bemused waiters, the shocked manager, the scandalised diners, and I wriggled my toes and laughed uproariously. When the white hill was high everything was funny.

Zeenat disapproved, but I knew she was just jealous, as I would have been if it had been she who had found Ricky. To reassure her, I repeated, 'You are mine and I am yours. None may step between.' But she would not believe me. She chose to sulk. She complained that he was a wild animal, too loud, too contemptible. Ugly, in fact. She guessed him faithless.

'You are a banana leaf to him. When he is finished with you he will throw you away,' she warned. But I didn't care. I *wanted* to be used. I wanted my meat to be a sieve for all experiences. To die with the tramp's words in my mouth, 'Not a single thing. Not one damn thing.' So I forgave Ricky everything. Why wouldn't I? The man carried excitement in his pocket.

Whenever I went anywhere with him, envious women stared. He was so handsome. He talked with his hands, his eyes twinkling. I watched him, blond and beautiful, and felt a surge of pride inside me that the ferryman should want me.

'*Amore mio.*' But I knew neither of us loved. We were only squeezing the grape. I felt guilty leaving Zeenat behind, but she didn't enjoy his company. She came to help demolish Ricky's coca hill, but all the time her sullen eyes never left Ricky and me.

'You are mine and I am yours. Ricky is married, after all,' I comforted her. 'It is just good fun. He is one of those gold-headed gods dancing on the surf that I always wanted. Don't you remember? Soon we will return to our little paradise, but isn't this spider's lair so much fun, for now?'

The smell of the tramps was gone by the time I put away the salt and pepper pots. The coffee machine was hissing out its cloud of steam. Zeenat was washing the removable parts in the sink. When she was finished she started switching off the lights. Turning up her coat collar she waited beside me as I double-locked the door. We walked back silently. The nights were still cold.

In the room she sat on the bed and took off her shoes. I opened our wardrobe doors.

'You're going out again,' she accused.

'Well, you can come if you want. Actually, why don't you? It's Sunday tomorrow. We don't have to work,' I said. But she didn't want to. I was getting a little impatient with her, hanging around my neck, clinging without any sense of adventure. I wished she would find someone. Have some fun for a change. Discard her worried expression for a while. We could be boring when we went back to our little village. She stared at me as I washed before the mirror.

I painted my lips a deep red. 'Don't you think that Bruce is really sexy, then? You know, if I wasn't going out with Ricky, I would go for him. I think he is lovely. What's there not to like? Intense black eyes, a film star dimple in his chin, and those shoulders!'

In the mirror her face was impolite. 'You have him, then,' she said.

I swung around and faced her. 'Fine, what about Anis, then? Of everybody that we have met you have to admit that he is special. He's kind, gentle, educated, and he's crazy about you.'

For a moment she simply looked at me, at the truth I had uttered, but then she shook her head. 'Please, stop. I don't want any of them. I just want to go home. I hate it here.' Her voice became shrewd. 'Anyway we'll have to go home soon, like it or not. Don't forget, they only stamped our passports for six months. Our visas are nearly expired.'

'Not really,' I said, carelessly. 'Ricky says that most of his workers are without the right papers even to remain in this country, let alone work. They run out through the back at the first sign of an immigration officer. As long as we don't do anything illegal, they'll never catch us.'

'Haven't you had enough? When are you planning to go home?'

I bit my tongue then. What have we imagined, Zeenat and I? That we would be two old ladies together. More and more they seemed unlikely, our girlish promises to each other. I was beginning to consider the prospect of never returning.

'I'll be at Ricky's restaurant, if you change your mind.' I picked up my purse and left our room.

I was on the stairs when I heard Zeenat shout down, 'Don't you miss Nenek at all?' Her voice broke halfway.

Ricky

It was Saturday night at Villa Ricci. From my position at the bar, I could see into the kitchen every time someone went through the swing doors. And what I saw made my breast swell: an assembly of drunks, thieves, compulsive liars, substance abusers, whore-mongering, shifty bastards preparing wonderful dishes. Each a fugitive of the straight and narrow preferring *my* kitchen as the place to lie low. Their aggressive snarls of 'Is table five ready?' and 'Can somebody pick up table nine, fucking now?' was song to my ears.

A woman by table seven was alleging her food contained meat. God preserve me. It was not long ago that I couldn't tell the vegetarians from the lesbians. Why, this one was almost attractive. The waiter footed it back to the kitchen, a sick expression on his face. The bearers of such messages were naked victims in the explosions they triggered. The lad cowered three feet from Franco who was red-faced and bubbling with rage. Remember him? The madcap genius from La Strega.

'Which fucking bitch is it now?' he screamed.

He was scornful of vegetarians. They offended his method. He believed that vegetarians should stay at home nibbling carrots. 'Why the fuck do they come to restaurants? Just to bother us, and force us to produce tasteless food? Illogical fools. Food without animal stock?' he would implore dramatically.

Me, I unrolled the red carpet. For a few pennies of mashed beans in the shape of a beef burger I charged the price of an excellent cut of meat. I saw Franco charge towards the doors. On the way he stopped to raise a starched spotless hat to his head. The doors swung open to a smiling vision. Even I could have been persuaded it was all genuine.

'*Allora, a tavola,*' he cried genially.

He examined the plate so closely I feared he was, in fact, surreptitiously spitting into it.

' Ahh . . .' he diagnosed knowingly. He replaced the plate on the table. 'Madam, you are wrong. Completely wrong. That is –' he paused, his right hand, the fingertips touching rose upwards to jab the air and arc back to his lips for a nippy kiss – '*Scamorzza*, smoked cheese.' With a quirky smile, he sympathised with her error '*Delicioso* like meat, no?' Shame-faced, the woman agreed. The fault was hers. Satisfied that he had set the record straight and redeemed his credibility, he gave a theatrical bow. '*Buon appetito, signora.*' The doors swallowed him, straight-backed and correct. Behind the doors, I knew what he was doing. He was taking his hat off scowling and cursing, 'These fucking vegetarians. Why don't they fucking stay at home?'

The most menacing black man imaginable filled the entrance. He had to stoop to clear the door, but I'll tell you now, Cosmos was sweet – like a piece of bread. Couldn't hurt a fly. Fucking guy was so laid back it took him an hour to get from my flat to the newsagent, ten minutes down the road.

'Yeah, yeah, man, leaving now,' the bastard says, and walks through my door an hour later. One hour . . . If speed was tasteless I would have spiked his tea just to watch.

On one arm a drop-dead-gorgeous chocolate chick purred. Cosmos was my coca supplier, but he also provided party girls. Maybe he could leave this one behind. She gave the impression she managed authentic cat sounds. Something about a good yowl that goes a long way with me. We had to pass the kitchen to reach the office and every single one of the crafty sluts in my kitchen watched our progress from the corner of his eye. They would be knocking at my door in a little bit. I locked the door and Cosmos pulled a block of five kilos out of the girl's handbag. He spread himself over the entire couch like a Sultan. Cosmos never touched the stuff. He always said, 'Touch the shit and you're dead.'

After I had said a sad goodbye to Chocolate – she was unavailable, promised to a party of American boys – and ushered them out, I began the task of reconstituting the coca. Cut a kilo for my own needs, crushed the rest with pain-killers, and put the lot into a press. Solidity returned after thirty-six hours.

I drew myself a fat line. So generous that my mouth was already numb by the time I came through the swing doors. I saw Nutan, sitting at the bar, eight tequila slammers lined up in front of her. My manager leered.

Taking a deep breath she picked up the first glass. Tequila, salt, lemon. Tequila, salt, lemon. The barman was clapping and yelling encouragement while the waiters lined up to drum the bar top. Four tequila glasses were empty. '*Brava*, Nutan, *Brava*,' someone roared. Five, six, seven. Tequila, salt, lemon. She threw her head back and slammed the final glass down. The restaurant erupted cheering. She had downed them without a break, her lipstick unsmudged. Her eyes caught mine smiling and nicely impressed. *Brava*, Nutan. *Brava*. Next time we'll try for ten, huh?

Anis

Why do we always desire the thing that does not want to be ours? I could feel myself gently falling for Zeenat. How not to? Even her walk was an uninterrupted, majestic delight. Shoulders level, head upright. As if there was a huge bronze jar on her head. It was through carrying things on her head from the time she was a child. It changed her gait. I watched her progress towards me, eyes burning. An afterglow of a fallen empire.

And her skin was fragrant! Every inch of her scented. At first, I thought it was some diligently rubbed ointment, but she blushed and said, 'It is my grandmother. She fed my sister and me with special herbs from the time we were tiny.' I stared, amazed.

'Do you like it?' she asked shyly. I took her hand to my lips. So that was crushed flowers and herbs. The thought made my head rush. She showed me the small black beads. An old woman's magic. I once had a magic grandmother.

Zeenat spoke of her homeland, a place so forgotten there were still women who had not been disgraced by a white man's eyes into covering their breasts. And they told stories of a time gone by when only prostitutes wore jackets, to signal their impure profession. In this remote place magic was an everyday occurrence.

Because it was so far away this magic that she spoke of, or perhaps because I wanted so much for it to be true, I believed. Perhaps too, if this weird and wonderful woman she called Nenek stood in front of me, I might have doubted, used the logical part of my brain, but the distance got me. Surley if magic did exist it would seek just such a faraway paradise. But, first let me tell you how I got this close to this intriguing creature.

At first, I could only meet her at Ricky's Temple. A strange place that I am not certain I could properly describe to you. At first sight it will seem seedy, but innocuous enough: an open-plan flat, one half bearing worn sofas, and the other a long glass-topped dining table. By the wall some stairs leading up to two rooms, one a fairly large bedroom and the other a dark box room. In the kitchen you could, if you went at the right time, find Ricky expertly chopping garlic with a huge cleaver, or, wooden spoon in hand, presiding over enormous vats of boiling pasta. In the vapour his baritone voice rang with reasonably convincing versions of *The Barber of Seville*.

And if you hung around some more you would see him carrying steaming bowls of food to the dining table. Still singing he set them around bottles of rough red wine, and baskets of crusty bread, purloined from one of his restaurants. People would drift over from the nest of sofas still laughing and joking, to eat and drink. Afterwards with coffee made in an espresso machine, there was always a bottle of something to burn the back of your throat being passed around. Then somebody comes in with a few grams of coke. And the party begins again.

All night long people will make merry downstairs and love upstairs. But I'll tell you now, it was all vile, vile, vile. If not for Zeenat I would never have gone back after the first time. Once I went there alone. The place was deserted and I swear, I couldn't get past the coat rack. My skin prickled and my toes clawed into the soles of my shoes.

Empty, the place was a sinister waiting presence. Instinctively, I sensed it was something to do with the fresco stretching over the back wall. The open-plan nature of the flat meant there was no escape from the painting. It too, at first sight, seemed harmless enough. In fact, it was not in any way special, if anything it was crude in technique and flawed in execution. Its brush strokes told of an exhausted Greek temple, the pillars cracked, and overgrown with creepers, the floor littered with broken things; red and black amphorae; plates, cooking utensils, goats' antlers.

In the middle of this ruin, a bright fire and a woman dressed in long white robes looking into the flames. Her back was to the viewer. Her hair was black, so black it appeared not to reflect light. She held a crying mask. At the end of the wall where the painting stopped it sawed off a man's leg, lifted in the act of running away. But he wouldn't have got far, anyway. A metal chain shackled his ankle. The funny thing was the chain was not rigid metal, but was elongated and elastic like a Dali timepiece.

Here was violence of a kind I had never encountered. Some ominous spirit had infected the artist's brush. Menace lay in the greenish hue of the woman's white hands and bare feet, the face you couldn't see, the anguished mask, the desperate man's leg.

No, it is impossible to explain. You have to see it for yourself. But it was not only the painting. It was the whole sordid place. Underneath the laughter and the grunts of sexual ecstasy, something horrible was happening. People came in dented and left destroyed.

The temple keeper was, of course, Ricky. Indeed he is that rare man, intelligent, humorous, exciting, energetic and utterly charismatic. Why, I couldn't think of a man alive who could boast to have slept with more women, consumed more drugs, drunk more champagne, told more smutty jokes or knew more friends and yet . . . yet . . . how could a man who slipped so effortlessly into the black and white shoes of a pimp, and went about *acquiring* damaged people be anything but sleazy.

He bribed the wounded into his unsavoury temple, preyed on them if they were women, and afterwards watched curiously as others he had initiated into corruption further tainted and exploited his collection of victims. In the end he was as his face suggested; unpleasant features slyly arranged to give the illusion of beauty. The face showed no signs of suffering or remorse, but a truly nauseating joy to behold the vices its owner had inspired in others. Corruption seemed to lift his heart, the way a car passing you on the street, its stereo turned up too loud to dance music, might. Even the way he loved was an insult; so coldly, his blue eyes always contemptuous of the easy surrender. He had so little use for women.

Sometimes I think the only woman Ricky did not entirely despise was Elizabeth. He had never tasted the pleasure of her bed. He looked at the platinum hair, the cold eyes, the exquisite mouth smiling its cruel smile, and imagined that they were two of a kind. That they spent the same currency. She knew how it worked. Her eyes said she had learned the real truth about men, that they were pathetic. How easily they were caught in the net of beauty. She knew what they wanted, what went through their shallow heads. So she played her little games.

Looking into their sinful faces, she smiled and coolly told them what she wanted. And like servants they ran to do her bidding. She gave nothing of herself away and never encouraged confidences. Even where she lived was a mystery. And that was what Ricky enjoyed. A cold display of arrogance. A willingness to use, abuse, take, and in the following wake of destruction to be beautifully unmoved. And although I suspected her coldness was only a defence mechanism, it didn't change the charge against Ricky. He sat back and took pleasure.

But nothing was as despicable as when Ricky lured innocents like the twins and carelessly proceeded to contaminate them. Once he came downstairs from his bedroom where he had been with Nutan, and his eyes alighted upon Zeenat asleep on a sofa. I saw it in his narrowed gaze, a moment of cynical consideration. Oh God, he wanted her too. The very next day I offered the girl five hundred pounds to come and sit for me. Too much, I know, but Ricky spoiling the child was so offensive a thought, I'm afraid it drove me to responsible action. She must have been exchanging the money into Indonesian currency, it took so long before her mouth dropped open, and her hand came to hide it. She nodded eagerly. So began our association.

I arranged her in the pose I required. In the daylight her skin was her glory. It was flawless, shining from within as if she was not a container for flesh, blood and bones, but a rare and luminous oil.

'It's the herbs,' she said shyly.

'Perhaps I should start taking some of these magic pills of yours,' I teased.

'Oh no,' she cautioned seriously. 'They are for women. There are other things for men . . .'

'Really? Like what?'

'Yes, if you can't . . . you know?' She hid her mouth and giggled.

'Ah well, maybe when I am a little older.'

She nodded agreement. Even in paradise it was quite in order for older men to need help with impotence.

Another lifetime ago Swathi had sat in that same window seat with the sun slanting into her face. For a moment I remembered her, thin, gaunt . . . but she was gone, departed with the words, 'Every separation is an opportunity.' My new opportunity smiled uncertainly at me. I walked away from her. 'Think of someone you love. Go where you are loved,' I instructed. She was not so different. Has not every race in its own way learned to turn flour into a dough ball and that into bread?

I looked up from my sketch pad and she was gazing through the window, lost in an encouraging memory, a tender secret joy in her eyes. I thought of a bird. Small, dull-coloured and so extremely delicate that it must be nervous and jerky when watched, but when safe in the air, it became a supreme beauty, the wonder that nature intended it to be. How incredibly beautiful the mysterious eyes full of longing were.

'Who are you thinking of?'

'My mother.'

I asked her about her mother.

'She died because she wanted new feet,' she said.

Smiling, I began to paint the delightful creature before me. She could disappear into thin air or fly away. Before that I had to paint, paint and paint. I had to paint while the light was good. While her skin glowed like a house lit with hundreds of candles, its long French windows billowing with transparent veils.

The doorbell rang and I went to answer it.

'Can I come in, Anis?' Zeenat said.

Arms folded I leaned against the wall watching her taking her shoes off. Her feet were wide and splayed from walking barefoot. She told me once that she walked without shoes until the age of seven and then only to school.

'I'm hungry. How about you?' I said.

'Me too. I can cook,' she offered.

She had just spent all day on her feet serving customers, and then to save money had walked from Victoria to South Kensington, and now she was offering to cook. 'No, let's get a video and a take-out,' I suggested.

She nodded, beaming.

'Indonesian?'

'Exactly,' she said, nodding even more vigorously.

'What would you like to watch?'

'*Pretty Woman*.' She did not have to think at all.

'Hmm!' I said. Why did every girl I know reserve such a special place in her heart for that vomit-inducing Hollywood lie about a man who falls in love with a street walker. As if it could happen in real life.

I opened a bottle of wine.

Halfway through the food she said, 'This is terrible. Very pitiful food. You must come to Bali with me. For you I will cook baby bamboo shoots and pork with special herbs and red chillies. And you can meet my grandmother. You will fall in love with her immediately.'

She pronounced pork as poerk. She thrilled the 'r' and stressed the 'k'. It made me protective of her. I said, 'Look, why don't you come and model full time for me. I'm sure I can double whatever you're getting in that dump you work in.'

'Oh no, no, I cannot leave my sister. She will be very sad alone. But thank you. Thank you for taking so much trouble, Anis.' She spoke solemnly, the palms of her hands meeting in front of her chest, bowing her head. It didn't look to me as if Nutan cared either way, but I didn't say anything.

We walked out together for the video, and I sat gamely

enough through Julia Roberts' transformation from big hearted hooker to classy lady. Ten minutes into *The English Patient* Zeenat dozed off on the couch. I watched her for a while. She slept like a child, a thumb in her mouth, her gentle chest rising and falling. I wanted to kiss that angel mouth. How little had it known? She was a page, unwritten.

I loved her, but I knew how hopeless it was. She was not even remotely interested in me. She came to me only because she was lonely and homesick. All she wanted to do was return to her little village and her grandmother. She once said to me, 'We are simple people, dirt people. We must go back before the city air makes us sick. Before we fall.'

In my head a sneaky strategy my grandfather had taught me played a tune. 'Anis, there isn't a woman born who can resist a prolonged assault of attention. Shower her with attention, day after day, even in the face of rejection and scorn. Then one day simply stop. And if she is not yours in less than a month, come and see me. Even if I am in the grave. We'll discuss stage two, which I warn you is very extreme, hardly to be undertaken by the faint hearted.' Laughter rumbled inside his chest.

But I refused to be so cynical. This time it was my turn to love unrequited. Love, there might be only two yards of it to go around, but all of it must be irreproachable. I had behaved like a cad with Swathi, yet she had understood, forgiven freely, and then taught me that a noble love does not belong to the professor, but to the professed. This was my chance to redeem myself. If I failed now, her coming would have been in vain.

In the uncertain light of the television screen, I promised to protect that sleeping child. So delicate and so near the wolf's jaws. I alone stood between her and Ricky. He must not be allowed to soil this clean page. I don't how long I sketched her or how long I watched her afterwards in the bluish light, but I must have fallen asleep propped up against the cushions.

She woke me up in the morning by blowing gently onto my eyelids. 'This is how my grandmother wakes us up,' she said as I stared blearily at her, my mouth sour from last night's wine. She held up a milk bottle. 'Look. Somebody made a hole in the top,' she announced.

'That will be the neighbourhood blue tits.'

'Blue tits?'

'They are birds that have learned to stick their beaks through the silver foil and drink the cream that rises to the top.'

She laughed, delighted. 'Really? A bird so clever. I will come every Sunday morning, and hide behind the curtains to see this bird.'

It's a deal.

Francesca

I slept badly again. Ricky did not come home even last night. Ever since he lost his driver's licence on a drink-driving charge, he found it more convenient to sleep over in his office than mess about with taxis. I thought for a while about that narrow couch in his office. Another thought intruded. I pushed it aside quickly. I could hear Rosa downstairs, hoovering. The faint hum bothered me. I rolled over to Ricky's side of the bed and buried my face in his pillows. It was cool and still smelt faintly of perfume, mine. He was not home often enough to leave his scent behind. I threw the bedclothes off and sat up.

Soon Rosa would be upstairs, wanting to do my bedroom too. I pulled my body out of bed, let my nightgown drop on the carpet and, naked, went to stand on the weighing machine. I could look down fearlessly. I skipped dinner last night. The needle remained where it had been yesterday morning, even when I shifted my weight around.

Pleased, I went to stand in front of the long mirror. You could never be too rich or too thin. Standing sideways I took a good hard look for sag, paying special attention to the breasts and the buttocks. Good. Nothing had changed. Yet. Quickly I pulled on a purple leotard and went into the next room for my workout. Forty-five minutes later, a light film of perspiration on my skin, I ran my bath. While I lay in the scented bubbles I didn't allow myself to think. I simply allowed my mind to float. As usual to a field in Sicily. When the water started to cool I got out. In the hot damp air some tendrils of hair had begun to curl. I switched on the hot plates and quickly ironed out the offending curls.

Then I sat in front of the dressing-table mirror in my dressing gown and began to do my face. But before that I peered closely for lines. New lines. None today. Good. Moving close to the mirror I stared at my lips. They were still almost as swollen as the first day I had them injected with collagen, still as unfamiliar, and a painful reminder of how little I understood the ground upon which I stood.

Lost for direction I had defined myself by the women who frequented the same shops as me. I had taken to calling them 'the first wives club'. I suspected I wasn't rich enough to be a card-carrying member; there were over-heard conversations about holidays spent on yachts, and clues that their bronze tans were acquired by different means, on privately owned islands in the Caribbean. Nevertheless I thought of myself as an honorary member. We bled from the same crown of thorns.

These women were my role models. Slowly, by observation alone, for I dared not befriend them, I learned all the unwritten laws that governed their style, and without being told, unravelled the thoughts that went behind each and every purchase.

As I had understood it, rich women spent all their time desexualising themselves. Only the palest lipsticks were deemed suitable because red is a turn-on, a sexual come-on of the highest order. And because only flesh is sexy – it gives shape, moves, jiggles, invites, nods and calls – they were bone thin. It was the same thing with their hair, and clothes. No wind-tossed or déshabillé look for them. They needed immaculate helmets of cleverly tinted hair and clothes that were all about cut.

They did this because they knew it was impossible to compete with the mistresses and lovers their husbands kept. Had I not spent years, helplessly following groups of giggling girls in shopping malls, envious of their firm flesh, and skin yet to coarsen? But that was time wasted. There was simply no remedy for youth gone by. So I understood what made those women spurn as vulgar all that was practised by their rivals. All that was lively and impulsive. They strove instead to distinguish themselves by looking expensive and unattainable.

When I first noticed their bloated lips, I simply didn't know what to make of them. I actually experienced a touch of hysteria. Suddenly I felt insecure as if I was losing touch, for I had truly never expected them to adopt such an overtly sexual advertisement. It was going to be harder to tell the wives from the mistresses.

I tried a pout in the mirror. Secretly I found it all rather grotesque. Like a baboon on heat. For all to see. Blood-engorged genitals on your face. At first I was so ashamed of my inflated lips that I stayed in my bedroom for the whole weekend. Then Ricky came home on Sunday with dark circles under his eyes, utterly exhausted but when he saw what I had done an oddly amused, half-curious expression came onto his face. Sliding his hand around the back of my neck he bent his head and licked my lips. He tasted of brandy. 'I love this,' he said, and suddenly we were rushing up the stairs to make love.

When we were finished I saw his lashes flutter down, but he snapped them open and shook his head. 'My dolls are outside the door,' he said, dragging himself out of the bed. And even though I told him that the children could wait for a bit more, he dragged himself off the bed and went into the bathroom. I heard taps opening, the clink of perfume bottles replaced on the marble tiles, the toilet flushing. When he came out his eyes were alive and glittering. He rubbed his hands together and cried out, 'Where are they, those children of mine? Francesca, what have you done with them?'

He opened the door and the children fell through, screaming, 'Here we are, Daddy. Here we are.' But he pretended he could not hear, see or feel the two younger ones going mad around his legs. He craned his neck looking left and right, and left again, calling out, 'Where are those children. But where are they? *You* haven't given them away, have you, Francesca?'

Lucca was already too scornful of such games. 'Stop being so silly, Dad,' she admonished in her best grown-up voice. So he grabbed her, and began to tickle her until she was breathless with laughter and begging him to stop. Then I lay in bed, enveloped in langour, hearing them squealing with happiness in their father's company and wished it could always be like that. But that would have been completely unrealistic. It is not possible to have everything in life, is it?

I unscrewed the top off my cleanser and applied its contents with gentle upward strokes, followed by toner and afterwards the most expensive moisturiser money could buy. Then I started my make-up routine. First Touche Eclat concealer for the lavender circles under my eyes.

Satin-finish foundation was followed by a fine layer of compact powder. The blank canvas was ready for colour. Black liquid eyeliner, grey eye-shadow, three coats of mascara, highlighter, blusher, and finally a pale apricot lipstick.

I had to be thorough. Everything had to be flawless because I was certain there was much wrong with me. There were even bits that were already dead inside me. I got dressed in the dressing room. A grey Prada suit and soft grey pumps. I stood before the mirror. And I looked exactly how I wanted to look. A very rich man's wife. An honorary member of The First Wives Club.

As I was changing handbags Rosa came in. I did not look up. She greeted me cheerily. 'Hello, Rosa,' I said, my voice deliberately cool. I knew it made me seem like an ignorant stuck-up bitch, but I did not want to encourage conversation. Truth was I hated her in my house. Her bustle, her purpose, her womanly curves . . . she diminished me, made me feel even more deficient. *I wanted to be cleaning my own house*. I heard her footsteps head towards the bathroom.

I opened my wardrobe and took out the clothes I had selected for resale at a dress agency in Knightsbridge. Although I had worn them only once, they were evening dresses and too many people had seen me in them. The agency might even have a cheque for me. I walked down the stairs thinking of Ricky. I wanted to call him, but I knew he hated being awakened before lunch.

On my way to the car after I had dropped the clothes off, Tonino, the owner of Montpelliano Restaurant, a round, genial man, called out to me, 'Ah Senora Delgaldo, what a beautiful day. Come, come, have a coffee with me.' It was a cold crisp morning but he was sitting at one of the tables outside his restaurant having a coffee and a cigarette. Smiling, I refused his offer. I couldn't help feeling they all laughed and pitied me. Still, I told myself, it didn't matter. What did they know? They did not know that Ricky had promised, '*Tutta la vita.*' And that I was holding him to it. We would finish our days in Sicily, in the house his father built for him. From our balcony we would look down and see the vineyard, the olive groves, the white sand . . .

I banked the cheque the agency had given me, did my hair, had a cup of black coffee for lunch in a smart little café and shopped until it was time to pick up the kids. It was the au pair's day off. One day a week I picked my own children up from school.

You could see with one look that I was totally different from all the other mothers. They looked at me without friendship. I thought they might be jealous, or perhaps they had simply picked up that I didn't want to be friends. I didn't want to be part of their pathetic little chats over coffee, exchanging amusing anecdotes about our husbands.

The children came out from their respective classes. Other kids waited a minute to chat or say goodbye to their classmates, but mine rushed out of the gates towards me. Unembarrassed they flung their arms around my waist. The other mothers looked on enviously. They wondered what I had done to make my children so devoted to me. I wanted to tell them it was simple, rudimentary really. Needy, clinging kids are not the result of good parenting, but secured through neglect.

'Come,' I tell my children. 'It's Monday. Daddy's restaurants are closed today and he might come home for dinner.'

Elizabeth

I was on my way to the hairdressers when Maggie called me. She sounded all in a dither, wanted us to meet up at Ricky's. Said she had something to show me. I arrived before her. Haylee, a hard-faced prostitute called Angel, and two men I had never seen before were on the sofas, drunk and high. They offered me some, but I refused. I had to meet some of the Mullah's Arabic friends for dinner, and those bastards could smell alcohol a mile off.

I sat beside one of the men and caught Haylee, at once kitten and tiger, looking at me. Narrow and sneering. She didn't like me. Behind my back she called me a plastic mannequin. Her hostility was a surprise to me. I had never offended her at any time. But Ricky said it was just the competition she couldn't stand. I had never understood why she should be so insecure. Surely she must be one of the sexiest women alive. It made her insecurity all the more surprising.

Once, while the three of us were out shopping, she tried to persuade me to buy a silver dress. A colour that distrusts pale complexions. I had to keep mine pale for the mullah. I smiled then. I understood the venom in the vulnerable mouth. So I bought the dress, rubbed fake tan on my skin until it glowed bronze, and just like that the silver dress was good again. How Haylee hid behind her baby face and fumed.

I saw her do the same to others. When they tried on something really beautiful that suited them, she said, 'Are those stretch marks on your breasts? Never mind you can cover them with some foundation, can't you?' All the while smiling in an unconvinced way. Or she would say, 'I think I preferred you in the green one.' And the green one would have been the worst of the lot. Sometimes we caught her at parties wearing the dresses she persuaded us against.

Maggie came in, breathless. She sat next to me and taking a deep breath placed her hand on my leg. I looked at her face, it was shining. I looked at her hand. 'Oh, Maggie . . .' I said. 'It's beautiful.' Blue sapphire set in diamonds. Please God, please, I prayed, let there be no cruel black rocks underneath her. Let not promises be cheap.

'Where did you get the rock from?' Haylee shrieked, grabbing Maggie's hand from mine, and pulling it towards her face. 'Look, everybody. Look,' she announced, holding Maggie's hand up for everyone to admire. 'Someone wants to. . .' she paused dramatically '. . . marry Maggie.'

Angel leaned forward to behold the ring. 'Ooo result.'

'Congratulations,' the men I did not know said politely.

But Angel suddenly thrust her tough face towards Maggie and said, 'Sell the thing fast, and say you lost it. He's still in love so you won't get beaten up. Besides, it's bound to be insured.'

Haylee's beautiful face was taunting. 'Why do you always have to be such a heartless bitch? It wouldn't be because you aren't capable of getting a man to buy you an engagement ring, would it?' she asked.

Angel shrugged carelessly. 'Trust me, Maggie', she said. 'Sell the fuckin' thing. See how much you get in the little Jewish shop by Edgware Road. See how many grams of coke it is worth.' Then she laughed, a throaty uncouth sound.

'And fuck you too,' Haylee said.

I know what it must seem like to you, but remember, only the most dangerous and venomous species are brightly coloured. Haylee is brightly coloured.

'Come to the kitchen, Maggie,' I said.

She got up and followed me. 'Do you love him, Maggie?'

'Ach Beth, you know I do.'

'Then promise me you will never set foot in this flat again.'

'Wild horses wouldn't drag me back to this horrible place and its horrible people. I love him, Beth. I really do. He knows everything and yet he wants me.'

I pulled her to me and kissed her quickly.

'Don't cry, Beth.'

She sniffed in my hair. 'It's going to happen to you too. You wait. One of these days I'll be putting on a hat to come to your wedding.'

Why did I cry? I thought I was beyond tears. 'Be happy, Maggie. Be happy for me,' I said. Then I heard Bruce's voice at the door and immediately I tensed and itched to leave. 'I've got to go now. Will you come with me?'

'Yes, I'll come with you. I've got nothing here.'

We walked out of the kitchen together. Bruce turned to look at me. 'What's the hurry?' he asked.

'Just got to meet some friends,' I said coldly and walked away. I knew I was being a coward but if I did not let him near he would not break my heart. He was far more dangerous than the Mullah. And look what the Mullah did.

Bruce

I sat opposite Haylee. The two city types on either side of her smiled vaguely. They had obviously paid for all the booze and drugs, their eyes were sticky for a bit of Haylee but surely destined to make do with the old scrubber.

'Where's Elizabeth going?' I asked Haylee.

'A really good hairdresser, I think. Big night tonight. She's entertaining Arab clients.' My head snapped up. Her face was innocent and completely without guile, but there were at least two insults in that little piece of cheek. What really irked me was the bit where she made Elizabeth sound like a hooker in front of those strangers. It made me burn to defend Elizabeth to the two drips who couldn't give a hoot anyway, and that, in turn, irritated me. Why should I care if they thought Elizabeth was a hooker? She was, in a roundabout way.

I got up to leave and Haylee said, 'Send my love to Elizabeth when you see her in Momo's.' What was this thing she had going with Elizabeth? Momo's, huh?

I spent some time at the shop and then made my way down to Soho. I used think of Soho with a sense of exhilaration. Mysterious red-lit doorways where a half-dressed woman or two posed, as they waited to lure you with indecent suggestions, and strip bars where frankly hideous strippers, if they thought you were up for it, ground their sweaty crotches into your face. But Soho has changed.

About the same moment homosexuals decided to hijack the word 'gay' for their exclusive use, they also laid claim on Soho. The place belongs to them now. Powered by alcohol and experimental class A drugs they sit in gossipy groups inside slick designer bars and restaurants, being served high-rise towers of food. For a touch of the Orient they watch the staff. Armies of young boys and girls wearing long, shapeless Mandarin smocks.

The only thing left of the old days are the prostitutes in the first-floor back-street walk-ups. Behind every door that says *models*. Still selling the same product and still in demand.

I walked up Greek Street into a smoky saloon bar where a group of self-absorbed writers were employing their brittle, carefully rehearsed wit to annihilate each other. My friend Ashley greeted me, worse for wear.

'Give us something for the pain?' I said to him.

'A welsh rabbit and a blow job,' he said, 'and I am your man.'

'Will you take just the welsh rabbit?' I said.

He laughed his attractive laugh, his teeth wonderfully white, his eyes crinkling at the corners, 'Okay, rain check on the blow job.' He put a drink in front of me, opened his palm and showed me some interesting-looking blue pills. God only knew what effect they'd give.

'Nah, I'm on liquids today.'

I nursed a few beers before taking a cab to Momo's. It

was ridiculous, of course, but I couldn't help myself. It surprised me. I never burnt shoe leather running after skirt before.

Elizabeth's inexcusable hair stood out like a beacon in that dimly lit place. She was sitting at a corner table with a group of Arabs and suddenly I was unwilling to show myself. I wanted to stay hidden in the dark and watch her in her world. So different from mine. So far away. Her eyes so still and relentlessly pale grey that they reminded me of a walrus hunter I had once seen on TV. That she was a hunter was no doubt. Perfectly camouflaged and waiting. Hidden away was a necklace she had made. Polished walrus ivory. Little animal carvings with their names initialled on their underbelly. 'Don't come this way,' the animals called to me. 'You haven't got a prayer,' they cried.

There was even a polar bear, once twelve-foot tall standing on his hind legs, now no more than a souvenir on her necklace. 'Beware this huntress. She is cold hearted and hungry,' it warned. But the polar bear was large and foolish. It was careless. Sometimes it is the hunter who is watched.

I saw her leave her table and head for the toilets. Immediately I sprinted downstairs so that as she reached the bottom of the stairs and looked up, I was there waiting.

'Hello, Elizabeth,' I said, smiling.

She looked mighty fine in a short white dress and a black pearl choker, but she couldn't have looked more displeased. 'Hello, Bruce,' she said shortly, and would have passed me by without so much as an answering smile, if I hadn't caught her hand. 'Have a drink with me later?'

I saw her thinking. 'All right,' she agreed. 'Where?'

Suddenly I didn't trust her. 'Do you know the Mezzanine Bar in Soho?' I asked, naming a fictitious place.

'Oh yes, I do know it. Shall we meet there about twelve?'

'Sounds good to me. Don't be late,' I said, releasing her hand. She walked away. I took the steps up two at a time. What a bitch. She was going to stand me up. I went back to Ashley's to cool my heels, make my plans. I nursed a few more bottles of beer and thought up punishments. Little bitch. Still I couldn't help smiling at the prospect. At nearly eleven I took a cab to Momo's. 'Keep the meter running, mate,' I told the driver, but in minutes she was already making her escape. And guess what, trying to hail my taxi! I opened the door.

'I changed my mind about the venue so I came back to tell you.' I was dying to laugh but I said it perfectly seriously.

To give her her due some sort of Irish sense of fairness glimmered in her eyes as she got in, saying, 'Good. I was just coming to get you too. Where to?'

I wanted to test her, punish her, so I took her to meet my old mates, rough and ready as I knew they would be. They were celebrating Jelly getting out of prison for kiting, forging cheques. Our cab drove past the river to the East End and stopped outside an unfashionable ramshackle pub. I saw her glance down quickly at her finery, but when she met my eyes, hers were expressionless; fuck you, Elizabeth-style.

Everybody turned to stare at Elizabeth. Paddy was coming towards us, more than halfway plastered and probably already forcibly ejected from at least three pubs.

'My, my, aren't we in fine company?' he said.

'This is Elizabeth. She's Irish too,' I said.

'There you are. Didn't I tell you? Your bachelor days are numbered,' Paddy said.

Elizabeth didn't say anything. Neither did I.

'Don't mind him, Beth,' Paddy said, leading her away by the arm. 'Let me introduce you to the rest of the scoundrels.'

We started playing an old game, Loser's Toast, a comfortingly juvenile game where the loser made a toast and drank like a fish, and everybody else clapped and cheered. I winked at Paddy: load the game so that Elizabeth is toasting most of the time. He winked back: it's in the bank, boy. But it quickly became apparent that the double-crossing little shit had no intention of doing any such thing.

I stood and toasted Paddy, Bonehead, George, Jelly, Elizabeth, my career in hairdressing, England, Ireland, the Queen, Anna Nicole Smith's millions, all the miserable melon-breasted bitches Paddy had lain with, Bonehead's motorbike. I had given up throwing dirty looks at Paddy by the time I was down to Mickey Mouse, or was it Donald Duck, I can't remember now, and then I was back to toasting Paddy and Bonehead and George and Jelly. I was nearly toast.

The room had begun to whirl. My head, my head. The next one I could have drunk for all the wonderful girls blessed with nine-inch tongues whose acquaintance I had been denied. I had to lean against the wall for support to make the next one for the little maggots I had mistaken for friends. Only when the seat behind me checked my back-ward fall, did my luck suddenly change. The coin started arriving in Elizabeth's corner.

Finally the test of endurance. She drank like a trooper. In her designer dress and her black pearls she almost drank the boys under the table. Everyone was for her. They liked the Ice Queen. Paddy had tears of pride in his eyes. 'This one's too good to give away, eh Bruce,' he said slapping his thigh. Jelly was banging the table, Bonehead was cuddling his head in his hands and Elizabeth, Elizabeth was laughing. God, she knew how to laugh.

To focus better I tried to reach out and touch the gleaming black pearls, and ended up collapsing on the table. By the time I straightened Paddy was talking about going to another mate's pub for a cure, but I was too far gone. If only the table would stop spinning on its legs.

A man across the room was making eyes at Elizabeth. Using the logical form of reasoning inspired by alcohol it was Elizabeth I lost my rag with. Little selfish bitch. If she would only consent to sleep with me, just once, then that guy wouldn't have bothered me. The gnawing in my gut would go away. Of that I was sure. No doubt a purely physical reaction. Only lust unjustly excited by a shade of inaccessibility. Since her armour seemed impenetrable, a surrender had to be arranged for. Paid for. She had a price. Everyone did.

I was so sensationally drunk there was hardly any point in asking, but I did anyway. 'Shall we go to bed?'

That made even her chuckle. Then she sobered up. 'Your bed looks like a busy place. I need peace,' she told me. I stared at her. She must have been rotten stinking drunk too. Her voice was slurred and, Jesus Christ, honest.

'When peace looks in the mirror what does it see?' I asked. I thought I was being profound.

Her answer was immediate and shocking. 'Sadness,' she said.

'Why?' My voice was strange, far away.

'Because of the excitement lost.'

I looked into her face, oddly vulnerable, and I panicked. From high atop her impregnable tower she sent a bizarre message. But I only wanted her gaudy, quickly, without involvement. Not strictly true, a little voice said. Somewhere inside me a warning bell went off. The ground felt shaky. I had never been in that place before. It rocked me a little.

I opened my mouth to protest, but she had turned away and was asking the barman to call her a taxi. Paddy bundled her off into a cab. Dawn was just breaking over a grey high-rise council block. The cold morning air hurt my lungs. Paddy slapped me heartily on the back. I felt as if a sledgehammer had landed on my head.

'Be gentle,' I begged. 'It's been an awful long time since I've done this.'

In front of a wreck precariously balanced on four tyres he said, 'Jump in.'

He slipped into the driver's seat. I was too ill to argue. On the way back he was extraordinarily maudlin. 'There isn't a better or more beautiful girl than Elizabeth in all of Ireland and England,' he waxed, his eyes warm. 'And if I see you take up with another woman, I'll kick your goddamn head in,' he declared hotly. *Paddy* kick my head in? I wanted to laugh, but since my head already felt as if it had been kicked in, I didn't even try.

I collapsed on Paddy's couch. My last thought was if the ice princess was made of tears. The white I saw, salt crystals? From far away Sherlock Holmes accused, 'You see, but you do not observe.' It could turn out bad. It worried me . . . a little.

May 2000

Anis

It was Sunday. I awakened early and with a light step made for the living room, but Zeenat was not hiding behind the curtains waiting for the blue tits. I found her in the kitchen standing in front of the fridge with her hands in the freezer compartment.

'What are you doing?'

She took her hands out, peered closely at her nails and, satisfied with what she saw, held them out for me to inspect. 'Look,' she said. 'Do you like this colour?'

It was a sort of cinnamon. Dull, I'm afraid, but I had noticed that she didn't seem to favour bright colours. 'Mmm, very pretty,' I said. 'Nutan is always wearing red. How come you never do?'

'Red shocks me. Sometimes, when I catch my fingernails or my mouth in the mirror, I am frightened. I think I am bleeding.'

'Really?' I laughed. She was so funny, so foreign.

I watched her making coffee. She was touching everything carefully with the pads of her fingers and I became conscious of how beautiful and delicate this meticulous awareness of her surroundings was. Inconvenienced by her still wet nails she became compellingly feminine. And I thought how attractive if she was always so. Then I wondered if that was where the fashion for foot-binding started. By men who thought forcing women into disability was beautiful.

'Come, try Balinese coffee. I found it in Camden Town. Sooo nice.

I tried it. The Balinese coffee 'sooo nice', was strong and so sweet it was undrinkable.

'You don't like it?' she asked incredulously.

I looked into her astonished face and considered lying. 'Maybe with less sugar . . .'

'It's sooo good like this. Never mind, I drink,' she said and, smiling, drank mine too.

We ate breakfast. I, some delicious banana cake and black glutinous rice that she had woken up at five in the morning to make, and she, toast and marmalade. 'I love this very much,' she said. 'Sooo, how do you say again – errr, delicious.'

We went to Portobello market.

Excitedly she pointed to a mangy old woven-bamboo basket, about two-foot high, in the shape of an overturned bell. In Bali such a basket was used to keep cockerels in the family compound, so that any evil spirit wandering into the home would get so distracted counting the holes in the basket it would have no time to do the family harm. We bought it to keep my house safe from the demons and evil spirits.

Ricky

I remember the day they came, 3rd May 2000. It was bright and sunny. The manager had put two small tables outside and a couple were sitting out having garlic bread and a glass of wine. I should have called Fass as soon as I saw them in the restaurant, but I didn't.

There were three. None of the fuckers smiling. Three cheap suits and two briefcases between them. That should have alerted me because they would have been full of vengeance for the gold Rolex watch that slanted out of the left sleeve of my Armani suit. Any fool could have seen them for what they were – jackals come to steal the lion's dinner. But I hadn't slept for three whole days and was a wreck in a high place. And cocaine annihilates intuition. Makes every problem appear as an occasion to act with perfect confidence, to succeed. It sure fooled me. Nothing could go wrong. Nothing would. I didn't see the precise teamwork, the determination, the way they had me completely surrounded.

'Mr Delgado,' the leader of the pack greeted.

'Yes,' I said, smiling.

His mouth jerked. Fuck me, that was him smiling. 'Victor Bremner, VAT inspection unit. My colleagues, Colin Cahill and Peter Blather. We are here to look over your books.' Their watchful eyes were a far cry from the woman inspector who had blushed when I flirted with her, who had taught me to cheat. Two more mouths jerked. I was just about getting used to their version of a smile when they all stopped simultaneously. As if they had rehearsed it.

I should have called Fass then. But like I said before I'd just had a big hit. Dopamine running riot in my brain. I could have wrestled giant grizzlies, outrun cheetahs . . .

'No problem,' I said, and led the way to the office. I knew all about their vast powers. They can even come into your home. You must never play with them. So in the office, I said, 'Just give me a minute while I make a quick call.'

I telephoned Francesca. 'Bin all the papers in all the drawers on the left-hand side of my desk,' I said in Italian.

As I put the receiver down, Mr Colin Cahill reached into his jacket pocket for his mobile phone. His eyes were cold and hard. Into the phone he clipped, 'The house, in the bin.'

Fucking bastard could understand Italian. Too late I remembered Fass's warning that they often sent someone who could speak the native language of the restaurant they are investigating.

The cardinal rule. I had broken it. *The walls have ears. Destroy everything, anything incriminating instantly.* I had a year's worth of incriminating evidence of the worst kind, sales receipts and black invoices carelessly stuffed into my drawers.

Shit, shit, shit.

I called Fass, but the jackals, snarling and triumphant, were already dragging away my dinner.

Bruce

We met for lunch in a Thai restaurant along Fulham Road.

She was wearing a cream silky blouse and a neat black skirt. For some reason I was nervous. I ordered a double gin and tonic.

'I'll have the same,' she said to the waitress. She raised her eyebrows.

Shit, I had been staring idiotically at her. Where were my famed bedside manners? 'Would you like me to do your hair?' I asked.

'What would you do with it?'

I reached forward, took the ghastly platinum in my hand, and let it flow through my fingers. Under the spotlight it was almost white. I had plans for it. Other plans. 'Why this colour?' I asked.

'It's just the Middle Eastern fantasy, white skin, blonde hair.'

'Who is this man who would change what is already perfect?'

She looked at me strangely and, I thought, sadly. 'Perfection? How terrible.'

'Don't you like being so perfectly beautiful?'

'Don't you know how natural it is for a human being to ruin what is perfect? To want that which is fallen. How charmed we are to find the imperfect, the broken, the ruins hidden by creepers? It comforts our own imperfection to know that invisible to the naked eye, known only to us and the restorer, is the mend line.'

'I will not break you.'

She looked at me, astonished. 'You will *not* have the chance. I saw you coming when you were a speck on the horizon.'

She had been hurt before.

The waitress arrived with our drinks. Were we were ready to order? 'Give us a couple more minutes,' I told her.

'What did you see when you saw me coming?'

She picked up her glass. 'A stiff-legged tom out on the tiles.'

'Ouch.'

'Look, I agreed to lunch today to tell you to lay off. I'm just not interested. You're not my type. I already have a lover. I don't need another.' Her clear grey eyes were totally without expression, as if she had rehearsed it, and said it a thousand times before. She raised her hand for the waitress.

The waitress came and she said, 'I'll have sticky rice, green chicken curry, fish with ginger and the stir-fried vegetables.' She looked at me 'And what will you have?'

Ricky

Fuck, fuck, fuck. What a shit month it was turning out to be. Cosmos's brother came around to say that Cosmos had gone down. He went to the eye of the cops, driving the latest cars, splashing his money around. He is finished, the bastards got him with the stuff and the money. The guy had a safety deposit box in St John's Wood. He used to do his shopping at Europa and then go into the deposit cubicle and do the switch there. Fucking fool used to come out carrying Europa shopping bags filled with six, seven kilos of coke.

The day the pigs got him, they blocked off all of St John's Wood. The thing was he knew as soon as he saw them coming towards him; he tried to slap his forehead as if he'd forgotten something and turn around to walk back. But it was already too late. They surrounded him with screeching police cars and tens of policemen. Slapped him to the ground. The bastards got everything. Poor fucker's down for a long time. Left me in the shit. Had to find a new supplier. Had to use the greedy Portuguese bastard in Chelsea in the meantime.

Bruce

Ricky and I went to score some Charlie. There was a new guy down from Edinburgh. He had a tattoo of a huge dragon breathing fire on his face and throat. He was coolly sitting by a window in a restaurant, selling coke under the table. We sat opposite him.

A girl passed. Something sluttish about her. Ricky couldn't help himself. He had to show off. 'Fur coat and dirty knickers,' he said.

A look of hard amusement came into the dealer's eyes.

'Faer coat and naer knickers,' he corrected. It was a classic moment.

I laughed and the ice was broken. In the end he gave us some ecstasy pills on the house, his grandmother had made them in her garage. Fuck me. The stuff blew our heads off.

Ricky

Found a new supplier. He asked me to meet him in an alleyway. Fucking hell, you should have seen him. He was Italian, couldn't speak a word of English, and looked just like a tramp with a large dirty knapsack on his back, but when we reached his flat he emptied out his shabby knapsack, and ounces of coke, hundreds of different Es, Viagra, packets of marijuana and streams of acid tabs poured out. There must have been a street value of at least £50,000 on that table. Some massively tattooed people sat around watching TV, uninterested. They collected payments for him and he kept them in drugs.

Bruce

I met Elizabeth's eyes, cat-like and impenetrable, in the mirror.

'Like it?' I asked, aware of a creeping need to please her. The alien sentiment horrified me. To be like all the other suckers she hustled. String puppets jerking around like fools for her pleasure. She would not have obedience from me. I hatched a plan. A rather cunning strategy. She was not so clever.

'Yes, it's lovely,' she said, smiling a cold professional smile.

I smiled back, and as a final touch, feathered more wisps of hair around her cheeks and chin with waxed fingertips. Unfortunately there was absolutely nothing she would allow me to do about the revolting colour. But even so, I was pleased with my effort. It was a job well done. I wasn't hairdresser of the year for nothing.

I moved my face so it was alongside hers. So close our cheeks nearly touched. Her hair smelt of shampoo, wax and hair spray. Now why would a hairdresser suddenly find such a smell dizzying? She stared steadily at me in the mirror, trying to see behind my eyes, but I had concealed the plans I was making. Oh, the pleasure, the pleasure of taking without asking. 'Want a line?' I asked.

The pale grey eyes seemed pleased.

'Wait here,' I instructed.

It was five-thirty on a Monday evening. There were no more appointments in the book. I went to the back of the shop and told the gossiping shampoo girls they could go home. They looked at each other, eyebrows raised. Such behaviour by me was unknown, but they gave me no cheek. Gladly they packed their little transparent plastic handbags and exited by the back. I locked the door behind them. Their girlish laughter faded. Then I went out front to call Elizabeth.

She swung out of her chair and followed me into my parlour. Here customers had their hair washed and greedy little girls received their justice. I opened a tiny envelope and Elizabeth sat at the edge of a chair. She was very quiet. That was another reason I liked the girl. I never had to dread the moment the wag would start. She understood the value of silence.

I drew two white lines on the fake granite top and keeping my eye on her rolled a note and handed it over. The silver curtain fell forward as she bent to the line.

She handed the note back to me. Not even our fingers had met. I cleaned the top. We sat back in the black leather chairs facing each other, smiling adversaries. I smiled to hide my plan and she, her thoughts. I liked that she had not done what every other woman felt compelled to do when the coke was free, comment on how 'good' the stuff was.

'So tell me about yourself?' I invited. It was incredible how truly curious I was about her. She closed her eyes. She was like an aborigine painting. Abstract and shallow to the casual tourist yet a minefield of hidden messages. Around her eyes I traced white dots. They suited her. She made a good painting. Then she opened her eyes, and caught me watching. Her lips twitched, marginally amused. This was the thing she good at, emotional violence. Pure contempt. Surely once I had had her she would fade and no longer pound in my veins at night.

'What do you want to know?' One eyebrow rose.

'Everything,' I said. We were playing a game.

'I wouldn't know where to start.'

'What about, "Come up and see me some time"?' I suggested.

'Aah, Mae West and her one-liners. Do you know that that line doesn't work if you take away the word 'up'?'

I tried it. She was right. When the stairs ceased to exist, so did the stranger going up them, and the glamorous gal in the negligee waiting behind the closed door.

Then she said something odd, 'I'm going to give you a little inside information – I'm going to leave you the first chance I get.'

I glanced at her quickly.

She laughed at my expression, the sound loud in the tiled room. I smiled back. 'Just another gem from Ms West.'

Being alone with Elizabeth in the back of my hairdressing salon was strangely exhilarating. It emboldened me. Ricky's new supplier was good. Mother of Pearl, he called it. I just about managed to get my hands on it before Ricky could cut it. It was speeding along my veins nicely, making me feel invincible.

I disappeared into the kitchenette. Now for the plan. From a tiny vial at the back of the heater I extracted two white pills, ecstasy tablets. I crushed them quickly and mixed them in with the coke. I returned holding what looked like another bag of coke. 'More,' I said.

It took some nifty doing, but only Elizabeth inhaled the adulterated stuff.

'This is not the same stuff, is it?' she asked.

'Yes, it's exactly the same stuff,' I said, meeting her questioning eyes head on. I am a good liar. 'Why?' I asked innocently.

'It just feels different. Sharper on the nose and slightly more bitter,' she explained.

'It's just you,' I dismissed, running a finger down her cheek. Soon, very soon her pupils should be enormous, her skin extra sensitive to the touch. Soon, soon . . .

When the second packet was all gone . . .

'I feel as if I have known you for ever,' she said laying her cheek against my hand.

'Me too,' I agreed smugly.

'This stuff is really good, but I feel a bit funny.'

Then she lifted her hair away from her nape and held it pressed to the back of her head with both hands. Gotcha! That was without doubt an explicit come-on invitation. There was only thing left to do. The trick never failed to work, even with strangers in clubs. First couple of grams on the house, the rest back in my place. I held three packets up like a fan in my right hand. 'I'm going to take the rest home. Wanna come?'

'No, call me a taxi,' she said. The face was empty.

I'm going to give you a little inside information – I'm going to leave you the first chance I get. I stared at her in disbelief. She was incredible. The woman was incredible. Even the coldest, most mercenary of whores will let you sleep with her after she's consumed as much of your coke as Elizabeth had. But this woman would give nothing back. It was absolutely inconceivable. How did she do it? We really were puppets on a string with her. She pulled and we danced.

I was livid, but I could hardly complain. I kept my face

neutral, called her a taxi and fucking paid for it too.

The possibility of screwing Elizabeth was turning out be as hopeless as stealing our next-door neighbour's, fat Mary's, fish. I can still hear her strident voice. 'Are you stealing my fish, Bruce?' I ducked behind the bushes, jumped over the low garden wall and on the other side my mother was waiting for me, hands crossed over her bony chest. 'Put those fish back now.' And I would climb back over the wall and release the fish as fat Mary's round white face watched through the window.

As her taxi departed the woman had the nerve to wave.

'Bitch.' Fed up, I opened my packets. One after the other. Time passed. The phone rang. I considered ignoring it but it rang so many times I picked it up. It was Elizabeth.

'Bruce,' she gasped into the phone. 'What is this stuff we took? I feel so bad. I think I'm going be sick. My God all the edges of the room are blacking out. Jesus! . . .'

I heard a dull thud and the phone went dead. I held the phone away from my ear and looked at it stupidly. And then it hit me. Shit. I was frantic. I did not even know where she lived. In a panic I phoned Ricky, but he had turned his mobile off, and wasn't at any of his restaurants. I paged him and, grabbing a jacket, rushed out into the night. Ricky's flat was deserted. Everyone was out. I was really scared, but there was nothing I could do. All I could do was wait, wait for someone who knew where she lived to return. But it was Monday and nobody really came by on Mondays.

There was a bottle of dark rum on the table. I picked it up distractedly, automatically. There was absolutely nothing I could do. It was incredible, but not one person knew where Elizabeth lived. The rum was sweet and sickly, but I carried on pacing and drinking. All the while hearing her voice, *All the edges of the room are blacking out. Jesus!* And that terrible thud.

'Fuck, what have I done?' There were people who died bloated and bleeding from taking a single ecstasy tablet. My hands were shaking. 'Fuck, fuck, fuck'. I couldn't believe I had done something that stupid. How could I have done that to Elizabeth? My God, if anything at all happened to her . . .

In my fear I consumed the whole bottle. An hour passed. I lay on the couch, turned my head and saw a bottle of vodka rolling under the table. An hour passed with agonising slowness. I drank it all. I raided Ricky's whiskey stash. I lined up the bottles and began to drink. This time seriously. I must have passed out halfway through a bottle of cooking brandy.

Ricky shook me awake violently.

'What did you want? Why did you page me?'

'Fucking bastard, I paged you hours ago.' I croaked groggily. And I had said it was urgent as well.

'I never answer unless it's my supplier or a great fuck calling.'

'Quick, we have to go to Elizabeth's place now. I gave her some ecstasy tablets and I think they didn't agree with her. We've got to get to her.'

'I just left Elizabeth,' Ricky said, laughing. 'High as a fucking kite sitting at a table full of posh Swedish business-men. Corny bastards stand every time she leaves the table to go to the toilet. And you know how many times Elizabeth goes to the toilet.'

'The tablets . . .'

'Didn't you know she can do fifteen tablets in one night? No flies on her.'

I stared at him foolishly. 'But she called me . . .'

'Serves you right,' he said, carelessly and pulling off his jacket, started up the stairs. 'I'm bushed, man.'

I looked at my hands. They were hanging limp. My God, I was in love with a complete bitch.

Elizabeth

I called Maggie, but she couldn't talk. She said there was a spider as big as her hand in her bathtub, and she was trying to get it into a container without harming it. I put the phone down and laughed. She sounded happy, and, as usual, terrible for exaggerating. If she said a man in Park Lane had tried to murder her it probably meant he had stopped to ask for directions. I was wondering exactly how big the spider really was when Bruce called.

'Oh, the hero,' I said.

For a while there was only silence, a mixture of embarrassment and rage, but then he burst into laughter and said, 'Oh, what the heck, I'll admit it, I was wrong. I could have killed you last night. Will you forgive me?'

I laughed. What was I faulting him for? I nearly gave him a heart attack. All that frantic paging and calling. It had surprised us, Ricky and me. We never thought he had that much of a conscience.

'Next time try rat poison. It works better,' I said, and that made him laugh.

He invited me to dinner. He said it was to make up for being such a lunatic.

I was feeling really rough from the night before so I did what I shouldn't have done. I said yes. Perhaps that's a lie. Perhaps I had started to long for the sight of him, those big broad shoulders, that gloriously intense stare. Mmm, that dimple. Yes, definitely that dimple. I don't know where the feeling came from but when I was near him I felt secure. As if for the first time ever I was safe. I wanted to say yes, so I did. But some part of my brain was already regretting my impulsiveness.

The man had the power to hurt me. He didn't want me. Not the real me. He was only a shallow creature seeking physical perfection. He imagined me as a gorgeous sprite, and for a little while he wanted to be powerless in the lure of such magic. I was not that gorgeous sprite he was looking for. I couldn't let him get to me. He was not the man for me. He would be the first to walk away if he saw the real me. When he knew the secret I carried. I had learned my lesson well. Men were not to be trusted.

June 2000

Nutan

I awoke shivering. It was still dark. I switched on the light. There was only me and Zeenat in the bed, but pale snake had come to visit earlier. I knew for certain it was him. I had felt him, resting heavily on my back, his forked tongue moving in my ear, but I couldn't understand the language he spoke.

I listened to my sister breathing beside me as the sky turned light. The visit I knew to be a warning, or perhaps I was just coming down with something. There was a throbbing pain in my head.

Unable to go back to sleep I sat and wrote to Nenek. Told her about the pain. The post took so long it could be two months before I heard back from her. By the time Zeenat awakened the pain was so bad I told her to go into work without me.

'Do you want to go to hospital?' Zeenat asked.

'No,' I said. 'I think I have just partied too much for too long. Post this letter for me and after work could you drop by Ricky's flat and get my earrings, the gold ones. I forgot them in the bedroom upstairs. I think I left them in the drawer, or by the bedside. If you don't go and get them today someone is bound to steal them.'

'All right. I'll try to come back during break time to see if you are feeling better, but the boss might not allow me. We will be short staffed without you.'

'That's all right. I don't think it is anything serious anyway.'

But by two o'clock that afternoon the pain was so terrible I started crying.

Ricky

It was two o'clock. I don't where it came from, but in the stillness of my study I felt it suddenly, clearly, that downward tug. Things were going badly wrong. Presentiments of disaster? Fuck that for a lark. I pulled myself up sharp. No way I was going down that road. I opened a drawer restlessly. There were some acid tabs inside. Their strength had been described as 'crazy/brilliant'. I knocked back two aspirins and four tabs, and lay back.

When I opened my eyes, beautiful pink flamingos were flying across the sky. They made me smile. Inside the room, in a tiny rip in the wallpaper, a small doorway was opening. It was dark, mysterious and beckoning. Without a doubt I knew that it was the doorway to a secret world. I could enter it only with my mind, only with a clear unfettered mind. There was a noise and when I looked away from the widening doorway, I saw my two younger girls standing by the desk.

'Papa, what are you doing?' they asked.

They were beautiful creatures, my girls. You should have seen them that day. Fucking angels. So beautiful they were like little bright lights in the room. When one of them was three she was so convinced that butterfly-shaped pasta was made from butterflies that for years she wouldn't eat them. In a perfect moment of lucidity I recognised them as a part of me. I wanted to see, so I saw – through their skin to the blood rushing in their veins. It was mine. Flesh of my flesh. A warm wave of protective emotion lapped over me. I'd give up my life for them and without a second thought. It was then that I decided to share my discovery. I told them about the doorway and their bright faces turned to the rip in the wallpaper.

'There's nothing there, Papa,' they cried in unison.

I looked at the wall. The opening was still growing. A man could nearly squeeze through. We had to hurry or we would miss the unique opportunity. Of course, to make the journey they would need acid tabs too. Hurry, children. They had to stand where I was standing.

Oh, what fun! Just the three of us.

Together we would explore the secret in that other world. I opened the drawer. I split two and told my girls to open their mouths. Immediately their pretty mouths opened like pink flowers. Inside very red and very deep. Full of bits of me. I positioned my hands above their mouths.

'Ready?' I asked.

'Ready,' they cried, excited by the new game.

'Ricky,' a woman was shouting. Her voice was far away, but shrill and full of urgency. My hands stilled. The pink flowers closed. My daughters turned towards their mother.

'Go upstairs, girls,' she told them.

'But . . .' they cried in disappointed voices.

'I said, GO UPSTAIRS.' When have I heard her so firm? Never.

They went, shoulders hunched, bottom lips out.

Slowly I turned my head. I knew I had done wrong.

I felt the blood wash away and something begin to claw frantically inside my head. Fuck, what have I done? Then just as suddenly my brain lost its sharpness and began to drift. Quite pleasantly. The room was suddenly a giant kindergarten. And she was wearing blue ottoman silk and her long curls were damp from the shower. Soon she would iron them straight. I thought then I preferred her curls. She hated them. That much I knew for certain. In her wooden Japanese sandals she stood frozen, shocked, simply staring at me. A gentle breeze coming in from the open french windows lifted and then dropped the almost dry curls by her cheeks.

I stared at her, trying hard to concentrate on her face. I had to remember what I had forgotten. In a funny way I was more shocked than she was. My brain, it just refused to work. I saw her as a beautiful statue. Her skin glowing smooth and perfectly desirable. Was it her I rescued in that abandoned cave temple? I became confused. 'Is it you?' I asked.

But as if awakening from a long dream she opened her mouth. I did not hear the words, but I knew then it was not my spider goddess. She had a different voice. Sweeter, much sweeter. This woman was different. She reminded me of someone I knew quite well. I stared at her harder. I knew her. Why, she was the mother of those gorgeous children.

'Francesca?'

In a few more years, I thought idly, she would look like her mother, heavy and resigned with numerous dimples scattering her thighs, ugly things that can be seen even through the thick material of her dresses, but at that moment she was Da Vinci's *Gioconda*, Mona Lisa.

With her lost and found smile. So dazzlingly elusive even a gay genius had to paint her. Her medieval eyes glimmered with unshed tears and her hands hung limp at her sides. No, not a statue, perhaps more of a corpse. But the mouth was ambivalent, moving, saying something. She was alive then. I tried to focus on her voice. Let it teach me things.

'Under the olive tree it was you I was crying for,' it said.

Even through the fantastic grip of the drugs I immediately knew why she had told me that. It was the end. No more need for games. She wanted to walk away free. It was a shock, actually losing her. After all those years and all the lies she had unwillingly forced herself to eat she was finally ready to call it a day.

She turned and walked away. Her chin was firm, her step

sure. I had lost her for good. This time I'd really gone too far. I looked at the wall.

C...R...A...Z...Y.... There *was* a door in the wall when I came in . . . .

I rushed out of the house.

It was not possible. It was not possible. My head was spinning. I looked at my feet in shock. I was barefoot. I blinked and looked again. My shoes were back on.

C...R...A...Z...Y....

God, I was tripping and badly. I walked. And I walked. I imagined I walked for hours. Down dark narrow alley-ways. As if I was not in London, but Singapore or Bombay, or the Bronx. Sometimes I had to step over huge rats and the greasy coiled ropes one finds in harbours. Once I passed a man standing by an old-fashioned lamp post who was jiggling coins in his pocket. He tipped his hat at me. In another pool of light I saw a beautiful woman with long black hair. She was wearing the same red lacquer jacket worn by a Chinese empress in my history book. When I stumbled over to her, she smiled and opened the jacket. She wore nothing underneath, and her body was long, narrow and perfect, but I was suddenly overcome by a mysterious terror. I jerked away and ran. I heard her mocking laugh follow me into the dark.

Finally it seemed I was returned to this century. I passed a pub and every single person drinking at the tables outside turned to stare with cold unfriendly eyes at me. Shocked, I staggered away. It was only paranoia. My own. I was a mess. I knew I was a mess.

Shit, I had to get to the flat. Two hours I searched for the flat. Walking in circles. Still, it seemed the acid was slinking away. The moments of lucidity were getting more frequent. I opened my eyes and I was sitting in the bus station at Victoria. I hailed a taxi to the flat.

Francesca

I heard him leave. In his shame he ran. Let him go. He was not mine, not the beautiful Adonis I once hopelessly worshipped. I looked at him well today. Running to fat, vulgar. Sneaky blue eyes festering in a face gone squalid. I wanted him as we were when we first met, but my Ricky died many years ago. Who was this vile monster? *Tutta la vita,* Ricky? It had turned dark in the canals. The waters gleamed black. It was time I bid the gondolier cease his rowing. It was time.

Perhaps, too, I should have left a long time ago. Possibly that day I found the neatly folded packet in his trouser pocket. Then I was child, and like a child I touched my finger to the white powder inside, and placed it on the tip of my tongue. It tasted of pain-killer tablets, but immediately it began its numbing effect. And the numbness? Been spreading ever since. I sat on the bed feeling nothing that evening. Not sadness, not bitterness, not even anger. Absolutely, completely, covered in nothing.

The children came in. They were upset with me. 'You made Papa leave,' they accused. Of course they loved him. How not to love a man who kissed you at the door as he was leaving for work, and told you, with twinkling eyes, not to be as good as possible, but as naughty as you possibly could. He was their hero.

How could he? How was it possible he would try to poison his own flesh and blood? What was wrong with him?

Be careful what you wish. You may get it.

It was true a long time ago I wished Ricky for my husband. How could I have imagined my wish would bring me here? But a small voice in my head, said, 'stop pretending.' If the real truth be known my heart, so desperate with wanting, dulled to nothing my instinct to flee and pretended all was well, but my head, lacking greed, always knew this day was coming.

If it didn't then why did I secretly begin saving money? 'My fuck off fund' I jokingly called it. Ricky was so bad with money he never even noticed. Not that he would have cared if he had. Over the years I slowly increased the house-keeping money over and above the inflation rate and salted it away into my fund. I did the same with what I made at the dress agency. It all mounted up.

From the very first when he had cheated and my head caught a glimpse of that waitress's hips, lean as a wolf's, it had known fear for the future. It seemed like for ever that I have been surrounded by wolves. Even though I was completely bewildered, and my head was spinning reck-lessly, I moved automatically. Round and round, replacing my defenceless back with my snarling face. Such a relief to stop the mad waltzing.

'Well, you know Daddy has to go to work,' I told their unhappy faces. It was incredible how calm my voice was. It really was a good thing finally to wake up from my night-mare.

'Daddy said that there's a door in his wall.'

'Did he? I have a wonderful idea. Let us go on a little holiday. Let's go and stay at Grandma's house.'

'Yeah, let's go to Nonna in Sicily.'

'We can do that too, but first let's go and stay with Nonna in Egham.'

I had another wish. I wished for it a long, long time ago. A dream really. I think I might even have stayed with Ricky because of it. He always promised me that we would end our days in Sicily. That was what I wished for. I wanted to feel the Sicilian sun over my head and the white soil of my childhood under my feet. I wanted to return to a time when I was truly happy. Where peaches and cherries were not sterile things trapped between plastic and Styrofoam, but alive and beautiful on trees. I wanted the children to be as brown as berries.

In fact, my dream of returning was connected with another shimmering childhood dream that I always thought was impossible to achieve. Funnily enough it was Ricky who made it impossible. Now that he was gone . . .

My vision started in my father's delicatessen when I tasted a drop of Tuscan olive oil. A drop of oil, you say. But I cannot tell you how that drop transported me to a different place. How it opened a window for me. I saw my future. It was green. It was exciting. Wonderfully so. In Tuscany they pick the olives when they are still green. They lay the unripe olives on presses and scatter olive leaves on top. The result is the most exciting peppery olive oil you can imagine. With a hunk of crusty bread, it is a meal in itself.

In Sicily, very often, when the olives are small, or when there is still oil in the family's drums, the olives are simply left on the trees. No one knows what to do with them. There is certainly no commercial demand for it. Now if I could make such an olive oil in Sicily . . . I could buy the olives from the farmers, make a good quality home-made variety with them and export it to England. I knew all my father's old suppliers. Did I dare do it on my own? I needed to buy some land, just a little. Just enough for us to be self-sufficient. If I could plan to be there after Christmas. January in Sicily. The black grapes would be covered in sheets of plastic. For the late harvest.

But what if I failed? Perhaps there was already too much olive oil on the market. What if I lost a lifetime of savings chasing a ridiculous illusion? How would I bring up the children? I needed time to think. It was too big a decision to take without careful consideration.

Not at such a moment anyway. First I needed refuge at my father's home. Just for a little while, until I regained my strength. The initial numbness seemed to have slipped a little, and I realised that in fact I was badly wounded. The pain was sickening. It was the shock that made me think I was not. I was mortally damaged.

He was my life, you see. I gave up my dream for him. You thought it was the gold credit cards, didn't you? But it was not. It was my heart. It refused to let go. There is a Russian saying, *the fish rots from the head*. Quite right, the rot started in my head. The terrible pain started there. Now it was spreading, spreading inside my body, my arms, my legs, my fingers, poisonous and foul.

And the children hugged me and asked, 'Why are you crying, Mummy?'

Ricky

It was eight o'clock by the time I let myself into the flat. I finally made it. My head felt horrible. I lurched upstairs, and in my bedroom who should I find standing by my bed, but Nutan's little sister. She opened her eyes wide. Well, well, this was a turn up for the books. An unexpected offering from the Spider Goddess. The girl smiled. Warm, open, trusting. She spoke then. I didn't hear the words, something about a pair of earrings. As I watched her back nervously away I was suddenly crazy for the feel of her skin.

She pretended to hate me, but I had seen the lovesick expressions she threw in my direction. The girl was in love with me, had been from day one. In love with her sister's lover. What little secrets the meek hide. I could have had her a long time ago, but I was saving her, until now . . . Would she smell like Nutan? I could already feel her underneath me. The little bones snapping. Breaking in my hands. That she would break was no doubt.

And so fucking what if she broke? I was broken. Her warm eyes were like a balm. I needed that. Somewhere deep inside me was unbearable pain. So raw even the memory could kill and therefore must be killed. Oh fuck the children's faces. So trusting. God, to think I had nearly . . . And if this little one was to perish in my arms? Let her perish.

I smiled softly. '*Com'e va, Bella?*'

For a moment she froze. Difficult to describe the expressions fleeing across her face, and then she half smiled and said the most intriguing thing. 'Pretend you are me. Do what I do.'

'Come. It's warm over here,' I said, holding my hand out.

She ignored my hand and, reaching behind her, grasped the guitar leaning against the wall. And without warning I glimpsed her sister. Fun, gregarious and adventurous. *Pretend you are me. Do what I do.* I knew what she was doing. She was pretending to be her sister.

'Play. Play John Lennon's "Imagine",' she said.

My hands were shaking with the drugs. The guitar felt awkward, the strings, sharp as blades. I didn't want to play. I wanted to drag her to bed. I was craving to forget. Even for a few moments, to be lost in a sexual wilderness. I had done something terrible, unforgivable.

I dropped on the bed and my fingers began strumming. Not John Lennon but Cat Stevens, his voice was in my head, and slipping out of my mouth, enigmatic, searching. And not finding.

My lady D'banville

I am sure it was all in my head, but I tell you my fingers were bleeding. I looked up and I saw Francesca. Standing as still as a statue. Cold as ice. Is it you? My lady D'banville. Lips like winter.

I loved you, my lady

Francesca touched my cheek. Her hands were warm. I looked up into her face.

Oh no, it's not my lady D'banville. She sleeps.

'You are crying,' Zeenat said, crouching like a cat at my feet, stroking my face. 'What is wrong?' Ahh, Francesca. It's not you.

I'll wake you tomorrow. La, la, la, la, la, la, la

Why I put her to sleep was a mystery.

Zeenat, I knew already, would be nothing like her sister. She would be soft and gentle and eager to please. She would want it to last for ever.

'There was once a man who slept with a snake disguised as a woman,' she said.

You, a snake? You are barely an earthworm. I nearly said it, but I did not. Now if she really had been a snake in disguise it might even be fun. An experience to boast about. But she was only the quiet sister.

Still, by pretending to be her sister, she was strangely intriguing. I must ask the fate of the man that lay with the serpent. But later. First I had to bed the woman who pretended to be my lover. At the very least I would have had what Anis wanted so badly. And that couldn't be all bad.

Hell, why not? 'Come, Bella.'

I pulled her up by the arms, but as my mouth reached hers, she began to struggle. You started this, sweetheart. If you catch the tiger by the tail you must be prepared to be eaten. I pinned her on the bed. It excited me, her puny useless struggles, her soft, open, shocked, helpless, stupid mouth. I had learned from Nutan, the Balinese do not kiss. They simply rub noses, smelling each other's scent. To be perfectly honest, virgins are boring as shit, but they are alluring in spite of their lack of skills. To be the first man. That's twice now in the same family.

I was rough. Something tore; a slip, underwear, and the sound made her struggles cease abruptly. The tightness left her limbs. She relaxed out, unfolded, opened like a sea creature opening its tentacles, her eyes huge and frightened.

Underneath me her bones were tiny, passive. It was unbelievable to think she was exactly the same size as Nutan. Why, Nutan was like a cloudy leopard in bed, exciting, mysterious and dangerous. This one was small, listless, spread open and suffering quietly. She sure was doing a bad job of pretending to be her sister. It was like fucking a pillow with a hole in. I hated it. Thrusting into her. She had no power over the pain inside me. Even slamming into her so hard I heard the dull thump of our flesh hitting did not help. It was no good. I could not forget. The statue, the children . . .

I gasped suddenly. It was Francesca under me.

She looked at me scornfully. 'You are a vain, heartless rodent. You should have left the girls alone,' she said.

'Fuck,' I swore and my confused eyes met Zeenat's startled frightened face. And suddenly I was repulsed by the simple goodness, the schoolgirl innocence shining in her face. To think I had coveted this! I saw the young, beautiful body under me as a clinging vine. Needy. Repugnant. I knew her type. She would be looking for cuddles and love next. I sprang away from the body and the blood between her legs. Suddenly I was angry. I didn't have to think. My mouth was cunning. It made a club. It had always taken a delight in killing.

'Look, Zeenat, I'm having a bad trip. Too fucked to fuck.'

Now she knew that I knew; that I had always known. The rejection was complete. She was not good enough. Her sister was better. Her shocked eyes filled with tears. Oh no, not that too. Already I was bored. She was better in my fantasies when there were two of them. It was a mistake. An honest mistake. You understand, don't you? I must bear no blame in the event. She lied. It was she who came into the wolf's den, pretended to be its lover.

Still the Goddess of goodness, a statue called Francesca,

different you will understand from the Spider Goddess, accused, her lips pulled back from her teeth, 'You are a vain, heartless rodent.'

To appease the angry Goddess I could have done what the Incas did, sacrificed snakes, butterflies, birds or offered jade, incense and tortillas, but instead I muttered, 'Why don't you stay a while, stand and watch, learn something,' with such indifference that Francesca fell away into the deep gorges inside my head. Goodbye, my angel. No hard feelings. It's only decimation, a Roman Emperor's power, every tenth soldier must die or I will not be the absolute master of all I survey.

Never again would I awaken the statue called Francesca. A hundred curls and wrapped in blue ottoman silk. My head was ringing. It was the acid. As I left the flat I heard Zeenat's muffled sobs, but I was busy. I had things to do, places to go and people to see. No time for a silly little girl. No, no time at all. Would I always wake up the same? A risk seeker.

Nutan

I opened the door and Zeenat was putting on her make-up. Our eyes met in the mirror but hers slid away.

'Are you going out?' I asked.

'Yes,' she replied shortly. Silently she carried on applying blusher. Too much, I thought. What was the matter with her?

'Where are you going?' I asked her curiously, sitting on the bed to take my shoes off. She didn't wear make-up just to go and see Anis.

She turned on me then, without warning, utterly furious. 'What's it to you where I go? Did I ask you where you disappeared to?'

I stared at her blankly. 'I went out to get some pain killers,' I said.

'Oh, and when you stay out all night with that . . . that . . . that Italian dog.'

She had not asked how I was. 'What's the matter with you?'

'What's the matter with me? Nothing. Absolutely nothing.'

She turned back to the mirror and continued putting on her make-up. I watched her colour her mouth as red as the kasoomba flower that my mother used to make dye.

'Did you get my earrings?' I asked.

'Yes, they are by the bed.' Then still fuming silently (I could tell by the jerky movements she made), she yanked a short black dress off our bed, one of mine in fact, and put it over her head. While her head was still inside the dress she said, 'You're just a selfish cow.'

Selfish cow. Where did she learn that from? Cows were good helpful animals. I didn't know how to react. We had never before spoken to each other in such a vicious manner.

Her head emerged from the neckline of the dress, her face tight with fury, and something else. I had never seen her like this. She tugged my dress over her hips. Only then I realised it was too tight, and too short. Combined with the gaudy make up she looked like a prostitute. Did I look like that in it?

I did something silly then. I clapped my hands and said sarcastically in English, the way Ricky might have done, 'Oh, way to go baby.'

The blood drained out of her face then. She closed her eyes for a second. When she opened them, she said, 'Yes, that's right, make me feel small. You think your new friends are special, don't you? They are scorpions. All of them. You will only know when they sting you. Only when your flesh is blue and rotting with poison will you choose to return home. Well, I'm not waiting around until then. I am going home to Nenek next week.'

'You're jealous,' I accused.

She barked out a short incredulous laugh. 'What? Of you? You have no idea,' she sneered. 'Nenek was right. We should never have come. Look how blind you have become.' Then she brushed past me and tottered down the steps in her stilettos. It was so warm outside she had left jacketless, her hair still wet from the shower.

After she had gone I stood there bewildered. I couldn't understand why we had fought – we never fought – and so spitefully too. Why? Had we not filed our teeth at puberty? Were we not then safe from the six evil qualities of human nature, passion, greed, anger, intoxication, stupidity and jealousy? I sat by the window, hugging my knees to my body, waiting for her. She would return soon. She would feel as bad as me. My head still throbbed, but only slightly.

It was nine o'clock, and yet wonderfully light outside. In fact it was such a warm summer's day that the milk on the window sill had gone sour. In the street below people were coming out of the kebab shop carrying white packages. Sitting at the window sill I ate some bread and cheese. *I needed a line.* I lay on the bed to wait, fell asleep and wrenched awake suddenly at five in the morning. She was still not back.

I began to worry. Where could she have gone dressed like that? I looked out of the window. It was dark outside and the air was chilly. I slipped on a night shirt and thick woollen socks and went to sit by the window. The road was deserted. By six in the morning I was sick with fear. The sky was light. Where was she? She had never done this before. Disappeared into the night on her own.

I called in sick and waited all day by the window for her. All day.

By seven that night I was almost hysterical with worry.

Had she found a man, gone home with him? My stomach churned with horrible possibilities. She was a gentle creature. Not like me. And there were so many strange perverted people in this country. I should never have said the unforgivable things I did. But why, why did we fight in the first place? In this country that was not ours anything could happen.

Eight-forty. I called Anis from a phone box down the street. Immediately I heard the worry slide into his voice. By nine o'clock Anis was in our room. I could see he was upset, but he tried to hold it back. It made me feel worse.

I felt so bad I sobbed like a fool in his arms. We sat together listening for the least sound on the stairs. After a while he went down to the kebab shop for some food but I could not eat. The smell of the meat made me feel dizzy. I asked Anis for some coke. He didn't have any, but called someone from his mobile phone. In less than half an hour someone was at the door. I took a line, and instantly went crazy with paranoia. I couldn't sit still. I was convinced something horrible had happened. I paced. Up and down, back and forth, to the window and back. I wanted to go out and look for her. Pointless, Anis said, staring out of the window, his shoulders tensed.

Over twenty-four hours had passed. It was ten o'clock and Anis had just suggested we go to the police when I heard her spiky shoes on the stairs. I ran to open the door and froze. It *was* Zeenat coming up the stairs and yet . . . oh, I cannot explain the change in her. I looked into her glittering eyes and saw the strangest expression: was it furtive or triumphant? I cannot say for sure. But the moment passed and we were running into each other's arms, the expressions we first found in each other's faces forgotten. I looked at my sister's tears, and saw her remorseful, but I knew. Something had changed. There was a distance between us. A secret.

'Where have you been?'

'At Anna's house.'

Anna was the English waitress at the café.

After a while Anis went home. He looked inconsolable. I touched his face. 'What?' I asked. He shook his head and smiled sadly. Then he said goodbye and left. As if Zeenat had not come home safe and sound. As if she had sustained some permanent damage.

We were lying in bed talking, holding hands, and pretending the distance was not between us when I fell asleep. I was so tired. I thought I dreamed that she was kissing my face, stroking my hair, and repeating over and over again, 'I'm sorry. I'm sorry. Do you forgive me?' In my sleep, I answered her, 'Of course I forgive you.'

I awakened suddenly in the cold bluish light of dawn. The witching hour. Nenek said twilight is a crack between the worlds. Only the dead or those who can see with their eyes closed may go forth, pass through the crack into the other. Cold, I reached for my sister. Her shape was familiar. I had always slept with her. I remembered another time. Our small bodies curled and snugly moulded into Nenek's safe shape. I touched my head gingerly. It was only slightly sore.

I didn't like Anna. There was something about her I didn't like. Suddenly I was scared for Zeenat.

Anis

I first made love to Zeenat in a dream, when I found her at dusk, lying half-hidden in a natural depression under a mango tree. And I did it without her permission. Falling upon her curving form I entered her. Still asleep her body arched to receive me. A flock of ducks returning to the village from the rice fields passed us, their flapping wings barely brushing our naked bodies, the vibration of their

271

webbed feet in our ears. When I shuddered to a stop, Zeenat woke up, and tapped the base of her wrists all over my body. Full of exquisite pleasure I closed my eyes.

'Didn't I tell you? You're not like your father. You are not gay at all,' she said, and I opened my eyes, suddenly awake. I could see that Zeenat was different now. I saw it in her eyes. Somehow she had been ruined. She was no longer a page unwritten. Someone had soiled her. I had failed to protect her. She never came around any more. Not even on Sundays. Not even to see the blue tits.

July 2000

Ricky

I put the phone down gently but I was fuming. This was it? Summer? This really horrible, ugly, unwashed, bitch-grey day? I felt like smashing something with the sheer frustration that throbbed inside my brain. The Customs and Excise jackals had done their calculations and they reckoned that I owed them something in the region of a quarter of a million in back taxes, interest and penalties.

'Can you believe this fucking shit?' I ranted down the phone to Fass.

Fass thought he could bring it down to £190,000, but I was not to hold my breath because the cock-sucking bastards had too much on me. He was careful not to say, I told you so; but he didn't need to.

I swallowed my eighth aspirin that morning.

Fucking bastards.

I would have to sell three if not four of my restaurants to pay up. Sons of bitches. The restaurants were my blood, sweat and tears. The bastards fuck me up the arse, for what? To pass it on to some good-for-nothing, bed-wetting, glue-sniffing, thieving Albanian hiding out in a council flat, while pretending refugee status. Or to hand it down to some snivelling teenage single mother too lazy to get off her arse and get a fucking job. This morbid need to punish those who work and mollycoddle those who don't is the real reason why such a *beautiful* country is going to the fucking dogs.

I could feel the fury boiling in my stomach until I noticed that a spider had built a massive web just outside my window, almost covering all of it with its intricate thread. And inside me a funny note of joy. The dream was safe, the promise unbroken. Nothing could go wrong.

Nutan

I gave the postman a piece of jelly and coffee when he came upstairs with a letter from Nenek. He was always a nice cheerful face in the morning. He asked after Zeenat. I told him she was staying over at a friend's house. She often did that now. Stayed over at Anna's.

When he was gone I sat on the bed to read Nenek's letter. I read the enigmatic words twice and was no wiser. She told me not to worry about that mysterious headache that I had suffered that time Zeenat and I had fought. She said all the women in our family got it 'when our spines awakened'. And then she warned me that there was not too much time left, and I should take good care of my sister.

Was it her way of saying goodbye? Was she sick? Was she dying? I wrote back immediately wanting to know exactly what she meant by the awakening spine and the lack of time left. I posted the letter during break time. Zeenat did not want to come with me. She said she was tired. She must have been, for she pulled a chair up to face the plate shelves, crossed her arms on the third shelf and, resting her forehead on her hands, fell instantly to sleep.

Francesca

The telephone rang and I knew it was Ricky. I ran down the stairs but halted at the landing, my father had picked up the phone, and was speaking in a voice I had never heard before. 'Never call again.' Then he replaced the receiver very quietly. Oh, how much I had wanted to speak to him. I walked down the stairs and stood at the door. 'Who was it?'

My father looked at me, his face blank. 'Wrong number,' he said.

'Oh,' I said and went back upstairs.

I sat on my bed. He had called. People could change if they wanted something badly enough. Why did he call if he did not want us back?

I paced the bedroom. Nothing mattered without him. I had started to feel that I should not have come to my parents, and involved them in my business. If only I had friends to turn to. I should have just gone to a hotel. Ricky and I would have kissed and made up by now. I felt resentful towards my parents. Still, it was my fault they had turned against him. I was so confused I made the mistake of telling them everything. If I had not told them that part about the drugs, they could somehow have found it in their hearts to forgive him. He was the father of the children. But now, they stood in the way, unchangeable

And my impractical plan to go to Sicily and make olive oil. Who was I kidding? It was a silly idea. Of course it would never come to anything. I might as well give up now, and spare myself the humiliation of failure. Why, I didn't know the first thing about running a business, let alone sourcing the oil, pressing it and successfully marketing it.

All I knew how to do was shop. I didn't even know how to take care of my kids. This whole thing was mad. He was my husband, for God's sake. I needed him. The children needed him. I had never known or loved another. I didn't know how to carry on. I was like a fish out of water.

I had to find a way to set it right. I would call him. I sat in the darkness of my room waiting for the sound of my parents' footsteps on the stairs. I stood outside their door an hour later and heard my father snoring.

Carefully I crept downstairs and pressed the last caller button. My heart leaped to see the restaurant number come up. He did love me. He did want us. I took a deep breath, dialled 141 to withhold my number and phoned the restaurant. The manager answered, but before I could speak I heard Ricky in the background. He was laughing. A big jovial laugh. And I knew then. He was not suffering. He didn't care.

I put down the phone, and went to lie on my bed. Oh God. Give me my old life back.

Nutan

The streets were cold and deserted. It was that time after four but before six, when the coke was all gone and sleep couldn't be found in any bed. When you are craving for more even though you know that more will not bring a new high, or the old one back. The body had reached its inviolable plateau. All that was left to do was hunt down sleep, somewhere.

I guessed our room would be empty. Zeenat was hardly ever in any more. She slept over at Anna's house. Too often, I thought. There was something about that dirty girl's glowing eyes that made me nervous for Zeenat. Ever since we had that big argument, I was aware of Zeenat drifting away. Even while she was asleep, beside me, I sensed her moving steadily away. I felt she hid a secret and I was frightened of this terrible thing that could not be revealed even to me.

More and more I had started to feel that we should return to Bali. I realised that Zeenat was right. I had been infected by the cold strange air of this country. It was not good for us. England had turned us against each other. It was my fault. I had gone a little crazy, but I was all right now. I wanted us to return. To be as we were before. We had had our wonderful holiday and now we could go home. As I came up the stairs I saw that the light was on and I felt suddenly happy. Zeenat was in. Good, she was still awake. We could talk. She would be so happy to know I too wanted to return. I let myself into our room.

She was in.

Holding a needle.

She turned to look at me. This, then, was the terrible secret. But, Sita, you have stepped out of the magic circle. For the first time I saw the horrible pin-point pupils in her glowing eyes. Oh, oh, oh, I knew then where I had seen that glow before. Anna. Eyes as cunning as a cave fox, standing just out of reach. I recognised her too late. She was Kuni, the hunchback servant from Father's shadow play, standing behind my sister's shoulder urging, whispering, wreaking havoc. Did I not already suspect from her crafty face that she was a brilliant strategist? Working behind the scenes, luring Zeenat away from me.

All kinds of thoughts rushed through my head. So fast I felt faint. I had been so absorbed in my little discoveries I had not seen her making her own. My dumb shock irritated her. I saw it flash onto her face. She did not care that I knew. That shocked me even more.

'What are you doing?' My voice was barely a whisper, but carried all the horror in my heart.

'What does it look like?'

I opened my mouth to speak, to protest, but she raised a palm to me and counselled, 'Do not try to stop me. It is now a part of my life.'

She was neither remorseful nor ashamed. In fact she was fearless, triumphant. This was where the worried expression had gone to. I shook my head with disbelief, but there was more. She did something even more incredible. Slowly she lifted her hand, her movements as beautiful and graceful as a dancer's, and offered me the syringe. 'It is not like they say. It is the most beautiful thing, such a special flavour, like, . . . like blood,' she said and her eyes were shining. *Pretend you are me. Do what I do. Be me.*

Speechlessly I stared into her face. 'Oh Zeenat, what have you done?'

But she was not like a junkie at all; in fact she seemed exhilarated, powerful. How potent she had become! I stood hypnotised by her tremendous power. For the first time in our lives she was the one who had found the new experience. She wanted to lead the way. She did not walk into one of my scenes. She had created her own with a part in it even for me. In her hand she held my lines. Now she asked that I spoke them as the script demanded. In her play, the queen who walked slowly on the points of her toes towards her doom was noble beyond words. This time it was I who had to pretend to be her. Do what she did. Be her.

I remembered her as she was before. In the pink light of the tropical sunset. Graceful, eloquent and humble. A beautiful creature under the frangipani, knees gently bent, her body arching sideways, her hands lifted high above her head, her thumb and forefinger touching while her other fingers spread out in a courtly stylised movement. Now I saw that it was the gesture of a bird that spreads its wings ready to fly away. Look at her fly now. There is a wonderful line from a poem that touched me in some deep and secret place, but I did not know what it meant until that moment. *Am I dreaming you or are you dreaming me?*

Time stood still. Watching my sister across the room I suddenly felt the ancestors who throbbed in my blood. Puputan. Did I ever tell you that *puputan* means ending? A glorious ending. Arrayed in white and dripping with their best jewels my ancestors hurried onto the

Dutchmen's guns, never mind death. All or nothing.

All or nothing. If the only way to reach her was to take the needle into my body, and let her witness for herself how far she had drifted away . . . If she could stomach my destruction . . . I would dare her gun to show her that willing sacrifice for love and honour lives on. To shame her with her own horror. Only at that moment did I understand my father's shame. He was without honour because he had stood under my grandmother's dominance, too cowardly to rush into the waiting guns. 'To love is to maim,' his leather puppets cried mournfully again and again in their borrowed voices.

And what did the insane Rajah's daughter do?

She did an insane thing.

I took the first step towards her, and . . . reached for the needle. I thought she would be so horrified by the sacrifice she demanded that she would stop me, but instead she said soothingly, 'It's all right. I'll do it for you. All it is, is you put it on your skin and push it down. That's all. It's beautiful. You'll see for yourself how beautiful it is.'

In my head my father's voice sobbed in the broken voice of the betrayed old king. 'My beautiful queen, a tigress? How easily she accomplishes my ruin.'

It was bizarre. That Zeenat should wear my face, but no longer allow me to read her thoughts. With quick, sure hands she tied the opaque rubber tubing around my upper arm. Then she searched for a vein, beating the hollow inside my elbow. One, green and trusting, popped up under my skin. I watched numbly. Expertly she found the gateway into my body. She did not look at me. She pushed the needle in. *It hurt.* Blood rushed into the syringe. 'You have to do that,' she explained. I closed my eyes. Disbelieving what we were doing.

For a moment I saw us slumped defeated on my bed in that shabby, disgusting room, the curtains drawn to shut out the light of the street lamp. It was a horrible picture. If Nenek could see us. *It's all right. I'll do it for you. All it is, is you put it on your skin and push it down. That's all.*

My stomach heaved and I turned my head and vomited on the carpet. And then I was falling, not into a black unfamiliar abyss of degradation and horror, but upon a soft, warm cloud. It swirled up gently around me. No longer haunted by my sister's cunning eyes I sank into her lap. She was right. We, who emerged from the same belly and the same seed, must remain together. It was better than anything else I had tried and it really did have a very, very special flavour. Tomorrow was a dream. It was a good thing she had done to me.

'You're right. It's beautiful,' I murmured.

Bruce

The warm night had brought all the young things out, in their high heels and their sweet little skirts. They stood with us in the queue to get into the Blue Swallow. The doormen looked us over. They wanted glamorous beauties on their premises and they were happy to let Elizabeth in, but not Ricky.

'No jeans,' they said, their brute faces implacable.

'Let's go somewhere else,' Elizabeth suggested.

'Nah, I'll see you inside,' Ricky said, and wandered off down the street.

'He must have a spare pair of trousers in the restaurant,' Elizabeth guessed.

We had just ordered our drinks at the bar when I spotted Ricky.

'Hey,' he shouted, jean clad and waving.

'How did you get in?'

'Went to the club next door, gave the toilet attendant

twenty quid, and got him to smuggle me in through the back door.'

We laughed. 'I'm on a mission,' he said, scanning the place for dealers. I gave him a hundred quid, he added another hundred.

He slipped the stuff into my hand, and glancing around immediately began salivating over an Oriental chick at the bar. I looked over. Gorgeous hair and intriguing pout, but I refuse to fuck another Chinese bird. They just don't live up to all the hype. All the ones who have lain a while in my bed were cold.

'Got to get me some yellow,' Ricky shouted over the din and left on the pull. I passed one packet into Elizabeth's hand and we went our separate ways in search of the toilets.

On my way back I passed a stunning red-head in a sequinned bikini top. Naturally I looked, but when I turned to catch Elizabeth's eye, she was looking at me strangely.

'What's the matter?' I asked.

'Nothing. Let's go to China White. Maggie is there,' she said restlessly.

A bloke came up and, completely ignoring me, invited Elizabeth to dance. A sort of sickness poured into my gut. It wanted me to wrench the head off his ridiculous neck. I caught his face between my palms. Gently, you understand. And turning his surprised face towards me, smiled. A tiger's smile. Alarmed, he jerked his head free, stuttered something, and backed away. He was only a kid. Drunk as well. I watched him disappear into the crowd and felt hollow. She was not my woman. I had won a meaningless skirmish, but the battlefield was denied me.

When I looked at Elizabeth, she was considering me, her expression level. 'Subtle, aren't you?'

'Shall we go?' I asked brusquely. I didn't like the way I felt.

She nodded. 'Let's go get Ricky and the Chinese girl.'

Outside, the doormen glared at Ricky. He winked at them.

'Magic,' he taunted as we got into a waiting minicab.

'Human beings are pests,' Ricky suddenly declared. I twisted around in the passenger seat to look at him. Oh my God, he was already shit-faced.

'No, really. We are like big rats. I saw this programme once about this beautiful paradise island that the rats have almost completely destroyed. The little bastards have eaten everything, the animals, the plants, the birds, the flowers and the trees. Fucking everything. And when even the tree roots are gone, they will turn on each other, just the way we will. The rats ate an island, but we'll eat a whole planet. Think about it. We really are like rats. We give nothing to any other creature on this earth. We don't make honey, our milk is only for our own, our flesh, which is supposed to be sweet, we consider too precious to be eaten by another. We don't know how to make nests out of our saliva. Even after we are dead we won't allow our skin to be used for leather. We just know how to shit and fuck.'

'So what you saying, rats fuck a lot?' the Chinese bird asked.

'That's all they ever do, Bella,' Ricky said, laughing grotesquely, his hands slipping up her thigh.

I caught the driver checking Elizabeth out in the rear-view mirror. I turned around and she was looking out of the window, bored and unhappy. I looked at her beam-me-out-of-here expression, and started to feel uncharitable too. So when next the Oriental laughed her mean hard laugh, she looked to me like a yellow pillowcase of frogs.

Ricky

At breakfast one morning my nose started gushing blood, but I didn't bother with a doctor. I knew the diagnosis. Stop taking drugs for a while. Let the walls recover. Stop taking drugs.

Yeah, right. I went into the kitchen and cooked myself some freebase.

If you have never tried it before, you gotta. It's that fucking good: but like all good things it costs an arm and a leg. Ha, ha, a restaurant, actually. It seemed I had picked up a habit that cost a couple of thousand a week.

'Sell a restaurant. That should keep you going for a long while,' someone recommended.

'Yeah, that's right. I sold four to pay off the VAT bastards, didn't I? Do I even need six? Hey, easy come, easy go.'

When my nose got better I wouldn't have to spend so much any more. Besides, I planned to stop soon. I planned get my shit together soon. Soon. Very soon.

Nutan

We met Anna outside Tesco. She looked cold and sick, and even skinnier than when she used to work at the cafe. She was holding two shopping bags bulging with whiskey bottles. I was mesmerised by her eyes. They were unreal, glowing green with a pin of black in the middle. Had we money, she wanted to know.

We nodded. 'Come on then,' she said, and headed for a phone booth.

'Have you got one of them things?' she asked into the receiver. 'Am I all right for five? Twenty minutes. The usual place. Cheers, mate.'

She sniffed and wiped her nose on her sleeve. We helped

her with her shopping bags across the road, and into the back alleyway. At the back door of an off-licence, she pushed her bony face into the padlocked grille gate and bawled in. A middle-aged man came.

'Ya all right?' she said.

He nodded silently and went back in to fetch a key. 'Just you,' he told her.

'Only be a minute,' she said, taking the bags off us and stepping into the dim interior. We stood outside.

'How many bottles?' he asked.

'Eight.'

He took them out of the plastic bags, and inspected them quickly making sure the seals were unbroken. From his pocket he produced a twenty-pound note for her. She came out and he locked the gate and went back in.

'Does he know they are stolen?'

'Obviously. Any one of them along this street will take hot stuff, but they're all right really. They never try to stiff you on the days they can see you are really sick and desperate. Selling in the pubs is the worst. People will try to rip you off bad, the more ill or desperate for Bobby you look.'

Bobby or Brown or Bobby Brown, slang for heroin.

'They know in the end you'll take anything.'

I looked at her that day, and thought to myself, you poor, poor creature. You will never have anything. No family, no children. Stealing. Getting taken for a ride by merciless strangers who see only a desperate junkie. We would never get like that. We would stop well before we got there. We were sensible. We would just stop before we got that far. We would know when to stop. It was nearly a week since I had my first hit, and I was completely without cravings. The trick was to do it infrequently, so our bodies never got used to the stuff. If we could handle the coke we could handle Bobby Brown too.

Anna took twenty pounds off us. A bag was ten pounds, she told us but she was going for the deal, five bags for thirty-five pounds. We waited at the bus stop. The guy was late, and she was beginning to panic. I stared at her with a mixture of fascination and disgust. Her nose was starting to run. She wiped it with the back of her hand. 'Fucking bastards. They are all the same, flying high on powder power.'

Powder power. That sense of power a dealer got, from the clawing desperation of his customers.

'Bastards. You tell them you're really sick, and you're standing outside their door, and they say, "Meet you in an hour." All they have to do is come down the stairs. They have us in their pockets. They become our doctors. If they don't give us our medicine we are ill. They just don't give a shit. They make you suffer for a whack.'

Whack, an injected shot of heroin.

She told us she had started sleeping with a sixty-year-old man who paid for most of her heroin. Her boyfriend, a dreadlocked geezer called Rizla, didn't care as long as he got some of her bag too.

The dealer came. Anna's hands were shaking with need by then. Her house was only around the block. Her footsteps were light and fast. We ran to keep up. The door to Anna's squat had been kicked down at some stage, and had since been nailed shut. So its only function was to bar entrance. To enter you had to push aside the boards covering the windows and climb in.

In the dry sour air of the living room five smack heads were huddled on the floor in a half-circle, around a blazing gas fire. It was the most unbelievable room ever. To believe its squalor you had to see it. There were needles, crack pipes, pieces of foil and spoons simply abandoned all over the floor. Take-away pizza boxes, children's toys, an assortment of dirty clothes and rubbish had been flung into the corners of the room. On a torn, badly stained sofa pushed up against a wall lay a comatose person. Against another wall was an incredibly dirty mattress with a twisted, crumpled, dark brown woollen blanket across it. Everything else, they told us, had been sold or stolen.

You opened cupboards in the kitchen, and they were full of more dirty needles, sheets of foil and blackened spoons. It was a horrible, horrible place yet it fascinated me. I stepped into it just to see, like a tourist would. I suppose the same way you have stepped into my world with so little persuasion. Even hell, because of the sheer abundance of naked bodies, can seem voluptuous when you are standing at the border.

That day is the only day I remember really seeing how every single person in that house was pale and drawn with prominent lacquered eyes. After that first day I could no longer see how ill and terrible they looked. Once you become one of them you cannot see it any more. Not in their eyes and not in yours.

Their acceptance of that impossible squalor should have alerted me, but it didn't. I should have wondered about this thing that had the ability to reduce human beings to such a state of degradation. I should have taken my sister's hand and left. I shouldn't have stayed, but I was young, foolish and trapped in my own fantastic adventure. Who could demand such obedience? Now I know. Now I know.

Then we didn't know what we were getting into. We were taking it to be sociable. In a little group. A gang. And if you didn't take it you couldn't belong. And the drug dealers, they look like normal people. They just had more money. We stayed overnight at the flat.

Get a spoon. Put the heroin in. Add citric acid, vitamin C powder, lemon juice or vinegar. If you use citric acid or

286

vitamin C you have to mix a little water with it. With a lighter burn the bottom of the spoon until the liquid bubbles. Remove from fire. Drop a small bit of a cigarette butt or a bit of cotton wool into the liquid to act as a filter. Place the needle on the filter and draw the liquid up through it. Not using a filter causes a dirty hit. A bad hit can make you really, indescribably, ill. Always watch the bubbles. You don't want them in your arm. Look for a vein. Never inject directly into flesh. It really hurts. Causes a lump. An abscess that burns and stings horribly. You must always find a vein.

It was a disgusting thing to do. But we did it. You might ask why we didn't start by smoking. Not everybody can smoke. My sister couldn't. It made her puke. So much so she ended up vomiting blood.

Anis

It was late. I was drunk and fumbling with the keys in the door when I heard her call my name. I tried to swing around, but staggered backwards instead and nearly lost my footing. I dropped to one knee, and in the light of the street lamp met Zeenat. She was standing on the bottom step. For a moment my brain wouldn't get into gear. I blinked.

'What . . .' I said, and she said, 'Shhh . . .' and put her finger to her lips. Ah, secrets. But I had remembered her like a child.

Smiling softly she came up the steps and taking the keys from my hand, unlocked the door. She held it open for me. I lurched in, and watched in a daze as she shut the door, the click of its catch curiously determined, and yet echoing, hollow and dead in the shadowy hallway. She turned to look at me then, and though it hurt me to look into her eyes

I couldn't break away from her gaze. They were ferocious with purpose. She was different. Different from all the rest. She alone wanted to take. She alone hadn't learned to give. I saw it that night in her dazzling eyes.

August 2000

Anis

I was wrong about Zeenat. She had not come to take. In fact she had come to introduce me to a friend of hers. Someone I knew only from afar, but until then had managed to avoid. She has kept many a friend company far into the night, not willing to leave even in the cold morning light. Sometimes when I was very drunk at parties she would whisper, 'Quick, reach me your hand.' Her voice was sweet and from a distance she reminded me of Millais's Ophelia. An utterly pale and divine body lying half-submerged in water. Beautiful in sleep, but awake? I never knew what she would be like awake, you see.

Now I know.

'It's okay. It's not like what they tell you. It's all right. I'll do it for you. All it is, is you put it on your skin and push it down. That's all,' Zeenat told me.

Did not Krishna say to Arjuna on the battlefield, 'Whosoever offers to me with devotion a leaf, a flower, a fruit, or water, that offering of love, of the pure heart I accept.'

I accept. I accept.

So awakened the sleeping beauty, but I had spurned her for so long, her eyes had turned vindictive. Her lips twisted into a mean smile and her nails were brown and cruel. Instantly they curved deep into my flesh. How tight her grip was! She would have me until death do us part. You have no idea how determined she is. How she will stop at nothing. How she will torture my body with aches, pains, cramps, projectile vomiting, and keep me awake for months with twitching limbs, if I be so bold as to try to walk away from her.

But to tell you the truth I don't mind her cruel eyes and twisted lips for when I close my eyes, her breath is fragrant beyond words, and by and by even the curved brown nails in my flesh become exquisite. I knew what the Israelites cried out, in their beautiful language, when fed manna in the desert of sin: '*Man hu?*' What is this? I too cried when her pale mouth regurgitated her sweet liquid into mine. There are people in the know who say it is only your own blood she feeds you. Could be, but it is really delicious. I should open my eyes. Perhaps it was a mistake to close them in the first place.

Elizabeth

As soon as I walked into Ricky's flat and saw Maggie drunk and very white in dark glasses, I knew what had happened. Promises are cheap. Did I not already know that? Men like him were a dime a dozen, a hazard of her profession. She held her ringless hand up towards me and waved it around a little. 'Bloody cheapskate took it back. I should have listened to that old whore and sold the flipping thing, shouldn't I? But hey, this means it's time to rattle up a party.' She sounded hearty, but I knew her too well. Her heart was broken.

Afterwards we went back to her flat. She fed the cats, and the ants, then collapsed on her tattered sofa and flung away her sunglasses. I saw the purple shiner the bastard had given her then.

'I'm so sorry, Maggie,' I said, and she burst into tears. And there was just nothing I could do for her.

All the time she sobbed, 'I've been so stupid. He only wanted to be my pimp. He only wanted to use me.'

Bruce

I ended up in an awful way, high, and thinking it was all lies. There was a storm in my head when I rang her fancy Mayfair doorbell. In the obsidian number plate I saw how quickly wasted I had become. Was I already that fat? She opened the door wearing smoky blue, arms crossed, expression frosty, and one eyebrow raised.

'Followed you home one night,' I said, by way of explanation. I had to, to get her address. She never gave it out, didn't like me, or for that matter anyone else, inside the little love nest she shared with the Arab.

She eyed me with dislike. 'What do you want?'

'Invite me in, for God's sake. Where do you keep your heart?' I asked.

'In the fridge,' she replied, and leaving the door open, walked into the flat.

The woman was so coldly calculating it was almost admirable. I closed the door and for a moment had the unreal impression of strolling through the Egyptian rooms in Harrods. I cannot think of a more apt description for that Ali Baba's cave of treasure. Still, in all that vulgarity I did not see any physical evidence of him. Not a box of Havana cigars on the coffee table, or a white headdress hanging from a hook, or a hookah in sight, not even a small one.

I followed her into her kitchen. She opened the fridge and brought out a bottle of wine. Behind her was a painting of a man and a floating woman and I knew immediately that alone was hers. The rest belonged to him. That she had chosen, and then hung in the kitchen, out of sight.

'Like Chagall?' she asked.

'Never heard of the guy.' I did like the painting, though. There was something far away and unreachable about it. Like her, in a weird sort of way.

'I think he was the greatest Russian painter of all time. He painted like a doomed child. As if he believed in miracles.' She poured straw-coloured liquid into a glass and raised it to her lips. So no wine for me, then. Sometimes her deliberate rudeness made me want to smack her.

'Is there anything more civilised than the two words, white wine? Together they conjure up such an idea of grace and elegance, don't they?' she said, studying me from above the rim of her glass.

I looked at her blankly.

'You do know that you will never sleep with me, don't you?

That's all right with me. Sleep was not really what I had in mind. 'I wonder', I said reflectively, 'if God knew while he was painting your wings so beautiful, what a cruel butterfly you would turn out to be.'

From my pocket I fetched a rectangular velvet box, in it a black pearl bracelet. I didn't buy it. Paddy 'found' it and thought it might match her choker. I put it on the table, and pushed it a little in her direction. I saw her eyeing the box, but she did not reach for it. I was going to tell her that it was safe to open. It was from Paddy, but at that moment I recognised the music she was listening to and couldn't resist showing off. 'Vivaldi's Four Seasons, Winter,' I said.

'Autumn,' she corrected briefly, automatically. Then she walked around the kitchen counter to face me. Leaning a hip against the table edge she crossed her arms. Her face was expressionless. 'Let's see if we understand each other. You can't buy me,' she said.

'Why not? Doesn't the Arab?'

She began to laugh then. 'You're not in his league, *love*.

Three high street hairdressing salons?' she mocked contemptuously.

Even when she laughed so hatefully, I was mad for her. It made me vicious. 'You know what you remind me of? A bat. Yes, a bat, hanging upside down with a brain that turns everything right side up. Injecting antiseptic into the unsuspecting before drawing your pint of blood out.'

She looked at me without affection. 'And aren't ye a great little bastard?'

I walked to the fridge. 'Now I fucking need a glass of your civilised drink,' I said, and opened her fridge. The contents made her a stranger all over again. Fresh dates, exotic cuts of meat, blue cheeses, a tray of gooseberries, cucumber soup, and different foreign-looking food from places like Harrods or Fortnum and Mason. Where were the cheddar cheese, bacon and eggs? My eyes fell upon a small round container. Ahh, of course, caviar for the princess. My philistine tongue hated caviar, but I wanted to annoy her. I opened the container.

'Second drawer to the left,' she said.

Was that irritation I heard? Inside the drawer in a separate compartment all for itself was a pretty mother of pearl teaspoon. I helped myself to a teaspoon of her caviar.

'Good?' she asked sarcastically.

Actually, I don't know what I tried before, but her stuff was excellent. Little slippery salty explosions of taste as the eggs expired on my tongue. I took another spoonful. I knew a Russian word. Some punk had once tried to offload some dodgy caviar as the high-quality stuff to me. Ah yes, *malassol*, meaning, as the little thief explained so convincingly, 'little salt. Eggs of such high quality require the least amount of salt to ripen.'

'*Malassol . . . Beluga*,' I threw casually.

'Very impressive for an East End boy.'

'See, that's what you get with sweeping generalisations.

It's like saying all Englishmen keep their socks on in bed, or *all* Irish girls who can afford to live in Mayfair are prostitutes.'

She sighed wearily. 'Are you sure you wouldn't prefer to be somewhere else?'

'No, not at all. I am as happy as a pig in shit here,' I said, grinning nastily. You might call it a deep sense of alienation. I will simply call it, unmet needs. I simply couldn't stop. 'So when the Arab's in town, this is his love nest, then?'

She smiled, cruelly amused. 'Actually no, the Mullah has suites in the Ritz. It's too much trouble with four body-guards, outriders, and a servant who walks ahead perfuming the air he intends to breathe.'

I couldn't help the expression that crossed my face.

And it turned her mean. 'I go to him, an illicit pleasure, like black truffles, so rich-rotten that only a whiff is neces-sary, usually after the bespoke shoe maker has been,' she explained, grey eyes glittering with malice.

'Oh.' I stared at her in her distant world. Her cynical acceptance of a highly repulsive situation. The caviar in my mouth made me feel slightly sick. How could such an intelligent woman be content to be the expensive play-thing of a religious hypocrite? Unless, of course, she was irretrievably shallow . . . a sort of monogamous hooker. A well-trained nurse ministering feigned passion to a disgust-ing pig.

I had thought more of her.

Perhaps I had imagined the exchange more exciting, more reckless. Wilder, with a touch of danger possibly. Not this sterile 'come up and see me after the shoe maker has been', pact of abuse. Why did I still desire the scent of this strange woman's pillow in the morning? Or perhaps she was so deep her time was yet to come, or had passed. She did, after all, once tell me her heroine was Aspasia, apparently the most famous Greek hetaera; the word, she explained to me meant mistress, which naturally I took to mean whore. I began to hate her, him and myself.

The telephone rang, its sound muted.

I saw her jump, her eyes flying to the display panel. It said, International. A fine tension came into her body, and looking at me with guarded pleading eyes, she raised her forefinger to lightly touch her lips. In the shocked silence she turned slightly away from me, picked up the receiver and changed. Why, she spoke fluent Arabic.

'It was the potato famine. It taught us to adapt quickly or die,' she once said.

Who was this creature I had so carelessly fallen for? Watching that beautiful mouth speak that guttural language grieved my heart. I saw her again in that backless number of hers, the black one with the fish tail kick to the bottom. In my head, an olive-coloured hand, meaty, pampered and proprietorial, landed upon the small of her back, and having branded it, gently guided her away from me. And even though I knew she was only looking to help him spend some money, the scalding green liquid in the rusty pot inside me boiled over, blistering flesh. Raw with jealousy, I considered her. She had learned his language.

Laughing, a low sexy sound, she replaced the receiver with a soft click. Her unsmiling eyes found mine.

I flicked the coin of love. Throbbing hate kept its face on the other side. 'Is it sweet, the Arab's blood?' I bit out, my voice cold.

She did not have to consider the question. She responded with the speed of a snake's tongue. 'Much the same as yours, as I recall.'

I just gave up. What was the point?

'Want a line?' I said.

She nodded. 'Want some wine?'

I nodded, and returned the caviar to the fridge. It was a sad lost cause. Nothing but a head fuck. What else was left, but get too fucked to give a fuck. She blew past me like a gust of cold wind, but my yearning heart still ran after the heartless draught.

Nutan

Sometimes when we go to Anna's and she is out prostituting we sit in front of the fire and wait. When she comes back she takes all her drugs out of her pockets and then sits down and cries with self-disgust. And, still crying, she injects herself. Sometimes she feels so dirty she gets in the bath. Too often the drugs are so powerful she falls asleep while scrubbing herself. I feared the day she drowned in her bath.

One night she stopped breathing. God, she became so still. It was terrifying. Luckily there was a boy present who pushed at her chest and gave her mouth-to-mouth resuscitation. We rushed her to Emergency and they shot adrenaline into her arm. It washed the heroin out of her system and brought her around immediately, but it also plunged her into deep withdrawal. She came out absolutely furious and slapped the nurse.

'Fuck you, bitch. You took my buzz off. Do you know what I paid for that? That's forty quid down the drain,' she screamed. She was going mad. Absolutely mad. She could have died and she didn't care.

Bruce

Ricky was lunching alone when I found him. I went to sit beside him. He poured me a glass of red wine, put an empty plate in front of me and began heaping it with chunks of polenta and rabbit stewed in red wine. 'Eat, eat,' he invited.

'About Elizabeth and the Arab?' I began.

'Forget it,' he advised, tearing a piece of bread and using it to mop up the juices on his plate. 'It's a waste of time. It's like chucking sugar into the ocean and waiting for the waters to turn sweet. Hunt somewhere else, her thighs don't part. I tried for years before I gave up.'

'I believe I love her.'

He turned around to look at me incredulously. The piece of soaked bread stalled on its journey to his mouth. 'You believe . . .' Then he threw his head back energetically and laughed, his eyes closing with mirth. When at last he could bring himself to stop, he said, 'You mean you're desperate to fuck her?'

I felt slightly irritated. 'No, I *know* I love her,' I said, emphasising the words.

'Oh, that's different then, why didn't you say so before,' he said sarcastically. 'It's all crap, or greed, depending on how you look at it. It's hardly love when you fall for the most beautiful woman you've ever met, is it? For fuck's sake you don't even know the woman. What if she didn't look the way she did, huh? What if she wasn't such a goddess?' He stuffed the piece of bread in his mouth and began to chew. 'What happens to your love then?'

'Oh, fuck you. How am I supposed to answer this hypothetical question? She looks the way she looks, and I am in love with her, allright?'

'And how come I've never seen you with a girl that isn't drop-dead gorgeous? And how come your relationships never last?'

I looked at him. 'You arsehole, you told her that, didn't you?'

He grinned shiftily. 'Hey, she asked. What do you want me to do? Lie?'

'She asked?' I repeated.

He shrugged and rubbed his jaw. But this sudden interest

in Elizabeth's welfare didn't gel, and something Anis once said came to mind: the wolf worried that the sheep would get wet in the rain.

'Sorry, man, I didn't know you were interested when I told her,' he defended, but I could see he didn't give a shit.

He knew what he had done. He knew I wanted her from the first time I saw her. He just didn't want me to have her. Not even for one night.

'Ow, get off this shit, man. You don't have to dress it pretty. It answers just as well to the other name. You wouldn't have got her anyway. Elizabeth likes girls.'

'Oh, fuck off,' I said, and leaving the food and the wine untouched I walked off. He was shouting more smut, and laughing uproariously as I slammed out of the flat.

Nutan

I dragged my eyelids open, the taste of metal on my tongue. My skin itched. Anis said it was the poison from the drugs oxidising inside my body, my body trying to eliminate the poison. It was light outside, time to go to work again but I was still so tired. I shook Zeenat awake. I had to shake her for a long time before she would stir. 'It's time to go to work,' I said.

'I've handed in our notices,' she said groggily.

'What do you mean?'

'I'm going to be an artist's model for Anis. It's good money,' she mumbled with her eyes closed.

I fell backwards with relief, and sleep came to take me instantly.

Bruce

I took her to Luculus. Small, intimate and expensive. I was determined that it would be a good meal. A start in a new direction. She ordered oysters followed by the confit of duck. The French waiter was smarmily approving. 'Very good, madam.' He took the long menu off her, flirting with his eyes.

'I'll have the same,' I said.

She looked around at the other diners. Almost all of them older than her, discreet in manner and, judging by the dead fur in the coat room, all European. I poured the wine and we made small talk. Six oysters slid down my throat, but the conversation remained dismal. She was waiting. I couldn't put my finger on it, but it was as if she was expecting to be ambushed.

'So, Ricky tells me you are a lesbian,' I said casually.

She laughed and slid a tiny piece of buttered bread into her mouth. 'Lipstick, I'm afraid,' she confessed, her eyes twinkling. 'But why spoil a sweet little fantasy? Ricky really gets off on the idea. Two cute babes usefully whiling away their time with a little licking while waiting for the ultimate gratification from the great god himself.'

'But what about all those times he lures a naked girl into bed and you go in and close the door?'

'Yeah, I get into bed and offer them a line. Those girls will do anything for a line. They go out and say whatever he wants to hear. And he rewards them with more coke. And everybody is happy.'

'Why this elaborate charade?'

'I don't know. It's the Greta Garbo trick, isn't it? Available to all and possessed by none, sort of thing. Well, it keeps the guys running anyway.'

'So why shatter the illusion for me?'

'Because I don't want you running,' she replied carelessly, but the eyes over her wine glass were careful.

Our main course arrived. That last remark hurt. The duck was a little too salty.

'Why do you wear so much make-up, anyway? What else are you hiding?' I asked.

She looked up quickly at me. It was in her eyes. I had not failed her. This was the ambush she had been waiting for all night long. 'Why do you do it?' she asked softly.

I caught her unwary hand across the table. Her eyes were big with surprise. 'Look into my eyes.' I said to her. 'Are you behind my eyes? See yourself? Now, what do you see?'

Caught in the fierce gaze of my eyes some sort of awareness crept in, a dawning of some emotion, until suddenly her gaze shot away.

'What *did* you see?' I asked.

'That you recognised my name and my fiction, but that you do not know me.'

'So tell me. Who are you?'

'Who am I? Is that what you want to know?' She put her wine glass down, her expression strange. Then she reached down to her handbag and produced a small white bottle. She poured some of the white liquid onto her fingers and began to rub it into her face. All the time her eyes were locked on to mine. Make-up smeared, grey ran into pink and golden brown, and black mascara streaked down her cheeks. Then she picked up her napkin and began to rub it all away. Shocked, I stared at her. Barefaced, she returned the napkin to the table.

Not once had I taken my eyes off her, but I felt, like a touch on my skin, the avidly inquisitive, incredulous stares of all the other diners. Without her gold-brown mask she looked pale and exhausted. The skin on her lips so thin it was almost transparent. Why, she was defenceless and pitiful. I felt goose pimples rise on my forearms and an odd possessiveness filled my gut.

She waited unblinking. Wanting something from me.

'God, you're beautiful,' I whispered.

Then we were locked in a battle of wills. For interminable moments she hated me, or herself, and then she was violently pushing her chair back and leaving. The little restaurant had gone silent. My confusion complete, I could only stare stupidly at her striding back. What did she want me to say? That she was grotesque? The door opened and she was gone. Dumbly I saw her run and get into a black cab. I loved the woman. That was the truth.

I looked down at my duck and raised my hand slightly. Instantly a waiter stood at my elbow. I made the movement of writing. When the bill came I counted out some money and left it in the velvet book. She had revealed herself to me as if it was some test. And then behaved as if I had failed. The air outside was surprisingly cold.

Across the street a group of women were rolling out of Draycotts, their voices forced and loud in my bewildered ears. I stopped at the window of the art shop in front of Joseph. I just needed to think. In the window there was an old-fashioned painting of a basket of fruit, exact to every droplet of water. The lack of imagination left me cold. I had failed her test. I thought of her with smeared make-up. All the while expressionless and watching. Something important had just happened, but I did not know what it was.

Beside my reflection on the glass window another appeared. I turned to look at her. Ah, one of the happy girls from Draycotts. Her waiting friends milled about on the other side of the road.

'Hey, want to come to a party with us?' she asked. She was young and passably pretty.

'Why do you wear make-up?' I asked.

Surprised, but game, she hugged her arms to her slim body, shrugged and decided to be dishonest. 'Something to do, I guess.'

'Fair enough,' I said, nodding. I wished her good night and walked away. I was much further up the road when I heard her shout, 'Fucking weirdo.' I passed another restaurant. It looked warm inside. A cold wind rushed into my face. I wrapped my coat tighter against the wind. Anis had a beautiful poem.

> *Cold wind I beg of you,*
> *Touch her ever so lightly,*
> *Make her shiver slightly,*
> *Make her love me a little.*

Elizabeth

I woke up suddenly, afraid, and swiftly looked around me. No, everything in my bedroom was still cream and gold. And pristine. Everything was status quo. Not to worry. Nothing had changed. Yet. I got out of bed and pulled the heavy drapes away from the window. White light tipped into the room. I pulled at the knots on the shoulders of my nightgown and it softly whispered to my feet. Nude, I went to stand in front of a full-length mirror. In the clear light I stared at all of me. How many times had I stood exactly there? Simply staring. Sometimes disbelieving, other times shocked. At how intolerably ugly I was.

But this day this glance in the mirror was more horrendous than usual. I put on my dressing gown and went into my living room. It was a richly decorated room. Splendid in a vulgar sort of way. I suppose it was just not to my taste. To be perfectly crude, I'm just not into all that Arab shit. I simply hate it. I moved from room to room like a guest, unable to relax in the foreign grandeur and majesty.

I know why I did that. Because none of it was mine. None of it. It all belonged to him. A click of his hand, and poof, it could all disappear. That was the reason I watched my step. Day and night I was on guard. Had never put a foot wrong in five years. It had been easy until now. Now things were changing. Inside me, matter was shifting, breaking away, and colliding. New and unfamiliar appetites were beginning to solidify. I was suddenly beginning to yearn for objects out of my reach. . .

I never thought it would happen.

In the splendid vulgar mirror over the fireplace I saw my face, pale, frightened, wretched. I must not. I must not fall for that man. Not Bruce. He alone had the power to break me. I could not allow him any closer. His inappropriate love would spin to hate when he found out the lies I had told. All of me was an obscene lie. He loved a figment of his imagination.

But my heart refused good counsel. It craved his company and made excuses to be with him. And recently it had begun not only to miss him when he did not call but to cry bitterly whenever he walked away from me. Oh God, why him? Of all people, why did I have to fall for him? He was a shallow beast, worshipping at the temple of perfection. How could I have been so spectacularly stupid? To have given my heart away to one such as him?

For years I buried my secret, even changing cemeteries for fear of discovery by grave diggers, and now I turned a corner, and it bumped into me. 'Why, hello,' the sly thing greeted lazily, pretending to be harmless.

I stood in the kitchen. The marble cold under my feet. I gazed at the floating woman in the Chagall painting. 'Mother,' I whispered, 'what would you do if you were me, and love was at the gate?' And I thought I heard her speak inside my head. 'Invite him in. Say to him, "You who have come from the other side of the world, I honour you, and though I am poor and cannot offer you much, you may share all that I own because you are my friend."'

You are mistaken, Mother. Love is no friend. It will take all of me. Look what it did to you. And I saw my mother again, that morning when she had rocked my sister in her arms, singing her terrible song. 'Oh, na, na, na, na, Oh, na, na, na, na.' Until they had to forcibly wrench her burden away.

Bruce

After my dinner with Elizabeth I went to the Spider's Temple the next day and found Ricky and Elizabeth sitting together on the long sofa deep in conversation. For a moment the sight of both their blond heads so close together startled me. I knew they were not lovers, but even their closeness was a source of jealousy. I was jealous of Ricky. They turned to look at me and Ricky began laughing, his big stupid Italian laugh. He thought it was funny that I had the hots for Elizabeth.

I didn't smile.

He got up, kissed the top of Elizabeth's head, and left. Elizabeth stretched her legs out into the space that Ricky had vacated. I knew she did that so I could not sit beside her. I sat opposite. She smiled at me as if nothing had happened the night before.

'What were you talking about?'

'Ricky got thrown out of Spearmint Rhino last night,' she said.

'Why?'

'He got on the stage and licked the lap dancer's pole.'

'Fucking crazy bastard,' I said, and we laughed together.

When she laughed she was irresistible. I wanted to hold her. On the radio Robbie Williams and Nicole Kidman were singing that sweet little duet, 'Somethin' Stupid'. I went and turned the volume up and stood before her. 'Dance with me?'

I held my hand out, and after a moment of hesitation she put hers in mine. I pulled her up and spun her away from the sofas. I had learned my steps at the local social club, where my mother went for cheap booze and a dance some evenings. Elizabeth was a surprisingly accomplished dancer and we made a good team, our steps matching perfectly.

She whirled away, laughing. She was mesmerising. I pulled her close to me and caught a whiff of her perfume before we were off spinning together. She felt good. She felt good.

Her eyes were happy, her mouth slightly open, her voice a breathless laugh. The song was nearly over and Robbie and Nicole were repeating the last line again and again.

I love you
I love you

'I love you,' I said and she froze. It was true I loved her. I felt her body contract as if I had burnt her. We stared at each other silently. Suddenly there was a noise. Somebody was coming through the front door. The spell broke abruptly and she was moving out of my arms.

'I've got to go anyway,' she said.

I grabbed her hand. 'Did you hear what I said? I meant it.'

'Don't go and spoil it all. You will destroy what little I have left,' she warned.

'The greatest thing I ever learned was from some man called Guillarme Apollinaire.' I said. There was no expression in the light grey eyes. 'Listen to this,' I said, ' *"Come to the edge," he said. They said, "We are afraid,"*

"Come to the edge," he said. They came. He pushed
them . . .'

I saw her recoil with horror. She did not like my story.

'*And they flew,*' I said.

And she broke away from my hold, backing away,
shaking her head.

'No,' she said, very clearly, and walked out of the flat.

Why not? Why not you and me, Elizabeth?

September 2000

Anis

That marvellous light is gone from Zeenat's eyes. Still I am filled with an unexpected tenderness. What a schemer!

Nutan

I went looking for Zeenat. Anis answered the door, but he stilled my greeting by resting his forefinger across his lips. I followed him into the living room that he used as a studio. It was a large empty room with many paintings lined up against the walls, some quite large. The floor was wooden and paint splattered. And in the middle of the room was a canvas on an easel, beside it, a table full of paints and a jug full of brushes. From tall, wide, bay windows, light, splendid white light streamed into the room. It finished the room in a rather remarkable way. It left no sheltered, covered spaces.

Half reclining on a low table illuminated by that peculiar light was Zeenat, disrobed. The scrutiny of bright light is essentially unforgiving and bitter, and that morning I saw it boring into her naked body, and in some inexplicable way harming her. She was leaning forward, her body raised from the ground, the muscles in her arms taut, resting on her whitened fingertips. Her long hair spilled to the other side of her. Unmoving, she spared me only the briefest of glances. She was doing it for us. For the money. I should have been grateful, embarrassed even, but I wasn't. All I could see was that strange glazed expression on her face, the muscle in her uncovered throat that quivered a little. I knew that look. She was high and I too wanted to be where she was. I needed some.

Utterly engrossed in his art Anis had already forgotten me. In their completely silent world I did not exist. For a while I stood at the door, invisible and uncertain, then I went into the kitchen. On a square table there was a pot of marmalade, a slab of butter in an open dish, and two unwashed plates. They had toast. I didn't know Zeenat had started having breakfast. We never had breakfast in Bali. There were coffee sediments in two mugs. I knew which one was Zeenat's. It was the one with the un-dissolved sugar at the bottom. We Balinese like our coffee very, very sweet.

The sink was full of dirty dishes. There was a small TV on a counter. It was on mute. Beautiful models strutted on a catwalk. There was something strange about their silent progress. Why would anyone watch Fashion TV, let alone without sound? I stood by the window looking out into a concreted space. It was full of dried leaves. A wall separated Anis's 'garden' from the road. Beyond the wall were people and cars. Inside the house they were breeding an unnatural stillness. Built a cocoon just for them.

None other may enter. Not even a twin sister.

Yet it was not tranquil, the silence. It was pregnant with waiting. What were they waiting for? I heard Anis walking away from his painting to get the buyer's perspective, and then returning to his creation, his shoes loud on the bare floor. Silence again. Something bothered me. I thought of my sister. That light. That unkind light had exposed her to my eye. Showed me something I should not have seen. Yet, I could not go back, erase what I had seen.

I stared out of the window, unseeing. That look on

Zeenat's face. Leaning on her fingertips, in that humiliating position with not a shred to cover her twisted body, her tender breasts exposed to the cruel light. It was almost a form of disrespect, abuse. Why, the people walking on the street could see her if they would only raise their heads a little.

My reality was shifting. My sister ignored my presence. Why did she let that sadistic selfish man degrade her in this way? To be bare and distorted into that position? As if an animal begging. She did it for the drugs. I knew she did.

I felt myself raging. He should not be allowed to do that to her. And then I caught a whiff of its odour. It was naked and raw. Jealousy. I stared at it. I was jealous of Anis. I must chain it to a wall. It taunted me, 'Go on, chain me. The walls may be different, but the chains are always the same. Breakable.'

We should never have come to this cold horrible country. It had changed us. I wanted to return but there was a sly, wheedling voice inside my head. *'Tusing jani, tusing ada de wasa.'* Not now. It is not an auspicious day.

Filled with dread I slipped into Anis's bedroom. It was why I had come in the first place. I knew where he kept his stash. I wanted some. Just a little. It hurt when I didn't take it. I was afraid Zeenat would know how much I had come to depend upon that drug. I was afraid lest she should know just how much I had begun to take when she was not looking.

Ah, Father, have you seen what you have done to us? You have turned us into your leather puppets. It is Sita, Father. She got lost in the jungle, and now Rawana has carried her away. Quickly, Father, pull our strings or we could die. Help her. Help us. Play with us. Make us dance again, puppet master.

Zeenat

I smelt my grandmother's clove cigarette. Smoky, warm. The smell was unique, lost, dead. A temptation to return. To ashes.

Anis

Balinese art makes use of the varying perspective in its conception. Different parts of the same picture appear to have been composed from a different viewpoint. So the wall is seen from the front, the flowers from above, the women washing in the river from the left and the birds on the trees from below.

Bruce

In the coat-check stand of a night club Ricky grabbed the girl in front of us. She was a bit unusual. Her hair was frizzy, her features thick and typically black, but her skin was whiter than mine, and her eyes small and blue. Coldly, blankly they stared at Ricky.

His voice warm, his eyes deep. 'Shall we fuck later, Bella?' he asked.

The small blue eyes looked Ricky up and down. 'Be frank, do,' she dismissed in an utterly snotty, upper-class accent and turned away.

'Does that ever work?' I asked Ricky.

He laughed. He didn't give a shit. 'Just keeping the technique sharp. I wasn't serious anyway. Watch me later.'

When I ended up at his flat in the early hours of the morning the music was loud, there were half a dozen people partying and the half-black, half-white girl sprawled on a sofa. She was wearing Ricky's bathrobe and smoking a joint. The small blue eyes watched me. I dropped into the sofa beside her. Sometimes I couldn't understand his success. He was callous, almost to the point of abusive, but all kinds of women responded to him. I couldn't understand how he did it. The odd one escaped his grasp, but hardly ever.

'I thought you weren't coming,' I said.

'Yeah, man.' The accent was so brilliantly Jamaican I wanted to laugh.

Ricky came out of the toilet, spotted me, grinned, and raised his eyebrows. From his belt he unhooked a set of keys. He dropped them in my lap. 'Elizabeth's in my bedroom. Some arsehole slipped something into her drink.'

'What?'

'Go for it, man. This might be the only way you get to fuck her.'

I snatched the keys, ran up the stairs and unlocked the door. It was dark inside. I closed the door quietly behind me. When my eyes got used to the dim illumination from the pub signage below the window, I saw her lying quietly on the bed, watching me. Relief flooded through me. I felt weak with it. Jesus, I had been frightened.

'Are you all right?' I asked softly. My weight made the cheap mattress give. She looked so small and vulnerable I wanted to cover her. I began to gather the sides of the duvet to wrap her with.

'Don't,' she whispered. 'Everything in here smells of sweat and sex. Just let me rest a while.'

'How do you feel?'

'All right now, but my arms and legs still feel a bit dead.'

'What happened?'

'Another shite who didn't trust the efficiency of his pick-up lines.'

I laughed weakly. ' Ahh, Elizabeth, Elizabeth. A lifetime

has passed since I tried that.' Can't you see how hard I've fallen for you?

'Lucky Ricky was there,' she said.

'Hmmm!' I lay down beside her. It was true I was a little drunk then, but I felt utterly peaceful lying in the dark beside her when her sharp tongue was dulled by an ugly drug. In the dark I began to wish.

Anis

My sister called.

My father was dead. I stood by the window. It was drizzling. The leaves were glossy green and the tree barks nearly black. A woman in a dark suit and very white legs ran across the street. I liked it when it rained in this grey gentle way. It made me feel safe inside my flat. He died of a massive heart attack. So quickly, my mother did not have time to react. Before she could bring the glass of milk he asked for, he was already dead.

I turned away from the window, closed my eyes and I saw him not humping some man, but sitting with me in the rain, back in Africa, watching a group of baboons twirling and prancing about, trying to catching the clouds of flying termites. Aaah, you should have seen the enchanting things. Almost poetic the way they danced in the drizzle, picking winged termites out of the air.

Zeenat came to stand beside me. I felt her, slight and uncertain. 'What is it?' she asked.

'My father is dead,' I told her.

'You will meet him in a field, in another world,' she consoled.

'That's what I'm afraid of,' I said wryly.

She took my face in her hands and turned it to meet hers. In that raw light she looked different. There was a pallor about her skin. And I had forgotten that her eyes wore specks of brown. They were glistening, large and translucent. Like vampires we haunted the nights, and hid during the day.

It occurred to me to paint her in the nasty grey light. I didn't want to go to the funeral, hold my mother's hand and lie to her about how sorry I was that her hypocrite husband was dead. I sat Zeenat by the window. Too many times I had painted her by night. Hours I painted. The light changed and twice Zeenat and I stopped to inject ourselves. Sometimes her eyes closed, as is her wont, but still I painted. The room darkened and even in the half-light I didn't want to stop. Until suddenly I remembered my father's 'not to be read until after my death' document.

I put down my brushes and, gently lifting that child out of the window seat, laid her in my bed. Carefully I covered her scarred arms.

At my father's house my sister opened the door. I was not close to her. She was married with children, but I had lost count how many. She looked at me silently, censoriously. She had assigned all the blame for the breakdown of the father and son bond on me. I was the selfish ungrateful brute in her melodrama.

I side-stepped her. The hall was full of groups of people talking in lowered voices. They all looked up to stare at the estranged son, famous and a little mad. My mother hugged me while I stood stiff and embarrassed in the flaccid envelop of her body. The creases of her body had begun to trap the musty smell of old age. I had to save her from that disgusting document.

I closed my father's study door behind me.

Ah, the predictable fool, he still kept the same password. I went through every file, but it seemed as if everything had been wiped clean. He could not have had the heart to destroy it, not completely. He must have had it on disk. I began to search. I was coldly, precisely, thorough. I looked everywhere. There was not a file I did not open, a folder I left unchecked, a book I did not open and flick through. I opened cabinets, up-ended drawers, looked behind pictures, even crawled underneath the desk to look for false compartments. Then I went a little crazy, took out a pen knife to the sofas. At first small cuts here and there then long great slashes. But nothing. I ripped up the carpets. Nothing. Was it possible?

That he destroyed it long ago. That he had never meant for us to see it after all. Perhaps I had judged him wrongly. Maybe he had never intended for us to know about his secret double life. Good. Let my mother and sister believe he was the perfect husband and father. Let them have their memory.

The door opened she stood framed in the open doorway. Old, fragile and draped in white. Then she closed the door and walked in, looking around the room desolately. It was all for nothing. She looked up at me and the piece of sari that covered her head dropped to her shoulder. How old she had become! Her hair was full of silver. Her eyes were pitiful.

What was she thinking? That I was looking for my father's last will and testament? That I wanted his money? She covered her face with her hands and shook her head from side to side like some dumb animal. I stared at her, mute. Her grief or reproach was beyond me. She did not know what I knew. Then she came forward and stood before me. Gently, gently, her old fingers skimmed my face, my eyebrows, my eyelids, down the bridge of my nose, to my lips, and up to my cheekbones. As if she was blind. As if she was savouring the moment, fiercely committing my face to memory for ever. But when her fingers found my collar bone so far out from my body a sigh escaped from a region deep inside her.

'Is this suffering the *dharma* of an artist, then?' she wondered quietly to herself. 'I know only the *dharma* of being a wife and a mother.'

And I saw the three of us, my mother, my sister who was only three or four then, and me sitting in our back garden, under the shade of a jackfruit tree. We were eating mangosteens out of a huge basket. How many hundreds we must have eaten during the season. It was my mother's favourite fruit.

She reached into the folds of her clothes and produced a computer disk. 'Is this what you are looking for?' she asked, her sunken eyes boring into mine.

I felt it then, my stomach sinking, my knees turning to jelly, the need to collapse. She put it in my hand and I gazed at it without understanding. When my confused eyes met hers, hers were not pitiful, but pitying. She knew. The *dharma* of a son is to behave in such a way that other people will look and exclaim enviously, 'What could this man have done in his past life to deserve such a wonderful son?' I had failed in my responsibility. Still her eyes were gentle. She nodded a few times, as if she understood, or forgave, and turned away to leave. She was already at the door and touching the doorknob.

'How long have you known?' I asked. My voice was hoarse, unfamiliar.

'Always,' she said, and covering her hair with her sari again, she opened the door and went out to join the other mourners. Her *dharma* was done.

Nutan

I never stopped loving my grandmother, but I went days and then weeks without even thinking about her. I felt guilty, I really did, but I couldn't help it. I was an addict. It got the better of me. *Is Bobby there? I'm really desperate for a bit.* I wished I could turn back the clock. I was so lonely. I hadn't washed properly in weeks, the water was too cold. And there was no food in the cupboard because I had stopped eating. I had lost two stone. I was disgusting. I hated myself. I wished I could simply lock myself indoors. Not see anyone. All I wanted to do was take drugs. I took it to go to sleep and I took it to wake up. *Ask the chemist for a pink pack of eight needles, will ya?*

I no longer greeted the postman in the mornings, but one day Nenek's letter couldn't just be slipped through the letterbox, it needed to be claimed with a signature. I was embarrassed to see the shocked expression on the postman's face. It was a long time since we had shared a mug of coffee and something sweet together. 'Are you all right, love?' he asked. I mumbled something, thanked him, and shut the door. Nenek had put a cinnamon root inside the letter. I closed my eyes and breathed in the scent. Oh! Nenek, you were right. You were so right. I unfolded the letter.

Nenek was frantic for a reply from either of us. I frowned, trying to remember the last time we had written. Had two whole months passed already? Nenek said that Father was planning to write to his relative to ask him to check on us. I jumped out of bed, rummaged around in my suitcase, found the number I was looking for, and ran all the way to a telephone box. I was panting so badly I had to stand outside the box to catch my breath again. Then I phoned the number our uncle had given us. My hands shook. His wife answered the phone.

I told her that if my father wrote worrying about us they were to ignore that letter. We were fine. She told me that Father had already written to my uncle four days ago. Quickly I assured her that we truly were fine. We had just gone away on holiday to Paris. She sounded relieved. I don't think my uncle needed such trouble in his life. I put the phone down. We had to be a lot more careful in future. If my uncle had come down . . .

I sat on my bed and wrote to Nenek. It was a long letter. I told her Zeenat and I had been in Paris for three weeks. I told her it was wonderful. I told her about the hundreds of statues everywhere, the beautiful old buildings, and the romantic bridges with their yellow lights. How we had been to all the art galleries and had stood amazed before the Eiffel Tower. In a gossipy tone I told her about the French men, their charm, and the elegance of the women. Oh, and did she know that the French hardly bathed. What was more, they liked eating raw oysters with a little bit of lemon juice squeezed on top. I told her I too had tasted one, and that it was absolutely disgusting. Very slimy, I said. And on and on, I told her about all the things I had only heard from Ricky's lips. As I wrote my lies I felt warm tears roll down my face.

When I was finished I stood in front of the mirror, a wreck, and watched me inject myself. I looked into my eyes shining like an oil-slicked pebble. Did I? Did I really hate myself that much? Why? What did I do to deserve it? Sticking a needle in my arm. It does hurt when you put a needle into your arm. They don't tell you that, do they? Strange. What will be next, cutting my own wrists? *Can you sort me out? I feel really ill.*

Ricky

There is a song my daughter used sing. It is called 'Ten Green Bottles'. I found new words for that song. I called it Ten Italian Restaurants. The new lyrics fit like a fucking dream.

I sold another. Had to. My finances were a bit of mess.

Fass had to retire. His other eye was giving up. I found an English accountant, but as I outlined the situation, his expression of polite attention took the road to repugnance. For that I have to take my hat off to Fass. Morality never bothered him. He had accomplished much without blinking an eyelid. Eventually, *il Inglese* straightened his back and stiffly made clear he wanted no part in the business of creative accounting. Pretentious sod.

I heard of a Chinese accountant in Soho, who was meant to be pretty good too. I got the number. Just had to find the time to call the bugger. Five Italian restaurants hanging on the wall. If one Italian restaurant should accidentally fall . . .

Francesca

I heard my mother say, 'Allora nowa deh flour.'

And the children asked, 'What, all of it?'

They were baking something for me that I couldn't eat. I closed my eyes and tried to shut out all their voices. Then I felt guilty. I was such a bad mother. I thought of myself, as a wolf in terrible pain, my limb trapped in an iron mangle, and bleeding profusely. Howling in agony, but snarling at anyone who approached to help. In a way, it was a kindness to abandon my children to my mother's care.

I had lost so much weight I could feel my ribs, but when I first saw how thin I had become I thought, well, it is almost worth the suffering. And then I slid into a heap on the bathroom floor, and cried, but so softly I don't think anyone heard.

If I went downstairs my children would cut their laughter, my mother would greet me with false cheer, and my father would pretend a smile. They did not want to see me suffer. When I left, I did not imagine it would hurt this way. I thought I was stronger. I was so enraged when I decided to leave him that it dulled my capacity to feel. But ever since then, the sense of loss inside my belly had grown unbearable. I could barely rouse myself to get out of bed. It was better in a dark room when I lay in one position.

The bedside clock said it was nearly lunchtime. I forced myself to get up. My hair was lank and dirty as I scraped it into a pony tail. Then I went downstairs. Before I opened the kitchen door I stuck a smile on my face. Their eyes watchful, the children climbed down from their high stools and came shyly towards me.

'We're making a chocolate cake for you,' they explained. I knew they wanted me to hold them, but instead they held themselves politely in front of me. Not sure if they should approach closer.

My mother wiped her hands with her apron, and picked up a book from the top of the fridge. She switched to Italian. 'Imula's daughter is a psychiatrist now and she recommended you read this.'

And I remembered what Ricky had said about my mother. It was when I criticised his mother as the kind of person who would build a library and instead of shelves full of books she would have panels painted with book spines and he had laughed mockingly and said, 'and yours would get someone else to stock her library for her.'

I took the book by Clarissa Pinkola Estés *Women Who Run With Wolves*. A coincidence. Had I not earlier likened myself to a wounded wolf?

'Go and read it and I'll bring you some coffee,' she said. And partly to get out of the cheerful atmosphere in the kitchen I took the book and left. Curling up in my father's favourite chair I began to read. My mother touched my shoulder and I realised I had not heard her enter. I was so mesmerised by the book. My mother placed the coffee on the table and went out, quietly closing the door. Now and again my mouth murmured, 'This is right. This is so right. Yes, of course . . .'

I learned many things about myself. I learned that I was a she-wolf, that my shadow was four-legged. Only no one had taught me to howl. Presently I came upon the story of a heartless man who put a dog into a cage wired to give electric shocks. He did this in the name of research. At first just the left side of the cage would give the dog an electric shock when it wandered over. The dog was quick to learn. It stayed on the right. Then the shocks came from the right, and the dog immediately moved. They changed the rules again. The dog returned to the right. It repositioned again and again. Then the entire cage became capable of giving it a shock. The dog learned that no matter where it was, it would receive a shock. So it sat in a place and accepted the shocks. And then the heartless man opened the cage door. Did you think that the dog ran out? You might have thought so, but I knew it wouldn't. I knew it would sit where it was, defeated.

The scientists term such behaviour 'learned helplessness'. That was what had happened to me. Paralysed with terrible pain I sat and gazed at the open door. But, no more. That instinctive decision to return home had been my starving soul's first attempt at impeccable judgement. I had been locked into a loveless marriage, and denied the soil of Sicily for so long that even the necessary thought of returning had become too formidable a consideration. Fed on a diet of broken promises, I had in turn become uncompromising to myself. I tore at my tongue, blinded my eyes, and cemented my ears, to be what I was not. To be what I should not be.

I had sold my dreams of bread made in a wooden trough.

Carefully I tiptoed up the stairs and locked myself in my old room. I did not want to be disturbed. Not yet. From the bottom of the wardrobe I pulled out the old wooden chest my grandmother had given me. When I opened it I fell into another world. Home-made corn dolls, pine cones, a blue and yellow marble, a few books, and a precious velvet dress. And underneath it all, my three 'Books Of Moments' tied with blue ribbon. My father had brought them back from England when I was a child. I untied the blue ribbon and opened the books. And saw row upon row of neat childish writing. My little dreams. A tear slipped down. I touched it. It was not sorrow. I promise it was not. It was just a moment of sadness for a thing lost.

I had abandoned them for Ricky.

I unscrewed the cap of a blue marker, and inside my book of Proud Moments, I wrote in bold writing: I LEFT MY HUSBAND.

Inside my book of Great Ideas: GOING HOME TO MAKE OLIVE OIL.

And in my book of Laughter: HA, HA, HE THOUGHT I WAS A DOG, BUT I'M A WOLF.

I held the books close to my chest. I knew it was going to be a long struggle, but it could be done. I could do it. When I went downstairs and opened the door of the living room, my children swung their faces away from the TV. I went on my knees and beckoned to them, and they scrambled to their feet and ran into my open arms. How desperately the little things clung to me. I must love them so much that they learned the confidence to move safely away. I had to allow them to grow strong, and teach them love. Ricky and I had wronged them.

I looked at my father. 'Papa, I need to buy some land in Sicily.'

And my father smiled. It was a slow smile, but in it glimmered a mine of satisfaction. 'The land has carried your name for a long time now,' he said. I smiled back through tears. Ah, Papa, you were ready for my moment of lucidity.

'Remember Toto?' he said. I nodded.

'His mother sold me some of the land that should have

been his. It is not huge, but it is enough. There is no well on it, but we can dig one for about £30,000 if you decide you need one. There is a nice-sized barn where Toto's family used to store their wheat before the war. In some places its walls are worn to rubble, but it is just perfect. You will work with your hands to put it right so it becomes a home for you and the children. Work will cure you, you'll see. I believe in you. Make your olive oil, my child.'

October 2000

Bruce

It was when Elizabeth and I went to Anis's home to drop some stuff off that he first explained the significance of the Buddha Touching Earth Mudra.

'May I?' Elizabeth asked. 'They're no good,' he dismissed but then changed his mind and nodded. She started looking at the canvases lined up to face the walls. She offered no comments until she came to a painting of a huge Buddha.'Why are his hands not in the usual pose? I thought they were always resting in his lap,' she asked.

So Anis leaned back against a painting and told us the legend of Buddha's moment in the jaws of temptation. On the fifth week after Buddha had attained enlightenment, he was meditating under a Bodhi tree, when Mara, a dazzlingly beautiful *dakini*, temptress, came to lure him away from the righteous path. The celestial being, full of bright light and the rich fragrance of a thousand blooms, floated before him. To please her even the sun conspired to hide behind a black cloud. It became as if night. Seductively her glowing body danced before him, weaving her most intoxicating wiles, and promising pleasures indescribable. She threw a yellow hibiscus into his lap and invited him to make love to her.

But Buddha only reached his right hand to the earth, and called upon it, to bear witness that he had never been tempted, not even for the briefest moment. Such was the greatness of Buddha's will that the earth replied, shaking and trembling six times as proof that indeed at no time had he been distracted from his chosen path.

'Touching earth. What an extraordinary story,' Elizabeth murmured, gazing thoughtfully at the painting.

Anis

Where was the old passion? It was contrived and horrible when we tried. I loved her so much, but I was always so weary. Perhaps if I wasn't so weak, and she so fragile and ill. I lay in bed drowsy and felt afraid of losing her, and yet I could not think of anything else except the next dark, slow moving dream.

Nutan

I was sitting on Ricky's bed shooting up when he walked in. We stared at each other and for a few seconds his face went slack with shock and disbelief. But then his reaction became horribly aggressive, he strode forward and pulled the needle out. Blood squirted. He flung the syringe across the room, pulled me up and dragged me in front of the mirror.

'Look,' he said. 'Look at what you have become. A fucking junkie.'

And I saw myself through his disgusted eyes. For the first time I really saw myself. Oh, I looked terrible. My cheeks were sunken; my hair was matted. And my eyes!

'Get off this shit, or don't ever come back here,' he threatened in a sickened voice. I believed he meant every word. He flung me away from him. I fell to the ground and he looked down at me. There was only contempt in his long slow appraisal. He found me repulsive. It would not matter to him if I never came back. Then he turned around and left.

I wanted to cry, but more than that I wanted what still remained in the syringe. I remembered the awful face in mirror, but I needed the drug. I began to crawl towards it. Ricky came back into the room. Without a word he picked up the needle and left. Slowly I stood up. Filled with self-loathing I walked to the door. In the living room there were voices. Had they also seen what I saw in the mirror?

There was a comb somewhere. But I could not find it. I felt ashamed. I ran my fingers through my hair. My hands were shaking with horror. I had seen myself, you see. There was a tube of lipstick in one of the drawers. I began frantically looking for it. I was filled with the disgust I had seen in my lover's eyes. I found the lipstick, not mine, some other woman's. My hands were shaking so much I couldn't put it on. The disgust. It had unnerved me. I wanted to stop. I really did. You must believe me that I really hated myself at that moment. More than anything else in the world I wanted Zeenat and me to stop. Even before this I had begun to fear the violent mud we played in. I feared it had reached our waist. I feared any deeper and we could get stuck. We must stop. We were not yet too far along.

Ricky

Four Italian restaurants hanging on the wall.

Yeah, had to sell another. Hadn't been paying PAYE for a long time, had I? The penalties add up. They always catch you in the end. It's unfair but what can you do. I mean you've got to pay the most mercenary group of people alive. Chefs. You pay the little bastards fifty pounds a shift, and you would think that would be enough, wouldn't you? But no, you've still got to pay their national insurance and tax too. The Chinese accountant suggested doing what all his other Chinese customers do on a regular basis. Arrange for a fire in the restaurant that was most in need of refurbishment. Naturally make sure all the accounts are in the inferno. The insurance is usually a done deal.

My God, that guy was even more ruthless than Fass. I stared at him. It possibly dawned on him at that point that I was not his usual Chinese triad client. Unfazed, the black eyes suggested the second best solution. That I shred everything, and pretend I lost them in the back of a taxi on the way to my accountant. I nodded. More my cup of tea. I did it and he came up with an estimate of my figures. Much lower. Had money left over from the restaurant sale. I was thinking of stopping the free basing. I wanted Francesca and the kids back. We were a family. Those children needed me. They are my flesh and blood. I could stop whenever I wanted.

Nutan

I locked us in. We were going cold turkey. Anis had gone to the clinic, but both Zeenat and I had learned from Nenek to distrust hospitals. Even the smell of a hospital was fearful to us. Luckily Bruce had managed to obtain the medication used in the hospitals to lessen the withdrawal symptoms. They started immediately, the cramps, the pains, the jerking limbs, the sweats, and the cravings. Oh God, the cravings. To stop them we crammed more and more pills down our throats. They made our tongues lazy and sent our feet to sleep. Spittle dribbled from our slack mouths.

I remember Zeenat in slow motion resting her hand on my head. 'I'm sorry,' she slurred. 'If it was not for me you would not be here now.'

So difficult to keep my eyes open. 'Never mind, don't cry,' I mumbled.

Until suddenly, we realised we had taken too many pills. There were no more to dull the pains, or the intolerable cravings. We paced the small room like crazed animals, our eyes wild and desperate. Zeenat's fingers drummed surfaces nervously. Again and again her body jerked with violent convulsions. Mine too. It was ugly. It was completely uncontrollable.

Suddenly she turned to me, her eyes feverish in her agonised face, 'Shall we?'

'No,' I cried.

'Please, please.'

'No,' I said.

'Please. Just this once.' She started haphazardly pulling on her jacket. 'Look at me. I can't take it any more,' she wailed distractedly. She stood in front of me, grasping her stomach helplessly and without warning a fountain of vomit gushed out. Covered in her own sick, and still clutching her stomach she begged, 'Please, give me the door key.'

In a haze I saw her, but did not recognise her. Her blood-shot eyes blazing with terrible need, her mouth in a frenzy. She fell to her knees and pleaded piteously for the key. He was calling. The devil passion. He had taught us a language, fierce and captivating like the language of wild animals. He held her tighter. She had been with him longer. He made her suffer more. I shook my head. She swung around, moving crazily, desperately. A caged animal. Then she ran to the door and began to kick it. It made a great racket, but held fast.

'Give me the key,' she screamed at me.

Only I knew where it was hidden.

She ran to the window. She opened it and before I could lunge for her she had jumped out, and landed on the awning of the kebab shop. She was so thin it held her weight. I heard a ripping sound. She slipped down it on her back and landed on the pavement, like a cat on her hands and feet. She didn't even look up to see if I watched. She just lurched off down the street, limping badly. She had to have her fix. I watched her go until she turned the corner, unwashed, her jeans ripped, sick in her hair and clothes. With her gone there seemed to be no point in suffering. That is what an addict does. Looks for excuses.

I lurched for the door key. I was so ill and my hands trembled so much I almost did not open the door, and incredible as it seems now, I actually considered the exit Zeenat had taken. But finally the door opened and I stumbled down the stairs. I too needed my fix. I would have to take it on tick. Surely he would not refuse me in such a condition. Even inflated with powder power he would see that I was only the ghostly skin the snake leaves behind.

Bruce

Elizabeth, Maggie and I went to visit Anis. I was shocked to see that the wing he was in was more mental asylum than hospital. There were sounds of people crying, shouting and wailing in the background, and he was so dosed up on morphine he was lying on a bed, dribbling. When he saw us he tried to sit up, but couldn't. He looked awful.

'Walk me,' he garbled, eyes glazed.

I supported him into a sitting position. He was incredibly slight. His elbows dug sharply into my palms. I held him up and dragged him around the room. His legs were like lead. It was useless. So I carried him back to bed and he slumped sideways.

'This is terrible,' he mumbled.

Maggie started to cry.

'You're going to be fine,' I told him.

'Of course . . . it is all . . . weeeiirrrd . . . if you eat and drink . . . in Alice's Wonderland.' He tried to grin and dribbled saliva. Maggie rushed to wipe his mouth. She used her bare hand. I was startled by her instinctive compassion and my immediate revulsion.

'They should show these images on TV. Nobody would dare try this drug ever again,' Maggie said. There was a sob in her voice. I put my hand around her shoulder.

'Hey,' I said. 'This is a good thing. He will be better when this stage is over. No pain, no gain, right?'

She nodded but tears still shimmered in her eyes. She had a soft heart. I turned to look at Elizabeth. She was hugging herself with both hands and simply staring at Anis. We sat with him for a while, watching him fight to stay awake. Finally he gave in to sleep. Even in sleep his mouth groaned, his body jerked, and his legs kicked, sometimes so violently it jolted him out of his stupor. It was a horrible sight.

When we were outside, Elizabeth said we should go and see how the twins were getting on. They were doing it on their own because they had a thing about hospitals. They didn't trust them. Besides, their visas had run out, and they were terrified of being identified and deported. I thought the girls were on to a bad idea, but I got them some sedatives from a friend of a friend.

But when we got to their room, the door was wide open, the girls were gone, and the place looked like a bomb site. My fastidious eyes noted that even the mirror was vomit splattered. The smell was so sour and disgusting it made me retch.

Nutan

Zeenat and I became irritable and crabby. We snapped at each other. One day she accused me of taking money from her jeans pocket. 'I only took sixty pence for an iced bun,' I said, but she didn't believe me. In fact I had stolen the money. Only so I could get a bag.

We looked bad too. When Zeenat bent over to pick up her knickers the other day I saw all the bones in her spine sticking out. Sometimes I thought she looked at me with hate in her eyes. But then I thought it couldn't be. She loved me. If she didn't she wouldn't go out and get enough money for both of us. Without Anis I didn't know where she got it from. Had she become a thief? She loved me. I knew she did. It was just that jealous drug. It left room for no other love.

Bruce

It was four in the morning. Every single drop of coke was gone and Ricky had just scraped the top of the TV set to make one last line. He and Maggie were going crazy for some more. They started calling around, but no one had any, and if they had they were not selling. Then Ricky had an idea.

'Why don't we just crush up some sleeping pills and snort that?'

He had heard that it was a good high too. Maggie was all for it. At times like that, when Maggie got so desperate, her face deathly pale and dark rings around her frantic eyes, I began to see how nasty even cocaine could be. What really bothered me was that sore on the side of her wrist that she usually covered self-consciously with her other hand, but forgot about it when she was really high. It looked swollen, purple and disgusting. All the poison she put into her body gathered in that one hideous spot. Ricky had one too. A really bad one. On his arm.

I was tired and wanted to go home. I had a meeting at one

o'clock with the bank manager, and it was not good news he was waiting to impart. The account was light, problematically light, for some time now. I wanted to take Elizabeth home and then not snort, but swallow of couple of sleeping pills, set the alarm for twelve, and crash out until then. But Elizabeth wanted to wait a little for Maggie.

Ricky ran up the stairs and came back with a small handful of Rohypnol. We helped him crush them. Maggie had the first line and Ricky, greedy as ever, took a massive one. There was only a little left and Ricky offered it to Elizabeth, but she was not interested. She was a careful one. She refrained from taking things if she did not know exactly what effect they would have on her. I suppose she couldn't trust her secrets to new substances. She liked to be in control. She waited to see what it did to Ricky and Maggie first. Ricky snorted the last bit too.

It was Maggie who reacted first. She climbed on the coffee table, stood on her toes and stretched, as if she was a ballet dancer about to pirouette or leap off into the air. But she bent backwards and let herself free fall. Ricky moved quickly to catch her. He started laughing. 'You all right, Bella?' he asked. She looked deep into his eyes and smiled an odd crooked smile.

I felt Elizabeth stir beside me. Ricky set Maggie down and she slipped out of the circle of his arms and walked towards the window. She opened it and began to climb out. All of us rushed towards her. We pulled her back.

'What the fuck do you think you are doing?'

'I wanted to fly,' Maggie explained with shining eyes. She turned to me. 'Beth can, you know. She's done it before. There is nothing else like it, is there, Beth? Walking out of the window. The wind rushing towards you. Like a bird. Free.'

We dragged her back to the sofa. And suddenly Ricky started behaving funny; running his hands through his hair jerkily, and blinking rapidly. I knew that look. He was becoming hyper. Maggie moved towards him. He grabbed her and they started kissing ferociously, tongues, teeth, sucking sounds.

'Shall we go?' I said to Elizabeth.

But just as suddenly Ricky pushed Maggie away and began prowling around the flat. 'Let's do something. Let's do something. Let's have a party. No, an orgy,' he muttered. And then the guy said, 'Music anyone?' picked his guitar up and smashed it against the wall. It broke at the neck. Oh, oh, I looked for Elizabeth's eyes. They were wary.

Like a crazed animal Ricky paced. 'Hey, where's the coca? Let's go find some coca, huh. You got a phone?' He looked terrible.

Maggie took her top off, and fanned herself with her hands. 'God, it's boiling in here,' she said. I began to worry.

'Wow, I know what,' Ricky said, and all of sudden, he roughly yanked Elizabeth off the sofa and crushed her slender body into his. I felt sick.

'What will the spider woman say, my little Elizabeth, if you and I should fuck? Shall we? Right here. Right now. Shall we?'

'Stop it, Ricky,' Elizabeth said firmly, pushing at him with both hands, but he only tightened his hold.

'It's paradise. No snakes, remember,' he said, and catching the back of her neck in a steely grip, started kissing her. I mean really kissing her. I could see him trying to force her mouth open. Her struggles were puny. I took a step forward. 'Hey,' I said. But his other hand was already beginning to hitch her skirt up. I saw a flash of thigh.

And then I saw black. I rushed towards them. 'Hey, Ricky,' I shouted. His head came up and I threw him one. It caught him under the chin and knocked him out cold. He crashed to the floor on his back. Elizabeth squatted beside him.

'He was getting out of control,' I said by way of explanation. Elizabeth was silent.

Suddenly an eerie little voice called Maggie's name. And when we looked around we saw her crouched in the corner of the room calling her own name. It was a horrible creepy sound. 'Maaggieee, Maaaggieee.'

Elizabeth went to her. 'What's the matter, Maggie?' she asked softly.

'You don't understand. You never will.'

'Understand what?' I heard Elizabeth ask.

'Aw, forget it. Never mind. Just teach me to fly like you. I trust you. You're the only one I trust. You won't let me fall, will yer?' She pushed herself upright, looked at us hazily and mumbled, 'I feel dizzy. Help me, Beth, help me.'

'I'll wait with her until the drug wears off,' Elizabeth said to me, but I dared not leave her alone with Ricky. Just in case he woke up crazy.

'I'll wait with you.'

'Thank you,' Elizabeth said, and although her voice was choked up, her eyes did not rise to meet mine.

Anis

I went to pick Maggie up at her flat. She lived on the ninth floor of an ugly building block. So high up the wind howled around the building as if a storm was brewing. I suppose it felt a little like being in a lighthouse set perilously close to the edge of a precipice. Underneath us a sheer drop into a pounding sea.

The flat itself was a run-down dump, but made charming by the incredible volume of books Maggie owned. A veritable library was housed in her living room. Rows and rows of books on bookshelves, stacked into equal columns to hold aloft a piece of glass that served as her coffee table, and in tall piles to hold up old-fashioned brass candlesticks on either side of doors. They lined the walls and lay on every available surface. Her two cats, one tortoiseshell, another a petulant pure white, negotiated themselves around the miniature towers with familiar ease. I was surprised by the collection. There were books on poetry, history, art, philosophy and many works of the greatest writers.

She brought a small saucer of quartered persimmons.

'I didn't realise that you were into things that were not directly harmful to your health,' I said, sitting down on a disintegrating grey and white sofa and picking up a book about Freud. I opened it. 'So what's the story with him then?'

'They say he was a sexually repressed fraud who never cured a single patient. Now Jung, he is another story. More your type. He was a Tibetan lama in another life.'

'*You* believe in reincarnation?' I burst out.

'I'm a Catholic, Anis. I believe in Judgement Day.'

The tortoiseshell came to investigate. I stroked her head.

'Lilly's lovely, isn't she? Now Wellington's a vain, selfish nightmare. You are, aren't you?' she said, smiling fondly at Wellington. The white cat stared unblinking.

'Have you read all of this?'

'Yeah, and *The Wizard of Oz.*'

We both laughed.

'Here, take these,' she said and dumped into my hand a pile of beautifully bound books on philosophy.

'Oh!' I was surprised. 'Thanks. I'll read them and tell you what I think when I return them.'

'No, don't return them. I want you to have them. They're up your street. Just give me a minute, I'll get my shoes on.' I was touched. She began to put on her ballet shoes.

'Why do you wear ballet shoes all the time?'

334

'Och, Anis, ask another?'

'Okay, why do you take drugs?'

'I suppose I have an addictive personality and maybe I have a death wish.'

'Suicide?'

'And burn in hell for eternity? No, I'll wait. Besides, suicide takes courage.'

I stared at her. So she was not like an insect; wings, legs, eyes, everything made from the same building block, a sugar derivative. Here in the lighthouse she didn't seem to be built for the sole purpose of looking for more and more drugs. She became visible to my artist's eye, an amazing creature. Actually she was very beautiful in a wasted pale way. I asked her if she would sit for me.

'Why not?' she said, shrugging.

'Now?'

'OK,' she said.

I brought her back to mine.

'Will you let me paint you without the ballet shoes?' I asked.

For a moment she hesitated then I watched her take them off. Her feet were ghostly white, the edges pink and delicate. She wriggled her toes. For a second I forgot, and she was as pure as a child. I had an idea. I began to mix some colours while she padded around the room looking at paintings, her expression rapt. Slowly I was beginning to like her. I even liked her wandering around in her bare feet poking about my paintings. Zeenat was completely uninterested in my work. But Maggie had a good eye for technique. Always she pulled out the best ones to study a little closer.

Her eye found the unfinished one of Swathi, tucked far behind all the others. The one I had stopped painting the day her aunt called to say she was dead. Maggie dragged it out.

'Oh, Anis,' she whispered, her right hand going to cover her mouth. She squatted on the floor and stared at it. When she turned around, her eyes were frightened, as if she knew what my answer to her question would be. 'Where is she now?'

'Dead,' I said shortly.

Maggie looked at me and then at the painting again. 'Why do you not finish her? She is cold and waiting. I smell grief. Hers and yours.'

I felt her bare feet too close. Like a child she broke my barriers.

'Shall we get started?' I said.

'Where do you want me?' she asked.

I went into my bedroom and deep in a disused drawer I found the book I was looking for. I wiped its dusty cover on the sides of my trousers and held it out to Maggie. 'Read this while I paint you,' I instructed.

She took the book. '*Dharma*?' she asked.

'Duty,' I told her. "The duty of every living being is sacred and not to be sneered at. Whether one is a teacher, doctor, father, mother, leaf, animal, architect or courtesan the concept remains equally valid.' I did not look up from my canvas, but felt her gravely open the book to the page with a book mark and lay it on her lap. She began to read.

'"The *dharma* of a courtesan is to receive money for pleasure. It is her duty to paint coral lac-dye on her lips, decorate her eyes with lampblack and rub saffron on her breasts until they glow. Without love many tigers will enter her cave and though their occupation be brief she must treat them all equally as revered guests. At noon she may rub perfume on her forehead and walk along the same street as the man who had rode her like a horse the night before, but in the strong light of day he may grimace with disgust. Then it is the duty of the night horse to forgive."'

She stopped. I did not look at her but repeated an old story my grandfather once told me.

'When the king of the ancient city of Takskashila asked

his royal astrologer why his city was suffering such a terrible drought, he was given an unexpected answer. He was told, "Celibacy is a poisonous serpent that Fertility will consider only from afar." The drought was caused by the spiritual heat produced by the relentless prayers of meditating ascetics gathered in the kingdom's forests. The solution was simple. "Invite courtesans from all over India. And as they go about their activities rain will fall." The king invited the courtesans and the rain came.'

I stopped and Maggie continued reading.

'Neither the bridal palanquin nor the rice shower will be hers to claim, but still the prostitute may take pride in the essential nature of her role, that even the great Goddess Durga Ma's celebration cannot start without some soil gleaned from her garden. And so they will come to her, high born and splendid, with garlands of jasmine wrapped around their left wrists. And her hands, red with henna, must reach for her anklets of bells. Again and again she must dance for them. Then perhaps the kind man intoxicated by her beautiful movements will call her a dancer.'

From where I stood I saw her glance at the ballet shoes she had discarded by the door. I saw the tears that ran down her face, but I could not allow her to stop there. I had an idea for painting. 'Go on.' I said. To see her heart and soul I had to offend.

'In times of yore she was a noble healer and a high priestess who earned money for the temple she lived in, she knew she shared the same *dharma* as the lotus. She must live in the slime, the lower parts of her body perpetually in contact with the impure, and yet not a drop of the filth or mud must taint her skin. Is it not so that the same mute mud that seeks her corruption mutely conceals her most vile secrets? Who dares question the purity of a lotus? Not the mud. Never the mud.'

Maggie's tears splashed onto the page of the open book. I should have gone to her then, comforted her, but I couldn't. With the light behind her, her tear drops sparkled and the brush in my hand grew a furious life of its own. I had failed in my *dharma* as a son, a lover, a brother, a friend. Only the duty of an artist was left to honour. To an artist's eye grief is natural and so beautiful, he cannot leave it be. I don't know how long I painted the courtesan's tears. It seemed she cried a river of tears.

Now it seems so perverse, but it was the most natural thing in the world that day. That she should cry so hopelessly for an impure lotus seemed right. That her poor heart was broken didn't seem to matter. I had to paint a courtesan's tears. The courtesan's punishment had to be captured on canvas. When I put down my brush I went to hold her.

'Shhh,' I said and just like that she stopped. For a long time I held her body curved into mine until she was familiar to me. Like a long-lost sister.

Bruce

'Hello Maggie,' I said, dropping down beside her on the couch. She was flicking through a fashion magazine, looking bored.

'Hello, Bruce,' she said.

'Where is everyone?' I asked casually.

'Elizabeth's baking a cake,' she said.

'What?'

'Yeah, surprising, isn't it? She likes baking.' She looked at me sideways. 'And babies.'

No point beating about the bush. 'How come Elizabeth refers to me as The Thinker?'

She swung her head around to face me and burst into a

huge grin. A Maggie grin, and I knew that no matter what she said, I wouldn't hold it against her.

'In some places in Ireland they always name you the opposite of what you are.'

'Oh, great,' I said.

'She doesn't mean it, you know?'

'Want to come out for a drink?'

'Okay,' she said, and shot up suddenly. Looking down at me she said, 'What you waiting for then?'

I took her to Ashley's bar. We drank companionably until even the one-word, pithy writers were incoherent with drink.

'I'm on a roll, keep it coming,' I shouted drunkenly.

'You know, people who have the greatest need for protection keep the fiercest guard dogs.'

'What're you trying to say?' See how drunk I was.

'Never mind that. Do yer love Beth?'

'I do,' I said solemnly.

'Will you promise me that you will marry her?'

'I will.'

She nodded slowly. 'Good man. Don't forget now. You've promised.'

'Will you make Elizabeth promise to marry me?'

'Don't you go worrying your pretty little head about that. Leave Beth to me. I'll sort her out. Now have you thought about doing it the African way where the bride and groom are so happy they dance up the aisle?'

'No, I'll take her to the church, I think.'

'She wants three babies.'

'Sounds about right to me.'

'There is something I have to tell you about Beth,' she said. I turned to look at her. She sounded almost sober suddenly.

'What is it?'

Then she looked away and said softly, mysteriously, 'No,

she'll tell you herself when the time is right. It's un-important anyway. She thinks it is, but it isn't. You'll see for yourself.'

Ashley was turfing out the writers. 'Is it already closing time?'

'Yeah, man, it's four in the morning.'

We followed Ashley upstairs. In his back room he had more than forty varieties of whiskey. I tried them all and passed out on his sofa while Maggie and Ashley were still drinking and discussing gay rights.

Elizabeth

Anis brought a writer called Rani Manicka to the flat today. She had written one book and was looking for material for her second. She wore old jeans and a huge blue jumper. Very unglamorous . . . except for her shoes, silvery grey with tinges of pink. She caught me looking at them and grinned.

'Aren't they gorgeous?' she asked. 'I had them made specially. They're salmon skin. And I even have the matching gloves.'

'I read your book,' I said.

She appeared surprised. 'Did you like it?' she asked immediately with such unconcealed eagerness that it made her at once pathetic and strangely appealing. She wanted to hear that I liked it. I was sorry I brought it up.

'Well, I didn't quite get to finish it. It's a good book, but I like my reading slightly more complicated, less commercial.'

Suddenly she was looking at me anew, as if I had given her some detailed personal information. She smiled. 'Too commercial, huh?'

'Maybe . . .'

Unexpectedly she reached out to touch my hand. 'Surely

you have not the cold heart of a critic that must degrade all appeals to the emotions as commercialism. Will you respond only to calls to your intellect? We authors are a breed of people, shy and sensitive. Our insecurities make us turn away from the cruelties of the outside world and live in the pages we create. Would you have us only walk on barren soil and eat cold reason?'

That sort of threw me. Luckily Anis walked up to us with a large tumbler of whiskey for her. She was amazingly quickly drunk and, her little notebook abandoned, she started banging on about some Hampstead critic who had slagged off her book. She was spoiling my buzz and I wanted to tell her to shut up, but she did very generously throw four fifties into the coke kitty after all, and she was not even on it. So I told her, all critics were failed or aspiring novelists doing a slow burn on battered chairs, so who gave a shit what they thought anyway.

She nodded in slow motion. 'You know, you're a good person and I feel really sick,' she said, standing up unsteadily and looking quite ill. She reeled in the direction of the door. 'Got to get home.'

At this rate she would never get her story. She had not the stamina to catch us in our stride. Ricky looked on, an amused, slightly contemptuous expression on his face. Maggie accompanied her and Anis to the door. Maggie exchanged phone numbers with her. What could Maggie want with a writer who had absolutely no sense of fun? When I asked Maggie why she gave her number, she said, 'Felt sorry for her. How could someone like that write a believable story about sex, drugs and rock 'n' roll without some help?'

I passed her a rolled-up note. 'Yeah, whatever.'

The door opened and some Italian friends of Ricky came in, bearing a basket of fresh porcini mushrooms. They had picked them that evening in Windsor Great Park. Ricky was ecstatic. Immediately he began cooking a simple but divine dish of spaghetti and mushrooms. As we sat around the table eating, one of the Italians said, 'Now all we need is a couple of hookers.'

And Ricky looked up at Maggie and asked, 'Want to earn some money, Maggie?' Bitch that Haylee was, she laughed, and the Italians tittered half-hopefully. I was so furious I wanted to hit him, but I couldn't. No one must see the real Elizabeth. Maggie was looking blankly at Ricky, but I knew she was bleeding inside.

'Why don't you do it, Ricky? You're cunt enough,' I said, pushing back my chair.

'Ooo, claws,' Haylee trilled, and Ricky threw his head back and laughed. Taking Maggie by the hand I said, 'Come on, Maggie. We don't need to be here.'

As we left the flat, I heard Ricky's voice say something, and the rest of the group hooted and screamed.

Maggie was very quiet in the taxi on the way to Tramp. Although the Mullah was a member I never used his name to sign in because it would give him access to my movements. I knew easier ways. In the queue waiting to get in was a man in his late thirties or early forties. I walked up to him, and didn't bother to bat my eyelids or act coy. 'Will you sign us in?' I asked.

He smiled a big can't-believe-this-is-happening-to-me grin. 'For sure,' he said. He was American. Quite a nice guy. He got us in and bought us drinks, and even agreed to finance the drugs, but absolutely no one had stuff to sell. Not even the Italian waiters. I could see Maggie was getting really desperate and there was an Arab crowd sitting in the dining room that looked like they were on it, but theirs was a world too small. I couldn't risk it.

So we went back to Maggie's. She dumped herself on her sofa. The cats stretched and came to snuggle up to her.

Suddenly she jumped up, startling the cats and landed on the floor on her hands and knees.

'Look,' she said, and carefully began to lift little white bits from the carpet. Cocaine. Meticulously she gathered them into a line. 'Want some?' she asked, dividing the row.

'Yuck,' I said, 'I'm not having that. For God's sake Maggie there's cat fur in there.' But she didn't care. She snorted it anyway. I leaned back against the door and watched her spiriting away the dirty old crystals into her body feeling utterly miserable.

Anis

Maggie opened her front door and took me by the hand. 'Come, I want to show you something.' Her voice trembled a little. I don't know what I thought, but I let her lead me down a narrow hallway. She opened her bedroom door and said, 'Look.'

Every available space was hung with paintings. There must have been thirty or forty. All executed by the same person. The style was unmistakable.

'Like them?' I heard her ask in a frightened little-girl whisper. She released my hand and I moved closer to inspect them, but I felt as if I was in a dream. First impression: slightly other-worldly and humorous, but then, why this stunned excitement? Even the skin at the back my neck tingled. The paintings reached out, and touched something inside me. As if they had voices, invisible hands. Could everyone else not hear and see them? Was it really possible that this sorry vessel who sold her body daily contained such a dazzling gift?

Behind me I felt her waiting, tense and silent. Her work made me feel ashamed of my pathetic attempts to mock my father through my art. This girl painted from the heart. She didn't paint anger, she painted pain. She didn't bother with laughter she just mixed joy into her startling colours.

It was museum quality. You cannot imagine how incredible a find it was. A cheap two-bit hooker, untrained in the ways of paint, so effortlessly creating such astonishing masterpieces.

When at last I turned to look at Maggie, I found her watching me very carefully.

'Like them?' she repeated, very casually this time. She was preparing herself to be rejected.

So I said, 'You're not bad.' Why didn't I tell her how brilliantly, amazingly, fantastically talented she was? No, not because I was jealous, but because I was frightened. It was so good I wanted to do it properly. I wanted to surprise her. I wanted to secretly show her work to my dealer and get him to set up an exhibition. Make her a star. What was I afraid of? That not understanding the extent of her own genius she would rush out and snort the entire collection up her nose, getting ripped off into the bargain.

The breath she had been holding came out in a long shuddering sigh. Silently she walked to a picture of a very pale girl in an enchanted purple glade. The girl's body was half turned so you saw the most wonderful dragonfly wings sprouting from her back. There was a beautiful expression of innocence on the girl's face and immediately I knew that she was Maggie. Maggie carefully took down the picture. Gratitude shone in her clear blue eyes.

'Would you like to have it?' she asked. I held the picture and was unable to speak. It was too generous a present.

'I see shapes,' she explained. I looked at the wonderful light, the gay brushstrokes, the unspoilt craggy hanging cliff sweeping into a deep blue skyline, the wonderful innocence of the girl, and I couldn't help the direction of my thoughts.

How did such a beautiful child become a common prostitute?

I looked up at her and it was as if she had read my mind.

Hurt, she opened the door and ushered me out of her paradise.

Nutan

Got some heroin, but it was shit. How could people be so mean? Didn't they care when they caused suffering? It could be the drugs, but I felt as if we had fallen into a bad set somehow.

I couldn't be sure because I had stopped keeping track, but it seemed as if we were increasing the dose very fast. We were neither of us well. It was living in that dark, smelly room. Even the guys from the kebab shop got on my nerves. The other day one of them offered me money for sex. When I looked at him angrily he said, 'Oh sorry, I thought you were your sister.'

By mistake I had injected into flesh, and my hand was so swollen it hurt to move it. I detested dirt and yet I lay amongst unwashed sheets, helpless and useless all day long. I had not washed or bathed for a long time. I ought to have been ashamed, yet I lay there waiting for my sister, knowing she would always give me the bigger, better garland.

Zeenat

There were orange and russet leaves in the park. The days were shortening. On the pavements people hurried around me. I envied them. They were whole. Their coats kept them warm. Their cold did not come from inside. The biggest fire made no difference when the cold came from inside.

345

Ricky

I called my brother and told him I needed to buy another restaurant. Could he sell my inheritance? I needed £100,000. My brother was shocked into silence. I forgot. Land was never sold, only bought and hoarded down the generations.

'Buy me out then?' I offered.

But he said he had just planted his vineyards and wouldn't see any returns for two years. I asked if he could get something from the bank, if he could at least send me half. He said he'd try.

'How soon?' I asked, 'I wouldn't want to lose this deal.'

'A week,' he promised.

'All right then, send my love to Mamma and Papa. Don't let me lose this deal.'

The money, bless my brother, arrived in a week. I paid off two sets of bailiffs and then I began to party. But two weeks later I was in the shit again. So I sold my Rolex for five grand. A day later a letter arrived, something about the house being repossessed if a large sum, I forget the figure now, was not paid. They wanted me to contact them. They wanted to discuss the matter.

'*Va funculo,*' I said, and called a house removal firm. In the house was hundreds and thousands of pounds' worth of furniture. Give me a price for the whole lot. He eyed my unshaven face, and looked away from my gambler's eyes. The bastard rubbed his chin and said, 'Ten grand?' We settled on fifteen. The bank was welcome to their fucking house. I didn't need it anyway.

I stood in the middle of the empty house. For a moment there was a sense of loss, so painful, I felt my stomach sink. An echo of children's voices, a woman calling, '*A tavola*, dinner is ready.'

Fuck that. I didn't bother to lock the door or turn off the lights. On the way to the flat I called my dealer.

'How many?' he asked.

'Many,' I replied.

Anis

Such a terrible storm raged outside that the wind ran down the streets screaming. I stood at the window watching the needle-sharp drops of rain hammer at the glass. A fuse must have tripped and we had no electricity, but I simply couldn't be bothered to fumble around under the stairs. Zeenat had found some boxes of candles. She must have used them all because the place looked like a Gothic film set. Candlelight had turned Zeenat into an exotic stranger. I felt as if we were meeting for the first time over a flame in a pagan Balinese temple.

She sat on the floor with her knees together, and her calves folded underneath her. There was a flash of lightning, and I still remember that moment when she was illuminated by the bright white light. I stared at her, shocked. She was no longer the little brown bird I had started painting. She had become a fierce merciless bird of prey.

As I watched the mighty bird of prey, little Maggie took refuge in my head. Oh! Maggie, I'm so sorry I made you cry, but I saw you as a finished painting, and finished, you were beautiful beyond reason. But just you wait, I am planning such a surprise for you. You have no idea what a dream your life is about to become.

Nutan

I dreamt of myself dead, lying on a marble slab. I was cold, so cold and huddled around me were ghosts.

Ricky

When Elizabeth called to tell me that Maggie was dead, that she had fallen out of her ninth-storey flat, I was certain she had jumped. The crazy girl went looking for death.

And she found him under her window.

But then Elizabeth said, 'She must have been on the Rohypnol, and trying to fly.'

Of course, she was right. The spider's love. It made paradise dangerous. Was it a little warning? A request for more?

I still don't remember a thing from that night. I remember helping to hold back Maggie when she wanted to fly, but afterwards it is a complete blank. To think I smashed my guitar to bits, and cannot remember doing it. Worse, they told me I fell on my chin and knocked myself out.

Elizabeth

In the quiet of the night, the news of Maggie's death affected me strangely. In a way it exhilarated me, she was gone where there was no need. Had I not seen death's face and secretly wished for his blow? Even though my sister reminded me that it was a cold and dark place, it still held its attractions.

In another way, I mourned her with an anguish suitable for a mother who clutches the lifeless body of her most golden child. And sweet Jesus, help me, but I missed her like a child baying for its dead mother.

I remembered the night when that rat had dumped her, and she'd shown me the bleeding wound in her heart.

Why did she wear her thorns of abuse so patiently? Will you do her memory the honour of listening? I promise her story is not a long one. She was born to a street prostitute.

They lived in a grubby one-bedroom flat that was cold even in summer. Her mother traded in the back streets, careful not to get into the cars of men with blank eyes. Sometimes she grew careless and returned with bruises, but she survived.

Then the women in the street began to protest, and she had to bring the men home. And Maggie saw all the squalid men who trooped up the stairs and heard the dirty sounds they made.

Maggie was seven when her mother came upon Klaus, her pimp, gently running his hands up her daughter's legs while she sat, reading aloud for him. When he was gone she said, 'Do not let him touch you ever again.' But life went on as before. Maggie slept on the sofa and they on the bed.

One night Maggie opened her eyes and saw him standing over her. His face was in darkness, but she smelt him, strange and musky. She wanted to scream for her mother, but she could not. She lay paralysed on the sofa. From her mouth came only the tiniest whimpers, half-muffled and half-eaten by the strange musky smell.

Suddenly her mother was at the doorway. She had waited two years for such a moment. She shot him in the back, and he collapsed on top of Maggie. Her mother dragged her out from under the dead weight and sat to wait until the good people came to take her away. There was a grandmother living alone in Ireland, but she was considered crazy and unable to care for the child. Never mind, the state took over.

Sometimes Maggie wrote to her mother in prison. Her mother told her she had no regrets. She would do it all again in an instant. Maggie thought that was true love. I don't. I think her mother made the worst mistake of her life. She didn't save her daughter. She cast the child upon a path filthy with the feet of the depraved. They fed upon her.

So she would not refuse to wear her crown of thorns they lied about her worth.

I sometimes think of Maggie's mother. Sitting in her prison cell, fed, clothed, sheltered, and safe rereading her daughter's lies with a contented heart. There was no one to tell her that her greatest act of sacrifice had been for nothing.

Anis

I was devastated by the news of Maggie's death. It was so sudden, so unexpected that it didn't seem real, couldn't be real. I looked at my half-finished painting of the courtesan's tears, and began to doubt everything: her quick, easy laughter, that first sitting when I had made her weep, the treasures hanging in her shabby flat. Oh, what a waste.

But even worse was the feeling that I was responsible, guilty. That day in her flat I should have told her how fantastic her work was. How heartless and presumptuous I had been not to have freed her from her nightmare that very day. She might have given up the prostitution and probably even the drugs. At the very least she could have sold a painting and not had to sniff powdered sleeping pills. I could have changed everything.

I wrestled with guilt and was taken captive. Oh, but he was hard. He allowed no moment of rest. 'You fool, you fool,' he snarled. 'You had her life in your hand.'

I was strangely drawn to the trappings of Maggie's life: her apartment, her books, her knowledge. I asked Elizabeth for the spare keys. The yellow and black police tapes had been taken down. It was evening when I opened the door and was suddenly back at the edge of the precipice, exhilarated by a sense that I could discover something of great importance.

Was she my mirror? Were the things I detested most about her exactly the beasts I tried to suppress, but knew lived undisclosed inside me? Was not her need for oblivion mine too? Even the dead moths my grandmother swept off the veranda brought envious thoughts. They were free. No ugly secrets to keep.

Her books were everywhere: Freud here, Nietzsche there, Voltaire on the window sill, and Shakespeare by the bookcase. I opened the window she had fallen from and a cold gust of wind swept in. Loose papers flew from a table top. I left the window slightly ajar, and switched on the electric, log-effect fire. Very quickly the little place was warm and cosy. I imagined her sitting by the fire in a nightdress, her feet up on the faded footstool and the tortoiseshell cat asleep on her knees. One hand buried in the cat's fur and an open book in the other. The flames of the fire lit up her engrossed face. I thought I felt her presence then.

The real reason I had come was to see that unfinished painting, the secret one she had once alluded to. I crept into her bedroom, and was amazed again. Exactly forty-one paintings whispered like ghosts to me. I returned the painting of the purple glade she had given me to its original place, and simply sat on the bed, savouring the moment of being completely surrounded by sheer beauty. She thought in shapes. Glorious courageous shapes.

I searched, in the drawers and cupboards, moving through the glamorous stoles and gowns, until finally I touched the roughness of canvas. What secrets could the dead tell me? I took it out and gasped. A golden boy smiled sweetly. A quarter of his face was still unfinished in a flat reddish wash, but in his child's hands was an unforgettable sight in white and orange. The saddest cat I had ever seen in all my life hunched pitifully in those hands. Its old haggard face hung from scrawny shoulders, and its strangely human eyes were half-closed pits of suffering. Yet it was the most beautiful thing I had ever seen. Its emotional content electrified me. The beautiful child was fading, but the sorry cat lived.

Remember when I told you about the language of art? That cat was as much Maggie as the flayed skin on the Sistine Chapel is Michelangelo. Simply entitled 'Boy and Cat' it distinguished my 'Courtesan's Tears' as an infinitely inferior piece of work. In the reddish glow of Maggie's lamp 'Boy and Cat' lived as the artist had intended. For ever. How I wanted it for myself. And why not? If I exchanged the purple glade painting for this one . . . After all, its monetary value was far less so I would hardly be cheating the beneficiaries of Maggie's estate.

I went back down to the car to fetch my canvas, easel and paints. I sat at the dining table and began to make sketches; the hair, the arms, the legs, the ballet shoes but not the face. The face I could not do. There was a photograph of her on a side table. I stared at it for a long time. It had been taken in a night club. It was not a bad photograph, but something eluded me. As if the real Maggie was hiding. I put the sketches down and went to stare out of the window. Below were lights, cars, people.

The wind whipped my hair. On that day she too must have climbed this ledge. I found myself climbing out of the window and balancing on the ledge. I stood then as she must have . . . on the edge of discovery. Damn Ricky, for bringing the Rohypnol into her life. She was a Catholic. She would never have jumped. 'I have not the courage,' she had said. And I believed her. Violent death must have taken her by the ankles.

I stood on one foot. Did I have the courage? A strong gust of wind buffeted me, and I very nearly lost my balance. Immediately my hands, my legs and brain clung to survival, and I climbed back in, shaking. She had jumped but I had not the courage.

I felt cold, so I closed the window, and climbed into her bed. The pillow smelt of perfume, something delicate and flowery. I switched off the bedside lamp and lay awake for hours. Expecting her to return. Sometime during the early hours I dozed off and saw her squatting on a bed of dried leaves; the moon on her face. Her hands were buried under the crackling leaves, and a wonderful mad smile was on her face. 'Listen to the earth,' she whispered, 'munching all we have buried today.'

I awakened to sunlight slanting on the paintings. The effect was fabulous, but I was startled when I sat up, and mistook my reflection in a mirror for a stranger. What an odd girl Maggie was. She met a mirror upon waking. It was crooked. I went to straighten it and, behind it, found Maggie's diary.

I opened the handsome, leather-bound volume, and the first thing my eyes fell upon was:

I bid you come to Maggie MacFadden's funeral.

The diary snapped shut. What was that fear? Suddenly I was an intruder in Maggie's home. The beautiful paintings grew hostile eyes. I had no permission to read Maggie's thoughts. I phoned Elizabeth. The silence was so complete that I thought the line had dropped, but then she uttered a sound that sounded like a strangled sigh and said, 'I'll be there in half an hour. Wait for me.'

I took the diary to the kitchen and sat on a chair to wait for her. On the window sill black ants surrounded a blob of jam. I watched them disappear into a hole in the wall. The buzzer rang. I let Elizabeth in.

She looked at me carefully. 'I brought some breakfast,' she said, moving past me, and into the kitchen. Her hair was white in the morning light. She was undoubtedly very beautiful, but I had never wanted to capture her image, hers was a beauty too cold and hard. Behold, the way she made Bruce suffer. She opened a window. I hadn't noticed until then the stale smell left behind by the cats.

She turned around and smiled at me. I did not smile back.

From paper bags, she extracted croissants and two Styrofoam cups of coffee, and from her handbag, little packs of butter and strawberry jam.

'Sugar?'

I nodded. She tipped a sachet of sugar into one of the cups. Then she opened a cupboard and brought out plates and knives. And in that sunny silence, we sat down to our first breakfast together. She began buttering a croissant. I did the same. They were still warm.

I felt comfortable with her. As if we were intimate friends. A very peculiar sensation, considering I disliked the woman. When we finished she brushed the crumbs from our plates onto the window sill. She and the ants were old friends. I held up the diary.

She looked down at her hands. 'When the bud is young it clings tightly to the tree, but when it has bloomed its best, it falls willingly into any outstretched hand. Maggie said goodbye to you when she gave you her painting of the purple glade. It was the most precious thing she owned. She said she was once brave and happy in that place.' Elizabeth considered me, unsmiling now. 'She also told me that she gave you some of her most treasured books to read.' She looked at the diary in my hand. 'But that is not one of them.'

I stared at her. What was she saying? Maggie knew she was going to die? That Maggie jumped? That Maggie did the unCatholic thing? That little Maggie had the courage I didn't?

'But, she told me she was a Catholic . . .'

'Ah, Anis, although Maggie claimed to admire the works of Nietzsche, the only thing of his she ever quoted was the trite "the last Christian died on the cross".'

'But what about the Rohypnol?'

'What about it? Didn't she know exactly what effect it had on her?'

Suddenly I felt betrayed. Maggie had sold out. She was a genius and she had not fulfilled her *dharma*.

Then Elizabeth told me about a recurring nightmare that had plagued Maggie for the last two years of her life. Sometimes even four times a week, and always in full colour. In it she was trapped in a public toilet. There was excrement everywhere in that toilet, the floor under her feet, the walls, the sinks, the mirrors, and even the ceiling was covered with it. Sometimes in her desperate efforts to get out she accidentally touched it. Then her mother appeared. And she too was brown and glistening. In her outstretched hand she held a peeled apple quarter for Maggie to eat. The disgust Maggie suffered was so acute that she always woke up gasping and wretched.

The Maggie I knew was in the rear-view mirror, and receding fast. 'Do you know what's in this diary?' I asked, holding it up.

'No, but I am sure there are many things in there that are not for our eyes. I think we should burn it, for Maggie.'

No one could tell you too much, could they, I thought as I looked at Elizabeth's closed, secretive face. Slowly I pushed the book towards her. She removed the leather binding and we burnt it in the kitchen sink. A few pages at a time. Afterwards we walked away from the charming piles of old books, the sad brilliant paintings, and the wind howling tirelessly outside.

As we walked to my car I suddenly knew why, for all my trying, my pencil had not encountered Maggie's face. It was because I had refused to see her, to really see her. I had tried to gloss over the unpalatable bits, and put my own unworthy interpretation upon her motives.

She was a prostitute, and that thought filled me with disgust. Prostitutes' bodies I thought of as toxic septic tanks. Everyday excessive amounts of semen, uncontrollable compulsions, and vile sexual perversions were flushed into them. And association with them could only pollute. Although I had tried to pretend otherwise, I had judged her a species different from me. Even her genius had not kept her precious. Hence she had refused me her face last night. She had recognised me for the hypocrite I was. How right she was not to trust me.

Strange, how I learned compassion in a dead woman's kitchen. Laughable, that it was cold, hard Elizabeth who taught it. Had I misunderstood all the messengers God had sent me? I had still not learned to cherish a memory. I, who possessed the most beautiful memories of Maggie. I had nearly destroyed something precious. Again.

I returned to find Zeenat in my bed.

The scenery changed, but the devastation was the same. I stroked her hair tenderly. It was unwashed. There was something else I had noticed. Her skin had turned silent. That delicate scent of crushed flowers that her skin used to utter was gone. Inside the vermilion petals of this lotus slept a wretched cobra. If I did not wake him, would he slide away while I slept?

'I love you,' I whispered sadly.

She did not open her eyes, but her mouth curved into a vague smile. 'I've saved some for you,' she mumbled.

After terrible responsibility, irresponsibility.

'Thank you,' I said.

Bruce

I took Elizabeth out to lunch to talk about Maggie. I had promised Maggie things. Promises I wanted to keep. We had just ordered drinks when her mobile rang. She stood up, walked away from me, and answered it in Arabic. When she came back she was in a hurry to leave.

'Sure, go,' I said coldly, raging with jealousy.

'Sorry,' she said, and hurried out. I watched her get into a black cab.

'Will that be a meal for one then, sir?' a voice inquired.

'No, that will be a meal for none.'

I put some money on the table and drove to Elizabeth's apartment block. I parked some way down the street and waited. About one hour later a white stretch limo pulled up at the entrance to her building. Five minutes later she was at the door. Her hair had been swept into a smooth chignon and she was wearing a long white dress with a diamanté collar. As she came down the steps she lifted her dress slightly, and I saw that she wore flat white sandals. No doubt the bastard was short and fat to boot. A huge man leaped out of the passenger seat to install her in the back. The long car drove off. I felt sick to my gut. It was money.

She did it for the money.

Yet, I had never seen her flush. She held expense accounts in expensive shops, but never ready cash. The Arab was cunning. Luxuries while you remain mine. When I thought about it, I could afford the greedy bitch. At a stretch. I thought of her in the Ritz hotel. Going up to a suite of rooms in her inappropriate evening dress. What was the matter with him anyway? Did he not know that European women did not wear wedding dresses and veils at lunchtime? Everybody at the Ritz would know what she was there for. They would snigger and say, 'Here comes the whore.'

I waited. Three hours, I waited.

When the limo pulled up I experienced a rush in my stomach. The huge man leaped out of the passenger seat, opened and closed her door for her. She did not look at or thank him. The elegant chignon was gone. Her hair was back to its usual shoulder-length bob. I waited for while before I rang her bell.

'Yes,' she said.

'I need to see you,' I said.

'Not now, Bruce. Maybe I'll see you at Ricky's tomorrow. Goodbye.'

'Wait,' I said. 'What did you eat?'

I stared at the black mouth of the intercom.

'Lamb, Irish lamb,' she said finally, tiredly.

'You don't have to do this. Marry me.' I had never intended to say that. By the shocked silence coming out of the intercom, neither had she expected to hear it. Next, I made it worse. 'I promised Maggie I would,' I said. Lame, but it was the truth. It was what I wanted. I wanted to grow old with her. The silence continued.

'You can't afford me, Bruce,' she said harshly.

'What? You want to be a fucking hooker all your life?' I burst out.

'I am what you say I am. What does that make you?' she asked frostily and, apparently not needing an answer, turned the intercom off. I kept my finger on the buzzer until the doorman loomed on the other side of the door, behind the protection of wood and glass.

'Is everything all right, sir?'

Pompous prat. 'Yes, everything is just fine,' I said, and strode off.

Elizabeth

There was a little girl I used to watch from across the road. When it stopped raining she came out in her wellies. First she was careful to avoid the puddles, but it was no time before she was stepping into them. When that was no longer satisfactory she started stamping in the water, splashing her clothes gleefully. But even that was not enough. She took her wellies off and filled them with rain water. I watched her enviously, her immense pleasure in being naughty. Her knowledge of defiance. It was great and wonderful. Once, I wore wellies too. Once when I was child and knew the value of deliberate defiance. Before I sold myself.

Bruce

I was a bit depressed. The Arab got the better of me. I spent the night with Ricky and a Filipino prostitute. We had polished off a couple of bottles of brandy, the coke was nearly gone, and Ricky was getting edgy. He wanted to go out and get some more, and although I didn't want any more I gave him some money. Maggie dying so suddenly had soured everything. I was sitting there on default setting. More and more I felt sordid, by association. When he left, I leaned back and closed my eyes, but I was so exhausted I must have fallen asleep because I opened my eyes to Haylee blowing gently into my ear. For a second I thought I was in a dream. After all I had tried in the beginning to bed her, and it was definitely a no-go area.

'Hello,' the jam pot purred.

'What are you doing here?' I asked blearily, blinking at my watch. It was nearly five. Ricky must have 'forgotten' to come back with the stuff.

'Just got back from a party. Thought someone might be awake here.' She glanced at the Filipino prostitute, still out cold from all that drink.

'No, there's no coke around. Ricky disappeared more than two hours ago to get more. He obviously found another party.'

'Oh well, let's just get drunk then.' She poured us both two large measures of brandy. Put one glass into my hand, and settled herself opposite me.

'Want some really juicy gossip?'

'Okay.'

'Ricky slept with Zeenat.'

'What?'

'Yep, she ran out of here in tears. You know that shit she does now, I bet you, it's the guilt. That's what you get for cheating on your own sister.'

'Does Nutan know?'

'Don't think so.' Her voice died to a whisper. 'No one knows. Just you and me.'

Anis

I picked Maggie's grandmother out of the crowd immediately. She was a nervous, pink, other-worldly woman in a little red hat. Perhaps I had seen her ghost smiling from one of Maggie's paintings. She clutched a battered handbag to her midriff.

'Hello, Helen. I am Anis.'

'Oh,' startled pale blue eyes regarded me.

I guided her out of the airport. We did not speak.

After she had identified the body, she came out blinking. 'There was not a mark on her,' she said wonderingly. 'You're not her man, are you?'

Ah, that. 'No, I'm just a friend.'

'Oh, well that's good.'

Her granddaughter was dead but at least she had taste when it came to men.

'Would you like some lunch?' I asked.

'No, no, thank you. I have to get back.'

'Right now?'

'Aye, I've made a pan of raspberry jam and it needs bottling. Besides, the foxes need feeding.'

'There is still that collection of Maggie's paintings. I dare say it is worth quite a lot of money. Would you like to have a look at it?'

She shuddered. 'No, no, you have them,' she said.

'No, you don't understand. They are worth a good few hundred thousand pounds.'

Her eyes widened with surprise. She bit her lower lip, and then licked it uncertainly. 'Well, perhaps you would be kind enough to sell them for me, then.'

How naive she must have been to trust a stranger in such a matter. What if Ricky had come to pick her up?

'Of course I will.' I could do better than that.

'Thank you.' She smiled a small lost smile that made me want to comfort her.

'It was an accident,' I said.

'Oh, yes, yes. Of course.' She looked at me kindly with those puzzled, pale eyes. She did not understand life. It did not touch her cheeks gently as it passed, but spun her round and round crying, 'Catch me if you can.' I thought of my own grandmother. People thought Helen was mad, but she could speak to the foxes.

'She screamed all day long when she was a . . .' Helen stopped abruptly, frowning. 'No, wait. It was my daughter who did that. Maggie was the sweetest child you ever saw. Oh, how could I have forgotten?' she lamented in a small forlorn voice. Her mouth trembled, large teardrops gathered at the edges of her pale eyelashes, and ran down her neglected cheeks. 'I gave too much to her mother. There was not enough left for Maggie.'

Then suddenly the tears stopped. 'Did you know what she did for a living?'

I didn't take my eyes off the road. 'She was a dancer, but she should have been an artist. She painted like a dream.'

'I've read all about it, you know, the psychopathology of prostitution. They blame it on an unconscious desire to revenge neglect.'

My eyes left the road. She didn't look so small and abandoned any more.

'When she was young she used to take all her clothes off and stand at the window facing the street. Funny isn't it, how I didn't pick it up then.'

I dropped Helen off, and telephoned my art dealer. I told him I had found a most fabulous painter. That she painted the way I dreamed of painting.

'Fantastic,' he said, 'when can I meet her?'

Then I told him she was a dead prostitute.

The bastard smacked his lips and said, 'Oh, how I do love you.'

Nutan

We became furtive and sneaky, and the doses were larger and more frequent. We hid from each other when it was obvious to both of us what the other was doing. Never again would we be so joyously innocent, as we had been once before.

Sometimes I waited for her to drop off to sleep and when I was sure she was sleeping I tiptoed out of the room. But once as I was opening the door her head shot around.

'Where are you going?' she demanded, in a high and peevish voice.

'Just for a walk,' I lied. She considered me for a bit longer, frozen in my tracks, a criminal. She must have known I was lying, but she lay her head back down like a beaten dog, and went back to sleep.

I crept out. Unashamed and filled with animal cunning I bought some from the dealer around the block, except as usual there was not enough to share. I couldn't take it back to the room. So I locked myself in a toilet at Victoria train station.

The relief . . . oh, the relief . . . it was so immense I could not stop. Dose after dose. A few times, someone tried the door, and I cried out weakly, 'Occupied.' I forgot about my sister. She was waiting in the room, too sick to come out. Fuck her. She could get her own. When I stood up I felt so light-headed I had to sit down again. My jeans were wet. The floor was wet with piss. I hated myself. God, how I hated myself.

Anna would say I was 'a proper smack head.'

Zeenat

I remembered when we danced, and showered flowers upon the crowd squatting in a circle around us. We did it under a starry sky and a full moon. The swaying palms were our amphitheatre. Stone lamps dotted the paths to our stage. In the skyline was the dim outline of the temple's thatch roof. It was beautiful, perhaps more so than if it had been performed on a stage. Overhead a flock of pigeons circled, the whistles and flutes attached to their necks and feet making delightful, tinkling music. Crouched between the legs of children, cats with greedy violet eyes watched the birds in the sky. How fleeting and far away the memory was. It was another world. We were different then. We sang as we bathed in the river.

Ricky

I telephoned my brother. Told him I had been offered a share in another restaurant, a hundred and fifty seats this time. He was impressed by my empire. 'Is that the twelfth restaurant now?

'*Si, si,* why don't you invest some money too? It's a

fantastic deal. You have to spend to make. Do you want in?'

'Well, it's a bit hard at the moment,' he hesitated. 'You know we just replanted the vineyards . . .'

'Well, re-mortgage your house then. This is too good an opportunity to let go. You see there is a wonderful system in this country. Investors have precedence over creditors. So even if things went badly wrong you would be first to get your money back.'

'Are you sure?'

'Absolutely. Guaranteed. You just can't lose.'

'Well, if you think . . .'

'I do. When can you send the money?'

'Couple of weeks, but first I have to. . .'

'Yes, yes, ask our cousin who works at the Banca Di Creditor Cooperativo Del Nisseno to process it as soon as possible. Hurry,' I tell him. 'You don't want to lose the deal.'

He wished me luck. By the way, did he see Francesca and the children?

Sometimes. They lived on a farm not far away. He had heard that Francesca had made agreements with different farmers to buy up their olive crop every other year. This way she had a constant supply and they enough for their own needs. He said she had installed on her land some fancy pressing equipment from Tuscany, and had started bottling her own olive oil. She never ever came to visit Mamma, but from his tractor on his way to the land he saw the children. They looked brown and happy, their legs sticking out of almond trees, running without a care in the olive groves.

I promised myself then that I *would* get my shit together, stop the coca, and bring those kids and Francesca back. Soon, very soon. I could stop any time I wanted.

Bruce

My father was in the last stages of cancer. It wasn't a shock. We knew he was dying slowly, so I was rather startled by the hollow feeling inside me. The old lion had become precious. I rang Elizabeth's bell. She listened to me while I rambled on about being six years old, and climbing a ladder up a cupboard to get to my father's stash. A single well-thumbed black and white girlie magazine. Only one photograph had remained vivid through the years: a blonde girl, spread-eagled in a barn, straw sticking to her body. Tears came into my eyes to think of him poring over those pages. How innocent his forbidden pleasures had been.

'Come to think of it, she looked a little bit like you,' I said.

Escaped silver strands of hair curved at the sides of her neck. I shifted, and rested my head on her chest. A silver filament brushed my cheek, and I moved my head to the left and found her lips. I think she might have struggled a little in my arms, but she was so warm, and I wanted her so badly, it was a soothing resistance. And then she stopped, and kissed me back. It was beautiful. I couldn't believe it. My hands went to pull at the shirt tucked into her jeans. Without warning she froze. It stopped me in my tracks. Her eyes were shaken.

'No,' she said harshly.

I pulled myself away. '*What?*'

'Sorry, I started on the vodka at lunchtime,' she said very coldly, but her face looked white, shocked.

'What the fuck is the matter with you?' I snarled.

'Sorry, it was a mistake.'

'What is it with you? It's not Lent, so you can't be doing penance,' I shouted.

'Just go. Please.' This time her voice shook badly.

I was savage. I wanted to smash her. Break her down to

pieces. Make her beg for mercy. Yet, I loved her. Her eyes were oil patches in my path. No matter how carefully I tried to walk on by, I slipped and fell every time.

'Don't fucking worry, I am.' I looked at her. At the white face. 'You're either a first class mercenary bitch, or the biggest coward I've come across. Either way you look at it, it's a poor show, Lizzie.' Her hands were clasped tightly, the knuckles pale. 'Ricky was right. Chasing you is like throwing sugar into the ocean, a bloody waste of time. And you know what else? I give up.' I spoke really softly. I didn't even slam the door behind me or bother to wait for the lift. I ran down the stairs.

I should have been livid, but the rage was gone as quickly as it had come, and I felt crushed. Shit. What a fucking mess. Even my finances were in a terrible state. I had been neglecting my shops and they were going down the drain. Things had changed after Maggie died. I needed to get my life back together, or lose everything. First I needed a holiday in the sun, get my head straight, walk along a beach by myself, eat foreign food, and maybe fuck a few strangers.

I felt awful. I went to see Paddy. He was stretched out underneath his wreck.

'Hey, Paddy,' I called.

'What you doing here?' His head came out from the side. Took one look at my face, and he was commiserating regretfully, 'They make hares of us all.'

I felt so bad at that point I wanted to bawl.

'What say you, we shoot some pool and drink the new day in?' he offered, smiling lopsidedly.

I think we drank for a long time. I told Paddy about my dad, and the blonde girl in a barn, hay stuck to her body, but we never spoke about Elizabeth, not once, this beautiful woman who had refused my love. We changed pubs so many times I have forgotten our trail, the anonymous seats we sat upon, the taste of the drinks we swallowed, the stained urinals we pissed in, the freshly wiped tables I rested my elbow on while wishing to weep.

Was this love? Was this what everyone was so excited about? This appalling ache that gnawed endlessly in your gut no matter how drunk or high you got.

A young girl came to flirt with both of us at the last pub we went to. By then it was quite obvious our attempt at being merry was a complete disaster.

'Do you think I'm pretty?' she asked coyly.

Do yourself a favour and take a guess sweetheart, I wanted to say. She was pretty enough, but she was no Ice Queen. My Ice Queen was melting like a Dali painting.

'You have her,' I said to Paddy, and stood up to leave.

'Stay, we'll both have her,' Paddy said.

'No,' I said, 'I haven't got the heart for it.'

November 2000

Ricky

The manager at Villa Ricci, irritating sod, had picked up a new habit of locking away the till drawer at night. He told the waiters it was because he was bored of coming in every morning and finding it completely clean, from when I had raided it the night before. I don't know who pressed his panic button. It wasn't like I didn't leave him a note asking him to use his money first on something, just until the day's takings started coming in.

Bruce

I went away to the Bahamas. There were neon-lit places a-plenty, where the night life was kicking, but I wasn't interested. I kept myself to myself lying in the sun by the pool. On the first day a beautiful girl in a green bikini came to occupy the lounger two away from mine. She had one of those bodies you rarely find any more, big breasts, tiny waist and flaring hips. Something about the way she looked at me reminded me of Elizabeth. I lay back, closed my eyes and was glad she had not smiled, because I didn't want her. I was through running after skirt. Fuck them all. They could keep their cheap black market coquetry.

I couldn't sleep nights, so I walked down to the beach and lay in a little depression in the sand listening to the distant sound of boat engines, and the water lapping against the shore. It was about the time of the full moon, so sea came very close to the beach, and waves sounded full and thick.

In the soft dark I closed my eyes and a secret door opened. Elizabeth walked through it and we danced to Robbie Williams and Nicole Kidman singing 'Something Stupid'. But in the end it was always the same. I grew angry with her. I really didn't get her. There was a point when I was sure she had been just as keen. Sometimes I pondered the thing Maggie had said, 'There is something I have to tell you about Beth.'

Just before dawn the lights in the dining rooms of the hotel would come on, and I would pick myself up and start walking towards them. As I got nearer I heard the clanking of cutlery; tables being laid for breakfast. It comforted me that sound – there were other people awake and going about their business. Life went on.

Once a group of Australian revellers invited me to join their 'barbi'. They swigged strong booze, consumed yards of sausages and economy packs of hamburgers bought from a local supermarket and proceeded to get stoned senseless. Someone held out an expertly rolled joint, but I had to decline. Weed did my head in. There were Sheilas there for the taking, but they were big boned, and not to my taste. Anyway, I didn't have any rubber on me, and I was damned if I was going to sleep with one of them without protection. I knew them of old. They were just like every other teenage backpacker, fucking their way around the globe. I felt old and decrepit in their company. I left them to their party and returned to my little depression in the sand.

When I got back from my holiday I went to work, putting the business back to where it was before I took my eye off it. It was nothing that couldn't be fixed. As my father said, 'The sweat on your face will feed you.'

He died, by the way. Quietly. Only my mother cried, and

then only a little. What do I still remember of him? Crouching at his nearly transparent feet, clipping his toenails because he was too feeble? Ah yes, of course, his eyes. I think I'll always remember them. His cold flinty eyes, closed.

I had decided not to go back to the Spider's Temple. It was tainted by Maggie's death. Once Ricky left a message on my answer machine, looking for more stuff, and sounding strung out and Haylee called to invite me to a party. I didn't return their calls. And that was that.

Sometimes late at night, on my way back from a club, I drove by Mayfair, but I never saw her; in clubs I looked for platinum heads, but never encountered hers. Once I went to the entrance door of her apartment block and stood staring at the buzzer until that pompous maggot of a security guard came to inquire, 'Everything all right, sir?' Other times, especially if I had had a drink, I longed to look into the grey, grey eyes of my cat, but I was damned if I was going to keep chasing her and getting nowhere. Some things you had to let go.

I went out with the boys and got stinking a few times, but mostly I just worked, and by and by, I began to recover. I thought about her less and less. Then I began sleeping with other girls. It was just sex, but it was a start. Although there were times that I closed my eyes and pretended it was her, in my hands, in my mouth, so close, so close.

Nutan

I dreamed of my sister. I was in a strange dark place, a limestone cave perhaps, where a woman dressed in black was bent over a pot. 'Look what I have prepared for your sweet sister,' she howled, and howling, laughed. When I sat up suddenly, distressed and confused, I saw Zeenat standing at the end of my bed watching me. I blinked with shock. She looked terrible. Unwashed and uncared for. I had not realised how fast my sister had declined. I called her name at the same time that she called her own. It was then that I realised the awful truth.

In the night my sister had moved the mirror. I was looking at my own reflection. Like a hunted animal I stared at my squatting reflection. How repulsive, and yet how fascinating. The dark circles, the slicked eyes, the skin so strangely close to the bone. Look at me. Half human, half beast. But my eyes grew ashamed and slid away. The mirror is a dangerous thing. It is sincere in the company of the insincere.

My sister was already out to score. No make-up or nail varnish, before breakfast, before brushing her teeth. She threw her hair into a band, and rushed out in the direction of Victoria station. There were sores on my legs. I rubbed them absently, wondering when she would return. Outside it was freezing cold, but I would have to brave it if she didn't return soon. I too, needed it, before breakfast, and before brushing my teeth. I looked for a cigarette. The first puff usually made my head spin but it stopped my hands from shaking. I fell back on the bed, and tried to find some warmth between the thin blankets. From beneath stale stained sheets I observed our living conditions.

Our room was foul beyond all belief. Food was rotting under the beds, the carpet was caked in dirt, and the walls discoloured and vomit splattered. Soiled clothes littered the room, and the wash basin was cracked and dirty. There were blood stains in and around it. How curious, that it should not disgust me.

But dirt had simply stopped bothering me. I knew there was a rat somewhere in our room. He had changed addresses from the kebab shop downstairs. It was the food in the take-away boxes we discarded on the floor. Something was rotting too. A monstrous smell pervaded the whole room. I looked at my watch. I knew where she was. I pretended I didn't. I pretended to believe that she was shoplifting, but I knew where the money came from.

I had no more feelings for others. I pretended to care just to increase the odds of getting more out of them. *Got anything, man?*

The thoughts, how heavy they lay in my head. I sat up and held my head in my hands. Oh, where was she? I heard a sound on the stairs and leaped out of bed. The Goddess with the elixir of forgetfulness was at the door. The door opened. There she was. Unwashed and uncared for. Why, we looked exactly alike.

Anis

The physiological effect of heroin on love and desire is to destroy both. If another person exists it is only as a partner in the endless business of procurement. By the same token, eating, drinking and mating are for animals. Life with its unnecessary complications and base cravings becomes a nuisance. Look at them, their fists full of dusty earth.

We relinquish the desire for everything in exchange for just one clawing need, one monstrous joy. We are content with hollow cheeks, wintry hopeless smiles, and bones that protrude. We hardly eat. We think it all splendid. We are desperate only to move from one splendid sleep to another.

Bruce

I received an invite to Maggie MacFadden's art exhibition, and although I knew Elizabeth would be there, I couldn't keep myself from going. I tried to blend into the groups of civilised people sipping cheap warm champagne. From afar

I spotted Anis and the twins. You couldn't tell so much with Anis, because he looked well in a black suit and a dress shirt, but the twins were rakes, with matchstick arms and legs.

And then Elizabeth stepped up to them. She was dressed very simply in black, and I thought that she had never looked more beautiful, or more unreachable. Anis said something in her ear, and I saw her rest her hand on his sleeve, and nod. It was a gentle intimate gesture. So she kept in touch with him, then. They had become close. Anis and the twins moved on, and I saw Elizabeth's eyes scan the room quickly. For me? Alone, she looked helpless and childlike.

I still loved her. Just one look and all the progress I had made receded. I made a step towards her. People changed. Maybe she had. But just then a man approached her, and her beautiful grey eyes turned to him. In them I recognised the same cold expression with which she had once held me at bay. I left my glass at the reception desk and left. Nothing had changed in the honey trap. I was a fool.

Ricky

Fuck, I got such a good price for the restaurant, £90,000. Selling restaurants was getting to be a habit. But it was just so easy. Give one up and suddenly you're all right. I had a few debts to settle, but the rest was all for *moi*. The money would keep me going for a long, long time. I was still okay. I had two on the wall and I wasn't selling any more.

Nutan

I began to notice that my face took on a sickly yellow hue as the afternoon wore on. It wasn't so with Zeenat. Probably because she painted hers. Every afternoon. I sat on the bed and watched her. I suppose the bright red lipstick helped too.

Zeenat

Make-up. It hides everything, fear, pride, shame, jealousy. Everything.

Anis

I was horribly tired and hungry, but even the thought of food had made me nauseous all day. It was not yet completely night when I thought perhaps I could, after all, manage a bowl of mussels in white wine at Spago. I had just turned the corner by Barclays bank when this waif popped out of nowhere. Tangled hair and dark circles under crazed eyes. Junkie, I thought. Surprising. It was a good area.

'Blow job for a tenner,' she offered nervously.

I quickened my pace. She did not follow, but suddenly my feet came to a dead stop. I stood there blank and numb and she ran after me.

'We can go into the alleyway,' she urged. Her eyes moved rapidly, and her hands, black with dirt, twitched.

I pulled a twenty-pound note out of my wallet. She must not touch me. I had to give it in such a way that our skin did not touch. She snatched the note from my hand and scuttled away on her skinny legs. There was a cold claw in my stomach. I staggered two steps back, and leaned again the low wall of someone's garden. Sweat appeared on my forehead. People went past. None of them knew. *That she touched me.* Her skin was freezing cold. Why did I allow her to contaminate me?

She was the future.

Nutan

I can't laugh or smile any more. I feel jealous of people with normal lives. Look at them, taking money out of cash machines, paying for things with credit cards, pushing shopping trolleys full of food, or standing at the bus stop waiting to go home to a proper family.

They were clean. *They were not waiting for the next hit.*

I was numb when she beat me, again and again. Her face twisted and twitched cruelly, yet I did not even feel the blows. Now, I think they must have been weak blows she drizzled on me. Poor thing, she was too ill. I remember collapsing to the ground.

She yanked me by the hair. 'Don't,' she warned, 'spy on me.' How angry her smiling face had become. Then she threw a packet at me. My hands were still around my head, when I heard the sound of her heels disappearing around the corner. I went limp and flat inside. But I didn't need to spy on her. I knew. I had always known. I cooked it in a spoon with a lighter, and right there inserted it into my body. I slumped against the wall, in the dirt. Of course I knew what she was doing.

Anis

On the fifteenth day of the month a woman's head and hair have great sexual energy. Running one's fingers through her hair or carefully trickling water or oil on her head will spread the energy to the rest of her body. I touched Zeenat's lips.

Aaah, such scarlet lips.

I still remember when a sudden flash of red used to startle you.

Zeenat, Zeenat. What do you say, we start again, hmm?

Nutan

My sister looks dirty and grey, yet men give her money.

Anis

I sat in the kitchen watching Fashion TV without the distraction of sound, satisfied by the sure, elegant progress of bodies in their prime. The female model has advanced her walk over the years. Once the fashion was an exaggerated sway of the hips, the way a man in drag might, now it was a more sexless, high-stepping gait. Like camels on sand. The doorbell rang. Ricky came into the hallway, large and meaty. He reeked of stale tobacco.

'You all right, Bello?' His voice was too loud. 'Fuck, it's hot in here.'

Hurriedly I ushered him into the kitchen, and closed the door.

'*Mama mia*, look at those *putanas*. Are they chewing gum up their arses or what,' he said. I looked at the beautiful images moving on the screen. Fuck him. He ruined everything.

'Need some money?' I asked.

He raked a hand through greasy yellow hair. The confident devil-may-care, lazy mouth opened. 'Yeah,' it admitted. 'Just until the money from Italy arrives,' it lied.

We both knew the routine. He followed me into the studio and moved to the middle of the room while I closed the door. I took out my cheque book. From the corner of my eyes I saw him move towards a painting of Zeenat. The room was silent except for the scratching of my pen. I signed the cheque.

'I didn't know you painted Nutan.' There was something contemptuous buried in his voice.

'That's Zeenat,' I said.

His eyes rushed to meet mine. A look, sly and bitchy, crossed his face. He pretended to laugh, as if that ugly moment on his face had not happened. As if I did not know his secret. As if we were still talking about Nutan. He threw his hands up into the air, and mocked, 'Hey, I'm not jealous.'

I looked at him, and I realised that I truly detested him. He was soulless. There was something irredeemably ugly inside him. Good and beauty in all its forms irritated and bored him. He wanted to damage; destroy indiscriminately. He did it on purpose.

I handed him the cheque. He made sure it was signed and filled in correctly. So the dealer would accept it first time around.

I wanted him gone, so I refrained from saying anything, but the next time, when the blood was colder in my veins, I would tell him that my funds had dried up. I hadn't sold a painting for a very long time and I was reduced to living off my grandfather's trust fund. I led the way to the front door.

'*Ciao*,' he said gaily.

In the kitchen the procession of stunning girls continued,

but my mood was ruined and I could not concentrate on the light moving across their bodies.

Quietly I opened the bedroom door.

Zeenat was asleep. I knew why Ricky did not recognise her on my canvas. She was not as I painted her. I lifted the blanket and looked at the huddled form. She was horribly, horribly thin, a gently breathing skeleton. I slumped on the edge of the bed and dropped my head into my hands. I stayed hunched and defeated until a wordless frozen hand entered my shirt.

She was always cold.

Even when the heating was turned up to full blast, her skin was icy. Even her breath was cold. I could not understand it. The freezing fingers moved deeper into my shirt. Her palm settled on my chest. It was a shock to my system, but I let her.

Even though I knew what I must surely find waiting on my bed, numbly I turned to meet those eyes.

Ricky

Sat up all night in the kitchen cooking up freebase.

December 2000

Elizabeth

From the taxi, I caught a glimpse of Zeenat sitting at the window of a café. Opposite her was that writer, Rani Manicka.

Zeenat

'Call me Rani,' she said, opening a beautiful hexagonal silver box intricately engraved with flowers and leaves. It reminded me of the precious heirlooms Father had surrendered to arrange our fall.

'It's an Indian antique. People carried their betel chew accessories in it,' she explained. Now she used it as a handbag. She brought a box of cigarettes out of it and offered them to me. Warm smoke filled my lungs.

She had promised me two hundred pounds for my story, but she said that if I made it good, it was worth another two hundred. I looked into her eyes. They were shining with curiosity. She switched on her tape recorder. 'Ready? And remember if it gets too difficult you may switch to Balinese. I'll get it translated later.' I needed the money so I made it as good as I could.

I was born in a rice garden. Everywhere you looked my ancestors had hand cut terraces into the mountain slopes. Throughout the year the mountain changed as if wearing different costumes. First it was as green as a sour apple, and then it blossomed, a delicate blue, and finally it swayed golden in the sun. But I liked it best when the terraces were flooded with water and, like mirror mosaics, reflected the blue sky. Then they were full of ducks eating fresh-water snails.

At the edges of the paddy fields little boys on fully grown water buffalo would gallop fearlessly past, as we held up long poles smeared with sticky sap to catch dragonflies. We must have eaten them by the hundreds, fried in coconut oil, and when we were thirsty, we reached for sweet green coconuts.

Under an enormous flame tree stood the shrine of the Dewi Sri, our Rice Goddess. In November, when the tree was profuse with brilliant red flowers, it was the most beautiful place in the entire village. I wish you could have seen that vast carpet of red. The Rice Goddess is so loved that even at harvest time the women will shield her from the alarming sight of long knives. Instead they conceal small blades called *ani-ani* in their hands, and cut the rice ear by ear. I have sat in the bamboo groves when the fields were radiantly gold, and heard the Rice Goddess sing her beautiful rustling songs amongst the stalks heavy with seed. In the evening when all the Gods have climbed the giant stairs of our hill-slope terraces, and returned to their abode, the women go to the little bamboo houses and reclaim the food they offered that morning. For Gods feast only on scent.

The plants will be gold and pregnant at this time of the year. Here it is cold. So cold. There is no balance. There is not one temple filled with incense to invite the Gods in. No one thought to leave a smouldering coconut husk out for the demons. So the demons went to live inside the houses. On pitch-black nights in Bali men light dried banana stems, and swing the strangely beautiful resinous flame with its shower of golden sparks in great circles to keep away malignant spirits. But even at midnight I never feared the English night outside my door. There were always street-lamps to pour blue light on the streets and evil lived indoors anyway.

Smeared with sin and shivering in my own sweat I walked among the dead souls of the city. The only thing that kept me warm was heroin. It was a mistake to leave the Rice Goddess, her fields, and the gentle sound of chuckling in the waterways. I once knew a little girl who sat with her slippers in her hand by the well. Her hair was always long and messy but she was always smiling. I think my sister loved me then.

Nutan thought me generous because I alone shouldered the responsibility of providing the smack. So she did not have to become a filthy flower like me, and could lie, neither sleeping nor awake on our dirty bed. She thought I had sacrificed myself for her, but she didn't know that it was guilt that prompted me. It was the same reason I had given her the longer garland, the bigger kite, and the best bit of the cake. Racked with guilt at my greed I punished myself by offering her the thing I had wanted.

I often wished failure upon her, but when failure did pounce on her head I felt terrible. So I would try to compensate for it by giving her things: affection, encouragement, anything she wanted . . .

She didn't understand, knew not of that ruthlessly competitive streak inside me that needed her to sometimes fail. Younger siblings are like the tail of an animal; having grown up in the shadow of its head they appear subservient, but secretly, they are always seeking to undermine the arrogance of the head. Will I ever forgive myself for ministering that first shot?

Why did I give my sister the smack?

Perhaps at that moment when she looked at me from her higher, purer place I simply couldn't bear it. I had to have her with me, where I was. We always had only each other. Ibu had eyes solely for Father, Father was blinded by his passion for Nenek, and Nenek loved Ibu to the exclusion of all. So you see we had only each other. Or maybe it was even simpler than that. Maybe I was like the head hunters that Nenek used to tell us about. It was never enough to kill a stranger. The head must have a name before it can be shrunk and hung on a wall. Only then was revenge sweet. I was always jealous of her. Of that special light she carried inside her, the one I did not. It was the reason Ricky wanted her and not me.

Why did I have sex with Ricky?

Has she never told you? What is hers is mine, and what is mine, hers. No, of course not, I am just being facetious. The truth is I do not know why. I could say he forced himself on me, but the deed was done long before his flesh entered mine. He only fulfilled a lush dream I had. I do not even know why I want him, still. In fact in Bali we would say Ricky has the character of a *tunggak semi,* flower stem, conceited, arrogant and selfish. Every Balinese is taught to detest all lack of refinement in behaviour, appearance or feelings. And to be coarse is synonymous with bad, even evil, but I found him irresistible. To think I betrayed my sister for that black tongue. I can't understand my flash of madness.

I betrayed her and, to forget, I rushed to Anna's and stuck a needle into my arm. It was my escape. It transported me to a soft place. This place of colossal calm, it does not really exist, but when I am there, I become so unconnected to my own body, that I am unable even to call for assistance. All the moments without heroin do not count. They are intervals when I am not even a person, just a desperate animal driven beyond all reason to find the next dose. There is a point you arrive at when depravity becomes a comfort. Its foul smell a source of familiarity. Slowly you begin to want to see that hateful gleam in each other's eyes.

Anis is generous, and not just with money or drugs. He has a generosity of spirit. I remember him always as he was the first time we met, unshaven and in a black turtle-neck sweater. It was Elizabeth who said, 'To meet a character like Anis you have to look inside an Ernest Hemingway novel.' She was right. He is generous in the noblest way, forgiving like a child. He never keeps a grudge and he loves me dearly, but I play him false. Poor Anis. Treacherous Zeenat. Only the pig's skin and bones are offered to the *buta kala* spirits, but all of a dog is for the spirits. He thinks I am a pig, but I am a dog. All has been offered.

He does not know how little this body of mine costs to possess. If he came upon it at the right hour of the night on the right street corner. Or perhaps he does . . . Perhaps he does know, but it is his nature to forgive, to love anyway. I like to think a character in a Hemingway book fell in love with me.

Nenek used to say that human beings record every sin they do, in their brain, their tongues, and unbeknownst to them in the lines of their palms. She used to pick up our palms, and carefully study the faintly formed outlines, as if from the curves alone she could tell our sins. Whenever we had done wrong, we squirmed in her grip.

It would be impossible for me to show her my palms any more.

I looked into the mirror the other day and saw a funny thing. I saw in my eyes, half extinguished, but still burning, a gleam very much like my grandmother's. The same dark eyes, and the same wicked decadence that inbreeding brings to a face. And all those years ago my mother must have seen it when she ran her fingers over our eyes, noses and mouths, and lied. *It is a good thing that both of you were given your father's face.* Poor Ibu.

I always knew about Nenek and Father. It was not because I once heard her referred to as *madu,* honey, a term that really means a kept woman. No, I knew because of my mother's eyes, the way they used to watch Father whenever Nenek was around. She had taken away Nenek's man, only to find it was not enough. Ungrateful wretch, you cry? No, because Father never relinquished his love for Nenek. Nenek owned everything Ibu wanted. Astonishing beauty, power, feet, my sister and me. If we awakened in the night, frightened, she would never allow us to get into Ibu's bed. I know she did it to protect my sick mother, but unwittingly she cut my mother off.

Have I said enough to earn the extra two hundred pounds?

No, but nearly, you say. Do I fear death?

No, I never wish for death. Not even when I am on the back seat of a stranger's car, and his stale breath is in my face. Neither do I need death to end it all. Day and night, the impulse, the all-consuming craving, is for more and more heroin. And I like the danger, and the duplicity that goes with scoring too.

Is this enough? Is it worth four hundred pounds yet? If it's not, just give me two. I'll tell you the rest another day. I've got to go soon. Someone's waiting for me.

If this is really the last question. Tell you about Anis?

In Bali it is the woman's work to shake the rice grains in a wide round basket. The action removes the dirt and husks. They fly away into the wind. In the same way opposition and conflict separates the pure and beautiful from the coarse and polluted. Anis is the only good thing that has come from my time in the wide round basket. He is a *dewa* in disguise.

Of course it is clear that I should return as soon as possible to Nenek so she could cure me of my affliction as I have seen her do for others. She gave them herbs that made their vomit rush out of them in a large curve. You have a special word for it.

Ah, projectile. What a pretty sound. . .

Nenek will also cure Anis. And then we will be happy. There is a word they use in my country. It is called *enten*, it means waking up momentarily, and then falling back to sleep. It is what we believe life is. A fleeting moment of being awake. I, the maker, and you, the beholder, must see my moments when I am an addict or a prostitute only as offerings to time. They all pass. No need for remorse or self-loathing.

I will be cured and I will be happy. I will meet the Goddess of Death in the cemetery by the curve of the river, but only when Anis and I have seen our grandchildren.

I closed my mouth and looked meaningfully at the door. The good writer switched off her tape recorder, and held out a wad of notes, too thick to be two hundred pounds. My story had earned four hundred pounds. I left her staring out of the window. I had to go and get Nutan. Already I could imagine her pleased face. We would go together to Anna's. There was much celebrating to be done. It was Christmas in two days' time.

Nutan

We were all slouched in the dark staring blankly at the telly. Sometimes I think that was why it took so long for us to realise that she had turned blue. That something was wrong with her.

I remember seeing Zeenat put a needle in her arm, and I can even remember seeing her eyes roll back, as she slowly slid to the floor. Quickly, quickly, I too must have the needle. The warm blanket. Look how softly she fell into hers. How gently it caught her. Me too. The rest of them were lying back watching Snakehead fill up a syringe. He caught my eye. Yes, my turn now.

He shot up and, stepping over Zeenat's slumped body,

came to inject me. He knew I was too high to do the job properly. I don't know how long I sat there, deliciously warm, staring at the telly, but suddenly there was movement, half hurried, half languorous. I turned my head, reluctantly.

And there was Anis – where did he come from? – bending over . . . Zeenat.

'For God's sake, Anna, help me get her into the recovery position,' he shouted, his voice strangely shrill and panic-stricken.

'Switch on a fucking light, someone.'

'Fuck it, the bulb is gone.

'Come on, help me, someone.'

'Hold her, hold her up.'

Through half-closed eyes I saw them turn her on her side, and shake her.

'Come on, Zeenat, breathe, please,' Anis begged.

It's funny how Zeenat once described heroin. Brown eye-shadow. Sometimes the other addicts will try to sell you bits of brown eye-shadow they have stolen from Boots. It was Anna who first warned us about it. 'Fucking nightmare if you inject it,' she said.

My limbs were large and heavy. I tried to reach out my hand to touch her, but it was cast in bronze. Hey, I wanted to say, I know what's wrong with her. She's done this once before, taken too much, but she can be brought around. Please don't take her to a doctor. They could take her away from me. But I couldn't get my tongue to work. The four hundred pounds that writer gave Zeenat. We had spent it all.

Someone found a torch. They shone it in her face. Her lips were deep blue. Everybody started screaming at the same time. I became frightened then. I had warned that girl, 'If anyone gives you the bread of death do not eat it.' Anna began to slap her, but Anis pushed her away roughly, and tried to give her mouth-to-mouth resuscitation. But nothing.

'Jesus, she's still not breathing.' I heard Anis's disbelieving cry.

'For fuck's sake, can we call a fucking ambulance now?' Anna screamed.

I could tell by the way Zeenat's eyes had rolled all the way up, leaving them completely white, that this time it was different. I was paralysed, my tongue too stiff even to scream. Later, I would look for her later. She was temporarily lost to me, but no doubt she would resurface.

Tears were pouring down Anis's face. He cradled her body, wailing, 'No, no, not again, please no . . .'

Anna was white, but for her mouth, which was a black hole, 'Oh fuck no, no fucking way.'

A boy I did not know very well was simply staring at me, his eyes blank, and his mouth moving soundlessly.

Snakehead was slowly backing out of the room. I knew what he was thinking – the addict's logic – there is no point in everybody getting caught with the corpse.

Then I was gone. Off on a cloud.

Ricky

It was Christmas, I was all alone in the kitchen and it was not a turkey dinner I was roasting. I was getting worse and worse. Oh, the paranoia!

Bruce

My sister and I decided that, for Mother's first Christmas without Dad, I would spend Christmas Day with Mum, and she would do Boxing Day. Mother roasted a huge turkey. Far too big for the two of us. We sat to eat in silence. Afterwards we exchanged presents. A little gold bracelet for her and a sweater for me. I fixed the bracelet on her arm. It looked pretty even on her thin liver-spotted hand.

'Now you,' she said. 'Try on your new sweater.' It was too tight.

'Never mind,' I said, 'I'll take it to the store and get it changed.' And with that my mother's lips began to tremble. Suddenly she was sobbing into a handkerchief.

'Do you know,' she said, 'your father always wanted me to wear very high heels, but I wouldn't. I thought it was too tarty. I worried about what the ladies up the street would say. I realise now it was a mistake. I should have worn them. At least once, to please him.'

'Ah Mum, don't cry,' I said gently. 'He saw you in them. In fact I'm even willing to swear they were six-inch heels.' Her eyes were blurred with tears. I said, 'I know because when a man loves a woman she comes into his dreams, doing all the things he wants her to.'

Nutan

When I woke up, I knew instantly, she was gone. It had never occurred to me that she would leave me behind. We did everything together. Again and again, that moment of her departure, a blackness inside my mouth, my eyes in soot.

And my body, oh God, how intolerably it ached. Every action was agony. Even my skin rasped hellishly against my clothes. It was too painful to endure. I needed a shot badly. Anis was still at the police station. I was so bad my eyes wouldn't focus properly. One dose. I just needed one dose, that's all, and I would be fine, but I had no money. I was so desperate I couldn't wait one moment longer. With Zeenat gone I had to find my own stuff. I had only one thing of value left.

But it is very precious. Your mother made it for you.

Yeah, but I could get another when I go back to Bali. They are easy enough to get.

It took her many, many months to make it. Don't you remember she said it is for your wedding?

I'll get another.

It is irreplaceable. Your mother is dead.

It is only a piece of cloth. I have other things that belonged to her.

At the bottom of my suitcase I found it.

Your mother made it especially for you.

Piss off and leave me alone. It's only a piece of cloth.

I stuffed it into a plastic bag and rushed off to the bottom of the road. It was lunchtime, and somebody in the pub was bound to want it. I thought I could maybe sell it for fifty pounds. It was easily worth a hundred. I had seen them being sold for hundreds of pounds in the tourist boutiques in Seminyak. Inside the pub it was dark and cool. My nose was running badly. There was a woman in a nice skirt. Surely she would be interested. I went up to her.

'Would you like to buy a traditional gold-embroidered cloth from Bali?'

My nose ran all the more. I wiped it with the back of my hand. I saw that she had seen that all was not well with me. Maybe she even thought my nervous quick smile meant I had stolen my brocade.

'Show us then,' she said.

I took the cloth out. Even in the darkened room its fine workmanship shone precious and exquisite. Her eyes flashed. My nose was running. I really needed a shot in a hurry. She took the cloth in her hand and examined it carefully for flaws. She could find none. She looked up. And her eyes . . . I will never forget her eyes. How careful they were. How greedy.

'How much?' she asked.

'Fifty pounds,' I said.

'Tenner,' she said.

I looked at her incredulously. 'It's worth hundreds. It's brand new.'

'It's off the back of a lorry,' she said, laughing contemptuously. Her companion grinned.

'My mother made it,' I told her.

She looked at me blankly.

'Give me twenty,' I begged.

'Sorry, I've only got ten pounds.' The bitch was not sorry. I looked around the room hoping there was another woman I could approach, but only men occupied the other pub stools. And I simply didn't have the time to go around to the other pubs.

'Give me the money, then.'

She opened her wallet. It was full of money. She pulled out a ten-pound note and held it out to me. As I rushed out I heard her companion congratulate her on her 'bargain.'

Ibu made it for me. I wanted to go back in there and throw her lousy tenner in her face, but I needed my fix. I really did. It was only a piece of cloth. Maybe later, when they released Anis, I could go to him. He was bound to have some.

Ricky

The chef jumped me today. His cheque bounced. Twice. RDPR had made the jump to RD. Yeah great, join the queue, dickhead. The suppliers are all COD now. Fucking rats. The linen guy won't deliver. Little piece of chicken shit. All these years he made money out of me and now, at the first hint of trouble, he bails out. Fuck him. When I have sorted my shit out I'll make sure he doesn't get a penny from me again.

One of the restaurants is in the shit, losing money hand over fist. Went there last night. Fucking hell even the alcohol there smelt as if it was losing money. It's bad at the moment. It's fucking bad.

Nutan

I went back to our room, wet, dirty, and faint with cold. I must have walked in the rain. I don't remember. Midway up the stairs I heard voices in our room. I didn't know what to think. I was so confused. Perhaps it was the police, but when I stood at the doorway, I saw the owners of the kebab shop downstairs, our landlords. Until they noticed me they were cursing and swearing and going through our things.

'What are you doing?' I asked. My voice was feeble and frightened.

They jumped guiltily, and then they went red with anger. 'Look at the state of this room,' one of them screeched. He was the one who tried to offer me money for sex. 'Don't think I don't know what's been going on here.' And with the toe of his shoe he pointed towards a syringe.

'Fucking junkies,' he shouted hysterically. 'Where is the rent?'

I stared at him blankly. 'My sister died yesterday,' I told him.

Unconsciously he took a step back, as if my news could taint him. Yes, the one you used to pay for sex, I wanted to say, but I was too tired. There was silence. Only the traffic outside was relentless. But he didn't care. I suppose one could hardly blame him.

'If you can't pay your rent now you have to leave.'

'What about the deposit, my things?'

'Deposit? What deposit?' he sneered. 'Look at the state of

the fucking room. Who is going to pay for all this damage? Get out. Get out now.'

I turned around and started walking down the stairs. I didn't know what to do. She was dead. I had nothing left. There was only one thing to do. Get a shot.

'Here,' the man shouted and two passports flew past me. I picked them up, and stumbled away. I had nothing left but the old jumper and jeans on my back. But very soon I would need another hit. So I stole some whiskey from Sainsbury's and sold it at the off licence. I bought two bags of brown, nicked a spoon out of a café, a lemon from a greengrocer, went around the corner, and shot up in the back of a church compound. In fact, it was a cemetery.

The dead in England are quiet and peaceful in their place in the ground. I must have lain on the grass over someone's grave for a good few hours. Just didn't know what to do. Where to go. Thought I was going mad. Anis was probably still detained at the police station. It was getting dark and cold. So cold I began to shiver wildly. Never before had I felt so abandoned.

I got up and made my way to Anis's home. The house was in darkness. I broke a window and entered. I hadn't eaten since Zeenat and I shared a tub of Muller rice. I found his stash straight away. I shot up, and the unbearable feelings went away. But I had to keep shooting up or bang, they would all be there. Insufferable, insurmountable. You see, she was dead. I never imagined it could happen. I never thought she could leave me.

I should have slapped her across the face, so hard the needle flew out of her hand, that day when she offered me her own death. I cursed myself again and again. I betrayed her first. I left her alone in the room, while I went out to get drunk and high with Ricky and my new-found friends. She, who had never done me any wrong.

I knew why she did it. All our lives they saw us as one.

Dressed us exactly the same. Twin girls. She tried to be an individual. Tried so hard. Now it was too late to claim her as my own.

I thought about suicide when I saw my face in the bathroom mirror. I saw myself dying. Blue in the mouth. Not breathing. By witnessing her death I was haunted by my own. I would relive that moment for ever. Always it would seem logical to follow. I even dreamed of shooting up that fatal dose and waiting. I had never understood loneliness. Alone, I was without symmetry. Ugly. Just one. Who was I?

Nenek had known. 'Dream of Ibu,' she told Zeenat. 'Dream of Ibu.' She should not be surprised then when I break my news to her.

Ricky

It got to a situation where everybody was looking for me. For money. It got so bad my staff pretended I was not the owner. The owner never came in. I would be standing at the bar drinking coffee, and my staff would be telling men in suits, 'No, he never comes in any more. I think he might be in Italy.' And I wouldn't even bother to turn around to look. One day I walked into the restaurant and this beautiful woman called out, '*Ciao*, Ricky.' I acted on instinct. I smiled at her. She smiled back seductively.

'*Si*, Bella,' I said.

And two men in polyester suits at a table by the window stood up, and served me with my summons. She left with them. Without her smile her face was bitch hard.

Nutan

It was still dark when I woke up. I knew I had been robbed but I did not know what they had taken. Where was I? My chest was thick and congested with foreboding. Long beautiful bay windows? Oh, Anis's home. I was safe then. Perhaps it was only a nightmare. I could not remember. I tried to remember. Everything was a blank.

Was it another warning dream about my sister?

I dreamed . . . I dreamed, the unthinkable . . . Oh, no . . . frantically I began to pray to the spirits.

> 'Oh, Powerful spirits I welcomed you to my
> home.
> If I have harmed you, forgive me, be kind.
> Accept my offerings, oh powerful ones.

I was Nenek, alone through the howling night, begging, tears rolling down my face. It was only a dream. If I implored hard enough like my grandmother did all those years ago . . . Did she not, with the help of the spirits, keep Ibu alive for years? That was what I would do too. I would command the spirits.

> Do not take what is not yours.
> Do not show your wrath.
> Oh you, leave me the child.
> Consent that she lives another day.
> Do not call her name, at night,
> NOT TONIGHT.'

I heard a sound in the living room. I opened the door and crept along the passageway. My footsteps were silent. What was the shadow that followed me? The living room was dimly lit. I stood at the doorway, shivering, terrified. In the light from the little Chinese lantern, Anis was slumped on the floor, staring at a blank canvas. He turned to look at me.

Oh God, no, look what the devil spirits did to his face. His mouth was torn and his eyes were black holes of horror. What was it? Why was I filled with fear? 'Zeenat,' I whispered.

It did not say anything, that mask of suffering.

He picked up a needle by his side, and held it out to me. There was a sob in my throat as I stumbled towards him. 'Hurry, I am falling.'

I snatched at the needle, but my hands were shaking so much, I could not find a vein. Anis took it from me, and gently, tenderly with infinite care put it upon my skin, and pushed. *It's all right. I'll do it for you. All it is, is you put it on your skin and push it down. That's all.*

Anis

I came upon Nutan today sitting in my kitchen with her wrists cut. She was simply watching her blood flowing into a puddle on the floor.

'No, no, don't,' I cried, kneeling by her, pressing the wounds together.

'You don't understand,' she said. 'I was feeding the spirits. They are hungry and unhappy.'

I was so surprised I released her bleeding hands for a moment. In my ears my grandmother's voice whispered, 'Do you hear it? It is the earth wanting blood and bones.' Perhaps blood spilling to earth is a forgotten knowledge. Perhaps, deafened by the roar of progress, we cannot hear this murmur. Otherwise why would every ancient civilisation pay for their continued survival with human sacrifice?

It stands to reason. The earth must eat too, I thought, as I bandaged her wrists.

Nutan

A man strolled slowly towards the screen. More men, all in black, appeared in the background and came forward to disappear into nothing. It was an Issey Miyake fashion show, shot in a car park, or maybe a storeroom. The effect was ghostly and eerie. Why did Anis watch it without the sound?

I touched the doorframe, it creaked, and Anis turned to look at me.

'I dreamed of her,' I said. 'I dreamed that I said, "Don't".' I put my hand out and took the shot in my arm.

' "I, too, thought it was you that should have died," she said, as I lay dying.'

I knelt at his feet and touched his face. My hands moved to the open throat of his shirt, and my fingers slid in. We could stop and sleep halfway.

'What marks has she left on you? Show them to me.'

'Don't,' he said harshly. 'Don't taint what is left.'

I felt confused and dirty. I just wanted to be where she had been.

Catch her perfume. Smell her a little. She was so real she hadn't faded with death. Anis explained that time would fade her. Help rub the sharp edges down.

Elizabeth

I went to visit Anis. There was nothing in his fridge but sour milk, mouldy cheese, and something so gone I could hardly bear the stench. I had guessed as much and brought my own ingredients. I made ham and cabbage stew, and we sat on the floor to eat it. He pushed his fork around a bit, but I sat and waited until he cleaned his plate. Then he excused himself and went into his bedroom, while I stood at the window, trying not to imagine what he was obviously doing in his bedroom. When he came back he looked normal. I smiled at him, but he did not smile back.

He went to the stereo and the room filled with the big beautiful sounds of Mussorgsky's 'Night on Bare Mountain'. He gestured that I should return to the cushions where we had sat to eat. His face unreadable, he took my hand and kissed my palm gently. 'Thank you,' he said. Then he began talking. A few times he broke off to go to the bedroom, and sometimes his eyelids fluttered down, but he would force them open, and talk some more.

And into my heart came distress for a little boy who had stolen a squalid secret, and then burdened himself with it to protect his mother. All those years of needless guilt. She had known all along. How we hurt the people we are meant to love! I felt angry at this unknown woman who had allowed her son to become a trespasser in her home. But that little boy, still alive and suffering, looked sadly into my eyes, and told me his mother was not to be faulted. She had fulfilled her *dharma* impeccably. She had been a good wife. What about her duty as a mother, I wanted to ask.

'I stand accused as a vampire,' he said bitterly. His mouth twisted. 'I find nice girls in dark places and suck out their life. A Picasso minus the genius.' He laughed without humour. 'I could so easily be that horrible spider Ricky worships, crawling along, black and hideous. Luring these beautiful women into my web, persuading them to take their clothes off, and somehow destroying them. Swathi, Maggie and now Zeenat . . .'

'How can you say that?' I cried. 'Swathi was dying when

you met her. If anything, you made her last days mean-
ingful. To be the muse of a great artist is a special gift. So
seductive a compliment that she even fell in love with you.
Is it your fault that you could not return her feelings? And
Maggie, do you know what she said about you? She said
she let you paint her because you painted souls. You were
the first person she met who had the ability to see through
corrupted flesh. And for the first time she found herself
beautiful in a man's eyes. That's why she gave you her
painting. Not even I own a painting of hers. She did it to
say thank you. You cannot blame yourself, not when you
were planning the most marvellous surprise for her. It's not
your fault that she simply couldn't wait. I loved her, and I
don't blame you.'

'Look at me,' I said. He looked up, his eyes swimming
with enormous survivor guilt. He was too sensitive. Not
meant for this harsh world. 'And as for Zeenat, I won't
allow you to bear blame for her. Have you forgotten it was
she who brought the first bruise to your arm? And when
you tried to get clean, it was she who led you this way
again, wasn't it? She's gone. You must let go of her.'

One side of his mouth lifted as if to smile. 'You don't
understand,' he whispered. 'I can't.'

Nutan

My sister said, 'I've got some stuff. Come back to the old
room where we used to live, and we'll take it together.' I
woke up, and began to dress. And then it hit me. But you're
dead.

I had to leave Anis's house and take my sister away from
the cold room where they kept her body. I had to place her
poor head in my mother's lap. It was where she belonged. I
should never have brought her to this poisonous world. We

were safe in our little island. I had to return to stand again before my grandmother's eyes.

While flowers will be scattered into her coffin, Father, that distant stranger, who had agreed to endanger his daughters to punish a lover, will sing in the archaic Javanese tongue, that peculiar whinnying tone that he usually reserved for the most high-born of his puppets. In a highly exaggerated voice he will say what he said at my mother's funeral, 'We will wait for her to be reborn on earth. Perhaps she will be my great-grandchild.'

Somewhere behind my eyelids a storm was brewing. In the end, you see, I am not like my high-born father. I am like my grandmother, the taste of earth still on my tongue, unable to pretend a lack of passion. Death I can rejoice in but what about the absence until then? What will I do with the unbearable absence, when I will awaken in the dead of night, and crave for her flesh beside me?

What a blind careless python I was! I accidentally swallowed a giant creature called grief. I don't know how many years it will take, but leave me alone while I digest my meal. I am no different from you now. I too am unutterably alone.

Anis

There was no moon in the sky. I could not sleep again. It was my conscience clawing. Where was the next step? The one I stood on was unbearable and I needed to move on. I don't know why I never had dreams of that moment when she lay dead in my arms, but God knows I saw it often enough in my waking hours. I know it is often enough that you read it in the newspapers, child finds parent dead from an overdose, or the other way around. But how can anything you read at your breakfast table, cluttered with warm toast, jam, butter, honey, and the goodness of fresh milk, come anywhere towards expressing the horror of watching someone wrenched away from an overdose.

History is a banshee in a sackcloth, a mad glare and a bony pointing finger. She has seen my profit. Although it was not I who went to look for the newspaper men. They came like a pack of wolves when they heard there had been a dead body in Anis Ramji's arms. As a result my paintings began to fetch more, startlingly more. Perhaps it was something to do with the rising value of a dead painter's paintings. They were making the logical conclusion about my future. And here and there women have begun to find my surly melancholy attractive.

Still the dead do not condemn me. She always comes in a moment of blushing happiness. '*Wastan titiang 'e Zeenat.*' My name is Zeenat. She asks for '*gambar titiang,*' my painting. But would you believe me if I said that sometimes I awoke to her fragrance?

Ricky

There was a little scam I was running. I was selling shares in my restaurant to my manager and Chef. No one knew, but the restaurant was about to be included on the list of assets when the VAT men finally declared me bankrupt. It would happen in a matter of days.

The fools carried around worthless papers, talking loudly about the fantastic changes they would make, and softly about what a loser I was. I humoured them. Poor sods. It must have taken them a long time to raise twenty thousand each.

The manager I didn't feel bad about. He stole the money from me anyway.

The old Chef. Yeah, that was sad, but what could you

do? The guy had been with me from the first day, served me well enough, was well past fifty, and I was taking his hard-earned pension money, but in a way I had no choice. I could not offer a share to the manager and not to Franco. He was my camouflage. Who could imagine I would deliberately cheat old Franco? The whole thing would have fallen apart if I didn't offer it to my Chef first. My manager would have suspected foul play.

But they were all only excuses. The simple truth was I needed my Chef's money. I was sinking. I had to clutch onto anything. It was my Chef who gave me his cheque first. Not even his shining grateful eyes could make me feel bad. I needed the money. I took the cheque to Paolo and he cashed it for me immediately. It seemed like such a lot. I thought it would last for quite a long time, but it went quickly.

January 2001

Ricky

How much will you give for a gold Rolls Royce?

Five grand! Fuck you, man. It's only three years old. Mint condition.

Come on, stop standing on my balls, you know you're going to sell it for at least triple that.

Oh fuck it, can you come by for the damn thing today?

Yeah, but what time can you get here by? I'm in a hurry.

Nutan

I followed Elizabeth's instructions to the dot, and rang her doorbell at 1 a.m. sharp. But I waited in the cold a long time before she answered.

'Come up,' she invited.

A man trying to hide his face stepped out of the lift. Still, I think I recognised his clean, good looks. He was famous. I thought I had seen him on the telly. Elizabeth opened her door, and I stared at her in shock.

'What happened to you?' I asked.

'It was an accident,' she said through swollen lips. Carefully, wincing, she eased herself onto a pure white sofa. 'The only good thing about Mr M is he always leaves half a bag of strong stuff. It's on the table in the kitchen. Fetch it, would you?'

We sat on the sofa and finished the coke. It was 3 a.m. when she looked at me and said, 'Last one's for you.'

'Here,' she said, and gave me an envelope full of money. 'Take her back, back to Bali.'

Strange the way life works out. Elizabeth was the last person I would have thought to turn to for help. She always seemed so unfriendly. Yet, she was a hero. To procure Zeenat's air fare back to our island, Elizabeth had done something that was utterly repugnant to her. I didn't know what to say.

I fell to my knees and opened my mouth to thank her, but she stopped me with a raised hand and a cold voice. 'Go home now. I must wash, and sleep, and heal again. Next week the Mullah will return. I did not do it for you. I did it for Zeenat.'

Why she desired no human warmth was a mystery. She obviously had a warm heart, but purposely gave the impression that she was cold and unfeeling.

Confused, I turned to leave, and she said, 'Wait, wait a minute. Why don't you leave the money here? Let me make the arrangements for you.' I looked into her eyes. They were direct and honest. She was right, of course. I couldn't be trusted. 'Will fifty pounds be enough for you until tomorrow?' she asked.

I nodded.

Outside, I was suddenly overcome by my loss. The blow that had killed my sister had slashed me too. A death mist was collecting in the air.

I took the night bus to Vauxhall. A woman wearing a leather jacket came to sit on the seat in front of me. The smell of it made me feel sick. Quickly I moved seats. At the entrance of a run-down block of council flats, I pressed the button that said 77. I had to press it three more times before a barely coherent voice answered.

'Can I come up,' I asked.

The buzzer sounded and I pushed open the door. I had to forget. Tomorrow was soon enough to remember.

Bruce

At 3.30 a.m. I got a text message on my mobile from Haylee.

> Get 2 Elizabeth.
> She is raising
> Money 4 Nutan

Even though I knew what the message really meant, my heart was in my throat at the prospect of seeing Elizabeth again. I also knew that if Haylee sent that message, it was because I would be too late. But maybe, maybe even Haylee could recognise true love, and desire for it to succeed. Maybe I still had time. Even so I rang her bell, already sad. Why couldn't she have just asked me?

For some time I could only stare at the busted lip, something inside me broke.

'Haylee sent me on a crazy rescue mission,' I said. Even I heard the trembling in my voice.

'Too late,' she said cheerfully. 'Nutan must have told her. But hey, full marks to Haylee for trying.'

I went into her bedroom, and got a blanket. Carefully I wrapped her poor thin body in it. I felt like crying. She defeated me at every turn.

'It's not as bad as it looks. You're a man. You know how it works. No penetration, so no harm done, right?' she joked through bruised lips. She was tough.

'Why?' I asked, shocked.

'I had to do it. I owed her one. I didn't care enough to slap her in the face when I first found out about the smack.'

'Why didn't you just ask me for the money?'

'I think I was probably saving you for something bigger.' She laughed weakly.

'Oh, Elizabeth.'

'Why do you keep coming back? I've tried so hard to push you away. God, to think I even took all my make-up off in a restaurant to show you how truly haggard I could look.'

I stared at her incredulously. '*That* was why you took your make-up off? You thought you could put me off?'

'Now that you put it like that, it does seem a little crazy . . .'

'A little? . . .'

'Everything is a lie, Bruce. I hid the past away thinking it would die in the dark, and all it has become is old and bad-tempered. Shine your light a little over here and you will see it very much alive and now malicious.'

She told me everything then; the brother the sea took, the changeling who desired the city even if the inhabitants were dead, and the men who came to grasp her so hard they left bruises in the shape of their fingers on her arms.

It was almost more than I imagined. To be this close. To hear these intimate details. Even with her shiny lip, she was beautiful. Her light grey eyes not hard and cold, but moist and tender. I know it's such a cliche, but I loved this approachable, touchable person so much it hurt. I started dreading the moment when she would regain her icy composure and slip back into her ironic self.

'Want to hear one more confession?'

'What?' I asked. I could take it.

'I don't like taking coke.'

'*What?*'

'It's true. From the first moment I see it, a little hill, white and bad, I begin dreading the moment when it will all be gone, and I, locked into that horrible downward spiral, raiding cash machines, knocking on strangers' homes at five in the morning. Filled with a black despair that only another line can cure.'

'Want to give up?'

'Yeah.'

'Me too,' I said.

'Are you serious?'

'Yes, Maggie's death changed everything. For the first time, I saw Ricky's temple for what it really is; a filthy horrible place full of sad lost people. Nobody there is happy. They scream with laughter, but they are all dead inside. You have to be if you are worshipping in a spider's temple.'

'Are you really sure?' she asked.

'Absolutely. Can't remember when I last took a line. Are you?'

'Never been surer of anything in my life,' she replied, her voice strong and certain.

'I really love you,' I said softly.

'Do you? Do you really?' Her tone was sad, so sad.

'Yes, yes, I *really* do,' I sighed. Why did she find it so hard to believe that I truly loved her?

'Well, if you're absolutely sure,' she said, moving away from me. When she turned around, her bearing was erect and proud, her eyes grey diamonds once more. And then with an unkind twist to her swollen lips, she taunted, 'Is this the perfection you waited so long to possess?' She untied her robe and let it fall to the ground. She was naked underneath.

I stared transfixed. There was a roaring in my ears.

Time slowed down and I heard myself say, 'Oh God!'

Anis

I stared resentfully at the blank canvas in my living room. It was waiting for me, but I was waiting for the moment I would be able to bear the smell of paint again. I wanted to paint her blue, but I was bleeding red. It streamed out of me, unstoppable, the way greed gushes out of a gambler's eyes when the wheel begins to turn. There was no release from the terrible torment. It obliterated everything.

I watched the sun come up. Pale yellow beams making squares of light on the paint-stained wooden floor. Watching it, I remembered my grandfather, sitting straight-backed and cross-legged on just such a patch of sunlight in his house on the hill. He sat for hours throwing his breath out of his chest, his being vibrating in the sound currents of '*Om*'. His face, ageless with such enviable calm.

'Emotional feeling obstructs clarity,' he used to say, reaching for the conch filled with turmeric water that he kept on the sunny window sill. 'Meditate, Anis, meditate for deeper peace. Without detachment there can never be silence. Concentrate your gaze and perception on the spiritual eye in your forehead, and wait for whatever response comes to you.'

Crawling towards the square of sunlight I experienced compassion for my father. For surely his soul must have despaired for the endless lies, the paralysing guilt, and the unforgiving son.

Beast he may have been, but he was still a creature of nature. He should have read philosophy. Aristotle would have shown him to look between cowardice and rashness for the golden mean, courage. I recalled him from the last time we met, when he had ground the inside of cheek against his clenched teeth, when my disgust had vanquished him.

My mother told me that when I was three years old I

loved my father so much that I demanded to be the first one he cuddled when he got home from work. And if it happened that he didn't I ran outside and urinated on his shoes as punishment. Even then, my love was cruel and demanding. Who was I to be ashamed of him? I closed my eyes.

'You are that.'

Who?

'The unknown knower. Be still, you are that.'

On the patch of sunlight it was easy to assume the corpse pose my grandfather had taught me.

Bruce

We stared at each other. Had hours passed? My eyes hurt, but hers were brilliant with pain. So this was the 'unimportant' thing that Maggie had almost told me when we were getting drunk at Ashley's. I remembered another snatch of conversation from the past.

Don't you like being so perfectly beautiful?

Don't you know how natural it is for a human being to ruin what is perfect?

Although I had never let my eyes wander away from hers, I had seen it. All of it. Then unable to stop myself, my eyes travelled across the tight pink of scarred flesh. Somewhere from the tips of her breasts to her groin she was horrendously burnt.

'No plastic surgeon can ever mend me,' she whispered.

Numbly my body moved towards hers and my fingers reached out to touch the scars with disbelief. As if it could be just another trick she had pulled to keep me away. She flinched. It was not a trick. I lay my palm flat on her stomach and with meticulous care walked my fingers through the smooth bits, the uneven ridges, the whitish parts, that pink section. I explored all as she stood unmoving. And it was all repulsive. Oh! Cruel, cruel fate . . . I who worshipped perfection.

'Fire?'

'Acid.'

'Of course,' I said as if it was the appropriate answer. That such a great beauty should conceal such a shocking imperfection.

'The Arab?'

'The Arab,' she said.

'Why?'

'When one intends hardly to use a possession one must be sure it remains unused by others. After all he never lays eyes on it. He has use for me only as if I was a boy.'

'Ah.' What was this strange calm? She was unexpectedly hideous . . . and I who worshipped perfection . . .

God, what a bombshell!

My knees gave way.

'Sorry,' I said, and buried my face in her scarred stomach. My tears startled me. Why, I hadn't cried since I was a boy. I thought of us dancing, our steps matching so perfectly it was as if we had danced together for years, but then Ricky's taunting voice filled my head. *It's hardly love when you fall for the most beautiful woman you've ever met, is it? For fuck's sake you don't even know the woman. What if she didn't look the way she did, huh? What if she wasn't such a goddess? What happens to your love then?'*

What a spiteful joke fate played on me.

Her perfect hands cradled my head. The skin soft, unscarred. Poor Elizabeth.

'Hush,' she comforted.

It made me cry harder.

Then her stroking stilled and she said, very, very softly, 'Run . . . run, Bruce, run now.'

I smelt her fear as I stood up to look into her beautiful

eyes. I picked up the fallen robe and gently arranged it around her shoulders.

'I thought I loved you . . .'

One unconquered tear escaped and rolled down her cheek. I reached out to brush it away.

'. . . but now, I know for sure. I love you, Elizabeth. Don't you know you are more than this face or this body? I love you more now than I ever did.'

An involuntary sob, huge and savage, escaped from her mouth.

'If on some evening I should find your words are only lies . . .'

My fingers went up to stop her mouth. 'Hush.'

And my mouth found hers in our first real kiss. This one I didn't have to steal. Gently. Her mouth was busted. Our faces wet, it was sad and sweet. Not the earth-shatteringly passionate kiss I had dreamed about, but I wouldn't exchange that sad sweet kiss for anything in the world.

'When I was young, my mother read *The Velveteen Rabbit* for my bedtime story, but I could never understand what the skin horse meant when he explained to the rabbit how a toy became real to a child. He said it didn't happen all at once. He said it could take a long time, and usually by the time the toy became real it could be hairless, eyeless, loose in the joints and shabby, but because it had become real, it would never be ugly, except to the people who didn't understand. And once it had become real it could never again become unreal. He said being real lasts for always. Today, for the first time I understand what the skin horse meant. Hairless, eyeless, loose in the joints or skin-less, you are real to me. For always.'

'My joy, my grief, my hope, my love.'

'Don't cry, please don't cry. You'll see. My love will last, for ever. And afterwards I'll learn to love you some more,' I promised. 'When did you first know you loved me?'

'When you opened my fridge and helped yourself to the caviar.'

'*That long?* And you let me suffer all this time.'

She pulled away. 'We have to leave this place,' she said, and led me into the bedroom. I sat on her bed. Ahh, goose down. It gives in to body weight without fuss. Could it be true that she was mine? Was she really mine? She dressed quickly, and then extracted a battered suitcase from the back of the wardrobe.

'You were already packed?' I asked, amazed.

'My hands dared what my heart did not.'

'Are you taking nothing else? The expensive clothes, the furs, the jewellery . . .'

She looked around her slowly and pointing at different things said, 'That is his. That is his. And that. That too . . . oh yes, this is mine.' And she plucked a candle out of an elaborate gold and ebony candelabra. Smiling, she walked towards me. And then she remembered her painting.

And we went to stand under her Chagall. Her fingers stroked the floating figures farewell. When she came towards me her eyes were misty. We left the evidence of the drugs for the Arab's men. He would understand. She was fallen. We shut the door and put the key through the letter-box. I took the suitcase from her hand, and she kept the candle in hers. We walked down the stairs together and I saw all the unconnected moments as a beautifully crafted plan.

Nutan

The airport looked vast and cold. When last I had been there, it was with such excitement, such a sense of adventure. Now it promised an unbearable ordeal. Fifteen hours without a shot. I didn't know exactly that I could survive, but I had a bag for before I checked in, and another for when my luggage was returned. There was Valium from Bruce for the flight.

'Is that all of your luggage, Madam?'

'Yes,' I said. The only things of importance I had were the spoon and citric acid. I needed them until I laid my head in my grandmother's lap. Surely she would forgive me and cure me as I had seen her do to others many times before. It was an unpleasant treatment but it worked.

I asked Anis if he wanted the syrup of forgetfulness for his pain. My grandmother could arrange for it. He looked at me without expression. 'No,' he said. 'Her memory is too precious to give up.'

I waited until the last moment before injecting myself in the toilet. And then I made my way through passport control, hand luggage check, and down the long grey lanes to Gate 33. The woman who took my boarding pass gave me a funny look. I should have felt ashamed, but the drug was kind. It supported me. I slumped into a seat and nodded off. A man in a uniform woke me up.

'Boarding now. Are you sick?' he asked, but he must have known.

I made to it my seat and collapsed into it.

Now let me tell you a secret? Something I have never told anyone else . . . I may disgust you, but I am past caring. First let me tell you what Anis told me. He said that when he was a boy he read in one of his father's old books that a Persian called Ludovico Di Varthema had travelled to Java in the sixteenth century and found cannibalism rife. The Javanese were eating the sick, the old and the infirm. They would take their no longer useful parents and their sick siblings to the marketplace to be sold as food, and with that money they bought the old, sick and infirm of another family. When the shocked Ludovico protested, they shook their heads in exasperation and cried, 'Oh, you poor

Persians, why do you leave such charming flesh to be eaten by the worms?'

The night that Ibu died Nenek cut a tiny piece of flesh from the back of my mother's neck and ate it. No, she did not eat it because it was charming flesh. She ate it to keep my mother's magic in her body.

I knew that she'd done it but only now I understood why. For the very reason a man who finds a diamond will always seek to keep it. She wanted to keep her daughter's essence. I knew she would consume a piece of my sister too. And I would join her because I am not my father's high-born daughter. My real ancestors are the Bali Agas. We do not believe Father when he says rebirth is the frustration of death.

'*Rarisang,*' my grandmother will tell me. 'Do your duty.'

But first I must sleep. And when I wake up the ordeal will begin.

Stay close to me.

Fear nothing, do not flee.

Francesca

I glanced up at the clock over the stone fireplace. *Madonna,* it was five already. I stood up and stretched. Three hours had passed since the children left to spend the night at their Nonna Delgado's home. How quickly time had flown while I was caught up writing labels with lavender ink, and painstakingly tying each bottle with undyed string. The fire was dying out, so I put a few more logs onto it, and stood back to admire the table lined with row upon row of bottles. Francesca's Extra Virgin Olive Oil.

I hurried down a cold narrow corridor. My plan was to install proper heating next year. I selected a pretty green dress from the bedroom cupboard, and headed for the small bathroom. I closed the door, hung the dress on a hook, and switched on a small electric heater. Sitting on the edge of the bath, I warmed my hands over the hot air. They were no longer the beautifully manicured, soft hands of Francesca Delgado. They were the honest, callused hands of Francesca Sabella.

In the mirror, my face looked back, fuller and softer, with lips returned to their normal size. Thinking of how they were then made me shake my head in wonder. It seemed now like the most grotesque aberration to have slavishly followed the examples of other unhappy women. My skin was still fashionably brown but not because I had lain for half an hour on a sun bed, but because the sun was my clock. As its first rays touched the sky I awakened, and until it fell out of the sky I worked on the land.

Even my hair was no longer a straight precise curtain. It was full of soft, sun-streaked unruly curls. Once an award-winning hairdresser had seen me as beautiful in my natural state. He had cut as little as possible, and then coloured it with the streaks that the sun naturally made. I had hated it then, but I was different then.

When the room was warmer, I filled the sink with water, and undressed. My breasts were no longer pretty cones, but long swathes of flesh. I did not dislike them. They had fed three souls. It was right that they should look generous and fertile. A little lower, my belly swelled smooth and round. Still lower, broadening hips led down to thighs big with muscles gained from squatting to gather olives. I ran rough hands on my skin.

How easily I had become pear-shaped! But I could not find it in my heart to mourn the loss of that marble-like perfection I once was. This here was the body of a woman. A powerful joyful woman who had reclaimed her own life. This body felt everything. Once, I walked, spoke, talked and laughed, and you could never have guessed that I did it blindly, without feeling anything. Without admitting to my absolute poverty. In my abundant curves lay the blessings of my ancestors, my mother, my grandmother, and her mother before her. And because its ways must surely belong to my daughters one day, I had to teach them to claim its beauty too.

I had found a role for myself. I was happy being the mender of things broken, the protector of my children, the nourisher of the soil, the keeper of memories old and forgotten, and the creator of goodness in a bottle.

When the bathroom was nice and warm, I washed myself in the freezing water, and stepped into my dress. I draped a thick maroon shawl around me, and misted some perfume in my hair. In a cupboard under the sink I found my make-up bag. Because I no longer awakened in the middle of the night to look at the time, or feel the empty space beside me, I had no use for foundations, concealers and serums. Not even blusher was necessary. A touch of lipstick, a coat of mascara, and I was ready.

I went back into the living room, and peered into the darkening day. And I saw him coming down the hill, clutching a bunch of wild flowers in his hands. He was nothing like Ricky. He was quiet and serious, and he was waiting for my divorce to be final to marry me. Quickly I dabbed a little cream into my palms and rubbed them together. Then I locked the door behind me. There was a time when I would have left it unlocked, but even Ravanusa had changed. There were hypodermic needles stuck into the barks of olive trees. It broke my heart to see those poor trees. I carried a wooden box for collecting the needles now. Even this cold grey light would soon fade. I began to walk towards the waving man, curious to know what was next.

Nutan

I left her at the airport and took a taxi home. I was too weak and sick to make the necessary arrangements. The bumpy trip up into the mountains is a painful blur now, but I remember sitting in the car, and looking out in shock. It was the most incredible thing, but nothing, absolutely nothing had changed. I don't know what I expected but not that complete indifference to my sister's destruction. It was like being in a time warp. How incredible that this world should exist completely separate from the other. Had one whole year really passed?

It began to drizzle. A boy sheltered on the crumbling stone steps of a temple square, a velvet hibiscus tucked behind his right ear, and one hand languidly fondling a white fighting cock. Once in a while the fabulous bird snatched a morsel of food from his mouth. Did Ricky even exist? And Anis? If they did, they were fast vanishing.

Then the car stopped, and I fell out. Numbly I walked along the wall of our compound; clusters of pale green mangoes hanging over the wall were just starting to yellow. I entered our gates, the niches, as ever, filled with offerings. I don't know why I did it, but I hid behind the *aling aling*, and peeped into our compound. Perhaps I was frightened, or wanted to put off that moment of reunion, I don't know. I shan't forget it, though. That first unobserved glance at Nenek and Father.

My father was squatting by the cockerel cages, his hair not in its usual knot but loose on his back. Behind his ear he wore neither a red hibiscus, nor his customary black and yellow orchid. In his arms he held his favourite white cockerel. But his face . . .

Oh God, if you could have seen his face. It was as if I had been gone not just over a year, but fifty, or a hundred. The flesh was gone from his face. His skin sagged from his cheekbones to his jowls, and gathered in tiny folds all around his mouth. His eyes were sunk deep into his face. His chin and nose appeared to have moved closer to each other, and he looked like one of his leather puppets.

I knew immediately which one.

The slain head-hunter warrior's father. I remembered him still, anguished and broken, in the flickering light. 'You have eaten the flesh of my son and so have become my son,' he whispered, in my father's voice.

I moved my eyes and saw Nenek sitting on the wooden steps of her living compartment, smoking a cigarette. She was exactly as I had seen her in my dreams, a hundred years old, but unfaded and glorious. Rocking me in her ancient arms and wiping away my tears.

There was a stillness about her. She was waiting for me. She knew I was coming though I had not told her. I was too frightened. I could not yet say to her, 'My sister is gone.'

I slipped past the *aling aling*, and it was the insane Rajah who first turned to look at his daughter. And what did the insane man do?

He bawled like a child. I had never seen him sob like that, not even when my mother died. The beautiful bird clasped against his chest forgotten, his nose ran and saliva dripped from his gaping mouth. For a moment I was mesmerised by his grief. I had not thought it possible. He who was so distant and cool. But then I realised that I felt nothing. My shrivelled heart blamed him. It was he who had brought the shimmering fox home, endangered his own daughters for a lover's glance.

I turned away from his grief, and stumbled into my grandmother's arms. Kneeling at her feet I buried my face in her lap. The scent of her. Oh, the scent of her. How it pained my heart. She lifted my head up.

She touched my shrunken face.

'From the day you were born, I knew this moment would

come. I tried. How I tried to still the hand of fate. But all my magic and all my power was for nothing. Did you know that I once glimpsed him, your yellow-haired murderer? Yes, fortune sent him. He came to this island, to this village. You and Zeenat were only children then, but even then he tried to touch you. I snatched you away, and thought I had made a difference, changed the future, but no . . . You went seeking him, didn't you? But you are not to blame. It was your fate. It was meant to be. Destiny is not written in sand, but carved in marble.'

She smiled a slow, sad smile. 'Never mind, I will cure you. I know how to make it better.'

And then she laid her hand on my forehead, and I was comforted by the cool sure feel of it. But calm brought clarity, and suddenly I was face to face with what had always lived unspoken, and dimly understood, in the deepest region of my heart. I remembered the one time Nenek had looked at me with futile eyes. It was the reason why only I, and never my sister, had glimpsed pale snake. Why he had come to visit me in London, the reason for my mysterious headache, and cryptic words – the awakening spine . . . my inheritance . . .

I was her heir.

The successor.

She looked into my eyes, and said, 'In a dream I tracked you down and saw you, not frail, injured, or guilty, but courageous, and shining bright. Under your feet the ground swelled, and on your glorious head sat the crown of a legendary *balian*. Your fame will be such that people from the four corners of the world will come to see you. You are the keeper of far more knowledge than I have ever been given. Do not run, and do not fear the future. I have seen it, and it is wonderful.' And because she spoke the truth, her voice was strong and sure.

Ricky

I knew it was over, even before I walked into the flat. The desertion was absolute. All the laughing people had disappeared as if into thin air. The air smelt stale and horrible. I had never noticed the tattered curtains, the cigarette burns in the sofa, or how disgusting the shag pile carpet had become. It was a nice flat once, with electric blue carpets, and geometric shapes on the curtains. In my greed I transferred the flat back to my name and played about with the equity in it.

It was possible the bank could move in on the flat tomorrow. But today it was still mine. I could still sell the TV. Perhaps Paulo would take it for fifty quid. That was a gram. Or I could throw in the stereo, and maybe the microwave, and ask a hundred for the whole lot. And that was two grams. As I sat there plotting my next hundred quid I had a thought. An idea. I went to the TV, and prised it open with a screwdriver. Lo and behold, in the crevice between the joints of the casing was enough coke to make a giant line. For years, bits of powder had been falling through the crack waiting for just this day.

Carefully, I collected the powder. Some of it was so old it was brown, and probably disgusting to you. But to me it was gorgeous. I have never been one easily revolted. Once when I was young, I forgot a pork chop in my desk on a Friday and when I returned after the weekend and opened my desk there were maggots writhing everywhere. The boy sitting next to me ran out of the classroom screaming, but I felt nothing. I sat at the desk of the boy who had run out screaming. It is the way I was made.

Pathetic, but there was not a note in my wallet to roll up. But it was okay. I found an old straw in the kitchen. I snorted it quickly, and fell back into the divan, sighing.

Ah, what the hell. It was worth it.

Fuck them all. I don't need them, anyway.

'Clouds are thoughts. Commit them to memory,' Maggie used to say. Silly girl. Flew out of a window. The spider love, crazy black widow, wove a fucking serpent into paradise.

Did I ever tell you about the time Haylee took her sweater off for me?

'*O la Madonna*,' I said.

She smiled. 'Wait, I'm not finished,' she said, and turning around, wriggled out of her jeans. And I couldn't help it. I had to bite it. Her arse was that beautiful. *Che bella?* Was it yesterday? It feels like yesterday.

And Francesca. What a child she was, alone in an empty field, big blue dragonflies darting about her. Flinging margherita petals with such determination.

'He loves me, he loves me not.' Oh, those beautiful, beautiful years. Where are they?

Now she is a producer of high-quality olive oil. I always thought of her like a child. Never thought she could make it on her own in the big bad world. No hard feelings, eh, Francesca?

I remember her laughing in Bali. She was so happy then. The memories are like gentle waves, rolling one after the other.

But I am afraid of the ones yonder, the big powerful ones. They are black and angry. Soon they will be upon me, but no worries, the drug will be taking effect any time now. Numbing the mouth, and blocking the waves.

Hey, where are you going? Come back. I'm not finished with my story. I'll rise from the ashes yet, you'll see. The Spider Goddess is still weaving. It's creepy, but she still has surprises in her busy jaws. Cruel ones. Beauties I will catch struggling in her web.

I may or may not hand their unwary souls over to her. She waits slyly outside my door, whispering, 'Death is nothing.' So that I feel obliged to be generous. It is worthless, human life. Listen, hang around, and I will let you decide their tiny fates. Come on, stay.

You don't want girls. Okay, forget the girls. I've got more.

I'll take you to Soho. I'll show you the sons of bitches gobbling up their crafty pleasures. Don't look askance. I'll make you weep, yet. It's a bad world out there.

Stay. Don't go. Need I remind you of the Corsican witch? 'He will grow to be a phenomenon,' she said.

I am not finished. From nothing to nothing. You're wrong. I will be rich again, and you'll come back then, won't you? To steal an ounce, take a pound. All the beautiful women will return, shaking their tight little arses, rubbing their disillusioned thighs together, and opening their voracious mouths, spiteful even in sleep. As Bruce described it, their currency is sex. Their cheap little purses are full with it. And they know the exact value of each chip they hold.

Have I ever told you about Morocco? No, not the place, the girl. Almost indigo, with a body as hard and shiny as polished wood. It must have been my Moor ancestors whispering in my blood, craving for the touch of black skin. In the reddish lights of the Stork club I wanted her.

It is true what they say about black girls.

Once you've had one the others pale slightly. Not only, if chemically untreated, is their hair like a cashmere cap, and their skin softer than any other race, but in the dark they smell of musk and sex. And of course, there is the way they respond. *Dio bono*, they fuck like animals. They don't need to get drunk first to be horny, and they don't wake up in the morning with excuses. 'I don't usually do this sort of thing . . .' Unashamed of their sexuality they go out for the night looking for honest satisfaction, a toothbrush tucked into a little purse. That's why they make unforgettable lovers.

And blond men are a magnet to them. Her smile floated in the dark.

'Do you come here often?' she asked.

'No, not really.'

I took her home. She had waist-length extensions in her hair and an arse to die for, high on her back, and tight with muscles. Moving closer, and mingled in the perfume, I encountered the musk. Not unpleasant, but sinfully strong. She peeled her white dress off. I grabbed her, and heard a tearing sound. Her underwear was in my hand.

She crossed her arms. 'You bastard,' she scolded. 'That cost me two hundred pounds.' She said this with an utterly straight face.

Brazen hussy. I looked at that cheap scrap of polyester and lace that my mother would have haggled down to five pairs for the price of 3,000 lira, the equivalent of about five pounds. I grinned at the hustle. She was testing her currency on an unknown connection.

Italians catch birds by throwing seeds on their balconies in the expectation that the dining birds will get too heavy to fly away. I had never tried it before, but I had always thought it sounded like a good way. Give a little, take everything.

'Okay, I'll pay for it,' I said, and she came towards me, fit as an athlete. And here is the truth. She didn't stiff me. It was the best two hundred I ever spent. Hunger is no fun. After all she ate two hundred pounds worth of seeds.

Me, I loved all the birds that came to rest on my balcony.

I could take the contempt in their eyes. It was their shield. How else could they cope with their contamination, the daily betrayal of themselves? I agree with the most sordid and admirable character created by the great man Mario Puzo. 'You have to feel sorry for the girls, they're working. I'm playing.'

Come on. Stay a while. What can it harm? I'll cook some

pasta. Penne Arrabiatta, okay with you? It'll be night soon anyway, and we'll light some candles. There may be no electricity. I am a magician. In the candlelight I'll weave my magic, marvellous magic. You will be swept off your feet. I promise you, you've not heard it all before. It's going to be good, really good. She's not finished, the Spider Goddess. I've still got a few surprises left up my sleeves. This can't be the end.

Come, you will not sit with inverted glass. We'll get drunk on the forbidden together. Wait a while.

Please?

Don't go . . .

Hey. . .

Ah well, catch you next time.

15 January 2004

My dearest Nutan,

Oh, you won't believe who I saw today. I know I wrote to you only a couple of days ago, but I absolutely need to talk this one through now. I almost can't believe it happened. At first, he just looked like a tramp foraging in a bin outside the tube station, but suddenly there was something familiar about him. He had a greying reddish beard, but the hair that escaped from his multi-coloured Rastafarian hat, although dirty, was blond. He wore a ripped, mud-streaked leather jacket, and as I came closer I heard him muttering to himself, 'Mad, mad, mad.'

I began walking towards him. He had found a discarded sandwich, and with blackened hands was prising it open. He peered at the contents, and then he brought it closer to his face, and smelt it. And I gasped. It can't be, my shocked brain whispered. Impossible. But good God, it was. He looked up suddenly and our eyes met.

Blue eyes looked at me. There was nothing in them. Then he started smiling.

'Do I know you?' he asked.

It was my hair. He has never seen its natural colour, or cut so close to my head. I shook my head, instinctively knowing not to speak.

'Got any change to spare?' he asked. He sounded lucid. Then he was as I remembered him. But as I looked, a sarcastic smile was spreading over his face, and I realised I had been gaping at him. I fumbled around in my purse and

found a ten-pound note. He snatched at it. I turned away
and hurried towards the station entrance. Some part of me
was hurting, but I could not offer my hand. He was too
dangerous. He damaged everything he touched.

I had a vision of him recuperating in my spare room. His
hands slowly creeping out from under the blanket to catch
my children by their tiny necks. In his grasp, they decayed.
But all the while he was asleep, and without knowledge of
his murderous hand. I thought of my husband, my babies,
and the home I had made. They were far too precious a
blessing to risk.

Some perverse part of me wanted to hide behind a pillar
and watch him. There is a perverse pleasure to be gained
from the spectacular fall of another. But I feared him too
much. I know you said that because there is no truth he
adores enough to give his soul to, he could never be truly
dangerous. And that worst atrocities in history have never
been done by the faithless, or the small-time swindlers. But
still . . . even in a Rastafarian hat, and rummaging through
rubbish, rising from the soles of his torn shoes was an
exciting dangerous mist.

As I melted into the crowd I heard him shout out, 'You
can hide, but you can't run. The spider is swinging. Lazy in
the wind. Waiting for you, Elizabeth.'

I froze. Of course, he knew it was me. Ricky and I are
soul mates, fused together in some inexplicable way. Once
a source of comfort, but now a fear in my heart for we both
lit incense and worshipped at the Spider's altar. Both of us
bringing tasty morsels for her to eat. She accepted the gifts
we brought to her web, but she drew from us too. Then we
gave willingly, but it is a long time now since I have
stopped craving the poisoned bribes she dangles as bait.

I have protection now. I go to church. I lead a clean
simple life, and I have forgotten the taste of a line of coke,
vodka at six in the morning, and the hand of a man I detest

on my body. She will never catch me swinging in the wind. Travelling down the escalator, with the warm air from the tunnels blowing at me, I sensed Ricky's gaze. He was still searching. I did warn him that he would never find his soothing nightmare, but he did not believe me.

    Lots of love,
    Elizabeth

10 April 2004

Dear sweet Nutan,

    Bruce and I just returned from Anis's new exhibition. It is late, the babies are fast asleep, and Bruce is in bed, but I simply had to write, and tell you about my night. Oh Nutan, it was absolutely wonderful. He is a true genius. Remember how he used sensuality to express contempt, and without a shred of kindness? Well, no more.

    People were glancing sideways to see if others were responding with the same emotions they were experiencing. He was always an excellent craftsman, but his sorrows have taught him true wisdom. And true wisdom has given him clarity of vision. Every brush stroke was so right, and he reached out with so much dignity that it brought tears to my eyes.

    He was wearing a beige Nehru suit. He appeared spiritual, as if he has found a higher meaning. Don't get me wrong, he still feeds his arms. Once he said to me, 'An addict mistakes his pain for his pleasure. It is a special place, my prison. The door is wide open, the walls are made of cinnamon bread, and the chains are rings of almond cake. I will always be an addict, Elizabeth. Until you read in the newspapers that I am gone with an overdose.' He has found his own solace for his is the despair in the human condition.

    The star piece of the night was a beautiful painting simply titled 'Swathi'. A sad woman with slightly parted lips. As if she was caught as she began speech. Anis said that that one he painted to repay a debt.

He has painted us all. A gallery of broken people. You will see for yourself when you come at Christmas time. There was Maggie, fresh and lively in a green glade with white flowers. Butterflies sitting on her hands and a Mona Lisa smile on her face. She knows something we don't. It is a grand and frightening painting. She always wanted death.

There is one of you. It reminded me of a wild animal that is accidentally domesticated, but returns to its natural wildness. Your eyes are glowing and far-seeing. They have seen the hunter's traps. Under the skin of your arms networks of alert, powerful muscles are waiting to spring away, your body remembers, your bones know. This time you are ready. This time you will not be knocked senseless, or captured. And if you lose, it will only be some fur, a little skin. Only your mouth is sad. It made me sad to see you through Anis's eyes.

But best of all is a strange painting of Zeenat dancing in a temple. Her nails are long and golden, her clothes are beautiful, and on her head is a gold headdress. Her face is serene, but her eyes are not downcast, or shy. They are lifted up, and blazing with a strange light. I know it describes an unreal fantasy, a dead end, yet it is impossible to refuse the consequences of his longing, the illusion that in some mysterious way, she is alive. To pretend that he still meets her in some secret place where she dances for him. Otherwise how could he paint with such detailed accuracy? Not from memory.

Bruce wanted to buy it for you, but Anis was not selling.

It was distant and desolate, his smile. 'This one's mine,' he said.

Then that writer Rani Manicka arrived, and Anis left to greet her. I think she and Anis are together. I saw him

427

brush his thumb along her cheek, and she smiled a slow secret smile.

She was wearing long gloves so I couldn't see for needle tracks, but I am quite certain she has picked up Anis's habit. There were lines beside her mouth and she looked aged, and without sparkle even while she laughed. I knew instantly what was gone, her moment of innocence. Once her face was open and curious, now it is closed and secretive. Her eyes glittered nervously like a cat in the dark.

I found her standing under the painting of Zeenat. 'It was I who paid for her death, you know,' she said, sadly. Then she told me she had stopped writing the book on us. It seemed wrong to profit from Zeenat's death. I could not offer her any solace. We talked a little about you, and I promised to send her regards to you.

'Please do,' she said, and adjusting the tops of her gloves, moved on. It makes me sad to know that there was a time she had to give you a tape recorder to carry while you were out scoring, so she could hear the lingo of the drug addicts' world. I wish now that Maggie had never gone after her the first time she came to Ricky's.

There was also a painting of Ricky with tears tattooed under one eye. He looked like a God or an avenging angel. I did not tell Anis about the episode featuring the Rastafarian hat, and the dustbin. His good heart might try to find Ricky, rehabilitate him, but Ricky will only laugh and destroy Anis. Bruce, Anis has painted playfully. 'Even silver-backed gorillas have to laugh at bubbles,' he said to me.

There is one of me, too. Irish child. From afar, it did not seem like me, but up close, I had to protect myself from my own suffering. I actually heard my mother's voice in my head, singing an old Celtic song. On a dark background he has revealed me with platinum hair and such torment. Only now do I know what true genius does. It takes you by the hand up an unused creaking staircase into the gloom of a forgotten attic. There are horrid cobwebs that long to cling to your skin in this attic, but even in the dark he navigates you past them. Then without warning he becomes that fairy-tale matchstick girl who lights her last match and whispers in your ear, 'See.'

In the flickering flame you come face to face with a lost truth. His artist's eye knew me before I knew him. He catches us all in the lies we sell.

Haylee holds a bunch of grapes in her hand, and her porcelain face looks out to the world with that sideways glance that makes men go crazy, but her mouth! What he did to her mouth! It looks like a swollen wound. Yet it is a tremendous painting. The spontaneous allure in the big blue eyes and the too-ripe mouth.

In a white leather pants suit she stood for a long time in front of the painting. I thought she was furious, but she turned to Anis, and said, 'What a clever boy you are! But what's with the crazy mouth?' Then she looked out from under her eyelashes, put her lips together and pushed them out in a perfect pout. Eyes shining, the old fun Haylee said, 'I've got some. Want a line?'

It was a strange moment of déjà vu. *'I've got some. Want a line?' Oh, the thrill that used to race through me when someone said that. Anis was the first to react. He picked up his wine glass, kissed her on her forehead, and wandered off with the advice, 'Be a good girl.' She offered him the wrong poison.*

'Shall we?' Haylee asked. 'For old times' sake?'

I looked at Bruce. What I saw in his eyes he saw in mine. The same question.

'Shall we?' I asked. For a moment we just looked at each other, and then I nodded, and so did he. Together we turned to face Haylee. She was beautiful Mara come to tempt us. A dakini in white leather.

'Thanks, but we're all right, Haylee,' Bruce said.

For a quick second there was need in the temptress's bright blue eyes to corrupt, to taint what she could not have, but then she winked suddenly and said, 'All the more for me then,' and slipped away.

I looked up at Bruce. 'Did you really feel it?' I asked.

'What? The earth shaking six times when I touched it, because I really, really wasn't tempted? Yes I really, really felt it.'

And he put his arms around me, and together we laughed.

Oh, I just looked at the time, and it is already three o'clock. I can't believe I have been rambling on for so long. Better go to bed. I've got a long day tomorrow. But before I go, I must tell you that after a whole year of religiously consuming your jamu *pills I finally got a reaction. Bruce pounced on me in the middle of the night growling, 'What's this fucking perfume you're wearing? It's driving me crazy.' Not bad after three years of marriage, huh? Oh, and remember that powdered root you sent for Bruce's birthday? Well, it's picked up a bit of a reputation at the gym. Send some more. We could make some money here. Looking forward to seeing you soon. Give my best regards to Nenek, and Bruce sends love.*

Big kiss,
Elizabeth

11 May 2004

Dear Rani,

I followed a temple procession this morning, a row of deeply pious womenfolk in square-necked lace blouses, balancing tall coronets of offerings, the sound of their feet awakening clouds of dust. In the cool mountain air we went past the wondrous flame tree, down the lanes between the gold and green rice fields, into the village, and past the giant Waringin tree. It is still growing, languid but without restraint. Dripping aerial roots that grow into trunks.

I am amazed by it. One single tree becoming a dream-like forest full of parasite ferns and liana. Not long ago its growing limbs trapped, then strangled and eventually broke an old stone demon in its path. Amid fears that it planned to swallow the entire square, the banjar, *council of elders, cross-legged, sat facing each other, and discussed the matter for hours. Finally they decided to do nothing.*

The tree had been there for hundreds of years, the skirt of yellow our ancestors tied around its waist signified it as sacred. Better to desire ruin than clip its holy roots. Yes, ridiculous I know, but it is a Balinese eccentricity. We do not take care of our things. We are charmed by decline and the new life that impermanence encourages. We accept the wisdom that decay brings. As white ants must devour wood, and the rainy season must rot paper, it is right that the years must grind man to dust . . .

Higher up the winding mountain path, ancient tribes-women moved in single file on their way to the marketplace. They are pig traders. Cradling the creatures as if they were babies, the women comforted their crying by allowing the young animals to suckle their dry breasts.

We carried our fragrant flowers to the furthest end of the village, by a red brick wall, past lanterns, up stone steps to the temple of Siwa, the Destroyer God. We went through a high door into the last and most sacred temple enclosure. In the inner temple we carefully replaced the remains of the previous day's gifts with even more offerings of fresh yellow rice, cakes and fruit. As clay braziers poured out sandalwood smoke I knelt, sat on my heels with my hands in a begging position, and prayed for you.

I write for two reasons. First, to enclose Elizabeth's last two letters. I think they should be in your book. (Kindly return them when you are finished. Even the faintest traces of Elizabeth are precious to me.) Second, because my grandmother – remember that woman you named 'remarkable' when I told you about her – has two glasses of advice to offer.

She is wise and I hope you'll drink deeply of her words. She asked if you could find a way to title your book, Touching Earth. This, she says, because the earth seeks to bless your book. And the other message is: 'Shed no tears if you have bled. It was only corrupt blood. Put your lamp down now, and fetch your pen with pride, for your inno cent glance dared embrace beauty, even in her shame and filth. And there she is, beautiful again, in the opulence of a lover's brow even as he turns away for ever, sleeping on a stomach disfigured irreparably, in the richness of a body grown away from perfect, in the discarded brushes of a prostitute, and, while you are shedding tears for your unsheltered head, in the stars that shine upon you.'

I am also sending some roots. There are separate instructions for each one. Follow them carefully. They are only for you. Anyone can fall but everyone can rise again. Come back to Bali . . . just as I saw you at the beginning.

Nutan

Thank you

My parents, I couldn't have chosen better. My sister, Lalita, for reading the manuscript and urging the boring bits out. Elizabeth, Heather and Margaret Josiah who showed me a world I did not imagine existed, and Lee Arnold for 'sorting' Bruce Arnold out.

Darley Anderson, who fights my corner like a mother tigress, an agent every author cub dreams of. Elizabeth, Julia, Lucie, Rosie and Carrith from the Darley Anderson agency for – oh, everything.

My editor and publisher, the woman who once more lived up to the verdict, 'There is Sue Fletcher, and then there is everyone else in the publishing industry.' Swati Gamble for being amazing, Jocasta Brownlee for PR skills I could kill for, and the rest of the Hodder team who have in their own way made this book a possibility.